Guida all' AGRITURISMO *in* ITALIA

2oo2

oltre **1.500** *proposte alternative nel verde*

DEMETRA

A CURA DI
Paola Mancini

PROGETTO GRAFICO
Franco Busti

IMPAGINAZIONE
Monica Priante

GUIDA ALL'**AGRITURISMO** IN **ITALIA 2002**
Oltre 1.500 proposte alternative nel verde
4ª edizione febbraio 2001
© DEMETRA S.r.l.
Via Strà, 167 - S.S. 11
37030 Colognola ai Colli (VR)
Tel. 0456174111 - Fax 0456174100

Sommario

Presentazione

Un soggiorno in un agriturismo riserva grandi e piccoli piaceri, come dormire in una notte davvero silenziosa, assaggiare cibi genuini e ormai introvabili anche nel più rifornito e originale dei supermercati, rilassarsi facendo quattro chiacchiere con i proprietari che possono raccontare dell'ambiente, della storia locale o suggerire luoghi suggestivi da visitare.

Per i bambini può essere addirittura un'esperienza esaltante, perché finalmente hanno la possibilità di conoscere da vicino quei protagonisti della natura che spesso hanno visto solo sulle pagine di un libro o in un cartone animato, come gli animali da cortile, quelli domestici o selvatici.

Per tutti sarà interessante apprendere qualcosa sulle tecniche di produzione e di conservazione degli alimenti: come funziona un frantoio, l'ambiente della cantina, come si produce e si stagiona il formaggio, fare il pane, produrre in modo biologico ecc.; anche il ciclo dei lavori agricoli svelerà i suoi segreti.
Esiste sicuramente un agriturismo per ogni vacanza e stagione, sia per vivere la magia della fioritura primaverile sia per godere dello splendore estivo o divertirsi praticando gli sport invernali, è quindi una valida alternativa alle vacanze tradizionali.
Ci siamo messi nei panni di chi desidera fare questa scelta, magari per la prima volta, e abbiamo cercato di preparare uno strumento di consultazione originale, utile e immediato.

Siamo giunti a questo risultato con la collaborazione di molti operatori in tutta Italia che hanno accettato con entusiasmo di illustrarci la loro attività, e tutte le notizie che ci sono pervenute sono state qui pubblicate integralmente.
Parte del materiale purtroppo non ci è giunto in tempo utile per essere elaborato: ringraziamo comunque le aziende che lo hanno inviato, impegnandoci a inserirle nella prossima edizione aggiornata della guida unitamente ai dati di coloro che ci invieranno compilata la scheda di inserzione gratuita presente in fondo al volume.

Note per la consultazione

Questa guida offre gli indirizzi di centinaia di aziende di tutta Italia, con una descrizione accurata dei servizi offerti e delle risorse del territorio: dallo sport alle escursioni, dalle manifestazioni storiche e folkloristiche alle principali attrazioni culturali e naturalistiche.

Bisogna però tenere presente che progettare una vacanza in un agriturismo non equivale a prenotare in albergo, ecco perché consigliamo comunque di contattare con largo anticipo le aziende per verificare la disponibilità e i prezzi. Gli stessi operatori vi potranno informare su quale sia il momento ideale per visitare la loro azienda e i dintorni. Per esempio, nei diversi periodi dell'anno può cambiare sensibilmente il menu offerto agli ospiti poiché le pietanze preparate dipendono strettamente dalla produzione agricola.

La guida è suddivisa in regioni, e le aziende vengono presentate, provincia per provincia, in base al servizio offerto.

Ci sono così le aziende che propongono il servizio di **alloggio e ristorazione**, quelle che offrono il solo **alloggio** e quelle che si propongono come **punti di ristoro**.

A ciascun servizio abbiamo abbinato un simbolo diverso, come chiarito nella legenda, in modo che sfogliando le pagine si possa rintracciare facilmente già dall'iconografia il tipo di azienda a cui ci si vuole rivolgere. Le schede sono inoltre contraddistinte da una coordinata che permette di localizzare l'azienda nella cartina geografica che introduce ogni regione.

Legenda

● ALLOGGIO/RISTORAZIONE

▲ ALLOGGIO

◆ RISTORAZIONE

OR solo pernottamento

B&B camera e colazione

H/B mezza pensione

F/B pensione completa

Valle d'Aosta

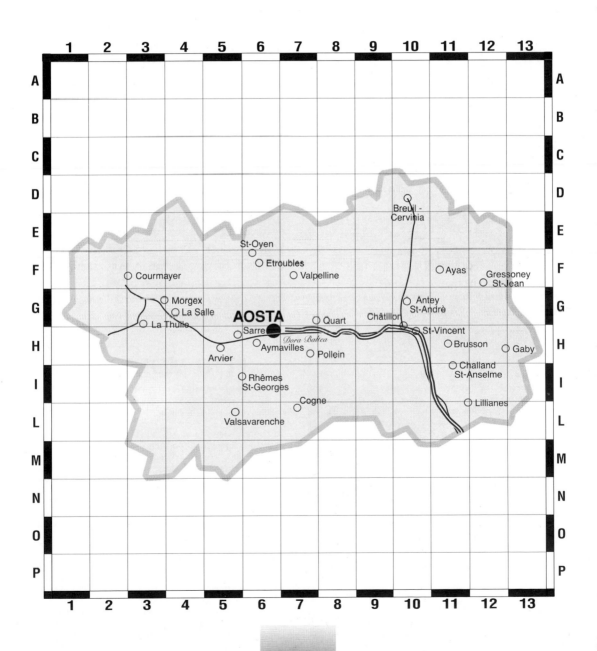

Aosta

LO RATELE

fraz. Ville, 33 • 11010 ALLEIN ☎ 016578265

● **F 6**

Posizione geografica: montagna.
Periodo di apertura: tutto l'anno tranne febbraio e dal 10 al 20 settembre.
Presentazione: casa rurale a tre piani in zona panoramica su 313 ettari coltivati a prato irriguo, pascolo, seminativo. Allevamento di bovini e animali da cortile.
Ristorazione: F/B.
Prodotti aziendali: burro e fontina, in vendita solo nei mesi estivi.
Luoghi di interesse e manifestazioni locali: museo etnografico.
Prezzi: rivolgersi direttamente all'azienda.
Note: nelle vicinanze torrente, bocce, alpinismo, escursionismo, sci alpino. Nel raggio di 15 km tennis, sci nordico e alpino, discoteca.

GOIL

fraz. Alpe Goil • 11020 ANTAGNOD-AYAS
☎ 0125306554-0125306370

● **F 11**

Posizione geografica: montagna.
Periodo di apertura: dal 20 giugno al 15 settembre tutti i giorni, i restanti mesi solo sabato e domenica. Chiuso il mese di ottobre.
Presentazione: casa rurale, in zona panoramica, situata su 16 ettari di terreno coltivato a prato irriguo, pascolo, orto, seminativo. Allevamento di bovini e animali da cortile.
Ristorazione: F/B.
Prodotti aziendali: burro, latte, formaggio, fontina.
Prezzi: rivolgersi all'azienda.
Note: nelle vicinanze tennis, equitazione, bocce, piscina, sci alpino e nordico, palestra di roccia, discoteche, cinematografi, pattinaggio su ghiaccio e a rotelle. Possibilità di fare passeggiate sul lago e nel bosco circostante.

LA RENARDIERE

fraz. Perquis, 3 • 11010 BIONAZ ☎ 0165710887

● **D 9**

Posizione geografica: montagna.
Periodo di apertura: tutto l'anno.
Presentazione: casa rurale a due piani situata su 4 ettari coltivati a prato e orto. Allevamento di capre, animali da cortile e bovini.

Ristorazione: H/B.
Luoghi di interesse e manifestazioni locali: diga di Place Moulin. Sagra della *"Seupa Valpellinentse"*.
Prezzi: rivolgersi direttamente all'azienda.
Note: nelle vicinanze possibilità di fare passeggiate, area pic-nic, pesca sportiva, sci nordico, sci alpinismo, alpinismo. Nel raggio di 15 km tennis, piscina, sci alpino e nordico.

LE BONHEUR

fraz. Chez Croiset, 53/A • 11020 FÉNIS
☎ 0165764117

● **E 9**

Posizione geografica: collina.
Periodo di apertura: rivolgersi direttamente all'azienda.
Presentazione: fabbricato di nuova costruzione. Coltivato a seminativo e orto. Allevamento di equini, bovini, animali da cortile. Offre ospitalità in camere.
Ristorazione: H/B.
Prodotti aziendali: miele, latte, formaggio.
Luoghi di interesse e manifestazioni locali: castello di Fénis, zone archeologiche.
Prezzi: rivolgersi direttamente all'azienda.

Note: nelle vicinanze rafting, canoa, bocce, calcio, *pétanque*, palestra di roccia. Nel raggio di 15 km piscina, tennis, volo a motore, volo a vela, tiro a volo, bowling, atletica, stadio del ghiaccio, discoteche, cinema, casinò de la Vallée.

PETIT MONT-BLANC

avenue Dent du Géant, 51 - fraz. Verrand • 11010
PRÈ SAINT DIDIER ☎ 0165845083

● **G 3**

Posizione geografica: montagna (1.124 m).
Periodo di apertura: tutto l'anno.
Associato a: Associazione Valdostana Agriturismo.
Presentazione: l'azienda sorge in zona prativa panoramica con vista sul monte Bianco e parte del suo massiccio. Si estende su circa 9 ettari di terreno coltivato a foraggio, orto, patate, avena. Allevamento di bovini, ovini, animali da cortile. Offre ospitalità in camere con servizi, doccia e riscaldamento centralizzato.
Ristorazione: H/B, cena solo su prenotazione. Agnello, montone in civet.
Luoghi di interesse e manifestazioni locali: valle di La Thuile e orrido di Pré Saint Didier.
Prezzi: pasto da £ 35.000 a 40.000 (bevande incluse). H/B £ 70.000, B/B £ 50.000. Sconto del 10% per bambini fino a 10 anni.
Note: è possibile assistere a lavori agricoli quali la fienagione, i lavori nell'orto, l'allevamento.
Nelle immediate vicinanze si possono praticare escursionismo, sci alpino, sci nordico, nuoto, tennis, rafting, mountain bike, golf, pattinaggio, equitazione e trekking. Pulizia e riscaldamento.

LO SABOT

fraz. Bruil • 11010 RHÊMES-NOTRE-DAME
☎ 0165936150

I 16

Posizione geografica: montagna.
Periodo di apertura: rivolgersi direttamente all'azienda.
Presentazione: casa rurale ristrutturata, situata su 13 ettari di terreno coltivato a prato, orto, pascolo, seminativo. Allevamento di bovini e animali da cortile.
Ristorazione: H/B, F/B.
Prodotti aziendali: burro, latte, formaggi, uova.

Luoghi di interesse e manifestazioni locali: parco nazionale del Gran Paradiso.
Prezzi: rivolgersi direttamente all'azienda.
Note: nelle vicinanze area pic-nic, bocce, tennis, campo da calcio, sci alpino, sci nordico, alpinismo. Equitazione nel raggio di 15 km.

LES ECUREUILS

fraz. Homene Dessus • 11010 SAINT PIERRE ☎ 0165903831

H 5

Posizione geografica: montagna (1.500 m).
Periodo di apertura: tutto l'anno.
Associato a: Agriturist.
Presentazione: tipico fabbricato valdostano del 1700. Allevamento di capre e oche. Offre ospitalità in 4 camere doppie e 1 singola con doccia.
Ristorazione: H/B. Ristorante aperto al pubblico con 25 coperti. Gnocchi di castagne, zuppe di erbe selvatiche, salumi e prosciutti di oca, formaggi di capra.
Prodotti aziendali: confetture, salumi d'oca, formaggi di capra.
Luoghi di interesse e manifestazioni locali: tutta la Val d'Aosta è a un'ora d'auto. Castelli, musei, parco del Gran Paradiso, monumenti romani, rifugi.
Prezzi: pasto da £ 20.000 a 38.000, alloggio da £ 30.000 a 50.000.

Note: solo su prenotazione. Si organizzano corsi di caseificazione e gastronomia. Osservazione ambientale. Possibilità di praticare alpinismo, escursionismo, trekking e passeggiate. Biancheria, telefono in comune, sala comune, riscaldamento, posto macchina.

BOULE DE NEIGE

fraz. Mazod • 11020 TORGNON ☎ 0166540617

G 9

Posizione geografica: montagna.
Periodo di apertura: tutto l'anno tranne giugno.
Presentazione: casa rurale ristrutturata, a due piani, in zona panoramica, situata su 62 ettari di terreno coltivato a prato irriguo, seminativo, orto. Allevamento di bovini, suini, animali da cortile. Offre ospitalità in camere e appartamenti.

Ristorazione: H/B. Ristorante aperto al pubblico su prenotazione.
Prodotti aziendali: burro, fontina, formaggi, verdure, piccoli frutti.
Prezzi: rivolgersi direttamente all'azienda.
Note: nelle vicinanze passeggiate, equitazione, bocce, sci nordico, sci alpino, palestra di roccia e discoteca. Nel raggio di 15 km tennis, escursionismo, sci alpinismo, cinema, piscina.

LO MAYEN

fraz. Bien • VALSAVARENCHE
☎ 0165905735

L 5

Posizione geografica: montagna.
Periodo di apertura: tutto l'anno.
Presentazione: casa rurale di nuova costuzione su 40 ettari di terreno coltivati a prato, orto, pascolo, seminativo. Allevamento di bovini, animali da cortile, suini, caprini. È a disposizione un cavallo da maneggio.

Ristorazione: H/B, F/B.
Prodotti aziendali: fontina, toma, latte, burro, uova.
Luoghi di interesse e manifestazioni locali: parco nazionale del Gran Paradiso.
Prezzi: rivolgersi direttamente all'azienda.
Note: nelle vicinanze trekking, alpinismo, aree pic-nic, bocce, tennis, sci nordico e alpino, campo da calcio. Nel raggio di 15 km piscina e rafting.

AU JARDIN FLEURI

fraz. Capoluogo, 3 • 11020 ANTEY ST. ANDRÉ
☎ fax 0166548372

G 10

Posizione geografica: montagna.
Periodo di apertura: tutto l'anno.
Presentazione: casa rurale ristrutturata in azienda di 20 ettari in cui si pratica l'allevamento di bovini. Offre ospitalità in 3 appartamenti (per un totale di 10 posti letto) dotati di TV, lavatrici, posto auto.
Prodotti aziendali: mele, patate, verdura, fontina.
Luoghi di interesse e manifestazioni locali: Cervino a 20 km, casinò a 8 km. Varie attività turistiche a luglio, agosto, Natale, Pasqua.
Prezzi: alloggio da £ 25.000 a 40.000. Sconto del 50% per bambini fino ai 6 anni.
Note: prato per prendere il sole. Giochi all'aria aperta, tennis e mountain bike. Le attività e gli sport possibili nelle vicinanze sono alpinismo, parapendio, sci da discesa e da fondo, giochi delle bocce e calcetto. Animali accolti previo accordo.

LA FERME

reg. Chabloz, 11 • 11100 AOSTA
☎ 0165551647
▲ H 6

Posizione geografica: collina.
Periodo di apertura: tutto l'anno.
Presentazione: chalet caratteristico sito in collina tra frutteti e vigneti.
Prodotti aziendali: frutta, verdure, vino, burro, latte, formaggio dell'alpeggio.
Luoghi di interesse e manifestazioni locali: castelli, vestigia romane e musei. Fiera di Sant'Orso.
Prezzi: rivolgersi direttamente all'azienda.
Note: nelle vicinanze possibilità di praticare nuoto, tennis, equitazione, pesca, volo a vela, deltaplano, disponibili discoteche, night club e cinema. Nel raggio di 15 km si trovano aree pic-nic, con possibilità di effettuare passeggiate, sci alpino e nordico.

PLAN D'AVIE

loc. Arpuilles Avie • 11100 AOSTA
☎ 016551126
▲ H 6

Posizione geografica: montagna (1.150 m).
Periodo di apertura: tutto l'anno.
Associato a: Agriturist, Turismo Verde.
Presentazione: tipica costruzione rurale. Si estende su 3 ettari con produzione di ortaggi e piccoli frutti. Allevamento di animali da cortile e di suini. Offre ospitalità in 3 appartamenti indipendenti, con riscaldamento centralizzato e servizi, per un totale di 10 posti letto.
Luoghi di interesse e manifestazioni locali: castelli e musei nel raggio di 20 km.
Prezzi: soggiorno da £ 32.000 a 37.000 al giorno per persona.

Note: solo su prenotazione. Periodo minimo di soggiorno 3 giorni. Prato per prendere il sole, pesca, mountain bike, trekking e passeggiate. L'azienda è vicinissima ad Aosta, dove è possibile non solo trovare le strutture per praticare ogni genere di sport e di attività, ma anche visitare castelli, musei e la città romana.

LAC LEXERT

fraz. Lexert • 11010 BIONAZ ☎ 0165710899
▲ D 9

Posizione geografica: montagna.
Periodo di apertura: tutto l'anno.
Presentazione: fabbricato di nuova costruzione. Il terreno circostante è coltivato a seminativi, foraggere e prato. Allevamento di bovini e animali da cortile. Offre ospitalità in 2 alloggi, adiacenti all'azienda, con cucina e bagno, per un totale di 10 posti letto.
Prodotti aziendali: fontina, formaggio, burro.

Prezzi: costo di un appartamento a settimana £ 600.000 in bassa stagione e £ 700.000 in alta stagione. Per soggiorni da 1 a 3 giorni £ 50.000 al giorno a persona. Soggiorno gratuito per bambini fino ai 6 anni e riduzioni del 30% dai 6 ai 12 anni.
Note: possibilità di passeggiate nei boschi circostanti, di soste nelle aree da pic-nic,

di usufruire di palestra di roccia, di praticare bocce, pesca sportiva, sci alpino e nordico, escursioni nelle vicinanze. Nel raggio di 15 km si può nuotare, giocare a tennis e praticare equitazione.

LA MAISON DE GRAN DOUN

loc. Etabloz • 11020 BRISSOGNE
☎ 0165762324
▲ H 7

Posizione geografica: collina.
Periodo di apertura: tutto l'anno.
Presentazione: casa a due piani situata su 3 ettari di terreno coltivato a prato irriguo, seminativo, pascolo, vigneti. Allevamento di bovini e animali da cortile. Offre ospitalità in 1 appartamento.
Prodotti aziendali: uova, frutta, verdura, patate, castagne.
Luoghi di interesse e manifestazioni locali: castelli, lago.
Prezzi: rivolgersi direttamente all'azienda.
Note: nelle vicinanze bocce ed escursionismo. Nel raggio di 15 km equitazione, tennis, piscina, discoteche e cinematografi.

BREIL

via Ménabreaz, 74 • 11024 CHÂTILLON ☎ 016661918
▲ G 10

Posizione geografica: collina.
Periodo di apertura: da giugno a settembre e da Natale a Pasqua.
Presentazione: casa a due piani. Coltivazioni a vigneto, frutteto, prati. Offre ospitalità in 1 appartamento indipendente.
Prodotti aziendali: vino, frutta, verdure.
Luoghi di interesse e manifestazioni locali: castello.
Prezzi: rivolgersi direttamente all'azienda.
Note: nelle vicinanze lago artificiale, tennis e bocce. Nel raggio di 15 km equitazione, piscina, sci nordico, discoteche, cinematografo e casinò.

LE MOINEAU

fraz. Clapey, 99 • 11020 DONNAS
☎ 0125806051

▲ **L 11**

Posizione geografica: collina.
Periodo di apertura: tutto l'anno.
Presentazione: casa rurale a due piani. Coltivazione a vigneti, seminativi e prati. Allevamento di bovini, suini, animali da cortile, api. Offre ospitalità in 2 appartamenti.
Prodotti aziendali: vino, formaggio, uova, latte, miele, verdura.
Luoghi di interesse e manifestazioni locali: strada romana, castelli, fortificazioni.

Prezzi: rivolgersi direttamente all'azienda.
Note: nelle vicinanze tennis, bocce, pesca e area per pic-nic. Nel raggio di 15 km palestra di roccia, piscina, cinema e discoteca. A 18 km impianti sciistici.

LES VIGNOBLES

via Jéan Bréan, 8 • 11020 DONNAS
☎ 0125805469

▲ **L 11**

Posizione geografica: collina.
Periodo di apertura: tutto l'anno.
Presentazione: casa rurale a due piani in mezzo ai vigneti. Coltivazione a vigneti e seminativo. Allevamento di animali da cortile e api. Offre ospitalità in 1 appartamento.
Prodotti aziendali: vino, miele, uova.
Luoghi di interesse e manifestazioni locali: strada romana, castelli e fortificazioni.
Prezzi: rivolgersi direttamente all'azienda.

Note: nelle vicinanze tennis, bocce, pesca sportiva e area per pic-nic. Nel raggio di 15 km si trovano palestra di roccia e piscina.

LE CHATAIGNIER

via Roma, 209 • 11020 DONNAS
☎ 0125807511

▲ **G 6**

Posizione geografica: collina.
Periodo di apertura: tutto l'anno.
Presentazione: casa rurale completamente ristrutturata. Il terreno circostante è coltivato a prato, castagneto e frutteto. Allevamento di animali da cortile e api. Offre ospitalità in 1 appartamento.
Prodotti aziendali: vino e miele.
Luoghi di interesse e manifestazioni locali: castelli medioevali e strade romane.
Prezzi: rivolgersi direttamente all'azienda.

Note: nelle vicinanze possibilità di giocare a bocce e tennis e di pescare nel torrente Lys. Durante la stagione invernale si possono praticare sci alpino e nordico.

LES MYOSOTIS

fraz. Arliod, 7 • 11010 GIGNOD
☎ 0165256893

▲ **G 6**

Posizione geografica: montagna (850 m).
Periodo di apertura: tutto l'anno. Chiusura dal 15 gennaio al 15 febbraio.
Associato a: Agriturismo Valle d'Aosta.
Presentazione: cascina dell'800 ristrutturata. Frutteto. Allevamento di polli e conigli. Offre ospitalità in 8 camere, con servizi, ben arredate e con vista sul Gran Combin.
Prodotti aziendali: confetture.
Luoghi di interesse e manifestazioni locali: castelli, museo dell'artigianato tipico ad Aosta. Combattimento regionale di mucche a fine ottobre, *Fîta di Teutun* «sacra mammella mucche» a metà agosto.
Prezzi: alloggio da £ 30.000 a 50.000.
Note: il pernottamento minimo è di 3 notti. Possibilità di osservazione ambientale, palestra di roccia, escursioni, sci da discesa e da fondo, gioco di *pétanque* (piccole bocce), golf. Raccolta estiva di frutti di bosco. Prato per prendere il sole. Sala riunioni. Biancheria, uso di cucina, riscaldamento.

LO TRIOLET

fraz. Junod, 7 • 11010 INTROD
☎ 016595067-016595437

▲ **H 6**

Posizione geografica: montagna.
Periodo di apertura: tutto l'anno.
Presentazione: casa rurale completamente ristrutturata. Il terreno circostante è coltivato a vigneto, frutteto, orto. Allevamento di animali da cortile e api. Offre ospitalità in 2 appartamenti, per un totale di 8 posti letto, con angolo cottura e bagno.
Prodotti aziendali: vino, frutta, verdura.
Luoghi di interesse e manifestazioni locali: castelli e musei.
Prezzi: rivolgersi direttamente all'azienda.
Note: nelle vicinanze si possono fare passeggiate nel bosco, giocare a tennis e bocce. Nel raggio di 15 km si possono trovare aree per pic-nic, fare escursioni, e trovare campi da bocce, maneggio, piscina, campi da tennis. Si possono inoltre praticare sci alpino, nordico, rafting e sci alpinismo.

PLANTEY

fraz. Villes Dessus, 65 • 11010 INTROD ☎ 016595531

H 6

Posizione geografica: montagna (880 m).
Periodo di apertura: tutto l'anno.
Associato a: Agriturist, Vacanza Natura, Superguida.
Presentazione: caratteristico chalet in legno situato all'imbocco delle valli di Rhêmes e Valsavarenche. Offre ospitalità in 2 monolocali con ingresso indipendente, zona cottura, soggiorno con TV e zona notte con 3 posti letto.
Luoghi di interesse e manifestazioni locali: parco nazionale del Gran Paradiso (a 2 km). Sagra di St. Jacques nella frazione il 25 luglio. Nelle località circostanti, durante tutta l'estate, si tengono numerose fiere, feste patronali e serate con diapositive sul parco e sulla Valle d'Aosta in generale.

Prezzi: alloggio da £ 35.000 a 40.000. Gratuito per bambini fino a 3 anni.
Note: periodo minimo di soggiorno 2 giorni. Giochi all'aria aperta. Nel comune si snodano sentieri per escursioni a piedi o in mountain bike, alla scoperta dell'architettura rurale e medioevale e della vegetazione di media quota. A breve distanza si trovano anche tennis, palestra, campo di calcio, biblioteca, i laboratori di artigianato del legno e un fabbro che si possono visitare. Possibilità di praticare sci alpino, sci nordico e alpinismo.

LE PERCE-NEIGE

fraz. Chateau, 39 • 11015 LA SALLE ☎ 0165862422

G 4

Posizione geografica: montagna.
Periodo di apertura: da novembre a metà settembre.
Associato a: Agriturist.
Presentazione: casa rurale ristrutturata in zona panoramica su terreno di 6 ettari. Offre ospitalità in 6 camere con servizi. Allevamento di bovini, ovini e conigli.
Prodotti aziendali: conigli, uova, ortaggi.
Luoghi di interesse e manifestazioni locali: Aosta (monumenti), Courmayeur, La Thuile, parco del Gran Paradiso. Durante il periodo estivo sagre e manifestazioni tutti i giorni.
Prezzi: B&B da £ 45.000 a 50.000 a persona.
Note: possibilità di praticare sci da fondo e discesa (impianti a Courmayeur e La Thuile). Prato per prendere il sole. Si organizzano visite all'azienda agricola. Nelle vicinanze si trovano piscina, campi da tennis, maneggio, noleggio biciclette, biblioteca, cinema, discoteche. Sala lettura comune, deposito sci.

EDELWEISS

fraz. Mazod • 11020 NUS ☎ 0165767160-0165936178

H 7

Posizione geografica: montagna (1.600 m), nel parco nazionale Gran Paradiso.
Periodo di apertura: tutto l'anno.

Associato a: Agriturismo.
Presentazione: in un piccolo villaggio alpino, tipica costruzione rurale in pietra risalente al 1680 (come ancora visibile sulla trave maestra del tetto) sapientemente ristrutturata in modo da ricavare 3 comodi appartamenti (cucina, soggiorno, due camere, bagno; 10 posti letto totali) senza però alterare lo stile architettonico valdostano. L'azienda si estende su 5 ettari di terreno con prati irrigui, frutteti, vigneti, seminativi, pascoli. Allevamento di bovini e caprini.
Luoghi di interesse e manifestazioni locali: parco nazionale Gran Paradiso, castelli, musei. A Rêmes N. Dames fiera dell'artigianato di oggettistica (tutti pezzi in legno fatti a mano) nella penultima domenica di luglio.
Prezzi: pernottamento fino a £ 30.000 per persona al giorno.
Note: la casa dispone di verde privato e barbecue. Pesca, trekking e passeggiate. A 4 km si trovano scuola di equitazione e noleggio cavalli, noleggio mountain bike, palestra di roccia, attraversata di ghiacciai, campi da tennis, rafting, piste di sci da discesa e fondo (con maestri), sci alpino primaverile con itinerari per i rifugi e i colli.

LA MEISONETTA

fraz. Capoluogo, 15 • 11020 POLLEIN ☎ 016553351

H 7

Posizione geografica: montagna.
Periodo di apertura: da maggio a ottobre.
Presentazione: casa rurale ristrutturata, in alpeggio. Coltivazione di foraggi, allevamento di ovini.
Prodotti aziendali: latte, burro, formaggio, verdure.
Luoghi di interesse e manifestazioni locali: castelli e caseforti.
Prezzi: rivolgersi direttamente all'azienda.
Note: possibilità di passeggiate e di serate in discoteca. Nel raggio di 15 km si può praticare sci alpino e nordico, tennis, bocce, nuoto, escursionismo e alpinismo.

LA GRANGE

via Cascine Lys • 11026 PONT-SAINT-MARTIN ☎ 0125804253

L 11

Posizione geografica: montagna.
Periodo di apertura: tutto l'anno.
Presentazione: casa rurale a due piani su 9 ettari di terreno coltivato a vigneti, prati, castagneti. Allevamento di bovini e animali da cortile. Offre ospitalità in 2 appartamenti per un totale di 7 posti letto.
Prodotti aziendali: latte, castagne, burro, verdura, frutta, formaggio, vino, fontina.
Luoghi di interesse e manifestazioni locali: ponte romano, castelli, fortificazioni, strada romana. Carnevale storico, sagra delle castagne.

Prezzi: alloggio da £ 25.000 a 30.000.

Note: prato per prendere il sole e parco giochi. Nelle vicinanze bocce, tennis e pesca sportiva. Nel raggio di 15 km si trovano discoteca e cinematografo, piscina, palestra di roccia e area per pic-nic.

LE VIEUX CRETON

fraz. Creton • 11010 RHEMES-SAINT-GEORGES
☏ 0165907612–016595980 cell. 03479129435

 I 4

Posizione geografica: montagna (1.500 m), nel parco del Gran Paradiso.

Periodo di apertura: da aprile a novembre.

Presentazione: azienda di 16 ettari coltivati a prato, frutteto e orto. Allevamento di bovini e pollame. Accoglie

ospiti in 4 confortevoli monolocali con bagno privato, per un totale di 12 posti letto, ricavati da una baita del 1700 la cui struttura è stata mantenuta allo stato originale.

Prodotti aziendali: uova, frutta, formaggi e verdure.

Luoghi di interesse e manifestazioni locali: Aosta, castelli, città romana. Sagre e fiere estive.

Prezzi: rivolgersi direttamente all'azienda.

Note: servizi di assistenza ai portatori di handicap. Sala per prima colazione. Tennis e piscina nelle vicinanze.

LE CHEMINEE

fraz. Bussan di Mezzo • 11010 SAINT-PIERRE
☏ 0165903231

 H 5

Posizione geografica: collina e montagna.

Periodo di apertura: tutto l'anno nell'appartamento situato in collina (750 m).

Associato a: Agriturismo.

Presentazione: costruzione rurale. L'azienda si estende su 2 ettari, con produzione di frutta, uva, verdura. Offre ospitalità in due appartamenti per complessivi 8 posti letto.

Prodotti aziendali: confetture, frutta, ortaggi, uova, vini.

Luoghi di interesse e manifestazioni locali: Aosta, parco Gran Paradiso, Courmayeur, trafori del monte Bianco e del Gran San Bernardo, castelli. Fiera del legno e scultura il 31 gennaio e in agosto, sagre varie in estate.

Prezzi: in bassa stagione alloggio a £ 25.000, in alta stagione (dall'1/7 al 20/8) da £ 30.000 a 35.000 a persona.

Note: solo su prenotazione, con periodo minimo di 2 giorni. Prato per prendere il sole. Raccolta di funghi, lamponi, mirtilli e fragoline. Nelle vicinanze possibilità di praticare gioco delle bocce, rafting, equitazione, minigolf, mountain bike, parapendio, nuoto, roccia, sci da discesa e da fondo, tennis, tiro con l'arco, trekking, sci alpinismo, orientamento. Biancheria, uso di cucina. Animali accolti previo accordo.

VERGER PLEIN SOLEIL

fraz. Jacquemin, 5 • 11010 SAINT-PIERRE
☏ 0165903366

 H 5

Posizione geografica: montagna (800 m).

Periodo di apertura: tutto l'anno.

Associato a: Agriturist.

Presentazione: costruzione rurale a 3 piani adagiata in un frutteto. Offre ospitalità in 2 appartamenti composti da soggiorno, angolo cottura, 2 camere, servizi, posto macchina e garage, cortile privato recintato e illuminato. 10 posti letto in totale.

Prodotti aziendali: ortaggi e frutta.

Luoghi di interesse e manifestazioni locali: castelli di Saint Pierre, parco nazionale del Gran Paradiso. Festa del Patrono il 29 giugno, nelle vicinanze sagra della fiocca (panna), delle mele e castagne in settembre, battaglia delle regine (mucche) nei vari paesi per tutta l'estate.

Prezzi: alloggio fino a £ 30.000. Gratis per bambini fino a 3 anni (in bassa stagione sconto del 10% con tessera ACI o Guida all'Agriturismo in Italia).

Note: giochi all'aria aperta, trekking e passeggiate. Entro i 2 km è possibile praticare tennis, bocce, nuoto, canoa, rafting, mountain bike, pesca sportiva, roccia. Entro i 15 km sci alpino e sci nordico. Partecipazione alle attività dell'azienda e, nelle vicinanze, raccolta di castagne e mele. Prato per prendere il sole. Riscaldamento, telefono.

L'ABRI

fraz. Vetan, 83 • 11010 SAINT-PIERRE
☏ fax 0165908830-0165250603

 H 5

Posizione geografica: montagna (1.700 m).

Periodo di apertura: da aprile a ottobre e festività natalizie.

Associato a: Agriturist, Associazione Agriturismo Valle d'Aosta.

Presentazione: casa rurale ristrutturata, in legno e pietra, su 3 piani. Offre ospitalità in 4 camere doppie e 2 singole con servizi.

Ristorazione: convenzioni con trattorie e ristori nei pressi.

Prodotti aziendali: frutta, vino, marmellate, fiori in legno.

Luoghi di interesse e manifestazioni locali: Saint Pierre, Cogne, Gran Paradiso, Courmayeur. "*Batailles des Reines*" la 1ª domenica di agosto, "*La Veilla*" di Vens il 15 agosto, San Lorenzo il 10 agosto.

Prezzi: B&B da £ 40.000 a 50.000 a persona al giorno.

Note: solo su prenotazione, anche solo per il fine settimana. Si organizzano corsi di artigianato ligneo, per la lavorazione di fiori in legno. Possibilità di praticare parapendio, sci alpinismo e da fondo, kajak, canoa, tiro con l'arco, giochi all'aria aperta, trekking e mountain bike. Sala comune, prato per prendere il sole. Biancheria, uso lavanderia.

LO VIOU BATSÉ

via E. Chanoux, 8 • 11010 SAINT-PIERRE
☎ 0165903491

▲ H 5

Posizione geografica: collina.
Periodo di apertura: tutto l'anno.
Presentazione: casa rurale ristrutturata su due piani, sita all'interno delle mura del castello Sarriod de La Tour, si estende su 45 ettari di terreno coltivato a frutteto, orto, prato, pascolo. Allevamento di bovini. Offre ospitalità in 1 appartamento.
Luoghi di interesse e manifestazioni locali: vari castelli, castello Sarriod de La Tour.
Prezzi: rivolgersi direttamente all'azienda.
Note: nelle vicinanze bocce e palestra di roccia. Nel raggio di 15 km equitazione, tennis, rafting, piscina, escursioni, sci nordico, discoteche, cinema.

LE GRANDZE DE MOUEINE

fraz. Lalex, 1 • 11010 SARRE
☎ 0165257092

▲ H 5

Posizione geografica: collina.
Periodo di apertura: tutto l'anno.
Presentazione: antica casa rurale del 1700 a due piani in zona panoramica, si estende su 10 ettari di terreno coltivato a prato irriguo, vigneto, frutteto, orto. Offre ospitalità in 3 appartamenti in un rustico indipendente.
Luoghi di interesse e manifestazioni locali: castello di Sarre, vari castelli, fortificazioni, monumenti romani, musei, esposizioni.
Prezzi: rivolgersi direttamente all'azienda.
Note: ottima base per le stazioni sciistiche dell'Al-

ta Valle. Nelle vicinanze area per pic-nic, passeggiate ed escursioni, tennis, squash, pesca sportiva, campo da motocross, palestra di roccia, equitazione, discoteca.
Nel raggio di 3 km piscina, rafting, bocce, pattinaggio su ghiaccio, campo sportivo, tiro a volo, deltaplano, volo a vela e cinema.

L'HIRONDELLE

fraz. Chef-Lieu • 11020 TORGNON
☎ 0166540318

▲ G 8

Posizione geografica: montagna.
Periodo di apertura: tutto l'anno.
Presentazione: casa rurale completamente ristrutturata. Coltivazione a pascolo, prato, vigneto. Allevamento di bovini e animali da cortile. Offre ospitalità in 2 appartamenti, per un totale di 8 posti letto, con cucina, bagno.
Prezzi: rivolgersi direttamente all'azienda.
Note: possibilità di effettuare passeggiate nei boschi o sul lago, approfittando delle aree da pic-nic, di praticare sci nordico, alpino, palestra di roccia e bocce nelle vicinanze.
Nel raggio di 15 km si trovano piscina, sci alpino, tennis e cinema.

L'ECHO

fraz. Champlong • 11018 VILLENUEVE
☎ 016595218

▲ H 6

Posizione geografica: montagna.
Periodo di apertura: tutto l'anno.
Presentazione: casa rurale ristrutturata a due piani situata su un terreno di 3,5 ettari coltivati a pascolo, prato irriguo, vigneto, frutteto, orto. Offre ospitalità in 2 appartamenti.
Luoghi di interesse e manifestazioni locali: lago.
Prezzi: rivolgersi direttamente all'azienda.
Note: nelle vicinanze passeggiate, bocce, equitazione.
Nel raggio di 15 km escursionismo, tennis, piscina, rafting, bocce, sci alpino e di fondo.

Piemonte

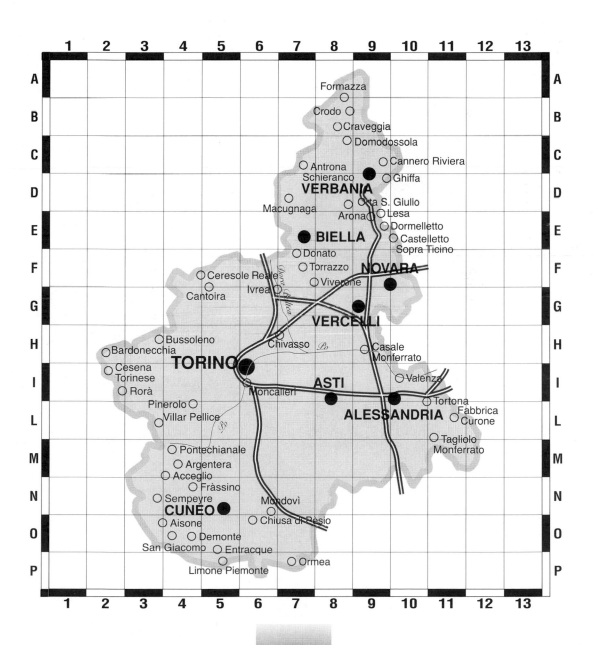

	1	2	3	4	5	6	7	8	9	10	11	12	13	

A — Formazza

B — Crodo · Craveggia · Domodossola

C — Antrona Schieranco · Cannero Riviera · Ghiffa

D — VERBANIA · Macugnaga · Orta S. Giulio · Arona · Lesa

E — BIELLA · Dormelletto · Castelletto Sopra Ticino

F — Donato · Torrazzo · NOVARA · Ceresole Reale · Ivrea · Viverone

G — Cantoira · VERCELLI

H — Bussoleno · Chivasso · Casale Monferrato · Bardonecchia · TORINO

I — Cesena Torinese · Rorà · Moncalieri · ASTI · Valenza · Tortona

L — Pinerolo · Villar Pellice · ALESSANDRIA · Fabbrica Curone

M — Pontechianale · Argentera · Tagliolo Monferrato

N — Acceglio · Fràssino · Sempeyre · CUNEO · Mondovì

O — Aisone · Demonte · Chiusa di Pesio

P — San Giacomo · Entracque · Ormea · Limone Piemonte

Alessandria

LA VECCHIA POSTA

via Montebello, 2 • 15050 AVOLASCA
☎ e fax 0131876254

● L 10

Posizione geografica: collina (420 m).
Periodo di apertura: tutto l'anno.
Associato a: Agriturist.
Presentazione: azienda agrituristica biologica di alta collina, centro aziendale in paese confinante con boschi e calanchi. Offre ospitalità in 4 camere.
Ristorazione: H/B, ristorante aperto al pubblico con 25 coperti. Tartufi.
Prodotti aziendali: vino, frutta.
Luoghi di interesse e manifestazioni locali: bellezze naturali. Sagra della ciliegia di Garbagna in giugno.
Prezzi: pasto da £ 25.000 a 40.000. Sconto del 15% per i bambini fino a 10 anni. Per l'alloggio rivolgersi all'azienda.
Note: solo su prenotazione. Possibilità di praticare mountain bike, bocce e tennis. Fiume a 20 minuti. Raccolta di castagne e funghi. Bagno comune ogni 2 camere, riscaldamento a legna, biancheria, pulizia. Animali accolti previo accordo.

CASCINA AMARANT

reg. Franchigie, 47 • 15022 BERGAMASCO
☎ 0131776561

● M 8

Posizione geografica: collina (250 m).
Periodo di apertura: tutto l'anno.
Associato a: Terranostra.
Presentazione: l'azienda si estende su 18 ettari coltivati a cereali, vigneti e alberi da frutta intorno alla casa. Allevamento di pollame, caprini e ovini. L'abitazione del coltivatore offre ospitalità in 3 camere con bagno.
Ristorazione: H/B, F/B, B&B oppure ristoro. Frittate campagnole, agnolotti di stufato, risotto all'Amarant, oca e anatra arrosto e in umido, capretti al forno, cannoli di ricotta.
Prodotti aziendali: carni di capretto e agnello, animali da cortile, conigli, uova di gallina, oca e anatra, vini locali e verdure di stagione.
Luoghi di interesse e manifestazioni locali: castelli medioevali di Bergamasco, Oviglio, Incisa Scapaccino, cattedrale di Alessandria in stile neoclassico, museo di Marengo. Fiera del bestiame a Oviglio (dal 27-7 all'1-8), sagra del cardo in ottobre a Incisa Scapaccino.
Prezzi: pasto a £ 35.000, alloggio da £ 30.000 a 50.000.
Note: su prenotazione, senza limiti minimi. Per i bambini sono previsti animazione, giochi all'aria aperta, conoscenza e contatto con gli animali da allevamento, visite guidate ad aziende vicine. Osservazione ambientale, giardinaggio, passeggiate nei boschi. Si organizzano corsi di vita contadina per scolaresche e adulti. Itinerari a cavallo, mountain bike. Raccolta di frutti di bosco e funghi. Pulizia, riassetto, riscaldamento. Animali accolti previo accordo.

CASCINA PELIZZA

loc. Vialarda • 15033 CASALE MONFERRATO
☎ 0142418177-0142408130

● H 9

Posizione geografica: collina.
Periodo di apertura: da gennaio a giugno e da agosto a dicembre.
Associato a: Terranostra.
Presentazione: cascina ristrutturata al centro di un podere adibito a vigneto. Accoglie ospiti in 6 camere con bagno per un totale di 12 posti letto.
Ristorazione: B&B, H/B, F/B. Ristorante aperto al pubblico con 60 coperti. Cucina tipica, agnolotti e fritto misto alla piemontese.
Prodotti aziendali: vino.
Luoghi di interesse e manifestazioni locali: santuario di Crea, Casale Monferrato. Fiera di San Giuseppe, mercatino dell'antiquariato il secondo sabato del mese.
Prezzi: F/B a £ 90.000. Pasto da £ 35.000 a 60.000.
Note: possibilità di svolgere lavoro aziendale. Motocross e motonautica. Dispone di 2 sale convegni da 90 mq. Pulizia, biancheria. Animali accolti previo accordo.

CASCINA BUIA

via Cascina Buia, 8 • 15051 CASTELLANIA
☎ 0131837178

● L 11

Posizione geografica: collina.
Periodo di apertura: tutto l'anno.
Presentazione: tipica costruzione rurale con disponibilità di 4 camere con bagno comune. L'azienda si estende su 26 ettari di terreno ed è circondata da boschi.
Ristorazione: ristorante aperto al pubblico con 24 coperti. Cucina contadina preparata in prevalenza con prodotti biologici.
Prodotti aziendali: confetture, formaggio caprino, polli, uova, vino Cortese e Barbera, salumi.
Luoghi di interesse e manifestazioni locali: monumento ai fratelli Coppi, torri medioevali. Sagre paesane varie.
Prezzi: pasto da £ 30.000 a 35.000. F/B £ 60.000, H/B da £ 30.000 a 35.000. Sconto del 50% per i bambini dai 2 ai 12 anni.
Note: solo su prenotazione. Prato per prendere il sole. Raccolta di castagne, funghi, frutti di bosco. Telefono in comune.

VILLA PERONA

strada Perona, 1 • 15034 CELLA MONTE
☎ e fax 0142488280

● H 8

Posizione geografica: collina (300 m).
Periodo di apertura: tutto l'anno tranne il periodo delle vacanze natalizie.
Presentazione: villa ottocentesca immersa nel verde in azienda vitivinicola di 8 ettari. Gli alloggi sono ubicati in un rustico disposto a ferro di cavallo adiacente la villa. Offre ospitalità in 6 camere, di cui 3 con bagno comune, per un totale di 12 posti letto.
Ristorazione: ristorante aperto al pubblico con 60 coperti. Cucina piemontese.
Prodotti aziendali: vino, marmellate, frutta sciroppata.
Luoghi di interesse e manifestazioni locali: Casale Monferrato, santuario di Crea, chiese. Fiera del tartufo in settembre e ottobre.
Prezzi: B&B a £ 90.000 (camera doppia), H/B a £ 80.000. Pasto da £ 35.000 a 55.000.
Note: servizio di H/B per soggiorni di almeno 3 giorni. Animazione. Maneggio nelle vicinanze. Pulizia e biancheria.

VALLE DEL SOLE

b.ta Alice • 15066 GAVI ☎ 0143643102

 L 10

Posizione geografica: collina.
Periodo di apertura: da marzo a settembre.
Associato a: Agriturist.
Presentazione: cascina ristrutturata, immersa nel verde, in azienda di 10 ettari. Offre ospitalità in 3 camere con bagno per un totale di 8 posti letto.
Ristorazione: B&B, H/B, F/B. Ristorante con 50 coperti aperto al pubblico su prenotazione. Cucina ligure e piemontese.
Prodotti aziendali: vino, polli e uova.
Luoghi di interesse e manifestazioni locali: scavi di Libarna, fortezza di Gavi, laghi, parco delle Capanne di Marcarolo.
Prezzi: pasto da £ 25.000 a 50.000. Per ulteriori informazioni contattare l'azienda.
Note: piscina. Pulizia e biancheria.

CASCINA SMERALDA

strada Coniolo Vialarda, 1 • 15027 PONTESTURA
☎ 0142466275 cell. 0368200486

H 9

Posizione geografica: collina.
Periodo di apertura: tutto l'anno, chiuso le ultime due settimane di gennaio.
Associato a: Turismo Verde.
Presentazione: costruzione padronale di fine Seicento, in azienda di 42 ettari. Offre ospitalità in 3 camere con bagno per un totale di 9 posti letto.
Ristorazione: ristorante aperto al pubblico con 60 coperti. Offre un menu di degustazione gastronomica.
Prodotti aziendali: salumi, confetture, peperoncini piccanti, sottoli.
Luoghi di interesse e manifestazioni locali: la sinagoga e il castello di Casale Monferrato, santuario di Crea. Mercatino dell'antiquariato il secondo sabato del mese, fiera di San Giuseppe la seconda e terza settimana di marzo.
Prezzi: B&B a £ 45.000, H/B a £ 70.000, F/B a £ 90.000. Pasto da £ 40.000 a 70.000.
Note: club di mountain bike con istruttori, equitazione di base, passeggiate, giochi per bambini e pallavolo. Pulizia giornaliera, cambio biancheria settimanale. Si accettano animali all'esterno delle camere e della sala da pranzo.

CASCINA PIAGGE

loc. Piagge • 15010 PONZONE ☎ 0144378886

 M 9

Posizione geografica: montagna.
Periodo di apertura: tutto l'anno.
Associato a: Turismo Verde.
Presentazione: tipica costruzione rurale. L'azienda si estende su 16 ettari a vigneto e frutteto. Allevamento di bovini e suini. Accoglie ospiti in 6 camere con un bagno ogni 2 camere.
Ristorazione: H/B, F/B, ristorante con 60 posti. Focaccine salate, salumi, ravioli, pasta e fagioli, gallina e coniglio di allevamento proprio.

Luoghi di interesse e manifestazioni locali: Acqui Terme (scavi archeologici). Sagra del fungo.
Prezzi: pasto da £ 20.000 a 40.000. H/B £ 55.000, F/B £ 70.000. Riduzioni da concordare.
Note: solo su prenotazione. Raccolta di castagne, funghi, frutti di bosco. Caseificazione, panificazione. Gioco delle bocce, calcetto, equitazione e giochi all'aria aperta. Biancheria, riscaldamento.

LA TRAVERSINA

Cascina Traversina, 109 • 15060 STAZZANO
☎ e fax 014361377

M 10

Posizione geografica: collina (410 m).
Periodo di apertura: tutto l'anno.
Associato a: Agriturist.
Presentazione: costruzione del '600-'700. Ampio giardino all'inglese con oltre 100 varietà di rose antiche. Offre ospitalità, oltre che in 3 camere con bagno, in un appartamento, per un totale di 10 posti letto.
Ristorazione: H/B. Ristorante chiuso al pubblico. Pasta al rosmarino, torte salate, anatra laccata, coniglio alla senape, torta alle nocciole, torta di pere, rotolo alle fragole.
Prodotti aziendali: miele, marmellate, frutta, verdura. Rizomi di iris e di hemerogallis.
Luoghi di interesse e manifestazioni locali: città romana di Libarna, forte di Gavi, castelli, val Borbera. Cavalcata aleramica, rievocazione della battaglia di Marengo.
Prezzi: pasto da £ 25.000 a 40.000 (vino escluso). Alloggio a partire da £ 50.000. Sconto del 5% dopo la terza notte.
Note: raccolta di castagne, noci, funghi, more. Gioco delle bocce, ping-pong, mountain bike e piscina. L'azienda organizza corsi di cucina e giardinaggio. Biancheria, telefono comune, prima colazione, riscaldamento, sala comune, posto macchina.

VILLA GROPPELLA

s.s. per Solero, 8 • 15048 VALENZA
☎ 0131951166 fax 0131927255

I 10

Posizione geografica: collina.
Periodo di apertura: tutto l'anno, escluso agosto.
Associato a: Agriturist.
Presentazione: villa del '700 circondata da un parco di 4 ettari. Cappella privata. Offre ospitalità in camere, con bagno, doppie o singole, per un totale di 14 posti letto.
Ristorazione: B&B oppure ristorazione per gruppi di almeno 12 persone, per convegni o cerimonie.
Prodotti aziendali: miele.
Luoghi di interesse e manifestazioni locali: castelli del Monferrato. Mostre dell'oreficeria a marzo e ottobre.

Prezzi: B&B a partire da £ 50.000. Sconto del 10% per i soci Agriturist o gruppi.
Note: osservazione ambientale. Visita al parco del Po. Riserva della Garzaia. Per i bambini baby-sitting, giochi ed esercizi ginnici all'aria aperta. L'azienda dispone di percorso ginnico, biliardo, ping-pong, mountain bike. Possibilità di praticare golf, nuoto, equitazione a 2 km. Disponibile sala riunioni. Biancheria, pulizia, riassetto, telefono e TV in camera, posto macchina. Animali accolti previo accordo.

CA' SAN LORENZO

Ca' San Lorenzo, 24 • 15049 VIGNALE MONFERRATO
☎ 0142933314

● I 9

Posizione geografica: collina.
Periodo di apertura: su prenotazione.
Associato a: Agriturist.
Presentazione: tipica costruzione rurale. Offre ospitalità in 5 camere con bagno.
Ristorazione: H/B, ristorante aperto al pubblico. Cucina piemontese.
Prodotti aziendali: vini.
Luoghi di interesse e manifestazioni locali: parco naturale del santuario di Crea, mercato dell'antiquariato a pochi chilometri da Casale Monferrato, luoghi di interesse artistico. Rassegna internazionale del balletto classico da fine giugno ad agosto, sagra dell'uva in settembre, sagra patronale della zona nel periodo estivo.
Prezzi: pasto da £ 20.000 a 50.000, B&B da £ 30.000 a 50.000. Sconto del 10% per i bambini fino ai 10 anni.
Note: solo su prenotazione. L'azienda organizza visite enologiche in cantine. Tennis, mountain bike, trekking e passeggiate. Equitazione a 10 km. Parco giochi a 2 km. Biancheria, pulizia, uso di cucina, riscaldamento.

IL MONGETTO

via Piave, 2 • 15049 VIGNALE MONFERRATO
☎ e fax 0142933469

● I 9

Posizione geografica: collina.
Periodo di apertura: fine settimana per tutto l'anno. Chiusura in gennaio.
Associato a: Turismo Verde e Agriturist.
Presentazione: azienda agricola vitivinicola su 50 ettari di terreno, di cui 18 a vigneto. Offre ospitalità in 4 camere di cui 2 con bagno privato e 2 con bagno in comune, in casa settecentesca.
Ristorazione: ristorante aperto al pubblico con 45 coperti. Cucina monferrina.
Prodotti aziendali: vini, confetture, sottoli, miele, conserve.
Luoghi di interesse e manifestazioni locali: abbazia di Vezzolano, sinagoga a Casale Monferrato, castelli nel circondario. Festa dell'uva in settembre, festival di danza in luglio.
Prezzi: pasto a £ 40.000. Alloggio da £ 30.000 a 50.000. Sconto del 50% per letto aggiunto.
Note: solo su prenotazione. Biancheria, telefono in comune, riscaldamento, pulizia e riassetto (2 volte alla settimana).

CASCINA ALBERTA

loc. Ca' Prano, 14 • 15049 VIGNALE MONFERRATO
☎ e fax 0142933313

● I 9

Posizione geografica: collina.
Periodo di apertura: da febbraio a dicembre.
Associato a: Turismo Verde, Consorzio Agriturismo Piemonte.
Presentazione: tipica costruzione rurale indipendente dalla casa

dei titolari. L'azienda comprende 15 ettari di terreno di cui 3 a vigneto. Offre ospitalità in 3 camere con bagno.
Ristorazione: H/B. Ristorante aperto al pubblico (25 coperti), chiuso il lunedì. Pasta fatta in casa, verdure biologiche, cucina tipica monferrina.
Prodotti aziendali: vino.
Luoghi di interesse e manifestazioni locali: Casale Monferrato e paesi dei dintorni, sacro monte di Crea. Festival internazionale di danza in luglio, festa dell'uva in settembre.
Prezzi: pasto da £ 20.000 a 54.000 (bevande incluse), B&B da £ 30.000 a 50.000. Sconto del 50% per i bambini fino ai 6 anni e del 10% per letto aggiunto.
Note: durante la settimana il ristorante è aperto esclusivamente su prenotazione. Gioco del ping-pong e mountain bike. Biancheria, pulizia, riassetto, riscaldamento, sala comune, giardino, posto macchina.

TENUTA AIMONETTA

Tenuta Aimonetta • 15022 CARENTINO
☎ 037156253 - 0131777232 fax 02989046

▲ L 9

Posizione geografica: collina.
Periodo di apertura: tutto l'anno.
Associato a: Agriturist.
Presentazione: grande dimora rurale in azienda zootecnica-cerealicola di 175 ettari. Allevamento di vacche da latte. Offre ospitalità in 5 camere con bagno e in 2 appartamenti, per un totale di 9 posti letto.
Prodotti aziendali: latte, pere, nocciole.
Luoghi di interesse e manifestazioni locali: Acqui Terme, abbazia di Sezzadio e Cassine, castelli aperti di Alessandria, Asti e Cuneo, parco naturale di Rocchetta Tanaro. Mercato dell'antiquariato a Nizza Monferrato la terza domenica del mese, Vignale danza in luglio, rievocazione medioevale di Cassine in settembre e Piovera in agosto.
Prezzi: prima colazione da £ 5.000 a 10.000, alloggio da £ 35.000 a 50.000.
Note: solo su prenotazione. L'azienda, facile da raggiungere per la sua vicinanza all'autostrada, è ideale per trascorrere fine settimana che associno all'interesse culturale alla ricca tradizione enogastronomica della zona. Per i bambini si organizzano passeggiate fra i boschi e birdwatching sui laghetti della tenuta. Maneggio a 1 km (con possibilità di passeggiate a cavallo), pesca, piscina e campo da tennis a 3 km. Raccolta di more e amarene. Su richiesta si organizzano corsi di ceramica e di ricamo. Biancheria, riassetto, telefono in comune, uso di cucina, riscaldamento, sale comuni.

CASCINA NUOVA

s.s. per Pavia • 15048 VALENZA ☎ 0131954763-0131954120
fax 0131928553

▲ I 10

Posizione geografica: fiume, riserva naturale.
Periodo di apertura: tutto l'anno.
Associato a: Agriturist.
Presentazione: tipica costruzione rurale su 40 ettari con produzione biologica di cereali. Offre ospitalità in 6 appartamenti con 24 posti letto totali e in 2 piazzole per tende o caravan.
Prodotti aziendali: miele, ortaggi, uova, prodotti biologici e di artigianato.

Luoghi di interesse e manifestazioni locali: Monferrato, tratto della strada Francigena, riserva naturale "La Garzaia".
Prezzi: B&B a partire da £ 60.000 a persona. Sconto del 15% per i bambini fino a 10 anni e del 10% per soci Agriturist.
Note: accessibile agli handicappati. Solo su prenotazione. Noleggio mountain bike. Possibilità di praticare birdwatching, giochi all'aria aperta, pesca (a 200 m). L'azienda organizza passeggiate naturalistiche e itinerari enogastronomici. Per i bambini baby sitting, parco giochi. Prato per prendere il sole. Biancheria, pulizia, telefono in camera, TV e uso cucina in ogni appartamento, garage.

Asti

BRICCO LOVERA

loc. Quarto Superiore, 87 • 14100 ASTI ☎ 0141293385

● I 8

Posizione geografica: collina.
Periodo di apertura: da marzo a dicembre.
Presentazione: cascina confortevole in azienda di 6 ettari. Offre ospitalità in 4 camere con bagno.
Ristorazione: cucina tipica.
Prodotti aziendali: infusi, biscotti, formaggio e salumi.
Luoghi di interesse e manifestazioni locali: Langhe, Asti. Palio di Asti.
Prezzi: B&B a £ 45.000, H/B a £ 70.000, F/B a £ 90.000. Pasto a £ 35.000. Riduzioni per bambini da concordare.
Note: maneggio, corsi d'equitazione e possibilità di passeggiate, freccette, tiro con l'arco, calcio balilla, ping-pong, mountain bike. Corsi di artigianato. Settimane verdi per ragazzi. Biancheria, riscaldamento.

CASCINA CAMPORA

fraz. Serra • 14021 BUTTIGLIERA D'ASTI
☎ 0119921821 - 0141901360

● I 7

Posizione geografica: collina.
Periodo di apertura: tutto l'anno, solo su prenotazione.
Associato a: Terranostra.
Presentazione: azienda di 14 ettari immersa nel verde con coltivazioni biologiche e allevamento di conigli, pollame e struzzi. Offre ospitalità in 5 camere, con bagno comune, per un totale di 12 posti letto.
Ristorazione: B&B, H/B, F/B. Ristorante aperto al pubblico che offre un menu di degustazione di piatti tipici.
Prodotti aziendali: marmellate, conserve e grappe.
Luoghi di interesse e manifestazioni locali: Vezzolano e Colle Don Bosco. Manifestazioni a carnevale.
Prezzi: pasto a £ 37.000. Per ulteriori informazioni rivolgersi all'azienda.
Note: maneggio nelle vicinanze. Tennis e piscina. Possibilità di partecipare ai lavori in azienda. Parcheggio, telefono e sala TV. Pulizia e biancheria. Animali accolti previo accordo.

RUPESTR

reg. Piancanelli, 12 • 14053 CANELLI ☎ 0141832670
☎ e fax 0141824799

● L 8

Posizione geografica: collina.
Presentazione: la cascina Rupestr continua una tradizione familiare di specialità tipicamente contadine e di ospitalità nei tipici locali che ricreano l'atmosfera di un tempo, per un incontro originale e dai sapori antichi.
Ristorazione: pomodori essiccati naturalmente con bagnetto, melanzane, carciofini, marmellate di fichi, pesche, albicocche, zucche, ciliegie, mele, pere, mele cotogne, mostarda, pesche, pere e ciliegie sciroppate.
Luoghi di interesse e manifestazioni locali: Langhe e Monferrato, colline di Canelli, chiese storiche.
Prezzi: rivolgersi direttamente all'azienda.
Note: si organizzano serate enogastronomiche "a tema" per valorizzare i prodotti, le tradizioni e la cultura del mondo contadino.

LA LUNA E I FALÒ

reg. Aie, 37 • 14053 CANELLI ☎ e fax 0141831643

● L 8

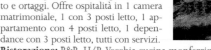

Posizione geografica: collina.
Periodo di apertura: tutto l'anno.
Associato a: Agriturist.
Presentazione: vecchio casale riattato su 15.000 mq di terreno a vigneto, frutteto e ortaggi. Offre ospitalità in 1 camera matrimoniale, 1 con 3 posti letto, 1 appartamento con 4 posti letto, 1 dependance con 3 posti letto, tutti con servizi.
Ristorazione: B&B, H/B. Vecchia cucina monferrina langarola.
Prodotti aziendali: vini, frutta, ortaggi.
Luoghi di interesse e manifestazioni locali: Acqui Terme, Alba, Santo Stefano Belbo (paese natale di Cesare Pavese). Assedio di Canelli, "Douja d'or", Asti (vino), sagra dei tartufi.
Prezzi: menu degustazione £ 75.000 (bevande incluse), menu estivo £ 65.000 (bevande incluse). B&B £ 80.000, H/B £ 130.000 (bevande incluse). Riduzioni per bambini.
Note: solo su prenotazione. Soggiorno minimo 2 notti. Osservazione ambientale e panoramica su Langa e Monferrato. Raccolta funghi e tartufi. Gioco delle bocce, ping-pong e giochi all'aria aperta. Biancheria, pulizia, riassetto, telefono e fax, uso cucina, riscaldamento.

VINOLANDIA

via Gaverri, 7 - fraz. Valle Tanaro • 14054 CASTAGNOLE D. LANZE
☎ 0141877978

● L 7

Posizione geografica: collina.
Periodo di apertura: tutto l'anno.
Presentazione: tipica costruzione rurale. Si estende su 10 ettari di terreno con coltivazione a vigneto. Allevamento di ovini, bovini e suini. Offre ospitalità in 6 camere con bagno e in 3 piazzole per tende e caravan.
Ristorazione: H/B, F/B. Ristorante aperto al pubblico con 25 coperti. Cucina mediterranea, carni alla brace, porchetta farcita.
Prodotti aziendali: castagne, tartufi, salumi, frutti di bosco, funghi.
Luoghi di interesse e manifestazioni locali: castello di Govone, castello di Castiglione, castello di Magliano Alfieri. Festa del vino in aprile, Castagnole concerti in agosto.
Prezzi: pasto £ 25.000 a 50.000. B&B da £ 40.000 a 50.000. Sconto 10% per bambini fino a 10 anni.
Note: accessibile agli handicappati. Pensione per cani. Ricerca di tartufi, gastronomia, artigianato, corsi di nuoto, di equitazione e di enologia. Animazione, baby sitting, canto per i bambini. Minigolf, ping-pong, tiro con la balestra, torrentismo, corsi di sopravvivenza, percorsi alternativi. Raccolta di funghi, tartufi, castagne, frutti di bosco. Gioco delle bocce, calcetto, piscina, pesca, giochi all'aria aperta, trekking e passeggiate. Biancheria, pulizia, telefono comune, uso cucina, riscaldamento, sala comune.

TENUTA DEI RE

reg. Cascina Nuova, 1 • 14030 CASTAGNOLE MONFERRATO
☎ e fax 0141292147

I 8

Posizione geografica: collina.
Periodo di apertura: da marzo a novembre.
Associato a: Terranostra.
Presentazione: tipica villa piemontese che offre ospitalità in 4 camere. L'azienda si estende su 25 ettari coltivati a vigneti, cereali e noccioleti. Boschi.
Ristorazione: H/B. Ristorante aperto al pubblico (35-40 coperti), su prenotazione. Agnolotti, coniglio alla monferrina, faraona ripiena, *bonet*, torta di nocciole.
Prodotti aziendali: vini (Grignolino d'Asti D.O.C., Ruché di Castagnole Monferrato D.O.C.).
Luoghi di interesse e manifestazioni locali: palio di Asti, castelli di Vignale con rassegna Vignale Danza, fiera dei tartufi a Moncalvo. Fiera del tartufo a ottobre-novembre, manifestazione enologica, "*Douja d'or*" a settembre.
Prezzi: pasto a £ 35.000. B&B da £ 45.000 a 60.000. Sconto 20% per bambini fino a 12 anni.
Note: tennis, bocce, mountain bike, equitazione e passeggiate. Raccolta di more, fragole, castagne, noci, nocciole, funghi, tartufi. Terrazzo, giardino. Biancheria, pulizia, telefono comune, riscaldamento, sala comune, posto macchina. Animali accolti previo accordo.

ACINO D'ORO

via Zana, 13 • 14040 CASTEL BOGLIONE
☎ 0141762338 - 0299054984 fax 0299044688

L 8

Posizione geografica: collina (500 m).
Periodo di apertura: tutto l'anno, solo su prenotazione.
Associato a: Unione Agicoltori di Asti e Agriturist.
Presentazione: situato in posizione panoramica, il caseggiato con porticato è composto da sala da pranzo, veranda, camere spaziose e confortevoli, mansarda. Offre ospitalità in 20 camere con bagno per un totale di 40 posti letto. Piazzole per la sosta di caravan.
Ristorazione: cucina mediterranea preparata con prodotti di produzione propria.
Prodotti aziendali: vini, pollame, uova, conigli, pane, marmellate, frutta e verdura.
Luoghi di interesse e manifestazioni locali: palio di Asti, mercatini dell'antiquariato, cantine vinicole, castelli medioevali, mercati locali, sagre e fiere, stabilimenti termali.
Prezzi: in veranda H/B a £ 60.000, F/B a £ 75.000. In mansarda H/B a £ 60.000, F/B a £ 65.000.
Note: soggiorno minimo 3 giorni, prenotare con 20 giorni d'anticipo. Piscina. Nelle vicinanze tennis e maneggio. Biancheria. Si accolgono animali di piccola taglia.

LA MUSSIA

via Opessina, 4 • 14040 CASTELNUOVO CALCEA
☎ 0141957201 fax 0141957402

L 8

Posizione geografica: collina.
Periodo di apertura: tutto l'anno, solo su prenotazione.
Associato a: Terranostra.
Presentazione: agriturismo a conduzione familiare in tipica cascina del Monferrato circondata da 27 ettari di terreno, con allevamento di bovini. Accoglie ospiti in 12 camere con bagno e in 3 alloggi con uso cucina.
Ristorazione: solo su prenotazione, minimo 10 persone. Salumi, flan di verdure, frittate, peperoni con bagnacauda, tagliatelle, agnolotti, arrosto alle verdure, pollo, anatra, *bunet*, crostate, semifreddo al moscato.
Prodotti aziendali: marmellate, mele e frutta di stagione.
Luoghi di interesse e manifestazioni locali: mercato dell'antiquariato ogni terza domenica del mese a Nizza Monferrato, assedio a Canelli il terzo fine settimana di giugno, sagra delle sagre il secondo fine settimana del mese, Palio di Asti la terza domenica di settembre.

Prezzi: B&B a £ 90.000 (camera doppia), H/B a £ 70.000, F/B a £ 85.000.
Note: tennis, biciclette, ping-pong, calcetto. Pulizia. Gli animali accolti possono accedere alle camere, ma non alla sala ristorante.

IL RIFUGIO

reg. Ronco, 4 • 14050 MOASCA
☎ 0141856446 fax 0141856569

L 8

Posizione geografica: collina.
Periodo di apertura: da marzo a novembre tutti i giorni.
Associato a: Agriturist.
Presentazione: costruzione rurale su 4 ettari di terreno con vigneto e frutteto. Offre ospitalità in 5 camere con bagno.
Ristorazione: H/B.
Prodotti aziendali: vini, uova, ortaggi.
Luoghi di interesse e manifestazioni locali: Alba. Palio di Asti.
Prezzi: pasto da £ 25.000 a 35.000. B&B da £ 30.000 a 50.000. Riduzioni per bambini.
Note: giochi di sala e baby sitting per i bambini. Prato per prendere il sole e giochi all'aria aperta. Biancheria, pulizia, telefono comune, riscaldamento. Animali accolti previo accordo.

IL GIRASOLE

via Cordara, 64 • 14046 MOMBARUZZO
 014177361
● L 8

Posizione geografica: collina.
Periodo di apertura: tutto l'anno.
Associato a: Terranostra.
Presentazione: tipica costruzione rurale, offre ospitalità in 2 camere. L'azienda produce cereali e uva.
Ristorazione: H/B, F/B. Il ristorante ha 40 coperti. Cucina varia casalinga.
Prodotti aziendali: salumi, vini, prodotti agricoli di stagione.
Luoghi di interesse e manifestazioni locali: attrazioni naturalistiche, fabbriche di amaretti, cantina sociale, monumenti nazionali. Sagre popolari in agosto.
Prezzi: pasto da £ 17.000 a 35.000, alloggio a £ 30.000.
Note: solo su prenotazione. Possibilità di passeggiate tra vigneti, boschi e campi, anche in bicicletta. Giochi all'aria aperta. Raccolta di castagne, frutti di bosco, funghi. Terrazzo. Prati per prendere il sole. Biancheria, pulizia, riassetto, telefono comune, riscaldamento, posto macchina.

LA QUERCIA ROSSA

strada Grazzano, 22 • 14036 MONCALVO
 e fax 0141917535
● I 8

Posizione geografica: collina.
Periodo di apertura: tutto l'anno.
Associato a: Terranostra.
Presentazione: tipica costruzione rurale immersa in vigneti e noccioleti. Produzione di frutta, ortaggi e vini. L'azienda può ospitare camper.
Ristorazione: cucina tipica piemontese, peperoni in bagna cauda, fritto misto di verdura, agnolotti, tagliolini ai funghi, carrello di bolliti misti. Carrello di dolci, *bunet*, torta di mele, torta di nocciole, salame dolce, bavarese, nocciolita, tiramisù, zuppa inglese, bignè con cioccolata calda.
Prodotti aziendali: vini (Grignolino d'Asti D.O.C. e Barbera d'Asti D.O.C.), nocciole, grappe, dolci, confetture, miele, ortaggi, frutta sciroppata, uova, sugo di pomodoro, antipasti di verdure.
Luoghi di interesse e manifestazioni locali: santuario di Crea, pinacoteca di Moncalvo, museo israelita di Casale Monferrato. Rally automobilistico a maggio, sagra delle sagre in giugno, fiera del tartufo a ottobre.
Prezzi: menu fisso a £ 50.000 (vini compresi). Sconto 50% per bambini fino a 8 anni.
Note: accessibile agli handicappati. Solo su prenotazione. Giardino antistante la sala ristorante e osservazioni di animali da cortile per i bambini. Possibilità di visite alla cantina. Giochi all'aria aperta, equitazione, mountain bike. Nelle vicinanze piscina, hockey su prato, campi da tennis. Angoli per prendere il sole.

SAMARCANDA

strada Alfiano, 15 • 14036 MONCALVO
 e fax 0141917948 http:www. provincia.asti.it
● I 8

Posizione geografica: collina.
Periodo di apertura: tutto l'anno.
Associato a: APT di Asti.
Presentazione: tipica costruzione rurale. L'azienda si estende su 21 ettari coltivati a cereali, vigneto, foraggio. Allevamento di polli e conigli. Offre ospitalità in 2 camere con bagno in comune e in piazzole da campeggio per caravan.
Ristorazione: H/B, F/B, ristorante aperto al pubblico con 60 coperti. Cucina tipica monferrina, bolliti misti, fritto misto alla piemontese, agnolotti fatti in casa, tartufi, funghi.
Prodotti aziendali: salami, agnolotti, pasta fresca, vino, miele, tartufi, pollame, uova, confetture, grappe, liquori.
Luoghi di interesse e manifestazioni locali: santuario di Crea, Moncalvo (la più piccola città d'Italia), teatro, la storica via Fracia. Stagione teatrale a dicembre-febbraio, notti blues in luglio-agosto, fiera del tartufo nelle ultime due domeniche di ottobre, palio a Moncalvo in luglio e ad Asti in settembre.
Prezzi: pasto da £ 20.000 a 30.000-40.000 (vini compresi). B&B £ 45.000, H/B a £ 55.000, F/B a £ 65.000. Sconti per la seconda settimana di soggiorno e del 50% per bambini fino a 8 anni.
Note: accessibile agli handicappati con servizi, sala conforme, rampe di accesso per bagni. Pemanenza minima di 3 giorni per H/B e F/B. Prato per prendere il sole. Giochi all'aperto per bambini. Conoscenza di artigianato, enologia, gastronomia, agricoltura. A 1 km si trovano piscina, campo da bocce e da tennis, hockey, volley e campo da calcio. Biancheria, telefono comune, riscaldamento, posto macchina coperto. Animali accolti previo accordo.

LA VIRANDA

reg. Corte, 64 • 14050 SAN MARZANO OLIVETO
 0141856571 cell. 0337914890
● L 8

Posizione geografica: collina.
Periodo di apertura: da febbraio a settembre e da novembre a dicembre.
Associato a: Agriturismo Piemonte.
Presentazione: cascina dell'800 in azienda di 35 ettari arredata in modo tradizionale e immersa nel verde. Accoglie ospiti in 5 camere per un totale di 12 posti letto.
Ristorazione: ristorante aperto al pubblico con 60 coperti. Cucina tipica, fritto misto alla piemontese.
Prodotti aziendali: salumi, marmellate, frutta e verdura in composta, vino e frutta di stagione.
Luoghi di interesse e manifestazioni locali: Langhe, Asti, castelli. Assedio a Canelli in giugno, palio di Asti, fiera del cardo gobbo in novembre.
Prezzi: B&B a £ 30.000, H/B a £ 40.000, F/B a £ 50.000, bevande escluse. Pasto da £ 25.000 a 45.000.
Note: possibilità di OR. Bocce e mountain bike. Maneggio nelle vicinanze. Visite aziendali. Telefono, sala TV e parcheggio. Solo 1 camera dispone di servizi privati. Pulizie e biancheria. Animali accolti previo accordo.

CASCINA DEL PARROCO

strada Vadareglio • 14020 SERRAVALLE D'ASTI
☎ 0141294548 cell. 03479200566

● I 8

Posizione geografica: collina.
Periodo di apertura: tutto l'anno.
Presentazione: tipica costruzione rurale offre ospitalità in 5 camere. L'azienda si estende su 7 ettari con coltivazione di frutta, ortaggi, foraggio. Allevamento equino.
Ristorazione: F/B. Ristorante con 40 coperti. Involtini alla contadina con crema di funghi, arrosti in crosta, chicchere alle erbette.
Prodotti aziendali: confetture, dolci, frutta, ortaggi, pollame, uova, cavalli.
Luoghi di interesse e manifestazioni locali: castello di Settime (sec. XIV-XV), chiesa parrocchiale barocca di San Nicola (sec. XVIII), torre medioevale di Montechiaro d'Asti (sec. XIII). "Douja d'or", palio, mercato dell'antiquariato "La Carolingia". Fiera.
Prezzi: pasto da £ 30.000 a 40.000, alloggio fino a £ 30.000.
Note: accessibile agli handicappati. Possibilità di partecipare ai lavori agricoli. Osservazione ambientale. Raccolta di asparagi, castagne e funghi. Corsi di equitazione, doma dei puledri e passeggiate sui pony per i bambini. Si organizza trekking per un minimo di 3 giorni. Pista da cross di 3 km interna all'azienda e giochi all'aria aperta. Prato per prendere il sole. Biancheria, telefono comune, riscaldamento, sala comune, posto macchina. Animali accolti previo accordo.

CASCINA BORIO

via San Grato, 28 • 14018 VILLAFRANCA D'ASTI
☎ 0141943420

● I 8

Posizione geografica: collina (150 m).
Periodo di apertura: tutto l'anno solo su prenotazione.
Associato a: Terranostra.
Presentazione: gli ospiti della cascina trovano alloggio nel fabbricato attiguo l'abitazione del coltivatore. Accoglie ospiti in 1 camera per un totale di 4 posti letto.
Ristorazione: fritto misto, finanziera, salumi, agnolotti, tagliatelle, risotti, conigli e polli alla cacciatora, arrosti, panna cotta, torte di frutta e zabaglione con pesche. Barbera d'Asti, Favorita, Moscato d'Asti.
Prodotti aziendali: ortaggi di coltivazione biologica, animali da cortile, marmellate e conserve.
Luoghi di interesse e manifestazioni locali: chiese dei Santi Elena ed Eusebio del 1648 in stile barocco, di Sant'Antonio Abate, di San Rocco, di San Grato e della Madonna della Neve. Casa natale e tempio di San Giovanni Bosco. Castelli di Dusino, San Michele, conti Garretti, Rosso, Cisterna d'Asti e Cortazzone. Museo delle arti e mestieri di un tempo. Casa natale di Vittorio Alfieri e Centro Studi Alfieriani. Cantina sociale di San Damiano. Riserve naturali di Valleandona e Valle Botto. Sagre e feste paesane.
Prezzi: OR da £ 15.000 a 35.000, possibilità di B&B. Pasto da £ 25.000 a 45.000 bevande escluse.

LA MELA VERDE

reg. Vianoce, 20 • 14041 AGLIANO TERME
☎ 0141954148

▲ L 8

Posizione geografica: collina.
Periodo di apertura: dal 15 febbraio al 14 novembre.
Presentazione: tipica costruzione rurale. Produce uva Barbera, nocciole, frutta. Offre ospitalità in 2 appartamenti (9 posti letto totali) indipendenti con cucina e vettovaglie, frigo. Gazebo.
Prodotti aziendali: vini, uva, frutta.
Luoghi di interesse e manifestazioni locali: Asti, Alba, Acqui Terme. Palio di Asti, sagre varie.
Prezzi: pernottamento a £ 40.000 per adulti e £ 30.000 per bambini. £ 50.000 per le pulizie di fine vacanza. Sconto 10% per bambini fino a 10 anni.
Note: prenotazione per soggiorno invernale minimo 1 settimana, estivo 2 giorni.
Gli appartamenti sono arredati in stile rustico. In giardino è sistemato un gazebo con tavoli e sedie. Giochi all'aria aperta. L'azienda organizza visite a cantine e vigne. A 2 km possibilità di giocare a bocce e calcetto, piscina. Biancheria, riscaldamento, posto macchina. Animali accolti previo accordo.

Biella

TENUTA LA MANDRIA

via Castellengo, 106 • 13062 CANDELO
☎ e fax 0152536078

● E 8

Posizione geografica: collina (350 m).
Periodo di apertura: tutto l'anno.
Associato a: Agriturist, FISE e ANTE.
Presentazione: ampia costruzione in cotto. L'azienda, che inventò "l'agriturismo" 40 anni fa, si estende su 100 ettari coltivati, confinanti con 5.000 ettari di parco. A gestione familiare, si lavora nell'ambito dell'equitazione da tre generazioni. Accoglie ospiti in 10 camere con bagno per un totale di 25 posti letto.
Ristorazione: possibilità di ristorazione per gli ospiti.
Luoghi di interesse e manifestazioni locali: Ricetto di Candelo (borgo medioevale del XIII secolo), parco di Burcina a Biella, santuario di Oropa. "Candele in fiore", "Vino Incontro".
Prezzi: rivolgersi direttamente all'azienda.
Note: solo su prenotazione. L'azienda ospita una scuola federale di equitazione, con 25 cavalli, e organizza corsi anche per bambini dai 6 anni. Escursioni in bicicletta, giochi all'aria aperta, trekking e passeggiate. Piscine e campi da tennis, cinema e teatro a 5 km. Sala riunioni. Biancheria, pulizia, telefono in comune, sala TV, riscaldamento, posto macchina. Non si accolgono animali.

LA BESSA - IPPICA SAN GIORGIO

Cascina Pianone, 14 • 13060 CERRIONE
☎ 0152587916 fax 015677156

● F 8

Posizione geografica: parco della Bessa. Collina morenica della Serra.
Periodo di apertura: tutto l'anno.
Presentazione: tipica casa rurale. Offre ospitalità in 6 camere di cui 2 doppie con bagno privato e 4 con bagno comune.
Ristorazione: H/B, F/B. Ristorante aperto al pubblico con 60 coperti. Tipica cucina piemontese stagionale, minestre, frittate, polenta, stracotti.
Prodotti aziendali: confetture e ortaggi.
Luoghi di interesse e manifestazioni locali: lago di Viverone, santuario di Oropa, zona romanica di interesse archeologico.
Prezzi: pasto da £ 18.000 a 35.000. B&B per singola con bagno in comune £ 30.000, doppia con bagno £ 70.000.
Note: solo su prenotazione. Equitazione con istruttore federale, passeggiate a cavallo con guida. Raccolta di castagne, frutti di bosco, funghi. Biancheria, pulizia, riscaldamento, sala comune e sala riunioni, posto macchina. Animali accolti previo accordo.

IPPICA SAN GIORGIO

via Castellengo, 66 • 13014 COSSATO ☎ 01594893

● E 8

Posizione geografica: montagna.
Periodo di apertura: tutto l'anno.
Presentazione: cascina recentemente ristrutturata in azienda di 20 ettari specializzata nel turismo equestre. Offre ospitalità in camere, con bagno comune, per un totale di 9 posti letto.
Ristorazione: ristorante aperto al pubblico. Cucina locale preparata con prodotti aziendali.
Prezzi: rivolgersi direttamente all'azienda.
Note: club ippico. Biancheria e riscaldamento.

Cuneo

FENOCCHIO

via Alba, 79 - Cannubi • 12060 BAROLO
☎ 0173566407 fax 017356387

● M 6

Posizione geografica: collina.
Periodo di apertura: da marzo a dicembre.
Associato a: Terranostra.
Presentazione: costruzione agricola ristrutturata su terreno coltivato a vigneto. Accoglie ospiti in 4 camere con bagno.
Ristorazione: ristorante con 40 coperti, minimo 8 persone, su prenotazione. Cucina tradizionale storica di Langa, arrosti, brasati, tagliatelle, antipasti caldi, tartufi, funghi.
Prodotti aziendali: conserve di casa, vini, formaggi di zona.
Luoghi di interesse e manifestazioni locali: castelli medioevali, enoteche. Fiera del tartufo, mostre di vino di pregio.
Prezzi: pasto da £ 30.000 a 60.000 (vini compresi), alloggio £ 70.000 la camera più £ 5.000 per la prima colazione. Riduzioni per bambini e per permanenze di minimo sette giorni.
Note: è gradita la prenotazione, soprattutto per la ristorazione. Degustazioni verticali e comparative per vini di zona. Mountain bike. Animali accolti previo accordo.

AGRITURISMO BORGO ROBINIE

via Lupiano, 7 • 12050 BOSIA
☎ e fax 0173529293

● M 7

Posizione geografica: collina.
Periodo di apertura: da marzo a dicembre.
Associato a: Terranostra.
Presentazione: tipica costruzione in pietra circondata da 22 ettari di terreno adibiti a produzione orticola e allevamento di animali da cortile. L'azienda si trova in una zona di riserva naturale. Accoglie ospiti in camere con bagno.
Ristorazione: ravioli con la ricotta, gnocchi, salumi e carni della casa, cucina per bambini celiaci.
Prodotti aziendali: marmellate, prodotti dell'orto e funghi.
Luoghi di interesse e manifestazioni locali: castelli delle Langhe e casa natale di Pavese. Fiera del tartufo, sagra della nocciola a Cortemilia.
Prezzi: H/B oltre £ 50.000, possibilità di B&B. Pasto a £ 35.000 vini esclusi. Riduzione del 10% per bambini fino a 10 anni.
Note: accessibile agli handicappati. Possibilità di praticare pesca sportiva in due laghetti, passeggiate a piedi o in carrozza, bocce e tiro con l'arco. Frigorifero, uso cucina comune, riscaldamento, posto macchina.

LA BISALTA

via Tetti Re, 5 - fraz. Rivoira • 12012 BOVES
☎ e fax 0171388782

● O 5

Posizione geografica: pedemontana (Alpi Marittime, 650 m).
Periodo di apertura: tutto l'anno.
Associato a: Terranostra.
Presentazione: azienda agricola con destinazione prevalente ad allevamento estensivo di lumache (tipo "Helix Pomatia Alpina") a ciclo biologico completo. Accoglie ospiti in 5 camere con bagno.
Ristorazione: H/B, F/B. Cucina tipica piemontese con utilizzo dei prodotti aziendali e locali. Il ristorante ha 60 posti. Piatti a base di lumache per tutto l'anno.
Prodotti aziendali: lumache, frutta e verdura di stagione.
Luoghi di interesse e manifestazioni locali: valli cuneesi, Mar Ligure, Costa Azzurra, palazzi storici, santuari, musei, sport invernali. Festeggiamenti popolari per tutta l'estate.
Prezzi: pasto da £ 30.000 a 50.000. Alloggio da £ 30.000 a 80.000. Riduzione per bambini e famiglie.
Note: ascensore e assenza di barriere architettoniche per l'ospitalità dei disabili. Solo su prenotazione. Per gli ospiti campo da tennis, pallavolo, calcio balilla, ping-pong, campi da bocce, minigolf, mountain bike, giochi per bambini, passeggiate nella neve e giochi all'aria aperta. Raccolta di funghi, mirtilli, castagne, frutti di bosco.

LA SEREZIERO

loc. Colle San Giovanni • 12020 CANOSIO ☎ 0171998108

N 3

Posizione geografica: montagna.

Periodo di apertura: tutto l'anno, solo su prenotazione.

Presentazione: tipica costruzione rurale in azienda in cui si allevano ovini. Ideale per soggiorni rilassanti e passeggiate naturalistiche. Offre ospitalità in 3 camere, con bagno e telefono, per un totale di 12 posti letto, e in 3 piazzole per roulotte.

Ristorazione: ristorante con 40 coperti aperto al pubblico. Cucina tipica occitana. Piatti a richiesta.

Prodotti aziendali: miele, funghi e frutti di bosco.

Luoghi di interesse e manifestazioni locali: parco naturale dei "Ciciò del Vilar". Ultima domenica di giugno festa di San Giovanni, numerose sagre la domenica durante l'anno.

Prezzi: OR £ 40.000. Pasto da £ 20.000 a 40.000. Sconto del 50% per bambini fino a 5 anni.

Note: osservazione ambientale, danze occitane, osservazione del ciclo di lavorazione della lana (cardatura, filatura ecc). Giochi all'aria aperta, canto, alpinismo, calcetto, pesca sportiva, ping-pong, roccia, sci alpinismo e da fondo, impianti di risalita nelle vicinanze. Prato per prendere il sole. Biancheria, pulizia, prima colazione, riscaldamento, sala comune. Animali accolti previo accordo.

LA MEJA

via Pianesio, 1 • 12020 CANOSIO ☎ 0171998116

N 3

Posizione geografica: montagna.

Periodo di apertura: da luglio alla fine di settembre, tutti i giorni.

Presentazione: costruzione rurale. Allevamento di bovini. Accoglie ospiti in camere con bagno comune per un totale di 15 posti letto.

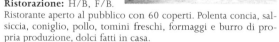

Ristorazione: H/B, F/B. Ristorante aperto al pubblico con 60 coperti. Polenta concia, salsiccia, coniglio, pollo, tomini freschi, formaggi e burro di propria produzione, dolci fatti in casa.

Prodotti aziendali: tomini, formaggio nostrano, burro, panna, latte, uova.

Luoghi di interesse e manifestazioni locali: sagra del malgaro e badia di San Lorenzo in agosto.

Prezzi: pasto da £ 20.000 a 30.000 (vini esclusi), B&B a £ 30.000, H/B a £ 50.000, F/B £ 80.000. Sconto del 50% per bambini al di sotto di 6 anni.

Note: è gradita la prenotazione. Osservazione della lavorazione del formaggio. Vita in alpeggio. Mountain bike, trekking e passeggiate. Raccolta di mirtilli, timo, funghi. Gioco delle bocce. Telefono, parcheggio coperto.

SAN MARTINO

strada San Martino, 28 • 12053 CASTIGLIONE TINELLA
☎ 0141855272 fax 0141855083

M 8

Posizione geografica: collina.

Periodo di apertura: da febbraio a dicembre, su prenotazione.

Presentazione: tipica costruzione rurale su 6 ettari di terreno adibito a vigneto di Moscato, Dolcetto, Barbera e Chardonnay e alla coltivazione di frutta e verdura. Accoglie ospiti in camere con bagno per un totale di 4 posti letto.

Ristorazione: B&B, H/B, F/B. Ristorante aperto al pubblico. *Tayarin* e focacce.

Prodotti aziendali: vini, confetture, miele e ortaggi.

Luoghi di interesse e manifestazioni locali: Alba, Santo Stefano Belbo e la casa natale di Cesare Pavese. Fiera dei vini e del tartufo.

Prezzi: camere da £ 30.000 a 50.000. Pasto da £ 20.000 a 40.000. Riduzioni per i bambini.

Note: corsi di agricoltura ed enologia. Giochi di sala, mountain bike, possibilità di passeggiate naturalistiche. Raccolta di asparagi e funghi. Sala riunioni. Pulizia, biancheria, telefono, sala comune.

CA' DI GHIRU

fraz. Meane, 4 • 12062 CHERASCO ☎ 0172488018

M 6

Posizione geografica: collina, fiume.

Periodo di apertura: tutto l'anno.

Associato a: Terra Amica, Agri Eco Bio.

Presentazione: tipica costruzione rurale, si estende su 6 ettari con produzione di ortaggi, cereali, uva, frutta. Allevamento di animali a carne bianca. Accoglie ospiti in 2 camere con bagno e in 3 piazzole in agricampeggio per tende o caravan.

Ristorazione: H/B, F/B. Ristorante aperto al pubblico con 50 coperti. Ravioli al plin, coniglio alle erbe, cucina vegetariana.

Prodotti aziendali: confetture, dolci, frutta, miele, ortaggi, pollame, uova, salumi, vini.

Luoghi di interesse e manifestazioni locali: palazzo Salmatoris, musei, castelli. Mercato dell'antiquariato la quarta domenica di aprile, terza di settembre e seconda di dicembre.

Prezzi: pasto da £ 20.000 a 40.000. B&B oltre £ 50.000. Sconto 10% per bambini fino a 10 anni e del 10% per la seconda settimana di soggiorno.

Note: accessibile agli handicappati. È gradita la prenotazione. L'azienda organizza corsi di agricoltura biologica, di enologia, gastronomia e osservazione ambientale. Possibilità di gioco delle bocce, canoa, golf, tiro con l'arco, giochi all'aria aperta, equitazione e mountain bike. Prato per prendere il sole. Disponibile sala riunioni. Biancheria, telefono in comune, riscaldamento, posto macchina.

LUNGASERRA

reg. Lungaserra • 12013 CHIUSA DI PESIO ☎ 0171734514

O 6

Posizione geografica: montagna.

Periodo di apertura: tutto l'anno.

Associato a: Terranostra.

Presentazione: nuova costruzione coloniale circondata da 57.150 mq di terreno adibito a coltivazione di ortaggi e allevamento di piccoli animali. Accoglie ospiti in 5 appartamenti con servizi per un totale di 20 posti letto.

Ristorazione: ristorante con 50 coperti. Pane fatto in casa, crostini al gorgonzola, gnocchi alla *baciassa*, pollo alla provenzale.

Prodotti aziendali: funghi, pane, uova, ortaggi, pollame.

Luoghi di interesse e manifestazioni locali: certosa di Pesio, parco naturale dell'Alta Valle Pesio. Sagra di San Bartolomeo in agosto.

Prezzi: appartamenti da £ 30.000 a 50.000. Pasto a £ 30.000 vino escluso. Riduzione del 10% per i bambini.

Note: accessibile agli handicappati. Bocce, equitazione, orientamento, sci alpinismo, tennis, torrentismo e trekking. Raccolta di frutti di bosco. Prato per prendere il sole. Biancheria, uso cucina, frigorifero, riscaldamento, telefono in comune.

BALCONE SULLE LANGHE

via Airali, 11 • 12050 CISSONE
☎ e fax 0173748116

● N 7

Posizione geografica: collina.
Periodo di apertura: da maggio a ottobre tutti i giorni, gli altri mesi solo sabato e domenica.
Presentazione: tipica costruzione rurale in un ambiente caldo caratterizzato dalla tradizionale "giuva" in legno. Azienda biologica. Accoglie ospiti in 14 camere con bagno privato.
Ristorazione: ristorante aperto al pubblico con 60 coperti.
Prodotti aziendali: farine, miele, formaggio, dolci, confetture e funghi.
Luoghi di interesse e manifestazioni locali: castello di Serralunga, castello di Grinzane Cavour, castello di Roddi, enoteche e torronifici. Fiera del tartufo di Alba ad ottobre, sagra del Dolcetto a settembre.
Prezzi: pasto da £ 40.000 a 50.000 (vino Dolcetto incluso). Sconto 20% per i bambini fino ai 10 anni e per i gruppi nei giorni non festivi. Alloggio a partire da £ 50.000 a persona.
Note: accessibile agli handicappati. Solo su prenotazione. Prato per prendere il sole. Pulizia, riassetto, prima colazione, riscaldamento, posto macchina. Animali accolti previo accordo.

GIUSEPPE GALLO

strada Serole, 20 • 12074 CORTEMILIA
☎ e fax 017381404

● M 8

Posizione geografica: collina.
Periodo di apertura: tutto l'anno.
Presentazione: tipica costruzione rurale con allevamento di struzzi, bovini, ovicaprini, suini, cinghiali e bufali. Offre ospitalità in una cascina ristrutturata da cui sono state ricavate 10 camere tutte con bagno, TV e frigobar, e 2 suite.
Ristorazione: ristorante con 60 coperti. Salumi nostrani, caratteristico piatto di formaggi, porchetta, ravioli al plin, cinghiale con castagne bollite, carne di struzzo, di manzo, di bufalo e in certi periodi anche di agnello e capretto. Ampia carta dei vini (oltre 600).
Prodotti aziendali: salumi, nocciole.
Luoghi di interesse e manifestazioni locali: enoteche e strade dei vini di Langa. Sagra della nocciola, feste enologiche.
Prezzi: pasto da £ 35.000 a 45.000 (vini esclusi). Pernottamento da £ 130.000 a 200.000.
Note: solo su prenotazione. Gioco del ping-pong, mountain bike, trekking e passeggiate. Animali accolti previo accordo.

KNEC

via Roatta Soprana • 12050 FEISOGLIO
☎ 0173831137

● N 8

Posizione geografica: collina.
Periodo di apertura: da marzo a ottobre. Da ottobre a gennaio solo su prenotazione.
Associato a: Terranostra.
Presentazione: costruzione rurale su 3 ettari con produzione di nocciole e frutta. Accoglie ospiti in 5 camere con bagno.
Ristorazione: H/B, F/B. Ristorante aperto al pubblico con 25

coperti. Ravioli al plin, tajarin, coniglio al vino, pollo al rosmarino, tuma, torta di nocciole, bûnet.
Prodotti aziendali: confetture, salumi, ortaggi, uova, pollame.
Luoghi di interesse e manifestazioni locali: Alba, Dogliani, Ceva, Santo Stefano Belbo. Sagra delle nocciole, festa patronale di San Lorenzo.

Prezzi: pasto da £ 18.000 a 30.000. Alloggio da £ 30.000 a 50.000. Sconto del 50% per i bambini di età inferiore ai 10 anni.
Note: possibilità di dedicarsi alla lettura e alle passeggiate in totale relax. Prato per prendere il sole. Raccolta di castagne, frutti di bosco, funghi. Pulizia, riassetto, biancheria, riscaldamento, sala comune, posto macchina. Animali accolti previo accordo.

LA MUNATERA

loc. Rialpo Cascina Munatera • 12014 DEMONTE
☎ 017195352

● O 4

Posizione geografica: montagna.
Periodo di apertura: tutto l'anno.
Associato a: Terranostra.
Presentazione: fabbricato di recente costruzione in azienda di 35 ettari specializzata nelle attività zootecniche e casearie. Accoglie ospiti in 9 camere, alcune con bagno privato, per un totale di 25 posti letto.
Ristorazione: ristorante aperto al pubblico con 45 coperti. Cucina tipica.
Prodotti aziendali: formaggio.
Luoghi di interesse e manifestazioni locali: fonte del Po e Monviso.
Prezzi: B&B a £ 45.000, H/B da £ 65.000 a 70.000, F/B da £ 75.000 a 80.000. Pasto a partire da £ 25.000 bevande escluse. Per ulteriori informazioni contattare l'azienda.
Note: parcheggio, telefono e sala lettura. Biancheria e riscaldamento.

F.LLI REVELLO

fraz. Annunziata, 103 • 12064 LA MORRA
☎ 017350276 fax 017350139

● M 7

Posizione geografica: collina.
Periodo di apertura: dal 20 febbraio al 10 luglio e dal 28 luglio al 20 dicembre.
Associato a: Terranostra.
Presentazione: tipica costruzione rurale in azienda di 9 ettari coltivati in prevalenza a vigneto. Accoglie ospiti in 2 camere con bagno comune.
Ristorazione: ristorante aperto al pubblico solo su prenotazione con 55 coperti. Cucina tipica langarola, pasta fatta in casa, brasato al Barolo.
Prodotti aziendali: confetture, vini.
Luoghi di interesse e manifestazioni locali: castelli ed enoteca di Barolo, Grinzane Cavour e Serralunga, città d'arte nel raggio di 30 km. Fiera del tartufo di Alba in ottobre, festa del Barolo nella sua terra a La Morra all'inizio di settembre.
Prezzi: pasto da £ 38.000 a 48.000 (vino escluso), B&B da £ 40.000 a 55.000.
Note: accessibile agli handicappati. Solo su prenotazione. L'azienda organizza corsi di cucina per gli ospiti. Terrazza panoramica per prendere il sole. Mountain bike, trekking e passeggiate. Riscaldamento, parcheggio al coperto.

ÈL MON VEJ

via Vernea, 11 • 12030 MANTA
☎ 017588884 fax 0175750942
E-mail:elmonvej@cnnet.it
http:www.cnnet.it/elmonvej

M 5

Posizione geografica: pianura.
Periodo di apertura: tutto l'anno.
Presentazione: cascina rurale completamente ristrutturata su 4.000 mq di terreno coltivati a ortaggi. Allevamento di suini, conigli e caprini. Accoglie ospiti in 10 camere con bagno, per un totale di 20 posti letto.
Ristorazione: possibilità di F/B. Ristorante aperto al pubblico con 150 coperti all'interno e 60 all'esterno. Pasta fatta in casa, salame, fritto misto piemontese, bagnacauda.
Prodotti aziendali: confetture, frutta, pollame, salumi, uova, salse.
Luoghi di interesse e manifestazioni locali: castello di Manta, abbazia di Staffarda, casa Cavassa, castello di Fossano, fonte del Po, Monviso. Carnevale saluzzese a febbraio, fiera dell'agricoltura in agosto e fiera dell'artigianato in settembre.
Prezzi: OR fino a £ 35.000. Pasto da £ 35.000 a 45.000. Sconto del 50% per bambini fino a 10 anni.
Note: possibilità di praticare mountain bike. Per gli ospiti uso di piscina, solarium e parco giochi bambini. Posto auto, telefono comune, riscaldamento.

ABBADIA

fraz. Abbà • 12060 MARSAGLIA
☎ 0174787136

N 7

Posizione geografica: alta collina.
Periodo di apertura: venerdì, sabato e domenica, a seconda della disponibilità dell'azienda.
Associato a: Terranostra.
Presentazione: recupero di costruzione rurale in pietra. Borgo di case rurali in tufo tipico di Langa. L'azienda offre ospitalità in 2 camere e 2 appartamenti, di cui uno con 2 camere e l'altro con 1 camera matrimoniale e un lettino.
Ristorazione: H/B. Tartufo bianco, agnello castrato, antipasti vari, funghi, dolci casalinghi stagionali.
Prodotti aziendali: tartufi, funghi, verdure, vino Dolcetto.
Luoghi di interesse e manifestazioni locali: santuario di Vicoforte, torre romanica di Murazzano, Alba, castelli e vie dei vini più pregiati di Langa: Dolcetto, Barbaresco, Barolo. Passeggiata ecologica la prima domenica di settembre.
Prezzi: pasto da £ 37.000 a 40.000. Sconto del 30% per bambini dai 4 agli 11 anni. H/B a £ 80.000.
Note: solo su prenotazione. Osservazione ambientale. Raccolta di castagne, funghi, er-

be aromatiche. Ping-pong, pesca, mountain bike, giochi all'aria aperta, tennis, trekking ed escursioni guidate.

LA RUOTA

via Mortizzo, 39 • 12050 MONTELUPO ALBESE
☎ 0173617488

M 7

Posizione geografica: collina.
Periodo di apertura: tutto l'anno.
Presentazione: costruzione situata nel cuore delle Langhe, in posizione ideale per splendide passeggiate naturalistiche. Il proprietario, oltre alla vigna e al frutteto, coltiva nelle sue serre anche piccole piante ornamentali da giardino. Allevamento di animali vari. Accoglie ospiti in 8 camere con bagno per un totale di 24 posti letto e in piazzole attrezzate per caravan con wc.
Ristorazione: H/B e F/B. Ristorante aperto al pubblico con 80 coperti. Cucina tipica langarola, salame, carne cruda all'albese, agnolotti al *plin*, *tajarin* fatti in casa, coniglio ai profumi di Langa e pollo alla cacciatora.
Prodotti aziendali: confetture, frutta, pollame, salumi, uova, vino, robiole d'Alba e piante ornamentali e da giardino al dettaglio o all'ingrosso.
Luoghi di interesse e manifestazioni locali: fiera del tartufo e fiera del grano presso l'azienda stessa in luglio.
Prezzi: B&B a £ 90.000 per 2 persone, H/B a £ 60.000 a persona, F/B 8 70.000 a persona, lettino aggiunto £ 30.000.
Note: accessibile agli handicappati. Possibilità di passeggiate naturalistiche ed escursioni in mountain bike. Ampio parco giochi per bambini con vari tipi di animali. Saletta riunioni con 30 posti. Biancheria, pulizia, telefono in comune, prima colazione, riscaldamento, posto macchina.

BARBERO

fraz. Rea, 66 • 12060 MURAZZANO
☎ 0173791180

N 8

Posizione geografica: collina.
Periodo di apertura: tutto l'anno.
Presentazione: costruzione rurale che offre ospitalità in 2 camere per un totale di 8 posti letto.
Ristorazione: H/B e F/B. Ristorante aperto al pubblico con 50 coperti. Salumi, tagliatelle, polli, conigli, dolce della casa e budino della nonna.
Prodotti aziendali: miele.
Luoghi di interesse e manifestazioni locali: sagra del formaggio la penultima domenica di agosto.
Prezzi: F/B a £ 60.000 e H/B a £ 45.000.
Note: possibilità di passeggiate naturalistiche nei boschi e raccolta di castagne.

I FORNELLI

loc. Fornello, 1 • 12060 NIELLA TANARO
☎ e fax 0174226181

 N 7

Posizione geografica: collina.
Periodo di apertura: tutto l'anno, solo su prenotazione.
Associato a: Terranostra.
Presentazione: tipica cascina della bassa Langa circondata da 30 ettari di terreno adibito a pascolo, foraggere e allevamento di bovini. Accoglie ospiti in 5 camere dotate di bagno e angolo cottura, in 6 camere con bagno in comune, 1 appartamento con 6 posti letto, per un totale di 23 posti letto, e in 3 piazzole in agricampeggio.
Ristorazione: cucina casalinga tipica langarola.
Prodotti aziendali: confetture, latticini, miele, pollame, conigli, uova e nocciole.
Luoghi di interesse e manifestazioni locali: santuario di Vico Forte M.vi, oasi faunistica di Crava e Marozzo, grotte di Bossea, cittadella medioevale di Mondevì. Sagra della Madonna in settembre.
Prezzi: OR fino a £ 30.000. Pasto da £ 20.000 a 35.000 bevande escluse. Sconto del 30% per bambini fino a 7 anni e del 10% per letto aggiunto.
Note: 1 camera accessibile agli handicappati. Osservazione ambientale, brevi corsi informativi su agricoltura e ambiente per scolaresche.
Raccolta di funghi, frutti di bosco e castagne. Parco giochi, bocce, tiro con l'arco e calcetto. Sala riunioni. Telefono in comune, biancheria, sala comune, uso frigorifero, riscaldamento. Animali accolti previo accordo.

CASCINA DEL COLLE

via Madonna della Neve • 12079 SALICETO
☎ 017498447

 N 8

Posizione geografica: collina.
Periodo di apertura: solo su prenotazione, chiuso il lunedì.
Presentazione: costruzione rurale con produzione propria di carni, cereali, orticoli, miele. Offre ospitalità in 3 camere per un totale di 10 posti letto e in 3 piazzole per campeggio.
Ristorazione: H/B, F/B. Ristorante aperto al pubblico con 40 coperti. Affettati nostrani, ravioli al plin, carni e selvaggina locali, menu vegetariani.
Prodotti aziendali: miele.
Luoghi di interesse e manifestazioni locali: festa della Madonna della Neve (prima e seconda domenica di agosto).
Prezzi: pasto da £ 23.000 a 50.000, alloggio da £ 30.000 a 50.000. Sconto del 20% per i bambini fino a 7 anni.
Note: ristorante accessibile agli handicappati. Parco giochi e passeggiate organizzate per i bambini. Raccolta di castagne, funghi, piccoli frutti. Possibilità di escursioni sui sentieri del Bormida e Valle Belbo. Telefono comune, prima colazione, parcheggio coperto.

ROERO HORSES

loc. Ciura, 23 • 12040 SOMMARIVA PERNO
☎ 017246286

● M 7

Posizione geografica: collina.
Periodo di apertura: da Pasqua al 2 novembre.
Presentazione: costruzione rurale in posizione ideale per passeggiate naturalistiche e soggiorni rilassanti. Accoglie ospiti in 4 camere per un totale di 10 posti letto e in 3 piazzole per agricampeggio.
Ristorazione: ristorante con 70 coperti solo su prenotazione, minimo 10 persone. Tagliatelle, coniglio alle erbe o in agrodolce, bunet, dolce di nocciole. Cucina vegetariana.

Prodotti aziendali: raccolta di frutti di bosco e funghi.
Luoghi di interesse e manifestazioni locali: luoghi di interesse naturalistico, museo civico di Craveriabra. Sagra della fragola a inizio giugno e sagra paesana a metà settembre.
Prezzi: OR a £ 58.000 (camera doppia) e a £ 36.000 (singola). F/B a £ 53.000, H/B a £ 39.000. Prima colazione a £ 5.000. Pasto da £ 17.000 a 45.000 bevande escluse. Riscaldamento a £ 5.000 a camera.
Note: giochi all'aria aperta, prato per prendere il sole. Centro sportivo del Roero a 1 km. Bocce, piscina, bar, tiro a volo. Il servizio di pensione si effettua per permanenze di minimo 4 giorni. Animali accolti previo accordo.

ANTICO BORGO DEL RIONDINO

via Fiori, 13 • 12050 TREZZO TINELLA
☎ e fax 0173630313

 M 8

Posizione geografica: collina.
Periodo di apertura: tutti i giorni da marzo a dicembre.
Presentazione: antico borgo medioevale al centro di 8 ettari di terreno con vigne e frutteti biologici, boschi, ampie zone per relax. Accoglie

ospiti in 6 camere con bagno, arredate con mobili antichi.
Ristorazione: solo cene su prenotazione, per un massimo di 20 coperti. Cucina tipica delle Langhe.
Prodotti aziendali: vino.
Luoghi di interesse e manifestazioni locali: città di Alba, castelli medioevali, arti romaniche sulle colline, cantine di Barolo, Barbaresco ecc. A partire da aprile fino al tardo autunno, manifestazioni legate ai grandi vini, al tartufo, agli avvenimenti storici.
Prezzi: pasto a partire da £ 60.000 (bevande escluse), B&B a £ 170.000 la camera doppia.
Note: la struttura non è idonea a ospitare bambini. Grande sala attrezzata per riunioni di lavoro. Solarium, giardino interno, parco. Biancheria, riassetto, pulizia, parcheggio, riscaldamento.

REINÈ

loc. Altavilla, 9 • 12051 ALBA ☎ e fax 0173440112

 ▲ M 8

Posizione geografica: collina.
Presentazione: azienda in posizione collinare, panoramica. Dispone di 6 camere doppie, tutte diverse e arredate con mobili antichi, fra cui 1 suite con salottino e grande terrazza e 1 dotata di angolo cottura.
Luoghi di interesse e manifestazioni locali: Alba.
Prezzi: B&B da £ 110.000 a 130.000 per 2 persone.
Note: ping-pong, biliardo, bocce, tiro con l'arco, trekking, passeggiate e mountain bike. Piccola piscina a disposizione d'estate. Nelle vicinanze dell'azienda ci sono campi da tennis, maneggi, campi da golf. In settembre cura dell'uva raccolta in vigna trattata biologicamente.

CASCINA DELLE ROSE

via Rio Sordo, 17/a - fraz. Tre Stelle • 12050 BARBARESCO
☎ 0173638322 fax 0173638292
http:www.quiaffari.it/piemonte/cascinadellerose

 ▲ M 8

Posizione geografica: collina.
Periodo di apertura: tutto l'anno.
Presentazione: tipica costruzione rurale del primo '900, tra vigneti e noccioleti, in posizione panoramica. Offre ospitalità in 4 camere con bagno, 1 monolocale e 2 bilocali per un totale di 14 posti letto.
Prodotti aziendali: vini D.O.C. e D.O.C.G. (Dolcetto, Barbera d'Alba e d'Asti, Barbaresco), frutta, ortaggi.
Luoghi di interesse e manifestazioni locali: Alba antica, castelli, monasteri, cantine, palazzo reale a Racconigi, Torino, Saluzzo antica, Cherasco (museo). Fiera del tartufo a ottobre, "*Vinum*" in aprile-maggio.
Prezzi: B&B da £ 160.000 camera doppia.
Note: è gradita la prenotazione per minimo 2 notti per le camere e 5 notti per gli appartamenti. Giardino attrezzato per prendere il sole. Possibilità di partecipare ai lavori in azienda. Nelle vicinanze trekking a piedi, in mountain bike, a cavallo, golf, tennis e piscina. Disponibile una piccola biblioteca informativa sulla zona. Pulizia e cambio biancheria bisettimanali, telefono in camera, prima colazione self-service, uso cucina, sala biblioteca comune, giardino, orto in uso, posto macchina. Animali accolti previo accordo.

IL GIOCO DELL'OCA

via Crosia, 46 • 12060 BAROLO
☎ e fax 017356206 cell. 03385999426

▲ M 7

Posizione geografica: collina.
Periodo di apertura: da febbraio a dicembre.
Presentazione: tipica cascina di Langa ristrutturata situata sui sentieri del Barolo che collegano tutti i paesi della zona con possibilità di bellissime passeggiate. Offre

ospitalità in 5 camere matrimoniali con bagno privato e in 2 miniappartamenti con angolo cottura, per un totale di 14 posti letto. Arredamento tipico langarolo.
Ristorazione: servizio di prima colazione.
Prodotti aziendali: uva, frutta, ortaggi, uova, conserve, confetture, nocciole.
Luoghi di interesse e manifestazioni locali: castelli, monasteri, Alba a 10 km, Barolo a 2 km, La Morra, Saluzzo, Savigliano, Cherasco. Fiera del tartufo e del vino.
Prezzi: B&B a £ 50.000.
Note: porticato e zona barbecue a disposizione. Tennis e piscina in azienda, noleggio mountain bike. Possibilità di trekking a cavallo. Cambio biancheria bisettimanale. Si accolgono animali domestici.

SANTA CATERINA

via Berria, 14 • 12050 BORGOMALE
☎ 0173529191

 ▲ M 8

Posizione geografica: collina.
Periodo di apertura: tutto l'anno.
Associato a: Terranostra.
Presentazione: tipica costruzione rurale ristrutturata, si estende su 4 ettari di terreno coltivati a frutteto e vigneto. Offre ospitalità in 4 camere, di cui una con bagno privato, per un totale di 8-12 posti letto.
Prodotti aziendali: vino, marmellate, frutta, uova.
Luoghi di interesse e manifestazioni locali: antichi palazzi patrizi e museo civico ad Alba, enoteca regionale piemontese (castello Glinzane Cavour). Fiera del tartufo ad Alba in ottobre, sagra della nocciola in agosto-settembre, festa patronale di Borgomale in luglio
Prezzi: alloggio da £ 30.000 a 50.000. Gratis i bambini fino a 2 anni, sconto 10% fino a 10 anni, 5% per letto aggiunto, 10% per seconda settimana.
Note: raccolta di castagne, frutti di bosco, funghi. Per i bambini, giochi all'aria aperta, contatto con pony, asini, gatti, cani. Possibilità di giocare a bocce. Osservazione ambientale. Biancheria, pulizia, prima colazione, uso cucina, uso frigorifero, riscaldamento, sala comune, posto macchina.

CASCINA SERRA

loc. Rovere, 27 • 12054 COSSANO BELBO
☎ 014188572 - 031855113 fax 014188572

▲ M 9

Posizione geografica: alta collina (500 m).
Periodo di apertura: da aprile a novembre.
Presentazione: tipico casale piemontese in pietra a vista, completamente ristrutturato nel 1995, in azienda vitivinicola di 7 ettari. Accoglie ospiti in 4 appartamenti e in 1 camera con bagno per un totale di 18 posti letto.

Ristorazione: a richiesta, prima colazione a buffet.
Prodotti aziendali: polli, uova, nocciole, vino Moscato e Dolcetto.
Luoghi di interesse e manifestazioni locali: Alba, Cherasco, Langhe Canelli, castelli aperti in estate. "*Vinum*" in aprile, sagra del tartufo in ottobre, assedio di Canelli in giugno.
Prezzi: prima colazione a £ 15.000, alloggio da £ 30.000 a 50.000 a persona. Pulizie finali dell'appartamento £ 50.000. B&B a £ 130.000. Riduzione del 5% per un soggiorno minimo di una settimana dal 28/6 al 23/8.
Note: solo su prenotazione, per un minimo di 3 giorni. Possibilità di degustare i vini piemontesi nelle antiche cantine. Ping-pong, giochi all'aria aperta, trekking, passeggiate e mountain bike. Giardino. Raccolta di funghi, castagne, more. Biancheria, TV, sala comune. Animali accolti previo accordo.

CASCINA PRATO

Cascina Prato, 1 • 12050 CRAVANZANA
☎ e fax 0173855060

 ▲ M 8

Posizione geografica: collina (550 m).
Periodo di apertura: tutto l'anno.
Presentazione: tipica costruzione rurale ristrutturata in azienda con produzione di noccioleti tipici dell'Alta Langa. Accoglie

ospiti in 3 camere matrimoniali con bagno per un totale di 7 posti letto.
Prodotti aziendali: nocciole (Tonda Gentile delle Langhe).
Luoghi di interesse e manifestazioni locali: Alba, Barbaresco, Barolo, Grinzane Cavour, castello di Mango, castello di Serralunga. Fiera *"Vinum"* a fine aprile, fiera nazionale del tartufo in ottobre ad Alba, Cheese in settembre a Brà, sagra della nocciola in agosto a Cortemilia.
Prezzi: B&B da £ 85.000 a 95.000 in camera matrimoniale.
Note: è gradita la prenotazione. Passeggiate ed escursioni sui sentieri dell'Alta Langa. Saletta per la colazione, giardino per prendere il sole. Biancheria, parcheggio.

CASTELLA

via Alba, 18 - b.ta Lopiano • 12055 DIANO D'ALBA
☎ 017369170

 M 7

Posizione geografica: collina, in posizione panoramica.
Periodo di apertura: tutti i giorni, da marzo a novembre.
Presentazione: tipica costruzione rurale, che offre ospitalità in 5 camere e in 1 monolocale con servizi.
Prodotti aziendali: vino, nocciole.
Luoghi di interesse e manifestazioni locali: castelli, cantine, vigneti. Fiera del tartufo d'Alba in ottobre, fiera dei vini a Pasqua.
Prezzi: B&B da £ 30.000 a 50.000.
Note: biancheria, pulizia, uso frigorifero.

SAVIGLIANO

via Madonnina, 1 • 12055 DIANO D'ALBA
☎ 017369196 fax 017369588

 M 7

Posizione geografica: collina.
Periodo di apertura: da aprile al 15 novembre.
Associato a: Terranostra.
Presentazione: azienda vitivinicola. Offre ospitalità in 2 miniappartamenti con servizi igienici (uno anche con cucina) per un totale di 8 posti letto.
Prodotti aziendali: vini.
Luoghi di interesse e manifestazioni locali: castelli, chiese, itinerari naturalistici.
Prezzi: per il pernottamento vengono praticati prezzi medi.
Note: è gradita la prenotazione. A richiesta, prima colazione.

CASA BAMBIN

fraz. Santa Maria, 68 • 12064 LA MORRA ☎ e fax 017350785

 M 7

Posizione geografica: collina.
Periodo di apertura: da marzo a novembre.
Presentazione: tipica costruzione rurale nel cuore della zona del Barolo. Accoglie ospiti in 3 camere con bagno.
Ristorazione: si servono crostate, marmellate, pane casereccio, formaggi locali, salumi.
Prodotti aziendali: vino, frutta, verdura.

Luoghi di interesse e manifestazioni locali: città medioevali (Alba, Cherasco, Saluzzo, Asti), paesi della zona del vino Barolo, Langhe. Fiera del tartufo in ottobre, fiera del vino di Pasqua ad Alba in aprile, "Mangialonga" a La Morra alla fine di agosto.
Prezzi: B&B da £ 40.000 a 50.000.

Note: possibilità di praticare trekking sui sentieri del Barolo con possibilità di visita alle cantine. Uso gratuito di biciclette. Si organizzano corsi di lingua italiana. Biancheria, pulizia, riassetto, telefono in comune, sala comune, riscaldamento. Non si accettano animali.

ERBALUNA

b.ta Pozzo, 43 • 12064 LA MORRA
☎ 017350800 fax 0173509336

 M 7

Posizione geografica: collina.
Periodo di apertura: da marzo a dicembre tutti i giorni.
Associato a: Terranostra.
Presentazione: tipica costruzione rurale, si estende su 7 ettari con produzione di vigneto. Offre ospitalità in 5 camere, di cui 4 con bagno privato e 1 con bagno comune esterno, e in 2 miniappartamenti per un totale di 18 posti letto.

Prodotti aziendali: vini biologici.
Luoghi di interesse e manifestazioni locali: Langhe, Alba, Bra. Fiera del tartufo in ottobre, *"Vinum"* (fiera del vino di Pasqua).
Prezzi: B&B da £ 40.000 a 55.000 a persona.
Note: terrazza panoramica per prendere il sole e per relax. Possibilità di giocare a ping-pong, praticare trekking e mountain bike. Biancheria, pulizia, riassetto, parcheggio. Si accolgono animali.

LA CASCINA DEL MONASTERO

fraz. Annunziata, 112/a • 12064 LA MORRA
☎ e fax 0173509245

 M 7

Posizione geografica: collina.
Periodo di apertura: tutti i giorni, da febbraio a dicembre.
Associato a: Terranostra.
Presentazione: ristrutturazione su un antico portico e fienile del 1600. L'azienda si estende su 3 ettari con coltivazione a vigneto. Accoglie ospiti in 4 camere e in una suite (per 2 o più persone) con servizi.
Prodotti aziendali: confetture, salumi, vini.
Luoghi di interesse e manifestazioni locali: Barolo, La Morra. Premio biennale al vignaiolo nel mondo la prima domenica di settembre, passeggiata enogastronomica sui sentieri del vino a fine agosto, salone del vino enogastronomico.
Prezzi: B&B a £ 50.000.
Note: solo su prenotazione, per un periodo minimo di 2 giorni. Mountain bike. Possibilità di praticare tennis e ping-pong presso il campo sportivo di La Morra. La cantina comunale di La Morra organizza corsi di enologia e gastronomia. Prato per prendere il sole. Disponibile sala riunioni. Biancheria, pulizia giornaliera, telefono a disposizione, uso cucina e frigorifero. Animali accolti previo accordo.

DAL "BESSE"

b.ta Graziani, 8 • 12020 SAMPEYRE
☎ 0175979995 fax 0175977517

 N 3

Posizione geografica: montagna.
Periodo di apertura: tutto l'anno.
Associato a: Terranostra.
Presentazione: l'azienda è situata sul versante solatio del comune di Sampeyre, in posizione panoramica. Alleva cavalli di razza Mèrens, bovini da latte di razza pezzata rossa. Accoglie ospiti in 2 appartamenti con bagno per un totale di 14 posti letto.
Prodotti aziendali: formaggi.
Luoghi di interesse e manifestazioni locali: città d'arte di Saluzzo, parco dell'Alevè. "Lu cianto viol", incontro fra gruppi di musica e canto popolare occitano l'ultima domenica di agosto.
Prezzi: B&B fino a £ 30.000. Sconto del 20% per i bambini da 6 a 12 anni, del 40% sotto i 6 anni, del 5% per la seconda settimana di soggiorno.
Note: solo su prenotazione. Corsi di caseificazione, stage di balli occitani. Possibilità di praticare roccia, sci alpinismo, sci da discesa e da fondo, alpinismo, bocce, pallavolo, equitazione, tennis, trekking, passeggiate e mountain bike. Uso di cucina e riscaldamento.

VILLA ILE

strada Rizzi, 18 • 12050 TREISO • e fax 0173362333

 M 7

Posizione geografica: collina.
Periodo di apertura: da marzo a novembre, solo su prenotazione.
Associato a: Terranostra e Movimento Turismo del Vino.
Presentazione: costruzione rurale in azienda vinicola circondata da 5 ettari di terreno adibito a vigneto. Ideale per soggiorni di relax e passeggiate naturalistiche. Accoglie ospiti in 3 camere con bagno comune per un totale di 7 posti letto.
Prodotti aziendali: vini e specialità gastronomiche.
Luoghi di interesse e manifestazioni locali: castelli di Barolo, Grinzane Cavour e Magliano Alfieri. Manifestazione Vinum in aprile ad Alba, festa della vendemmia a Treiso in settembre, fiera del tartufo in ottobre ad Alba.
Prezzi: OR da £ 30.000 a 50.000.
Note: prato per prendere il sole. Bocce, mountain bike, ping-pong, giochi all'aria aperta. Possibilità di trekking e osservazione ambientale. Corsi di degustazione, cucina, conoscenza delle erbe officinali e di lingua italiana. Biancheria, pulizia, riassetto, telefono in comune, prima colazione, sala comune, riscaldamento e posto macchina. Animali accolti previo accordo.

IL CILIEGIO

via Meruzzano, 21 • 12050 TREISO
☎ e fax 0173638267 ☎ 0173630126
E-mail:ilciliegio@areacom.it
http:www.areacom.it/biz/ilciliegio

M 7

Posizione geografica: collina.
Periodo di apertura: da marzo a novembre, solo su prenotazione.
Associato a: Agriturist.
Presentazione: tipica costruzione rurale circondata da 6 ettari di terreno adibito a produ-

zione di nocciole, uva e cereali. Ideale per soggiorni di relax, trekking e passeggiate naturalistiche. Interessanti itinerari enogastronomici. Accoglie ospiti in 3 camere e in 4 appartamenti con servizi per un totale di 25 posti letto.
Prodotti aziendali: vendita diretta di prodotti agricoli.
Luoghi di interesse e manifestazioni locali: Alba, città medioevale. Paesi del vino Barbaresco, Barolo, Moscato. Colline delle Langhe di rinomata bellezza paesaggistica. Fiera del tartufo a ottobre, sagre di paese nei mesi di giugno, luglio e agosto.
Prezzi: B&B da £ 35.000 a 45.000. Appartamento a £ 700.000 a settimana per 2 persone e £ 800.000 per 4 persone, supplemento di £ 100.000 a settimana per riscaldamento nei mesi di marzo-aprile, ottobre-novembre.
Note: possibilità di ristorazione per gruppi previo accordo. Ampi spazi, anche coperti, per attività comuni. Trekking, mountain bike. Maneggio a 7 km. Corsi di composizione con fiori secchi e attività artistiche. Possibilità di seguire le attività agricole nelle varie fasi produttive e stagionali. Biancheria, telefono in comune, prima colazione, uso cucina e frigorifero, riscaldamento, acqua calda, zone relax, parcheggio coperto.

CA' VEJA

fraz. Como, 22 • 12051 ALBA ☎ 0173363864

 L 7

Posizione geografica: collina.
Periodo di apertura: tutto l'anno; la sera i giorni feriali, a mezzogiorno i festivi.
Associato a: Terranostra.
Presentazione: costruzione rurale con coltivazioni a vigneto, frutteto, ortaggi.
Ristorazione: pranzi e cene con specialità del luogo (40 coperti). Carne all'albese, bagnacauda, agnolotti al plin, brasati al Barolo, coniglio al civet, bunet della nonna.
Prodotti aziendali: frutta, vino, confetture.
Luoghi di interesse e manifestazioni locali: museo civico Eusebio, castello di Grinzane Cavour, castelli di Langa, centro storico di Alba. Fiera dei vini di Pasqua, "Vinum" (aprile), fiera del tartufo in ottobre, palio l'1 ottobre.
Prezzi: pasto da £ 30.000 a 45.000. Sconto del 30% per bambini fino a 10 anni.
Note: accessibile agli handicappati. Solo su prenotazione comunicata 1 settimana prima. Giardino e ampio cortile. Sala riunioni. Campo da bocce.

"LA RUOTA DEL PAVONE"

fraz. San Biagio, via Murazzo • 12044 CENTALLO
☎ 0171719596

 M 5

Posizione geografica: pianura.
Periodo di apertura: tutto l'anno. Chiuso le ultime 2 settimane di giugno.
Associato a: Terranostra.
Presentazione: cascina ristrutturata. L'azienda produce fagioli, zucchine, susine e alleva suini, ovini e pollame.
Ristorazione: il ristorante dispone di 30 posti. Zucchine in carpione, flan di verdure, ravioli, frittatine, tajarin, uova in salsa verde, rolata di coniglio, agnello, bonet, crostate.
Prodotti aziendali: pollame, uova, frutta, verdura.
Luoghi di interesse e manifestazioni locali: castello degli Acaia, Abbazia di Staffarda, parco safari di Murazzano. Giostra dell'oca a Fossano (in giugno), grande fiera d'estate a Cuneo (in agosto).
Prezzi: pasto da £ 35.000 a 45.000. Sconto del 10% per i bambini al di sotto dei 10 anni.

Note: accessibile agli handicappati. Solo su prenotazione e per un minimo di 6 persone. Bocce e giochi all'aria aperta. Osservazioni ambientali e delle colture tipiche della zona. Per i bambini si organizzano passeggiate nelle campagne circostanti a bordo di un calesse trainato da un pony. Si accolgono animali.

Novara

CASCINA CESARINA

via dei Cesari, 32 • 28040 BORGO TICINO ☎ e fax 032190491

● F 9

Posizione geografica: collina, vicino al lago Maggiore e al parco Ticino.
Periodo di apertura: tutto l'anno.
Associato a: Consorzio Regionale Agriturismo Piemonte, Turismo Verde.
Presentazione: costruzione rurale del 1902 ristrutturata nel 1988. L'azienda si estende su 3 ettari di prato e bosco.
Ortofrutticoltura biologica. Accoglie ospiti in 2 camere e in 3 piazzole per agricampeggio attrezzate con prese di corrente.
Ristorazione: H/B, F/B. Cibi della propria produzione biologica. Possibilità di avere cucina vegetariana. Tagliatelle alla borragine, rotolo con spinaci, torte rustiche, dolci e gelati di lamponi, mirtilli.
Prodotti aziendali: eccedenze di frutta e verdura fresca.
Luoghi di interesse e manifestazioni locali: lago Maggiore, isole Borromee (Stresa), lago d'Orta, parco Ticino, parco Lagoni Mercurago, rocca di Angera, museo dei trasporti di Ranco. Carnevale di Oleggio, fiera del lago Maggiore, festival di musica antica in giugno, varie sagre.
Prezzi: pasto da £ 30.000 a 40.000, B&B da £ 45.000 a 58.000, H/B da £ 57.000 a 80.000. Gratis per i bambini fino ai 3 anni, sconto del 50% dai 3 agli 8 anni, del 20% per aggiunta terzo e quarto letto. Ulteriori riduzioni per soggiorni settimanali.
Note: solo su prenotazione. Possibilità di bivacco con cavalli d'estate. Spazio per barbecue intorno alla piscina. Possibilità di partecipare ai lavori aziendali. Raccolta di castagne, funghi, frutti di bosco, erbe selvatiche. L'azienda è in grado di organizzare corsi individuali o collettivi d'inglese. In azienda piscina, ping-pong. Nelle vicinanze bowling, golf, equitazione, tennis, sport di lago, mountain bike, go-kart, biliardo, minigolf, pesca sportiva. Per i bambini baby sitting, libri anche in inglese. Si parlano inglese, francese e spagnolo. Biancheria, pulizia, riassetto, telefono e fax in comune, uso frigorifero/freezer, sala comune, TV comune, posto macchina, biblioteca, riscaldamento. Animali accolti previo accordo.

CASCINA DELLE RUOTE

via Beati, 151 • 28053 CASTELLETTO SOPRA TICINO ☎ 0331973158

● E 10

Posizione geografica: pianura.
Periodo di apertura: tutto l'anno, giorno di chiusura lunedì.
Presentazione: grande cascina con portici e ballatoi in azienda di 10 ettari che alleva equini. Accoglie ospiti in 6 camere con bagno.
Ristorazione: ristorante aperto al pubblico con 50 coperti, dispone anche di una sala per banchetti. Cucina tipica.
Luoghi di interesse e manifestazioni locali: Arona.
Prezzi: B&B a £ 50.000, H/B a £ 85.000, F/B a £ 95.000. Pasto a £ 35.000.
Note: lago per pesca sportiva. Piscina. Dispone di 12 cavalli. Pulizia e biancheria. Animali accolti.

LA FATTORIA DEL PINO

reg. Brascino • 28010 MIASINO ☎ e fax 0322980050

● E 9

Posizione geografica: collina.
Periodo di apertura: tutto l'anno.
Associato a: Terranostra, Turismo Verde.
Presentazione: tipica fattoria ideale per l'allevamento dei cavalli. Si estende su 6 ettari di terreno a coltivazioni biologiche. Accoglie ospiti in 6 camere con bagno
Ristorazione: H/B, F/B. Ristorante su prenotazione con 30 coperti. Pasta e risotti con verdure di stagione, coniglio, arrosti, torte salate, dolci della casa.
Prodotti aziendali: confetture, sottoli, nocino, frutta e verdura biologiche, fiori freschi e secchi.
Luoghi di interesse e manifestazioni locali: lago d'Orta, lago Maggiore, Muttarone, val Grande. Vari festival musicali ad Orta e dintorni.
Prezzi: pasto da £ 35.000 (vino compreso). B&B da £ 30.000 a 50.000. Gratis per bambini fino a 2 anni, sconto del 50% dai 3 ai 6 anni, del 25% dai 7 ai 10 anni.
Note: piscina a 200 m, tennis in paese. Gioco del ping-pong ed equitazione. Raccolta di castagne e funghi. Biancheria, pulizia, telefono in comune, riscaldamento, sala comune.

BIANCHI GUIDO

Cascina Picchetta • 28062 CAMERI ☎ 0321510843-0321616211

▲ F 9

Posizione geografica: vicino al fiume. Parco naturale valle Ticino.
Periodo di apertura: da marzo a ottobre, tutti i giorni.
Presentazione: azienda agrituristica con costruzioni rurali. 65 ettari di superficie coltivata a cereali, prati, boschi. Accoglie ospiti in 1 appartamento con bagno, cucina, televisione, per un totale di 4 posti letto.
Prodotti aziendali: prodotti tipici della regione.
Luoghi di interesse e manifestazioni locali: visita guidata nel parco del Ticino. Festa patronale in settembre.
Prezzi: alloggio a £ 30.000.
Note: accessibile agli handicappati. Centro agrituristico con attività sportive quali ping-pong, tennis, calcio a 5, beach volley, tiro con l'arco, mountain bike ed attività ricreative e culturali.
Possibilità di escursioni in bicicletta e a piedi. Prato per prendere il sole. Area da pic-nic attrezzatissima.

AGRIFANS

Cascina Picchetta • 28062 CAMERI

◆ F 9

Posizione geografica: parco naturale della valle del Ticino.
Periodo di apertura: da aprile a metà ottobre.
Presentazione: costruzioni rurali in azienda di 65 ettari coltivati a cereali, prati e boschi. L'attività agrituristica si svolge all'interno di una grande area che ospita infrastrutture sportive e ricreative.
Ristorazione: agriristoro con piccole specialità della zona.
Prezzi: affito area pic-nic £ 7.000 a persona con l'uso dei giochi e delle strutture ricettive, calcetto da £ 60.000 a 80.000 l'ora, beach volley a £ 25.000 l'ora. Per tutte le altre attività rivolgersi direttamente all'azienda.
Note: grande area pic-nic coperta e attrezzata con 10 barbecue adatta per grandi feste in compagnia, sala privata con 60 posti per feste private. Si organizzano feste all'aperto per grosse comitive, meeting sportivi e aziendali, feste di compleanno per tutte le età. Beach volley, 3 campi da calcetto regolamentari, tiro con l'arco, tappeti elastici, ping-pong, scacchi e dama giganti. Possibilità di organizzare visite guidate nel parco del Ticino con guide naturalistiche, passeggiate a piedi e in bicicletta lungo le piste ciclabili adiacenti al Centro.

IL GLICINE

Alpe Selviana - loc. Agrano • 28026 OMEGNA

☎ e fax 032381287

◆ **E 9**

Posizione geografica: montagna a 4 km dal lago d'Orta
Periodo di apertura: tutto l'anno, solo su prenotazione.
Associato a: Turismo Verde.
Presentazione: costruzione rurale che gode di un magnifico panorama.
Ristorazione: cucina rustica regionale con carni aziendali. In estate mirtilli e lamponi freschi.
Prodotti aziendali: miele, confetture, sciroppi, formaggio, salumi.
Luoghi di interesse e manifestazioni locali: castello di Prunetto (sec. XIV), chiesa della Madonna del Carmine con antichi affreschi, lago d'Orta a 4 km, lago Maggiore a 25 km. La Pro Loco organizza varie manifestazioni.
Prezzi: pasto da £ 30.000 a 45.000. Riduzioni per bambini al di sotto di 10 anni.
Note: solo su prenotazione. Escursioni e visite guidate per scolaresche. Campo sportivo, tennis, piscina a 3 km.

BARAGGIOLA

via Zoppis, 15 • 28070 SIZZANO ☎ 0321820225

◆ **E 8**

Posizione geografica: collina.
Periodo di apertura: tutto l'anno.
Associato a: Agriturist.
Presentazione: costruzione rurale situata su 10 ettari sparsi con produzione di vino, frutta, cereali.
Ristorazione: ristorante aperto al pubblico con 60 coperti. Cucina tipica novarese, salame duja, cotechino, pani di soia, risotto con i funghi, brasato di asino, fritto misto novarese, bolliti, carni bianche.
Prodotti aziendali: vini, frutta di stagione, salumi.
Luoghi di interesse e manifestazioni locali: lago Maggiore, lago d'Orta, Alagna Sesia. Re Magi il 6 gennaio, sagra enologica la quarta domenica di giugno, "Bergamina" festa agrituristica la prima domenica di agosto, corse campestri a Pasquetta, sagra del fungo porcino in ottobre, sagra dell'asparago in aprile.
Prezzi: pasto da £ 20.000 a 60.000. Riduzioni per bambini.
Note: si consiglia la prenotazione. È possibile partecipare alla vendemmia. Raccolta di more, castagne, funghi, noci. Giochi all'aria aperta. Campo sportivo a 500 m. Disponibile sala riunioni.

Torino

LUNGIMALA

via Masone, 78 • 10070 ALA DI STURA ☎ 012355307

● **L 4**

Posizione geografica: montagna
Periodo di apertura: da maggio a novembre.
Presentazione: gruppo di baite ristrutturate che si estendono su 10 ettari di bosco e pascolo.
Ristorazione: H/B, F/B. Polenta concia, polenta e cinghiale.
Prodotti aziendali: formaggio (toma delle valli di Lanzo).
Luoghi di interesse e manifestazioni locali: laghi alpini, zona di pregio ambientale, miniere di ferro. Manifestazioni folkloristiche.

Prezzi: pasto da £ 15.000 a 20.000, alloggio fino a £ 30.000. Riduzioni per gruppi organizzati.
Note: solo su prenotazione. Attività di orientamento e osservazioni ambientali. Animazione e giochi di sala per i bambini. Equitazione e mountain bike. Raccolta funghi, asparagi e frutti di bosco. Bagno in comune, biancheria, prima colazione, uso cucina, uso frigorifero. Animali accolti previo accordo.

RIFUGIO BARFÈ

loc. Barfè Superiore, 197 • 10060 ANGROGNA

☎ 0121932426

● **L 4**

Posizione geografica: montagna.
Periodo di apertura: tutti i giorni da giugno a settembre. Sabato, domenica e festivi per il resto dell'anno.
Presentazione: costruzioni tipiche rurali di montagna. Baite in pietra e legno. L'azienda si estende su 5 ettari con produzione di miele, funghi, frutti di bosco.
Offre ospitalità in 3 piazzole in agricampeggio per tende e in camerata con tavolati per 10 persone.
Ristorazione: ristorante aperto al pubblico con 24 coperti. Piatti tipici valligiani, pane e preparazioni in forno a legna, dolci e crostate ai frutti di bosco, funghi, polenta, cacciagione.
Prodotti aziendali: miele e prodotti apistici, confetture, formaggi, dolci, frutti di bosco, funghi.
Luoghi di interesse e manifestazioni locali: luoghi storici valdesi, altari preistorici, punti panoramici. Autunno in val D'Angrogna, sinodo Valdese, fiere e sagre, concerti e manifestazioni culturali, mostre di pittura.
Prezzi: pasto da £ 25.000 a 35.000. H/B £ 35.000, F/B £ 55.000, piazzola per tenda £ 5.000. Sconto 50% per i bambini fino a 10 anni, da concordare per gruppi.
Note: osservazione ambientale, concerti e balli occitani, possibilità di organizzare corsi. Per i bambini animazione e giochi all'aperto, osservazione botanica. Bocce, equitazione (da concordare), mountain bike, trekking, roccia, sci alpinismo e di fondo, passeggiate invernali con racchette.
Raccolta more, mirtilli, lamponi, funghi, erbe aromatiche. Prato per prendere il sole. Passeggiate per osservazioni naturalistiche su percorso attrezzato. Animali accolti previo accordo.

FATTORIA LA MARGHERITA

strada Palormo - loc. Casanova • 10022 CARMAGNOLA

☎ e fax 0119795088

● **L 6**

Posizione geografica: collina.
Periodo di apertura: tutto l'anno.
Associato a: Agriturist.
Presentazione: cascina ottocentesca ristrutturata nel rispetto della tradizione, in azienda di 150 ettari in cui si allevano animali da cortile e cavalli e si coltivano frutta e ortaggi.
Accoglie ospiti in 32 camere e in 8 alloggi, tutti con servizi.
Ristorazione: ristorante con 60 coperti e bar, aperti al pubblico.
Prodotti aziendali: miele, salumi, vino Arneis, funghi, peperoni, nocciole, frutta, ortaggi, uova e conigli.
Luoghi di interesse e manifestazioni locali: castello di Ternavasso e di Pralormo. Fiera del peperone a Carmagnola, mercato il mercoledì e il sabato a Casanova.
Prezzi: OR a £ 40.000 (stanza singola) e da £ 80.000 a 100.000 (stanza doppia). Pasto da £ 25.000.
Note: 2 piscine, 2 campi da golf, calcetto, pesca sportiva, campo da croquette. Possibilità di lavori in azienda. Pulizia e biancheria. Animali accolti previo accordo.

CASCINA MOMBELLO

via Pinerolo, 173 • 10061 CAVOUR
☎ e fax 01216219

L 5

Posizione geografica: pianura.
Periodo di apertura: sabato e domenica da settembre a giugno.
Associato a: Terranostra.
Presentazione: tipica costruzione rurale. L'azienda si estende su 14 ettari con produzione di mele, kiwi, cereali. Accoglie ospiti in 3 piazzole in agricampeggio per tende e caravan (con docce, servizi in comune, acqua e luce).
Ristorazione: F/B. Ristorante aperto al pubblico con 60 coperti. Fritto misto alla piemontese, *tajarin*, *bunet*, pesche ripiene.
Prodotti aziendali: mele, kiwi, noci, verdure in eccedenza all'azienda, pollame, confetture, farina per polenta.
Luoghi di interesse e manifestazioni locali: parco naturale Rocca di Cavour
, abbazia di Santa Maria a Pinerolo, parco ornitologico Martinat. "Tutto mele" in novembre.
Prezzi: pasto da £ 20.000 a 45.000. Sconto 50% per bambini fino a 8 anni.
Note: accessibile agli handicappati. Per i bambini raccolta di mele e fragole, animazione, giochi all'aria aperta. Bocce, pattinaggio, piscina, tennis, trekking e passeggiate. Spazio aperto in campagna, ampio cortile, sala riunioni. Animali accolti previo accordo.

IL BORGO

Casale Richeda, 7 • 10010 CHIAVERANO
☎ e fax 012554775

G 6

Posizione geografica: collina, serra morenica, zona dei laghi, montagna.
Periodo di apertura: tutto l'anno tranne 3 settimane in estate.
Associato a: Agriturist, Associazione del rosmarino, British Herb Association.
Presentazione: casa ristrutturata che offre ospitalità per un totale di 4 posti letto. Coltivazioni di rosmarino, olivi, ortaggi, frutta, erbe. Allevamento di oche e cavalli.
Ristorazione: trattoria aperta al pubblico con 50 coperti. Cucina locale, agnolotti, pasta fatta a mano, *aiujche*, zuppe, polenta, torta di mele fatta in casa con marmellata.
Prodotti aziendali: rosmarino, vino di sambuco, marmellate, distillati di lavanda, rosmarino, menta.
Luoghi di interesse e manifestazioni locali: santuario di Oropa, chiesa di Santo Stefano, distilleria, tomini di Chiaverano, festa del rosmarino, Carnevale di Ivrea, museo del fabbro, mercatini dell'antiquariato.
Prezzi: pasto da £ 25.000 a 32.000.
Note: nelle vicinanze campi da tennis e calcio. Percorsi per mountain bike, motocross, cavallo, jogging, trekking e passeggiate. Raccolta di olive durante la stagione, funghi, erbe primaverili e frutti di bosco.

LA CORTE

strada da Sant'Antonio, 54 - fraz. Bussolino
10090 GASSINO TORINESE ☎ 0119607773

H 6

Posizione geografica: collina, riserva naturale.
Periodo di apertura: tutto l'anno.
Associato a: Turismo Verde, Consorzio Agriturismo Piemonte.
Presentazione: costruzione rurale in azienda di 20 ettari con produzione di ortaggi e frutta. Allevamento di equini. Accoglie ospiti in 1 appartamento con 3 camere per un totale di 8 posti letto e in 6 camere per un totale di 12 posti letto.
Ristorazione: ristorante aperto al pubblico su prenotazione. In 3 sale caratteristiche con volte in mattoni e arredamento rustico e 2 saloni per feste, cerimonie, convegni, stage. Pranzi sull'aia. Cucina regionale, carni cotte a legna su pietra, cucina vegetariana.
Prodotti aziendali: frutta e ortaggi di stagione.
Luoghi di interesse e manifestazioni locali: parco naturalistico regionale, Torino, basilica di Superga, Castelnuovo Don Bosco, Chieri. Festa del tartufo, festa di Bussolino, festival delle colline torinesi con teatro, musica, animazione.
Prezzi: pasto da £ 25.000 a 50.000. F/B £ 65.000, H/B £ 50.000. Sconto 10% per bambini fino a 10 anni.
Note: accessibile agli handicappati. Area attrezzata con ombrelloni e sdraio, punto di osservazione, piazzola attrezzata per atterraggio elicottero. Osservazione ambientale. Ippoterapia, lezioni di equitazione per principianti. Trekking e passeggiate a cavallo. Animazione, giochi, giornate e settimane per scuole e gruppi, anche personalizzate. Campi da tennis nelle vicinanze. Raccolta di castagne, noci, nocciole, asparagi, tartufi, funghi, frutti di bosco, erbe e fiori selvatici. Biancheria, pulizia, riassetto. Animali accolti previo accordo.

LA PATUANA

via San Francesco, 178 - b.ta Sala • 10094 GIAVENO
☎ 0119377182

H 6

Posizione geografica: collina.
Periodo di apertura: tutto l'anno, solo su prenotazione.
Associato a: Terranostra.
Presentazione: costruzione rurale in azienda di 10 ettari adibiti a prati e pascoli, si allevano bovini. Offre ospitalità in 3 camere con bagno comune per un totale di 8 posti letto.
Ristorazione: H/B e F/B. Ristorante aperto al pubblico. Cucina piemontese e piatti a base di formaggio.
Prodotti aziendali: uova, formaggio e patate. Si raccolgono castagne e funghi.
Luoghi di interesse e manifestazioni locali: santuario Selvaggio, laghi dell'Avigliana, parco Mareschi. Sagra di San Michele, sagra del fungo a ottobre e mercato dell'antiquariato.
Prezzi: B&B in camera doppia £ 70.000. Pasto da £ 36.000 circa. Pasto per bambini fino a 10 anni £ 20.000.
Note: mountain bike e bocce. Ampi spazi verdi. Visite aziendali e possibilità di partecipare ai lavori aziendali. Tennis, piscina comunale e piste da sci nelle vicinanze. Lavabo in camera, pulizia e cambio biancheria, sala comune.

LA MINIERA

via delle Miniere, 9 • 10010 LESSOLO
☎ 012558618
● H 4

Posizione geografica: collina, montagna.
Periodo di apertura: tutto l'anno.
Associato a: Turismo Verde, Consorzio Agriturimo Piemonte.
Presentazione: costruzioni di fine '800, appartenenti alla ex miniera di Brosso, in mezzo a 40 ettari di bosco. Offre ospitalità in 1 appartamento autonomo, con 4 camere, 2 bagni e cucina, per un totale di 10 posti letto, in 1 casetta autonoma con 3 posti letto, bagno e angolo cottura, in 2 camere doppie con bagno in comune e in 3 piazzole per camper.
Ristorazione: H/B. Ristorante con 35 coperti. Cucina ebraica e piemontese. Pasta ripiena, carpioni, funghi, verdure, formaggi di capra, torte di frutti selvatici.
Prodotti aziendali: miele, confetture, conserve, uova.
Luoghi di interesse e manifestazioni locali: castelli del canavese, laghi Sirio e Viverone, val Chiusella, Val d'Aosta. Carnevali di Ivrea e del Canavese, ceramica di Castellamonte.
Prezzi: pasto da £ 35.000 a 45.000 bevande escluse, B&B da £ 40.000 a 50.000. Sconto 50% per bambini fino a 8 anni.
Note: solo su prenotazione. L'azienda ospita un piccolo museo della miniera (pirite). Organizza corsi di disegno naturalistico, ceramica, visite guidate alla miniera. Ping-pong, pesca, trekking, passeggiate, mountain bike, canyoning, parapendio. Raccolta di castagne. Biancheria (oltre le 2 notti), uso cucina, posto macchina. Animali accolti previo accordo.

LOU CHARDOUN

strada Vecchia di San Giovanni
10062 LUSERNA SAN GIOVANNI
☎ 012190761
● L 4

Posizione geografica: collina.
Periodo di apertura: tutto l'anno.
Associato a: Terranostra e Agriturismo Piemonte.
Presentazione: tipica costruzione rurale in azienda con coltivazione di prodotti ortofrutticoli e vigneto. Offre ospitalità in camere e miniappartamenti arredati con mobili d'epoca.
Ristorazione: ristorante aperto nel fine settimana con 50 coperti. Cucina vegetariana a richiesta, maltagliati di basilico ai fiori di zucchine, rotolo di tacchino e *sairas* al crescione selvatico, coniglio alle erbe aromatiche, mousse di castagne con gelatina di lamponi.
Prodotti aziendali: marmellate, salumi, animali da cortile, piccoli frutti e verdura.
Luoghi di interesse e manifestazioni locali: Nusco valdese e altri luoghi storici. Nei mesi estivi vengono organizzate varie manifestazioni, che si concludono con la sagra delle castagne.
Prezzi: pasto a £ 45.000, OR a £ 60.000.
Note: accessibile agli handicappati. Possibilità di passeggiate nei boschi vicini.

IL MULINO

loc. Giordani • 10050 MATTIE ☎ e fax 012238132
● H 3

Posizione geografica: montagna (730 m).
Periodo di apertura: da febbraio a dicembre.
Presentazione: vecchio mulino ristrutturato in azienda di 4 ettari. Accoglie ospiti in 12 camere con bagno comune per un totale di 24 posti letto.
Ristorazione: ristorante aperto al pubblico con 50 coperti. Cucina tipica, menu di degustazione e menu del cavaliere.
Luoghi di interesse e manifestazioni locali: parco Orsiera Rocciavra, riserva naturale Orrido di Chianocco, Susa. Concerti nell'abbazia di Monte Benedetto in ottobre, palio di Susa, sagra del marrone e della toma.
Prezzi: B&B da £ 45.000 a 50.000, H/B da £ 65.000 a 70.000, F/B da £ 80.000 a 90.000. Menu di degustazione a £ 45.000 e del cavaliere a £ 30.000.
Note: centro ippico e palestra di roccia. Pulizia e biancheria. Animali accolti previo accordo.

FIORENDO

via Talucco Alto, 65 - b.ta Freirogna • 10064 PINEROLO
☎ 0121543481
● L 4

Posizione geografica: montagna.
Periodo di apertura: tutto l'anno.
Associato a: Terranostra, Consorzio Agriturismo Piemontese.
Presentazione: baita di montagna che offre ospitalità in 3 camere con bagno, in posizione panoramica.
Ristorazione: H/B, F/B. Ristorante aperto al pubblico con 40 coperti. Prodotti tipici, salumi di propria produzione, cucina casalinga.
Prodotti aziendali: animali da cortile, uova, verdure, salumi.
Luoghi di interesse e manifestazioni locali: Pinerolo, parco ornitologico Martinat, palestra di roccia. Sagra del fungo in settembre, mostra dell'artigianato a Pinerolo fine agosto-inizio settembre.
Prezzi: pasto £ 30.000. Alloggio fino a £ 30.000. Sconto 50% per bambini fino a 7 anni e per un soggiorno di 1 week-end (4 persone).
Note: possibilità di prendere il sole. Osservazione ambientale. Possibilità di praticare mountain bike. Raccolta di frutti di bosco e funghi. Per i bambini l'azienda organizza passeggiate su pony. Animali accolti previo accordo.

LÂ CIABRANDA

via Erminio Long, 28 • 10063 POMARETTO
☎ 012182018 cell. 03478190894
● I 4

Posizione geografica: montagna.
Periodo di apertura: tutto l'anno.
Associato a: Terranostra.
Presentazione: costruzione rurale tra vigneti e frutteti. Alleva-

mento di bovini. Accoglie ospiti in 4 camere con bagno e in 3 piazzole per tende.

Ristorazione: H/B, F/B. Ristorante aperto al pubblico con 60 coperti. Gnocchi, quîches di verdure, salumi della casa, coniglio alla cacciatora, pollo arrosto.

Prodotti aziendali: ortaggi, salumi, frutta.

Luoghi di interesse e manifestazioni locali: Sestriere, forte di Fenestrelle, miniere di talco, musei vari, tredici laghi. Festa della birra, cantavalli, i musicanti.

Prezzi: pasto da £ 20.000 a 35.000. B&B da £ 40.000 a 45.000, H/B da £ 60.000 a 65.000, F/B da £ 70.000 a 75.000.

Note: accessibile agli handicappati. Su prenotazione. A 1 km piscina, sci nelle stazioni di Prali e Sestriere. Prato per prendere il sole con sdraio, raccolta di funghi e castagne. Possibilità di praticare alpinismo, canoa, pesca, equitazione, mountain bike, trekking e passeggiate. Sala riunioni, telefono comune, riscaldamento, posto macchina. Animali accolti previo accordo.

SIBOURGH

via Fornaci, 4 • 10060 RORÀ
☎ e fax 012193105

● | 12

Posizione geografica: montagna.

Periodo di apertura: tutto l'anno, solo su prenotazione.

Associato a: Agriturist e Agriturismo Piemonte.

Presentazione: tipica costruzione alpina immersa nella natura e nella tranquillità in azienda biologica, in cui si allevano cavalli, asini, capre e si coltivano ortaggi. Accoglie ospiti in 3 camere con bagno comune per un totale di 12 posti letto.

Ristorazione: ristorante aperto al pubblico. Cucina tipica delle valli valdesi.

Prodotti aziendali: confetture, pane, salumi, ortaggi, formaggio e pollame.

Luoghi di interesse e manifestazioni locali: valli valdesi, musei, chiese, cave uniche al mondo. Sagra della castagna in ottobre e numerose feste estive.

Prezzi: B&B £ 50.000, H/B a £ 75.000, F/B a £ 90.000. Pasto da £ 30.000 a 40.000. Gratis per bambini fino a 4 anni. Riduzione del 50% per bambini fino a 6 anni. Sconti comitive da concordarsi.

Note: accessibile agli handicappati. Sala riunioni. Trekking a piedi o a cavallo, mountain bike comprese nel prezzo, bocce, campo da calcio, parco giochi esterno e sala giochi. Sci alpinismo e da fondo nelle vicinanze. Visita guidata agli animali della fattoria, possibilità di assistere alle fasi del processo della panificazione e di partecipare ai lavori aziendali, corsi d'equitazione e orticoltura. Raccolta di castagne, funghi e prodotti del sottobosco. Biancheria e riscaldamento. Animali accolti previo accordo.

LA MIANDO

b.ta Didiero, 16 • 10060 SALZA DI PINEROLO
☎ 0121801018

● | 14

Posizione geografica: montagna (1.250 m).

Periodo di apertura: tutto l'anno.

Associato a: Agriturismo Piemonte e Turismo Verde.

Presentazione: antica dimora rurale parzialmente ristrutturata situata in uno dei comuni più piccoli d'Italia. Accoglie ospiti in 1 camera doppia e 1 camerata da 10 posti letto, possibilità di alloggi.

Ristorazione: ristorante aperto al pubblico con 50 coperti. Cucina casalinga e piatti tipici della cucina occitana, salumi di produzione propria, selvaggina e polenta.

Prodotti aziendali: confetture, gelatine, ortaggi, animali da cortile, uova e patate.

Luoghi di interesse e manifestazioni locali: museo della cavalleria, parco ornitologico, forte di Fenestrelle, musei valdesi e miniera di talco più grande d'Europa con museo annesso. Manifestazioni musicali nel periodo estivo, festa patronale a inizio settembre con fiaccolata e danze occitane.

Prezzi: OR da £ 45.000 a 50.000, H/B da £ 65.00 a 75.000, F/B da £ 75.000 a 85.000. Pasto da £ 20.000 a 35.000 bevande incluse. Sconto del 50% per bambini fino a 10 anni. Ulteriori riduzioni da concordare.

Note: è gradita la prenotazione. Posto tappa GTA. Passeggiate a piedi o a cavallo, sci, pesca, bocce, calcio e mountain bike. Raccolta di asparagi selvatici, frutti di bosco e funghi. Sala riunioni. Prato per prendere il sole. Animali accolti previo accordo.

ALPE PLANE

loc. Valle Argentea • 10050 SAUZE DI CESANA
☎ 0119862025 - 0330685278 - 03687204464

● | 12

Posizione geografica: montagna (2.095 m).

Periodo di apertura: da giugno a settembre.

Associato a: Turismo Verde.

Presentazione: simpatica baita del '700 completamente ristrutturata, in grado di offrire un'ospitalità confortevole per quanto essenziale. Ideale per soggiorni a contatto con la natura. Accoglie ospiti in 6 camere per un totale di 20 posti letto e in piazzole in agricampeggio per tende e camper.

Ristorazione: ristorante aperto al pubblico. Cucina tipica.

Prodotti aziendali: latte e suoi derivati.

Luoghi di interesse e manifestazioni locali: stazione sciistica di Sestriere.

Prezzi: OR a £ 35.000, H/B a £ 60.000, F/B a £ 80.000. I prezzi sono da intendersi bevande escluse. Agricampeggio a £ 5.000. Riduzione del 10% per bambini fino a 10 anni. Nel periodo invernale prezzi da concordare.

Note: nel periodo invernale il rifugio apre solo su prenotazione. Possibilità di praticare alpinismo, escursioni guidate e trekking. Ricezione e pensionamento cavalli. Conoscenza del cavallo e osservazione della fabbricazione del formaggio.

COOP. AGR. UNA PROPOSTA DI LIBERAZIONE

strada per Mattie, 2/bis • 10059 SUSA
☎ e fax 012231937 cell. 03387789262

 H 2

Posizione geografica: montagna.
Periodo di apertura: tutto l'anno.
Associato a: Terranostra.
Presentazione: cooperativa sociale immersa nella natura, situata in un'isolata valletta nei pressi della morena glaciale di Susa. Accoglie ospiti in 3 camere, con 2 bagni comuni, per un totale di 8 posti letto.
Ristorazione: ristorante aperto al pubblico con 20 coperti. Zuppa valdese, bagnacauda, lesso, spezzatino con polenta.
Prodotti aziendali: formaggi di capra e miele.
Luoghi di interesse e manifestazioni locali: monastero di Novalesca, via Francigena, sentiero dei Franchi, zona archeologica di Susa, parco archeologico annesso all'agriturismo. Mostra estiva di pittura, sagra di San Michele, festa dell'affresco e festa della patata.
Prezzi: B&B da £ 15.000 a 20.000, H/B a £ 40.000, F/B da £ 60.000 a 80.000. Pasti da £ 30.000 a 35.000.
Note: nelle vicinanze eliporto, tennis e piscina comunale. Pulizia e biancheria. Animali accolti previo accordo.

CASCINA MUSTON

via Inverso Colletto • 10066 TORRE PELLICE
☎ 0121933379

L 4

Posizione geografica: montagna.
Periodo di apertura: tutto l'anno.
Associato a: Turismo Verde.
Presentazione: costruzione del '700 con muri e tetti di pietra, situata in mezzo a boschi di castagni. Accoglie ospiti in 5 camere e in 2 piazzole in agricampeggio per tende.
Ristorazione: H/B, F/B. Ristorante aperto al pubblico con 40 coperti. Cucina naturista, cucina vegetariana.
Prodotti aziendali: confetture, miele, prodotti dell'orto, frutta, castagne, pane biologico cotto a legna.
Luoghi di interesse e manifestazioni locali: turismo storico-culturale del mondo valdese, escursioni a vari livelli sulle Alpi Cozie. Sinodo valdese.
Prezzi: pasto da £ 20.000 a 40.000, B&B £ 25.000, H/B £ 45.000, F/B £ 60.000. Sconto 15% per bambini di età inferiore ai 10 anni.
Note: solo su prenotazione. Possibilità di praticare escursionismo, palestra artificiale a pendenze variabili, mountain bike. Nelle vicinanze della cascina si trovano il palazzo del ghiaccio, piscina, campo di atletica, palestre e parapendio. L'azienda organizza corsi di training autogeno, stages di panificazione, di escursionismo e di arrampicata. Per i bambini animazione e attività a tema. Raccolta di erbe selvatiche alimentari, frutti di bosco, castagne, piante officinali.

Verbania

AL PIANO DELLE LUTTE

via Dodossola, 57 - loc. Lutte • 28038 SANTA MARIA MAGGIORE
☎ 032494488 fax 032495040

 C 9

Posizione geografica: montagna (800 m).
Periodo di apertura: tutto l'anno, solo su prenotazione.
Associato a: Agriturist.
Presentazione: azienda di 18 ettari che accoglie ospiti in 4 camere con bagno comune per un totale di 8 posti letto.
Ristorazione: ristorante aperto al pubblico con 50 coperti. Cucina tipica, pasta arrostita con patate, gnocchi alla vigettina, polenta e carne.
Prodotti aziendali: prodotti caseari, carne e insaccati.
Luoghi di interesse e manifestazioni locali: museo dello spazzacamino e numerose chiese. "Sgamelaa", palio dei sette comuni, mostra bovina in ottobre, sagra della patata e castagnata.
Prezzi: B&B a £ 20.000, H/B a £ 50.000, F/B a £ 65.000. Pasto da £ 25.000 a 30.000.
Note: tiro con l'arco ed equitazione. Pulizia e biancheria. Animali accolti previo accordo.

ALPE CORTIGGIO

loc. Alpe Cortiggio • 28039 VARZO
☎ 032472436

 **B 8**

Posizione geografica: montagna (1.380 m).
Periodo di apertura: da aprile a ottobre.
Associato a: Terranostra, Piemonte Verde, Vita in Campagna.
Presentazione: azienda agrituristica immersa nella natura, ideale per passeggiate naturalistiche. Accoglie ospiti in 4 camere con bagno comune per un totale di 12 posti letto.
Ristorazione: ristorante aperto al pubblico su prenotazione. Cucina tipica preparata con i prodotti dell'azienda.
Prodotti aziendali: formaggio, burro, polli e conigli.
Luoghi di interesse e manifestazioni locali: San Domenico, Domodossola, Sempione. Festa di San Giorgio e manifestazioni varie.
Prezzi: F/B a £ 70.000. Pasto da £ 35.000 a 40.000.
Note: impianti sciistici nelle vicinanze. Pulizia e biancheria. Non si accolgono animali.

MORI FRANCO

loc. Zoverello - via Stresa, 1 • 28048 VERBANIA
☎ 0323401388

 **D 9**

Posizione geografica: collina.
Periodo di apertura: da aprile a ottobre.
Associato a: Turismo Verde.
Presentazione: costruzione rurale in azienda con allevamento di caprini e animali di bassa corte e coltivazione di ortaggi e frutta. Offre ospitalità in 2 camere e in 3 piazzole in agricampeggio.
Ristorazione: H/B. Ristorante aperto al pubblico con 30 coperti. Specialità locali.

Prodotti aziendali: confetture, frutta, miele, ortaggi.
Luoghi di interesse e manifestazioni locali: parco naturale della Val Grande, laghi, isole, montagna. Varie feste locali in agosto.
Prezzi: pasto da £ 30.000 a 45.000. B&B da £ 30.000 a 50.000.
Note: solo su prenotazione. Possibilità di partecipare ai lavori in azienda. Spazi verdi riservati ai bambini. Raccolta di more. Nei pressi dell'agriturismo possibilità di praticare quasi tutti gli sport. Ampio terrazzo con vista sul lago, sulle isole e sulla montagna. Pulizia, riassetto, telefono in comune, riscaldamento, sala comune.

MONTEROSSO

loc. Cima Monterosso • 28048 VERBANIA PALLANZA
☎ 0323556510 fax 0323556718

D 9

Posizione geografica: collina.
Periodo di apertura: dal mercoledì alla domenica da marzo a dicembre.
Associato a: Terranostra.
Presentazione: casa padronale immersa in 25 ettari di bosco, con produzione di ortaggi, frutta, funghi, castagne. Offre ospitalità in 7 camere con bagno.
Ristorazione: ristorante aperto al pubblico. Porchetta allo spiedo, polenta con contorni, carne alla griglia, pasta fatta in casa.
Prodotti aziendali: confetture, ortaggi, frutta, salumi, uova, vino, castagne, funghi.
Luoghi di interesse e manifestazioni locali: lago Maggiore con isole Borromee, villa Taranto, museo del paesaggio, valle Vigezzo, Val Fortazza, Macugnaga, Stresa. Manifestazioni di arti e artigianato in agosto, crociera danzante notturna sul lago.
Prezzi: pasto da £ 30.000 (bevande escluse), alloggio da £ 30.000 a 50.000. Sconti del 10% per i bambini fino a 10 anni.
Note: è gradita la prenotazione. 2 box per cavalli a pensione. Possibilità di ospitare cavalli, di praticare equitazione, mountain bike e passeggiate in azienda. Nei dintorni sci di discesa, sci alpinismo, tennis e una varietà di

altri sport. Osservazione ambientale. Non consentita la raccolta di prodotti selvatici. Ampio prato per i giochi dei bambini. Biancheria, pulizia, telefono in comune, sala TV, sala lettura, posto macchina. Animali accolti previo accordo.

QUARK

loc. Isella • 28030 MACUGNAGA ☎ 032465284

▲ D 7

Posizione geografica: montagna.
Periodo di apertura: tutto l'anno.
Presentazione: tipiche costruzioni locali (walser). Allevamento di bovini, equini, suini, cani pastori maremmani, "Landseer". Offre ospitalità in appartamenti per un totale di 4-5 posti letto.
Prodotti aziendali: miele, formaggi e derivati del latte, gelati, salumi.
Luoghi di interesse e manifestazioni locali: attrazioni culturali di vario tipo durante tutto l'anno.
Prezzi: un appartamento per un soggiorno di una settimana £ 500.000 (compresi luce e riscaldamento).
Note: possibilità di praticare equitazione, mountain bike, trekking, escursioni e visite guidate. L'azienda organizza corsi di equitazione e propone osservazione ambientale.

Vercelli

CHRIS' FARM

loc. San Bernardo • 13020 BREIA
☎ 016349189

● E 8

Posizione geografica: montagna (809 m).
Periodo di apertura: tutto l'anno.
Associato a: Terranostra e Associazione Italiana Monta Western.
Presentazione: tipica località montana immersa nel verde. L'azienda si estende su 19 ettari di terreno adibito a foraggio e allevamento equino, bovino e suino. Possibilità di agricampeggio.
Ristorazione: ristorante aperto al pubblico con 100 coperti all'interno e 200 nel porticato. Antipasti vari, risotto ai funghi, salami di produzione propria, polenta e selvaggina.
Prodotti aziendali: confetture, formaggi, salumi e dolci.
Luoghi di interesse e manifestazioni locali: parchi naturali del monte Fenera e dell'Alta Val Sesia, lago Maggiore e d'Aorta. Feste gastronomiche locali, mostre di artigianato e pittura.
Prezzi: pasto da £ 20.000 a 40.000. Equitazione a £ 30.000 l'ora, tiro con l'arco a £ 15.000 l'ora.
Note: accessibile agli handicappati. È gradita la prenotazione. Possibilità d'equitazione tutto l'anno e di tiro con l'arco da marzo a ottobre. Raccolta di asparagi, castagne, frutti di bosco, funghi e insalate selvatiche. Sala comune, posto macchina e telefono pubblico.

LE AIE

corso Duca d'Aosta, 25 • 13040 FONTANETTO PO
☎ 0161840315 fax 0161840179

● H 8

Posizione geografica: pianura (143 m).
Periodo di apertura: tutto l'anno, solo su prenotazione.
Associato a: Terranostra.
Presentazione: costruzione rurale circondata da 40 ettari di terreno, l'indirizzo agricolo dell'azienda è risicolo, orticolo e d'allevamento. Offre ospitalità in 4 camere, con ingresso indipendente e con servizi, per un totale di 8-10 posti letto.
Ristorazione: ristorante con 60 coperti. Panissa, risotti, bagnacauda, fritto misto piemontese e rane.
Prodotti aziendali: riso, ortaggi, miele.
Luoghi di interesse e manifestazioni locali: parchi naturali del Po e dell'Orba, abbazia Lucedio Bosco delle Sorti della Partecipanza. Sagra della rana e festa pastorale.
Prezzi: F/B da £ 60.000 a 80.000, H/B da £ 40.000 a 70.000. Pasto da £ 25.000 a 50.000.
Note: accessibile agli handicappati. Possibilità di gite in traghetto sul fiume Po. Pesca sportiva, passeggiate guidate a cavallo e in bicicletta, tennis da tavolo. Sala riunioni (200 mq). Corsi di chitarra e giardinaggio nei fine settimana. TV, telefono, frigobar, pulizia, biancheria, riscaldamento. Animali accolti previo accordo.

IL BUCANEVE

fraz. Chioso • 13028 SCOPELLO
☎ 016371969

E 8

Posizione geografica: montagna.
Periodo di apertura: tutto l'anno.
Presentazione: tipica costruzione rurale della Val Sesia in azienda di 8 ettari con produzione di ortaggi e allevamento di bestiame. Offre ospitalità in 4 camere con bagno per un totale di 12 posti letto.
Ristorazione: H/B e F/B. Ristorante aperto al pubblico con 20 coperti. Cucina locale e vegetariana.
Prodotti aziendali: confetture, ortaggi, frutta, latticini, pollame, salumi e uova.

Luoghi di interesse e manifestazioni locali: parco naturale dell'Alta Val Sesia e museo Valser. Il 15 agosto fiera paesana, il 23 ottobre castagnata.
Prezzi: OR fino a £ 30.000. Pasto da £ 20.000 a 35.000. Gratis per bambini fino a 5 anni, sconto del 50% da 5 a 10 anni.
Note: prato per prendere il sole. Sala riunioni. Parco giochi. Possibilità di praticare alpinismo, bocce, canoa, golf, parapendio, roccia, sci, torrentismo e trekking. Raccolta di castagne, asparagi e frutti di bosco.

GATTO

Casale Gatto, 8 • 13050 VAGLIULMINA DI GRAGLIA
☎ e fax 01563293

F 8

Posizione geografica: collina pedemontana (400 m).
Periodo di apertura: tutto l'anno.
Associato a: Agriturist.
Presentazione: casa di campagna per 6 persone e 2-3 bambini, monolocale per 2 persone e un bambino. Agricampeggio, con 3 posti tenda, adiacente alla costruzione principale.
Ristorazione: piatti pronti su ordinazione. Piatti locali con verdura e carni di produzione aziendale.
Prodotti aziendali: stagionali.
Luoghi di interesse e manifestazioni locali: parco della Burcina (azalee, rododendri e piante secolari), parco della Bessa (cercatore d'oro), santuari di Graglia e Oropa. Manifestazioni varie organizzate dalla Pro Loco.
Prezzi: monolocale a £ 70.000 giornaliere, casa a £ 150.000 giornaliere.
Note: per i bambini possibilità di partecipare ai piccoli lavori aziendali, al giardinaggio e all'alimentazione di piccoli animali. Raccolta gratuita di frutta in azienda. Nelle vicinanze equitazione, polisportiva bocce, tennis.

LA CASA IN BOSCO

loc. Rasco • 13018 VALDUGGIA
☎ e fax 016347756

F 8

Posizione geografica: montagna (700 m).
Periodo di apertura: aprile e maggio per gite scolastiche, periodo delle vacanze estive per settimane verdi.
Associato a: Agriturist.
Presentazione: centro vacanza per minori tra i 4 e i 14 anni, in

azienda di 4 ettari e mezzo situata nel parco naturale del Fenera. Si coltivano frutta e ortaggi e si allevano ovini. Offre ospitalità in 5 camere con bagno comune per un totale di 25/28 posti letto.
Ristorazione: riservata agli ospiti. F/B. Cucina preparata con i prodotti aziendali.
Prodotti aziendali: ortaggi e verdura.
Luoghi di interesse e manifestazioni locali: parco del Fenera, siti archeologici e preistorici.
Prezzi: contattare direttamente l'azienda.
Note: giochi, escursioni, tiro con l'arco, lavorazione dell'argilla, censimento degli alberi e laboratorio preistorico sono solo alcune delle attività proposte dall'azienda. Pulizia e biancheria.

TOPINI ESTELLA

loc. Rondo - fraz. Morca • 13019 VARALLO
☎ 016354218

F 8

Posizione geografica: montagna.
Periodo di apertura: da aprile a dicembre.
Associato a: Terranostra.
Presentazione: l'azienda alleva caprini. Offre ospitalità in 3 camere.
Ristorazione: H/B, F/B. Ristorante aperto al pubblico con 60 coperti. Selvaggina, polli, conigli, funghi.
Prodotti aziendali: formaggi, uova, funghi, conigli.
Luoghi di interesse e manifestazioni locali: sacro monte di Varallo. Gara di tiro nel mese di maggio.
Prezzi: pasto da £ 25.000 a 35.000. Alloggio a £ 50.000.
Note: possibilità di osservazione aziendale. Biancheria.

LA CASCINA DEI PRAPIEN

reg. Prapiano • 13054 MOSSO SANTA MARIA
☎ 015757162

E 8

Posizione geografica: montagna (1.000 m), oasi naturale.
Periodo di apertura: tutto l'anno.
Associato a: Agriturist.
Presentazione: casolare in pietra con annessa stalla tipica in legno. L'azienda si estende su 15 ettari di terreno a prati. Allevamento di caprini, bovini, suini, animali di bassa corte, api.
Ristorazione: ristorante aperto tutti i giorni, su prenotazione, con 44 coperti. Specialità stagionali: paté d'oca, risotto alle erbe e fiori, capretto in verde, torte di verdura, salumi nostrani, formaggi alle erbe.
Prodotti aziendali: caprini alle erbe, miele, marmellate, salumi di suino e di capra, lardo alle erbe, castagne, noci, nocciole, uova, pollame.
Luoghi di interesse e manifestazioni locali: oasi naturalistica di Zegna, santuario della brughiera. Festa alpina a Bielmonte.
Prezzi: pasto da £ 15.000 a 40.000.
Note: solo su prenotazione. Disponibili una sala per riunioni o corsi. Nell'oasi di Zegna è possibile praticare tiro con l'arco e nuoto. Prato per prendere il sole. Raccolta di funghi, castagne, erbe dei prati. Nelle immediate vicinanze possibilità di praticare alpinismo, calcetto, parapendio, equitazione, roccia, sci alpinismo, discesa e fondo, trekking e bob estivo.

Liguria

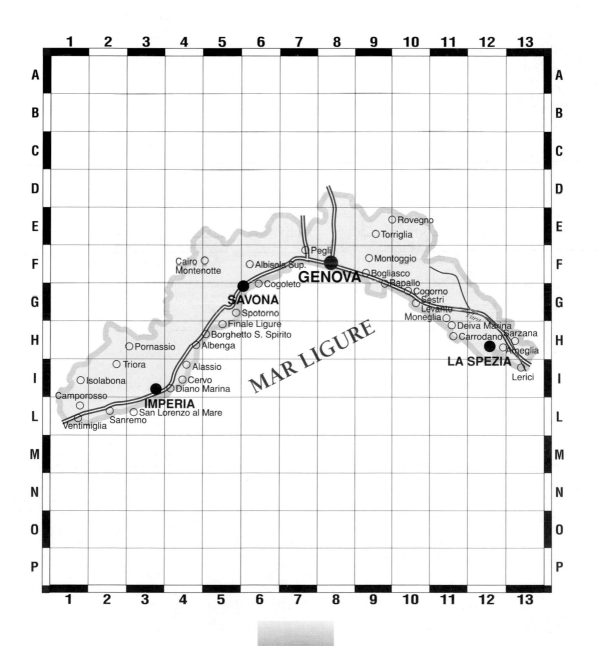

Genova

ARGENTEA

via Val Lerone, 50 - loc. Campo • 16011 ARENZANO
☎ e fax 0109135367

● F 7

Posizione geografica: mare.
Periodo di apertura: tutto l'anno.
Associato a: Terranostra.
Presentazione: costruzione del '600 recentemente ristrutturata, in azienda di 3 ettari con coltivazione biologica di ortaggi e alberi da frutta e allevamento di equini, bovini, caprini, suini e pollame. Offre ospitalità in 2 camere con bagno e in 2 monolocali con bagno e angolo cottura, per un totale di 12 posti letto.
Ristorazione: ristorante aperto al pubblico con 15 coperti. Cucina ligure e piemontese, torte salate, insaccati, carne di produzione propria.
Prodotti aziendali: frutta e ortaggi.
Luoghi di interesse e manifestazioni locali: parco naturale di Beigua, acquario e città dei ragazzi a Genova, riviera ligure. Carnevale, marcia "Mari e monti" in settembre, manifestazioni folkloristiche nel periodo estivo.
Prezzi: OR a £ 50.000, B&B a £ 55.000, H/B a £ 80.000. Pasto da £ 35.000 a 45.000. Riduzioni per bambini da concordare.
Note: possibilità di praticare trekking e torrentismo. Riscaldamento, telefono, televisore, pulizia e biancheria. Si accolgono animali.

SAMUELE RANCH

via Fiume, 12 • 16030 CASTIGLIONE
☎ 0185408256

● G 10

Posizione geografica: mare, collina.
Periodo di apertura: tutto l'anno.
Associato a: Ante (Associazione Nazionale Turismo Equestre).
Presentazione: tipica casa rurale, sorge in un podere di 10 ettari di terreno a oliveto, frutteto, vigneto. Offre ospitalità per un totale di 6 posti letto.
Ristorazione: H/B, F/B, su prenotazione (10 coperti). Carne alla brace, verdure e prodotti dell'azienda.
Prodotti aziendali: verdura, frutta, olio, vino.
Luoghi di interesse e manifestazioni locali: Cinque Terre, zona naturalistica di grande interesse. Sagre durante l'estate, mostra d'artigianato, concerti classici all'aperto.
Prezzi: pasto da £ 20.000 a 30.000, H/B £ 40.000, F/B da £ 50.000 a 60.000. Riduzioni da concordarsi.
Note: l'azienda è specializzata nell'organizzazione di vacanze per ragazzi (dai 7 ai 15 anni), manifestazioni sportive a cavallo (gare, giochi, raduni) e corsi di equitazione per 4 livelli. Trekking e passeggiate. La proprietà è costeggiata da un fiume. Prato per prendere il sole. Raccolta castagne, noci, more, funghi. Biancheria, telefoni in comune, sala comune.

MONTE PÙ

loc. Monte Pù • 16030 CASTIGLIONE CHIAVARESE
☎ e fax 0185408027

● G 10

Posizione geografica: montagna (700 m).
Periodo di apertura: dal 15 marzo al 31 gennaio.
Associato a: Agriturist.

Presentazione: 200 ettari di spazio verde, di cui 55 a pascolo, boschi, prati, frutteto e orto biologico. Offre ospitalità per un totale di 20 posti letto distribuiti in varie stanze e un appartamento del complesso costituito da un cenobio benedettino dell'VIII secolo. Allevamento ovicolo, equino, ittico.
Ristorazione: ristorante aperto al pubblico con 30 coperti. Ricette naturali preparate con i prodotti dell'azienda.
Prodotti aziendali: marmellate, sottoli, miele, frutta e verdura, uova, pollame, conigli, trote.
Luoghi di interesse e manifestazioni locali: parco delle Cinque Terre, Portofino, San Fruttuoso, Camogli, acquario di Genova. Concerti, fuochi d'artificio.
Prezzi: pasto a circa £ 50.000, B&B a £ 60.000, H/B a £ 90.000. Sconto del 50% per i bambini fino agli 8 anni.
Note: solo su prenotazione. Pensione per cavalli, ricovero per puledri e cavalli a fine carriera.
Possibilità di organizzare feste, matrimoni, stage e convention. L'azienda organizza corsi di cucina, di composizione floreale, di lingue (inglese e francese). Escursioni guidate, tiro con l'arco, trekking e mountain bike.
Per i bambini: baby-sitting, giochi di sala, guida alle attività agricole. Raccolta di castagne, frutti di bosco, funghi, erbe selvatiche ed aromatiche. Nelle vicinanze possibilità di praticare golf, parapendio, tennis, nuoto. Biancheria, pulizia, telefono in comune, riscaldamento. Animali accolti previo accordo.

PENCO MARIA TERESA

via S. Gaetano, 89 • 16040 SAN COLOMBANO CERTENOLI
☎ 0185358578

● F 10

Posizione geografica: collina.
Periodo di apertura: tutto l'anno.
Presentazione: costruzione rurale. L'azienda si estende su 3 ettari coltivati a olivi, noccioli, vigneto. Offre ospitalità in 4 camere con bagno.
Ristorazione: H/B, F/B. Ristorante aperto al pubblico su prenotazione con 20 coperti. Cucina tipica regionale e curiosità.
Prodotti aziendali: olio, pollame, conigli, uova, ortaggi, fiori, piante ornamentali.
Luoghi di interesse e manifestazioni locali: basilica dei Fieschi, paesaggio della riviera di Levante (Cinque Terre). Sagre di paese da giugno a ottobre.
Prezzi: pasto da £ 20.000 a 50.000. B&B da £ 30.000 a 50.000.

Sconto del 10% per la seconda settimana di permanenza.
Note: solo su prenotazione. Attività di giardinaggio. Raccolta di more, fragole, funghi, castagne, nocciole. Prato per prendere il sole. A 7 km possibilità di praticare equitazione, tennis, minigolf, calcetto, nuoto, vela. In azienda gioco del ping-pong, trekking e passeggiate. Biancheria, pulizia, riassetto ogni 3 giorni, riscaldamento, posto macchina. Animali accolti previo accordo.

Imperia

TERRE BIANCHE

loc. Arcagna • 18035 DOLCEACQUA
☎ 018431426 fax 018431230
E-mail:terrebianche@terrebianche.com
http:www.terrebianche.com

 I 2

Posizione geografica: collina (450 m), vicino al mare.
Periodo di apertura: dall'1 marzo al 31 ottobre e dall'1 dicembre al 9 gennaio.
Associato a: Terranostra.
Presentazione: antico casolare in posizione panoramica, in azienda di 18 ettari con coltivazioni di viti, olivi, alberi da frutto, ortaggi e allevamento di pollame. Offre ospitalità in 8 camere doppie con bagno.
Ristorazione: cucina tipica dell'entroterra ligure.
Prodotti aziendali: vino Rossese di Dolceacqua, Vermentino e Pigato, olio extravergine d'oliva.
Luoghi di interesse e manifestazioni locali: Dolceacqua e Montecarlo. Gran Premio di Montecarlo, terme solforose a Pigna. Spettacoli pirotecnici l'ultima settimana di agosto, "Battaglia dei fiori" a Ventimiglia.
Prezzi: B&B da £ 90.000 a 110.000, H/B da £ 120.000 a 140.000. Supplemento del 10% in luglio e agosto.
Note: equitazione, mountain bike, bocce e ping-pong. Nelle vicinanze tiro al piattello e campo da golf. Pulizia e biancheria. Si accolgono animali.

RIFUGIO ALTAVIA

strada militare La Colla-Gouta • 18035 DOLCEACQUA
☎ 0184206754

 I 3

Posizione geografica: collina (500 m).
Periodo di apertura: tutto l'anno.
Associato a: Agriturist, Turismo Verde.
Presentazione: tipica costruzione rurale in azienda di 2 ettari di vigneto, oliveto, mimoseto, frutteto. Offre ospitalità in 4 camere con bagno e in 8 piazzole per agricampeggio, tende e caravan.
Ristorazione: H/B, ristorante aperto al pubblico con 30 coperti. Agnolotti, torta verde, piatti vegetariani, pollame, coniglio alla ligure.
Prodotti aziendali: olio, vino, miele, erbe.
Luoghi di interesse e manifestazioni locali: Apricale, Dolceacqua, Bordighera (medioevali). Montecarlo, Mentone, Sanremo, Giardini

Hambury. Feste estive nei paesi vicini, teatro ad Apricale, musica a Dolceacqua, museo delle streghe a Triora.
Prezzi: pasto da £ 25.000 a 35.000. H/B da £ 65.000 a 70.000. Sconto del 20% per i bambini dai 3 ai 10 anni.

Note: solo su prenotazione. Soggiorno minimo 3 giorni. Possibilità di compiere passeggiate sull'Alta Via con osservazione ambientale (fauna, flora). Terrazzo per prendere il sole, sala riunioni, bocce, giochi di sala per bambini, giochi all'aria aperta, equitazione e mountain bike. Biancheria, telefono in comune, riscaldamento, uso cucina, posto macchina

IL CASTAGNO

via San Bernardo, 39 • 18025 MENDATICA
☎ 0183328718

 H 3

Posizione geografica: collina.
Periodo di apertura: tutto l'anno.
Presentazione: azienda agricola di 11 ettari che produce ortaggi, frutti, sottobosco. È circondata da boschi misti di conifere e latifoglie interrotti da grandi pascoli. Offre ospitalità in vecchie case rurali ristrutturate dove è possibile alloggiare in camere con 10 posti letto totali o in appartamento con uso di cucina.
Ristorazione: H/B, F/B. Piatti tipici della montagna ligure, la maggior parte preparati con i prodotti dell'azienda.

Luoghi di interesse e manifestazioni locali: Alpi Marittime. Museo contadino.
Prezzi: pasto da £ 25.000 a 30.000. B&B £ 55.000, H/B £ 75.000, F/B £ 85.000.
Note: dal "Castagno" si possono effettuare escursioni fino ai 2.800 m del Marguareis, trekking, passeggiate in tranquillità su sentieri segnati. L'azienda è situata nei pressi dell'Alta Via dei Monti Liguri. Si possono osservare l'architettura rurale e il museo contadino. Nel paese ci sono sentieri ginnici, tennis, spazi per pic-nic, a 12 km gli impianti sciistici di Monesi, a 25 km i maneggi, a 40 km le spiagge. È possibile seguire da vicino le attività agricole dell'azienda.

LA NAVETTE

loc. Salse • 18025 MENDATICA
☎ 018333293

 H 3

Posizione geografica: montagna (1.450 m).
Periodo di apertura: dal 15 maggio al 15 novembre, i restanti mesi solo su prenotazione.
Associato a: TCI.
Presentazione: malga d'alta quota, all'interno di un parco naturale, immersa nei boschi, in azienda di 2 ettari. Accoglie ospiti in 2 camere per un totale di 8 posti letto.
Ristorazione: ristorante aperto al pubblico con 25 coperti. Cucina tipica ligure, focacce, gnocchi di patate, ravioli, tagliatelle, frittelle di zucchine, carne di coniglio e vitello di produzione propria.
Prodotti aziendali: carne, formaggio, miele, funghi e frutti di bosco.
Luoghi di interesse e manifestazioni locali: laghetti montani, Upega, Piaggia, Monesi. Festa dell'aquilone a Ferragosto.
Prezzi: B&B £ 30.000, H/B £ 45.000, F/B da £ 60.000 a 70.000. Pasto da £ 25.000 a 35.000.
Note: osservazione di camosci e marmotte. Corsi di cucina. Trekking. Nelle vicinanze pesca di trote e tennis. È possibile fare il bagno nel fiume Tanaro. Bagno comune.

MACCARIO "IL BAUSCO"

loc. Brunetti • 18033 CAMPOROSSO
☎ 0184206013-018431231 fax 0184206851

 L 2

Posizione geografica: collina. Oasi protetta.
Periodo di apertura: tutto l'anno.
Associato a: Turismo Verde, Conf. It. Agricoltori, C.T.P.A.L.
Presentazione: tipiche costruzioni rurali liguri. L'azienda si estende su 20 ettari con produzione di Rossese di Dolceacqua (vino D.O.C.), olio extravergine di oliva, frutta e ortaggi. Accoglie ospiti in 5 camere indipendenti.
Prodotti aziendali: olio, ortaggi, vini e frutta biologici.
Luoghi di interesse e manifestazioni locali: Riviera dei Fiori, Sanremo, Costa Azzurra, Montecarlo, giardini Hanbury, Valle delle Meraviglie (Francia). Musica sotto il castello a Dolceacqua, sagra dei funghi a Pigna, sagra delle castagne a Buggio, sagra delle lumache a Triora.
Prezzi: alloggio da £ 30.000 a 50.000.
Note: tutti i prodotti dell'azienda sono coltivati biologicamente e vantano la certificazione A.I.A.B. Possibilità di osservazione ambientale in zona ricca di erbe, fiori e animali della macchia mediterranea. Raccolta di asparagi, castagne, frutti di bosco, funghi. Pesca, giochi all'aria aperta e mountain bike. Pratica di sci di

fondo (Alpi Marittime a 20 km), alpinismo e sci alpinismo nel parco nazionale Mercantour. Valle delle Meraviglie a 25 km. Biancheria, telefono in comune, uso cucina, riscaldamento, posto macchina.

La Spezia

CASCINA DEI PERI

via Montefrancio, 71 • 19030 CASTELNUOVO MAGRA
☎ e fax 0187674085

● **H 13**

Posizione geografica: collina.
Periodo di apertura: tutto l'anno.
Associato a: Turismo Verde.
Presentazione: costruzione che sorge su 7 ettari di terreno a vigneto, oliveto, ortaggi, frutta. Allevamento di animali di bassa corte e di caprini. Offre ospitalità in 6 camere con bagno e in 4 piazzole per camper.
Ristorazione: H/B, F/B. Ristorante aperto al pubblico su prenotazione. Testaroli, bresaola di oca o di anatra, torta di riso.
Prodotti aziendali: vino dei colli di Luni Vermentino D.O.C., olio extravergine d'oliva, uova, pollame, salumi.
Luoghi di interesse e manifestazioni locali: scavi di Luni, museo Lia a La Spezia, castello Malaspina Fosdinovo, cave di marmo. Antiquariato a Sarzana, festa del mare a La Spezia, sagra dell'olio a Castelnuovo Magra.

Prezzi: pasto da £ 25.000 a 35.000, alloggio a partire da £ 50.000. Sconto del 50% per i bambini fino ai 5 anni, del 30% fino a 9 e per le comitive.
Note: prenotazione obbligatoria. In alta stagione il periodo minimo di soggiorno è di 1 settimana. Prato per prendere il sole, piscina, equitazione e tennis. Baby sitting a richiesta.

CARNEA

loc. Carnea • 19020 FOLLO
☎ 0187947070

 H 12

Posizione geografica: collina, in una riserva naturale.
Periodo di apertura: tutto l'anno tranne febbraio.
Associato a: Agriturist.
Presentazione: week-end e vacanze "fuori dal mondo" per rilassarsi immersi nel bosco con panorama che spazia dal mare alle Alpi Apuane. Offre ospitalità in 6 camere matrimoniali indipendenti con bagno.
Ristorazione: H/B, F/B. Pranzi agrituristici e cucina essenzialmente vegetariana.
Prodotti aziendali: erbe aromatiche, pane, pesto, marmellate, conserve, ortaggi, frutta biologica.
Luoghi di interesse e manifestazioni locali: Cinque Terre, Lerici, Portovenere, Sarzana, Lunigiana. Sagra della frittella di baccalà la 2ª settimana di settembre.
Prezzi: pasto da £ 25.000 a 35.000, B&B a £ 60.000, H/B a £ 90.000.
Note: si organizzano corsi di cucina.
Possibilità di passeggiate, trekking, free climbing, mountain bike, tennis, tiro con l'arco, equitazione, sub, vela nelle vicinanze. Biancheria, telefono comune, prima colazione, riscaldamento, sala comune.

LA CAPRARBIA

loc. Le Fosse • 19014 FRAMURA
☎ e fax 0187824282

 H 11

Posizione geografica: collina affacciata sul mare.
Periodo di apertura: tutto l'anno.
Associato a: Turismo Verde, Terranostra.
Presentazione: l'azienda si trova nel parco regionale Passo del Bracco (Cinque Terre). Allevamento ovi-caprino. Accoglie ospiti in 6 camere e in 6 piazzole da campeggio per tende e piccoli caravan.
Ristorazione: ristorante aperto al pubblico, solo la sera, con prenotazione.
Prodotti aziendali: asparagi, verdure, agnelli, capretti, formaggi.
Luoghi di interesse e manifestazioni locali: Cinque Terre. Feste e sagre in primavera-estate.
Prezzi: pasto a £ 25.000, H/B a £ 60.000.

Note: accessibile agli handicappati. Raccolta di castagne e funghi. Trekking e passeggiate.

GIANDRIALE

loc. Giandriale - fraz. Tavarone • 19010 MAISSANA
☎ e fax 0187840279
● G 11

Posizione geografica: montagna (700 m).
Periodo di apertura: tutto l'anno.
Associato a: Agriturist, Terranostra.
Presentazione: case in pietra del '700. Sorge su 130 ettari di oasi di protezione faunistica. Orticoltura e frutticoltura biologiche. Allevamento di bovini e cavalli. Accoglie ospiti in 7 camere con bagno e 1 appartamento.
Ristorazione: H/B. Ristorante con 25 coperti. Cucina tipica regionale, piatti preparati a base di verdure, dolci di castagne.
Prodotti aziendali: erbe aromatiche, miele, confetture e conserve, frutta, funghi, ortaggi.
Luoghi di interesse e manifestazioni locali: Borgo rotondo medioevale a Varese Ligure, Cinque Terre, Moneglia, Sestri Levante. Sagra del fungo porcino in settembre, manifestazione lirica all'aperto in agosto.
Prezzi: pasto da £ 25.000 a 33.000, B&B da £ 40.000 a 50.000, H/B a £ 60.000 a persona. Sconto del 50% per bambini di età inferiore ai 5 anni.
Note: solo su prenotazione. Possibilità di osservazione ambientale, visite guidate ai lavori aziendali e agli apiari.
Osservazione guidata degli animali per i bambini. Trekking e mountain bike. Raccolta di castagne, funghi, rosa canina, biancospino, menta, origano, more.

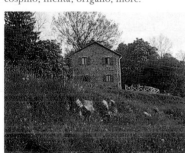

Prato per prendere il sole. Biancheria, riassetto, telefono in comune, riscaldamento, posteggio, sala comune.

5 TERRE

loc. Gaggiola • 19020 PIGNONE
☎ 0187888087
● G 12

Posizione geografica: collina.
Periodo di apertura: da Pasqua a ottobre.
Associato a: Ar. Col. Dir.
Presentazione: costruzione recentemente ristrutturata in azienda di 8 ettari e mezzo in cui si coltivano limoni, alberi da frutto, viti, olivi e ortaggi e si allevano api, ovini, conigli, pollame ed equini. Offre ospitalità in 7 camere con bagno e in 2 con bagno comune, per un totale di 18 posti letto, e in piazzole in agricampeggio.
Ristorazione: ristorante aperto al pubblico con 30 coperti. Cucina casalinga.
Prodotti aziendali: vino, olio, pane e marmellata.
Luoghi di interesse e manifestazioni locali: Cinque Terre e sentieri per percorsi naturalistici. Festa equestre in azienda a giugno.
Prezzi: OR da £ 35.000 a 40.000 a persona, H/B da £ 65.000 a 75.000, F/B da £ 85.000 a 95.000, prima colazione a £ 7.000. Pasto da £ 30.000 a 35.000.
Note: possibilità di trekking a cavallo e mountain bike. Riscaldamento, pulizia e biancheria. Si accolgono animali ma ne è vietato l'accesso alla sala da pranzo.

RIOMAGGIORE MARE/MONTI

loc. Saldino • 19020 ROCCHETTA VARA - VEPPO
☎ 0187718550 ☎ e fax 0187936448 cell. 03385942934
● G 12

Posizione geografica: collina (600 m). Zona parco naturale.
Periodo di apertura: tutto l'anno.
Associato a: Terranostra.
Presentazione: casa completamente ristrutturata su 10 ettari di terreno. Produzione di cereali e frutteto. Allevamento di ovini, caprini e pollame. Offre ospitalità in 4 camere con 10 posti letto, 3 bagni, caminetti, forno a legna.
Ristorazione: H/B, F/B. Cinghiale, salame di cinghiale, torte di erbe selvatiche, testaroli, pane cotto nel forno a legna.
Prodotti aziendali: confetture, castagne (marroni cuneesi), ortaggi, uova, salumi. I prodotti sono biologici.
Luoghi di interesse e manifestazioni locali: statue stele (pieve Zignago), Alta Via dei Monti Liguri. Sagre popolari, festa dell'emigrante nel castagneto.
Prezzi: pasto da £ 60.000, OR da £ 50.000 a 60.000, H/B da £ 90.000 a 100.000, F/B a £ 120.000. Sconto del 10% per la seconda settimana di soggiorno.
Note: l'azienda proporrà un soggiorno di 3 giorni al mare a Riomaggiore visitando le Cinque Terre e un soggiorno di 3 giorni in collina visitando le restanti zone sulla costa. Agriturismo artistico. Osservazione ambientale e raccolta di frutti di bosco, funghi e castagne. Possibilità di praticare mountain bike, pesca delle trote, equitazione, trekking ed escursioni guidate. Biancheria, sala comune, tavernetta, posto macchina. Animali accolti previo accordo.

LAVACCHIA

loc. Lavacchia • 19037 SANTO STEFANO MAGRA
☎ e fax 018763334
● H 13

Posizione geografica: collina.
Periodo di apertura: da dicembre a ottobre; il periodo migliore è da aprile a ottobre.
Associato a: Agriturist.
Presentazione: tipiche costruzioni rurali in pietra su 10 ettari a oliveto, vigneto, frutteto, orto, bosco. Allevamento di ovini. L'azienda offre ospitalità in 1 casa indipendente (con 3 camere, cucina abitabile con camino e in 3 camere con bagno in comune.
Ristorazione: servizio di ristorante occasionale, previo accordo. Agnello, torte verdi, menu etnici.
Prodotti aziendali: marmellate, sottoli, salumi, succhi o grappe.
Luoghi di interesse e manifestazioni locali: Cinque Terre, Lunigiana, Carrara, Versilia. Fiera antiquaria di Sarzana per tutto agosto, "Palio del golfo" a La Spezia a luglio, varie feste in tutto il territorio.
Prezzi: pasto a £ 20.000 circa, alloggio da £ 25.000 a 30.000. Sconto del 50% per bimbi in camera con i genitori.
Note: l'azienda si mantiene volutamente e ostinatamente assai rustica. Ospita un laboratorio artigiano di vetrate e ceramiche sulle quali organizza corsi. Vicinanza del mare, con possibilità di praticare ogni tipo di sport marittimo. Nell'azienda si trovano area da pic-nic attrezzata e un giardino. Possibilità di praticare sci a 36 km, equitazione a 3 km, trekking anche su lunghi percorsi.

BARRANI FABIO

via Fieschi, 14 - loc. Corniglia • 19018 VERNAZZA
☎ 0187812063

● H 12

Posizione geografica: mare. Parco naturale "Cinque Terre".
Periodo di apertura: tutto l'anno.
Associato a: Terranostra.
Presentazione: la costruzione offre ospitalità in 4 camere con bagno per un totale di 10 posti letto.
Ristorazione: H/B. Ristorante con prenotazione (12 coperti). Ravioli, pansotti, muscoli ripieni, trenette al pesto, cima alla genovese, focaccia, panissa, farinata, pesce.
Prodotti aziendali: vino Cinque Terre D.O.C., olio, miele, confetture, frutta e ortaggi.
Luoghi di interesse e manifestazioni locali: chiesa parrocchiale (sec. XIV), tutte le chiese romaniche delle Cinque Terre, museo della navigazione e museo Lia a La Spezia, vigneti terrazzati delle Cinque Terre. Festa enologica "Stappamaggio" in maggio, festa patronale il 29 giugno.
Prezzi: pasto da £ 40.000 a 50.000, B&B da £ 40.000 a 50.000. Sconto del 25% per i bambini fino ai 10 anni.
Note: solo su prenotazione e per un periodo minimo di due notti. Si organizzano corsi di gastronomia e di osservazione ambientale. Pesca. Raccolta di castagne e funghi. Riscaldamento. Animali accolti previo accordo.

MONTEVERDE

via Molin del Piano, 65 • 19030 CASTELNUOVO MAGRA
☎ 0187674727-0187674692 cell. 0336442926

▲ H 13

Posizione geografica: collina.
Periodo di apertura: tutto l'anno.
Presentazione: vecchia casa colonica ligure, ristrutturata nel rispetto della tradizione architettonica locale, in azienda con coltivazioni di viti e ulivi e allevamento di animali da cortile. Offre ospitalità in 4 camere e 4 appartamenti con bagno; riscaldamento e aria condizionata, per un totale di 16 posti letto.
Prodotti aziendali: olio extravergine d'oliva, uova biologiche, confetture, vini D.O.C.
Luoghi di interesse e manifestazioni locali: Portovenere, Cinque Terre, Alpi Apuane, Versilia, castelli della Lunigiana.
Prezzi: alloggio da £ 50.000 a 70.000 a persona trattabili per soggiorni superiori a una settimana.
Note: è gradita la prenotazione. Mountain bike a disposizione. Nelle vicinanze piscine, campi da tennis e maneggi. Baby sitting su prenotazione. Non si accettano animali.

RIOMAGGIORE MARE/MONTI

via L. De Batte', 61 • 19017 RIOMAGGIORE
☎ 0187718550 ☎ e fax 0187936448 cell. 03385942934

▲ H 12

Posizione geografica: mare, zona del parco delle Cinque Terre.
Periodo di apertura: tutto l'anno.
Associato a: Terranostra.
Presentazione: costruzione in sasso nel centro del paese. Vigneto. Offre ospitalità in 1 appartamento con 2 camere per un totale di 5-6 posti letto.
Prodotti aziendali: confetture, vino, sciachetra.

Luoghi di interesse e manifestazioni locali: sentieri, Cinque Terre, via dell'amore. Sagre popolari, musica in piazza.
Prezzi: alloggio a £ 60.000. Sconto del 5% per letto aggiunto.
Note: è possibile il collegamento a piedi o a cavallo dalle Cinque Terre all'Alta Via dei Monti Liguri (antica via del sale che costeggia tutta la Liguria fino a Ventimiglia). In questo percorso s'incontrano anche altre aziende agrituristiche. Trekking, palestra nel verde nelle vicinanze, escursioni guidate. Osservazione ambientale, agriturismo artistico *en plein air*. Raccolta di asparagi, castagne, funghi. Biancheria da camera e da bagno, corredo cucina, uso cucina, uso frigorifero.

LA ROCCA

via Fieschi, 222 - loc. Corniglia • 19018 VERNAZZA
☎ 0187812178

▲ H 12

Posizione geografica: mare.
Periodo di apertura: tutto l'anno.
Associato a: Terranostra.
Presentazione: tipica costruzione rurale ligure con vista sul mare nel "*carugiu*" principale del paese di Corniglia. Offre ospitalità in 1 appartamento con 3/4 posti letto dotato di servizi e in 2 camere matrimoniali (con bagno comune al piano superiore e terrazza).

La Rocca

Prodotti aziendali: vino, olio, ortaggi, frutta, animali da cortile.
Luoghi di interesse e manifestazioni locali: parco naturale delle Cinque Terre. Sagra estiva.
Prezzi: alloggio da £ 40.000 a 50.000 a persona al giorno.
Note: strutture non accessibili agli handicappati. Solo su prenotazione. Osservazione ambientale e raccolta di more e asparagi selvatici. Sport di mare. Animali accolti solo per non vedenti.

Savona

CASCINA DEL VAI

strada Ville, 140 • 17014 CAIRO MONTENOTTE
☎ e fax 01950894

● F 5

Posizione geografica: collina.
Periodo di apertura: tutto l'anno.
Associato a: Agriturist.
Presentazione: antico cascinale, ristrutturato nel rispetto dell'atmosfera rurale del luogo, in azienda di 26 ettari. Offre ospitalità in 7 camere con bagno per un totale di 16 posti letto e in spazi aperti in cui è possibile campeggiare.
Ristorazione: ristorante aperto al pubblico con 30 coperti. Cucina casalinga preparata con i prodotti dell'azienda.
Luoghi di interesse e manifestazioni locali: Riviera Ligure. Festa medioevale a Cairo Montenotte in agosto.

Prezzi: B&B a £ 50.000, H/B a £ 65.000, F/B a £ 75.000.
Note: disponibilità di box per alloggiare cavalli. Pulizia e biancheria. Si accolgono animali.

CASCINA "IL POGGIO"

loc. Poggio, 97 - fraz. Marmoreo • 17033 CASANOVA LERRONE
☎ 018274040

● H 4

Posizione geografica: collina.
Periodo di apertura: tutto l'anno, se il lavoro in campagna lo consente.
Associato a: Terranostra.
Presentazione: cascina in pietra in cima alla collina, circondata da 15 ettari di terreno coltivato a oliveto, vigneto, castagneto. Allevamento di galline e capre. Offre ospitalità in 4 camere con 12 posti letto e in una mansardina con 2 posti letto.
Ristorazione: H/B, F/B. Ristorante aperto al pubblico con 30 coperti. Ravioli, pasta fatta in casa, coniglio, cima, dolci.
Prodotti aziendali: olio, olive in salamoia, paté, ortaggi, frutta, vino.
Luoghi di interesse e manifestazioni locali: centro storico di Albenga e Villanova D'Albenga, musei, paesi caratteristici, grotte di Toirano. Sagre, concerti, teatro nelle vicinanze.
Prezzi: pasto da £ 20.000 a 40.000, B&B da £ 35.000 a 40.000, H/B da £ 50.000 a 55.000, F/B da £ 60.000 a 65.000. Sconto del 50% per i bambini dai 3 ai 6 anni e del 10% per i bambini dai 6 ai 10 anni.
Note: solo su prenotazione. Raccolta di castagne e funghi. L'azienda dispone di terrazza e di prati per prendere il sole. Giochi di sala per i bambini, giochi all'aria aperta e mountain bike. Animali accolti previo accordo.

VILLA PIUMA

via Cappelletta Nuova, 8 - loc. Perti • 17024 FINALE LIGURE
☎ e fax 019687030

● G 5

Posizione geografica: mare.
Periodo di apertura: da marzo a fine anno.
Associato a: Turismo Verde.
Presentazione: villa settecentesca su 3 ettari adibiti a olivicoltura, viticoltura e orticoltura. Offre ospitalità in 3 camere doppie con bagno e aria condizionata per un totale di 6 posti letto.
Ristorazione: solo per gli ospiti tre sere a settimana in estate, negli altri periodi solo fine settimana. Piatti a base di verdure e prodotti aziendali.
Prodotti aziendali: olio e verdure sott'olio.

Luoghi di interesse e manifestazioni locali: zona archeologica delle Manie, grotte di Toirano, parco del Beigua. Sagra del marchesato nel mese di luglio.
Prezzi: colazione a £ 5.000, pasto a £ 30.000. OR da £ 30.000 a 40.000.
Note: solo su prenotazione, per un minimo di 2 giorni. Nelle vicinanze possibilità di praticare arrampicata libera, equitazione, minigolf, tennis, nuoto. Ping-pong. Posto macchina, giardino-solarium. Animali accolti previo accordo.

"ASPETTANDO IL SOLE"

via Concezione, 1 - fraz. Feglino • 17020 ORCO FEGLINO
☎ 019699146

● G 5

Posizione geografica: collina.
Periodo di apertura: tutto l'anno.
Associato a: Terranostra.
Presentazione: tipica costruzione rurale ligure in terreno coltivato a vigneto e frutteto. Offre ospitalità in 2 camere con bagno

---

per un totale di 9 posti letto.
Ristorazione: H/B, F/B. Ristorante aperto al pubblico con 40 coperti. *"Mandilli de sea"* (fazzoletti di seta), ravioli con sugo di nocciole.
Prodotti aziendali: confette, frutta, verdure, formaggi, funghi, miele, uova, vini, olio extravergine.
Luoghi di interesse e manifestazioni locali: palestra di roccia di fama internazionale, borgo antico medioevale, collegamento all'Alta Via dei Monti Liguri. Sagra della Lumassina (vino tipico della zona), sagra della castagna a ottobre.
Prezzi: pasto da £ 32.000 a 35.000. B&B da £ 30.000 a 50.000. Riduzione del 10% per i bambini fino ai 10 anni.
Note: solo su prenotazione. L'azienda organizza corsi di enologia e di osservazione ambientale. Giochi all'aria aperta, trekking e passeggiate. Possibilità di praticare free climbing a 6 km dal mare. Raccolta di castagne e di funghi. Biancheria, pulizia. Animali accolti previo accordo.

LA CELESTINA

loc. Gallareto, 16 • 17010 PIANA CRIXIA
☎ 019570292

● E 5

Posizione geografica: collina.
Periodo di apertura: dall'1 marzo al 31 dicembre.
Associato a: Agriturist.
Presentazione: casa colonica circondata da 14 ettari di terreno con produzione orticola e allevamento avicolo, caprino. Produzione di olio, cereali e frutti di bosco. Offre ospitalità in 3 camere con bagno comune.
Ristorazione: ristorante aperto al pubblico con 50 coperti. Tortelli, ravioli, anatra e faraona.
Prodotti aziendali: vendita di conserve e animali di bassa corte.
Luoghi di interesse e manifestazioni locali: paesaggi naturalistici delle Langhe, parco dell'Arelasia. Fungo di Piana. Fiera nell'ultima settimana di giugno e in luglio.
Prezzi: H/B da £ 65.000 a 75.000. Pasto da £ 25.000 a 40.000. Bambini fino a 6 anni sconto 30%.
Note: possibilità di ping-pong, passeggiate a cavallo, mountain bike e lezioni d'equitazione. Raccolta di funghi e frutti di bosco. Pulizia, parcheggio.

LA CA' DELL'ALPE

via Alpe, 6 • 17020 RIALTO
☎ 019688030 fax 019688019

● F 6

Posizione geografica: collina, a due passi dal mare.
Periodo di apertura: stagionale, festiva e fine settimana. Altri giorni solo su prenotazione.
Presentazione: costruzione rurale immersa in un bosco di castagni con vista mare. Offre ospitalità in 2 camere da 4 posti letto con bagno, 1 camera matrimoniale con bagno, per un totale di 10 posti letto e in 3 piazzole per tende e caravan.

Ristorazione: pasta fresca, ravioli, tagliatelle, costine e salsiccia alla brace, polli, pane fatto in casa.
Prodotti aziendali: ortaggi, frutta, olio e vino.
Luoghi di interesse e manifestazioni locali: Alta Via dei monti liguri, palestre di roccia del finalese, mare, passo di Melogno.

Prezzi: B& B a £ 35.000, pasto a £ 20.000 bevande escluse. Alloggio gratuito per bambini di età inferiore ai 2 anni.
Note: solo su prenotazione. Attrezzato per disabili. Possibilità di raccogliere la frutta e coltivare l'orto. Piscina per bambini. Passeggiate a piedi e in mountain bike. Si accolgono animali domestici.

"LA TORRE"

via Castagnabuona, 22/24 • 17019 VARAZZE
☎ 019933316-01995409

● F 6

Posizione geografica: collina sul mare.
Periodo di apertura: da giugno a settembre e nel periodo pasquale.
Presentazione: costruzione rurale con torre medioevale. L'azienda si estende per 10.000 mq con produzione di olio di oliva, vino, frutta, verdura. Offre ospitalità in 3 appartamenti con 15 posti letto complessivi.
Ristorazione: il ristorante funziona, nei periodi di apertura, sia per gli ospiti che per avventori occasionali, su prenotazione. Piatti tipici della cucina ligure, ravioli, trenette al pesto, pasqualina, cima ripiena, verdure alla griglia, coniglio, selvaggina.
Prodotti aziendali: olio di oliva, vino, frutta, verdura, pomodori, confetture di frutta senza conservanti.
Luoghi di interesse e manifestazioni locali: parco della Bergua, acquario di Genova, grotte di Toirano, interessanti reperti sommersi per i subacquei. "Varazze, città delle donne", sagra del pesce azzurro, sagra della lumaca, sagra della melanzana ripiena.
Prezzi: per il pasto i prezzi dei prodotti sono esposti in sala. Alloggio da £ 30.000 a 50.000. Riduzioni esclusivamente per pranzi di cerimonia, da concordare.
Note: accessibile agli handicappati. Prenotazione con almeno 30 giorni di anticipo per un periodo minimo di permanenza di 15 giorni. A breve distanza dall'azienda porticciolo turistico di Varazze e bagni. Gioco del ping-pong per bambini e del golf su pista (solo se accompagnati da persona adulta). Possibilità di praticare caccia e mountain bike. Cucina arredata e attrezzata, riscaldamento autonomo, posto macchina privato. Animali accolti previo accordo.

LA CROSA

via Crosa, 10 • 17030 VENDONE ☎ 018276331
E-mail:lacrosa@infocomm.it

● H 4

Posizione geografica: collina, a 12 km dal mare.
Periodo di apertura: dall'1 aprile al 31 ottobre.
Associato a: Agriturist.
Presentazione: antico borgo completamente ristrutturato, offre ospitalità in 3 appartamenti, con ogni comfort e aria condizionata, con 10 posti letto complessivi.
Ristorazione: il ristorante è a disposizione solo degli ospiti dell'azienda. Testaroli al pesto, riso alle erbe aromatiche, polpettone ligure, piatti tradizionali dell'entroterra ligure.
Prodotti aziendali: olio extravergine, confetture, prodotti locali, erbe aromatiche.
Luoghi di interesse e manifestazioni locali: centro storico di Albenga, città medioevale di Zuccarello, grotte di Toirano, museo dell'olivo. Settimana Santa al santuario di Gavenola e Zuccarello, festa della montagna in luglio.
Prezzi: pasto a £ 25.000, B&B da £ 50.000 a 55.000, H/B da £ 75.000 a 80.000. Sconto del 40% per i bambini fino agli 8 anni.
Note: periodo minimo di prenotazione 1 settimana in luglio-agosto, due giorni nel resto dell'anno. A 7 km tennis, mare, golf, ippica. Mountain bike, piscina e giochi all'aria aperta in azienda, dove si trova una biblioteca con oltre 1.000 volumi. Raccolta di castagne, frutti di bosco, funghi ed erbe aromatiche. Biancheria, riscaldamento, parcheggio.

GLI ULIVI

fraz. Maremo, 9 • 17033 CASANOVA LERRONE
☎ e fax 018274149

▲ H 4

Posizione geografica: collina.
Periodo di apertura: tutto l'anno.
Associato a: Turismo Verde.
Presentazione: l'azienda è costituita da 3 immobili recentemente ristrutturati in mezzo agli ulivi, con produzioni floricole e olivicole. Offre ospitalità in 4 camere doppie con bagno e in 4 appartamenti mono-bi-trilocali per un totale di 24 posti letto.
Prodotti aziendali: olio extravergine d'oliva.
Luoghi di interesse e manifestazioni locali: città storiche quali Albenga, Villanova d'Albenga, grotte di Toirano e Borgio Verezzi. Mare a 15 km. Sagra gastronomica a Casanova Lerrone il 2 settembre.
Prezzi: pernottamento in camera da £ 25.000 a 35.000 a persona, alloggi da £ 350.000 a 980.000 a settimana.
Note: possibilità di passeggiate a piedi o in mountain bike. Nel raggio di 15 km campi da golf, tennis, maneggio, ippodromo, aeroporto turistico, piscina, parco acquatico, mare. Cambio biancheria settimanale, uso di cucina, telefono, TV, frigorifero in camera, barbecue all'aperto.

CASALINA

via Chicchezza, 7 - loc. Montagna • 17047 QUILIANO
☎ 019887604

▲ G 5

Posizione geografica: collina.
Periodo di apertura: tutto l'anno.
Presentazione: tipica costruzione rurale in azienda di circa 3 ettari con produzione di frutti di sottobosco e olio di oliva. Offre ospitalità in 3 camere con 2 bagni, mansarda e soppalco, per un totale di 12 posti letto.
Prodotti aziendali: confetture, frutta, olio, frutti di sottobosco.
Luoghi di interesse e manifestazioni locali: Alta Via dei monti Liguri, Forte Baraccone, ponti romani. Sagra della castagna in ottobre, festa enologica in settembre, festa della montagna in giugno.
Prezzi: B&B a £ 50.000. Sconti per gruppi di più di 5 persone per oltre 2 notti. Sconto del 10% per seconda settimana di soggiorno, escluso agosto.
Note: solo su prenotazione. Si tengono corsi di agricoltura biologica e di osservazione ambientale. Raccolta di castagne, corbezzoli, funghi, nocciole. A richiesta massaggi shiatsu, gite in barca, visite guidate con esperto naturalista. Nelle vicinanze è possibile praticare mountain bike, roccia, trekking, nuoto in mare. Pulizia, riassetto, telefono comune, riscaldamento, sala comune.

Lombardia

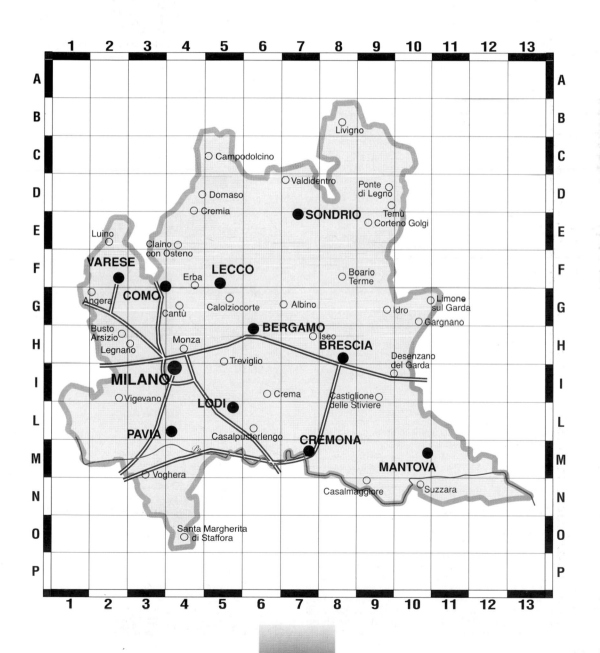

	1	2	3	4	5	6	7	8	9	10	11	12	13

Livigno

Campodolcino

Valdidentro

Ponte di Legno

Domaso

Cremia

SONDRIO

Temù

Corteno Golgi

Luino

Claino con Ostena

VARESE

Erba

LECCO

Boario Terme

COMO

Angera

Cantù

Calolziocorte

Albino

Idro

Limone sul Garda

Busto Arsizio

Gargnano

Legnano

Monza

BERGAMO

Iseo

BRESCIA

Desenzano del Garda

MILANO

Treviglio

Vigevano

Crema

Castiglione delle Stiviere

LODI

PAVIA

Casalpusterlengo

CREMONA

Voghera

MANTOVA

Casalmaggiore

Suzzara

Santa Margherita di Staffora

Bergamo

MONTE CURA

via Monte Cura, 6 • 24021 ALBINO
☎ 030774341-030754745
E-mail:cris.cumini@virusmet.it

G 7

Posizione geografica: collina.
Periodo di apertura: tutto l'anno.
Associato a: Terranostra.
Presentazione: azienda circondata da 6 ettari di terreno con coltivazioni di ortaggi e alberi da frutta e allevamento di pollame, equini e bovini. Accoglie ospiti in 2 appartamenti spaziosi con camino e travi a vista composti da 2 camere, bagno, cucina e soggiorno, per un totale di 10 posti letto.
Ristorazione: ristorante aperto al pubblico con 20 coperti. Pasta fatta in casa, salumi, carne equina e bovina, frutta e verdura coltivate con metodi biologici.
Prodotti aziendali: frutta, verdura, conserve, salumi e formaggelle.
Luoghi di interesse e manifestazioni locali: cappella della Beata Pierina Morosini.
Prezzi: B&B da £ 25.000 a 35.000, H/B da £ 45.000 a 65.000. Pasto a £ 33.000 (bevande incluse).
Note: dispone di pista artificiale illuminata per sci alpino. Campo giochi, pallavolo, ping-pong. Pulizie e cambio biancheria settimanale. Si accolgono animali con divieto di accesso alla sala da pranzo.

CASCINA DEL COLLE

via Colle Bondo, 14 - loc. Bondo
24100 BONDO DI COLZATE ☎ 035726029

F 7

Posizione geografica: bassa montagna.
Periodo di apertura: tutto l'anno.
Associato a: Terranostra.
Presentazione: costruzione tipica circondata da 16 ettari di prato adibito a pascolo e castagneto. Offre ospitalità in 5 camere per un totale di 20 posti letto.
Ristorazione: H/B, F/B. Ristorante aperto al pubblico con 100 coperti. Casoncelli della nonna, cucina tipica bergamasca, grigliate di carne, salami nostrani.
Prodotti aziendali: salumi, pollami, agnelli, uova, miele, funghi porcini.
Luoghi di interesse e manifestazioni locali: museo dell'artigianato, vari luoghi di interesse naturalistico, cascate del Serio. Diverse sagre estive.
Prezzi: alloggio da £ 35.000 a 50.000, il prezzo di un pasto varia da £ 25.000 a 35.000. Riduzione del 10% per bambini fino agli 8 anni.
Note: è possibile organizzare settimane a cavallo, escursioni naturalistiche e soggiorni di relax. Possibilità di praticare l'equitazione e l'alpinismo, osservazione ambientale, giochi all'aria aperta per i bambini. Raccolta di frutti di bosco, castagne, funghi. Biancheria, pulizia, riassetto.

CASCINA CAMBRENO

fraz. Sant'Antonio D'Adda • 24030 CAPRINO BERGAMASCO
☎ 035788061

G 5

Posizione geografica: collina (500 m).
Periodo di apertura: tutto l'anno.
Presentazione: costruzione rurale circondata da 5 ettari di terreno a prato, frutteto e ortaggi. A disposizione degli ospiti all'interno della cascina 3 camere da letto con 2 bagni.
Ristorazione: nei fine settimana, anche per gruppi di amici (solo su prenotazione), la cucina offre dai piatti più semplici della tradizione lombarda a quelli più sofisticati e curiosi accompagnati da prodotti genuini.
Prezzi: B&B a £ 40.000, H/B a £ 75.000 al giorno a persona.
Note: ampio locale a disposizione per gruppi autonomi e per lo svolgimento di corsi di cucina e creatività organizzati dall'azienda.

CASCINA OMBRIA

via Ombria, 1 • 24030 CAPRINO BERGAMASCO
☎ 035781668

G 5

Posizione geografica: collina.
Periodo di apertura: tutto l'anno.
Associato a: Terranostra, Agriturist.
Presentazione: tipica costruzione rurale completamente restau-

rata, con allevamento di capre saanen e relativa produzione di latticini. Accoglie ospiti in 3 camere con bagno per un totale di 12 posti letto.
Ristorazione: H/B, B&B, ristorante aperto al pubblico solo su prenotazione, nelle sere dal giovedì al sabato e la domenica a mezzogiorno. Casoncelli bergamaschi, riso alle fragole, spiedini di carne mista, ricotta e miele.
Prodotti aziendali: formaggi, salumi, miele, confetture.
Luoghi di interesse e manifestazioni locali: Bergamo alta, diversi paesi sul lago di Como.
Prezzi: oltre £ 50.000 a persona, un pranzo da £ 35.000 a £ 50.000. Riduzioni per bambini sotto i 6 anni.
Note: riscaldamento, posto macchina.

LA PETA

via Peta, 3 • 24010 COSTA SERINA
☎ e fax 034597955

G 6

Posizione geografica: montagna, fiume. Nel cuore delle Orobie.
Periodo di apertura: tutto l'anno.
Associato a: Terranostra.
Presentazione: vecchia locanda del 1400, punto di ristoro per i mercanti che da Venezia raggiungevano la Svizzera. L'azienda agricola alleva capre, api e animali di bassa corte, e coltiva un or-

to di tipo familiare. Accoglie ospiti in 6 camere, con 3 bagni in comune, per un totale di 18 posti letto.

Ristorazione: cucina anche a base di cibi biologici. Pane, paste e dolci fatti in casa, lasagne, *foiade*, cannelloni e ravioli vegetariani o con sugo di capra, carne di capra e animali di bassa corte, polenta taragna.

Prodotti aziendali: vendita di formaggi e yogurt di capra, miele.

Luoghi di interesse e manifestazioni locali: museo di attrezzi agricoli ed etnografico, mostra micologica, fiera del bestiame a fine settembre, numerose sagre estive per i villeggianti, visita alle miniere, sentiero naturalistico dei fiori, terme e casinò di San Pellegrino e Serina, visita alla casa di Arlecchino e Oneta di San Giovanni Bianco.

Prezzi: pasto da £ 25.000 a 40.000, alloggio da £ 65.000 a 85.000.

Note: prenotazione obbligatoria. Nelle vicinanze piscina, tennis, sci da discesa e fondo, trekking, free climbing, gare di pesca alla trota e tiro con l'arco. Possibilità di escursioni e trekking nel verde della val Serina, Brembana e Seriana. L'azienda fa parte di una cooperativa sociale (AEPER) che si occupa del reinserimento di giovani e minori in difficoltà e di prevenzione attraverso lo svolgimento di attività formative. I proventi dell'attività vengono reinvestiti in progetti di solidarietà. Lavabo in camera, cambio biancheria.

loc. Monte • 24060 FONTENO
☏ 035969115 fax 035848047

G 7

Posizione geografica: montagna (860 m).

Periodo di apertura: dal 15 giugno al 15 settembre tutti i giorni, autunno-inverno solo nel fine settimana. Natale, Capodanno, Pasqua.

Associato a: Agriturist.

Presentazione: all'interno di una tranquilla vallata tra il lago d'Iseo e il lago d'Endine, accoglie ospiti in stanze da 3-4 letti con bagno in comune e in un appartamento, per un totale di 20 posti letto.

Ristorazione: H/B, F/B. Risotto ai formaggi, tagliolini, crespelle, lasagne, grigliate, capretto al forno, coniglio ai funghi, polenta, brasati.

Prodotti aziendali: latticini di latte vaccino e di capra, salumi, carne, vino.

Luoghi di interesse e manifestazioni locali: Montisola, Lovere, Val Camonica, terme di Boario. Festa dello sport in agosto.

Prezzi: F/B da £ 60.000 se superiore ai tre giorni. Il costo di un pasto varia da £ 20.000 a £ 50.000. Riduzioni per i bambini da concordare.

Note: accessibile agli handicappati. Sala per riunioni, trekking e passeggiate, giochi all'aria aperta per i bambini. Calcetto, ping-pong. Raccolta di castagne, funghi, frutti di bosco, asparagi selvatici. Biancheria, pulizia, riscaldamento. Animali accolti previo accordo.

via Corna, 3 • 24039 SOTTO IL MONTE
☏ 035799133 fax 035791788

H 5

Posizione geografica: collina.

Periodo di apertura: tutto l'anno, a esclusione del mese di gennaio.

Associato a: Terranostra.

Presentazione: edificio dell'XI secolo, circondato da 80.000 mq di bosco e 20.000 mq di terreno coltivato. Allevamento di ovini, bovini e animali di bassa corte. Accoglie ospiti in 10 camere con bagno per un totale di 23 posti letto, possibilità di parcheggio caravan.

Ristorazione: H/B, F/B, B&B. Ristorante con 50 coperti aperto al pubblico. Cucina regionale, con particolare attenzione alla preparazione di piatti vegetariani.

Prodotti aziendali: salumi, ortaggi, pollame, uova, frutta, miele.

Luoghi di interesse e manifestazioni locali: casa natale di papa Giovanni XXIII, Bergamo, Lecco, abbazia Fontanella, possibilità di effettuare gite lungo il fiume Adda.

Prezzi: pernottamento £ 40.000 a 50.000, pasto da £ 20.000 a 40.000 bevande escluse. Riduzioni da concordare, gratuità per i bambini fino ai 3 anni.

Note: ristorante accessibile ai portatori di handicap. Ampia sala riunioni. Piccolo parco giochi esterno per i bambini. Calcetto. Maneggio nelle vicinanze. Possibilità di effettuare passeggiate ed escursioni in mountain bike. Consigliata la prenotazione. Biancheria, pulizie, telefono pubblico, riscaldamento, posto macchina. Animali accolti previo accordo.

Cascina Grumello - fraz. Nese
24022 ALZANO LOMBARDO
☏ 035510060 fax 035738703

H 7

Posizione geografica: collina.

Periodo di apertura: tutto l'anno.

Associato a: Agriturist.

Presentazione: grande cascinale fortificato del XV secolo, in posizione dominante rispetto alla frazione di Nese, circondato da 7,5 ettari di terreno. Accoglie ospiti in 4 appartamenti da 2+1 posti letto e in un appartamento da 8 posti, tutti dotati di servizi e angolo cottura.

Prodotti aziendali: ortaggi e piccoli frutti biologici.

Luoghi di interesse e manifestazioni locali: Bergamo, terme di Trescore, lago d'Iseo e d'Endine. Festival del jazz a Clusone, "Vivi la tua città" a Bergamo, concerti all'Auditorium di Alzano, parco di Montecchio.

Prezzi: pernottamento da £ 35.000 a 40.000 a persona, più le spese di riscaldamento ed energia elettrica.

Note: accessibile agli handicappati. Sala riunioni (per un massimo di 20 persone). Possibilità di praticare equitazione, tennis, tiro con l'arco su percorso di campagna, ping-pong all'interno dell'azienda e di avere a disposizione una guida che introduca alle attività agricole. Giochi all'aperto per bambini. Raccolta di castagne, frutti di bosco, funghi. Nelle vicinanze campo da bocce e percorso vita. È sempre richiesta la prenotazione. Fornitura di biancheria da letto e da bagno. Animali accolti previo accordo.

Brescia

CORNALETO

via Cornaletto, 2 • 25030 ADRO
☎ 0307450565-0307450507 fax 0307450552

H 7

Posizione geografica: collina.
Periodo di apertura: tutto l'anno, ristorante aperto venerdì e sabato sera e per pranzo nei giorni festivi.
Associato a: Agriturist.
Presentazione: struttura tranquilla e panoramica circondata da boschi, in azienda con vigneto, frutteto e oliveto. Allevamento di suini e piccoli animali da cortile. Accoglie ospiti in 6 camere con bagno e in appartamenti.
Ristorazione: piatti tipici e cucina creativa, insaccati di cascina, ravioli di pasta fresca, manzo all'olio, pollame, formaggi freschi e stagionati, dolci assortiti.
Prodotti aziendali: Franciacorta D.O.C.G.-VSQPRD Extrabrut e Brut anche millesimati, Terre di Franciacorta rosso e bianco D.O.C., grappa di Franciacorta e invecchiata.
Luoghi di interesse e manifestazioni locali: Adro, museo della seta e del lino, Rodengo Saiano, Provaggio d'Iseo, lago d'Iseo.
Prezzi: OR da £ 45.000. Pasto da £ 50.000 bevande incluse. Sconti per soggiorni prolungati.

Note: escursioni a piedi o in mountain bike. Nelle vicinanze golf, maneggio, tennis, acquasplash. Si accolgono animali di piccola taglia.

PAROS

via Madonna della Neve - loc. Paros
25040 ANGOLO TERME ☎ 0364548235

F 8

Posizione geografica: montagna.
Periodo di apertura: da aprile a settembre, Natale, Pasqua.
Associato a: Turismo Verde.
Presentazione: tipica costruzione rurale del 1700, circondata da 7 ettari di terreno a prato e bosco. Allevamento di cavalli, pecore, capre, mucche e cinghiali. Accoglie ospiti in 6 camere con bagno comune per un totale di 15 posti letto.
Ristorazione: H/B solo in estate, F/B, B&B. Ristorante di 50 posti aperto al pubblico.
Prodotti aziendali: confetture, latticini, miele, ortaggi, pollame, salumi, vini.
Luoghi di interesse e manifestazioni locali: incisioni rupestri, vari musei dell'artigianato, diverse attrazioni naturalistiche. "Cavalcangolo", "Cantangolo".
Prezzi: F/B da £ 60.000 a 65.000 a persona, un pranzo da £ 20.000 a 50.000. Bambini fino a tre anni gratis, riduzione del 50% fino ai 9 anni.
Note: parco giochi, osservazione ambientale, caseificazione. Raccolta di castagne, frutti di bosco, funghi. Equitazione, pesca, tiro con l'arco, canottaggio lungo il fiume Dezzo. Biancheria, pulizie, telefono in comune, riscaldamento, sala comune. Animali accolti previo accordo.

LA SOGNATA

via Ribalda, 2 • 25052 ANNUNCIATA DI PIANCOGNO
☎ 0364361218 fax 0364362112
E-mail:daniela@lasognata.it • http:www.lasognata.it

F 9

Posizione geografica: montagna (650 m).
Periodo di apertura: tutto l'anno.
Associato a: Agriturist.
Presentazione: costruzione rurale addossata alla roccia, su una balza panoramica che guarda sulla sottostante Val Camonica, circondata da boschi e terrazzamenti coltivati a viti e ortaggi. L'azienda offre ospitalità in 4 appartamenti autonomi dotati di camino e in 10 piazzole per camper.
Ristorazione: ristoro aperto al pubblico.
Prodotti aziendali: formaggi, frutta, ortaggi, pollame, conigli, erbe.
Luoghi di interesse e manifestazioni locali: santuario dell'Annunciata, Bienno, incisioni rupestri a Capo di Ponte, Borno, museo etnografico di Ossimo, vari rifugi di montagna all'interno del parco naturale dell'Adamello. Diverse sagre e feste popolari nelle vicinanze.
Prezzi: menu al prezzo fisso di £ 39.000 bevande escluse. Pernottamento per due persone da £ 40.000 a 70.000 con varie riduzioni in bassa stagione e per soggiorni di due settimane. Riduzione del 50% per bambini di età inferiore ai 6 anni.
Note: attività varie di caseificazione, filatura e tessitura, gastronomia. Centro benessere. Laboratorio di cucina italiana per stranieri. Programmi particolari per bambini in età scolare, con possibilità di alloggio per gite scolastiche e di realizzazione di attività sportive ed educative particolari, visite ed escursioni in luoghi di particolare interesse storico e naturalistico, caseificazione e laboratori artistici. Raccolta di castagne, frutti di bosco, funghi. Varie rassegne e feste organizzate dallo stesso agriturismo. Nelle vicinanze, possibilità di praticare sci da discesa e fondo, trekking, equitazione, parapendio, roccia. Telefono, TV, lavastoviglie, uso cucina, caminetto, riscaldamento autonomo, solarium. Pingpong. Animali accolti previo accordo.

LE FRISE

via Pieve, 2 - loc. Rive dei Balti • 25040 ARTOGNE
☎ 0364598298-0364598285

G 8

Posizione geografica: collina (400 m).
Periodo di apertura: tutto l'anno.
Associato a: Agriturist.
Presentazione: caratteristica azienda di 5 ettari che coltiva frutti di bosco e alleva pollame, oche, piccioni, anatre, ovini e caprini. Accoglie ospiti in 3 camere con bagno per un totale di 14 posti letto.
Ristorazione: ristorante con 40 coperti aperto al pubblico su prenotazione. B&B e H/B nel periodo estivo. Cucina tipica preparata con i prodotti aziendali, formaggi caprini, agnello e capretto. Pietanze elaborate con sapienza antica, intingoli naturali e genuini sapori di una volta.
Prodotti aziendali: grande varietà di formaggi di capra.
Luoghi di interesse e manifestazioni locali: stazioni sciistiche, parco delle Torbiere e dell'Adamello, incisioni rupestri di Capodiponte. Fiera di Bienno l'8 settembre, festa del fungo e della castagna in settembre e ottobre.
Prezzi: B&B a £ 45.000, H/B da concordare. Pasto a £ 45.000.
Note: possibilità di seguire le fasi di lavorazione del formaggio, visite d'interesse artistico e ambientale. Pulizie e biancheria.

MIRABELLO

loc. Mirabello, 1 • 25015 DESENZANO DEL GARDA
☎ 0309991083

I 9

Posizione geografica: collina, vicino al lago.
Periodo di apertura: tutto l'anno.
Presentazione: rustico ristrutturato. Coltivazioni di oliveto, viti, alberi da frutto, orto, grano, orzo. Allevamenti di polli, galline, capre. Offre ospitalità in 5 bilocali arredati.
Ristorazione: pasta fatta in casa, tortelli, grigliate, crostate.
Prodotti aziendali: vino, olio.
Luoghi di interesse e manifestazioni locali: torre di San Martino della Battaglia, Desenzano, grotte di Catullo, Sirmione. Feste e manifestazioni folkloristiche.
Prezzi: pasto da £ 15.000 a 30.000. Alloggio £ 45.000.
Note: l'azienda dispone di piscina, 2 campi da tennis, campo da calcio, campo da pallavolo. Percorsi per mountain bike.

LA TORRETTA SPIA D'ITALIA

via M. Cerutti, 61 • 25017 LONATO ☎ e fax 0309130233

I 9

Posizione geografica: colline dell'anfiteatro morenico del Garda.
Periodo di apertura: tutto l'anno.
Associato a: Agriturist.
Presentazione: azienda vitivinicola con 60 ettari di terreno di cui 13 coltivati a vigneto. Allevamento di cavalli. Offre ospitalità in 15 bilocali.
Ristorazione: per gruppi su prenotazione. Degustazione di prodotti aziendali tipici dai vini ai salumi, dai formaggi al miele.
Prodotti aziendali: vini, spumanti, miele, salumi e formaggi.
Luoghi di interesse e manifestazioni locali: rocca viscontea, le chiese romaniche di San Zeno e San Cipriano, la chiesetta di Sant'Antonio, il duomo del Sorattini. Sono ancora da visitare le antiche fornaci romane e i boschi di Brodena ricchi di antiche querce.
Prezzi: pasto completo per gruppi da £ 30.000 a 40.000. Degustazione £ 10.000.
Note: accessibile agli handicappati. All'interno tennis, maneggio, itinerari di turismo equestre, percorso botanico. Si organizzano visite guidate all'azienda, corsi di enologia e di degustazione. Nelle vicinanze si trovano piscine, tiro al piattello, go-kart e discoteche.

ARRIGA ALTA

loc. Arriga Alta • 25017 LONATO ☎ e fax 0309913718

I 9

Posizione geografica: lago, collina.
Periodo di apertura: tutto l'anno tranne gennaio e febbraio.
Presentazione: antica costruzione rurale interamente ristrutturata e dotata di ogni comfort, circondata da 10 ettari di terreno coltivati a vigneto, oliveto e bosco. La tenuta è ubicata in posizione panoramica, immersa nelle verdi e soleggiate colline moreniche del basso Garda. Orto e frutteto biologici. Allevamento di cani da Pastore Bergamasco (riconosciuto dall'ENCI) e animali da cortile. Offre ospitalità in 11 alloggi con bagno per un totale di 26 posti letto. Riscaldamento autonomo, frigorifero e un piccolo angolo cottura.
Ristorazione: ristorante con 30 coperti. Cucina stagionale tipica.
Prodotti aziendali: olio d'oliva D.O.P., vino D.O.C.G., frutta e ortaggi da coltura biologica.
Luoghi di interesse e manifestazioni locali: centro storico di Lonato e tutte le attrazioni del lago di Garda tra cui musei, discoteche, Gardaland, parco acquatico Caneva.

Prezzi: B&B da £ 60.000 a 80.000. Pasto a £ 35.000.
Note: permanenza minima 2 giorni. Corsi periodici di bonsai, cucina, floricoltura, riproduzione di piante ornamentali e micologia. Possibilità di passeggiate, piscina, mountain bike, *pétanque*, equitazione, tennis, golf e sport acquatici. Barbecue attrezzato all'aperto. Si accolgono animali.

VILLA GRADONI

via Villa • 25040 MONTICELLI BRUSATI
☎ 030652329 fax 0306852305

 H 8

Posizione geografica: collina.
Periodo di apertura: da marzo a ottobre.
Associato a: Agriturist.
Presentazione: l'azienda si inserisce in un antico borgo del 1600, immerso nel verde, che sorge in una zona tranquilla. Accoglie ospiti in 10 appartamenti per un totale di 48 posti letto con un bagno in ogni appartamento.
Ristorazione: ristorante aperto al pubblico. Gnocchetti di rape, verdure in estate, spiedo in autunno, trippa, arrosti, grigliate.
Prodotti aziendali: vini Terre di Franciacorta e Franciacorta D.O.C.G.
Luoghi di interesse e manifestazioni locali: lago d'Iseo, parco naturale delle Torbiere, monastero di San Pietro in Lamosa, Monteisola.
Prezzi: da £ 630.000 a 1.230.000. Riduzione del 30% in alcuni periodi.
Note: accessibile agli handicappati. Piscina privata a disposizione dei clienti. Percorso vita con biciclette a disposizione, laghetto di pesca, trekking e passeggiate. Il periodo minimo di permanenza è di una settimana. Biancheria da letto con cambio settimanale, luce, gas, acqua, tasse. Pulizia di fine soggiorno a carico del cliente. Animali accolti previo accordo.

AL ROCOL

via Provinciale, 79 • 25050 OME
☎ e fax 0306852542

H 8

Posizione geografica: collina.
Periodo di apertura: da febbraio a dicembre.
Associato a: Agriturist.
Presentazione: azienda di 26 ettari circondata da un bosco di querce e posta su un colle da cui si gode la vista di un suggestivo paesaggio. Si coltivano ortaggi e viti e si allevano caprini, suini, bovini e api. Accoglie ospiti in 6 camere con bagno per un totale di 12 posti letto.
Ristorazione: ristorante aperto al pubblico con 30 coperti. Crespelle, tagliatelle, casoncelli, grigliate, manzo all'olio, capretto, dolci fatti in casa e vini di produzione propria.
Prodotti aziendali: vino, miele e ortaggi.

Luoghi di interesse e manifestazioni locali: lago d'Iseo, abbazia di Rodengo e Provaglio d'Iseo.
Prezzi: B&B a £ 80.000 (camera doppia). Pasto per gli ospiti a £ 20.000, per il pubblico da £ 35.000 a 40.000.
Note: maneggio e ping-pong. Possibilità di partecipare ai lavori agricoli e osservazione degli animali. Pulizia, biancheria, televisione, telefono e parcheggio. Si accolgono animali.

IL PRATELLO

via Pratello - loc. Pratello • 25080 PADENGHE
☎ 0309907005

H 9

Posizione geografica: collina, a 3 km dal lago.
Periodo di apertura: tutto l'anno, chiuso il mercoledì.
Presentazione: rustico ristrutturato in azienda con coltivazioni di vigneti, oliveti, alberi da frutto e ortaggi. Allevamento di pavoni, galline, faraone, conigli. Offre ospitalità in 15 camere con bagno, telefono, TV, per un totale di 35 posti letto.
Ristorazione: minestrone di verdura, trota ai ferri, pollo, affettati casarecci, ciambelle.
Prodotti aziendali: vino, olio, salumi, frutta.
Luoghi di interesse e manifestazioni locali: castello Drugolo, Sirmione, Salò, Gardone.
Prezzi: pasto da £ 22.000 a 35.000. B&B da £ 40.000 a 50.000 a persona.
Note: accessibile agli handicappati. È gradita la prenotazione. Prato per prendere il sole, escursioni a piedi e in mountain bike. Vela sul lago, maneggio nelle vicinanze.

CASCINA LE CHIUSURE

via Boschette, 2 • 25010 PORTESE DI SAN FELICE DEL BENACO
☎ e fax 0365626243

G 8

Posizione geografica: lago, collina.
Periodo di apertura: tutto l'anno.
Presentazione: tipica costruzione rurale gardesana del XVII secolo, casa a corte, con brolo cintato coltivato a vite e ulivo. Accoglie ospiti in 2 appartamenti (4+4 posti letto) trilocali con bagno, angolo cucina, riscaldamento. Giardino per gli ospiti degli appartamenti.
Ristorazione: ristorante aperto al pubblico per un massimo di trenta persone. Pane e pasta fatti in casa, cucina tipica di campagna, notevole varietà di verdure cucinate in vari modi.
Prodotti aziendali: vino, olio, miele.
Luoghi di interesse e manifestazioni locali: il Vittoriale di Gabriele D'Annunzio, Sirmione, parco naturale dell'Alto Garda.
Prezzi: pasto a £ 40.000 vini esclusi. Week-end in appartamento da £ 280.000 a 320.000.
Note: spiaggia a 1 km, possibilità di praticare tutti gli sport acquatici. Piccola biblioteca gardesana a disposizione degli ospiti. L'azienda partecipa al programma della CEE 2078 per la riduzione delle concimazioni e degli antiparassitari.

LA BARACCA CASA BROGNOLI

via Bissinìco - Campoverde • 25087 SALÒ
☎ e fax 036542059

G 10

Posizione geografica: collina, a 4 km dal lago.
Periodo di apertura: tutto l'anno nei giorni di venerdì, sabato, domenica.
Associato a: Terranostra.

Presentazione: casa di recente costruzione su terreno coltivato a oliveto, vigneto, orto, alberi da frutto. Allevamento di polli, galline, oche, tacchini, faraone, conigli, 1 cavallo. Accoglie ospiti in roulotte e piazzole per 15 persone.
Ristorazione: pasta fatta in casa, casoncelli, ravioli, tagliatelle, coniglio, pollo ai ferri, salsicce, crostate.
Luoghi di interesse e manifestazioni locali: laghetti di Sovenigo la cui superficie è cosparsa di fiori di loto, Maderno, il Vittoriale di Gardone Riviera, Riva.
Prezzi: pasto da £ 25.000 a 35.000. Campeggio £ 20.000 a persona.
Note: solo su prenotazione con almeno 2 giorni di anticipo. Piscina in azienda. Parco acquatico e maneggio nelle vicinanze. Possibilità di escursioni a piedi e in mountain bike.

CASCINA BAMIL

via Elto - loc. Bamil • 25050 SELLERO
☎ 0364637307

E 9

Posizione geografica: montagna (700 m).
Periodo di apertura: dal 15 giugno al 15 settembre.
Presentazione: azienda di 2 ettari e mezzo circondata da bosco di castagni. Si coltivano ortaggi, frutti di bosco, foraggio e si allevano pollame, conigli e ovini. Accoglie ospiti in 3 camere con bagno per un totale di 10 posti letto.
Ristorazione: ristorante aperto al pubblico con 8/10 coperti. Cucina casalinga.
Prodotti aziendali: frutta, miele e frutti di bosco.
Luoghi di interesse e manifestazioni locali: incisioni camune, miniere della Ferumin, Tonale, Via Crucis. Varie fiere a Ferragosto.
Prezzi: B&B e H/B prezzo da concordare, F/B a £ 55.000. Pasto a £ 20.000.
Note: possibilità di gite a cavallo. Giochi per bambini e bocce. Osservazione degli animali. Pulizia e biancheria, telefono, parcheggio e sala TV. Si accolgono animali.

IL GHETTO

v.lo Ghetto • 25080 SOIANO DEL LAGO
☎ 0365502986 fax 0365674359

H 9

Posizione geografica: collina, a 2 km dal lago di Garda.
Periodo di apertura: tutto l'anno.
Associato a: Terranostra.
Presentazione: costruzione rurale che accoglie ospiti in 7 monolocali e 4 bilocali climatizzati, con bagno in camera. Allevamento di suini, bovini e animali da cortile.
Ristorazione: ristorante aperto al pubblico, con disponibilità da 40 a 70 coperti. Salumi, dolci e primi piatti fatti in casa.
Prodotti aziendali: olio, vino.
Luoghi di interesse e manifestazioni locali: lago di Garda, parco divertimenti Gardaland a 25 km. Festa del vino a maggio, festa della castagna e della polenta a settembre.
Prezzi: pasto da £ 35.000 a 60.000, B&B da £ 50.000 a 80.000 a persona.

Note: possibilità di praticare golf, equitazione, giochi all'aria aperta, tennis e di giocare a bocce nelle vicinanze. Uso cucina e frigorifero, posto macchina. Telefono in comune. Ampio parco e piscina con solarium riservati agli ospiti degli appartamenti.

SCUDERIA CASTELLO

via Castello, 10 - loc. Gaino • 25088 TOSCOLANO MADERNO
☎ 0365644101 fax 0365541555

● **H 10**

Posizione geografica: collina.
Periodo di apertura: tutto l'anno.
Associato a: Agriturist.
Presentazione: azienda di 28 ettari nella zona dell'Alto Garda. Offre ospitalità in 8 camere con bagno per un totale di 22 posti letto.
Ristorazione: ristorante con 16/20 coperti aperto al pubblico su prenotazione. Cucina tipica bresciana, carni bianche di produzione propria e pesce di lago.
Prodotti aziendali: olio extravergine d'oliva e miele.
Luoghi di interesse e manifestazioni locali: lago di Garda. Varie manifestazioni nei mesi estivi.
Prezzi: B&B da £ 40.000 a 50.000, H/B da £ 60.000 a 70.000, bevande escluse. Pasto da £ 25.000 a 35.000.
Note: dispone di una scuderia con 20 cavalli per trekking di 1 o più giorni. Nelle vicinanze possibilità di arrampicata sportiva, vela, torrentismo e trekking. Pulizie e biancheria. Si accolgono animali.

LA TARTUFAIA

via Era, 7 - loc. Voiandes • 25010 TREMOSINE ☎ 0365951180

● **H 10**

Posizione geografica: collina (600 m) in posizione panoramica vista lago.
Periodo di apertura: tutto l'anno, chiuso da gennaio a metà febbraio.
Presentazione: complesso rurale ristrutturato su terreno coltivato a vigneto, alberi da frutto, orto. Allevamento di mucche, vitellini, maiali. Offre ospitalità in 7 camere con bagno per un totale di 20 posti letto.
Ristorazione: possibilità di pranzi e cene familiari a base di minestre, arrosti, polenta, salamini.
Prodotti aziendali: vino, marmellate.
Luoghi di interesse e manifestazioni locali: chiese, terrazze con vista suggestiva sul lago di Garda.
Prezzi: B&B da £ 35.000 a 40.000.
Note: è gradita la prenotazione. Escursioni a piedi, a cavallo e in mountain bike. Piscine e parco giochi per bambini nelle vicinanze. Uso cucina.

BERTANZA FRANCESCO

via Prea, 3 • 25084 GARGNANO ☎ e fax 036572507

▲ **G 10**

Posizione geografica: lago.
Periodo di apertura: tutto l'anno.
Presentazione: 2 appartamenti, per un totale di 6 posti letto, a 300 m dal lago di Garda, immersi in una limonaia con vista panoramica.
Prodotti aziendali: olio.
Luoghi di interesse e manifestazini locali: villa Feltrinelli, palazzo Bettoni, il Vittoriale. Sagre di paese, regate veliche.
Prezzi: da £ 450.000 a 950.000 a settimana.
Note: solo su prenotazione, permanenza minima una settimana. Nelle vicinanze si possono praticare tennis, nuoto, vela, golf, equitazione, windsurf, tiro al piattello.

LA CAVALLINA

via San Tommaso, 24 - loc. San Tommaso • 25017 LONATO
☎ 0309130329 fax 0309130222

▲ **I 9**

Posizione geografica: colline moreniche, a 3 km dal lago.
Periodo di apertura: da febbraio a dicembre.
Presentazione: azienda di 13 ettari con coltivazioni di ortaggi, mais, orzo, avena, erba medica. Parco di 15.000 mq con percorso botanico tra piante tipiche e frutta di stagione. Allevamento di cavalli. Offre ospitalità in 4 bilocali arredati, con bagno privato, per un totale di 16 posti letto.
Ristorazione: degustazione di salumi e insalate.
Luoghi di interesse e manifestazioni locali: Desenzano, abbazia di Maguzzano, San Martino e Solferino. Feste folkloristiche di paese nella stagione estiva.
Prezzi: alloggio da £ 600.000 a 800.000 per una settimana.
Note: solo su prenotazione e per un minimo di una settimana. Piscine, campetti di beach volley e di calcio, area giochi.

SOLDO

via Predeschera, 8 - loc. Barcuzzi • 25017 LONATO
☎ 0309132562

▲ **I 9**

Posizione geografica: anfiteatro morenico del Garda, con vista panoramica del lago e del monte Baldo.
Periodo di apertura: da aprile al 30 settembre.
Presentazione: azienda coltivata a oliveto e cereali. Accoglie ospiti in 20 piazzole per agricampeggio su prato alberato.
Prodotti aziendali: olio.
Luoghi di interesse e manifestazioni locali: grotte di Catullo, Valtenesi, Sirmione, Desenzano.
Prezzi: £ 500.000 a piazzola per 6 mesi da aprile al 30 settembre, servizi esclusi.
Note: trattamento familiare. Passeggiate a piedi e in mountain bike. Vela e nuoto nel vicino lago di Garda. Rimessaggio di roulotte. Servizi di acqua, luce, docce.

LA FILANDA

via Leutelmonte, 24 - loc. Montinelle
25080 MANERBA DEL GARDA ☎ 0365551012

▲ **H 10**

Posizione geografica: collina, ai piedi della rocca di Manerba.
Periodo di apertura: tutto l'anno.
Presentazione: antica filanda completamente ristrutturata in azienda cerealicola e olivicola con aree di bosco della rocca di Manerba. Offre ospitalità in 9 appartamenti.
Prodotti aziendali: olio extravergine D.O.P.
Luoghi di interesse e manifestazioni locali: rocca di Manerba con scavi archeologici, la Pieve, Valtenesi.
Prezzi: alloggio £ 35.000 a persona al giorno.
Note: permanenza non inferiore a 3 giorni. Piscina e 4 campi da tennis. Possibilità di passeggiate, trekking e visite con istruttore. Escursioni naturalistiche a cavallo. Vela e nuoto nel vicino lago di Garda. Cucina attrezzata.

IL BROLO

via Tese, 9 • 25080 MUSCOLINE ☎ 036531927-036531295

▲ H 9

Posizione geografica: collina.
Periodo di apertura: tutto l'anno.
Associato a: Agriturist.
Presentazione: tipica costruzione rurale nelle vicinanze del lago di Garda, circondata da un ampio parco. Accoglie ospiti in 8 appartamenti autonomi con bagno per un totale di 30 posti letto.
Prodotti aziendali: formaggi, olio, salumi, vino.
Luoghi di interesse e manifestazioni locali: lago di Garda, parchi di divertimento sul lago, il Vittoriale di D'Annunzio, torre di San Martino. Festa dell'ospite, festa del cacciatore, varie fiere del vino nel corso del periodo estivo.
Prezzi: fino a £ 30.000 al giorno per persona.
Note: accessibile agli handicappati. Dotata di piscina e di un ampio prato per prendere il sole, parco giochi per i bambini. Possibilità di raccogliere castagne, more, funghi e asparagi. Uso cucina, riscaldamento, posto macchina, sala in comune.

CONTI TERZI CASCINA "PIGNINO SERA"

via Panoramica, 13 • 25087 SALÒ ☎ 036522071 fax 0307721037

▲ G 10

Posizione geografica: collina.
Periodo di apertura: chiuso dal 5 novembre al 4 dicembre.
Associato a: Agriturist.
Presentazione: antica cascina recentemente restaurata, circondata da 12 ettari di terreno coltivato a uliveto e bosco ceduo, con ottima vista sul lago di Garda, a 1 km dal centro abitato. La struttura offre ospitalità in 3 camere da letto doppie con soggiorno, bagno, cucina e in agricampeggio con 3 piazzole per camper.
Prodotti aziendali: olio, vini e spumanti D.O.C.
Luoghi di interesse e manifestazioni locali: Brescia, Verona, Mantova, riviera gardesana, Madonna di Campiglio. Estate musicale di Salò, mostra agroalimentare di Puegnago all'inizio di settembre. In giugno e luglio stagione teatrale al Vittoriale.
Prezzi: OR a £ 40.000 a persona, £ 45.000 in luglio e agosto. Riduzione del 50% per bambini fino ai 10 anni e del 10% per soci ACI, Green Cub Edagricole. Piazzola a £ 15.000 più £ 8.000 a persona.
Note: consigliata la prenotazione. Uso gratuito di 2 mountain bike, osservazione ambientale e pratiche agronomiche. Cucina attrezzata, biancheria, pulizia giornaliera, uso cucina, riscaldamento, televisione satellitare, posto macchina all'aperto, giardino con panchine.

TURELLI

via Panoramica, 36 • 25087 SALÒ
☎ 036520390-0365290110

▲ G 10

Posizione geografica: collina, lago.
Periodo di apertura: tutto l'anno.
Presentazione: cascina restaurata immersa nel verde di un oliveto con splendida vista panoramica sul lago di Garda. Accoglie ospiti in 3 appartamenti autonomi arredati e in 3 piazzole per tende e caravan.
Prodotti aziendali: olio, ortaggi.
Luoghi di interesse e manifestazioni locali: lago di Garda, il Vittoriale di Gabriele D'Annunzio. Estate musicale di Salò, regate veliche.
Prezzi: appartamento da £ 500.000 a 1.000.000 alla settimana.
Note: è consigliata la prenotazione. Accessibile ai portatori di handicap. Escursioni, percorsi per mountain bike. Maneggio nelle vicinanze. Prato per prendere il sole, barbecue, posto macchina. Televisione e lavatrice a disposizione.

COLOMBARO

loc. Cunettone • 25078 SALÒ
☎ 03655531-0365651048 fax 0365553395

▲ G 10

Posizione geografica: pianura, a 4 km dal lago.
Periodo di apertura: tutto l'anno.
Presentazione: cascina con torretta del 1400, corte antistante e costruzione attigua con porticati. Offre ospitalità in 8 appartamenti, tutti con servizi privati.
Luoghi di interesse e manifestazioni locali: Sirmione, il Vittoriale, Gardone Riviera.
Prezzi: costo di un appartamento a settimana £ 750.000 in bassa stagione, £ 1.000.000 in media stagione, £ 1.400.000 in alta stagione. Possibili sconti in bassa e media stagione.
Note: accessibile agli handicappati. Cucina attrezzata, TV, posto macchina. Piscina, percorso golf 3 buche par 10 con drivin range, putting green e pitching green. Per gli ospiti dell'azienda a disposizione servizio di piscina, spiaggia, ristorante in un villaggio a 3 km.

LA BREDA

via Mazzini, 14 • 25010 SAN FELICE DEL BENACO
☎ 036562200-0365559443 fax 036562200

▲ H 9

Posizione geografica: collina.
Periodo di apertura: da febbraio al 31 ottobre.
Presentazione: cascina ristrutturata su terreno colivato a seminativo. Offre ospitalità in 6 appartamenti da 2 a 4 posti letto ciascuno.
Prodotti aziendali: olio, miele.
Luoghi di interesse e manifestazioni locali: lago di Garda, Gardone, Sirmione. Sagre estive.
Prezzi: appartamento da £ 500.000 a 2.000.000 a settimana.
Note: solo su prenotazione. Prati per prendere il sole e per fare barbecue. Possibilità di passeggiate a cavallo. Scuola di vela, noleggio pedalò e canoe, immersioni subacquee nel vicino lago di Garda. Biancheria.

Como

IL ROSETO

via Colombo, 47 - fraz. Monello • 22070 BINAGO
☎ 031940244 fax 031861041

● **G 4**

Posizione geografica: collina.
Periodo di apertura: tutto l'anno.
Associato a: Terranostra.
Presentazione: situata all'interno di una pineta. Allevamento di bovini, suini, pollame. Possibilità di campeggio con tende e caravan.
Ristorazione: ristorante aperto al pubblico con 60 coperti. Pizzoccheri al cucchiaio, polenta *uncia*, porchetta, brasato d'asino e manzo.
Prodotti aziendali: formaggi, pollame, salumi, uova.
Luoghi di interesse e manifestazioni locali: lago di Como, lago di Varese, Sacromonte. Varie feste paesane.
Prezzi: per il ristorante da £ 20.000 a 40.000. Riduzione del 10% per bambini da 5 a 10 anni, pranzo gratuito per bambini fino ai 5 anni.
Note: corsi di equitazione e caseificazione, parco giochi per i bambini. Passeggiate a cavallo, in mountain bike, a piedi. Raccolta di castagne e funghi.

LA VECCHIA CHIODERIA

via Mulini, 3 - fraz. Codogna 22010 GRANDOLA ED UNITI
☎ e fax 034430152

● **E 4**

Posizione geografica: collina, fiume.
Periodo di apertura: tutto l'anno.
Associato a: Terranostra.
Presentazione: complesso che risale all'800 in azienda di 3,7 ettari. Accoglie ospiti in 4 camere doppie con bagno e in 1 appartamento composto da 2 camere per un totale di 8 posti letto, sala, cucina e bagno.
Ristorazione: ristorante aperto al pubblico con 70 coperti. Cucina tipica della Valltellina e pesce.
Prodotti aziendali: trote, salumi, conigli, galline uova e miele.
Luoghi di interesse e manifestazioni locali: lago di Como, Menaggio, Bellagio, Lugano. Nel periodo estivo sagra della trota e del formaggio.
Prezzi: B&B a £ 45.000, H/B a £ 65.000, F/B a £ 85.000. Pasto a £ 35.000.
Note: pesca sportiva e passeggiate naturalistiche. No riassetto. Pulizia e biancheria. Animali accolti previo accordo.

LOCANDA MOSÈ

loc. Piano • 22020 NESSO ☎ 031917909

● **F 4**

Posizione geografica: montagna (1.000 m).
Periodo di apertura: tutto l'anno.
Presentazione: azienda di 20 ettari e mezzo circondata da boschi, con produzione casearia e di lamponi, ribes, prugne e ortaggi biologici. Si allevano bovini. Accoglie ospiti in 6 camere con bagno per un totale di 12 posti letto e in 8 piazzole in agricampeggio.
Ristorazione: ristorante aperto al pubblico con 70/80 coperti. Brasato con polenta, funghi con polenta, polenta *uncia* e prodotti dell'azienda.

Prodotti aziendali: prodotti caseari, frutta e verdura biologica.
Luoghi di interesse e manifestazioni locali: monte Palanzone e monte San Primo.
Prezzi: B&B a £ 40.000, H/B a £ 55.000, F/B a £ 67.000. Pasto da £ 25.000 a 30.000.
Note: possibilità di partecipare od osservare la lavorazione casearia. Passeggiate naturalistiche. Si parla francese. Parcheggio, telefono, pulizia e biancheria. Non si accolgono animali.

LA CONCA D'ORO

Pian del Tivano • 22030 SORMANO ☎ 031677019

▲ **F 4**

Posizione geografica: montagna (1.000 m).
Periodo di apertura: tutto l'anno.
Presentazione: costruzione con scuderie circondata da 300.000 mq di prati e boschi. Accoglie ospiti in 1 appartamento per comitive con 8 posti letto e in 3 appartamenti per famiglie con 4 posti letto.
Luoghi di interesse e manifestazioni locali: collezione di carrozze e finimenti d'epoca all'interno della stessa azienda.
Prezzi: £ 200.000 al giorno nell'appartamento da 8 persone, £ 100.000 al giorno negli appartamenti da 4 persone (£ 25.000 al giorno per persona). Nel mese di agosto i suddetti prezzi vanno maggiorati del 20%, soggiorno minimo di 2 notti. Il prezzo è comprensivo del cambio di biancheria per i letti e il bagno.
Note: per chi desiderasse venire con il proprio cavallo, c'è la possibilità di scuderizzazione e di trasporto dello stesso con il van dell'azienda. A 2 km si possono trovare campi da tennis, pizzerie e ristoranti tipici. A 200 m vi sono impianti di risalita per lo sci da discesa e piste da fondo. È inoltre possibile fare passeggiate a piedi, a cavallo o in bicicletta. Cucina attrezzata con stoviglie, salotto, bagno con doccia, TV a colori e riscaldamento autonomo.

Cremona

CASCINA NUOVA

via Boschetto, 51 • 26100 CREMONA
☎ 0372460433 fax 0372568761 cell. 0337416476

● **M 7**

Posizione geografica: pianura.
Associato a: Agriturist, Turismo Verde.
Presentazione: casa padronale nelle vicinanze di Cremona con sale caratteristiche dell'epoca, ampio giardino all'italiana e vasto cortile. Offre ospitalità in camere.
Ristorazione: 80 coperti e possibilità di organizzare rinfreschi e merende all'aperto, anche per gruppi e scolaresche. Bolliti e arrosti, brasati con carni di produzione propria, pasta e dolci fatti in casa.
Luoghi di interesse e manifestazioni locali: centro storico di Cremona a 2 km, museo civico e naturale, museo della cività contadina, parco del Po. Fiera internazionale del bovino da latte a settembre-ottobre, diverse manifestazioni nel corso dell'anno.
Prezzi: da £ 30.000 a 40.000 bevande escluse; prezzi da concordare per scolaresche. Riduzione del 10% per gruppi di oltre 40 persone.
Note: accessibile agli handicappati previa prenotazione. Prato per prendere il sole. Corsi di cucina, visita ad aziende agricole. Ping-pong, possibilità di passeggiate in bicicletta. Animali accolti previo accordo.

LA FRACCINA

via Fraccina • 26016 SPINO D'ADDA
☎ 0373965166-0373965050

I 5

Posizione geografica: pianura, fiume.
Periodo di apertura: dal 28 febbraio al 31 dicembre solo su prenotazione.
Associato a: Terranostra.
Presentazione: cascina lombarda costituita da antichi edifici in azienda con coltivazioni di verdura biologica, alberi ornamentali e allevamento di animali da cortile. Accoglie ospiti in 7 ampi appartamenti con bagno e cucina attrezzata.
Ristorazione: ristorante aperto al pubblico venerdì e sabato solo la sera, la domenica anche a mezzogiorno. Cucina tradizionale del Nord Italia.
Prodotti aziendali: vendita di miele, verdure e frutta biologica, uova e funghi.
Luoghi di interesse e manifestazioni locali: Lodi, Milano, parchi dell'Adda, ittico e della preistoria. Sagre e tornei a cavallo.
Prezzi: soggiorno minimo 7 giorni a £ 600.000. Pasto £ 35.000 vini esclusi. Sconto del 10% seconda settimana. Bambini fino a 8 anni sconto 20%.
Note: accessibile agli handicappati. Prato per prendere il sole. Equitazione e giochi all'aperto. Attività d'osservazione ambientale. Biancheria e posto macchina. Animali accolti previo accordo.

Lecco

LA VECCHIA FATTORIA

loc. Ponte Perlino • 23823 COLICO
☎ 0341941437 cell. 03358376734

D 5

Posizione geografica: lago.
Periodo di apertura: tutto l'anno.
Associato a: Terranostra.
Presentazione: rustico ristrutturato con coltivazioni di alberi da frutto, orto, fiori e piante, e allevamento di bovini, suini, caprini, ovini, pollame, cervi e cavalli. Offre ospitalità in 3 camere di cui 2 con 1 bagno comune e 1 con bagno privato.
Ristorazione: specialità locali di propria produzione, gnocchi, pasta fresca, pizzoccheri, carne e salumi nostrani, bocconcini di vitello con castagne.
Luoghi di interesse e manifestazioni locali: abbazia dei frati cistercensi, rovine dei fortini spagnoli dell'800, lago. Carnevale con sfilata di carri, sagre estive, manifestazioni natalizie con serate a tema.
Prezzi: rivolgersi direttamente all'azienda.
Note: passeggiate a piedi, a cavallo e in mountain bike. Visite guidate all'azienda e agli animali. Animali accolti previo accordo.

ROSSI

via Oneta - loc. Monte di Gaggio
23805 ROSSINO DI CALOLZIOCORTE ☎ 0341631413

G 5

Posizione geografica: montagna.
Periodo di apertura: tutto l'anno, tutti i giorni, solo su prenotazione.
Associato a: Turismo Verde.
Presentazione: l'azienda si estende su 13 ettari di terreno con allevamento di caprini, ovini, suini, aree a frutteto e castagneto. Possibilità di campeggiare all'interno dell'azienda.
Ristorazione: ristorante aperto al pubblico con 50 coperti. Pizzoccheri, agnello e capretto alle castagne, grigliate di carne e verdure.
Prodotti aziendali: confetture, erbe, latticini, salumi, castagne.
Luoghi di interesse e manifestazioni locali: monte Resegone, lago di Lecco, museo della seta, monastero del Lavello, diversi vecchi borghi particolarmente suggestivi. Sagra della castagna e sagra dell'agricoltura in ottobre.
Prezzi: pasto a £ 35.000, £ 20.000 per i bambini fino a 10 anni.
Note: accessibile agli handicappati. Sala riunioni, parco giochi per bambini e possibilità di visite guidate a tema per le scolaresche. Corsi di agricoltura, caseificazione, gastronomia con ricette tipiche e di un tempo. Mountain bike, trekking, canoa, roccia, vela. Raccolta di erbe e castagne.

MONTI PONTE TENAGLIA

loc. Fontana della Marietta • 23900 LECCO
☎ 0341495968

F 5

Posizione geografica: collina.
Periodo di apertura: la domenica per tutto l'anno, gli altri giorni solo su prenotazione.
Presentazione: la struttura sorge nei pressi del torrente Bione. È circondata da 3 ettari di terreno a frutteto, castagneto, orto e prato. Allevamento di bovini, conigli, pollame. Offre ospitalità in 5 camere con bagno comune per un totale di 15 posti letto.
Ristorazione: H/B, F/B. Ristorante aperto al pubblico con 50 coperti. Pizzoccheri, gnocchi di zucca, risotti, crespelle, polenta con brasato, pollame con funghi, arrosti, salmì e dolci casalinghi.
Prodotti aziendali: confetture, verdure in agrodolce, uova, noci, castagne, prodotti di stagione.
Luoghi di interesse e manifestazioni locali: San Pietro al Monte a Civate, castello dell'Innominato a Vereurago, chiesetta della Rovinata, Sasso di Preguda, museo della Montagna, parco del Valentino, luoghi manzoniani. Manifestazioni varie a Lecco da giugno a settembre, mercato dell'antiquariato.
Prezzi: pernottamento £ 25.000, H/B £ 38.000, F/B £ 50.000. Il costo di un singolo pasto varia da £ 20.000 a 40.000.
Note: possibilità di escursioni di varia difficoltà, dal trekking all'alpinismo su vie ferrate dei dintorni, percorsi per mountain bike. Pesca alla trota nel torrente, parco giochi. Raccolta di castagne, funghi, tarassaco, erbe di bosco.
Nelle vicinanze impianti di risalita. Prato con disponibilità di sdraio per prendere il sole. Lenzuola, telefono in comune, riscaldamento a legna. Animali accolti previo accordo.

Mantova

CASCINA SGUAZZARINA

via Baldese, 8 – loc. Sant'Anna • 46042 CASTEL GOFFREDO
☎ 0376778809

● M 9

Posizione geografica: pianura.
Periodo di apertura: tutto l'anno.
Associato a: Turismo Verde.
Presentazione: azienda con coltivazione di alberi da frutta. Offre ospitalità in camere con servizi privati.
Ristorazione: B&B, H/B. Specialità a base di carne d'oca.
Luoghi di interesse e manifestazioni locali: Mantova. Feste e sagre nel periodo estivo.
Prezzi: rivolgersi direttamente all'azienda.
Note: accessibile agli handicappati. Percorsi botanici con piante autoctone e alberi da frutta di varietà antiche. Animali accolti previo accordo.

CORTE GAIA

via Medole, 75 • 46043 CASTIGLIONE DELLE STIVIERE
☎ 0376632541

● I 9

Posizione geografica: ai piedi delle colline moreniche del Garda, a 8 km dal lago.
Periodo di apertura: tutto l'anno dal giovedì alla domenica.
Associato a: Turismo Verde.
Presentazione: cascina del '600 ristrutturata, in azienda ortofrutticola. Allevamento di animali di bassa corte. Offre ospitalità.
Ristorazione: piatti tipici mantovani, tortelli di zucca, *capunsei*, tagliatelle, arrosti, grigliate, spiedi su prenotazione, torta di nocciole.
Prodotti aziendali: frutta, verdura, marmellate e mostarde.
Luoghi di interesse e manifestazioni locali: Solferino, San Martino, Desenzano, Castiglione, duomo di San Luigi, museo della Croce Rossa.
Prezzi: pasto £ 30.000.
Note: piscine e tennis nelle vicinanze. Escursioni a piedi e in mountain bike.

CORTE VILLORESI

strada privata Pianone, 1 • 46023 GONZAGA
☎ 0376550470 – 03683340954 fax 0376558090

● N 11

Posizione geografica: pianura, fiume.
Periodo di apertura: tutto l'anno.
Associato a: Turismo Verde.
Presentazione: tipica corte dei primi del '900 nei pressi del parco San Lorenzo. Accoglie ospiti in 2 camere con bagno per un totale di 4 posti letto.
Ristorazione: è gradita la prenotazione. Piatti tipici mantovani come i tortelli di zucca, pasta fatta in casa, carni di produzione propria, torte della nonna.

Prodotti aziendali: ortaggi e pollame.
Luoghi di interesse e manifestazioni locali: Mantova, abbazia di San Benedetto Po, parco San Lorenzo di Pegognaga per osservazioni naturalistiche e bird-watching. Fiera millenaria di Gonzaga la prima settimana di settembre.
Prezzi: rivolgersi direttamente all'azienda.
Note: passeggiate a cavallo, pensione per cavalli. Piscina e campi da tennis nelle vicinanze. Feste sull'aia nel periodo estivo. Cambio biancheria settimanale.

PRADA ALTA

via San Girolamo, 9 • 46100 MANTOVA
☎ e fax 0376391144 cell. 03356933875

● M 10

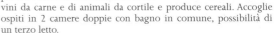

Posizione geografica: città d'arte, fiume.
Periodo di apertura: tutto l'anno, chiuso dall'1 al 15 febbraio e il martedì.
Associato a: Turismo Verde.
Presentazione: piccola casa colonica inserita in una grande corte rurale che mantiene intatte le sue caratteristiche originali. L'azienda di 50 ettari pratica l'allevamento intensivo di bovini da carne e di animali da cortile e produce cereali. Accoglie ospiti in 2 camere doppie con bagno in comune, possibilità di un terzo letto.
Ristorazione: solo su prenotazione, dispone di 20 coperti. Cucina tradizionale mantovana, tortelli di zucca, agnoli in brodo, tagliatelle all'anitra, trippe, stracotti e brasati di vitellone, torta sbrisolona, crostate di frutta.
Prodotti aziendali: animali da cortile, uova e marmellate.
Luoghi di interesse e manifestazioni locali: bosco della Fontana, laghi di Mantova, Mantova. Mercatino dell'antiquariato la terza domenica del mese, pista ciclabile che raggiunge Peschiera del Garda, "Festival della Letteratura" a settembre.
Prezzi: B&B a £ 70.000 (camera doppia); letto aggiunto a £ 20.000. Pasto da £ 20.000 a 30.000. Da marzo a ottobre sconti per pernottamenti infrasettimanali di almeno 3 notti.
Note: animazione per scuole e gruppi. Noleggio biciclette.

CORTE BERSAGLIO

via Learco Guerra, 13 - loc. Migliaretto • 46100 MANTOVA
☎ e fax 0376320345

● M 10

Posizione geografica: città d'arte.
Periodo di apertura: dal 15 gennaio alla prima settimana d'agosto e da settembre a dicembre.
Associato a: Turismo Verde.
Presentazione: antica cascina ristrutturata in modo raffinato nel rispetto dell'ambiente circostante, in azienda di 110 ettari. Accoglie ospiti in 4 camere doppie con 2 bagni comuni.
Ristorazione: ristorante aperto al pubblico con 80 coperti. Specialità mantovane.
Prodotti aziendali: miele, marmellate, frutta e uova.
Luoghi di interesse e manifestazioni locali: centro storico di Mantova. Concorsi ippici.
Prezzi: B&B a £ 80.000 (camera doppia), supplemento di £ 10.000 per biancheria. Pasto da £ 28.000 a 40.000.
Note: nelle vicinanze circolo ippico con possibilità di corsi d'equitazione e passeggiate, campo da golf. Pulizia.

LA MOTTA

via Argine Oglio, 23 – loc. Torre d'Oglio • 46130 MARCARIA
☎ e fax 0376969197

 M 10

Posizione geografica: pianura.
Periodo di apertura: tutto l'anno.
Associato a: Turismo Verde.
Presentazione: azienda alla confluenza tra il Po e l'Oglio. Offre ospitalità in appartamenti indipendenti ricavati nelle ali di questa corte del XV secolo.
Ristorazione: ristoro per gruppi, solo su prenotazione.
Prodotti aziendali: miele, marmellate, conserve, ortaggi e frutta.
Luoghi di interesse e manifestazioni locali: città rinascimentale di Sabbioneta, Mantova, Novellara, parco dell'Oglio, parco del Mincio, lago di Garda, oasi naturale di "Le Bine" e "Le Torbiere".
Prezzi: rivolgersi direttamente all'azienda.
Note: noleggio biciclette per escursioni.

FATTORIA PEPE

via S. Pietro, 2 • 46040 MONZAMBANO ☎ 0376800851

 **L 10**

Posizione geografica: collina.
Periodo di apertura: tutto l'anno.
Associato a: Turismo Verde.
Presentazione: azienda agricola biologica che offre ospitalità in piazzole attrezzate per camper.
Ristorazione: ampia e accogliente sala ristoro con piatti tipici della zona dell'alto mantovano.
Prodotti aziendali: prodotti biologici e vini D.O.C. delle colline moreniche.
Luoghi di interesse e manifestazioni locali: lago di Garda, Mantova, parco acquatico Cavour.
Prezzi: rivolgersi direttamente all'azienda.
Note: tiro con l'arco, escursioni a piedi e in bicicletta, piscina.

IL FILOS

strada Nuvolino - loc. Perini • 46040 MONZAMBANO
☎ 0376800197

 L 10

Posizione geografica: collina.
Periodo di apertura: tutto l'anno, giorno di chiusura mercoledì.
Presentazione: costruzione rurale dalla cui stalla e fienile ristrutturati sono stati ricavati rispettivamente la sala da pranzo e l'alloggio dell'agriturismo. Coltivazioni di cereali, frutteto e orto. Allevamento di galline, capre, anatre, faraone, conigli. Offre ospitalità in 3 camere, con bagno in stanza, per un totale di 9 posti letto.
Ristorazione: solo la sera. Pasta fatta in casa, tagliatelle, *capunsei* (gnocchetti di pane), grigliata, crostate con marmellata.
Prodotti aziendali: marmellate, conserve, ortaggi, frutta.
Luoghi di interesse e manifestazioni locali: oasi di Castellaro Lagusello, Borghetto, San Martino, Solferino, parco Sigurtà.
Prezzi: pasto da £ 20.000 a 35.000, B&B £ 45.000, H/B £ 65.000.
Note: accessibile agli handicappati. Parco acquatico Alto Mincio. Percorsi a piedi, in mountain bike (noleggio in azienda) e a cavallo.

LICENSI DEL BRESÀ

via Moscatelo, 6 • 46040 MONZAMBANO
☎ 0376800423

 L 10

Posizione geografica: colline moreniche del Garda.
Periodo di apertura: da novembre a Pasqua aperto venerdì, sabato e domenica, il resto dell'anno tutti i giorni.
Associato a: Terranostra.
Presentazione: rustico nell'azienda agricola Colombara, con coltivazione di ortaggi e vigneti. Allevamento di polli e maiali. Offre ospitalità in 4 camere.
Ristorazione: tagliatelle, agnolini, pollo e costate alla griglia, tipica sbrisolona, vino e acqua a volontà.
Luoghi di interesse e manifestazioni locali: castello, colline moreniche.
Prezzi: pasto £ 25.000.
Note: maneggio. Escursioni naturalistiche a cavallo e a piedi. Tutti i venerdì nell'azienda si organizzano serate danzanti.

CORTE BELVEDERE

strada dei Colli, 86 • 46040 MONZAMBANO
☎ 0376800151 cell. 03385477451

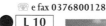 **L 10**

Posizione geografica: collina.
Periodo di apertura: tutto l'anno.
Associato a: Agriturist.
Presentazione: costruzione rurale su terreno in parte a incolto boschivo e pascolo, e in parte coltivato a lamponi, ribes, prugne, albicocche, vigneto, oliveto, mais, patate, orto. Allevamento di polli, tacchini, anatre, oche. In autunno elicicoltura. Offre ospitalità in 2 stanze con bagno e in 12 villini con bagno e angolo cottura, per un totale di 45 posti letto.
Ristorazione: pasta fatta in casa, grigliate miste, pollo, coniglio, faraona, anatra, gelatine di piccoli frutti.
Luoghi di interesse e manifestazioni locali: Mincio, lago di Garda, Castellaro Lagusello, Mantova, Verona, San Martino, Solferino. Parco acquatico Cavour, Alto Mincio, parco divertimenti Gardaland a 15 km. Feste folkloristiche.
Prezzi: pasto da £ 30.000 a 35.000.
Note: noleggio canoe e biciclette.

LUPO BIANCO

strada dei Colli, 94 46040 MONZAMBANO
☎ e fax 0376800128

 **L 10**

Posizione geografica: collina.
Periodo di apertura: tutto l'anno. Ristorazione da giovedì a domenica.
Presentazione: ristrutturazione di capannone per l'allevamento di vitelli in azienda di 30.000 ettari di terreno a bosco, frutteto, orto e parco, più 5 ettari a vigneto nel comune di Cavriana. Offre ospitalità in 2 camere e 4 appartamenti, per un totale di 16 posti letto, con bagno in camera.
Ristorazione: piatti tradizionali mantovani, agnoli di carne, tortelli di zucca, stracotto, sbrisolona.
Prodotti aziendali: vino.
Luoghi di interesse e manifestazioni locali: lago di Garda a 5 km, Verona a 25 km, Mantova a 25 km. Mercati rionali d'antiquariato, manifestazioni estive.
Prezzi: pasto a £ 35.000 e alloggio a £ 45.000 a persona.
Note: attrezzato per portatori di handicap. Cambio della biancheria ogni 3 giorni.

LA MONTINA

via Monzambano, 51 - loc. Montina
46040 PONTI SUL MINCIO ☎ 037688202

 L 10

Posizione geografica: colline moreniche, a 4 km dal lago.
Periodo di apertura: da aprile al 30 settembre, dal mercoledì sera alla domenica.
Associato a: Terranostra, Agriturist, Turismo Verde.
Presentazione: costruzione rurale su terreno coltivato a vigneto e orto. Allevamento di galline, anatre e conigli. Cantina con produzione di vino. Offre ospitalità in 4 stanze con bagno per un totale di 10 posti letto.
Ristorazione: piatti tipici, *capunsei*, pasta fatta in casa, tortelli di zucca, coniglio arrosto, anatra, gallina con mostarda, carne alla brace, sbrisolona, torta di mele.
Prodotti aziendali: vino, miele, grappa, marmellate, giardiniere.
Luoghi di interesse e manifestazioni locali: Mantova, lago di Garda, Borghetto, Castellaro Lagusello, Cavriana. Festa in maschera a settembre, festa dell'uva in settembre a Monzambano, manifestazioni culturali da giugno ad agosto a Ponti sul Mincio.
Prezzi: pasto £ 35.000, B&B £ 45.000, H/B £ 65.000 a persona.
Note: possibilità di praticare pesca e canoa. Maneggio, tennis e piscine nelle vicinanze.

AI VIGNETI

strada Colombara, 13 • 46040 PONTI SUL MINCIO
☎ 0376808065

L 10

Posizione geografica: collina, a 300 m dal fiume Mincio.
Periodo di apertura: dal 1° aprile al 30 settembre.
Associato a: Turismo Verde.
Presentazione: l'azienda, coltivata a vigneti, offre ospitalità in 4 stanze con bagno e in 1 appartamento con servizi privati e aria condizionata a richiesta.
Ristorazione: possibilità di H/B. Ristorazione con prodotti di propria produzione.
Prodotti aziendali: marmellate.
Luoghi di interesse e manifestazioni locali: lago di Garda (3 km), Gardaland (6 km), terme di Sirmione (13 km), parchi acquatici, Mantova (30 km) e Verona (20 km).
Prezzi: rivolgersi direttamente all'azienda.
Note: permanenza minima 3 giorni. Pesca, escursioni giornaliere, piscina. Biciclette a disposizione degli ospiti. Pulizie e cambio biancheria. Si accolgono animali di piccola taglia.

CORTE SCHIARINO - LENA

strada Santa Maddalena, 7/9
46047 SANT'ANTONIO - PORTO MANTOVANO ☎ e fax 0376398238

 M 11

Posizione geografica: pianura.
Periodo di apertura: da fine marzo a ottobre.
Associato a: Agriturist.
Presentazione: tipica costruzione rurale con villa gonzaghesca della fine del 1500, ai confini con la riserva naturale del parco

del Mincio, circondata da 30 ettari di terreno coltivati a cereali. Accoglie ospiti in 2 appartamenti per 2+2 persone e un appartamento per 4 persone, tutti con bagno in camera.

Ristorazione: B&B.
Luoghi di interesse e manifestazioni locali: Mantova, parco del Mincio, Santuario delle Grazie. Manifestazione dei Madonnari al santuario delle Grazie il 10 agosto, mercato con prodotti tipici tutti i giovedì nel centro di Mantova.
Prezzi: da £ 30.000 a 50.000 a persona. Riduzione del 10% per soggiorni che superino i tre giorni.
Note: sala riunioni, prati per prendere il sole, giochi all'aria aperta per i bambini. Nelle vicinanze possibilità di praticare il tennis e l'equitazione. Necessaria la prenotazione. Uso frigorifero, biancheria, riscaldamento, telefono in comune, posto macchina. Animali accolti previo accordo.

ZIBRAMONDA

via Argine Secchia Sud, 16 - loc. Zibramonda
46026 QUISTELLO ☎ 03356916130 – 0376615031

 L 10

Posizione geografica: pianura.
Periodo di apertura: tutto l'anno, chiuso il lunedì e il martedì.
Associato a: Turismo Verde.
Presentazione: l'azienda offre ospitalità rurale in camere dotate di ogni comfort d'epoca: vaso da notte, catino con brocca, prete e padellino, candele. Riscaldamento con stufa a legna e illuminazione a candela.
Ristorazione: piatti tipici e genuini.
Prodotti aziendali: carni avicole e suine, insaccati e salumi, vino, frutta e ortaggi biologici.
Luoghi di interesse e manifestazioni locali: Mantova, San Benedetto Po.
Prezzi: rivolgersi direttamente all'azienda.
Note: intrattenimento con musiche gregoriane e celtiche. Per gli appassionati rune e tarocchi. Trattamenti di piramidologia, riflessologia plantare, cromoterapie e massaggi. Orto botanico con circa 500 essenze.

MEDAGLIE D'ORO

strada Argine Secchia Sud, 63
46027 SAN BENEDETTO PO ☎ 0376618802
E-mail:cobellini.claudio@libero
http:www.digilander.iol.it/cortemedagliedoro

L 10

Posizione geografica: pianura, a ridosso del fiume Secchia.
Periodo di apertura: tutto l'anno.
Associato a: Turismo Verde.
Presentazione: tipica corte mantovana con casa, fienile, stalla e aia, tra piante secolari ed erbe officinali. Offre ospitalità in 5 camere con bagno per un totale di 12 posti letto.
Ristorazione: piatti tipici: *turtei*, *caplet*, *risot*, *stracot*, *mnestra cun li codghi*, *pulenta e salamei*.
Luoghi di interesse e manifestazioni locali: città d'arte, Mantova, abbazia di San Benedetto Po, pievi matildiche.

Prezzi: rivolgersi direttamente all'azienda.
Note: percorso speciale per scoprire le erbe officinali del luogo e i saliceti sul fiume Secchia. Piscina, tiro con l'arco e noleggio biciclette.

LOGHINO CASELLE

via Caselle, 40 – fraz. Caselle • 46030 SAN GIORGIO
☎ 0376340699 cell. 03474336840

 L 10

Posizione geografica: pianura, a 6 km da Mantova.
Periodo di apertura: tutto l'anno, chiuso in gennaio. Ristorante aperto giovedì, venerdì e sabato sera e la domenica per pranzo.
Associato a: Turismo Verde.
Presentazione: tipica corte di fine '800 in azienda con coltivazione ortofrutticola e cerealicola, allevamento di pollame.
Ristorazione: ristoro familiare con piatti tipici mantovani.
Prodotti aziendali: frutta, verdura, uova e pollame.
Luoghi di interesse e manifestazioni locali: Mantova. Festival della letteratura, jazz, mostre.
Prezzi: rivolgersi direttamente all'azienda.
Note: piscina, area giochi per bambini, maneggio, possibilità di escursioni a cavallo e noleggio biciclette. Si accolgono animali domestici.

CORTE LE BARCHE

via Barche, 6 • 46040 SOLFERINO
☎ e fax 0376855262

L 10

Posizione geografica: collina a 8 km dal lago di Garda e dal fiume Mincio.
Periodo di apertura: dal 1° marzo al 10 gennaio.
Associato a: Turismo Verde.
Presentazione: tipica cascina dell'alto mantovano di recente ristrutturazione a pochi chilometri dai luoghi storici. Offre ospitalità in 7 appartamenti dotati di cucina, bagno con doccia e in 6 stanze con bagno, per un totale di 25 posti letto.
Ristorazione: B&B, H/B, F/B. Ristorante aperto al pubblico con 100 coperti, anche su prenotazione. *Capunsei*, bigoli al torchio, carne alla brace.
Prodotti aziendali: salumi, carne.
Luoghi di interesse e manifestazioni locali: campagne mantovane, musei cittadini, ossario, rocca.
Prezzi: B&B in camera doppia £ 100.000, H/B £ 75.000 a persona, F/B £ 85.000 a persona.
Note: sosta per camper con possibilità di allacciamento elettrico. Noleggio biciclette. Possibilità di prenotare per convegni, battesimi, cresime, matrimoni. Biancheria.

LA TORRETTA

via Napoleone III, 26 • 46040 SOLFERINO ☎ 0376855036

L 10

Posizione geografica: collina.
Periodo di apertura: tutto l'anno, chiuso il lunedì.
Presentazione: costruzione rurale con coltivazioni di vigneto e orto. Allevamento di animali da cortile. Accoglie ospiti in 4 stanze con bagno per un totale di 16 posti letto.
Ristorazione: tagliatelle con i funghi, *capunsei*, tortelli di zucca, gnocchi verdi, tagliatelle con l'anatra, grigliate miste, anatra arrosto, capretto arrosto e al forno, biscotti con marmellata.
Prodotti aziendali: vino, pollame.

Luoghi di interesse e manifestazioni locali: museo della Croce Rossa, piazza Castello, la rocca di Solferino.
Prezzi: rivolgersi direttamente all'azienda.
Note: noleggio mountain bike. Passeggiate naturalistiche.

LE SORGIVE E LE VOLPI

via Vicinale delle Sorgive • 46040 SOLFERINO
☎ 0376854252-0376854028 fax 0376855256
E-mail:sorgive@gvnet.it

 L 10

Posizione geografica: collina, vicino al lago.
Periodo di apertura: tutto l'anno.
Associato a: Terranostra, Turismo Verde.
Presentazione: le due aziende, due cascinali vicini, collaborano per offrire agli ospiti un servizio completo di alloggio e ristorazione. Sono circondate da un terreno di 40 ettari coltivato a seminativi, vigneti e bosco. Allevamento di cavalli e animali da cortile. Le Sorgive offre ospitalità in 8 camere doppie e in 2 appartamenti con bagno e cucina, per un totale di 30 posti letto.
Ristorazione: l'azienda Le Volpi offre piatti tipici mantovani, tagliatelle, bigoli al torchio, *capunsei*, *tortei* con la zucca, stracotto d'asino, piatto del cavaliere con salumi locali e verdure grigliate. Sala ristorazione e veranda per un totale di 80 coperti.
Prodotti aziendali: vino di produzione propria e locale, salumi caserecci, formaggi, marmellate.
Luoghi di interesse e manifestazioni locali: museo risorgimentale, torre Spia d'Italia, Ossario, borgo di Castellaro Lagusello, pieve romanica di Cavriana, santuario di San Luigi Gonzaga. Festa commemorativa della battaglia di San Martino e Solferino il 24 giugno.
Prezzi: pasto da £ 35.000 a 40.000. B&B da £ 60.000 a 80.000.
Note: palestra, piscina, tiro con l'arco, mountain bike a noleggio, equitazione, ping-pong. Raccolta di more e funghi. Biancheria, riassetto.

CORTE BELFIORE

via Podiola, 8 – fraz. Salina • 46019 VIADANA
☎ 03386216485 ☎ e fax 037580106

M 10

Posizione geografica: pianura.
Periodo di apertura: tutto l'anno.
Associato a: Turismo Verde.
Presentazione: tipica corte di fine '800 nella pianura vicino al Po. Offre ospitalità in camere con servizi privati.
Ristorazione: B&B, H/B. Piatti della tradizione contadina quali bigoli al torchio e stracotto d'asino.
Prodotti aziendali: prodotti biologici.
Luoghi di interesse e manifestazioni locali: riserve naturali di "Le Bine" e "Le Torbiere".
Prezzi: rivolgersi direttamente all'azienda.
Note: accessibile agli handicappati. Noleggio biciclette, animazione. Sala riunioni.

CORTE DONDA

loc. Salina di Viadana • 46010 VIADANA
☎ **0375785697 fax 037582342 cell. 0330604990**

 M 10

Posizione geografica: pianura.
Periodo di apertura: tutto l'anno.
Associato a: Turismo Verde.
Presentazione: azienda vitivinicola con allevamento di purosangue arabi. Offre ospitalità in stanze con servizi all'interno di una tipica cascina mantovana del '700.
Ristorazione: B&B, H/B. Ristoro familiare su prenotazione.
Prodotti aziendali: vino e prodotti ortofrutticoli.
Luoghi di interesse e manifestazioni locali: riserve naturali.
Prezzi: rivolgersi direttamente all'azienda.
Note: animazione e attività didattiche.

FACCHINI

via San Cataldo, 92 - loc. Cappelletta • 46030 VIRGILIO
☎ **e fax 0376448763**

 M 10

Posizione geografica: pianura.
Periodo di apertura: tutto l'anno.
Associato a: Terranostra, Turismo Verde.
Presentazione: tipica costruzione rurale mantovana al centro di una vasta estensione di terra di 15 ettari con produzione cerealicola e ortofrutticola. Possibilità di campeggiare in 7 piazzole, sia con tende che con caravan.
Ristorazione: 65 coperti. Ristorante aperto la sera dal giovedi al sabato, la domenica a mezzogiorno. Salumi mantovani, pasta fatta in casa, stracotti con polenta, dolci e vini mantovani.
Prodotti aziendali: frutta di stagione.
Luoghi di interesse e manifestazioni locali: Mantova, parco naturale del Mincio, il fiume Po.
Diverse manifestazioni nelle vicinanze, in vari periodi dell'anno.
Prezzi: per le tende £ 12.000 a persona, i caravan £ 15.000 a persona. Un pasto a menu fisso £ 32.000 bevande incluse.
Note: sala riunioni, possibilità di giocare all'aperto per i bambini. Diverse possibilità di passeggiate, sia a piedi che in bicicletta, nelle vicinanze. Impianti sportivi a poca distanza. Consigliata la prenotazione.

CORTE BARUZZO

strada dei Colli nord, 2 • 46049 VOLTA MANTOVANA
☎ **0376838683**

● **L 10**

Posizione geografica: collina.
Periodo di apertura: tutto l'anno, chiuso il lunedì e il martedì.
Associato a: Turismo Verde.
Presentazione: azienda in grande corte ottocentesca, con un nucleo risalente al '400, all'interno di un ampio parco, con coltivazione ortofrutticola specializzata nei piccoli frutti. Offre ospitalità in stanze con servizi privati.
Ristorazione: B&B, H/B. Ristoro agrituristico con i sapori dei prodotti coltivati in azienda.
Luoghi di interesse e manifestazioni locali: Mantova, parchi acquatici.
Prezzi: rivolgersi direttamente all'azienda.
Note: pesca sportiva, percorso vita.

CORTE ONIDA

loc. Lonida, 3 • 46049 VOLTA MANTOVANA ☎ **e fax 0376838137**

 L 10

Posizione geografica: collina, fiume.
Periodo di apertura: dall'1 marzo al 31 dicembre.
Associato a: Turismo Verde.
Presentazione: antica cascina del '600 in azienda che pratica viticoltura e frutticoltura e alleva animali da cortile. Accoglie ospiti in 4 stanze doppie con servizi e in 2 monolocali forniti di TV satellitare e aria condizionata.
Ristorazione: a base di prodotti propri.
Luoghi di interesse e manifestazioni locali: Mantova, parchi acquatici, lago di Garda, Verona.
Prezzi: OR da £ 40.000 a 55.000, H/B da £ 65.000 a 80.000.
Note: permanenza minima 2 giorni. Piscina. Pulizia. Si accolgono animali.

LUCILLO

corte Bezzetti, 26 • 46049 VOLTA MANTOVANA
☎ **e fax 0376838284**

 L 10

Posizione geografica: collina.
Periodo di apertura: tutto l'anno.
Associato a: Turismo Verde.
Presentazione: l'azienda si trova in un tipico borgo medioevale sulle colline moreniche del Garda. Offre ospitalità in 5 camere doppie, 8 appartamenti e 1 monolocale attrezzato per portatori di handicap.

Ristorazione: 80 coperti. Piatti tipici, *capunsei*, tortelli di zucca, fettuccine con funghi chiodini e con oca, oca arrosto, stracotto d'asino.
Prodotti aziendali: marmellata, salami, vino, grappe.
Luoghi di interesse e manifestazioni locali: Gardaland, parco Sigurtà, torre di San Martino, Solferino, Mantova, castello, parco del Mincio. Festa medioevale, feste dell'uva, della zucca, dell'oca, del maiale.
Prezzi: pasto da £ 20.000 a 35.000. Camera £ 35.000 a persona, appartamenti da £ 100.000 al giorno.
Note: attrezzata per portatori di handicap. Giochi per bambini. Manifestazioni enogastronomiche in azienda. Noleggio mountain bike. Raccolta di more e asparagi selvatici.

CORTE COLOMBARE

via Casalmoro, 20 – loc. Villa • 46042 CASTEL GOFFREDO
☎ **0376779638** ☎ **e fax 0376779169 cell. 03357061109**

▲ **L 10**

Posizione geografica: pianura.
Periodo di apertura: tutto l'anno.
Associato a: Turismo Verde.
Presentazione: antica cascina ristrutturata in mezzo al verde e alla quiete. Offre ospitalità in 10 appartamenti indipendenti, in 5 stanze dotate di ogni comfort, per un totale di 30 posti letto, e in agricampeggio attrezzato per tende e roulotte.
Luoghi di interesse e manifestazioni locali: Mantova, lago di Garda, Brescia, Verona.
Prezzi: rivolgersi direttamente all'azienda.
Note: piscina, campo da croquet, pallavolo, ping-pong, pesca sportiva e possibilità di itinerari in bicicletta. Sala comune, parcheggio coperto, lavanderia. Pulizia e cambio biancheria settimanale.

CORTE LAVADERA

via Pangona, 76 • 46016 COGOZZO DI VIADANA
☎ 0375790260-0375782079 fax 0375792126

▲ M 10

Posizione geografica: pianura.
Periodo di apertura: tutto l'anno.
Associato a: Turismo Verde, Terranostra.
Presentazione: costruzione rurale completamente ristrutturata, circondata da 21 ettari coltivati a cereali. Offre ospitalità in 2 camere con bagno e 1 appartamento per un totale di 8 posti letto.
Luoghi di interesse e manifestazioni locali: Mantova, Sabbioneta, Brescello, parco Oglio-Po. Sagra del melone il 29 giugno.
Prezzi: da £ 80.000 a 100.000 a camera.
Note: sala riunioni, solarium, palestra, sauna, idromassaggio, parco giochi, sala biliardo. Calcetto, tennis, piscina, ping-pong, mountain bike, parete di roccia, equitazione. Maneggio, corsi di equitazione. Riscaldamento.

CORTE SAN GIROLAMO

Soon Kee str. – San Girolamo, 1 – loc. Gambarara
46100 MANTOVA ☎ 0376391018 cell. 03386507584

▲ M 10

Posizione geografica: pianura.
Periodo di apertura: tutto l'anno.
Associato a: Agriturist.
Presentazione: azienda in posizione tranquilla vicina alla città. Offre ospitalità in stanze o appartamenti con servizi privati.
Luoghi di interesse e manifestazioni locali: Mantova.
Prezzi: rivolgersi direttamente all'azienda.
Note: sala per incontri e attività di animazione per la scuola. Animali accolti previo accordo.

CORTE GALVAGNINA

via Argine Tre Teste, 9 – loc. Cesole • 46010 MARCARIA
☎ 0376969059-0376532992 – 03392098562

▲ M 11

Posizione geografica: pianura.
Periodo di apertura: tutto l'anno.
Associato a: Turismo Verde.
Presentazione: l'azienda, immersa nella quiete della pianura, offre ospitalità in stanze e appartamenti con uso cucina anche per gruppi.
Luoghi di interesse e manifestazioni locali: Mantova. Feste e sagre nel periodo estivo.
Prezzi: rivolgersi direttamente all'azienda.
Note: programmi di animazione per ragazzi, feste tradizionali e attività didattiche per le scuole. Sosta camper. Animali accolti previo accordo.

TREBISONDA

strada Tononi, 92 - loc. Trebisonda • 46040 MONZAMBANO
☎ 0376809381 - 03356477885

▲ L 10

Posizione geografica: collina, nel parco del Mincio.
Periodo di apertura: dal 15 marzo al 7 gennaio.
Presentazione: antico rustico in pietra ristrutturato in azienda di circa 3 ettari di terreno collinare, in parte coltivato a frutteto con pesche e susine, e in parte adibito all'allevamento di cavalli da trotto. Offre ospitalità in 2 appartamenti e in una camera matrimoniale, tutti con bagno privato, per un totale di 10 posti letto.
Prodotti aziendali: frutta fresca di stagione, marmellate, pesche sciroppate.
Luoghi di interesse e manifestazioni locali: parco del Mincio, lago di Garda, Mantova, Verona, parco giardino Sigurtà, Borghetto, Castellaro Lagusello, Solferino, parco acquatico Cavour.
Prezzi: B&B (camera matrimoniale) a £ 100.000, appartamento a £ 120.000 al giorno più £ 25.000 per letto aggiunto.
Note: solo su prenotazione. Accessibile agli handicappati. Possibilità di passeggiate a piedi e in mountain bike. Piscina ed equitazione nelle vicinanze. Cambio bisettimanale della biancheria da letto, bagno e cucina.

CORTE FATTORI

strada Moscatello, 79 - loc. Castellaro Lagusello
46040 MONZAMBANO
☎ 037688913-037688771 fax 0376845007

▲ L 10

Posizione geografica: collina.
Periodo di apertura: stagionale.
Presentazione: cascinale ristrutturato sito nella riserva naturale di Castellaro Lagusello piccolo borgo medioevale. L'azienda coltiva viti e cereali. Offre ospitalità in 2 appartamenti e 5 camere, dotati di bagno privato, TV, telefono, aria condizionata, per un totale di 20 posti letto.

Luoghi di interesse e manifestazioni locali: parco del Mincio, parco giardino Sigurtà, borghi medioevali, città d'arte, Gardaland. "Naturalmente Castellaro" la prima domenica di ottobre.
Prezzi: appartamento a £ 35.000 a persona al giorno (£ 40.000 con prima colazione), camera doppia con prima colazione £ 100.000. Soggiorno gratuito per bambini al di sotto di 3 anni, sconto del 50% da 3 a 6 anni.
Note: attrezzato per portatori di handicap. È gradita la prenotazione. Si possono praticare tamburello, pesca sportiva, trekking, passeggiate ed equitazione. Mountain bike a disposizione degli ospiti. Piscina con servizio di lettini e ombrelloni. Pulizia giornaliera.

ARGININO PICCOLO

via Arginino, 9 • 46035 OSTIGLIA
☎ e fax 038631475 ☎ 03355724283

▲ M 11

Posizione geografica: pianura.
Periodo di apertura: tutto l'anno.
Associato a: Turismo Verde.
Presentazione: l'azienda offre ospitalità in camere con servizi e prima colazione.
Prodotti aziendali: prodotti biologici.
Luoghi di interesse e manifestazioni locali: Mantova, riserve naturali del Busatello e dell'isola Boschina.
Prezzi: rivolgersi direttamente all'azienda.

Note: passeggiate e noleggio biciclette. Maneggio e pensione cavalli. Area pic-nic attrezzata a disposizione. Attività di turismo didattico e animazione per le scuole.

CORTE SPEZIARA NUOVA

strada Falconiera, 4 – loc. Falconiera • 46020 PEGOGNAGA
☎ 059676648 – 0376558556

 ▲ **N 11**

Posizione geografica: pianura.
Periodo di apertura: da febbraio a novembre.
Associato a: Turismo Verde.
Presentazione: azienda immersa nella quiete della campagna e del parco naturale di San Lorenzo. Offre ospitalità in camere con servizi privati e possibilità di prima colazione.
Prodotti aziendali: prodotti biologici.
Luoghi di interesse e manifestazioni locali: Mantova.
Prezzi: rivolgersi direttamente all'azienda.
Note: area giochi per bambini. Corsi di equitazione, passeggiate e trekking. Attività didattica per turismo scolastico.

AL LAGHETTO

strada Bassa, 10 – loc. Falconiera • 46020 PEGOGNAGA
☎ 059676648 – 0376558556

 ▲ **N 11**

Posizione geografica: pianura
Periodo di apertura: tutto l'anno.
Associato a: Turismo Verde.
Presentazione: azienda vitivinicola e zootecnica con allevamento di anatre nel lago di proprietà. Offre ospitalità in 5 stanze con servizi privati.
Luoghi di interesse e manifestazioni locali: Mantova.
Prezzi: rivolgersi direttamente all'azienda.

MONTE PEREGO

strada Francesca Est, 41 – loc. Rivalta • 46040 RODIGO
☎ 0376653290 ☎ e fax 0376654027

 ▲ **M 10**

Posizione geografica: pianura.
Periodo di apertura: tutto l'anno.
Associato a: Turismo Verde.
Presentazione: l'azienda, sita all'interno del parco del Mincio, a 500 m dal fiume, offre ospitalità in camere e appartamenti con servizi.
Luoghi di interesse e manifestazioni locali: parco del Mincio, Mantova, santuario delle Grazie.
Prezzi: rivolgersi direttamente all'azienda.
Note: piscina e sala riunioni. Noleggio di barche per escursioni nelle valli del Mincio e noleggio di biciclette. Maneggio ed escursioni a cavallo.

CORTE FENILETTO

via Francesca Est, 54 • 46040 RODIGO
☎ 0376650262-0376362183

 ▲ **M 10**

Posizione geografica: pianura.
Periodo di apertura: da aprile a ottobre.
Associato a: Turismo Verde.

Presentazione: tipica costruzione rurale del 1800 nelle vicinanze del parco naturale del Mincio, circondata da un ampio spazio verde di 100.000 mq con piante secolari, in parte coltivato a frutteto. Offre ospitalità in 3 appartamenti, 2 bilocali e 3 camere.
Ristorazione: a richiesta, B&B.
Prodotti aziendali: meloni, uova, miele, grana, pollame, conigli.
Luoghi di interesse e manifestazioni locali: parco del Mincio, lago di Garda, colline circostanti. Varie sagre in agosto.
Prezzi: da £ 15.000 a 30.000 per persona al giorno. Tariffe speciali per week-end in coppia e per soggiorni di almeno una settimana.
Note: turismo scolastico con possibilità di visitare e conoscere le tecniche di agricoltura biologica. Piscina, ping-pong, solarium, biciclette. Nelle vicinanze pesca sportiva. Uso cucina con frigorifero, TV.

AMATERRA

strada Argine Zara, 18 – loc. Portiolo
46020 PORTIOLO DI SAN BENEDETTO PO
☎ e fax 0376611306

 ▲ **M 10**

Posizione geografica: pianura, a 2 km dal fiume Po.
Periodo di apertura: dal 1° marzo al 9 gennaio.
Associato a: Turismo Verde.
Presentazione: azienda agricola biologica che offre ospitalità in 4 stanze, per un totale di 10 posti letto, nella residenza familiare.
Prodotti aziendali: ortaggi e pollame.
Luoghi di interesse e manifestazioni locali: Mantova, centri e pievi di origine benedettina, musei, lago di Garda, fiume Po.
Prezzi: rivolgersi direttamente all'azienda.
Note: corsi e seminari new age di cristalloterapia, fiori di Bach, cerchio di medicina. Gite in barca, pesca, pic-nic. Noleggio di biciclette con possibilità di piacevoli itinerari lungo gli argini, le spiagge del Po e i vicini centri e pievi di origine benedettina.

GARDENALI

via XXV Aprile, 8 – 46049 VOLTA MANTOVANA
☎ e fax 037683487
E-mail: macarasi@tin.it

 ▲ **L 10**

Posizione geografica: collina.
Periodo di apertura: tutto l'anno.
Associato a: Terranostra, Agriturist, Turismo Verde.
Presentazione: ospitalità rurale in 8 appartamenti di ampie dimensioni in 4 unità indipendenti, camere e casa per gruppi.
Prodotti aziendali: vino, kiwi, pesche, mele, tutto biologico e certificato AIAB.
Luoghi di interesse e manifestazioni locali: lago di Garda, Gardaland, Caneva, zoo safari, parco Sigurtà, parco del Mincio, Mantova.
Prezzi: OR a £ 30.000 per persona. Sconti per bambini.
Note: è possibile alloggiare anche per una sola notte. Cucina attrezzata con pentole e stoviglie. Biancheria. Non si accettano animali.

CORTE CANALE VIRGILIO

strada Volta Pozzolo, 1 • 46049 VOLTA MANTOVANA
☎ e fax 037683572 cell. 03388033268

▲ **L 10**

Posizione geografica: collina.
Periodo di apertura: dall'1 marzo al 30 novembre.
Associato a: Turismo Verde.
Presentazione: tipica cascina delle colline moreniche immersa nel parco del Mincio e adiacente al fiume. Offre ospitalità in 4 appartamenti, per un totale di 16 posti letto, ricavati dalla ristrutturazione di un vecchio porticato e composti da cucina, camera da letto e bagno.
Prodotti aziendali: frutta, ortaggi, frutti di bosco, uova, vino, marmellate, pollame.
Luoghi di interesse e manifestazioni locali: Gardaland, parco Sigurtà, Valeggio, Mantova. Feste e manifestazioni in settembre a Volta Mantovana, mercatino dell'antiquariato ogni seconda domenica del mese.
Prezzi: alloggio a £ 35.000 a persona.
Note: è gradita la prenotazione. Attività culturali, educative e ricreative. Maneggio, piscina e campi da tennis nelle vicinanze. Noleggio biciclette, possibilità di escursioni, pesca sportiva. Biancheria. Si accolgono animali domestici.

Pavia

AI DUE TAXODI

Cascina Pezzanchera, 3 • 27017 BADIA PAVESE
☎ 0382728126-038278094

⬤ **M 5**

Posizione geografica: pianura.
Periodo di apertura: tutto l'anno, con esclusione del periodo dall'1 al 15 gennaio e dal 16 al 31 agosto.
Associato a: Agriturist.
Presentazione: antico manso dei monaci benedettini, accoglie ospiti in un bilocale da 4 posti e in 4 camere (2 doppie, 1 singola, 1 tripla). Bagno in camera. Azienda cerealicola con allevamento di chianine.
Ristorazione: B&B. Su prenotazione, ristorante con un totale di 60 coperti. Carni di produzione propria, pasta fatta in casa, risotti con verdure, dolci casalinghi.
Prodotti aziendali: riso.
Luoghi di interesse e manifestazioni locali: castello di Chignolo Po, castello di Belgioioso, oasi di Sant'Alessio, Pavia, Lodi, Piacenza, Cremona.

Prezzi: da £ 40.000 a 50.000 a persona. Pasto al prezzo fisso di £ 37.000, bevande escluse. Riduzione del 30% per bambini sotto i dieci anni, possibilità di concordare il costo del pranzo per comitive numerose.
Note: guida alle attività agricole, possibilità di praticare la caccia. Uso cucina con frigorifero, biancheria, riscaldamento. Solo su prenotazione. Animali accolti previo accordo.

TORRAZZETTA

fraz. Torrazzetta, 1 • 27040 BORGO PRIOLO
☎ e fax 0383871041
E-mail:agritorr@maxidata.it

⬤ **M 3**

Posizione geografica: collina.
Periodo di apertura: tutto l'anno.
Associato a: Terranostra.
Presentazione: antica cascina ristrutturata, con ampio porticato posteriore, in azienda con allevamento di animali da cortile, struzzi, cavalli, mucche e 1 asino. Offre ospitalità in 14 camere con bagno per un totale di 30 posti letto totali.

Ristorazione: H/B, F/B. Ristorante con 80 coperti, aperto al pubblico. *Stâng â l'üs*, *porcaloca*, primi piatti di pasta integrale fatta in casa.
Prodotti aziendali: vino, spumante, confettura, miele, aceto, grappe, cereali, salumi, carne biologici.
Luoghi di interesse e manifestazioni locali: Pavia e la sua Certosa, Vigevano e piazza Ducale, abbazia di Sant'Alberto, alcuni castelli, museo archeologico di Casteggio. Carnevale antico, Cantamaggio, festa dell'oca e delle castagne, festa del Barlón.
Prezzi: oltre £ 50.000. Pranzo da £ 40.000 a 55.000 a persona. Pacchetti speciali per coloro che soggiornano.
Note: è gradita la prenotazione. Piscina, sale per riunioni e meeting. Corsi di agricoltura biologica, enologia, panificazione. Percorso di tiro con l'arco, ping-pong, trekking, caccia fotografica, bird watching. Raccolta di castagne, funghi, frutti di bosco. Biancheria, pulizie e riassetto, parcheggio, riscaldamento, aria condizionata in 6 camere. Animali accolti previo accordo.

CASTELLO DI STEFANAGO

loc. Stefanago • 27040 BORGO PRIOLO
☎ 0383875227-0383875413 fax 0383875644

⬤ **N 3**

Posizione geografica: collina.
Periodo di apertura: da marzo a ottobre.
Associato a: Terranostra.
Presentazione: l'attività agrituristica viene svolta all'interno dell'azienda, presso la cascina La Boatta. Si tratta di una vecchia casa di campagna ristrutturata e circondata da 200 ettari di territorio con boschi, prati, vigneti e frutteti. Offre ospitalità in 6 camere doppie con bagno e in 4 appartamenti indipendenti da 2 a 4 posti letto nelle vicinanze del castello.
Ristorazione: H/B. Ristorante aperto al pubblico con 40 coperti. Piatti tipici del luogo realizzati con prodotti aziendali, numerosi piatti a base di verdure.
Prodotti aziendali: polli, uova, vini, frutta.
Luoghi di interesse e manifestazioni locali: Fortunago, abbazia romanica a Sant'Alberto di Butrio, Certosa di Pavia a 30 km.
Prezzi: H/B £ 75.000, £ 45.000 a persona nelle camere, da £ 80.000 a 120.000 a persona negli appartamenti. Un pranzo da £ 40.000 a 45.000.
Note: possibilità di ospitare corsi di varia natura. Passeggiate a cavallo in percorsi interni all'azienda o nelle immediate vicinanze, vari percorsi a piedi o in mountain bike.

LA TORRETTA

fraz. Staghiglione • 27040 BORGO PRIOLO
☎ 0383872447-0383872208 fax 0383871350

● N 3

Posizione geografica: collina.
Periodo di apertura: da febbraio a dicembre.
Presentazione: azienda agrituristica sportiva dove l'allevamento del bestiame allo stato brado, i campi di frumento, i vigneti, i frutteti, i boschi e i prati fanno da cornice agli impianti sportivi, il tutto in un'atmosfera che conserva intatte le caratteristiche dei tempi passati, ideale per soggiorni di relax. Accoglie ospiti in 3 residenze con 110 camere con bagno per un totale di 300 posti letto, e in piazzole per camper e spazi per agricampeggio.
Ristorazione: possibilità di self-service e ristorante. Tagliatelle ai funghi, cinghiale con polenta, arrosti e bolliti.
Prodotti aziendali: uova, vino, mele, prugne, albicocche, ciliegie, marmellate, miele e biscotti.
Luoghi di interesse e manifestazioni locali: Salice Terme, Varzi, abbazia di Sant'Alberto di Butrio, maniero di Montalto Pavese, Certosa di Pavia.
Prezzi: £ 90.000 al giorno a persona per soggiorni settimanali, fine settimana da £ 105.000 a 199.000, gita domenicale (pranzo e attività) a £ 55.000.
Note: giochi, sport, tennis, equitazione, tiro con l'arco, piscina coperta e riscaldata con vasca regolamentare, escursioni in mountain bike, attività ricreative, naturalistiche e lavorative. Prenotare almeno 7 giorni prima. Pulizie, biancheria (esclusa quella da bagno). Si accolgono animali.

MACCARINI

fraz. Gravanago • 27040 FORTUNAGO
☎ 0383875580-0383875216 fax 0383879000

● N 4

Posizione geografica: collina (450 m).
Periodo di apertura: da febbraio a dicembre, dal mercoledì alla domenica.
Associato a: Terranostra.
Presentazione: casa colonica ristrutturata con due ampie terrazze, una delle quali chiusa, una saletta con camino. Circondata da 4 ettari di terreno coltivati e 2 a prato. Allevamento di maiali, conigli, capre, bovini, pollame, lumache, api. Offre ospitalità in 3 camere, ciascuna dotata di bagno, per un totale di 12 posti letto.
Ristorazione: F/B. Ristorante aperto al pubblico con disponibilità fino a 35 coperti. Risotti, ravioli, asino stufato, cinghiale con polenta, pollo alla cacciatora, coniglio, dolci.
Prodotti aziendali: salumi, dolci, miele, animali da cortile, formaggio, vino, grappa, aceto, uova.
Luoghi di interesse e manifestazioni locali: Certosa di Pavia, Salice Terme, Grazzano Visconti, abbazia di Sant'Alberto, giardino botanico. Varie manifestazioni estive organizzate dalla Pro Loco.

Prezzi: B&B da £ 40.000 a 70.000, H/B da £ 75.000 a 90.000, F/B da £ 100.000 a 110.000, pranzo da £ 20.000

a 45.000 bevande escluse. Previste riduzioni dal 10% al 50% per i bambini.
Note: accessibile agli handicappati. Prato per prendere il sole, osservazione ambientale e di animali, trekking. Raccolta di castagne, frutti di bosco, funghi, tartufi. Gradita la prenotazione.

CELLA DI MONTALTO

via Cella di Montalto, 17 • 27040 MONTALTO PAVESE
☎ e fax 0383870117 ☎ 0383870519

● M 4

Posizione geografica: media collina.
Periodo di apertura: tutto l'anno.
Associato a: Terranostra.
Presentazione: costruzione circondata da 65 ettari di terreno con produzione di cereali e uva. Allevamento di bovini, equini e suini. Offre ospitalità in 8 camere con bagno per un totale di 16 posti letto.
Ristorazione: H/B, F/B, B&B. Ristorante di 30/40 posti aperto al pubblico su prenotazione. Pasta fresca, carne, salumi e vino di produzione propria.
Prodotti aziendali: vino, salumi, confetture, dolci.
Luoghi di interesse e manifestazioni locali: Certosa di Pavia, Vigevano, giardino alpino nelle vicinanze, Zavattarello. Sagra delle castagne in ottobre, sagra del tartufo in novembre, rassegna di vini tipici a Casteggio in settembre.
Prezzi: H/B £ 90.000 a persona, F/B £ 110.000, B&B £ 50.000. Il prezzo di un singolo pasto è di £ 50.000.
Note: possibilità di organizzare settimane verdi per bambini e di concordare diverse attività. Giochi all'aria aperta, trekking, pesca e passeggiate. È possibile praticare l'equitazione e accordarsi con l'istruttore per fare passeggiate a cavallo anche di più giorni. Raccolta di frutti del bosco, funghi, tartufi. TV e frigo-bar.

CASTELLO DI LUZZANO

loc. Luzzano, 5 • 27040 ROVESCALA
☎ 0523863277 fax 0523865909

● M 4

Posizione geografica: collina (270 m).
Periodo di apertura: tutto l'anno.
Associato a: Agriturist.
Presentazione: antiche case rurali ristrutturate con castello, piccolo borgo e chiesa in azienda vitivinicola di 60 ettari. Accoglie ospiti in 4 appartamenti per un totale di 20 posti letto e in 4 camere nella locanda con 8 posti letto.
Ristorazione: cucina tipica piacentina e pavese. Ristorante con 30 coperti all'interno e 8 in veranda.
Prodotti aziendali: vini D.O.C. dei colli piacentini (Gutturnio, Malvasia, Chardonnay, Cabernet), vini D.O.C. dell'Oltrepò pavese (Bonarda, Barbera, Pinot Nero, Rosso O.P.).
Luoghi di interesse e manifestazioni locali: Pavia, Piacenza, Milano, castelli della Val Tidone e Val Trebbia, fiume Trebbia.
Prezzi: 2 notti in appartamento da £ 100.000 a £ 140.000 a persona, 1 settimana da £ 260.000 a 420.000 a persona. B&B in camere della locanda £ 70.000 a persona.
Note: visite guidate alla cantina, piccola raccolta di reperti fossili e storici del castello. Cambio biancheria settimanale. Pulizia finale per soggiorni di 1 settimana.

TARANTANI

loc. Tre Venti, 1 • 27040 RUINO
☎ e fax 0385955903

● N 4

Posizione geografica: collina.
Periodo di apertura: tutto l'anno, solo su prenotazione.
Associato a: Terranostra.
Presentazione: azienda di 30 ettari a gestione familiare adibita a coltivazione di viti e ad allevamento di equini e pollame. Accoglie ospiti in 5 camere doppie, di cui 3 con bagno privato e 2 con bagni in comune, per un totale di 10 posti letto, e in piazzole in agricampeggio.
Ristorazione: 30 coperti. Cucina tipica locale, salumi, carni, ravioli, tortelli di magro e vini di produzione propria.
Prodotti aziendali: carne, salumi e conserve.
Luoghi di interesse e manifestazioni locali: Oltrepò Pavese, giardino botanico, castelli.
Prezzi: B&B a £ 60.000, H/B a £ 80.000, F/B a £ 120.000. Pasto da £ 40.000 a 50.000.
Note: accessibile agli handicappati, disponibilità di ippoterapia. Ricovero cavalli, maneggio e passeggiate. Equitazione, trekking, mountain bike. Tennis, piscina, calcio, caccia e pesca nelle vicinanze. Possibilità di partecipare ai lavori agricoli in azienda. Sala per piccoli meeting. Taverna e parcheggio. Biancheria, pulizie e riscaldamento.

CORTE MONTINI

via Emilia, 19 • 27046 SANTA GIULETTA
☎ 0383899231 fax 0383899381

● M 4

Posizione geografica: ai piedi delle colline.
Periodo di apertura: da febbraio a luglio e da settembre a dicembre dalle ore 19.30 in poi. La domenica anche a pranzo.
Associato a: Terranostra.
Presentazione: vecchio cascinale ristrutturato adiacente alla cantina nella zona dell'Oltrepò pavese. Offre ospitalità in 12 camere con bagno per un totale di 21 posti letto e in 4 miniappartamenti con 9 posti letto.
Ristorazione: H/B, B&B. Ristorante aperto al pubblico con 80 coperti. Affettati, risotti, ravioli, brasati, cacciagione, bolliti.
Prodotti aziendali: vino, spumante, grappa.
Luoghi di interesse e manifestazioni locali: Salice Terme, abbazia di Sant'Alberto di Butrio, Certosa e castello visconteo a Pavia, altri castelli sulle colline. Sagre locali nel periodo della vendemmia.
Prezzi: oltre £ 50.000, il costo di un pranzo varia da £ 40.000 a 50.000.
Note: accessibile agli handicappati. Sala riunioni. Introduzione all'enologia e visite guidate alle cantine, osservazione ambientale. Raccolta di funghi. Biancheria, pulizia, telefono in camera, riscaldamento, parcheggio. Gradita la prenotazione.

VERCESI DEL CASTELLAZZO

via Aureliano, 36 • 27040 MONTÙ BECCARIA
☎ 038560067 fax 0385262098

◆ D 19

Posizione geografica: collina.
Periodo di apertura: da febbraio a dicembre, da mercoledì a domenica.
Associato a: Agriturist.
Presentazione: monastero del 1600 in posizione dominante rispetto al paese, circondato da 25 ettari a vigneto.
Ristorazione: ristorante aperto al pubblico con 60 coperti. Risotto alle erbe, salumi, pecorino, brasato, polenta.
Prodotti aziendali: vini, grappe.
Luoghi di interesse e manifestazioni locali: chiesa romanica, Pavia, giardino alpino di Pietra Corva, abbazia di Sant'Alberto. A maggio festa del vino nuovo, in agosto festa dell'uva, a novembre festa del vino novello.
Prezzi: pasto da £ 50.000 a 70.000.
Note: corsi di degustazione e di enologia, possibilità di organizzare degustazione di vini. Maneggio nelle vicinanze e varie possibilità di passeggiate in mountain bike o a piedi. Ristorante solo su prenotazione, per gruppi di oltre 20 persone.

Sondrio

RIBUNTÀ

loc. San Bernardo • 23010 CAIOLO
☎ e fax 0342561297

● E 7

Posizione geografica: montagna.
Periodo di apertura: dall'1 aprile al 10 gennaio, Pasqua.
Associato a: Terranostra.
Presentazione: accoglie ospiti in 4 camere con bagno, per un totale di 20 posti letto.
Ristorazione: piatti tipici locali, pizzoccheri, *sciat*, *tarox*, polenta, coniglio alle prugne o noci, tagliatelle alle ortiche, pasta rossa.
Prodotti aziendali: frutta, verdura, conserve, marmellate.
Luoghi di interesse e manifestazioni locali: parco delle Orobie, piramidi di Postalesio, escursioni culturali e naturalistiche in Valltellina.
Prezzi: OR da £ 60.000 a 70.000, H/B da £ 60.000 a 70.000, F/B da £ 70.000 a 80.000.

LA BAITA

loc. San Bernardo • 23035 SONDALO
☎ 0342820233 http:www.valtline.it/labaitarèzzalo

● D 8

Posizione geografica: montagna (1.850 m), nel parco nazionale dello Stelvio.
Periodo di apertura: da maggio a settembre, da dicembre ad aprile solo nei fine settimana.
Presentazione: situata su un dosso, in un punto panoramico, tra boschi di larici e prati, a un'ora di cammino dal parcheggio. Offre ospitalità per un totale di 15 posti letto disponibili in locali riscaldati.
Ristorazione: servizio di ristorazione aperto anche al pubblico. Piatti tipici.
Luoghi di interesse e manifestazioni locali: particolarmente

bella la valle sopra la quale è collocata la baita, diversi sentieri nelle vicinanze, ghiacciaio Savoretta, Bormio.

Prezzi: H/B a £ 60.000, F/B a £ 70.000, week-end £ 125.000.

Note: ampia possibilità di passeggiate ed escursioni nelle vicinanze, anche in inverno, quando la baita è raggiungibile con gli sci d'alpinismo. Per concordare itinerari e uscite è possibile contattare direttamente i gestori.

Varese

loc. Pira - Pianeggi - fraz. Nasca • 21010 CASTELVECCANA
☎ 0332520857 - 03683928397

 F 2

Posizione geografica: sul lago Maggiore.
Periodo di apertura: tutto l'anno.
Associato a: Turismo Verde.
Presentazione: casolare in pietra ristrutturato con vista panoramica sul lago Maggiore. Accoglie ospiti in 2 camere e in 1 camerata, con bagno comune, per un totale di 9 posti letto. Riscaldamento. Sala comune. Allevamento di equini, caprini, bovini e suini. Specializzato nell'organizzare soggiorni per bambini.
Ristorazione: H/B, F/B, B&B. Ristorante aperto al pubblico con un totale di 49 posti. Stinchi, costine, porchetta, arrosti misti, grigliate miste.
Prodotti aziendali: uova, salumi, miele, pollame.
Luoghi di interesse e manifestazioni locali: cascata Froda, isole Borromeo, Santa Caterina del Sasso. Sagra del pesce in estate, "risottata".
Prezzi: menu fisso £ 25.000 (bevande escluse), H/B £ 55.000, F/B £ 65.000, B&B £ 30.000.
Note: varie attività rivolte ai bambini nei periodi di Pasqua, Natale e da giugno a luglio, con personale specializzato ISEF, vacanza agrituristica per bambini dai 7 anni in su, con possibilità di praticare diversi sport, ginnastica, stretching, golf, tiro con l'arco. "Equi-camp" dedicato all'avviamento all'equitazione. "Gita in fattoria" per le scuole elementari e medie, con escursioni e informazioni didattico-naturalistiche. Corsi di base di equitazione, selleria e box per il ricovero dei cavalli, corsi invernali in palestra per adulti, anziani e bambini dai 3 ai 5 anni. Possibilità di passeggiate a cavallo.
Ampio prato per prendere il sole. Raccolta di castagne, funghi, more, lamponi. Nelle vicinanze bocciodromo, piscina, campi da tennis, possibilità di praticare canottaggio, parapendio, deltaplano. Animali accolti previo accordo.

via per Ferrera, 50 • 21030 CASSANO VALCUVIA
☎ e fax 0332995508

 F 2

Posizione geografica: pianura.
Periodo di apertura: da giugno a settembre tutti i giorni, gli altri mesi sabato e domenica.
Associato a: Agriturist.
Presentazione: nuove costruzioni per l'allevamento dei cavalli, 20 ettari di terreno coltivati a mais, fieno, frutteto, orti. Allevamento di cavalli, mucche, suini, animali di bassa corte. Offre ospitalità in 6 suites con soggiorno da 2 a 6 posti letto. Tutte con servizi.
Ristorazione: H/B, F/B, B&B. Ristorante aperto al pubblico su prenotazione con posti sia all'aperto che al coperto. Pizze rustiche della casa assortite, affettati di produzione propria, maialini arrosto, puledro in umido, torte caserecce, focacce, pasta fresca.
Prodotti aziendali: torte salate e dolci su prenotazione, salamini di cavallo, bresaola, uova, mele, ortaggi non trattati.
Luoghi di interesse e manifestazioni locali: lago Maggiore, Stresa, varie isole. Mostre, fiere e sagre in diversi periodi dell'anno.
Prezzi: da £ 45.000 a 60.000 per persona, un pasto da £ 35.000 a 50.000.
Note: accessibile agli handicappati. Scuola di equitazione, passeggiate a cavallo, visita agli allevamenti, in particolare per i bambini, percorsi in mountain bike. Raccolta castagne, funghi, mirtilli. Biancheria, pulizia giornaliera, riscaldamento autonomo, telefono comune, posto auto.

via Dante, 569 • 21030 CASSANO VALCUVIA
☎ 0332995671 - 0332995684
fax 0332995671

● **F 2**

Posizione geografica: collina.
Periodo di apertura: da marzo a gennaio.
Associato a: Terranostra.
Presentazione: azienda di 17 ettari composta da una villa padronale, circondata da un parco, e un rustico ristrutturato adibito al soggiorno agrituristico. Ideale per soggiorni di relax. Accoglie ospiti in 6 camere con bagno per un totale di 14 posti letto.
Ristorazione: ristorante aperto al pubblico con 80 coperti. Cucina tradizionale italiana, in particolare lombarda e pugliese. Prodotti di produzione propria.
Prodotti aziendali: formaggio, miele, marmellata, sottoli e sottaceti, salumi, uova e verdure di stagione.
Luoghi di interesse e manifestazioni locali: eremo di Santa Caterina, rocca d'Angera, osservatorio astronomico di Campo dei Fiori. A Casal Zuigno la cinquecentesca Villa Porta Bozzolo ospita numerose mostre e manifestazioni di interesse culturale.
Prezzi: H/B a £ 95.000, pasto a £ 50.000 vini esclusi. Riduzioni per bambini.
Note: bocce, tiro con l'arco fisso o di campagna con sagome di animali nel bosco, inoltre a disposizione degli esperti 2 cavalli per passeggiate (gratis). Nelle vicinanze mountain bike e maneggio. No OR e B&B. Biancheria, pulizia e riscaldamento. Non si accolgono animali.

LE GEMELLE

Alpeggio: via San Carlo, 7 - loc. Alpone • 21010 CURIGLIA
Villa: S. Pellico, 4 • 21010 CURIGLIA
☎ 0332568420-0332568421

E 2

Posizione geografica: montagna (alpeggio 1.300 m; villa 750 m).
Periodo di apertura: in alpeggio da maggio a settembre, in villa sabato, domenica e festivi.
Associato a: Turismo Verde.
Presentazione: alpeggio: vecchia baita in sasso e piode, riattata in stile, accoglie ospiti in 16 posti letto in camerate con uso cucina e bagni in comune; villa: antica villa con parco nel centro storico del paese (solo ristorazione).
Ristorazione: in villa: aperto al pubblico, 20 coperti caldi e 20 freddi.
Prodotti aziendali: formaggi, salumi, pollame, uova, funghi, miele.
Luoghi di interesse e manifestazioni locali: particolarmente interessante e suggestiva la vista dal rifugio, chiesa della Madonna della Guardia, impianti di risalita per luoghi di montagna di particolare interesse naturalistico in Svizzera. Festa dell'Alpone in agosto, festa del Monte Lena il 1° agosto.
Prezzi: alpeggio: £ 15.000 a persona, è però necessario munirsi di sacco a pelo o lenzuola. Riduzione del 50% per i bambini fino ai 6 anni. Pranzo da £ 15.000 a 40.000.
Note: alpeggio: prati e terrazzi per prendere il sole, osservazione ambientale e della fauna selvatica, caseificazione, graffiti, camminate ed escursioni naturalistiche, anche per bambini. Possibilità di praticare l'alpinismo, il parapendio, lo sci d'erba, tragitti in mountain bike. Raccolta di castagne, funghi, frutti del bosco, erbe aromatiche. Particolarmente bello il panorama. Raggiungibile solamente a piedi. Sala e terrazza in comune. Animali accolti previo accordo.

GOCCIA D'ORO - FRANCHI

via del Vignò, 134 - loc. Bizzozzero • 21100 VARESE
☎ e fax 0332265389

F 2

Posizione geografica: collina.
Periodo di apertura: tutto l'anno.
Associato a: Agriturist.
Presentazione: vecchia borgata lombarda della fine del 1800 immersa in una grande vallata. L'azienda produce cereali e foraggi. Allevamento di cavalli, vacche, suini, capre e daini. Offre ospitalità in camere confortevoli con bagno privato.
Ristorazione: H/B, F/B, B&B, ristorante aperto al pubblico. Salumi di produzione propria, pasta fatta in casa, carni di produzione propria, varie specialità liguri e lombarde.
Prodotti aziendali: confetture, formaggi, miele, salumi, pollame, conigli.
Luoghi di interesse e manifestazioni locali: Sacro Monte, osservatorio Campo dei Fiori, zona archeologica di Castelseprio, laghi. Feste rionali durante tutto il tempo dell'anno.
Prezzi: alloggio da £ 45.000 a 70.000, pasto completo a £ 40.000. Riduzione del 10% per bambini fino ai 10 anni.
Note: sala riunioni, prato per prendere il sole. Corsi di mascalcia e caseificazione, osservazione animali selvatici e domestici. Per i

bambini, parco giochi, lezioni di equitazione e contatto con gli animali. Biliardo, equitazione, mountain bike. Tiro con l'arco, torrentismo, trekking. Raccolta di castagne. Pulizia, prima colazione, riscaldamento, sala TV. Animali accolti previo accordo.

I MIRTI

via del Giglio, 51 - fraz. Bregazzana • 21100 VARESE
☎ 0332284143-0332222255

F 2

Posizione geografica: collina.
Periodo di apertura: da giugno a settembre tutti i giorni escluso il lunedì, nei restanti mesi solo sabato e domenica.
Associato a: Agriturist.
Presentazione: tipica cascina lombarda che si estende su 5 ettari. Produzione biologica di frutti di bosco. Accoglie ospiti in 10 piazzole per agricampeggio.
Ristorazione: ristorante aperto al pubblico con 80 coperti. Cucina vegetariana.
Prodotti aziendali: vendita di frutta, confetture, succhi, liquori, miele e gelati.
Luoghi di interesse e manifestazioni locali: scavi e musei preistorici, ville rinascimentali, santuario del Sacro Monte, osservatorio astronomico Campo dei Fiori. Da giugno a ottobre sagre in azienda ogni prima domenica del mese.

Prezzi: agricampeggio £ 3.500 a persona. Pasto da £ 30.000 a 50.000.
Note: accessibile agli handicappati. Piscina, tennis, equitazione, canottaggio, volo a vela, pesca sportiva, golf, minigolf. Raccolta di castagne e funghi. Sala riunioni con 170 posti.

FATTORIA ROCCOLO

loc. Roccolo • 21010 DUMENZA
☎ 0332568477

E 2

Posizione geografica: montagna.
Periodo di apertura: da maggio a settembre tutti i giorni, gli altri mesi solo sabato e domenica.
Associato a: Agriturist.
Presentazione: tipica costruzione rurale all'interno di una riserva naturale, circondata da 50 ettari di terreno. Allevamento di bovini, caprini, suini. A fine 2001 possibile il pernottamento.
Ristorazione: ristorante aperto al pubblico con disponibilità fino a 80 posti, solo su prenotazione. Formaggi e salumi prodotti dall'azienda, polenta, brasato, cinghiale, capretto, torte e biscotti fatti in casa.
Prodotti aziendali: formaggio, funghi, polli, dolci.
Luoghi di interesse e manifestazioni locali: lago e possibilità di escursioni alle varie isole, montagne italo-svizzere. Varie feste paesane nel periodo da maggio a settembre.
Prezzi: da £ 20.000 a 50.000. Riduzione del 50% per bambini fino ai 10 anni.
Note: prato per prendere il sole. Corsi di artigianato, caseificazione, osservazione ambientale ed escursioni, giochi all'aria aperta per i bambini. Possibilità di praticare il trekking e l'alpinismo nei luoghi circostanti. Raccolta di castagne, funghi e frutti di bosco.

Veneto

Belluno

DE BERTOLDI

Villa alla Costa • 32100 CASTION
☎ 0437925076

● E 9

Posizione geografica: campagna.
Periodo di apertura: tutto l'anno, da mercoledì sera a domenica.
Presentazione: offre ospitalità in 4 camere.
Ristorazione: ristorante con 50 coperti. Tagliatelle all'anatra, minestra d'orzo, zuppa di patate alle erbe aromatiche, carne ai ferri e salumi.
Prodotti aziendali: carne bovina di qualità superiore, animali da cortile.
Luoghi di interesse e manifestazioni locali: feste folkloristiche a Castion.
Prezzi: pasto da £ 25.000 a 33.000, alloggio £ 25.000.
Note: possibilità di percorrere diversi itinerari che portano al Nevegal. Maneggio nelle vicinanze.

PIAN DEL LACH

Val Canzoi, 31 • 32030 CESIOMAGGIORE
☎ 0439438098

● E 9

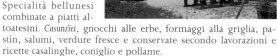

Posizione geografica: pre-parco delle Dolomiti Bellunesi.
Periodo di apertura: tutto l'anno, chiuso il lunedì.
Ristorazione: ristorante con 30 coperti. Specialità bellunesi combinate a piatti altoatesini. *Casunzìei*, gnocchi alle erbe, formaggi alla griglia, pastìn, salumi, verdure fresche e conservate secondo lavorazioni e ricette casalinghe, coniglio e pollame.
Luoghi di interesse e manifestazioni locali: chiesetta di Santa Rosia a Le Au, chiesa di Sant'Antonio, calchere di Val Canzoi, parco delle Dolomiti Bellunesi.
Prezzi: pasto da £ 22.000 a 28.000, B&B £ 28.000.
Note: possibilità di escursioni guidate (Pro Loco di Sorazen), trekking in mountain bike, a piedi e a cavallo. Possibilità di praticare pesca ed equitazione nelle vicinanze.

MENEGUZ

via Arson, 113 - fraz. Arson • 32032 FELTRE
☎ 043942136

● E 7

Posizione geografica: montagna.
Periodo di apertura: tutto l'anno.
Presentazione: l'azienda si trova all'interno del parco nazionale delle Dolomiti Bellunesi. Accoglie ospiti in 3 camere con 2 bagni comuni.
Ristorazione: B&B, H/B, F/B. Ristorante con 25 coperti. Ri-

sotto con le ortiche, minestrone, pollo in umido, grigliata mista, polenta e *schiz*.
Luoghi di interesse e manifestazioni locali: castello di Lusa, sentiero CAI n. 819 (da Arson, forcella San Mauro, a Val Canzoi, Orsera, monte San Mauro), prealpi feltrine, Feltre.
Prezzi: pasto da £ 18.000 a 30.000, spuntino £ 4.000, B&B £ 22.000, H/B £ 37.000, F/B £ 45.000.
Note: accessibile agli handicappati.

CASERA VECIA

loc. Pian de le Femene • 32020 LIMANA
☎ 0438583604

● D 8

Posizione geografica: colle.
Periodo di apertura: da maggio a settembre e da dicembre al 15 febbraio.
Presentazione: si trova al Pian de le Femene dove un tempo si faceva carbone con la legna del nocciolo, allora molto abbondante. Incastonata su un colle stupendo, si erige come sentinella tra le valli bellunesi e trevigiane.
Ristorazione: ristorante con 60 coperti. Offre numerose specialità culinarie, rigorosamente casalinghe, come grigliate miste, insalate tipiche della zona, polenta con formaggi e insaccati, tagliatelle alla contadina, risotto di asparagi e di funghi.
Prodotti aziendali: asparagi, uova, animali da cortile.
Prezzi: pasto da £ 23.000 a 25.000, B&B £ 30.000.
Note: possibilità di percorrere i sentieri comunali di Limana, a piedi, a cavallo o in mountain bike.

ALPE IN FIOR

via Alpe in Fior, 17 • 32100 NEVEGAL
☎ 0437908227

● E 10

Posizione geografica: campagna.
Periodo di apertura: tutto l'anno.
Presentazione: l'azienda, sita sul margine dell'omonimo villaggio turistico, fa parte del circuito del trekking a cavallo delle Prealpi e Dolomiti Venete, di cui è punto di sosta. Accoglie ospiti in 2 camere.
Ristorazione: ristorante con 30 coperti. Pasta e fagioli, zuppa di verdure, risi e latte, polenta e *tocio*, frittata alle erbe, formaggio fritto, *pastin*, torta e frittelle di mele.
Luoghi di interesse e manifestazioni locali: orto botanico, grotta della Sperlonga, chiesette di San Mamante e San Gaetano, ruderi di Sant'Anna, santuario della Beata Vergine di Lourdes.

Prezzi: pasto da £ 15.000 a 35.000, spuntino da £ 10.000 a 20.000, alloggio £ 25.000.
Note: possibilità di lunghe passeggiate a piedi, a cavallo o in mountain bike sugli itinerari del Nevegal. Nelle vicinanze opportunità di svago per appassionati di tennis, sci d'erba e tiro con l'arco.

ZAINE

via Soravia, 32 • 32047 SAPPADA ☎ 043566057

● **B 10**

Posizione geografica: montagna (1.250 m).
Periodo di apertura: dall'1 dicembre al 30 settembre.
Presentazione: azienda immersa nel verde. Nel periodo estivo coltivazione biologica di ortaggi e frutti di bosco. Accoglie ospiti in 2 appartamenti e 3 camere da letto, con uso cucina e bagno comune, per un totale di 6 camere e 15 posti letto.
Ristorazione: piatti tipici locali e dolci fatti in casa.
Prodotti aziendali: nel periodo estivo si vendono prodotti orto-frutticoli e caseari, speck.
Luoghi di interesse e manifestazioni locali: sorgenti del Piave, Val Visdende, monte Peralba, zona dolomitica a 1 km dal confine austriaco.
Prezzi: pasto da £ 22.000 a 32.000, spuntino a £ 6.000 a 15.000. Alloggio da £ 25.000.
Note: maneggio, campi da tennis e impianti sciistici nelle vicinanze. Biancheria.

GUBERT

loc. San Siro • 32030 SEREN DEL GRAPPA
☎ 043944628

● **E 7**

Posizione geografica: in cima a un colle.
Periodo di apertura: tutto l'anno.
Presentazione: l'azienda si trova alle pendici del monte Grappa ed è raggiungibile attraverso la zona verde di San Siro. Accoglie ospiti in 6 camere per un totale di 18 posti letto.
Ristorazione: ristorante con 60 coperti. Piatti tipici, polenta pasticciata, *schiz*, goulasch con patate, costicine e cacciagione su prenotazione, capretto.
Prezzi: pasto da £ 20.000 a 30.000, spuntino da £ 5.000 a 7.000, alloggio da £ 15.000 a 25.000.
Note: accessibile agli handicappati. Possibilità di escursioni o passeggiate lungo i sentieri e percorsi naturalistici e culturali del Grappa. Possibilità di visitare un allevamento faunistico all'interno dell'azienda e disponibilità di cavalli da sella e da carrozza, maneggio nelle vicinanze.

TRICHES

loc. Listolade • 32027 TAIBON AGORDINO
☎ 0437660491

● **D 8**

Posizione geografica: ai piedi del massiccio del Civetta.
Periodo di apertura: tutto l'anno.
Presentazione: l'azienda si suddivide nella sede per l'alloggio (a Listolade) e nella sede per il ristoro (malga Fontanafredda). Offre ospitalità in 2 appartamenti, con bagno comune, per un totale di 8 posti letto.
Ristorazione: ristorante con 35 coperti. Piatti tipici a base di polenta, salsicce, gnocchi, ricotta e *schiz*.
Prezzi: pasto da £ 15.000 a 30.000, spuntino da £ 5.000 a 11.000, alloggio mensile da £ 350.000 a 1.300.000.
Note: possibilità di escursioni a piedi o in mountain bike sul gruppo del monte Civetta, sull'Alta Via n. 1. Acqua calda e riscaldamento.

LA CRIPPIA

loc. Val Nevera • 32030 VITO DI ARSIÈ
☎ 0439578145-0439578005

● **D 9**

Posizione geografica: altopiano.
Periodo di apertura: tutti i giorni tranne il lunedì in alta stagione; sabato, domenica e lunedì in bassa stagione.
Presentazione: l'esercizio agrituristico "La Crippia" fa parte della Cooperativa Agricola Arsiè - San Vito srl, composta prevalentemente da giovani imprenditori che si dedicano con passione ed energia all'agricoltura. Accoglie ospiti in 3 camere.
Ristorazione: ristorante con 45 coperti. Prodotti genuini della gastronomia locale.

Prodotti aziendali: prodotti biologici, miele, piccoli frutti.
Prezzi: pasto da £ 15.000 a 18.000, spuntino £ 5.000, alloggio £ 35.000, pensione mensile £ 1.300.000.
Note: possibilità di effettuare passeggiate a piedi, a cavallo o in mountain bike. Nelle vicinanze si trovano una palestra di roccia e piste da sci di fondo per il periodo invernale.

MIARI FULCIS FULCIO

loc. Modolo di Castion • 32100 BELLUNO
☎ 0437927198

▲ **D 9**

Posizione geografica: collina.
Periodo di apertura: tutto l'anno.
Presentazione: l'azienda troneggia su un piccolo colle e domina l'ambiente circostante, costituito da tipiche colture di mais e prati rigogliosi inframmezzati da boschi misti di latifoglie. Accoglie ospiti in 5 camere con bagno.
Prodotti aziendali: miele.

Prezzi: pernottamento £ 40.000.
Note: accessibile agli handicappati. Sono disponibili 6 box, 6 poste, sauna e ampio maneggio. Nelle vicinanze palestra di roccia, percorsi per escursionismo e mountain bike.

COR

via Cor, 43 • 32020VISOME
☎ 0437926844 – 03483840260

▲ D 9

Posizione geografica: collina, a 5 km da Belluno.
Periodo di apertura: rivolgersi direttamente all'azienda.
Presentazione: situata su un promontorio domina la pianura circostante. Offre ospitalità in 1 appartamento, per 2 persone, fornito di cucina. L'edificio adibito all'agriturismo risale ai primi del '500.
Ristorazione: solo prima colazione.
Luoghi di interesse e manifestazioni locali: resti di un castello bizantino, antiche tombe romane.
Prezzi: rivolgersi direttamente all'azienda.

FRENA

via Pian, 1 • 32020 COLLE SANTA LUCIA
☎ 0437720084

▲ C 7

Posizione geografica: montagna.
Periodo di apertura: dal 20 giugno al 30 settembre e da Natale a Pasqua.
Associato a: Terranostra.
Presentazione: residenza tipicamente montana situata in un paesaggio ben curato. Offre ospitalità in 2 appartamenti

con 6 camere per un totale di 12 posti letto.
Prodotti aziendali: burro e formaggio.
Luoghi di interesse e manifestazioni locali: castello di Andraz, miniere del Fursil. Diverse attrazioni naturalistiche nelle vicinanze.
Prezzi: rivolgersi direttamente all'azienda.
Note: è gradita la prenotazione. Nelle vicinanze i maggiori comprensori sciistici: monte Civetta, Arabba, Cortina, Falcade. Uso cucina, televisione, riscaldamento, posto macchina.

DA RIZ

loc. Pian, 19 • 32020 COLLE SANTA LUCIA
☎ 0437720331

▲ C 7

Posizione geografica: montagna.
Periodo di apertura: rivolgersi direttamente all'azienda.
Presentazione: offre ospitalità in 7 camere, con bagno, per un totale di 14 posti letto.
Luoghi di interesse e manifestazioni locali: Pelmo, passo Giau, Falzarego, Staulanza, monte Civetta. Vari avvenimenti culturali e folkloristici.
Prezzi: B&B da £ 20.000 a 40.000.
Note: uso cucina. Nelle vicinanze possibilità di praticare trekking a cavallo.

EL CIRUM

loc. Grone di Masarei, 25 • 32020 LIVINALLONGO
☎ 043679422 fax 043679422

▲ C 7

Posizione geografica: montagna, a 2 km da Arabba.
Periodo di apertura: tutto l'anno.
Presentazione: l'azienda è situata in località Grone di Masarei, in un'area turistica ideale per villeggiatura estiva e invernale. Accoglie ospiti in 2 camere con bagno e 2 appartamenti bilocali (4-5 posti letto). La prima colazione è preparata con prodotti aziendali.

Prodotti aziendali: uova, verdure e miele.
Luoghi di interesse e manifestazioni locali: castello di Andraz (X secolo), museo etnografico ladino "Fodom", resti della guerra 1915/18 (Col di Lana), strutture rurali della civiltà ladina tuttora funzionanti (segherie, mulini ad acqua, malghe, masi e sentieri).
Prezzi: colazione a £ 7.000, alloggio da £ 33.000 a 40.000.
Note: possibilità di praticare sci escursionistico, alpinismo tradizionale, sci alpino (a 2 km dal Sella Ronda).

DAL BORGO

via Santa Giustina, 114 • 32010 PIEVE D'ALPAGO
☎ 0437478351

▲ D 9

Posizione geografica: collina con le caratteristiche della media e alta montagna.
Periodo di apertura: tutto l'anno.
Prodotti aziendali: miele, conigli, piccoli animali da cortile, ortaggi, latte e formaggi.
Luoghi di interesse e manifestazioni locali: foresta del Cansiglio, lago di Santa Croce. Varie sagre paesane per tutta l'estate.
Prezzi: rivolgersi direttamente all'azienda.
Note: possibilità di praticare vari sport, tra cui windsurf e vela nelle vicinanze. Acqua calda, doccia e riscaldamento.

KRATTER BARBARA

loc. Soravia • SAPPADA
☎ 0435469124

▲ B 10

Posizione geografica: montagna.
Periodo di apertura: da luglio a settembre.
Presentazione: l'azienda è ubicata in una zona dove è possibile osservare un bel paesaggio alpino.
Luoghi di interesse e manifestazioni locali: sorgente del Piave, val

Visdende. Interessante l'architettura della zona e la Via Crucis. Vari intrattenimenti per le serate, Carnevale di Sappada con le caratteristiche maschere.
Prezzi: rivolgersi direttamente all'azienda.

"AL BON TAJER"

loc. San Gervasio • 32020 LENTIAI
☏ 0437751105

◆ E 8

Periodo di apertura: tutto l'anno, venerdì e sabato solo la sera, domenica e festivi anche a pranzo.
Presentazione: l'azienda ha ristrutturato un edificio della propria azienda, ricavandone un caratteristico locale.
Ristorazione: ristorante con 80 coperti. Menu tipico della cucina bellunese, gnocchi di ricotta, maltagliati di polenta, minestrone di orzo e fagioli, formaggio fritto con polenta, spiedo misto e verdure di stagione, torte di mele e crostate di piccoli frutti, merende a base di salame e prosciutto.
Prodotti aziendali: piccoli frutti, conserve, sottaceti, formaggi, salumi vari.
Luoghi di interesse e manifestazioni locali: Malga Garda, Serrai della Rimonta, capitelli affrescati.
Prezzi: pasto da £ 25.000 a 35.000.
Note: possibilità di escursioni in mountain bike e passeggiate. L'azienda ogni anno organizza serate gastronomiche con artisti: pittori, scultori, poeti e musicisti.

Padova

VENTURATO

via Argine Destro, 29 • 35024 BOVOLENTA
☏ 0495347010 fax 0495347914
E-mail:agriven@tin.it

● L 8

Posizione geografica: fiume, campagna.
Periodo di apertura: tutto l'anno.
Associato a: Agriturist.
Presentazione: tipica costruzione rurale del '700. L'azienda si estende su 25 ettari con vigneto, frumento, mais, barbabietole da zucchero, ortaggi. Allevamento di caprini e cavalli. Offre ospitalità in 6 camere con bagno per un totale di 18 posti letto.
Ristorazione: H/B, F/B. Ristorante aperto al pubblico con 60 coperti. Capretto nostrano, soppressa, animali di bassa corte, ortaggi di stagione, *gigiole* alla grappa.
Prodotti aziendali: confettura, frutta, ortaggi, salumi, uova, vini.
Luoghi di interesse e manifestazioni locali: Venezia, Chioggia, Padova, Riviera del Brenta (ville palladiane), parco dei colli Euganei, castello da Cataio. Festa delle *gigiole* ad Arquà Petrarca, festa dell'uva a Vo' Euganeo, festa della mietitura.

Prezzi: OR a £ 55.000, B&B a £ 60.000, H/B a £ 85.000, F/B a £ 100.000, pasto da £ 30.000 a 50.000. Lezione di equitazione a £ 25.000 l'ora.
Note: accessibile agli handicappati. Solo su prenotazione. L'azienda organizza lezioni di equitazione e passeggiate nelle campagne e lungo il fiume Bacchiglione. Pesca sportiva nel fiume. Osservazione ambientale. Raccolta di funghi, luppole selvatiche, more selvatiche, prato per prendere il sole. Gioco del ping-pong e mountain bike. Biancheria, pulizia, riassetto, telefono comune, riscaldamento, aria condizionata.

LA BUONA TERRA

via Repoise, 73 • 35030 CERVARESE SANTA CROCE
☏ e fax 0499915497

● I 6

Posizione geografica: parco regionale dei Colli Euganei.
Periodo di apertura: tutto l'anno.
Associato a: A.J.A.B.
Presentazione: azienda di 11 ettari con coltivazioni biologiche di ortaggi, farina di mais e di frumento, farro, orzo, frutta, piante officinali, piccoli frutti (ribes rosso e nero, lampone). Si allevano animali da cortile, la caratteristica gallina padovana bianca, vacche, cavalli, capre e maiali. Accoglie ospiti in 4 stanze con bagno all'interno di una costruzione tipica della zona.
Ristorazione: cucina tradizionale a base di prodotti aziendali.
Prodotti aziendali: verdure, marmellate, miele, farina di mais, carni bovine, avicole e suine.
Luoghi di interesse e manifestazioni locali: castello di San Martino della Vanezza, abbazia di Praglia, Abano Terme.
Prezzi: B&B da £ 50.000 a 70.000, H/B da £ 70.000 a 80.000.
Note: una stanza è attrezzata per portatori di handicap. Si raccomanda la prenotazione. Corsi per imparare l'uso delle piante officinali. Percorso vita. Itinerari didattici alla scoperta della campagna per la scuola materna, elementare e media.

BALLA COI MUSSI

via Pelosa, 33 • 35030 SACCOLONGO
☏ 0498016033 cell. 03356308672

● I 6

Posizione geografica: collina.
Periodo di apertura: venerdì e sabato sera, domenica tutto il giorno, apertura infrasettimanale su prenotazione per un minimo di 15 persone.
Associato a: Turismo Verde.
Presentazione: azienda agricola con coltivazioni biologiche, allevamento di bufali e svezzamento annutoli. Imboschimento con 3.000 piante autoctone. Offre ospitalità in agricampeggio e agricamper.
Ristorazione: possibilità di mangiare all'aperto. Specialità carne di bufalo di proprio allevamento, mozzarelle e burrate di bufala.
Prodotti aziendali: ortaggi, frutta e miele coltivati biologicamente, vini rossi quali Cabernet e Merlot, vini bianchi frizzanti e da tavola, aceti aromatici.
Luoghi di interesse e manifestazioni locali: all'interno dell'azienda un sentiero per sognare con l'oasi delle ninfe, la carovana delle "anguane", giochi di ieri e l'altro ieri, il *genius loci*.
Prezzi: rivolgersi direttamente all'azienda.
Note: accessibile agli handicappati. Possibilità di esplorare e conoscere attraverso attività didattiche il sentiero naturalistico, l'orto della fattoria, la stalla, l'attività del fattore, familiarizzare con piante e animali (uccelli, insetti e piccoli mammiferi), nidi naturali e artificiali, richiamo di uccelli.

ENOTURISMO BACCO E ARIANNA

via Ca' Sceriman, 10 - loc. Boccon • 53030 VO' EUGANEO
☎ e fax 0499940187

● L 6

Posizione geografica: collina.
Periodo di apertura: tutto l'anno il venerdì, sabato e domenica.
Associato a: Terranostra.
Presentazione: cascina in azienda vinicola di 12 ettari con coltivazioni di alberi da frutto, viti e ulivi e allevamento di suini, pollame e api. Accoglie ospiti in 4 camere doppie e in 2 appartamenti da 3/5 posti letto, tutti con servizi.
Ristorazione: ristorante con 60 coperti aperto al pubblico il venerdì, il sabato sera e la domenica tutto il giorno. Cucina tipica, anitra e faraona.
Prodotti aziendali: vino, aceto, olio, miele e marmellate.
Luoghi di interesse e manifestazioni locali: cava Bomba, Arquà Petrarca, musei, Vicenza, Verona, Padova e Venezia. Festa dell'uva in settembre, sagra delle ciliegie e delle castagne.
Prezzi: B&B da £ 70.000 a 80.000 (camera doppia). Pasto da £ 25.000 a 35.000.
Note: equitazione nelle vicinanze. Pulizia e biancheria. Si accolgono animali con divieto di accedere alle camere.

LE PESARE

via Cà Bianche, 172 - loc. Rivadolmo • 35030 BAONE
☎ 0498803032 - 0330524409 fax 049783030

▲ L 6

Posizione geografica: parco regionale dei Colli Euganei.
Periodo di apertura: da aprile a settembre.
Associato a: Agriturist.
Presentazione: tipica costruzione rurale inserita in 4 ettari di prato, pascolo e vigneto. Accoglie ospiti in 5 appartamenti con 6 posti letto in totale, soggiorno con caminetto, cucina, posto esterno.
Luoghi di interesse e manifestazioni locali: museo nazionale archeologico, città murate (Este, Montagnana), castello di Monselice, ville palladiane.
Prezzi: da £ 400.000 a 470.000 alla settimana.
Note: solo su prenotazione con periodo minimo di 6 giorni. Ampio prato per prendere il sole. Nelle vicinanze, in direzione Mantova, piscina comunale, in direzione Este campi da tennis. Gioco del golf. Biancheria, pulizia, parcheggio.

VILLA SELVATICO

via Selvatico, 1 • 35010 CODIVERNO DI VIGONZA
☎ e fax 049646092

▲ I 8

Posizione geografica: pianura.
Periodo di apertura: tutto l'anno.
Associato a: Agriturist.
Presentazione: villa veneta del '500 circondata da un parco secolare in azienda agricola di 60 ettari che produce cereali, barbabietole, soia, ortaggi, kiwi di coltivazione biologica, frutta e uva da tavola. Possibilità di visitare alcune sale della villa. Offre ospitalità in 2 appartamenti indipendenti di 2+2 e 6+2 posti letto, con riscaldamento autonomo, TV, telefono e aria condizionata (nel più grande).

Luoghi di interesse e manifestazioni locali: nel cuore del reticolato romano, a 10 km da Padova, 10 km dalla riviera del Brenta, 30 km da Venezia. Vicino a Cittadella e Castelfranco. Nelle adiacenze bellissime ville venete sedi di manifestazioni artistico culturali con calendario annuale.
Prezzi: appartamento a partire da £ 110.000 al giorno. Sconti per i soci Agriturist.
Note: possibilità di pagamento con carte di credito e POS. È gradita la prenotazione. Si affitta solo per il fine settimana o per settimane intere per un periodo minimo di 2 giorni. Disponibilità culla, cambio biancheria, pulizie. Parcheggio. Impianti sportivi nelle vicinanze.

AGRI SILVA DI CAPORIONDO

via Saggini, 10 • 35030 GALZIGNANO
☎ e fax 0499130992

▲ L 7

Posizione geografica: collina, nel mezzo del parco dei colli Euganei.
Periodo di apertura: mesi estivi, solo su prenotazione.
Associato a: Agriturist.
Presentazione: costruzione rurale su 3 ettari di terreno adibito a oliveto, vigneto e frutteto. Si allevano animali da cortile. Offre ospitalità in piazzole per agricampeggio attrezzate con grill, wc, doccia e tavoli con panche.
Prodotti aziendali: olio extravergine d'oliva, vino, ortaggi, uova, pollame, miele, marmellate, anatra sottolio (da cuocere), sgabei.
Luoghi di interesse e manifestazioni locali: Pieve, monastero Monterva, abbazia Praglia, ruderi del monastero Monte Venda, ville venete. "Palio dei mussi" ad ottobre e degustazione enologica D.O.C. a novembre.
Prezzi: adulti £ 20.000, ragazzi £ 10.000.
Note: posto macchina coperto, uso frigo, amache. Calcetto, ping-pong, biciclette, tiro con l'arco e bocce. Possibilità di acquisire nozioni di enologia, olivicoltura, giardinaggio, apicoltura e innesti su piante. Raccolta di castagne, asparagi, frutti di bosco e funghi.

PODERE CLARA

via II Giugno, 62 • 35020 LEGNARO ☎ 049641793

▲ L 8

Posizione geografica: pianura.
Periodo di apertura: tutto l'anno.
Associato a: "Club Wigwam", Agrivacanze.
Presentazione: azienda di circa 7 ettari a conduzione familiare con tipica abitazione rurale. Coltivazione di ortofrutta. Allevamento di ovicoli ruspanti e di baco da seta. Agricampeggio di circa 6.000 mq a prato e bosco con 9 piazzole con fondo in ghiaia, inserito tra le colline dell'azienda per ospitare camper, caravan e tende.
Prodotti aziendali: in vendita e da consumare in azienda, da raccogliere e preparare personalmente (marmellate, conserve, succhi di frutta) in locali attrezzati. Animali di bassa corte, farine di cereali, insaccato di maiale, ortaggi e frutta (kiwi) da coltivazione biologica, bozzoli di baco da seta. Raccolta a mano dalle spighe di mais, sgranatura, macina, preparazione della polenta e sua degustazione in settembre-ottobre. Raccolta di more di gelso in giugno. Raccolta di more di rovo in giugno-agosto, raccolta del kiwi a fine ottobre.
Luoghi di interesse e manifestazioni locali: corti benedettine, Padova, Venezia, Chioggia, Piove di Sacco (in bicicletta), città murate (Montagnana, Monselice, Este), colli e terme euganee, riviera del Brenta, laguna veneta. Festa patronale a Legnano l'8 settembre, fiera di San Martino a Piove di Sacco l'11 novembre, fie-

ra di Sant'Andrea a Pontelongo il 30 novembre, festa di Sant'Antonio di Padova il 13 giugno.

Prezzi: £ 10.000 per ogni mezzo o tenda, £ 8.000 adulti, £ 5.000 bambini fino ai 10 anni. Riduzione del 10% per Card Wigwam e Selecard.

Note: accessibile agli handicappati. È necessaria la prenotazione almeno 3 giorni prima. Gratuita la sosta di camper sull'aia per una notte. L'azienda organizza corsi di apicoltura, agricoltura biologica per riconoscere, raccogliere e degustare erbe selvatiche. Corsi sul baco da seta (allevamento, storia e cultura). "Weekend col porco", gli uccelli e le casette nido, avvio di un programma di studio e ripopolamento di uccelli con la L.I.P.U. Per bambini campo-fattoria estivo (uscite in fattorie per scout e per scolaresche). Attacco elettrico, acqua potabile, camper-service, toilette con doccia, lavaggio biancheria e stoviglie, area di ritrovo e pic-nic all'aperto.

IL POZZO

via Busa, 5 • 39016 PIAZZOLA SUL BRENTA
☎ 0495598858 fax 0499051156

 I 7

Posizione geografica: nelle vicinanze del fiume Brenta.
Periodo di apertura: venerdì, sabato e domenica.
Presentazione: alloggio e campeggio.
Prezzi: rivolgersi direttamente all'azienda.
Note: è gradita la prenotazione. Tiro con l'arco. Campo da addestramento di cani. Sale convegni.

CASTELLO DELLA MONTECCHIA

via Montecchia, 16 - loc. Montecchia • 35030 SELVAZZANO
☎ 049637294 fax 0498055826

 L 7

Posizione geografica: collina, riserva naturale.
Periodo di apertura: tutti i giorni da marzo a novembre.
Associato a: Agriturist.
Presentazione: fattoria medioevale con castello e villa del '500 su 80 ettari di terreno, di cui 25 specializzati a vigneto D.O.C. Offre ospitalità in 3 appartamenti con bagno in comune.
Ristorazione: solo spuntini con prodotti tipici.
Prodotti aziendali: vini D.O.C. dei colli Euganei, miele.
Luoghi di interesse e manifestazioni locali: villa Capodilista, abbazia di Praglia, Arquà Petrarca. Festa del vino in novembre.
Prezzi: alloggio oltre £ 50.000.
Note: solo su prenotazione e con periodo minimo di 2 settimane. Possibilità di praticare golf ed equitazione. Corsi di enologia. Visita al museo di vita rurale. Biancheria, uso cucina, uso frigorifero, riscaldamento, posto macchina.

Rovigo

SCIROCCO

loc. Voltascirocco, 3 • 45011 ADRIA
☎ 0426949503

 N 8

Posizione geografica: pianura.
Periodo di apertura: rivolgersi direttamente all'azienda.
Presentazione: tipica corte padronale polesana, affiancata da un esteso pioppeto. Offre alloggio in 4 camere con bagno per un totale di 12 posti letto.
Ristorazione: cucina veneta, piatti della tradizione contadina.
Prodotti aziendali: pollame, uova, verdura, salumi e miele.
Luoghi di interesse e manifestazioni locali: museo archeologico nazionale di Adria, Adria, museo della civiltà etrusca e romana, parco del Delta del Po.
Prezzi: rivolgersi direttamente all'azienda.
Note: attività culturali e ricreative, corsi didattici su tematiche ambientali, servizio di guide turistiche, noleggio canoe e biciclette, maneggio, giochi per bambini, escursioni nei rami del delta del Po in motonave.

LE CLEMENTINE

via Colombano, 1239/b
45021 BADIA POLESINE
☎ 0425597029 fax 0425589273
http:www.leclementine.it
E-mail:clementine@netbusiness.it

 N 7

Posizione geografica: pianura, fiume Adige.
Periodo di apertura: giovedì e venerdì, sera del sabato, mezzogiorno e sera della domenica per tutto l'anno.
Associato a: Terranostra.
Presentazione: caratteristica casa in stile liberty, dotata di locali ampi e aperti, arredati con mobili antichi del '700-'800. Offre ospitalità in 7 camere con bagno, telefono, climatizzatore e TV, per un totale di 18 posti letto. Allevamento di faraone, conigli, anatre, galline, capponi, maiali.
Ristorazione: piatti tipici polesani, anatre brasate, coniglio ai profumi, faraone in saor.
Luoghi di interesse e manifestazioni locali: abbazia della Vangadizza a Badia, santuario della Madonna del Pilastrello. Entro 70 km Ferrara, Mantova, Verona, Vicenza, Padova, Venezia. Fiera degli aquiloni il 25 aprile, Ferragosto badiese.
Prezzi: pasto da £ 25.000 a 40.000, H/B (minimo 3 giorni) £ 70.000 (camera singola) e £ 130.000 (camera doppia).
Note: periodo minimo di permanenza 3 giorni. Escursioni in mountain bike. Piscine e campi da tennis a 1,5 km. Per i bambini è possibile godere degli spazi della campagna e del contatto con gli animali degli allevamenti aziendali.

CA' DEL NONNO

via Como, 35 • 45037 MELARA
☎ 042589785

 N 4

Posizione geografica: pianura.
Periodo di apertura: dal venerdì alla domenica tutto l'anno e feste infrasettimanali.
Associato a: Terranostra.
Presentazione: casa rurale. Accoglie ospiti in 2 camere matrimoniali e 1 camera singola con bagno in comune.
Ristorazione: tagliatelle con l'anitra, tortellini, ravioli con verdure di stagione, coniglio e faraona ripiena.
Prodotti aziendali: ortaggi.
Luoghi di interesse e manifestazioni locali: Mantova (centro storico), santuario della Madonna della Comuna, gite in motonave sul Po. Festa del pescatore, festa della zucca.
Prezzi: pasto da £ 24.000 a 54.000. Alloggio da £ 70.000 a 90.000 camere matrimoniali, da £ 50.000 a 60.000 le camere singole.
Note: possibilità di gite in bicicletta, grande relax.

CAPRISSIO

via Cesare Terranova, 1 - loc. Cà Mello
45018 PORTO TOLLE
☎ 042680053 fax 0426383200

 O 9

Posizione geografica: fiume, pianura.
Periodo di apertura: alloggio tutto l'anno, ristorazione solo sabato, domenica, giorni festivi e prefestivi.
Associato a: Turismo Verde.
Presentazione: azienda di 17 ettari, situata sul delta del Po, con produzione di granoturco, ortaggi e frutta. Allevamento di suini e pollame. Accoglie ospiti in 3 camere con bagno per un totale di 6 posti letto e in 6 piazzole in agricampeggio dotate di acqua calda ed elettricità.
Ristorazione: ristorante con 60 coperti aperto al pubblico dal giovedì alla domenica. Specialità a base di carne e cucina casalinga preparata con i prodotti aziendali.
Luoghi di interesse e manifestazioni locali: centro di informazione ENEL, museo della civiltà contadina, parco del delta del Po. Fiera del delta a metà settembre, festa della trebbiatura a inizio luglio, festa del pesce.
Prezzi: OR a £ 60.000 (camera doppia), H/B da £ 50.000 a 60.000, F/B da £ 80.000 a 90.000. Pasto da £ 23.000 a 30.000. Prima colazione a £ 4.000.
Note: dispone di una pista d'atterraggio per deltaplani. Possibilità di tiro con l'arco. Pulizia e biancheria. Non si accolgono animali.

SAN GAETANO

via Moceniga, 20 • 45010 ROSOLINA
☎ 0426664634 fax 0426664589

 N 9

Posizione geografica: pianura, parco del delta del Po.
Periodo di apertura: rivolgersi direttamente all'azienda.
Presentazione: accoglie ospiti in un attrezzato campeggio e in stanze con 9 posti letto totali.
Ristorazione: 80 coperti. Piatti genuini della tradizione locale.
Luoghi di interesse e manifestazioni locali: zona settentrionale del delta del Po, "Strada delle valli" (percorso di grande interesse naturalistico), Rosolina mare a 15 km circa, giardino botanico a Porto Caleri.
Prezzi: rivolgersi direttamente all'azienda.
Note: disponibili per gli ospiti delle biciclette.

CA' POZZA

via Tenuta Stalletti, 41 • 41300 ROVIGO
☎ 0425700101

● N 7

Posizione geografica: pianura.
Periodo di apertura: tutto l'anno.
Associato a: Terranostra.
Presentazione: cascina ristrutturata nel rispetto della tradizione locale, in azienda di 10 ettari che coltiva ortaggi, barbabietole, soia e alberi da frutto. Allevamento di polli. Accoglie ospiti in 3 camere con bagno per un totale di 7 posti letto.
Ristorazione: ristorante aperto al pubblico con 60 coperti. Cucina tipica veneta.
Prodotti aziendali: salumi.
Luoghi di interesse e manifestazioni locali: villa del Palladio, villa Noni, Vangadizza, i "gorghi"(fonti).
Prezzi: B&B a £ 80.000 (camera doppia) e £ 50.000 (camera singola), H/B da £ 67.000 a 77.000. Pasto a £ 30.000.
Note: parcheggio, sala lettura, telefono, pulizia e biancheria. Non si accolgono animali.

CA' CUOGHE

via Cuoghe, 685 • 45027 TRECENTA
☎ 0425701994-0425704365 fax 0425701218

● N 5

Posizione geografica: pianura.
Periodo di apertura: tutto l'anno. Venerdì e sabato aperto solo per la cena. Domenica aperto mezzogiorno e sera.
Associato a: Agriturist.
Presentazione: azienda agro-venatoria, con un campo di addestramento di cani da caccia. Offre ospitalità in 5 piazzole esterne riservate alla sosta di caravan, dotate di colonnine per l'allacciamento di luce e acqua.
Ristorazione: ristorante aperto al pubblico con 60 coperti, cucina veneta locale.
Luoghi di interesse e manifestazioni locali: castello di Sariano e le ville Nani Mocenigo di Canda e Pepoli di Trecente, i "gorghi" (complesso di stagni, residuo di un antico alveo del fiume Po).
Prezzi: pasto da £ 35.000 a 60.000. Sosta in piazzole da £ 14.000 a 17.000, adulti da £ 7.500 a 9.500, bambini (fino a 12 anni) da £ 5.000 a 6.000.
Note: possibilità di osservazione ambientale.

IL BOSCO

viale Tre Martiri, 134 • 45100 ROVIGO
☎ 042530130 fax 0425360520

▲ M 6

Periodo di apertura: tutto l'anno.
Associato a: F.I.S.E., ANTE, FIG, FIT. ARCO, Agriturist.
Presentazione: tipica corte polesana con pollaio familiare, scuderia e tanto spazio in mezzo al verde (17 ettari).
Luoghi di interesse e manifestazioni locali: parco del delta del Po. Festa del grano sull'aia, varie manifestazioni sportive.
Prezzi: rivolgersi direttamente all'azienda.
Note: è possibile praticare equitazione, golf, tiro con l'arco.

LA NOCE

via Risorgimento, 10 • 45010 TOLLE - PORTO TOLLE
☎ 0426384056

▲ O 9

Posizione geografica: pianura.
Periodo di apertura: rivolgersi direttamente all'azienda.
Presentazione: accoglie ospiti in appartamento con 7 posti letto disponibili.
Luoghi di interesse e manifestazioni locali: Sacca degli Scardovari (con aspetti caratteristici del delta del Po), spiaggia e darsena di Barricata, Ca' Tiepolo.
Prezzi: rivolgersi direttamente all'azienda.

Treviso

MONDRAGON

Arfanta di Tarzo - 31020 ARFANTA DI TARZO
☎ 0438933021 fax 0438584084

 G 8

Posizione geografica: collina.

Periodo di apertura: tutto l'anno, eccetto i giorni di Natale, Pasqua, 1 novembre.

Associato a: Turismo Verde.

Presentazione: l'azienda, che si estende su 12 ettari fra le colline delle prealpi trevigiane, è inserita in una zona rifugio per la fauna. Fabbricati in pietra per l'alloggio.

Ristorazione: ristorante aperto al pubblico con 60 coperti. Specialità oca (petto affumicato, pâté, salame), agnello, anatra.

Prodotti aziendali: prodotti trasformati dell'oca. Marmellate.

Luoghi di interesse e manifestazioni locali: abbazia di Follina, museo della battaglia di Vittorio Veneto, museo dell'uomo di Conegliano. Festa dei marroni a Combai, "Dama castellana" a Conegliano la 1ª domenica di ottobre.

Prezzi: pasto da £ 23.000 a 30.000 (bibite escluse), B&B £ 35.000, H/B £ 60.000, F/B £ 70.000. Sconto 20% su H/B e F/B per bambini fino a 10 anni.

Note: gradita la prenotazione. Si organizzano corsi sull'oca, settimane ragazzi, pacchetti personalizzati a carattere naturalistico-storico (Grappa, Piave sulle tracce di Hemingway). È possibile praticare tiro con l'arco ed equitazione. A 5 km caccia, piscina, tennis, parapendio. Raccolta di funghi e castagne.

MONTELLO

via Gen. Vaccari, 16 • 31030 CIANO DEL MONTELLO
☎ 0423565772
fax 0423923223 E-mail:info@onisto.it

 G 8

Posizione geografica: collina (350 m).

Periodo di apertura: tutto l'anno, chiuso gennaio e febbraio.

Associato a: Terranostra.

Presentazione: antico casale in azienda di 10 ettari in posizione panoramica con coltivazione di ortaggi, cereali, patate e foraggio. Allevamento di api, suini, equini e bovini. Accoglie ospiti in camere stile country, con bagno, e in miniappartamenti forniti di angolo cottura, soggiorno-cucina, camera matrimoniale, bagno, TV, telefono.

Ristorazione: ristorante con 60 coperti aperto al pubblico solo durante il fine settimana. Cucina casalinga veneta, zuppa d'orzo, tagliatelle fatte in casa e grigliate.

Prodotti aziendali: miele, patate e ortaggi.

Luoghi di interesse e manifestazioni locali: Asolo, Possagno, Bassano del Grappa, Marostica, casa del Canova con pinacoteca, museo dello scarpone, ville venete, Padova, Vicenza, Verona, Belluno e Venezia. Palio di Montebelluna.

Prezzi: B&B a £ 80.000, H/B a £ 95.000, F/B a £ 105.000.

Note: equitazione nelle vicinanze. Possibilità di trekking in mountain bike e a cavallo, percorsi naturali. Area ricreativa per i bambini. I prodotti dell'orto sono a disposizione degli ospiti. Raccolta di frutti di bosco, castagne e funghi. Parcheggio, telefono, pulizie e biancheria.

MORO BAREL

via del Colle, 6 • 31029 CONFIN DI VITTORIO VENETO
☎ 0438560386

 G 9

Posizione geografica: collina.

Periodo di apertura: sabato e domenica; gli altri giorni solo su prenotazione. Chiuso in luglio e agosto e nel periodo vendemmiale.

Associato a: Terranostra.

Presentazione: l'azienda si estende su 11 ettari con coltivazione di vigne, alberi da frutto, cereali, orto. Allevamento di bovini, suini, pollame. Offre ospitalità in camere e agricampeggio per tende e caravan.

Ristorazione: 60 posti in una o due sale da pranzo. Insaccati, gnocchi e primi piatti con erbe stagionali, arrosto di pollo, coniglio, faraona, germano reale, anatra, dolci e *pan di casada*.

Prodotti aziendali: vino Prosecco, Verdiso, Riesling, Pinot, Cabernet, Merlot. Verdure, insaccati di suino.

Prezzi: £ 25.000 a 35.000. Metà prezzo per i bambini.

Note: tennis, nuoto, palestra, percorsi in mountain bike, pesca sportiva, sci, sci d'acqua, vela, trekking. Possibilità di partecipare alle attività dell'azienda. Osservazione ambientale. Raccolta di funghi, erbe di campo e di bosco.

AL CASTAGNO

via Vittoria, 5 (presa 14) - loc. Ciano
31035 CROCETTA DEL MONTELLO
☎ 042384648-042386485

 G 8

Posizione geografica: collina.

Periodo di apertura: da marzo a dicembre venerdì, sabato, domenica (ristoro), da maggio a ottobre (alloggio).

Associato a: Terranostra.

Presentazione: l'azienda si estende su 15 ettari. Offre ospitalità in 3 camere con bagno per un totale di 9 posti letto.

Ristorazione: H/B. Ristorante aperto al pubblico con 40 coperti. Cucina casalinga preparata con prodotti propri.

Prodotti aziendali: funghi, miele, ortaggi, pollame, salumi, uova, vini.

Luoghi di interesse e manifestazioni locali: Asolo, Conegliano, Treviso. Sagre paesane in ottobre.

Prezzi: pasto da £ 15.000 a 30.000. B&B fino a £ 30.000. Sconto 30% per bambini fino a 10 anni.

Note: l'azienda dispone di un ampio prato per prendere il sole. Raccolta di castagne e funghi. Biancheria.

AL PARCO

via Spada • 31050 FANZOLO DI VEDELAGO
☎ 0423487186

 I 8

Posizione geografica: pianura, nelle vicinanze dei colli asolani.

Periodo di apertura: tutto l'anno dal venerdì alla domenica.

Associato a: Terranostra.

Presentazione: casa colonica con portico e ampi spazi verdi. L'azienda si estende su 8 ettari con coltivazione di granturco. Allevamento di bovini, suini. Offrirà ospitalità in piazzole in agricampeggio.

Ristorazione: il ristorante ha 50 posti. Gnocchi e tagliatelle, grigliata mista, dolci alla frutta.

Prodotti aziendali: insaccati, uova, pollame.

Luoghi di interesse e manifestazioni locali: santuario della Madonna del Caravaggio; villa Emo, famosa villa palladiana, a 800 m.

Prezzi: pasto da £ 15.000 a 35.000.

Note: equitazione, giochi all'aria aperta.

ANTICHI SAPORI

via Grentine, 2 - Lovadina • 31027 SPRESIANO ☎ 0422725422

● G 9

Posizione geografica: fiume Piave, riserva naturale.
Periodo di apertura: venerdì, sabato e domenica. Chiuso da metà gennaio a metà febbraio e tutto agosto.
Associato a: Terranostra.
Presentazione: l'azienda si estende su 5 ettari con allevamento di ovini e pensione per cavalli. Offre ospitalità in 4 camere con bagno per 10 posti letto totali.
Ristorazione: H/B, F/B. Ristorante aperto al pubblico con 60 coperti. Tagliatelle, ravioli, gnocchi, risotti, pollo, faraona, oca, anatra, dolci caserecci. È possibile cucinare direttamente al tavolo sulla pietra ollare.
Prodotti aziendali: pollame, salumi, frutta, kiwi, marmellate.
Luoghi di interesse e manifestazioni locali: città di Treviso a 13 km. Sagra della zucca, festa della primavera nel parco delle Grave (500 m).
Prezzi: pasto da £ 25.000 a 35.000. Alloggio da £ 40.000 a 60.000.
Note: scuola di equitazione in azienda. Passeggiate a piedi e a cavallo, trekking, giochi all'aria aperta. Telefono, televisione, posto macchina, aria condizionata. È gradita la prenotazione.

IL CASCINALE

strada Torre D'Orlando, 6/b - loc. Sant'Angelo
31100 TREVISO ☎ e fax 0422402203

● H 9

Posizione geografica: fiume Sile.
Periodo di apertura: alloggio tutto l'anno. Ristorazione venerdì, sabato e domenica.
Associato a: Terranostra.
Presentazione: costruzione rurale completamente ristrutturata nel 1993. Offre ospitalità in 7 camere con bagno. Azienda agricola di 15 ettari con produzione di ortaggi (radicchio rosso di Treviso), uva, cereali. Allevamento di bestiame e di animali da cortile.
Ristorazione: ristorante aperto al pubblico con 80 coperti. Gnocchi, tagliatelle, arrosti, dolci caserecci, vino di produzione.
Prodotti aziendali: prodotti orticoli (radicchio rosso di Treviso), pollame.
Luoghi di interesse e manifestazioni locali: parco naturalistico del Sile, ville venete, Venezia (a 20 minuti). Feste e rassegne teatrali.
Prezzi: pasto da £ 20.000 a 35.000. Alloggio da £ 50.000 a 55.000 in camera singola, da £ 75.000 a 80.000 in camera doppia, a £ 110.000 in camera tripla.
Note: accessibile agli handicappati. A 2 km si trovano tennis, golf, piscina, pallavolo, biliardi. Televisione a colori e frigo-bar in camera, biancheria, pulizia, parcheggio privato recintato, sala riunioni.

PODERE DEL CONVENTO

via IV Novembre, 16 • 31050 VILLORBA
☎ e fax 0422920044

● G 9

Posizione geografica: campagna.
Periodo di apertura: da febbraio a dicembre, chiuso tutto agosto.

Associato a: Turismo Verde.
Presentazione: tipica costruzione rurale. Accoglie ospiti in 4 camere con bagno. L'azienda si estende su 12 ettari con produzione di kiwi, mele, pere, ciliegie e vino ottenuti con coltura biologica. Allevamento di conigli.
Ristorazione: H/B. Ristorante aperto al pubblico con 50 coperti. Cucina tipicamente trevigiana.
Prodotti aziendali: vino, frutta.
Luoghi di interesse e manifestazioni locali: Venezia, Asolo, Castelfranco, Vittorio Veneto, Treviso.
Prezzi: pasto da £ 25.000 a 35.000, B&B da £ 30.000 a 50.000. Riduzioni da concordare.
Note: telefono in camera, parcheggio non custodito, riscaldamento.

LE COLLINE

via San Mor, 13 - loc. Cozzuolo
31029 VITTORIO VENETO
☎ e fax 0438560282

● F 9

Posizione geografica: collina.
Periodo di apertura: da marzo a dicembre, il ristorante chiude in luglio e agosto.
Associato a: Turismo Verde.
Presentazione: vecchia casa rurale recentemente ristrutturata posta in posizione panoramica ed estremamente tranquilla, in azienda di 7 ettari e mezzo. Accoglie ospiti in 5 camere con bagno per un totale di 10 posti letto e in 2 appartamenti.
Ristorazione: ristorante aperto al pubblico con 50 coperti. Primi piatti con verdure di stagione e grigliate di carne.
Prodotti aziendali: polli, conigli, vino, miele, propoli, pappa reale e cera.
Luoghi di interesse e manifestazioni locali: foresta del Cansiglio, laghi di Revine, Serravalle, Vittorio Veneto, basiliche, Venezia e Cortina. Fiera di Santa Augusta in agosto e fiera millenaria di Santa Lucia in dicembre.
Prezzi: B&B da £ 60.000 a 70.000 (camera doppia), H/B a £ 52.000. Pasto da £ 20.000 a 35.000.
Note: cavalli a disposizione per esperti e mountain bike. Osservazione ambientale. Lavatrice a disposizione. Pulizia e biancheria. Si accolgono animali con divieto di accesso alle camere.

COL DELLE RANE

via Mercato Vecchio, 18 • 31031 CAERANO DI SAN MARCO
☎ 042385585-0423650085 fax 0423650652

▲ G 8

Posizione geografica: collina.
Periodo di apertura: tutto l'anno.
Associato a: Terranostra.
Presentazione: dimora rurale del '700 ristrutturata su 7 ettari con produzione di vigneto e frutteto. Accoglie ospiti in 10 camere con bagno, televisione, telefono, e in 1 appartamento, per un totale di 25 posti letto.
Prodotti aziendali: confetture, frutta, vino.
Luoghi di interesse e manifestazioni locali: Asolo, Treviso (età medioevale), ville del Palladio, Possagno dove si trovano la casa natale del Canova, la gipsoteca e il tempietto. Sagra del castagno a fine ottobre, festa delle ciliegie in maggio.
Prezzi: B&B £ 60.000 la stanza singola, £ 100.000 la doppia. Riduzioni per periodi di soggiorno prolungati.
Note: solo su prenotazione. Osservazione ambientale. Raccolta di frutti di bosco, funghi, asparagi e castagne. Giochi delle bocce, golf, ping-pong, tennis, trekking e passeggiate. Prato per prendere il sole. Sala riunioni. Televisione e telefono in camera, biancheria, pulizia, riassetto, riscaldamento, parcheggio coperto.

ENZO LORENZON

via San Romano, 93 • 31040 NEGRISIA
☎ 0422759227

▲ G 10

Posizione geografica: presso il fiume Piave.
Periodo di apertura: tutto l'anno, escluso il periodo della vendemmia.
Associato a: Terranostra.
Presentazione: tipica costruzione rurale in azienda con coltivazione a vigneto. Offre ospitalità in 4 camere con bagno, TV, riscaldamento autonomo, per un totale di 8 posti letto.
Prodotti aziendali: vini locali di propria produzione.
Luoghi di interesse e manifestazioni locali: Opitergium, Venezia, Treviso, Caorle, Jesolo, ville venete, Dolomiti. "Dama castellana" in ottobre, mostra del radicchio rosso di Treviso a dicembre, sagra dell'asparago a maggio.
Prezzi: OR in camera doppia a £ 70.000.
Note: solo su prenotazione. Mountain bike, footing e passeggiate nel parco del fiume Piave.

AL CAMPO

Passo San Boldo • 31030 CISON DI VALMARINO
☎ 043885531cell. 03683967

◆ F 8

Posizione geografica: montagna (900 m).
Periodo di apertura: tutto l'anno, sabato e domenica. Luglio e agosto, tutti i giorni.
Associato a: Terranostra.
Presentazione: tipica costruzione rurale in azienda di 10 ettari.

Ristorazione: ristorante aperto al pubblico con 40 coperti. Panini, spuntini. Affettati, pasta e fagioli, formaggio cotto, grigliata mista, spiedo, dolci caserecci. Vini Cabernet e Prosecco.
Luoghi di interesse e manifestazioni locali: escursioni ai rifugi e bivacchi della zona. Mostra dell'artigianato a Cison in agosto, festa dell'emigrante a Tarzo, festa degli alpini a San Boldo, festa dei marroni a Combai.
Prezzi: pasto da £ 20.000 a 30.000.
Note: bellezze naturalistiche. Prato per prendere il sole e per scorrazzare. Raccolta di frutti di bosco e funghi. Nelle vicinanze è possibile praticare alpinismo e parapendio. Attività varie per gli amanti della montagna. Per i bambini giochi all'aria aperta, corse in mountain bike o a cavallo, trekking e passeggiate.

Venezia

LA CHIOCCIA

via Marzabotto, 32 - loc. Lughetto
30100 CAMPAGNA LUPIA ☎ 0415185270

● L 9

Periodo di apertura: tutto l'anno, chiuso dal 10 al 30 gennaio. Agricampeggio aperto da aprile a settembre.
Presentazione: il terreno dell'azienda è coltivato a orto e vigneto. Allevamento di pollame. Offre ospitalità in camere con bagno e in agricampeggio.
Ristorazione: ristorante con 80 coperti. Cucina a base di carne, ortaggi, piatti tipici locali. Si preparano spuntini.
Prodotti aziendali: ortaggi e vino.
Luoghi di interesse e manifestazioni locali: riviera del Brenta, a 1 km oasi del WWF valle Averto, Venezia a 18 km, Padova a 22 km, a 30 km Chioggia e Sottomarina.

Prezzi: rivolgersi direttamente all'azienda.
Note: accessibile agli handicappati. Parco giochi, noleggio biciclette, trekking, osservazione naturalistica. Possibilità di giocare a bocce.

DE MUNARI ATTILIO

via Tre Cai • 30100 ERACLEA
☎ 0421237494

● I 11

Periodo di apertura: da maggio a settembre tutti i giorni, gli altri mesi solo sabato e domenica.
Presentazione: il terreno dell'azienda è coltivato a vigneto, frutteto e orto. Allevamento di api. Offre ospitalità in 3 camere con bagno.
Ristorazione: ristorante con 60 coperti. Cucina a base di carne e verdure, pasticcio di radicchio, involtini con spinaci e ricotta. Si preparano spuntini con prodotti di stagione.
Prodotti aziendali: frutta, ortaggi, miele e vini (Merlot, Pinot, Tocai).
Prezzi: rivolgersi direttamente all'azienda.
Note: accessibile agli handicappati.

DA SERGIO

via Correr, 100 • 30100 JESOLO
☎ 0421362434

● I 11

Periodo di apertura: venerdì, sabato, domenica e festivi.
Presentazione: il terreno dell'azienda è coltivato a vigneto. Offre ospitalità in 2 miniappartamenti con cucina autonoma, camere e servizi.
Ristorazione: ristorante con 60 coperti. Cucina a base di carne, grigliate miste. Si preparano spuntini.
Prodotti aziendali: Cabernet.

Prezzi: rivolgersi direttamente all'azienda.
Note: accessibile agli handicappati.

LE GARZETTE

via Malamocchio - loc. Capitello • 30126 LIDO DI VENEZIA
☎ 041731078

● L 10

Posizione geografica: mare.
Periodo di apertura: tutto l'anno, eccetto le feste di Natale e i primi quindici giorni di gennaio.
Associato a: Turismo Verde.
Presentazione: costruzione caratteristica circondata dagli ultimi orti del lido. Si coltivano ortaggi vari e si allevano animali di bassa corte. L'azienda offre ospitalità in 5 camere con bagno.
Ristorazione: ristorante aperto al pubblico, nel fine settimana, con 25 coperti. Trattamento H/B per gli ospiti. Antipasti di verdura fritta e stuzzichini di verdura, tagliatelle ai carciofi, anatra con ripieno.
Prodotti aziendali: ortaggi di stagione, conserve, marmellate.
Luoghi di interesse e manifestazioni locali: Venezia, Murano, Burano, Chioggia, Pellestrina.
Prezzi: pasto da £ 45.000 a 60.000, B&B da £ 45.000 (in bassa stagione) e £ 50.000 (in alta stagione).
Note: accessibile agli handicappati. È gradita la prenotazione. Prato e giardino a disposizione degli ospiti. Accesso al mare direttamente dall'azienda, che dispone anche di biciclette. Animali accolti previo accordo.

CA' DELLE RONDINI

via Ca' Rossa, 26 - loc. Maerne • 30100 MARTELLAGO
☎ 041641114

● I 9

Posizione geografica: pianura.
Periodo di apertura: da venerdì a domenica e festivi, tutto l'anno.
Presentazione: il terreno dell'azienda è coltivato a frutteto. Accoglie ospiti in 6 camere arredate in stile, con bagno, aria condizionata, telefono
Ristorazione: ristorante con 60 posti. Cucina a base di carne anche d'oca nella tradizione veneta. D'estate si preparano spuntini sull'aia.
Prodotti aziendali: frutta.
Luoghi di interesse e manifestazioni locali: Venezia.
Prezzi: rivolgersi direttamente all'azienda.
Note: accessibile agli handicappati. Si organizzano varie attività culturali e ricreative. Nel maneggio si trovano purosangue arabi, maremmani, da sella italiani e pony club.

CALLE DELL'ORSO

via Calle dell'Orso, 26 - loc. Chiesanuova
30100 SAN DONÀ DI PIAVE ☎ 0421235945

● I 10

Posizione geografica: pianura lungo il fiume Piave.
Periodo di apertura: da giovedì a domenica e giorni festivi. Chiuso lunedì e giovedì.
Associato a: Terranostra, Agrivacanze.
Presentazione: il terreno dell'azienda è coltivato a vigneto. Offre ospitalità in 8 camere per un totale di 24 posti letto (3 bagni in comune, 1 camera con bagno) e in agricampeggio.
Ristorazione: ristorante con 60 coperti. Cucina a base di carne,

rotolo di coniglio farcito. Si preparano anche spuntini.
Prodotti aziendali: Merlot, Tocai, Cabernet.
Luoghi di interesse e manifestazioni locali: a 2 km dalle Valli.
Prezzi: rivolgersi direttamente all'azienda.
Note: campo da tennis. Pesca. È gradita la prenotazione. Animali accolti previo accordo.

AL CANTINON

via Pordenone, 2 - loc. Corbolone
30100 SANTO STINO DI LIVENZA
☎ 0421310211 fax 0421324443

● G 12

Posizione geografica: pianura.
Periodo di apertura: da mercoledì a domenica (la ristorazione), tutti i giorni (l'alloggio).
Presentazione: azienda di oltre 100 ettari con coltivazioni biologiche di vigneti, peri e seminativo. Allevamento di bovini da latte, animali da cortile, suini. Offre ospitalità in 6 camere con bagno privato e comune.
Ristorazione: ristorante con 60 coperti. Dolci di casa e piatti tipici della cultura gastronomica locale. Si preparano anche spuntini.
Prodotti aziendali: vini IGT del Veneto e D.O.C. Lison Pramaggiore biologici, pere biologiche.
Prezzi: rivolgersi direttamente all'azienda.
Note: accessibile agli handicappati. Possibilità di partecipare alla vendemmia nel mese di settembre. Organizza varie attività culturali e ricreative. Footing.

LA VIA ANTIGA

via San Martino, 12/13 • 30020 TORRE DI MOSTO
☎ 042162378 fax 0421317014
E-mail:ciro@dacos.it

● F 7

Posizione geografica: tra i fiumi Piave e Livenza.
Periodo di apertura: tutto l'anno.
Presentazione: sorge lungo la strada romana omonima, costruita probabilmente tra il 589 d.C. e il 639 d.C. L'azienda Lanzalunga, cui è annesso l'agriturismo, si occupa di coltivazioni biologiche e produce in proprio: farine, carni di pollo, gallina, faraona, tacchino, anatra, oca e bufalo, nonchè salumi di maiale, ortaggi e piccoli frutti prodotti in serra e in campo aperto, frutta. Si allevano volatili. L'agriturismo offre ospitalità in 5 camere con bagno per un totale di 13 posti letto e in 8 piazzole in agricampeggio.
Ristorazione: il servizio comprende pasti, spuntini e barbecue all'aperto. I pasti sono serviti il venerdì sera, il sabato sera e la domenica tutto il giorno, gli spuntini sono serviti usualmente il mercoledì o il giovedì sera. Il servizio di barbecue viene effettuato per un minimo di 16 coperti.

Prodotti aziendali: farine, ortaggi, frutta e loro trasformati.
Luoghi di interesse e manifestazioni locali: in meno di 2

ore d'auto, è possibile raggiungere quasi ogni località, da Trieste al delta del Po, dalle spiagge adriatiche alle Dolomiti, alla Carnia.

Prezzi: OR da £ 40.000 a 45.000, B&B da £ 45.000 a 50.000 al giorno.

Note: possibilità di organizzare, previa prenotazione, riunioni conviviali e feste (all'interno del rustico o all'aperto in riva al lago) in occasione di eventi personali o ricorrenze festive. Possibilità di effettuare escursioni in mountain bike, trekking, kayak, canoa e a piedi. Giochi all'aria aperta. A pochi chilometri si possono praticare attività sportive. Parcheggio.

LE MANCIANE

loc. Lio Piccolo, 13 • 30100 TREPORTI ☎ 041658977

 I 10

Periodo di apertura: da febbraio a dicembre, venerdì, sabato, domenica e festivi.

Presentazione: l'azienda, ittico-agricola, si trova alla fine di una strada sterrata che si inoltra nella laguna. Il terreno è coltivato a ortaggi. Offre ospitalità in agricampeggio per tende, caravan e roulotte.

Ristorazione: ristorante con 40 coperti. Cucina a base di pesce e ortaggi, nel periodo invernale cacciagione. Si preparano anche spuntini.

Prodotti aziendali: pesce di valle nel periodo prenatalizio.

Prezzi: rivolgersi direttamente all'azienda.

Note: accessibile agli handicappati. Possibilità di praticare footing e osservazione ambientale.

VILLASERENA

via Nogia, 28 - loc. Pava • 30030 VIGONOVO
☎ e fax 0499830957

 L 9

Posizione geografica: pianura, fiume Brenta.

Periodo di apertura: venerdì e sabato sera, domenica e festivi, chiuso dal 15 al 31 luglio. Su prenotazione aperto anche per tutta la settimana per gruppi superiori alle 20 persone.

Associato a: Agriturist.

Presentazione: tipica costruzione rurale in mattoni rossi. Accoglie ospiti in 6 camere con bagno e in piazzole per tende e camper in agricampeggio.

Ristorazione: ristorante aperto al pubblico con 60 coperti. Spuntini, cucina a base di carne, piatti locali e dolci casalinghi.

Prodotti aziendali: insaccati, olio e olive.

Luoghi di interesse e manifestazioni locali: ville venete della riviera del Brenta, Padova, Venezia, litorale adriatico. Sagre paesane in settembre.

Prezzi: pasto da £ 20.000 a 40.000, B&B da £ 30.000 a 50.000. Sconto del 50% per i bambini sotto i 7 anni.

Note: accessibile agli handicappati. È possibile effettuare varie attività ricreative di carattere agricolo. Equitazione nelle vicinanze. Prato per prendere il sole. Biancheria, pulizie, riassetto, telefono. Animali accolti previo accordo.

LEMENE S.S.

strada Durisi, 16 • 30021 MARANGO DI CAORLE
☎ 0498759470 - 03358015776 fax 049666237
E-mail:acianib@tin.it

 I 11

Posizione geografica: pianura.

Periodo di apertura: tutto l'anno.

Associato a: Agriturist.

Presentazione: casa colonica ben ristrutturata offre ospitalità in 1 appartamento, ben arredato, al primo piano con disponibilità di 6 posti letto, 2 bagni, soggiorno, cucina, TV satellitare, lavastoviglie, lavatrice, terrazza e giardino a 8 km dal mare.

Luoghi di interesse e manifestazioni locali: laguna di Caorle, Venezia a 40 km, scavi archeologici. Stagione concertistica in agosto.

Prezzi: da £ 1.150.000 a 1.400.000 per settimana.

Note: la permanenza minima è di 1 settimana. Possibilità di praticare golf, tennis, vela, pesca d'altura in mare e laguna di Caorle, equitazione. Cambio biancheria, telefono.

ORTO ARCOBALENO

via Parolari, 88 - loc. Zelarino • 30174 MESTRE
☎ e fax 041680341

 I 9

Posizione geografica: a 10 km da Venezia.

Prodotti aziendali: prodotti biologici, ortaggi coltivati in campo aperto, frutta.

Luoghi di interesse e manifestazioni locali: Venezia e laguna, riviera del Brenta, Treviso, colli Euganei, laghetti di Martellago.

Prezzi: alloggio in bassa stagione £ 30.000. Sconto del 50% per bambini.

Note: accessibile agli handicappati. Si organizzano escursioni in barca in laguna, escursioni sui colli in collaborazione con la cooperativa Limosa. Lezioni di lingua tedesca e araba. Possibilità di praticare scherma e cicloturismo. Biciclette a disposizione. Prato e gazebo. Biancheria, uso di cucina e del frigo.

Verona

LA CASETTA

loc. Casetta • 37010 AFFI
☎ 0457236352

 H 3

Posizione geografica: collina.

Periodo di apertura: agosto tutte le sere, il resto dell'anno sabato e domenica.

Associato a: Terranostra.

Presentazione: costruzione rurale ristrutturata in azienda coltivata a vigneto e oliveto. Allevamento di polli, anatre, conigli, galline, pecore, maiali. Offre ospitalità in 2 stanze con bagno, per un totale di 6 posti letto.

Ristorazione: pasta fatta in casa, bigoli e tagliatelle con sugo d'anatra o coniglio, antipasti di salumi di produzione propria, pollo alla brace, anatra ripiena al forno, crostate di frutta.

Prodotti aziendali: vino, olio, verdure.

Luoghi di interesse e manifestazioni locali: lago di Garda, monte Baldo.

Prezzi: pasto £ 30.000. B&B £ 30.000 a persona.

Note: accessibile agli handicappati. Escursioni a piedi e in mountain bike, parapendio. Prato per prendere il sole.

CA' DELL'ACQUA

via Zurlane, 27 - loc. Coriano • 37041 ALBAREDO D'ADIGE
☎ 0457025008

● I 5

Posizione geografica: pianura, in prossimità del fiume Adige.
Periodo di apertura: tutto l'anno.
Associato a: Turismo Verde.
Presentazione: villa di tipo veneto in azienda di 12 campi a seminativo e bosco. Offre ospitalità in 4 camere con bagno. Immersa nel verde, in posizione tranquilla.
Ristorazione: H/B, F/B su prenotazione. Ristorante con 60 coperti. Risotto ai funghi chiodini, verdure in pastella, agnello, maiale, anatra, faraona.
Prodotti aziendali: pesce, uova, pollame, insaccati.
Luoghi di interesse e manifestazioni locali: ville venete, città d'arte (Verona, Vicenza, Mantova). Fiera di San Tommaso la 2ª domenica di settembre, palio di Montagnana la 1ª domenica di settembre.
Prezzi: pasto da £ 30.000 a 40.000, soggiorno da £ 40.000 a 50.000.
Note: organizzazione di visite guidate. Riduzioni del 50% per bambini fino a 6 anni. Pesca, tiro con l'arco, giochi all'aria aperta. Possibilità di organizzare convegni. Raccolta di funghi ed erbe selvatici. Riscaldamento, posto macchina.

IL QUADRIFOGLIO

via Alcide de Gasperi, 67 • 37013 CAPRINO VERONESE
☎ 0457242012

● H 2

Posizione geografica: collina.
Periodo di apertura: tutto l'anno, chiuso lunedì e martedì.
Associato a: Terranostra.
Presentazione: rustico ristrutturato con vigneti e orto. Allevamento di mucche, anatre, conigli. Accoglie ospiti in 2 miniappartamenti arredati per un totale di 8 posti letto.
Ristorazione: bigoli con coniglio, pasta fresca, stufato di manzo, grigliata, torta di ricotta.
Luoghi di interesse e manifestazioni locali: monte Baldo, lago di Garda, Gardaland. Sagre paesane, manifestazione di parapendio.
Prezzi: pasto da £ 25.000 a 37.000. Appartamento da £ 400.000 a 600.000 a settimana.
Note: nelle vicinanze centro sportivo, campi da tennis, calcio, calcetto, maneggio. Possibilità di praticare parapendio. Escursioni e trekking in montagna.

QUEEN

via Filiselle, 14/16 - loc. Colombare al Monte
37014 CASTELNUOVO DEL GARDA ☎ 0456450275

● I 2

Posizione geografica: pianura, in campagna.
Periodo di apertura: tutto l'anno, chiuso gennaio.
Presentazione: cascina ristrutturata su terreno coltivato a frutteto, vigneto, orto. Allevamento di galline, caprette, conigli. Offre ospitalità in 6 stanze con bagno, aria condizionata, TV, frigobar, cassaforte, telefono, per un totale di 18 posti letto.
Ristorazione: cucina tipica.
Prodotti aziendali: frutta.
Luoghi di interesse e manifestazioni locali: Mantova, Verona, parco divertimenti Gardaland, parco acquatico Caneva, lago di Garda, parco zoo safari, parco Sigurtà.
Prezzi: pasto da £ 20.000 a 35.000. B&B £ 100.000 camera matrimoniale.

Note: area giochi per bambini. Tennis e maneggio nelle vicinanze. Relax in mezzo al verde.

FORTE BELVEDERE

via Forte Villa, 7 - fraz. Cavalcaselle
37014 CASTELNUOVO DEL GARDA ☎ 0456400041

● I 2

Posizione geografica: collina.
Periodo di apertura: tutto l'anno.
Associato a: Agriturismo Veneto.
Presentazione: porzione ristrutturata di forte austriaco. Coltivazione di vigneto, piante da frutto, orto. Allevamento di galline, polli, capre, conigli. Laghetto.
Ristorazione: tagliatelle con coniglio, grigliata mista, pollo, capretto, pesce, dolci con amaretti e mele.
Prodotti aziendali: uova, vino, olio.
Luoghi di interesse e manifestazioni locali: Gardaland, Caneva, parco Sigurtà, parco zoo safari. Feste folkloristiche, mercati.
Prezzi: pasto da £ 25.000 a 35.000. B&B a £ 40.000 (adulti) e £ 20.000 (bambini).
Note: area giochi per bambini, piscina, laghetto per la pesca in azienda. Maneggio nelle vicinanze. Passeggiate a piedi e in mountain bike.

VAL DEL TASSO

loc. Val del Tasso - fraz. Sega • 37010 CAVAION VERONESE
☎ 0457236781

● H 2

Posizione geografica: valletta posta tra il lago di Garda e il monte Baldo.
Periodo di apertura: tutto l'anno il venerdì, sabato e domenica.
Associato a: Terranostra.
Presentazione: rustico ristrutturato su terreno coltivato a peschi, ciliegi, vigneto e orto. Offre ospitalità in 2 miniappartamenti arredati per un totale di 8 posti letto.
Ristorazione: polenta e salame, pasta e *fasoi*, pasta fresca, carne alla brace, polenta e funghi, crostate con frutta o marmellata.
Prodotti aziendali: marmellate, vino, frutta, pasta fresca.
Luoghi di interesse e manifestazioni locali: forte di Rivoli, santuario della Madonna della Corona, monte Baldo, lago di Garda, Gardaland, parco zoo safari, Caneva.
Prezzi: pasto da £ 28.000 a 32.000. Appartamento a £ 50.000 a persona (esclusi i bambini).
Note: accessibile agli handicappati. Passeggiate a piedi e in bicicletta. Biancheria, posto macchina.

LA COSTA

via Costa, 5 • 37022 FUMANE ☎ 0456838088 fax 0456838017

● H 3

Posizione geografica: collina.
Periodo di apertura: tutto l'anno. Giorno di chiusura del ristorante il mercoledì.
Associato a: Turismo Verde e Agriturismo Veneto.
Presentazione: antica casa colonica, ideale per trascorrere lieti soggiorni di relax. Offre ospitalità in 12 spaziose stanze, con bagno, dotate di ogni comfort.
Ristorazione: cucina tradizionale veneta, pasta e fagioli, gnocchi, zaleti e vini della zona. Ristorante aperto al pubblico. Possibilità di H/B.
Prodotti aziendali: vino Valpolicella, Amarone, Recioto, olio extravergine d'oliva, ciliegie e miele.

Luoghi di interesse e manifestazioni locali: pieve di San Giorgio Inganapoltron, cascate di Molina, Verona.
Prezzi: B&B a £ 150.000 per camera. Pasto da £ 30.000 a 40.000.
Note: tennis, piscina, passeggiate naturalistiche. Telefono e TV in camera.

CA' DONZELLA

loc. Donzella - fraz. Colà • 37017 LAZISE ☎ e fax 0457581144

H 1

Posizione geografica: campagna, a 4 km dal lago.
Periodo di apertura: tutto l'anno da giovedì a domenica, chiuso dicembre e gennaio.
Presentazione: rustico ristrutturato, sulla strada del Bardolino D.O.C., in azienda di 12 ettari coltivati a vigneto D.O.C., mais, ortaggi. Allevamento di animali di bassa corte, maiali, mucche. Offre ospitalità in 6 camere con bagno per un totale di 8 posti letto.
Ristorazione: 60 coperti. Risotti, paste fatte in casa, pollo e faraona disossati e ripieni, polenta e salame.
Prodotti aziendali: vino, salame, marmellate, sottoli, sottaceti, miele.
Luoghi di interesse e manifestazioni locali: lago di Garda, Gardaland, Caneva, parco zoo safari.
Prezzi: pasto £ 35.000. B&B £ 50.000, H/B da £ 65.000 a 70.000 a persona.
Note: è consigliata la prenotazione.

LE CALDANE

loc. Le Caldane - fraz. Colà • 37010 LAZISE ☎ e fax 0457590300

H 1

Posizione geografica: in campagna, vicino al lago.
Periodo di apertura: alloggio tutto l'anno, ristorazione da Pasqua a fine ottobre il venerdì, sabato e domenica.
Presentazione: casa rurale su terreno coltivato a vigneto, oliveto, mais, soia. Allevamento di animali da cortile. Offre ospitalità in 4 stanze con bagno e angolo cottura, per un totale di 14 posti letto. Possibilità di agricampeggio.
Ristorazione: bigoli con anatra, fagottini ai funghi, grigliata di carni miste (coniglio, pollo, maiale) con polenta e verdure, crostata di frutta, panna cotta, tiramisù.
Prodotti aziendali: vino, olio, miele, grappe.
Luoghi di interesse e manifestazioni locali: lago di Garda, parco divertimenti Gardaland, parco acquatico Caneva, parco zoo safari, monte Baldo, parco Sigurtà. Feste di paese, concerti a Lazise.
Prezzi: pasto a £ 32.0000 (bevande escluse).
Note: giochi per bambini, piscina, maneggio in azienda. Passeggiate naturalistiche, vela sul lago di Garda.

SELLA GIOBATTA

loc. San Cassiano • 37020 MEZZANE DI SOTTO ☎ 0458880164

I 4

Posizione geografica: pianura.
Periodo di apertura: rivolgersi all'azienda.
Presentazione: azienda di 20 ettari coltivati a seminativo, ciliegio, vigneto e oliveto, pascolo e bosco. Dispone di un caseificio.

Ristorazione: piatti tipici veronesi.
Prodotti aziendali: frutta, olive e prodotti caseari.
Prezzi: rivolgersi all'azienda.

CASCINA CROCE

via Piave, 71 • 37064 POVEGLIANO ☎ 0457970158

L 2

Posizione geografica: pianura.
Periodo di apertura: alloggio tutto l'anno. Ristorazione giovedì, venerdì, sabato e domenica.
Presentazione: il terreno dell'azienda è coltivato a seminativo, vigneto, prato e prodotti orticoli misti. Allevamento di bovini e animali da cortile. Offre ospitalità per un totale di 8 posti letto.
Ristorazione: B&B. Pasta fatta in casa, risotti, polenta con coniglio e stracotto, bogoni e grigliata mista.
Prodotti aziendali: uva e ortaggi misti.
Prezzi: pasto da £ 15.000 a 25.000, alloggio da £ 25.000 a 40.000.

LA GROLETTA

via Groletta, 1 • 37010 RIVOLI VERONESE ☎ 0457200204 fax 0456206329

I 2

Posizione geografica: pianura.
Periodo di apertura: da aprile a metà ottobre tutti i giorni, negli altri mesi solo sabato e domenica.
Presentazione: recente costruzione con giardino. Offre ospitalità in 20 stanze con bagno.
Ristorazione: pasta fatta in casa, carne, bigoli all'amatriciana, grigliata mista, crostata di mele.
Luoghi di interesse e manifestazioni locali: lago di Garda, Gardaland, monte Baldo, Caneva, Madonna della Corona, parco zoo safari, Caneva a Lazise.
Prezzi: pasto da £ 20.000 a 32.000. B&B da £ 45.000 a 60.000 a persona, H/B da £ 55.000 a 70.000, F/B da £ 75.000 a 80.000.
Note: accessibile agli handicappati. È gradita la prenotazione. Area giochi per bambini e piscina in azienda. Ampio parcheggio.

8 MARZO a r.l.

loc. Ca'Verde • 37010 SANT'AMBROGIO DI VALPOLICELLA ☎ 0456862272 fax 0456887952

I 2

Posizione geografica: in collina, tra lago e città.
Periodo di apertura: da febbraio a dicembre.
Associato a: Turismo Verde.

Presentazione: tipica costruzione rurale di particolare pregio in azienda di 50 ettari. Accoglie ospiti in 6 camere con bagno. Coltivazione di vigneti e frutteti. Allevamento caprino. Caseificio. Piazzola per caravan.
Ristorazione: gnocchetti di ricotta, capretto alla scaligera, formaggi di propria produzione, vini, dolci tipici. B&B, H/B, F/B. Ristorante aperto al pubblico.
Prodotti aziendali: vini, formaggi, salumi, miele, olio, ortaggi, frutta.
Luoghi di interesse e manifestazioni locali: pieve romanica, sentieri fino al monte Baldo, parco delle cascate, lago di Garda, parco zoo safari, Gardaland, Verona. Festa 8 Marzo, rassegna rock, festa del vino biologico, teatro, festa enologica.
Prezzi: pasto da £ 25.000 a 40.000. Sconti soggiorno del 10% per bambini fino a 10 anni, del 30% per letto aggiunto.
Note: sala riunioni, sala ricreativa, biancheria, pulizia, televisione comune, riscaldamento, posto macchina, telefono comune. Corsi di agricoltura biologica, caseificazione, enologia, gastronomia, osservazione ambientale. Golf, trekking e passeggiate, equitazione, mountain bike, escursioni e visite guidate, giochi all'aria aperta. Animazione, visite agli animali. Prato per prendere il sole. Animali accolti previo accordo.

BIOTTO

via Cà de la Pela, 7 - loc. Biotto
37010 SANT'AMBROGIO DI VALPOLICELLA ☎ 0457701505

● I 2

Posizione geografica:
sulle colline della Valpolicella con vista sul lago di Garda.
Periodo di apertura: venerdì, sabato e domenica tutto l'anno.
Associato a: Terranostra.
Presentazione: tipica costruzione rurale, si esten-

de su 5 ettari. Offre ospitalità in 4 camere. Coltivazione di vigneti, olivi, frutteti, bosco. Allevamento di suini e animali da cortile.
Ristorazione: cucina tipica veronese accompagnata da vino della Valpolicella e olio di oliva del lago di Garda. H/B, F/B da Pasqua a settembre. Ristorante aperto al pubblico con 60 coperti.
Prodotti aziendali: confetture, erbe, latticini, olio, salumi, uova, vino, liquori.
Luoghi di interesse e manifestazioni locali: pieve romanica di San Giorgio, parco della Lessinia, lago di Garda, Verona, itinerari turistici e culturali. Festa delle fave il 1° week-end di novembre, stagione lirica in luglio-agosto in Arena.
Prezzi: pasto da £ 20.000 a 35.000 (bevande incluse), soggiorno solo pernottamento £ 35.000. Sconti per famiglie in H/B.
Note: terrazza solarium, sala riunioni. Bagno in camera, bagno in comune, biancheria, pulizia, riassetto, telefono in comune, uso frigorifero, televisione comune, posto macchina. Animali accolti senza sovrapprezzo.

LA FRASCA

via Mazzasetti • 37035 SAN GIOVANNI ILARIONE
☎ 0456550594

● I 4

Posizione geografica: collina.
Periodo di apertura: tutto l'anno (alloggio), giovedì, venerdì, sabato sera e domenica tutto il giorno, su prenotazione, tutto l'anno (ristorazione).
Presentazione: il terreno dell'azienda è coltivato a vigneto, seminativo, frutteto (ciliegeto) e ortaggi. Allevamento di suini, animali da cortile, manze. Offre ospitalità per un totale di 5 posti letto.
Ristorazione: B&B, H/B, F/B. Fettucce all'anatra, coniglio in umido, grigliata mista, anatra arrosto.
Prodotti aziendali: castagne, ciliegie, ortaggi.
Luoghi di interesse e manifestazioni locali: monti Lessini, museo dei fossili di Bolca.
Prezzi: pasto da £ 25.000 a 30.000, B&B a £ 30.000 (camera singola) e £ 50.000 (camera doppia).
Note: campo da calcetto.

LIBERO

via Monti - loc. Colombara • 37038 SOAVE
☎ 03298142588 - 03384128262
E-mail:ballarotto@libero.it • http:www.niccosmo.com

● I 5

Posizione geografica: collina.
Periodo di apertura: tutto l'anno.

Presentazione: vecchia colombaia del 1700, totalmente ristrutturata con finiture di pregio, sita nel cuore delle colline di Soave in posizione panoramica. Vigneti. Accoglie ospiti in 2 camere per un totale di 6 posti letto.
Ristorazione: cucina tipica veronese.
Prodotti aziendali: vino Soave classico, Recioto bianco di Soave.
Luoghi di interesse e manifestazioni locali: ville palladiane, castello scaligero, Verona, terme di Giunone. Mercatino dell'antiquariato l'ultima domenica del mese, fiera dell'uva in settembre.
Prezzi: alloggio a £ 45.000, ristorazione a £ 35.000.
Note: mountain bike.

ANTICO RISTORO

via Valle Molini, 5 • 37066 SOMMACAMPAGNA
☎ 045516008-045516251

● L 2

Posizione geografica: pianura.
Periodo di apertura: da maggio a settembre tutti i giorni escluso il lunedì, da ottobre ad aprile venerdì, sabato e domenica (ristorazione), tutto l'anno (alloggio).
Presentazione: l'azienda coltiva cereali, vigneto, ortaggi e frutteto. Allevamento di animali di bassa corte. Offre ospitalità in 4 appartamenti.
Ristorazione: pasta fatta in casa, arrosti e grigliate miste, selvaggina a richiesta, dolci casalinghi.
Prodotti aziendali: cereali, frutta e ortaggi.
Prezzi: per 1 settimana in bassa stagione da £ 300.000 a 600.000, in alta stagione da £ 400.000 a 800.000.
Note: piscina, tennis e giochi all'aria aperta.

LA FREDDA

via Fredda, 1 • 37066 SOMMACAMPAGNA
☎ 045510124

● L 2

Posizione geografica: ai piedi delle colline.
Periodo di apertura: alloggio tutto l'anno. Ristorazione luglio e agosto tutte le sere, il resto dell'anno solo il sabato e la domenica. Chiuso il mese di gennaio.
Presentazione: recente costruzione in azienda coltivata a frutteto, orto, orzo, granoturco, grano. Allevamento di animali da cortile, bovini e suini. Offre ospitalità in 4 stanze, 1 appartamento, 1 chalet, per un totale di 20 posti letto.
Ristorazione: bigoli con anatra, coniglio o verdure, risotto con tastasal o alla pilota, trippe, grigliate, crostate, tiramisù.
Luoghi di interesse e manifestazioni locali: Valeggio, parco Sigurtà, parco acquatico Caneva, Gardaland, Mantova. Sagre di paese.
Prezzi: pasto da £ 18.000 a 35.000. B&B £ 70.000 camera matrimoniale.
Note: accessibile agli handicappati. È gradita la prenotazione. Area giochi per bambini in azienda, maneggio e golf nelle vicinanze.

AL FOGOLAR

via San Zeno, 10 • 37010 TORRI DEL BENACO
☎ 0457225688

● H 2

Posizione geografica: collina (310 m).
Periodo di apertura: da marzo a novembre, ristorazione su prenotazione.
Presentazione: casa rurale ristrutturata in azienda coltivata a vigneto, oliveto, orto. Offre ospitalità in 4 stanze con bagno per un totale di 8 posti letto.

Ristorazione: H/B. Bigoli con la rucola, pasta fatta in casa, carni alla brace, arrosti.
Luoghi di interesse e manifestazioni locali: lago di Garda, monte Baldo.
Prezzi: rivolgersi direttamente all'azienda.
Note: B&B minimo 3 notti.

QUIETE

loc. Cogoletto, 47 • 37067 VALEGGIO SUL MINCIO
☎ 0456370340-0457950798

● H 1

Posizione geografica: sulle rive del fiume Mincio, vicino al lago di Garda.
Periodo di apertura: tutto l'anno (alloggio), da ottobre a marzo solo sabato e domenica, da aprile a settembre tutti i giorni tranne il lunedì (ristorazione).
Presentazione: l'edificio è immerso nel cuore della campagna. Il terreno dell'azienda è coltivato a prato e frutteto. Si allevano bovini e animali da cortile. Accoglie ospiti in 7 camere matrimoniali con bagno e TV per un totale di 18 posti letto.
Ristorazione: tortellini e pasta conditi con lepre, coniglio e pomodoro, stracotto di cavallo, coniglio, oca, anatra, faraone e grigliate miste.
Prodotti aziendali: tutti prodotti freschi o trasformati, frutta di stagione.
Luoghi di interesse e manifestazioni locali: a 8 km dal lago di Garda, a 30 km da Verona e a 18 km da Mantova. Opere liriche all'Arena di Verona in luglio e agosto. Parco giardino Sigurtà. A 14 km dal parco divertimenti Gardaland e dal parco acquatico Caneva.
Prezzi: menu fisso a £ 15.000, B&B a £ 80.000 per camera.
Note: pesca sportiva. Si accolgono animali.

LA PACE

loc. Pace, 33 • 37067 VALEGGIO SUL MINCIO
☎ 0376460055

● H 1

Posizione geografica: pianura, nelle immediate vicinanze del parco del Mincio.
Periodo di apertura: tutto l'anno dal giovedì alla domenica.
Associato a: Agritur.
Presentazione: tipica casa rurale della zona in azienda coltivata a monocoltura, soia, mais, girasole, colza e orto. Allevamento di animali di bassa corte. Offre ospitalità in 3 stanze con bagno per un totale di 15 posti letto.
Ristorazione: tagliatelle al sugo d'oca, faraona e anatra, pavone disossato e ripieno, crostate con frutta e marmellate.
Prodotti aziendali: ortaggi, miele, pollame.
Luoghi di interesse e manifestazioni locali: parco del Mincio, bosco Fontana, Valeggio, colline moreniche, Mantova, parco Sigurtà. Feste di paese.
Prezzi: pasto da £ 20.000 a 35.000.
Note: accessibile agli handicappati. Piscine, tennis, pesca, maneggio nelle vicinanze.

SAN MATTIA

via Santa Giuliana, 2 • 37100 VERONA
☎ 045913797

● I 3

Posizione geografica: pianura.
Periodo di apertura: tutto l'anno.
Presentazione: l'azienda coltiva vigne, olive e ciliegi. Allevamento di ovini ed equini. Accoglie ospiti in 6 camere con bagno.
Ristorazione: B&B, H/B. Primi con verdure, pollo primavera, formaggi alla piastra e polente pasticciate.
Prodotti aziendali: olio, vino
Prezzi: pasto £ 22.000, B&B £ 35.000, H/B £ 50.000 a persona.
Note: accessibile agli handicappati. L'azienda dispone di un centro ippico.

SENGIA

via Mazzini, 29 - fraz. Pazzon
37012 CAPRINO VERONESE
☎ 0457265165

▲ I 2

Posizione geografica: collina.
Periodo di apertura: tutto l'anno.
Presentazione: costruzione rurale. Offre ospitalità in 4 appartamenti per un totale di 12 posti letto.
Luoghi di interesse e manifestazioni locali: monte Baldo, lago di Garda. Sagre di paese, manifestazione di parapendio.
Prezzi: rivolgersi direttamente all'azienda.
Note: campi da tennis e calcio nelle vicinanze.

FINILON

loc. Finilon - fraz. Oliosi
37012 CASTELNUOVO DEL GARDA
☎ 04575575114

▲ I 2

Posizione geografica: pianura.
Periodo di apertura: tutto l'anno.
Presentazione: costruzione rurale in azienda coltivata a vigneti e orto. Allevamento di galline e mucche. Offre ospitalità in 6 camere, per un totale di 18 posti letto.
Prodotti aziendali: vino.
Luoghi di interesse e manifestazioni locali: lago di Garda, Gardaland, Caneva. Sagre di paese, festa dell'uva a Castelnuovo.
Prezzi: B&B £ 65.000 camera matrimoniale.
Note: passeggiate nel verde, maneggio.

VALLEVERDE

loc. Belvedere, 7 - fraz. Cavalcaselle
37014 CASTELNUOVO DEL GARDA
☎ 0457570428

▲ I 2

Posizione geografica: nelle vicinanze del lago di Garda.
Periodo di apertura: da aprile a settembre.
Presentazione: il terreno dell'azienda è coltivato a vigneto e seminativi. Allevamento di bovini. Offre ospitalità in agricampeggio.
Prodotti aziendali: freschi e trasformati, vino Bardolino, vino bianco di Custoza, prodotti di stagione.
Luoghi di interesse e manifestazioni locali: lago di Garda, Gardaland, Caneva. Sagre di paese, festa dell'uva a Castelnuovo.

Prezzi: piazzola (solo per camper) a £ 10.000, £ 8.000-12.000 a persona. Gratis i bambini fino a 3 anni.

CAPEL DEL PRETE

via Capel del Prete • 37020 CERRO VERONESE
☎ 0457080169

 ▲ H 4

Posizione geografica: montagna.
Periodo di apertura: tutto l'anno.
Presentazione: il terreno dell'azienda è coltivato a prato. Allevamento equino.
Prezzi: B&B £ 35.000.
Note: maneggio e passeggiate nei luoghi tipici della Lessinia, in contrade, ghiacciaie e malghe.

LE SALETTE

loc. Ca' Carnocchio, 1 • 37022 FUMANE
☎ 0456839197

▲ I 3

Posizione geografica: collina.
Periodo di apertura: tutto l'anno.
Presentazione: il terreno dell'azienda è coltivato a vigneto, oliveto, ciliegeto e bosco. Offre ospitalità in 1 appartamento autonomo composto da 2 camere, servizi, sala e cucina.
Prodotti aziendali: prodotti freschi e vino D.O.C.
Prezzi: per 1 mese £ 600.000.

CORTE SPINO

fraz. Bagnolo • 37060 NOGAROLE ROCCA
☎ e fax 0457920067

▲ M 3

Posizione geografica: pianura.
Periodo di apertura: tutto l'anno.
Presentazione: antica corte del 1400 con una bella torre colombaia, una casa padronale cinquecentesca arredata con mobili del 1700 e del 1800, una casa mezzadrile del 1600, stalle e portici. Coltivazioni di cereali e risaie. Offre ospitalità in 2 stanze e 3 appartamenti curati e accoglienti.
Prodotti aziendali: marmellate.
Luoghi di interesse e manifestazioni locali: borghi medioevali, ville venete, ex tenute di caccia dei Gonzaga.
Prezzi: B&B in camera doppia £ 120.000, sconto del 50% per bambini fino a 6 anni.
Note: è consigliabile la prenotazione. Si organizzano concerti e feste popolari. Tennis a 2 km, equitazione a 6 km, piscina e centro fitness a 10 km. Pulizia, cambio biancheria. Si accolgono animali.

CA' DEL SOL

loc. Casa Antonia, 1 - 37010 PACENGO
☎ e fax 0456490008

▲ F 7

Posizione geografica: lago.
Periodo di apertura: tutto l'anno.
Presentazione: immerso nel verde, circondato da vigneti, olivi e frutteti, con una spendida vista panoramica sul lago da cui dista solo 500 m. Offre ospitalità in camere con servizi privati, TV, telefono, e in chalet composti da camere, cucina, bagno. Agricampeggio.
Prodotti aziendali: vino, olio, frutta, marmellata, miele, grappa.
Luoghi di interesse e manifestazioni locali: Gardaland a 1 km, Caneva a 500 m, parco zoo a 5 km, Verona a 25 km. A pochi minuti d'auto vi sono cure termali di vario genere.
Prezzi: rivolgersi direttamente all'azienda.
Note: ampia piscina con idromassaggio, maneggio privato. Nelle vicinanze campo da tennis, calcetto, pallavolo (solo nel periodo estivo), campo da golf, canoa, pesca sportiva. Cambio biancheria. Si accolgono animali.

DA GIOVANNI

loc. Bassana, 2 - fraz. San Benedetto di Lugana
37019 PESCHIERA DEL GARDA ☎ 0456400599

 ▲ I 1

Posizione geografica: pianura, a 400 m dal lago.
Periodo di apertura: da Pasqua a fine settembre.
Presentazione: offre ospitalità in agricampeggio con piazzole, roulotte e camper, servizio di bagni, lavandini, docce, lavapiatti, lavatrici.
Ristorazione: possibilità in bar-ristorante all'interno dell'azienda. Pasta fatta in casa, pesce di lago, grigliate di carne, dolci.
Luoghi di interesse e manifestazioni locali: Gardaland, parco Sigurtà, Caneva sport, parco zoo safari, Sirmione, Desenzano, terme di Sirmione, lago di Garda, Ossario di San Martino e Solferino.
Prezzi: da luglio ad agosto £ 14.000 a piazzola, £ 5.000 a persona, £ 4.000 i bambini e £ 2.500 attacco luce, negli altri mesi £ 10.000 a piazzola, £ 4.000 a persona, £ 3.000 i bambini e £ 2.500 attacco luce.
Note: piscine nelle vicinanze.

LA ROCCA

strada di Sem, 4 • 37011 BARDOLINO
☎ 0457210964

 ◆ I 1

Posizione geografica: lago di Garda.
Periodo di apertura: sabato e domenica, tutto l'anno.
Presentazione: coltivazioni a vigneto. Allevamento di animali da cortile.
Ristorazione: tagliatelle al ragù, maccheroncini alla campagnola, lesso misto con *pearà*, polenta e coniglio, carne ai ferri, grigliata mista, salame e formaggio.
Luoghi di interesse e manifestazioni locali: Verona, lago di Garda, monte Baldo.
Prezzi: rivolgersi direttamente all'azienda.
Note: possibilità di praticare roccia, escursioni e trekking nelle vicinanze.

ANTICA CORTE AL MOLINO

via Crosetta, 8 - loc. San Peretto • 37024 NEGRAR
☎ 0457502072 ☎ e fax 0458266150

 ◆ I 3

Posizione geografica: collina, in zona storica del vino Valpolicella, tra vigneti, oliveti, ciliegi.

Periodo di apertura: venerdì e sabato solo cena, domenica solo pranzo; qualsiasi giorno per gruppi. Chiusura mese di agosto, settimana natalizia e pasquale.

Associato a: Turismo Verde.

Presentazione: casa padronale del primo '800. L'azienda agricola si estende per circa 6 ettari a vigneto e oliveto. Cantina per vinificazione, affinamento e imbottigliamento del Valpolicella Classico D.O.C.

Ristorazione: 60 coperti. Antipasto di verdure con pane di casa alle erbe, soppressa veronese o pancetta con polenta alla brace, pasta fatta in casa, risotto al vino Amarone, gnocchi, formaggi vari della zona, carni secondo ricette tipiche, dolci tradizionali fatti in casa, grappa, rosolio di erba Luigia.

Prodotti aziendali: Valpolicella classico superiore D.O.C., Amarone, Recioto, bianco e passito IGT, grappa di Amarone, olio extravergine d'oliva, miele.

Luoghi di interesse e manifestazioni locali: pievi romaniche (di San Floriano, di San Giorgio), ville venete (Santa Sofia, del XVI secolo, del Palladio), le vecchie corti, ponte di Veia, cascate di Molina, monti Lessini, lago di Garda. Palio del Recioto (lunedì dell'Angelo), estate teatrale negrarese.

Prezzi: pasto da £ 35.000 a 40.000 (Valpolicella D.O.C. incluso).

Note: visite guidate (mulino ad acqua del 1600, cantina a volto del 1700) e degustazione solo su prenotazione. Mountain bike. Raccolta erbe aromatiche, funghi, tartufi neri fuori dall'azienda. Sala riunioni per 60 persone. In sala ristorazione è vietato fumare.

LE BIANCHETTE

via Gorgo, 41 - fraz. Custoza • 37066 SOMMACAMPAGNA
☎ 045516373

◆ L 2

Posizione geografica: collina, zona panoramica.

Periodo di apertura: dal venerdì alla domenica da marzo a dicembre, d'estate anche il giovedì.

Presentazione: tipica costruzione rurale, si estende su 6 ettari a vigneto e frutteto. Allevamento di capre, oche, anatre, conigli, cavalli, asini, galline, tacchini, faraone e piccioni.

Ristorazione: lasagne all'anitra, fusilli al piccione, pollo farcito, coniglio in porchetta, mousse alla frutta fresca.

Luoghi di interesse e manifestazioni locali: ossario e altri monumenti storici delle battaglie d'indipendenza, percorsi naturalistici. Sagra del Bianco di Custoza (2ª settimana di settembre).

Prezzi: menu fisso a £ 30.000.

Note: accessibile agli handicappati. Prenotazione obbligatoria. Ampio parcheggio, giardino. Si accettano gruppi.

CA' BORDASET

via Volpara, 15/a - fraz. Albisano • 37010 TORRI DEL BENACO
☎ 0456296553

◆ H 2

Posizione geografica: collina sovrastante il lago di Garda.

Periodo di apertura: tutti i giorni da giugno a settembre; solo fine settimana negli altri mesi (su prenotazione).

Presentazione: tipica costruzione montana, si esten-

de su 2 ettari di terreno coltivato a frutti di bosco, olivi, viti, asparagi, alberi da frutto, ortaggi. Allevamento di animali da cortile (oche, anatre, galline, faraone, conigli, colombi).

Ristorazione: 20 coperti. Paste di tutti i tipi con ragù di carne o vegetale, ripiene, zuppe di fagioli, zucchine, zucche, risotti con asparagi, funghi, carni di propria produzione cucinate secondo ricette rustiche e/o antiche, menu vegetariano, gnocco fritto e tigelle.

Prodotti aziendali: miele.

Luoghi di interesse e manifestazioni locali: chiesa di San Martino di Albisano, castello scaligero di Torri del Benaco con mostra di antichi arnesi per la pesca, rocce con graffiti.

Prezzi: pasto da £ 30.000 a 40.000 (acqua, vino e caffè inclusi); sconto del 50% per bambini fino a 6 anni.

Note: maneggio e campo da golf nelle vicinanze; avvertire se si portano cani e gatti. D'estate possibilità di pranzare all'esterno sotto un centenario albero di more bianche.

CORTE GIARON

via Giaron, 3 • 37059 ZEVIO
☎ 0457850428

◆ I 3

Posizione geografica: pianura.

Periodo di apertura: tutto l'anno, chiuso il lunedì e i mesi di luglio e agosto.

Presentazione: il terreno dell'azienda è coltivato a frutteto e prodotti orticoli. Allevamento di animali da cortile.

Ristorazione: pasta fatta in casa, risotti, carne alla brace.

Prodotti aziendali: frutta e prodotti orticoli.

Luoghi di interesse e manifestazioni locali: Verona, Vicenza.

Prezzi: pasto da £ 18.000 a 25.000; maneggio £ 20.000 per 1 ora.

Note: centro di equitazione.

BARLOT RANCH

loc. Barlot • 37013 CAPRINO ☎ 0457265065
cell. 03487425106 - 03487234082 fax 0457242629

I 3

Posizione geografica: collina alle pendici del monte Baldo.

Periodo di apertura: tutto l'anno.

Presentazione: l'azienda, situata in una posizione panoramica, si occupa esclusivamente di allevamento equino. Possibilità per i clienti del maneggio di pernottare presso una malga.

Luoghi di interesse e manifestazioni locali: Verona, lago di Garda, parco divertimenti Gardaland, parco acquatico Caneva.

Prezzi: £ 30.000 l'ora per il maneggio.

Note: l'azienda offre servizio di trekking a cavallo, passeggiate e corsi di equitazione anche per principianti.

Vicenza

GRÜUNTAAL

via Valle, 5 • 36012 ASIAGO
☎ 0424692798 fax 0424692798

● F 6

Posizione geografica: montagna.

Periodo di apertura: tutto l'anno.

Ristorazione: ristorante con 60 coperti. Gnocchi ai formaggi, bigoli all'anatra, fettuccine ai funghi, faraona capponata, cappone allo spiedo, pollo alla cacciatora, coniglio in salmì.

Prezzi: pasto da £ 20.000 a 35.000, per l'alloggio rivolgersi direttamente all'azienda.

Note: è gradita la prenotazione. Possibilità di attività ricreative e culturali.

LA MALGA

via Mori, 13 - loc. Valmaron • 36052 ENEGO
☎ 0424490422-0424490218

● G 7

Posizione geografica: montagna (1.400 m).
Periodo di apertura: da maggio a settembre.
Presentazione: malga situata in una bellissima vallata, con produzione di formaggio Asiago, ricotta, burro, caciotta, miele. Nel periodo estivo-invernale l'azienda offre ospitalità, in paese a Enego, in appartamenti con 2 camere, cucina, bagno, e posto auto.
Ristorazione: ristoro all'aperto. Si preparano spuntini.
Prodotti aziendali: tipici del luogo.
Prezzi: alloggio da £ 35.000 a 45.000. Spuntini da £ 10.000 a 20.000.
Note: possibilità di attività ricreative e culturali. Nelle vicinanze maneggio e noleggio mountain bike. Nel periodo invernale è possibile praticare sci da fondo e da discesa.

SAN FORTUNATO

via San Fortunato • 36030 FARA VICENTINO
☎ 0445897209 - 0424501751

● H 6

Posizione geografica: collina.
Periodo di apertura: da gennaio a giugno e da settembre a dicembre.
Ristorazione: ristorante con 40 coperti. Bigoli con l'anatra, minestra di tagliatelle con fegatini, carni allo spiedo e al forno.

Prezzi: pasto da £ 28.000 a 35.000, alloggio da £ 45.000 a 75.000.
Note: è obbligatoria la prenotazione. Possibilità di attività ricreative e culturali.

APPALOOSA HORSES GASTAGH

via Colle Gastagh, 4 • 36032 GALLIO ☎ 0424658280

● H 6

Posizione geografica: montagna.
Periodo di apertura: tutto l'anno.
Ristorazione: si preparano spuntini.
Prezzi: pasto da £ 20.000 a 30.000, alloggio da £ 25.000 a 45.000.
Note: è gradita la prenotazione. Box per cavalli in pensione. Equitazione. Possibilità di attività ricreative e culturali.

AI COLLI

via Mole, 14 • 36023 LONIGO
☎ 0444833050

● L 6

Posizione geografica: pianura.
Periodo di apertura: tutto l'anno.
Ristorazione: ristorante con 60 coperti. Pasta fatta in casa, carni

---

alla brace, verdure e dolci di stagione.
Prezzi: pasto da £ 25.000 a 30.000, alloggio £ 40.000.
Note: è gradita la prenotazione.

VAL CECCONA

via Ceccona, 1 • 36046 LUSIANA ☎ 0424704188

● G 7

Posizione geografica: montagna.
Periodo di apertura: tutto l'anno.
Ristorazione: ristorante con 60 coperti. Pasta fatta in casa, minestrone, pollo e coniglio in umido, carne ai ferri. Si preparano anche spuntini.
Prezzi: pasto da £ 15.000 a 30.000. Per l'alloggio rivolgersi direttamente all'azienda.
Note: è gradita la prenotazione. Possibilità di attività ricreative e culturali.

VALLEBIANCA

via Campomezzavia, 15 • 36046 LUSIANA
☎ 0424704084-0424407392

● G 7

Posizione geografica: montagna.
Periodo di apertura: tutto l'anno.
Ristorazione: ristorante con 45 coperti. Risotti e pasticci con erbe di stagione, spezzatino con polenta e funghi, coniglio in

umido con verdure e altri animali di bassa corte.
Prezzi: pasto da £ 25.000 a 35.000, per l'alloggio rivolgersi direttamente all'azienda.
Note: è necessaria la prenotazione. Possibilità di attività ricreative e culturali.

AL CILIEGIO

via Valbella Alta, 5 - loc. Vallonara di Marostica
36063 MAROSTICA ☎ 042477732

● H 6

Posizione geografica: collina.
Periodo di apertura: tutti i giorni tranne il martedì, da giugno a settembre; venerdì, sabato e domenica negli altri mesi.
Associato a: Terranostra.
Presentazione: l'azienda si estende su una collina ed è circondata da ciliegi. Produzione di ortaggi, uva, frutta. Allevamento di bovini, suini, animali da cortile, anitre mute.
Ristorazione: H/B, F/B. Ristorante con 60 coperti. Insaccati, pasticcio, bigoli all'anitra, polenta e spezzatino, polenta e coniglio, torte di mele e di noci, crostate di marmellate.
Prodotti aziendali: ciliegie, insaccati.
Luoghi di interesse e manifestazioni locali: castello inferiore e superiore a Marostica, piazza con scacchiera (Marostica), santuario della Madonna dei capitelli. Sagra delle ciliegie l'ultima domenica

di maggio o la prima di giugno, partita a scacchi il 2° fine settimana di settembre in anni pari, San Simeone l'ultima domenica di ottobre, mercatino dell'antiquariato la 1ª domenica di ogni mese. **Prezzi:** pasto da £ 20.000 a 35.000, B&B da £ 30.000 a 50.000. Sconto 50% per bambini fino a 3 anni, 20% fino a 8 anni.

Note: accessibile agli handicappati. Si consiglia la prenotazione. Si possono praticare agriciclismo, nuoto (nella piscina comunale di Marostica). Prato per prendere il sole. Passeggiate su sentieri naturalistici. Biancheria, pulizia, riassetto, telefono comune, bagno comune, riscaldamento, posto macchina.

IL PALAZZONE

via G. Roi, 30 • 36047 MONTEGALDA
☎ 0444635001-0444737253 fax 0444737040
E-mail: paolo brunello@vi.nettuno.it

 I 6

Posizione geografica: basso vicentino.
Periodo di apertura: da aprile a settembre.
Associato a: Terranostra.
Presentazione: antica dimora di campagna del Cinquecento in azienda che offre ampi spazi verdi. Accoglie ospiti in camere con bagno privato, telefono e aria condizionata.
Ristorazione: ristorante aperto il sabato e la domenica. Menu a base di verdure.
Prodotti aziendali: grappa, vino, marmellate, verdure.
Luoghi di interesse e manifestazioni locali: Vicenza, Padova, Venezia, Verona.
Prezzi: pasto da £ 25.000 a 30.000, alloggio da £ 40.000 a 60.000 a persona.
Note: annessa all'azienda è la distilleria artigianale di famiglia. Su prenotazione si organizzano visite guidate per gruppi. Apertura infrasettimanale programmata. Si organizzano anche corsi di degustazione della grappa e visite alla distilleria. Possibilità di gioco delle bocce, pallavolo, calcetto e pista per aeromodelli.

CITTON

loc. Lepre • 36020 SAN NAZARIO ☎ 0424559001-042437808

 G 7

Posizione geografica: montagna (1.200 m).
Periodo di apertura: da marzo a ottobre e periodo natalizio.
Presentazione: l'azienda offre ospitalità in 2 camere.
Ristorazione: ristorante con 50 coperti. Tagliatelle, zuppe, minestroni, pollo e coniglio in umido e al forno, grigliate, formaggio fuso, affettati e vini di propria produzione.
Prezzi: rivolgersi direttamente all'azienda.
Note: è gradita la prenotazione. Parco giochi per bambini. Possibilità di attività ricreative e culturali, escursioni.

VALLUGANA BASSA

via Cosari, 4/6 • 36030 SAN TOMIO DI MALO
☎ 0445605151

G 5

Posizione geografica: collina.
Periodo di apertura: da febbraio a dicembre.
Ristorazione: ristorante con 60 coperti. Maccheroncini al radicchio, fettuccine ai chiodini, risotto al tartufo, fesa di vitello al timo.
Prezzi: pasto a partire da £ 28.000. Per l'alloggio rivolgersi direttamente all'azienda.
Note: è gradita la prenotazione.

AL CASTELLO

via Sant'Eusebio • 36040 SAREGO
☎ 0444436337-0444833047

 I 6

Posizione geografica: collina.
Periodo di apertura: tutto l'anno.
Ristorazione: ristorante con 50 coperti. Pasta fatta in casa, carni alla brace, verdure e dolci di stagione.
Prezzi: pasto da £ 25.000 a 35.000, alloggio da £ 35.000 a 70.000.
Note: è gradita la prenotazione. Attività ricreative e culturali anche per bambini.

MILAN GIORGIO

via Businello, 172 • 36100 VICENZA ☎ 0444248065

H 6

Posizione geografica: pianura.
Periodo di apertura: tutto l'anno.
Ristorazione: ristorante con 60 coperti. Pasta fatta in casa, carni alla brace, verdure e dolci di stagione.
Prezzi: pasto da £ 25.000 a 30.000, per l'alloggio rivolgersi direttamente all'azienda.
Note: è gradita la prenotazione.

VAL VERDE

via Fagnini, 15 - fraz. Pozzolo • 36020 VILLAGA
☎ 0444868242 fax 0444868586

 L 6

Posizione geografica: collina.
Periodo di apertura: tutti i giorni.
Associato a: Terranostra.
Presentazione: tipica costruzione rurale. L'azienda si estende su 10 ettari di terreno e si trova su un versante dei colli Berici. Offre ospitalità in 5 camere con bagno, 2 appartamenti con cucina e bagno, e in piazzole per la sosta di camper.
Ristorazione: H/B, F/B. Lasagne con piselli e alla cacciatora, maccheroni con asparagi di bosco, colombino allo speck, carne alla griglia.

Luoghi di interesse e manifestazioni locali: ville venete palladiane.
Prezzi: pasto da £ 25.000 a 30.000, H/B a 65.000, F/B £ 80.000, B&B da £ 50.000 a 55.000. Sconto del 10% per bambini e letti aggiunti.
Note: osservazione ambienta-

le, orientamento. Mountain bike e giochi all'aria aperta. Raccolta di asparagi, castagne e funghi. Prato, sala riunioni. Telefono in camera, biancheria, pulizia, riscaldamento, parcheggio coperto.

DA MARINEA

via Tovari, 13 • 36030 ZUGLIANO ☎ 0445872559

● G 6

Posizione geografica: collina.
Periodo di apertura: tutto l'anno tranne agosto.
Ristorazione: ristorante con 60 coperti. Pasticci di verdura, spiedo di colombini, spezzatino di manzo, pollame al forno.
Prezzi: pasto da £ 20.000 a 30.000. Per l'alloggio rivolgersi direttamente all'azienda.
Note: è gradita la prenotazione. Possibilità di attività ricreative e culturali.

MOTTERELLE

via Motterelle • 36020 AGUGLIARO
☎ 0444891040 fax 03473434902

▲ L 6

Posizione geografica: pianura, tra i colli Euganei e Berici.
Periodo di apertura: tutto l'anno.
Associato a: Terranostra.
Presentazione: tipica costruzione rurale. L'azienda si estende su 18 ettari con produzione di cereali e allevamento di bovini e ovini. Offre ospitalità in 1 camera e 1 appartamento con 2 posti letto e uso cucina.
Prodotti aziendali: carni di propria produzione.
Luoghi di interesse e manifestazioni locali: varie ville palladiane, Museo della civiltà contadina, attrazioni naturalistiche sui colli Euganei, Vicenza, Verona, Padova. Festa dell'uva in settembre, palio di Montagnana in agosto, fiera di Santa Caterina e fiera dei Santi in novembre.
Prezzi: alloggio oltre £ 50.000.
Note: solo su prenotazione. Possibilità di baby-sitting per i bambini. Mountain bike. Prato per prendere il sole. Biancheria, pulizia, riassetto, uso cucina, riscaldamento. Animali accolti previo accordo.

LE VALLI

via Valli, 2 • 36040 SAN GERMANO DEI BERICI ☎ 0444868432

▲ I 6

Posizione geografica: collina.
Periodo di apertura: tutto l'anno.
Prodotti aziendali: prodotti biologici.
Luoghi di interesse e manifestazioni locali: visita guidata all'azienda.
Prezzi: alloggio da £ 30.000 a 50.000.
Note: è gradita la prenotazione. Possibilità di attività ricreative e culturali.

VICENZA HILLS BED AND BREAKFAST

viale X Giugno, 133 • 36100 VICENZA ☎ 0444543087

▲ I 6

Posizione geografica: collina.

Periodo di apertura: tutto l'anno.
Ristorazione: è compresa la prima colazione.
Prezzi: alloggio da £ 40.000 a 50.000.
Note: è d'obbligo la prenotazione.

MALGA COL DEL GALLO

via Colli Alti, 6 - San Giovanni • 36020 SOLAGNA
☎ 0424556003-0424510506

◆ G 7

Posizione geografica: montagna.
Periodo di apertura: tutti i giorni da giugno a metà ottobre.
Associato a: Terranostra.
Presentazione: tipica costruzione rurale collocata su 21 ettari di montagna e 3 ettari di pianura coltivati a cereali, vigneto, prato, pascolo. Allevamento di bovini, suini.
Ristorazione: ristorante aperto al pubblico con 60 coperti. Anche solo per spuntini, pastasciutta con ragù di soppressa, minestrone, pollo e coniglio con polenta, *formaio coto, poenta e sopressa*, crostata di ricotta o di frutta.
Prodotti aziendali: salumi, formaggio, caciotta, ricotta e burro.
Luoghi di interesse e manifestazioni locali: sacrario di Cima Grappa, piccolo museo della guerra 1915-18.
Prezzi: pasto da £ 18.000 a 28.000.
Note: si consiglia la prenotazione per pasti caldi. È possibile visitare un piccolo museo della civiltà contadina, la ghiacciaia coperta a Fojaroi e percorrere il sentiero storico naturale. Raccolta di frutti di bosco e funghi. Passeggiate tra boschi e pascoli. Prato per prendere il sole. A 3 km si trova un campo da tennis. Posto macchina.

CA' DELL'ÀGATA

via M. Rosa, 26 - Grumolo Pedemonte · 36030 ZUGLIANO
☎ 0445370349-0445365548

◆ I 6

Posizione geografica: pianura ai piedi delle colline (Le Bregonze).
Periodo di apertura: tutto l'anno, escluso agosto, su prenotazione.
Associato a: Agrivacanze, Terranostra, A.I.A.B.
Presentazione: costruzione rurale in azienda di 3 ettari che produce in modo naturale-biologico ortaggi e frutta, anche di varietà rustica, ed è specializzata nella trasformazione di conserve.
Ristorazione: ristorante aperto al pubblico su prenotazione (40 coperti). Semplice cucina vegetariana con propri prodotti biologici: crauti freschi di botte, zuppe rustiche e gnocchi alle erbe, sottoli (cavolfiori alle mandorle, ramolaccio), torte salate, polenta di mais *maranèlo* con spezzatino di frumento, polpette di legumi e formaggi di capra.
Prodotti aziendali: ortaggi, frutta, marmellate, sottoli e sottaceti, crauti freschi di botte, uova.
Luoghi di interesse e manifestazioni locali: eremo di San Biagio, sentiero attrezzato villa Bassi, escursioni sulle Bregonze, raccolta di minerali nel vicino torrente Igna. Festa di San Biagio (febbraio), Pasquetta sulle Bregonze.
Prezzi: pasto da £ 26.000 a 30.000.
Note: l'azienda organizza corsi di arte conserviera, corsi di cucina vegetariana, serate culturali. Sala riunioni disponibile. Nel locale ristoro è allestita una mostra di minerali raccolti nella zona (le àgate). Visite guidate per gruppi e scolaresche sia nell'azienda sia nei percorsi ambientali. Raccolta di erbe selvatiche e frutta rustica.

Friuli Venezia Giulia

Tarvisio

Forni di Sopra

Tolmezzo

Trasaghis

Tramonti di Sotto

Gemona del Friuli

Spilimbergo

UDINE

Cividale del Friuli

PORDENONE

Codroipo

GORIZIA

S. Vito Tagliamento

Aquileia

Monfalcone

Duino

Monrupino

Latisana

Opicina

Grado

MAR ADRIATICO

TRIESTE

Muggia

Gorizia

CASA RIZ

loc. Giassico, 18 • 34070 CORMÒNS ☏ e fax 048161362

● L 11

Posizione geografica: pedecollinare, sulla sponda del torrente Judrio.
Periodo di apertura: tutto l'anno ogni fine settimana.
Associato a: Terranostra.
Presentazione: tipica casa rurale friulana appena ristrutturata, situata in un piccolo paese immerso tra i vigneti, sull'antico confine austro-italiano. Offre ospitalità in 4 camere con bagno per un totale di 8 posti letto.
Ristorazione: ristoro agrituristico con 70 coperti; per gli ospiti solo il fine settimana. Insaccati tipici, cotechino con *brovada*, *frico*, salame all'aceto.
Prodotti aziendali: vini D.O.C. di Friuli Isonzo, insaccati, uova.
Luoghi di interesse e manifestazioni locali: Cividale del Friuli, Palmanova, Gorizia, abbazia di Rosazzo, Cormòns, Aquileia. Festa dell'uva in settembre a Cormòns, "*Mittelfest*" in agosto a Cividale, Genetliaco imperiale in agosto a Giassico.
Prezzi: pasto da £ 18.000 a 28.000. Alloggio da £ 30.000 a 50.000.
Note: gli alloggi hanno entrate indipendenti, disponibili sale e biciclette. Possibilità di praticare mountain bike e trekking. Raccolta di asparagi e funghi. Osservazione faunistica e possibilità di partecipare alle attività aziendali. Biancheria, pulizia, riassetto, riscaldamento, posto macchina.

AL DIAUL

via Colombo, 7 • 34070 MORARO ☎ 0481808928

● L 11

Posizione geografica: pianura.
Periodo di apertura: tutto l'anno escluso il periodo della vendemmia.
Associato a: Turismo Verde.
Presentazione: costruzione rurale in azienda con coltivazioni di vigneto, ortaggi e frutta. Offre ospitalità in 1 camera doppia con bagno.
Ristorazione: cucina tipica friulana, gnocchi e pasta con la zucca, *jota*, ossocollo al forno, grigliate di verdure, involtini di verza, verdure ripiene, torta e strudel di mele, *gubana* goriziana.
Prodotti aziendali: vino.
Luoghi di interesse e manifestazioni locali: Gorizia, Cividale del Friuli, Aquileia, Carso goriziano, Collio goriziano, località balneari.
Prezzi: B&B a £ 60.000 (camera doppia). Pasto da £ 20.000 a 30.000.
Note: passeggiate a cavallo e in bicicletta. Sale da pranzo distinte per fumatori e non fumatori. Si accettano animali domestici con accesso vietato alla stanza da letto.

PARCO RURALE ALTURE DI POLAZZO

via Fornaci, 1/a - loc. Fogliano • 34070 REDIPUGLIA
☏ 0330936836 fax 0330240132
E-mail:alturedipolazzo@code.it

● L 11

Posizione geografica: collina (114 m).
Periodo di apertura: tutto l'anno, solo su prenotazione.
Associato a: Terranostra.
Presentazione: azienda a indirizzo zootecnico situata nel cuore del Carso, in un'area ricca di memorie storiche. Dispone di un prato di 1 ettaro adibito all'ospitalità per campeggiatori (in 15 piazzole attrezzate di cui 10 per tende e 5 per camper) e per scolaresche. Ristoro con spazi aperti per gli amanti della natura.

Ristorazione: ristoro agrituristico aperto al pubblico solo su prenotazione. Cucina preparata con i prodotti aziendali. *Jota*, pasta ai funghi e alle erbe aromatiche del Carso, agnello al forno con patate, salsicce nel vino, faraona con funghi, goulasch, strudel di mele, torta di ricotta.
Prodotti aziendali: miele, verdure in agrodolce e verdure fresche, funghi, marmellata, carni bovine e ovine, il tutto certificato I.M.C.
Luoghi di interesse e manifestazioni locali: riserva naturale della Landa Carsica, Palmanova, Farra, Cividale, Aquileia, castello di Miramare, Carsiana. Manifestazioni storico-celebrative sulla Prima Guerra Mondiale.
Prezzi: £ 15.0000 a persona in agricampeggio. Pasto a £ 35.000.
Note: accessibile agli handicappati. Prenotare con 30 giorni d'anticipo, permanenza minima 2 giorni. Parco giochi e campo sportivo polivalente, escursioni a piedi, a cavallo, con calesse, con trattore e carro attrezzato e in mountain bike. Attività agricole in azienda. Servizi centralizzati, colonnine elettriche. Stages di formazione e visite guidate alle attività produttive sperimentali. Azienda consigliata Caravan Club Gorizia.

KITZMULLER THOMAS

via XXIV Maggio, 56 - loc. Brazzano • 34071 CORMÒNS
☏ e fax 048160853

▲ L 11

Posizione geografica: ai piedi del Collio.
Periodo di apertura: da marzo a ottobre.
Associato a: Terranostra.
Presentazione: azienda a vocazione vitivinicola. Offre ospitalità in 3 camere in casolare restaurato e in 2 camere in un appartamento di recente costruzione, tutte dotate di servizi e cucina.
Prodotti aziendali: vino.
Luoghi di interesse e manifestazioni locali: Cividale del Friuli, Aquileia, zona del Carso, Trieste, valle dell'Isonzo.
Prezzi: OR da £ 70.000 a 80.000 (camera doppia).
Note: possibilità di escursioni naturalistiche a piedi o in bicicletta. Animali accolti previo accordo.

LA BOATINA

via Corona, 62 • 34071 CORMÒNS
☏ 048160445-0481630161
E-mail:info@boatina.com • http:www.boatina.com

▲ L 11

Posizione geografica: collina.
Periodo di apertura: da aprile ad ottobre.
Associato a: Agriturist.
Presentazione: casa per alloggio composta da 5 camere doppie, con bagno privato, per un totale di 10 posti letto. Le stanze sono arredate con mobili in stile.
Prodotti aziendali: vini e grappe. La produzione riguarda esclu-

sivamente vini della zona D.O.C. del Collio bianchi e rossi.
Luoghi di interesse e manifestazioni locali: a maggio festa del balcone fiorito e riscoperta del monte Quarin, festa provinciale dell'uva in settembre. Rievocazione storica con costumi d'epoca in agosto.
Prezzi: B&B a £ 75.000 a persona.
Note: permanenza minima di 2 giorni. Non si accolgono animali.

VENICA & VENICA

via Mernicco, 42 • 34070 DOLEGNA DEL COLLIO
☎ 048161264-048160177 fax 0481639906

 L 11

Posizione geografica: collina.
Periodo di apertura: tutto l'anno su prenotazione.
Associato a: Terranostra.
Presentazione: azienda vitivinicola nella zona di coltivazione dei vini D.O.C. Collio, sorge su 4 colline di marne arenarie.
Offre ospitalità in 6 camere, con servizi privati, per un totale di 11 posti letto e in 2 appartamenti da 3/5 posti letto.
Prodotti aziendali: vini D.O.C. Collio.
Luoghi di interesse e manifestazioni locali: vigneti di Cerò, Perilla e Bottaz, parchi naturalistici di Plessiva e del Bosco Romagno, Cividale del Friuli, foro romano di Aquileia. Manifestazioni folkloristiche.
Prezzi: oltre £ 50.000.
Note: tennis, piscina, percorsi a piedi e in bicicletta. Ampio spazio per prendere il sole. Visita all'azienda vinicola con degustazione di vini.

AZIENDA KOGOJ

via Zorutti, 10 • 34070 MEDEA
☎ e fax 048167440

 L 10

Posizione geografica: pianura.
Periodo di apertura: tutto l'anno.
Associato a: Terranostra.
Presentazione: casa rurale ristrutturata e arredata con mobili d'epoca. Offre ospitalità in 5 camere con bagno per un totale di 9 posti letto.

Prodotti aziendali: vini D.O.C. Collio, D.O.C. Isonzo.
Luoghi di interesse e manifestazioni locali: Cividale del Friuli, Cormòns, Gorizia, Palmanova. Festa dell'uva in settembre a Cormòns.
Prezzi: B&B a £ 170.000 (camera doppia).
Note: ampio parco. Possibilità di visitare l'azienda vinicola. Parcheggio, pulizia e riassetto camere. Non si accolgono animali.

AL GRANATIERE

loc. Scriò, 16 • 34070 DOLEGNA DEL COLLIO
☎ e fax 0481639982

 L 11

Posizione geografica: collina.

Periodo di apertura: da febbraio al 15 agosto e da ottobre al 29 dicembre, dal sabato alla domenica dalle ore 10.00 alle 24.00.
Associato a: Terranostra.
Presentazione: azienda circondata da vigneti nel cuore del Collio.

Ristorazione: salumi, prosciutto, formaggio, gnocchi alla rucola, tagliatelle allo *sclopit*, minestrone di castagne, d'orzo e di verdure, frittate alle erbe e al salame, salame e cipolla all'aceto rosso, pollo al forno, salsicce al *toc*, muscoletti con patate, *brovada e muset*, verdure cotte e crude, strudel, *gubane* e crostate.
Prodotti aziendali: vino, salumi, ciliege, castagne, ortaggi, grappa.
Luoghi di interesse e manifestazioni locali: Dolegna del Collio, parco del Bosco Romagno, santuario di Castelmonte, numerose cantine vinicole. Dal 15 ottobre al 15 novembre castagne e *ribolla* alla domenica.
Prezzi: pasto da £ 30.000 a 35.000.
Note: accessibile ai portatori di handicap. Prossima disponibilità di camere. È possibile organizzare visite guidate alla cantina vinicola con degustazione per gruppi.

Pordenone

PIANCAVALLO

via Pedemontana Occidentale, 40
33070 BUDOIA
☎ e fax 0434653047

 I 2

Posizione geografica: collina.
Periodo di apertura: tutto l'anno.
Associato a: Agriturist.
Presentazione: immersi nell'assoluta tranquillità, gli ospiti possono alloggiare in 6 camere, di cui 3 doppie e 3 singole con 2 bagni e sala TV in comune.
Ristorazione: H/B e F/B previo accordo. Ristorante aperto al pubblico con 40 coperti. Piatti tipici, menu stagionale, *frico* con patate, salame col *cao*, carni alla griglia e ottimi vini.
Prodotti aziendali: salame, formaggi di montagna, ricotta affumicata.
Luoghi di interesse e manifestazioni locali: Val Cellina, lago di Barcis, Piancavallo, Valle Cansiglio, località sciistiche.
Prezzi: OR a £ 35.000 (camera singola) e £ 60.000 (camera doppia). Equitazione con istruttori qualificati: 10 lezioni a £ 180.000, 1 lezione o passeggiata a £ 20.000.
Note: corsi d'equitazione per bambini portatori di handicap. Maneggio coperto e scoperto con illuminazione. Escursioni e trekking a cavallo su sentieri tracciati, box attrezzati per pensione cavalli. Cambio biancheria settimanale. Si accolgono animali domestici.

MISSANA MASSIMO E GIOVANNI

via Galanz, 5 - fraz. San Francesco • 34090 VITO D'ASIO
☎ e fax 042780640

 G 5

Posizione geografica: collina.
Periodo di apertura: da giugno a settembre tutti i giorni tranne il martedì, da marzo a maggio e da ottobre a gennaio venerdì, sabato e domenica.
Associato a: Terranostra.
Presentazione: vecchio fabbricato in legno ristrutturato in azienda con distese prative e coltivazioni ortive e frutticole (50 meli). Accoglie ospiti in 2 camere con servizi per un totale di 4 posti letto. Allevamento di cavalli, polli, conigli e tacchini.
Ristorazione: antipasti, gnocchi con speck, ravioli e tagliatelle fatti in casa, salame e lardo casereccio, arrosti di tacchino e coniglio, *frico*, grigliata mista, zucchine al forno, crostate, budino al the. Piatti particolari a richiesta.
Luoghi di interesse e manifestazioni locali: malga a 2 ore di cammino, castello del conte Giacomo Cecconi a Pielungo. Sagra paesana il 15 agosto, commemorazione di Canal di Cuna il primo maggio.
Prezzi: pasto da £ 25.000 a 30.000.
Note: scuola d'equitazione. Passeggiate lungo il fiume Arzino. Prato.

GELINDO DEI MAGREDI

via Roma, 16 • 33099 VIVARO
☎ 042797037-042797322 fax 042797515

 H 5

Posizione geografica: collina (160 m).
Periodo di apertura: tutto l'anno su prenotazione.
Associato a: Terranostra.
Presentazione: complesso vacanze costituito da una fattoria agrituristica, da un Country Relais e da un albergo con ristorante. Nelle scuderie dell'azienda è possibile accogliere 40 cavalli, grande maneggio coperto per *dressage* e salto a ostacoli, due campi in sabbia ed erba e ampio percorso cross-country. Offre ospitalità in 6 camere con servizi per un totale di 11 posti letto e in 14 piazzole in agricampeggio.
Ristorazione: 50 coperti. Gestione familiare. Pasta casereccia, verdure, germano al forno, pollame, porchetta, agnello, *muset e brovada*.
Prodotti aziendali: pollame, vini e miele.
Luoghi di interesse e manifestazioni locali: Pordenone, Spilimbergo, scuola mosaicisti, parco del Prescudin.
Prezzi: B&B a £ 110.000 (camera doppia)e £ 80.000 (camera singola), H/B a £ 90.000, F/B a £ 110.000. Pasto da £ 25.000 a 40.000. Piazzola gratis per chi mangia al ristorante oppure a £ 5.000 per chi non mangia.
Note: trekking, equitazione, tiro con l'arco e mountain bike. Biancheria, TV, phon, aria condizionata. Azienda consigliata Caravan Club Gorizia. Si accolgono animali domestici.

MASARET

loc. Masaret, 2 • 33070 COLTURA DI POLCENIGO
☎ 0434749544

 H 3

Posizione geografica: collina.
Periodo di apertura: dal venerdì alla domenica. Nei mesi di luglio e agosto dal giovedì alla domenica.
Associato a: Turismo Verde.
Presentazione: costruzione in legno in azienda che alleva suini e cavalli.
Ristorazione: trattamento casalingo con cucina tradizionale a base di prodotti di propria produzione.
Prodotti aziendali: vini, formaggi, insaccati vari, carni suine e bovine.
Luoghi di interesse e manifestazioni locali: sorgenti del Livenza, Gorazzo Polcenigo, parco naturale di San Floriano, località sciistica del Piancavallo e parco Delta.
Prezzi: pasto da £ 30.000, sconti per comitive da concordare.
Note: possibilità di passeggiate nel sottobosco.

LÀ DI FANTIN

via Pra Volton - loc. Ponte Meduna • 33170 PORDENONE
☎ 0434541676 fax 043428735

 I 4

Posizione geografica: pianura.
Periodo di apertura: tutto l'anno, giorno di chiusura il mercoledì.
Associato a: Agriturist.
Presentazione: vecchia casa colonica ristrutturata con giardino.
Ristorazione: piatti tipici della cucina locale.
Prodotti aziendali: vini D.O.C. dei Colli orientali del Friuli.
Luoghi di interesse e manifestazioni locali: museo civico, pinacoteca, mostra archeologica. Festival e cinema muto.
Prezzi: rivolgersi direttamente all'azienda. Riduzioni per gruppi di almeno 15 persone.
Note: per il fine settimana è consigliata la prenotazione. Equitazione (monta inglese e di campagna). Parcheggio. Si accolgono animali domestici.

Trieste

RADOVIC

loc. Aurisinia, 138/a • 34011 AURISINIA
☎ 040200173

 N 12

Posizione geografica: altopiano.
Periodo di apertura: tutto l'anno, su prenotazione.
Associato a: Terranostra.
Presentazione: rustico recentemente ristrutturato in azienda che si occupa di viticoltura, frutticoltura, apicoltura e ortocoltura. Alleva manzi, caprioli e animali di bassa corte. Offre ospitalità in 4 monolocali con angolo cottura, bagno con doccia e ampio terrazzo per un totale di 9 posti letto.
Ristorazione: solo su prenotazione. Piatti tipici locali, *jota*, gnocchi e grigliate.
Prodotti aziendali: grotta Gigante, giardino botanico, castello di Miramare, Trieste, Slovenia, località balneari.
Prezzi: rivolgersi direttamente all'azienda.
Note: cambio biancheria. Animali accolti previo accordo.

MEZZALUNA

loc. Malchina, 54/a • 34018 DUINO AURISINA
☎ 040291529

● **M 11**

Posizione geografica: mare.
Periodo di apertura: dal 15 febbraio al 15 dicembre il venerdì, sabato, domenica e giorni festivi.
Associato a: Turismo Verde.
Presentazione: azienda con allevamento di suini, ovini, caprini, polli e coltivazioni di vigneti e ortaggi. Offre ospitalità in 7 camere doppie con servizi.
Ristorazione: formaggio di capra e di pecora, *jota*, capretto, frittate con le erbe, dolci fatti in casa.
Prodotti aziendali: vino, miele, formaggio, salumi.
Luoghi di interesse e manifestazioni locali: castello di Miramare, baia di Sistiana (a 3 km), Trieste, castello di San Giusto.
Prezzi: rivolgersi direttamente all'azienda.
Note: giochi per bambini.

SVARA

loc. Ternova Piccola, 14 • 34011 DUINO AURISINIA
☎ 040200898

◆ **M 11**

Posizione geografica: collina.
Periodo di apertura: febbraio, giugno e novembre, nel periodo invernale chiuso il martedì e il mercoledì.
Associato a: Terranostra.
Presentazione: situata nell'altopiano carsico l'azienda è a indirizzo vitivinicolo, con coltivazioni orticole e floricole. Allevamento di suini.
Ristorazione: spuntini a base di prosciutto crudo, salame, pancetta e formaggio. Cucina tipica, gnocchi di patate con costine, *jota*, grigliata di carne di maiale, salsicce, cotechini, patate al tegame, capucci, radicchio con fagioli.
Prodotti aziendali: vino, patate e fiori recisi.
Luoghi di interesse e manifestazioni locali: castello di Duino, orto botanico Carsiana, grotta Gigante, Casa Carsica e santuario di Monrupino, Trieste, località balneari. Nozze Carsiche a fine agosto con cadenza biennale, regata velica Barcolana la seconda settimana di ottobre, corso mascherato a Opicina il sabato dell'ultima settimana di Carnevale.
Prezzi: pasto a £ 25.000.

LUPINC DANIELE

loc. Prepotto, 11/b • 34011 DUINO AURISINIA
☎ 040200848

◆ **M 11**

Posizione geografica: collina.
Periodo di apertura: da maggio al 10 novembre dal venerdì al lunedì.
Associato a: Turismo Verde.
Presentazione: tipica cantina carsica di vinificazione, circondata da un

prato alberato, che dispone di un locale adibito a ristoro agrituristico.
Ristorazione: cucina tipica, *jota*, gnocchi, goulasch, affettati e insaccati, vini locali.
Prodotti aziendali: vino, patate, ortaggi e insaccati.
Luoghi di interesse e manifestazioni locali: grotta Gigante, orto botanico Carsiana, rocca di Monrupino, baia di Sistiana e Duino. Numerose sagre nel periodo estivo.
Prezzi: pasto a £ 25.000. Vino in bottiglia a £ 9.000.
Note: trekkig, osservazione naturalistica, mountain bike e parco giochi. Tennis a 1 km.

OSTROUSKA ALESSIO

loc. Sagrado di Sgonico, 1 • 34010 SGONICO

◆ **M 12**

Posizione geografica: collina (350 m).
Periodo di apertura: nei mesi di febbraio, marzo, aprile, maggio, ottobre, novembre, dicembre aperto dal venerdì alla domenica, chiuso in gennaio. Il resto dell'anno su prenotazione per gruppi.
Associato a: Turismo Verde.
Presentazione: ristorante con 80 coperti composto da due sale, una delle quali con caminetto e vista panoramica. L'azienda coltiva vigneti e ortaggi e alleva bovini e suini.
Ristorazione: *jota*, gnocchi di patate con goulasch, minestra di bobici, carne alla griglia e contorni della casa, vini D.O.C. di propria produzione.
Prodotti aziendali: patate, crauti, salsicce, pomodori e insalata.
Luoghi di interesse e manifestazioni locali: Trieste, grotta Gigante, santuario del monte Griso, Casa carsica e rocca di Monrupino. Feste paesane con musica e piatti tipici durante il periodo estivo.
Prezzi: rivolgersi direttamente all'azienda. Sconti per gruppi.

Udine

SCACCIAPENSIERI

via Morpurgo, 29 • 33042 BUTTRIO
☎ 0432674907 fax 0432674421

● **I 9**

Posizione geografica: collina.
Periodo di apertura: alloggio tutto l'anno, giorno di chiusura il lunedì. Chiuso gennaio e febbraio per la ristorazione.
Associato a: Agriturist.
Presentazione: costruzione rurale situata sull'apice di una collina con panorama a 360 gradi dalle montagne al mare, circondata da vigneti. Offre ospitalità in 6 camere con servizi per un totale di 13 posti letto.
Ristorazione: ristorante aperto al pubblico. Cucina con prodotti aziendali.
Prodotti aziendali: vino.
Luoghi di interesse e manifestazioni locali: Cividale del Friuli con testimonianze romane, celtiche e longobarde, Aquileia, Udine, Gorizia.
Prezzi: pasto da £ 30.000 a £ 70.000, alloggio a partire da £ 110.000.
Note: accessibile agli handicappati. Possibilità di praticare tennis, calcetto, calcio (a 3 km) e agriciclismo. Trekking e passeggiate, golf, mountain bike. Raccolta di funghi. Telefono, televisore, frigobar, prima colazione.

LA POCE DE STRIES

via Tiepolo, 2/A - loc. Montegnacco • 33010 CASSACCO
☎ 0432881343 fax 0432851759

● G 7

Posizione geografica: colline moreniche.
Periodo di apertura: alloggio tutto l'anno, ristorazione dal giovedì alla domenica.
Associato a: Agriturist.
Presentazione: casa rurale ristrutturata. Offre ospitalità in 5 camere con servizi per un totale di 10-12 posti letto e in 2 appartamenti con 3-4 posti letto.
Ristorazione: ristorante aperto al pubblico dalle 19.30, tranne la domenica dalle 12.30 alle 19.00. Possibilità di fare spuntini durante il pomeriggio della domenica. Tre primi vegetariani, cucina secondo la stagione con prodotti biologici di produzione aziendale.
Prodotti aziendali: ortaggi, vino, formaggio, piccoli frutti, piante aromatiche e da fiore, miele.
Luoghi di interesse e manifestazioni locali: Gemona, Venzone, Cividale, Aquileia.
Prezzi: pasto da £ 20.000 a 32.000 (bevande escluse), B&B a partire da £ 50.000 a persona.
Note: prato per prendere il sole. Possibilità di praticare sci, tennis, trekking e passeggiate ambientali. Pulizia, televisore a richiesta secondo la disponibilità, servizio lavanderia, biancheria. Animali accolti previo accordo.

MOLINO DEL CONTE

via Tagliamento, 268 • 33030 CISTERNA DEL FRIULI
☎ 0432862240 fax 0432862039

● H 6

Posizione geografica: pianura, fiume.
Periodo di apertura: tutto l'anno dal venerdì alla domenica, esclusi luglio e agosto.
Associato a: Unione Agricoltori di Udine, Agriturist.
Presentazione: tipica costruzione friulana, rurale. L'azienda si estende su 20 ettari di terreno coltivati a cereali. Allevamento di suini, animali di bassa corte e cavalli. Offre ospitalità in 8 camere di cui 5 con bagno privato e 3 con bagno comune.
Ristorazione: ristorante aperto al pubblico dalle ore 9.00 alle 24.00 con 80 coperti. Cucina tipica friulana con piatti particolari dell'agriturismo. Pasta del conte, gnocchi, frico, frittate, salame all'aceto, arrosti di maiale, anitra, oca, pollo.
Prodotti aziendali: pollame, salumi, uova.
Luoghi di interesse e manifestazioni locali: attrazioni naturalistiche, fiume Tagliamento, luoghi delle civiltà contadine friulane, castelli, San Daniele del Friuli, Spilimbergo, scuola di mosaico. Varie sagre di campagna, feste enologiche nei dintorni.
Prezzi: pasto da £ 20.000 a 35.000, alloggio da £ 40.000 a 60.000. Sconto del 10% per i bambini fino ai 10 anni, 5% per letto aggiunto.
Note: raccolta di asparagi, castagne, funghi. Passeggiate a cavallo o in carrozza. Giochi all'aria aperta. Possibilità di praticare agricoltura biologica, col-

tivazione bonsai, corsi di gastronomia, equitazione e pesca. Biancheria, pulizia, uso cucina, uso frigorifero. Si accolgono animali domestici.

CASA DEL GRIVÒ

borgo Canal del Ferro, 19 • 33040 FAEDIS
☎ 0432728638

● H 9

Posizione geografica: collina (200 m).
Periodo di apertura: dal 2 gennaio al 10 dicembre.
Presentazione: vecchia casa contadina in pietra tra piccoli campi coltivati e pendii boscosi. Dal 1989 l'azienda è una fattoria con agricoltura biologica, ampio orto-giardino e vigneti. Offre ospitalità in 4 camere con 3 bagni in comune per un totale di 12 posti letto.
Ristorazione: ristorante aperto a gruppi di max 30 persone, in sala con tipico *fogolâr*. Cucina tradizionale friulana, *frico, brovada e musetto,* risotti, funghi, polenta integrale, cucina vegetariana.
Prodotti aziendali: confetture, vino Refosco e Tocai, farina, ortaggi, miele, mele, aceto, tisane.
Luoghi di interesse e manifestazioni locali: passeggiata ai castelli, Cividale del Friuli, itinerari ciclabili. "*Mittelfest*" a Cividale del Friuli in luglio-agosto, varie feste locali, carrellata di artisti a Topolò, festa della zucca a Venzone, "*Folkfest*" a Spilimbergo in luglio, Estate in città a Udine.
Prezzi: pasto da £ 25.000 a 38.000, B&B per una notte a £ 50.000 e a £ 45.000 per più notti, H/B a £ 70.000 (1 notte) e a £ 65.000 se per più notti, F/B (solo d'estate) a £ 85.000. Gratis per bambini fino a 3 anni, sconto del 50% per i bambini dai 3 ai 6 anni.
Note: prenotare almeno una settimana prima. Su richiesta si invia materiale informativo. Sala audiovisivi. Raccolta di erbe selvatiche, funghi, castagne, ribes, fragole, ortaggi. Giardino con ruscello, laghetto, giochi e spazi per bambini, ampio terrazzo panoramico. In estate si organizzano piccole gite con pic-nic. Telefono in comune. Vietato fumare all'interno degli edifici, uso del pianoforte, sala per ricamo e tessitura. Uso pantofole per i piani superiori. Cambio biancheria settimanale. Animali accolti previo accordo.

AL RÔL

loc. Soleschiano • 33044 MANZANO
☎ 0432740784 cell. 03487808887 fax 0432754206

● H 10

Posizione geografica: riserva naturale.
Periodo di apertura: alloggio tutto l'anno, ristorazione dal giovedì alla domenica.
Associato a: Agriturist.
Presentazione: tipica costruzione rurale in azienda di 220 ettari a cereali e viti. Allevamento di polli e cinghiali. Offre ospitalità in 11 camere con servizi per un totale di 15 posti letto.
Ristorazione: specialità friulane che variano secondo la stagione.
Prodotti aziendali: insaccati, farine, latticini, miele, vini.
Luoghi di interesse e manifestazioni locali: Cividale, città longobarda, Aquileia, Udine, Gorizia, Grado, Trieste, Lignano.
Prezzi: camera singola £ 70.000, camera doppia £ 90.000. Per soggiorni mensili: singole a £ 400.000, doppie a £ 500.000, con angolo cottura £ 600.000, con servizio bisettimanale anziché giornaliero e senza biancheria. Piccola colazione a richiesta: italiana a £ 5.000, continentale a £ 10.000. Pasto a £ 25.000.
Note: giardino a disposizione. Equitazione da campagna e da com-

petizione con scuola a ogni livello, addestramento cani da ferma con sparo a selvaggina. Campo per aerei ultraleggeri. Biciclette. Uso cucina, uso frigorifero, posto macchina. Non si fornisce biancheria.

LA RONCOLINA

via S. di Brazzà, 4 - fraz. Brazzacco • 33030 MORUZZO
☎ 0432672044

G 7

Posizione geografica: collina.
Periodo di apertura: tutto l'anno, giorno di chiusura il lunedì.
Associato a: Terranostra.
Presentazione: costruzione tipica rurale con ampio porticato. Offre ospitalità in 4 camere, con 2 servizi comuni, per un totale di 9 posti letto.
Ristorazione: 80 coperti. Pasta fatta in casa, *frico*, frittate, salumi, *musetto e brovada*, coniglio, pollo, faraona, daino, capretto, degustazione di prosciutto crudo.
Luoghi di interesse e manifestazioni locali: castelli di Fagagna, Villalta, Brazzacco, Colloredo e Montalbano, Udine, San Daniele, Fagagna, oasi naturalistica dei Quadri adibita al ripopolamento della cicogna.
Prezzi: B&B a £ 35.000. Pasto da £ 25.000 a 30.000.
Note: tennis in azienda, golf nelle vicinanze. Sala riunioni. Biancheria.

I COMELLI

largo A. Diaz, 8 • 33045 NIMIS
☎ 0432790685 fax 0432797158

G 10

Posizione geografica: collina (217 m).
Periodo di apertura: tutto l'anno, giorni di chiusura del ristorante il lunedì e il martedì.
Associato a: Terranostra.
Presentazione: edificio caratteristico in pietra recentemente restaurato in azienda di 50 ettari a vigneto, frutteto, seminativo, pioppeto, orticoltura e oliveto. Allevamento di suini, conigli, polli, tacchini, anatre e oche. Offre ospitalità in 5 camere con servizi per un totale di 19 posti letto.
Ristorazione: piatti tipici della cucina friulana preparati quasi esclusivamente con prodotti aziendali, dolci fatti in casa.

Prodotti aziendali: vino, frutta e insaccati.
Luoghi di interesse e manifestazioni locali: Cividale del Friuli, Gemona, Venzone, Bordano, San Daniele, Grado. Numerose manifestazioni nell'arco dell'anno.

Prezzi: B&B a £ 40.000. Sconto del 10% alle coppie per soggiorni di almeno 3 notti.
Note: accessibile agli handicappati. Prenotazione 4 giorni prima, in alta stagione permanenza minima 3 giorni. Passeggiate a piedi o in mountain bike. Torrente con piscine naturali nelle vicinanze. Biancheria. Si accolgono animali domestici.

ISOLA AUGUSTA

Casali Isola Augusta, 4 • 33056 PALAZZOLO DELLO STELLA
☎ 043158046 fax 0431589141
E-mail:box@isolaugusta.com • http:www.isolaugusta.com

L 7

Posizione geografica: riserva naturale del fiume Stella.
Periodo di apertura: tutto l'anno.
Presentazione: azienda di 74 ettari di cui 40 a vigneto. Offre ospitalità in 1 appartamento con 5 posti letto (in costruzione altri 12 appartamenti).
Ristorazione: tipica trattoria con piatti caratteristici della gastronomia friulana.
Prodotti aziendali: spumante con metodo classico, grappa, miele, vini D.O.C. Friuli-Latisana (anche invecchiati), olio d'oliva.
Luoghi di interesse e manifestazioni locali: Lignano Sabbiadoro. Riserva naturale del fiume Stella, laguna di Marano.
Prezzi: rivolgersi direttamente all'azienda.
Note: possibilità (su prenotazione) di effettuare degustazione e visite guidate alla cantina.

MALGA PRAMOSIO

via Cogliat, 29 - fraz. Cleulis • 33026 PALUZZA
☎ 0433775757-043370863

D 6

Posizione geografica: montagna (1.500 m).
Periodo di apertura: da maggio a ottobre.
Associato a: Terranostra.
Presentazione: caratteristica malga in pietra situata in una zona panoramica di grande interesse paesaggistico. Coltivazioni di ortaggi e allevamento di polli, suini, ovini, conigli e bovini. Offre ospitalità in 5 camere con 2 servizi comuni, per un totale di 12 posti letto e in piazzole in agricampeggio.
Ristorazione: 60 coperti. Cucina tradizionale carnica e vini locali, *cjalcions* alla ricotta di malga, gnocchi, minestrone di fagioli, capretto, formaggi con polenta, sciroppi.
Prodotti aziendali: latticini prodotti con latte vaccino, caprino e ovino, insaccati e capretti.
Prezzi: OR da £ 20.000 a 25.000. Pasto da £ 20.000 a 25.000.
Note: passeggiate a piedi o a cavallo, mountain bike. Osservazione naturalistica. Raccolta di frutti di bosco e funghi. Possibilità di ricovero cavalli. Biancheria, televisore e telefono. Non si accolgono animali.

AL CIPPO MALGA VAL BERTAT

via A. Diaz, 7 - fraz. Salino • 33027 PAULARO
☎ e fax 043370553 ☎ 043370126-043370296

● D 6

Posizione geografica: montagna (1.403 m).
Periodo di apertura: da giugno a settembre.
Associato a: Terranostra.
Presentazione: malga situata in un territorio paesaggisticamente molto bello, ricco di verdi pascoli, di distese prative e di boschi popolati da numerosi esemplari faunistici. Offre ospitalità in 4 camere con 2 servizi comuni, per un totale di 12 posti letto.
Ristorazione: 35 coperti. Cucina tipica e vini locali, *cjalcions* alla ricotta, gnocchi, minestrone, *frico* con patate, capretto, salsiccia con polenta, affettati, grigliate, funghi.
Prodotti aziendali: latte, ricotta affumicata, burro, formaggio caprino e ovino, insaccati, miele.
Prezzi: OR da £ 20.000 a 25.000. Pasto da £ 15.000 a 25.000.
Note: escursioni in mountain bike e a cavallo. Osservazione ambientale. Possibilità di partecipare ai lavori agricoli. Raccolta di funghi. Mostra micologica. Roccia e gare nazionali di pesca. Biancheria.

MALGA CASON DI LANZA

loc. Piani di Lanza • 33027 PAULARO
☎ 042890928 - 043392658-043345150

● D 6

Posizione geografica: montagna.
Periodo di apertura: da giugno a settembre.
Associato a: Terranostra.
Presentazione: tipica malga composta da locali per il ricovero del bestiame, mungitura e lavorazione del latte. Offre ospitalità in 8 camere con servizi comuni per un totale di 25 posti letto.
Ristorazione: piatti tipici, funghi, selvaggina, *cjalcions*, *frico*, salumi e dolci.
Prodotti aziendali: latticini.
Luoghi di interesse e manifestazioni locali: Arta Terme. Carnevale di Sauris, Bacio delle Croci, marcia della Pace.
Prezzi: OR da £ 12.000 a 18.000, H/B da £ 38.000 a 48.000, F/B da £ 45.000 a 55.000. Sconti per gruppi di almeno 10 persone.
Note: la permanenza minima è di 3 giorni. Trekking. Possibilità di campeggiare. Biancheria. Animali accolti previo accordo.

LA PIARGULE

via Aquileia, 67 - fraz. Percoto • 33050 PAVIA DI UDINE
☎ e fax 0432676000 ☎ 0432676733

● I 9

Posizione geografica: pianura.
Periodo di apertura: tutto l'anno, su prenotazione.

Associato a: Terranostra.
Presentazione: azienda che coltiva viti e ortaggi e alleva suini. Offre ospitalità in 7 camere per un totale di 14 posti letto.
Ristorazione: piatti tipici friulani stagionali, gnocchi, cotechino, *frico* con polenta, salame e salsicce nella cenere, stinco di maiale.
Prodotti aziendali: vino, ortaggi e frutta.
Luoghi di interesse e manifestazioni locali: Udine, Palmanova, Cividale del Friuli, Grado, musei, gallerie d'arte e monumenti. Manifestazioni folkloristiche
Prezzi: pasto da £ 25.000 a 30.000. Per ulteriori informazioni rivolgersi all'azienda.
Note: accessibile agli handicappati. Trekking, impianti sportivi nelle vicinanze. Biancheria.

MALGA GLAZZAT

fraz. Studena Bassa • 33016 PONTEBBA
☎ 042893149-042890389 - 0330406207

● D 8

Posizione geografica: montagna (1.348 m).
Periodo di apertura: dal 25 giugno al 10 settembre tutti i giorni e da ottobre a maggio solo la domenica.
Associato a: Terranostra.
Presentazione: malga posta in posizione panoramica. Allevamento di bovini e suini e produzione di formaggio, ricotta, burro e derivati, frutta e verdura. Offre ospitalità in 6 camere con servizi comuni per un totale di 15 posti letto.
Ristorazione: H/B e F/B. Ristorante aperto al pubblico. Minestrone, gnocchi, formaggi, grigliate, frittate e insaccati misti.
Prodotti aziendali: latticini.
Luoghi di interesse e manifestazioni locali: palaghiaccio, musei naturalistici, miniere di zinco e piombo a Cave del Predil.
Prezzi: F/B a £ 55.000. Pasto da £ 15.000 a 20.000. Sconti comitive.
Note: possibilità di assistere alla caseificazione. Passeggiate naturalistiche, mountain bike. Caccia e pesca. Raccolta di funghi.

LA FAULA

fraz. Ravosa • 33040 POVOLETTO
☎ e fax 0432666394
E-mail: faula@iol.it

● G 9

Posizione geografica: collina, fiume.
Periodo di apertura: tutto l'anno.
Presentazione: tipica casa colonica friulana del primo '900 ai piedi di una collina ricoperta da vigneti e boschi. L'azienda, costituita da 16 ettari accorpati, è a vocazione vitivinicola e pratica l'allevamento dei bovini da carne allo stato brado e

di numerosi animali di bassa corte. Offre ospitalità in 9 camere con servizi privati e in 2 unità abitative con uso cucina e servizi privati, per un totale di 24 posti letto.

Ristorazione: per circa sei mesi all'anno l'azienda apre al pubblico per la mescita dei vini di propria produzione accompagnati da piatti freddi e caldi che includono salumi e carni dell'azienda. Ristorazione alla "frasca" friulana.

Prodotti aziendali: vini.

Luoghi di interesse e manifestazioni locali: castelli medioevali, Cividale, Udine, Aquileia, Grado, Alpi Carniche. Numerose sagre da gennaio a dicembre.

Prezzi: OR a £ 100.000 (camera doppia) e £ 65.000 (camera singola) a persona. Pasto a £ 25.000. Sconti concordati per soggiorni di una settimana e oltre, e per bambini fino a 8 anni. Unità abitative (a 3 letti e più) a £ 140.000 al giorno.

Note: ideale per birdwatching, passeggiate naturalistiche nei boschi ed escursioni in mountain bike. Tennis, equitazione e piscina nelle vicinanze. Biancheria. Animali accolti previo accordo.

VILLA COREN

via Cividale, 1 - Siacco • 33040 POVOLETTO
☎ e fax 0432679078
● G 9

Posizione geografica: ai piedi delle colline.

Periodo di apertura: tutto l'anno.

Associato a: Agriturist.

Presentazione: rustico ristrutturato adiacente a un'antica villa. L'azienda

si estende su 63 ettari coltivati a vigneto, frutteto, cereali e soia. Offre ospitalità in 2 appartamenti dotati di servizi e in 2 camere nella villa, per un totale di 12 posti letto.

Ristorazione: trattoria in una piccola baita adiacente all'alloggio. Cucina tradizionale friulana e vini dell'azienda.

Prodotti aziendali: vini confezionati e sfusi, kiwi.

Luoghi di interesse e manifestazioni locali: Cividale, Udine. Varie sagre paesane in estate e autunno.

Prezzi: pasto da £ 20.000 a 30.000. Alloggio da 30.000 a 60.000, Prima colazione a £ 10.000. Sconto del 5% per i soci Agriturist.

Note: biancheria, uso cucina, pulizia, riassetto, riscaldamento, telefono, televisione, lavastoviglie, legna per fuoco.

SAN MAURO

loc. Casali Pasch, 15 • 33040 PREMARIACCO
☎ e fax 0432729253
● I 9

Posizione geografica: collina.

Periodo di apertura: tutto l'anno, ristoro agrituristico dal venerdì al lunedì. In luglio e agosto turno di riposo il martedì.

Presentazione: azienda agricola a indirizzo vitivinicolo e frutticolo, sita in aperta campagna a pochi chilometri dalla pedemontana, in un'area in cui l'ambiente naturale si è mantenuto intatto. Offre ospitalità in 12 piazzole per caravan e posti tenda.

Ristorazione: piatti tipici della tradizione austriaco-slovena a base di carne di maiale e animali di bassa corte, antichi piatti friulani, pane, pasta e dolci fatti in casa.

Prodotti aziendali: vini, frutta, insaccati e miele.

Luoghi di interesse e manifestazioni locali: Cividale del Friuli, centro preistorico dove si può visitare il museo archeologico, l'Ara di Ratchis, il Tempietto longobardo, il ponte del Diavolo, Castel Monte, abbazia di Rosazzo, valli del Natisone.

Prezzi: rivolgersi all'azienda.

Note: accessibile agli handicappati. Nuoto, volo a vela, scuola di volo da diporto sportivo, tiro con l'arco, piscina con idromassaggio. Animali accolti previo accordo.

LE BETULLE

via Cialla, 58 • 33040 PREPOTTO
☎ 0432709805
● I 10

Posizione geografica: collina.

Periodo di apertura: tutto l'anno dal venerdì alla domenica. Luglio e agosto tutti i giorni.

Associato a: Terranostra.

Presentazione: azienda completamente immersa nel verde dei boschi e dei vigneti. Allevamento di animali di bassa corte, suini, cavalli e coltivazioni di ortaggi e alberi da frutto. Offre ospitalità in 2 camere con servizi per un totale di 5 posti letto e in 6 piazzole per camper.

Ristorazione: 30 posti interni e 20 esterni. Affettati, coniglio con polenta, *frico*, frittate, cappone, dolci fatti in casa.

Prodotti aziendali: salumi, ortaggi, frutta e pollami.

Luoghi di interesse e manifestazioni locali: Cividale, santuario di Castelmonte. "*Mittelfest*", messa dello Spadone, rievocazione storica in costume.

Prezzi: B&B a £ 35.000. Pasto a £ 25.000.

Note: passeggiate a cavallo, mountain bike. Non si accolgono animali.

TINELLO DI SAN URBANO

via XXIV Maggio, 30 • 33040 PREPOTTO
☎ 0432713080
● I 10

Posizione geografica: collina.

Periodo di apertura: da marzo a dicembre su prenotazione.

Associato a: Terranostra.

Presentazione: piccolo podere agricolo ai piedi delle Alpi Giulie, situato ai confini con la Slovenia tra il greto del fiume Judrio e Natisone, immerso nella totale tranquillità di verdi boschi e colline friulane. Offre ospitalità in 3 camere doppie e 1 camera singola. Servizi in camera.

Ristorazione: possibilità di ristoro agrituristico dal sabato alla domenica. Cucina tipica friulana abbinata a vini D.O.C.

Prodotti aziendali: vini D.O.C. in bottiglia.

Luoghi di interesse e manifestazioni locali: Cividale, parco del Bosco Romagno, santuario di Castelmonte, Trieste e Grado. Messa dello Spadone.

Prezzi: camera matrimoniale o singola a £ 90.000 per soggiorni di almeno 2 notti.

Note: parcheggio interno, arredamento rustico raffinato. Casinò nelle vicinanze.

CASA SHANGRI-LA

via Bolzano, 60 • 33048 SAN GIOVANNI AL NATISONE
☎ 0432757844 fax 0432746005
E-mail:alficant@tin.it

● I 10

Posizione geografica: pianura.
Periodo di apertura: tutto l'anno.
Associato a: Agriturist.
Presentazione: casa rurale recentemente ristrutturata immersa nei vigneti. L'azienda si estende su una superficie di 56 ettari. Offre ospitalità in 6 camere con servizi, di cui 2 singole e 4 doppie, per un totale di 10 posti letto.
Ristorazione: annesso ristorante di solo pesce.
Prodotti aziendali: vino, spumante, grappa.
Luoghi di interesse e manifestazioni locali: abbazia di Rosazzo, Cividale del Friuli, Udine, Grado, Aquileia. Cantine aperte nel mese di maggio, "*Mittelfest*" a Cividale del Friuli, "Aria di festa" a San Daniele del Friuli, Friuli D.O.C. a Udine.
Prezzi: alloggio in camera doppia da £ 170.000 a 200.000 e in camera singola da £ 120.000 a 135.000, colazione da £ 15.000 a 25.000.
Note: disponibili sala riunioni e sala per banchetti. Possibilità di praticare tennis, equitazione, nuoto, giochi all'aria aperta. Telefono in camera, frigobar, antenna satellitare, riscaldamento. Non si accettano animali.

CHAMIR

strada di Gradois, 3 • 33043 SANGUARZO DI CIVIDALE
☎ 0432732483

● H 10

Posizione geografica: pianura.
Periodo di apertura: da ottobre a luglio, giorni di chiusura martedì e mercoledì.
Associato a: Terranostra.
Presentazione: l'azienda, situata sui colli orientali del Friuli, è luogo di piacevole sosta per chi percorre la valle del Natisone. Offre ospitalità in 4 camere con servizi per un totale di 12 posti letto.
Ristorazione: ristorante aperto al pubblico con 80 coperti. Minestra d'orzo, gnocchi, *brovada* e cotechino, *frico*, frittate con erbe, salame all'aceto, coniglio ripieno, formaggi locali, affettati, dolci tipici, *gubana*, gli *strucchi*, polenta friulana e vini aziendali.
Prodotti aziendali: affettati, vini, formaggio.
Luoghi di interesse e manifestazioni locali: parco naturale del Bosco Romagno, tempietto e prigioni longobarde, Duomo, Palazzo Comunale e museo Archeologico Nazionale a Cividale del Friuli.
Prezzi: B&B a £ 45.000 a persona, H/B a £ 65.000 (bevande escluse), F/B £ 85.000 (bevande escluse). Pasto a £ 25.000
Note: accessibile agli handicappati. Mountain bike e passeggiate naturalistiche. Maneggio, scuola di equitazione e passeggiate a cavallo.

VALLE D'ORO

fraz. Crostù • 33040 SAN LEONARDO
☎ 0432723126

● G 10

Posizione geografica: collina.

Periodo di apertura: tutto l'anno dal venerdì alla domenica, festivi e prefestivi.
Associato a: Terranostra.
Presentazione: edificio rurale tipico recentemente ristrutturato in azienda con produzione di ortaggi e frutta biologici. Allevamento di animali di bassa corte. Offre ospitalità in 3 camere con servizi comuni per un totale di 7 posti letto.
Ristorazione: cucina casalinga con piatti tipici delle valli del Natisone, coniglio, selvaggina e funghi.
Prodotti aziendali: ortaggi e frutta.
Luoghi di interesse e manifestazioni locali: Cividale del Friuli, Castelmonte, grotte di San Giovanni d'Antro. "*Mittelfest*", messa dello Spadone e rievocazione storica a Cividale, Carnevale delle valli.
Prezzi: OR a £ 35.000. Pasto a £ 25.000.
Note: accessibile agli handicappati.

MONTE RUCHE

via Borgo Basso - fraz. Sauris di Sopra • 33020 SAURIS
☎ 043386060

● E 5

Posizione geografica: montagna (1.300 m).
Periodo di apertura: periodo estivo tutti i giorni, periodo invernale sabato e domenica o su prenotazione.
Associato a: Terranostra.
Presentazione: azienda situata in una bellissima zona delle Alpi Carniche, dove si parla un antico dialetto di origine tedesca, circondata da boschi secolari e affacciata sul lago di Sauris. Coltivazione di ortaggi e allevamento di conigli e galline. Offre ospitalità in 2 camere con servizi, per un totale di 8 posti letto.
Ristorazione: 35 coperti. Spuntini a base di affettati e formaggi. *Knödel*, *goulasch* e *frico* cucinati nel forno a legna, distillati.
Prodotti aziendali: prosciutto.
Luoghi di interesse e manifestazioni locali: zona di interesse naturalistico, museo, chiesa di San Lorenzo, Lateis, visita a malghe in cui si producono formaggi.
Prezzi: B&B fino a £ 50.000. Pasto fino a £ 25.000.
Note: è consigliata la prenotazione. Passeggiate naturalistiche. Palestra nelle vicinanze.

CAMPO DI BONIS

loc. Campo di Bonis • 33040 TAIPANA
☎ e fax 0432788136 cell. 0337543234

● F 9

Posizione geografica: montagna (700 m).
Periodo di apertura: tutto l'anno su prenotazione.
Associato a: Terranostra, ANTE e FISE.
Presentazione: costruzione rurale in pietra e chalet in azienda agricola di 80 ettari tra pascoli e boschi. Offre ospitalità in 4 camere con servizi e in 2 appartamenti, per un totale di 24 posti letto.
Ristorazione: 80 coperti. Cucina casalinga, minestrone d'orzo e fagioli, gnocchi di zucca, paste, *frico* con patate, cucina macrobiotica.
Prodotti aziendali: insaccati, miele e vino.
Prezzi: B&B a £ 35.000, H/B a £ 70.000, F/B a £ 90.000. Pasto a £ 25.000.
Note: mountain bike, equitazione, sci, parapendio, tennis, palestra e campo da calcio. Itinerari di interesse naturalistico.

FRASCA CLOTZ

via Nimis – fraz. Sedilis • 33017 TARCENTO
☎ 0432791930 fax 0432792997

● **G 8**

Posizione geografica: collina (400 m).
Periodo di apertura: tutto l'anno su prenotazione.
Associato a: Terranostra.
Presentazione: azienda situata nel mezzo dei famosi vigneti utilizzati per la produzione del vino Ramandolo, attorniata dalle colline della zona pedemontana del Friuli. Coltivazioni di viti e ortaggi e allevamento di polli e conigli. Offre ospitalità in 3 camere, per un totale di 6 posti letto, con 2 servizi comuni e in 1 appartamento da 7 posti letto.
Ristorazione: 60 coperti. Cucina tipica, *frico* con patate, gnocchi di zucca, *orzotto* con salsiccia, salame nella cenere o con aceto, frittata con le erbe.
Prodotti aziendali: vino e confezioni regalo contenenti prodotti aziendali.
Luoghi di interesse e manifestazioni locali: zone di interesse naturalistico, grotte di Villanova.
Prezzi: OR a £ 30.000, alloggio oltre £ 50.000. Pasto fino a £ 25.000.
Note: percorsi per mountain bike, trekking e passeggiate a cavallo. Nelle vicinanze kayak e parapendio. Possibilità di partecipare ai lavori agricoli.

PRATI OITZINGER

loc. Valsaisera di Tarvisio • 33010 TARVISIO ☎ 042860224

● **G 11**

Posizione geografica: montagna (900 m).
Periodo di apertura: tutto l'anno sabato e domenica, luglio e agosto ogni giorno.
Associato a: Terranostra.
Presentazione: l'azienda si trova in una delle zone più rinomate del Friuli per quanto riguarda il turismo invernale ed estivo. Coltivazioni di ortaggi, lamponi e patate. Allevamento di cavalli. Offre ospitalità in 2 appartamenti con servizi, nelle vicinanze.
Ristorazione: 20 coperti all'interno e 30 all'esterno. Gnocchi, *frico*, frittate con erbe di stagione, piatti a base di animali da cortile, insaccati di maiale, crostate con frutti di bosco, sidro.
Luoghi di interesse e manifestazioni locali: santuario del monte Lussari, museo veneziano a Malborghetto, zona di interesse naturalistico. Sagre paesane in luglio e agosto.
Prezzi: OR da £ 25.000 a 30.000 a persona a notte. Pasto da £ 20.000 a 30.000.
Note: convenzionato con un circolo ippico. Escursioni ai rifugi montani. Pista per sci di fondo.

MALGA PRIU

via Nazionale, 38 • 33010 UGOVIZZA ☎ 042860265

● **C 10**

Posizione geografica: montagna (1.250 m).
Periodo di apertura: tutto l'anno in azienda, periodo invernale solo su prenotazione, da maggio a ottobre in malga.
Associato a: Terranostra.
Presentazione: malga in posizione panoramica circondata da pascoli e boschi. Offre ospitalità in 2 camere con servizi comuni per un totale di 4 posti letto e in 1 appartamento da 6 posti letto.
Ristorazione: 35 coperti. Salsiccia affumicata con *kren*, polenta e *frico* con patate, frittata con erbe.

Prodotti aziendali: patate, fagioli, marmellate, sciroppo di lamponi, fragole, ribes nero, mirtilli e sambuco.
Prezzi: rivolgersi direttamente all'azienda.
Note: roccia, sci alpinismo, da fondo e da discesa. Percorsi per mountain bike.

BOSCO DI MUSEIS

loc. Museis • 33020 CERCIVENTO
☎ 0433778822 fax 043392330

▲ **E 6**

Posizione geografica: collina-montagna.
Associato a: Terranostra.
Presentazione: azienda agricola situata al centro di un secolare bosco della Serenissima, con laboratorio e negozio a Piano D'Arta per la trasformazione e la vendita dei prodotti delle api di cui è leader in regione. Offre ospitalità in 4 chalet, per un totale di 16 posti letto, dotati di ecologiche stufe in maiolica che rendono l'ambiente caldo e confortevole, inoltre riscaldamento autonomo, televisione e videoregistratore, telefono con linea diretta e interna, bagno con doccia, piccolo salotto e cucina accessoriata.
Prodotti aziendali: generi alimentari di produzione aziendale, miele, polline, pappa reale, propoli e cosmetica naturale.
Luoghi di interesse e manifestazioni locali: museo archeologico di Zuglio, antica fucina a Cercivento, Tolmezzo, museo carnico di arti e tradizioni popolari, museo della Prima Guerra Mondiale a Timau di Paluzzo.
Prezzi: OR da £ 70.000 a 90.000 al giorno, a seconda della grandezza degli chalet, indipendentemente dal numero degli ospiti. Sconti in mezza stagione. Prima colazione a £ 10.000.
Note: completamente isolato nel verde, è ideale per chi cerca l'assoluta tranquillità.

CARLO BERIA

fraz. Villanova del Judrio
33048 SAN GIOVANNI AL NATISONE ☎ 0432758000

▲ **I 10**

Posizione geografica: pianura con vista panoramica su colline e montagne.
Periodo di apertura: tutto l'anno.
Associato a: Agriturist.
Presentazione: offre ospitalità in 3 rustici gentilizi con vista su colli e montagne a Villanova, in pianura, e in un rustico gentilizio a Manzano ai piedi di un colle coltivato a vigneti, per un totale di 18 posti letto. L'azienda si estende su 40 ettari.
Prodotti aziendali: vini D.O.C. Colli orientali del Friuli.
Luoghi di interesse e manifestazioni locali: Aquileia, Cividale, Udine, Gorizia, Trieste, costiera triestina, passeggiate naturalistiche (a 4 km). Varie sagre paesane, "Festa dell'Imperatore" a Giassico (3 km). Varie manifestazioni culturali nelle vicine zone storiche.
Prezzi: OR 1 persona £ 70.000, 2 persone £ 140.000, 3 persone £ 180.000, 4 persone £ 200.000. Riduzioni da concordare per soggiorni di lunga durata.
Note: solo su prenotazione. Permanenza minima 3 giorni. Prato per prendere il sole. Sala riunioni. Nelle vicinanze è possibile praticare equitazione, nuoto, alpinismo, canoa, golf, parapendio, pesca sportiva, sci, torrentismo. Osservazione ambientale. Case completamente arredate, cucina, biancheria, posto auto scoperto. Si accettano cani se educati.

MUSEI FORMENTINI DELLA VITA RURALE

via Petrarca, 1 • 33041 AIELLO DEL FRIULI
☎ 043199507 ☏ e fax 0481535170

◆ I 9

Posizione geografica: pianura.
Periodo di apertura: tutto l'anno dalle ore 15.00 alle 20.00, giorno di chiusura il lunedì.
Associato a: Agriturist.
Presentazione: complesso aziendale trasformato in museo della civiltà contadina del Friuli imperiale nel 1992. L'esposizione si estende su 9.000 m² ed è costituita da 20.000 pezzi datati 1500-1918.
Ristorazione: a base di prodotti dell'azienda, salame, formaggio, uova e vino.
Prodotti aziendali: vini in bottiglia.
Luoghi di interesse e manifestazioni locali: mercatino di cose vecchie ogni ultima domenica del mese.
Prezzi: ingresso al museo a £ 5.000 (adulti) e £ 3.000 (ragazzi e comitive).
Note: si organizzano visite scolastiche.

AI VECCHI IPPOCASTANI

via Mazzini, 21 - fraz. Joannis • 33041 AIELLO DEL FRIULI
☎ 0431973882

◆ I 9

Posizione geografica: pianura.
Periodo di apertura: tutto l'anno dal giovedì alla domenica.
Associato a: Terranostra.
Presentazione: casa rurale ristrutturata.
Ristorazione: 60 coperti. Minestroni, gnocchi, pasta, pasticci di erbe, *goulasch* di cavallo e brasato.
Prodotti aziendali: carne e insaccati.
Luoghi di interesse e manifestazioni locali: Aquileia e Palmanova.
Prezzi: pasto da £ 25.000 a 30.000.
Note: maneggio, passeggiate a cavallo.

LA PERGOLA

loc. Beligna, 4 • 33051 AQUILEIA
☎ e fax 043191306 fax 0431511948

◆ M 9

Posizione geografica: pianura (3 km dal mare).
Periodo di apertura: da marzo a dicembre dal venerdì al lunedì.
Associato a: Agriturist.
Presentazione: tipica frasca mitteleuropea, ricavata da un vecchio fabbricato rurale annesso a una cantina di nuova costruzione, in azienda con coltivazioni di seminativo, ortaggi e vigneti. Allevamenti di suini e animali di bassa corte.
Ristorazione: ristoro agrituristico con specialità friulane mitteleuropee. Gnocchi, tortelli, carne di maiale, affetti.
Prodotti aziendali: vino, spumante, grappe, ortaggi, salumi.

Luoghi di interesse e manifestazioni locali: Aquileia, Grado. Festa delle sardelle a Pentecoste, patroni (10/13 luglio), festa della vendemmia.
Prezzi: pasto da £ 15.000 a 20.000. Sconto del 10% per i bambini fino ai 10 anni. Sconto del 7% per soci Agriturist.
Note: è gradita la prenotazione. Bicicletta, tennis e canoa nelle vicinanze.

NININO ENNIO

via Strada Sant'Anna, 17 - fraz. Spessa
33043 CIVIDALE DEL FRIULI
☎ 0432716362

◆ H 10

Posizione geografica: collina.
Periodo di apertura: da marzo a dicembre, giorno di chiusura il martedì.
Associato a: Terranostra.
Presentazione: edificio ristrutturato situato in prossimità del parco Bosco Romagno.
Ristorazione: piatti freddi a base di affettati e formaggio.
Prodotti aziendali: vini, insaccati e miele.
Luoghi di interesse e manifestazioni locali: Cividale del Friuli, zone naturalistiche delle Valli del Natisone, santuario di Castelmonte.
Prezzi: rivolgersi direttamente all'azienda.

DOMENIS GUGLIELMO

via Cormòns, 185 • 33043 CIVIDALE DEL FRIULI
☎ 0432716120

◆ H 10

Posizione geografica: collina.
Periodo di apertura: da novembre a luglio, giorno di chiusura il martedì.
Associato a: Terranostra.
Presentazione: edificio di nuova costruzione in azienda a indirizzo vitivinicolo situata sui colli orientali del Friuli.

Ristorazione: spuntini freddi a base di insaccati e vino di produzione propria.
Prodotti aziendali: vino e insaccati.
Luoghi di interesse e manifestazioni locali: castello di Spessa, villa Perusini, parco di Bosco Romagno, Cividale del Friuli.
Prezzi: pasto da £ 10.000 a 15.000.

LÀ DI MADOT

via del Santuario, 48 • 33030 CODROIPO ☎ 0432908029

◆ I 6

Posizione geografica: pianura.
Periodo di apertura: tutto l'anno pranzo e cena, chiuso martedì, mercoledì e giovedì.

Associato a: Turismo Verde.
Presentazione: azienda dotata di *camarin*, tipico locale per la stagionatura dei salumi.
Ristorazione: 70 coperti. Cucina tipica friulana preparata esclusivamente con prodotti aziendali.
Luoghi di interesse e manifestazioni locali: villa Manin, parco delle Risorgive. Mercato di Codroipo il martedì.
Prezzi: pasto da £ 20.000 a 25.000.
Note: possibilità di organizzare pranzi per cerimonie.

DA GABRY

via San Daniele, 39 - fraz. Caporiacco
33010 COLLOREDO DI MONTE ALBANO
☎ 0432889057
◆ **G 7**

Posizione geografica: collina.
Periodo di apertura: da settembre a luglio.
Associato a: Turismo Verde.
Presentazione: azienda agricola con allevamento di suini, galline, capre e asini.
Ristorazione: gnocchi, minestrone, *frico*, frittate, salame cotto nell'aceto, grigliate di pollo e maiale.
Prodotti aziendali: salame, asparagi, patate, radicchio e miele.
Luoghi di interesse e manifestazioni locali: castelli, museo della civiltà contadina, oasi naturalistiche, lago di Cavazzo Carnico.
Prezzi: rivolgersi direttamente all'azienda.
Note: accessibile ai portatori di handicap. Bocce e biciclette a disposizione. Calesse trainato da asini. Corse campestri. Si accolgono animali domestici.

LA FRASCA

via Casali Gallo, 4
33040 CORNO DI ROSAZZO
☎ 0432759162 fax0432753807
◆ **I 10**

Posizione geografica: collina.
Periodo di apertura: da ottobre a giugno dal giovedì alla domenica.
Associato a: Terranostra.
Presentazione: l'attività agricola dell'azienda con speciale indirizzo vinicolo risale al 1950 e si accompagna oggi all'attività agrituristica chiamata tipicamente "frasca". Il locale di ristoro è stato ricavato da una piccola cantina, adiacente alla casa rurale, arredata con gusto rustico e semplice, tanto da far sentire l'ospite a proprio agio come a casa propria. L'ambiente giovanile è diventato un punto d'incontro per sportivi amanti del buon vino.
Ristorazione: degustazione di vini D.O.C. accompagnati da affettati e formaggi tipici friulani.
Prodotti aziendali: vino e insaccati.
Luoghi di interesse e manifestazioni locali: fiera dei vini di Corno di Rosazzo la seconda settimana di maggio, sagra del gallo la seconda settimana di luglio.
Prezzi: rivolgersi direttamente all'azienda.
Note: accessibile ai portatori di handicap. Mountain bike e passeggiate naturalistiche. Si accettano animali domestici.

LE DUE TORRI

via San Martino, 19 - loc. Visinale del Judrio
33040 CORNO DI ROSAZZO
☎ 0432759150 fax 0432753115
◆ **I 9**

Posizione geografica: mezza collina, nella valle del fiume Judrio.
Periodo di apertura: chiuso nei mesi di febbraio, settembre e ottobre. Venerdì e sabato la sera, domenica tutto il giorno.
Associato a: Terranostra.
Presentazione: l'edificio che ospita l'azienda fa parte di un vecchio mulino in cui è possibile osservare la stanza di macinazione e il meccanismo di rotazione funzionante ad acqua. L'azienda, a vocazione vinicola, produce ben 15 tipi di vino. Coltivazioni di cereali, frutta e verdura e allevamento di suini, anitre, oche e conigli.
Ristorazione: 60 coperti. Minestrone d'orzo, gnocchi di zucca al sugo d'anatra, gnocchi di susine, salame all'aceto, *frico*, frittate con le erbe, cotechino e *brovada*, anatra arrosto e ripiena, pollo, oca, torta di frutta.
Prodotti aziendali: salumi, vini D.O.C. e vini speciali, verdure conservate, frutta, marmellate e grappa.
Luoghi di interesse e manifestazioni locali: festa dei popoli della Mitteleuropa e Genetliaco dell'Imperatore Francesco Giuseppe dal 17 al 19 agosto, fiera dei vini a Corno di Rosazzo la seconda domenica di maggio, festa dell'uva a Cormòns la prima decade di settembre, messa dello Spadone e rievocazione storica in costume a Cividale del Friuli il 6 gennaio, "Mittelfest" dal 20 al 28 luglio.
Prezzi: pasto da £ 20.000 a 30.000 (bevande escluse).

CASALE CJANOR

loc. Casali Lini • 33034 FAGAGNA
☎ 0432801810
◆ **G 6**

Posizione geografica: collina.
Periodo di apertura: tutto l'anno dal mercoledì alla domenica, solo su prenotazione.
Associato a: Agriturist.
Presentazione:

azienda di 20 ettari a seminativi, vigneto, oliveto (nuovo impianto). Casa colonica che sorge su 4 ettari con colture orticole e frutteto. Allevamento di animali di bassa corte.
Ristorazione: 80 coperti. Mercoledì e giovedì solo cena, venerdì, sabato e domenica anche pranzo. Oca, anatra e germano reale cucinati in vari modi, orzo mantecato, gnocchi fatti in casa, dolci casalinghi.
Prodotti aziendali: ortaggi, frutta, vino, miele, animali di bassa corte, salumi (eccedenze da somministrazione).
Luoghi di interesse e manifestazioni locali: oasi naturalistica, reintroduzione della cicogna bianca, museo della civiltà contadina, pieve di Santa Maria Assunta. Sagra degli asini, palio dei borghi con gli asini e altre manifestazioni(settembre).
Prezzi: pasto da £ 25.000 a 45.000.
Note: accessibile ai portatori di handicap. Raccolta di erbe selvatiche aromatiche, asparagi, frutti di bosco. A circa 1 km impianti di tennis, golf, bocce, aeromodellismo.

AL VECCHIO GELSO

via Albana, 44 • 33040 PREPOTTO ☎ 0432713234

◆ **I 10**

Posizione geografica: collina.
Periodo di apertura: tutto l'anno dal giovedì alla domenica, chiuso nei mesi di gennaio e settembre.
Associato a: Terranostra.
Presentazione: azienda a particolare vocazione vitivinicola. Allevamento di animali di bassa corte e suini.
Ristorazione: gnocchi, tagliatelle, minestre, salame con cipolla, *frico*, frittate, coniglio, tacchino, dolci fatti in casa.
Prodotti aziendali: vino.
Luoghi di interesse e manifestazioni locali: Castelmonte, Udine, Cividale del Friuli, musei longobardi. *"Mittelfest"* in luglio, messa dello Spadone con rievocazione storica in costume il 6 gennaio.
Prezzi: pasto da £ 25.000 a 30.000.
Note: escursioni a piedi e in bicicletta.

ARKHA

via Rutte Grande, 16 • 33018 TARVISIO
☎ 03482685867-03483745119 fax 042863267
E-mail:fabri0312@libero.it • http:www.ararad.net

◆ **G 11**

Posizione geografica: montagna (900 m).
Periodo di apertura: tutto l'anno, da ottobre a maggio nei fine settimana. Chiuso lunedì.
Presentazione: l'azienda è sita all'interno della foresta di Tarvisio nell'incantevole anfiteatro naturale dell'Alpe di Spaick con vista sui tre confini di Italia, Austria e Slovenia. Si coltivano frutti di bosco, ortaggi e patate e si allevano cani da slitta.
Ristorazione: 20 coperti all'interno e 40 all'esterno. Affettati e formaggi tipici, insalate di funghi porcini, bruschette, macedonie e sorbetti di frutti di bosco, vini tipici D.O.C.

Prodotti aziendali: ortaggi, frutti di bosco, patate e funghi.
Luoghi di interesse e manifestazioni locali: santuario di monte Lussari, museo minerario di Cave del Predil, palazzo veneziano di Malborghetto, laghi di Fusine e Cave. Festa di San Nicolò e i krampus in dicembre, festa dei tre confini la seconda domenica di settembre.
Prezzi: £ 18.000 in media a persona.
Note: *dog-trekking* (escursioni con cintura e cane imbragato al traino) e *grass-sledding* (slitta trainata da moto su erba) in estate), *sleddog-mushing* (fantastiche escursioni con slitte trainate da cani sulla neve) in inverno.

FONTANAROSSA

via dei Laghi, 32 - fraz. Togliano • 33040 TORREANO
☎ e fax 0432715233

◆ **G 10**

Posizione geografica: collina.
Periodo di apertura: tutto l'anno dal venerdì alla domenica (salvo accordi per gruppi di almeno 20 persone), escluso periodo natalizio e vendemmiale.
Associato a: Agriturist.
Presentazione: fabbricato recentemente ristrutturato ubicato al centro dell'area aziendale con colture prevalentemente viticole e piccola produzione frutticola. Allevamento di animali di bassa corte e suini.
Ristorazione: 45 coperti all'interno e 35 all'aperto. Cucina casalinga, salumi, prodotti in agrodolce, verdure fritte, primi piatti a base di orzo, carni bianche, *frico*, dolci, pane della casa cotto in forno a legna.
Prodotti aziendali: vino sfuso in bottiglia.
Luoghi di interesse e manifestazioni locali: Cividale del Friuli a 4 km, castelli di Attimis. Sagra delle fragole in maggio e giugno, festa del vino.
Prezzi: pasto da £ 20.000 a 35.000.
Note: giochi per bambini. Nelle vicinanze sentieri di interesse naturalistico. Si accettano animali domestici.

Trentino Alto Adige

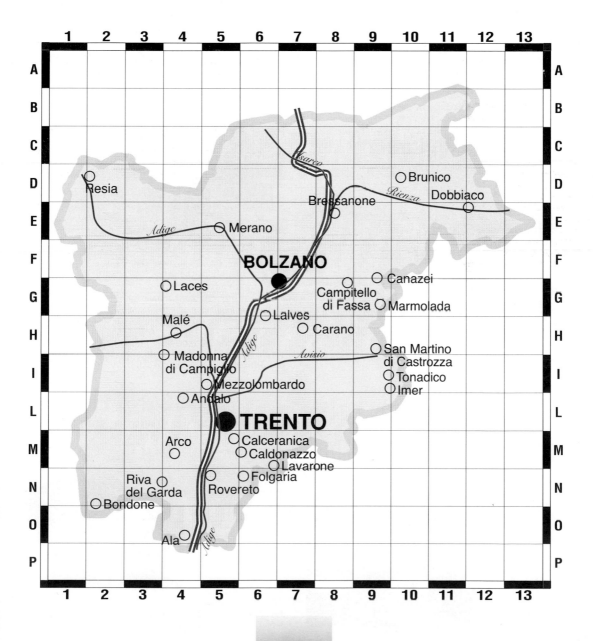

Trento

ERTA

loc. Erta, 2 • 38063 AVIO
☏ 0464684061
● ⬛ O 4

Posizione geografica: collina.
Periodo di apertura: tutto l'anno.
Presentazione: rustico ristrutturato con 6 ettari di vigneto e 13 ettari di prati e boschi. Allevamento di ovini, caprini, suini, bovini, galline, conigli. Accogli ospiti in agricampeggio di 8 piazzole per un totale di 28 posti totali.
Ristorazione: gnocchi di ricotta, tagliatelle ai funghi, grigliata, capretto e agnello a richiesta, tiramisù, sbrisolona.
Prodotti aziendali: speck, salumi, vino.
Luoghi di interesse e manifestazioni locali: castello di Avio.
Prezzi: pasto da £ 25.000 a 35.000. Costo £ 10.000 a piazzola al giorno e £ 5.000 a persona, servizi compresi.
Note: prato con giochi per bambini. Possibilità di praticare parapendio, tennis, sci da discesa nelle vicinanze. Visite guidate alla cantina dell'azienda.

TOLLER PRIMO

via Garibaldi, 56 • 38072 CALAVINO
☏ 0461564231
● ⬛ L 4

Posizione geografica: collina.
Periodo di apertura: rivolgersi direttamente all'azienda.
Presentazione: locale tipico. Accoglie ospiti in 7 camere per un totale di 17 posti letto.
Ristorazione: F/B.
Prezzi: rivolgersi direttamente all'azienda.
Note: riscaldamento.

SOLASNA

via San Giacomo, 4 • 38022 CALDES
☏ 0463902124-0463902073
● ⬛ H 4

Posizione geografica: montagna (800 m).
Periodo di apertura: tutto l'anno.
Associato a: Associazione Agriturismo Trentino.
Presentazione: tipica casa di montagna, ristrutturata nel 1994, accoglie ospiti in 4 camere con bagno e in 2 appartamenti da 5/6 posti con bagno e TV.
Ristorazione: H/B, ristorante aperto al pubblico. Cucina preparata con i prodotti dell'azienda agricola.
Prodotti aziendali: confetture, miele, formaggi, mele.
Luoghi di interesse e manifestazioni locali: parco nazionale

dello Stelvio, torrente Noce (sede di campionati di canoa), castelli del Trentino. "Se in Trentino d'estate un castello", gare internazionali di canoa, kajak, sagre di paese.
Prezzi: pasto da £ 30.000, H/B da £ 45.000 a 62.000, B&B da £ 35.000 a 45.000. In giugno, luglio e settembre gratis i bambini fino a 6 anni, sconto del 5% per gruppi di 15 persone.
Note: accessibile agli handicappati. Si organizzano minicorsi di cucina tradizionale e di agricoltura. Animazione gratuita offerta dalla locale A.P.T. (attività micologica-botanica). Animazione per bambini ed escursioni con le guardie del parco e le guide alpine. Escursioni guidate, osservazioni naturalistiche, trekking, passeggiate, pesca, piscina e tennis. Raccolta funghi. Serate musicali con grigliate all'aperto o in tipica baita di montagna, percorsi da mountain bike su pista ciclabile e/o itinerari studiati. Sci, alpinismo, escursioni nel bosco con le racchette. Biancheria da letto e da bagno, riassetto, telefono, uso cucina, televisore, riscaldamento, pulizie finali, sala comune.

CARBONARE

fraz. Carbonare, 16 • 38030 CAPRIANA
☏ 0462816329
● ⬛ H 6

Posizione geografica: val di Fiemme, parco del monte Corno.
Periodo di apertura: tutto l'anno.
Presentazione: tipica costruzione rurale in pietra e legno posta in azienda con coltivazione biologica e con allevamento di caprini. Offre ospitalità in 4 camere con bagno.
Ristorazione: ristorante aperto al pubblico con 20 coperti. Cucina tipica trentina e vegetariana.
Prodotti aziendali: miele, mele.
Luoghi di interesse e manifestazioni locali: catena del Lagorai, piramidi di Segonzano, parco naturale del monte Corno.
Prezzi: pasto da £ 25.000 a 30.000, H/B £ 70.000, B&B £ 45.000.
Note: nelle piste circostanti si può praticare lo sci e il tiro con l'arco. Raccolta di funghi. Prato per stendersi al sole, terrazza. Animali accolti previo accordo.

TOSCANA PIA

via Croce • 38010 CAVEDAGO
☏ 0461654298
● ⬛ I 4

Posizione geografica: collina.
Periodo di apertura: rivolgersi direttamente all'azienda.
Presentazione: locale tipico. Accoglie ospiti in 10 camere, di cui 5 con bagno, per un totale di 20 posti letto.
Ristorazione: F/B.
Prodotti aziendali: grappa.
Prezzi: rivolgersi direttamente all'azienda.
Note: accessibile agli handicappati. Riscaldamento.

AGRITUR AUGUSTA

fraz. Gazi • 38060 CIMONE
☎ 0461855191-0461855170

● M 5

Posizione geografica: collina.
Periodo di apertura: rivolgersi direttamente all'azienda.
Presentazione: locale tipico. Accoglie ospiti in 6 camere per un totale di 25 posti letto.
Ristorazione: F/B.
Prezzi: rivolgersi direttamente all'azienda.
Note: riscaldamento.

MOSER VITTORIO

fraz. Montagnaga • 38042 BASELGA DI PINÉ
☎ 0461557710

● L 6

Posizione geografica: collina.
Periodo di apertura: rivolgersi direttamente all'azienda.
Presentazione: locale tipico. Accoglie ospiti in 5 camere, di cui 3 con bagno, per un totale di 20 posti letto.

Ristorazione: H/B, F/B. Cucina tradizionale trentina, strangolapreti, canederli.
Prodotti aziendali: fragole, patate, ortaggi, vino sfuso.
Prezzi: rivolgersi direttamente all'azienda.
Note: riscaldamento.

MALGA STRAMAIOLO

via Galvagni • 38043 BEDOLLO
☎ 0461556709

● I 6

Posizione geografica: montagna.
Periodo di apertura: rivolgersi direttamente all'azienda.
Presentazione: locale tipico. Accoglie ospiti in 4 camere per un totale di 12 posti letto e in agricampeggio.
Ristorazione: F/B.
Prodotti aziendali: prodotti caseari.
Prezzi: rivolgersi direttamente all'azienda.

MORTIGOLA

loc. Mortigola • 38060 BRENTONICO
☎ e fax 0464391555

● O 4

Posizione geografica: montagna (1.200 m).
Periodo di apertura: tutto l'anno, giorno di chiusura il lunedì.
Associato a: Terranostra, Associazione Agriturismo Trentino.
Presentazione: azienda vitivinicola-zootecnica con coltivazione di vigneti, ortaggi, frutta. Allevamento di mucche, maiali e apicoltura. Accoglie ospiti in 3 appartamenti per un totale di 24 posti letto.
Ristorazione: canederli, gulasch, strangolapreti, tagliatelle alla boscaiola, risotti, polenta e coniglio, polenta e capriolo, crauti e luganega, *tosela* (formaggio ai ferri), crostate di ricotta e di mirtilli, strudel.
Prodotti aziendali: vino, formaggio, salumi, miele.
Luoghi di interesse e manifestazioni locali: monte Baldo, Altissimo, punta Varagna, strada Graziani, castelli di Avio e di Sabbionara. A Cornapiana l'Orto botanico con fiori rarissimi.
Prezzi: pasto da £ 20.000 a 40.000. Il prezzo di 1 appartamento a settimana è di £ 600.000. B&B £ 35.000, H/B £ 60.000, F/B £ 70.000.
Note: area giochi per bambini. Visite guidata alla cantina dell'azienda e ai castelli vicini. Si organizzano escursioni sull'Altissimo. Possibilità di praticare pallavolo e parapendio; laghetto per la pesca sportiva di trote. Prato per prendere il sole. Funivia di collegamento con Malcesine.

MASO NELLO

Maso Nello • 38010 FAEDO ☎ 0461650384

● H 6

Posizione geografica: collina.
Periodo di apertura: tutto l'anno, giorno di chiusura il lunedì; in gennaio e febbraio aperto solo il venerdì, sabato e domenica.
Presentazione: locale tipico. Accoglie ospiti in 4

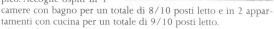

camere con bagno per un totale di 8/10 posti letto e in 2 appartamenti con cucina per un totale di 9/10 posti letto.
Ristorazione: H/B, F/B.
Prezzi: rivolgersi direttamente all'azienda.
Note: accessibile agli handicappati. Riscaldamento. Non si accettano animali.

PAOLAZZI PIERGIORGIO

loc. Ponciach, 4 • 38030 FAVER ☎ 0461683424

● H 6

Posizione geografica: montagna.
Periodo di apertura: rivolgersi direttamente all'azienda.
Presentazione: locale tipico. Accoglie ospiti in 4 camere per un totale di 8 posti letto.
Ristorazione: H/B, F/B. Polenta, coniglio, canederli, pasta al forno, torta di mele, gelato di fragole.
Prodotti aziendali: lamponi, ortaggi, polli, vino.
Prezzi: rivolgersi direttamente all'azienda.
Note: riscaldamento.

MALGA ALBI

38060 GARNIGA PIAZZA
☎ 0461842595

● L 5

Posizione geografica: montagna.
Periodo di apertura: rivolgersi direttamente all'azienda.
Presentazione: locale tipico. Accoglie ospiti in 4 camere per un totale di 8 posti letto.
Ristorazione: F/B.
Prodotti aziendali: fragole, patate, ortaggi, formaggio, burro.
Prezzi: rivolgersi direttamente all'azienda.
Note riscaldamento.

PEDRINI LUCIANO

fraz. Selva "Maso Rosso" • 38056 LEVICO
☎ 0461707379

● M 6

Posizione geografica: collina.
Periodo di apertura: rivolgersi direttamente all'azienda.
Presentazione: locale tipico. Accoglie ospiti in 6 camere per un totale di 8 posti letto e in 1 appartamento con 5 posti letto.
Ristorazione: F/B.
Prezzi: rivolgersi direttamente all'azienda.
Note: riscaldamento.

MASO MAROCC

loc. Poia - Terme di Comano • 38070 LOMASO
☎ e fax 0465702098

● L 4

Posizione geografica: collina.
Periodo di apertura: rivolgersi direttamente all'azienda.
Presentazione: locale tipico. Accoglie ospiti in 4 appartamenti, rispettivamente di 5/6/6/6 posti letto.
Ristorazione: F/B.
Prezzi: rivolgersi direttamente all'azienda.
Note: riscaldamento.

NICOLUSSI GALENO

via Cima Nora, 34 • 38040 LUSERNA
☎ 0464789723

● M 6

Posizione geografica: montagna.

Periodo di apertura: tutto l'anno. Chiuso per ferie dal 15/6 al 30/6.
Associato a: Agriturismo Trentino.
Presentazione: in nuova costruzione rurale tirolese, l'azienda accoglie ospiti in 13 camere con bagno per un totale di 25 posti letto. Allevamento di bovini da latte.

Ristorazione: H/B, F/B. Ristorante aperto al pubblico con 40 coperti. Canederli, strangolapreti, lasagne ai porcini, risotto ai funghi, capriolo, gulash, *tosella*, grigliate, coniglio, ricotta, stinchi, strudel, frutti di bosco.
Luoghi di interesse e manifestazioni locali: museo mucheno e cimbro, forti della guerra mondiale, museo di guerra, lago di Lavarone. A fine febbraio viene bruciato l'Inverno, 50 o 100 km di mountain bike in luglio, in gennaio gara di fondo internazionale a Millegrobbe.
Prezzi: pasto da £ 25.000 a 60.000, F/B fino a £ 95.000, H/B fino a £ 88.000. Sconto del 10% per bambini fino ai 10 anni e per letto aggiunto.
Note: accessibile agli handicappati. L'azienda organizza osservazione ambientale e animale, visite estive in malga. Raccolta di funghi, fragole, lamponi, mirtilli. Pallavolo, palestra, tennis, piste di fondo e di discesa, trekking e passeggiate naturalistiche su tratti da 1 a 3 km nelle vicinanze, mountain bike. Biancheria, pulizia, telefono pubblico, riscaldamento, posto macchina. Animali accolti previo accordo.

TORBOLI GUIDO

piazza Caproni, 1 • MASSONE (MONTEVELO)
☎ 0464517021-0464516498

● M 4

Posizione geografica: montagna.
Periodo di apertura: rivolgersi direttamente all'azienda.
Presentazione: locale tipico. Accoglie ospiti in 7 camere per un totale di 14 posti letto.
Ristorazione: F/B. Polenta, coniglio, funghi, arrosti, strudel.
Prodotti aziendali: susine, olio, vino sfuso.
Prezzi: rivolgersi direttamente all'azienda.
Note: riscaldamento.

FEDRIZZI MARCO

via Rotaliana, 31 • 38016 MEZZOCORONA
☎ 0461605721

● I 5

Posizione geografica: collina.

Periodo di apertura: rivolgersi direttamente all'azienda.
Presentazione: locale tipico. Accoglie ospiti in 4 camere per un totale di 8 posti letto.
Ristorazione: F/B.
Prezzi: rivolgersi direttamente all'azienda.
Note: riscaldamento.

MALGA AROLDO

loc. Castello • 38030 MOLINA DI FIEMME
☎ 0462342267

 H 6

Posizione geografica: montagna.
Periodo di apertura: da maggio a ottobre.
Presentazione: locale tipico. Accoglie ospiti in 4 camere per un totale di 8 posti letto.
Ristorazione: H/B, F/B. Polenta, coniglio, *lucaniche*, crauti.
Prezzi: rivolgersi direttamente all'azienda.
Note: riscaldamento.

SIMONI UMBERTO

piazza degli Alpini • 38030 PALÙ DI GIOVO
☎ 0461684381

 I 5

Posizione geografica: collina.
Periodo di apertura: rivolgersi direttamente all'azienda.
Presentazione: locale tipico. Accoglie ospiti in 4 camere per un totale di 10 posti letto.

Ristorazione: H/B, F/B.
Prezzi: rivolgersi direttamente all'azienda.
Note: riscaldamento.

ARMANDA BERNARDI BORTOLOTTI

via Montesei, 2 • 38057 PERGINE VALSUGANA
☎ 0461530125

 M 5

Posizione geografica: lago, collina (500 m).
Periodo di apertura: tutto l'anno, ristorante il sabato e la domenica esluso il periodo della raccolta.
Associato a: Agritur.
Presentazione: azienda di 5 ettari con allevamento di polli e coltivazioni di viti, ortaggi e meli. Accoglie ospiti in 1 camera singola e in 2 appartamenti con cucina e 3 posti letto ciascuno.
Ristorazione: ristorante aperto al pubblico con 50 coperti. Cucina trentina, conigli e anatre dell'azienda.
Prodotti aziendali: vino, ciliegie e mele.
Luoghi di interesse e manifestazioni locali: castello di Pergine, piramidi di Segonzano, lago di Levico e di Caldonazzo. Pergine Spettacolo Aperto, numerose manifestazioni nel periodo estivo.
Prezzi: appartamenti da £ 250.000 a 750.000 per 15 giorni (biancheria esclusa). Pasto a £ 25.000.
Note: pulizie e biancheria non comprese nel prezzo. Animali accolti previo accordo.

EDEN MARONE

via Marone, 11 • 38066 RIVA DEL GARDA
☎ 0464521520

 N 3

Posizione geografica: collina.
Periodo di apertura: tutti i giorni da Pasqua a settembre.
Associato a: Terranostra.
Presentazione: caseggiato rurale ristrutturato su terreno di 15 ettari coltivati a vigneto e oliveto. Accoglie ospiti in camere con bagno, balcone, riscaldamento autonomo.

Ristorazione: H/B, F/B. Ristorante aperto al pubblico con 50 coperti. Canederli, strangolapreti, carne salata.
Prodotti aziendali: olio, vino, ortaggi.
Luoghi di interesse e manifestazioni locali: laghi, Gardaland, castelli.
Prezzi: B&B a £ 50.000, H/B a £ 75.000, F/B a £ 90.000. In alta stagione luglio e agosto i prezzi vengono aumentati di £ 10.000 a persona. Sconto per bambini.
Note: accessibile agli handicappati. Possibilità di praticare alpinismo, parapendio, trekking, passeggiate, mountain bike, roccia e windsurf nelle vicinanze. Gioco delle bocce, biliardo. Parco giochi per bambini in prossimità. Prato per prendere il sole. Biancheria, pulizia, posto macchina. Animali accolti previo accordo.

MONTIBELLER VALTER

via Prose, 1 • 38050 RONCEGNO ☎ 0461764355

 M 7

Posizione geografica: collina.
Periodo di apertura: tutto l'anno.
Associato a: Terranostra, Agriturist.
Presentazione: casa di campagna circondata da frutteti e prati. Accoglie ospiti in 4 camere con bagno e 6 appartamenti bilocali per un totale di 24 posti letto.
Ristorazione: H/B per gli ospiti. Canederli, strangolapreti, carne salada, strudel, dolce di castagne, *parampampoli*.
Prodotti aziendali: frutta, ortaggi.
Luoghi di interesse e manifestazioni locali: Trento, museo degli usi e costumi, piramidi di Segonzano, grotte della Bigonda, Sentiero europeo n. 5, torri romaniche. Carnevale, festa patronale il 29 giugno, festa della castagna l'ultima domenica di ottobre.
Prezzi: pasto da £ 20.000 a 30.000, alloggio in camera doppia da £ 30.000 a 50.000, in appartamento fino a £ 30.000 a persona.
Note: accessibile agli handicappati. Solo su prenotazione. In appartamento è richiesto un soggiorno minimo di 3 giorni. In paese si trovano campi da tennis (anche per corsi), campi da calcio (per ritiri), orienteering, piscina, gioco delle bocce, tiro con l'arco, trekking, mountain bike, maneggio. Vengono organizzate serate di musica classica. Raccolta di frutti di bosco e di erbe medicinali. A richiesta, l'azienda organizza settimane verdi o weekend per visitare il Trentino. Biancheria, pulizia, riassetto, telefono e TV in sala comune, prato per prendere il sole. Animali accolti previo accordo.

GRUBER BRUNO

via Damiano Chiesa, 1 • 38030 ROVERÈ DELLA LUNA
☎ 0461658659

● H 6

Posizione geografica: collina.
Periodo di apertura: rivolgersi direttamente all'azienda.
Presentazione: locale tipico. Accoglie ospiti in 3 camere per un totale di 6 posti letto.
Ristorazione: F/B.
Prezzi: rivolgersi direttamente all'azienda.
Note: riscaldamento.

INAMA FRANCESCO

via Casalini • 38010 SAN ZENO
☎ 0463434072

● G 5

Posizione geografica: collina.
Periodo di apertura: rivolgersi direttamente all'azienda.
Presentazione: locale tipico. Accoglie ospiti in 5 camere per un totale di 11 posti letto.

Ristorazione: H/B.
Prodotti aziendali: mele.
Prezzi: rivolgersi direttamente all'azienda.
Note: riscaldamento.

DEPEDRI LUCIANO

38040 SARDAGNA ☎ 0461235438

● L 4

Posizione geografica: collina.
Periodo di apertura: tutto l'anno.
Presentazione: locale tipico. Accoglie ospiti in 3 camere, con un bagno in comune, per un totale di 11 posti letto.
Ristorazione: H/B.
Prezzi: F/B a £ 50.000, H/B a £ 40.000, pasto a £ 25.000.
Note: riscaldamento.

RINALDI MARCELLINA

loc. Frate - frazione Darzo • 38089 STORO
☎ 0465685138

● N 2

Posizione geografica: collina.
Periodo di apertura: rivolgersi direttamente all'azienda.
Presentazione: locale tipico. Accoglie ospiti in 3 camere per un totale di 6 posti letto.

Ristorazione: H/B.
Prezzi: rivolgersi direttamente all'azienda.
Note: riscaldamento.

AGRITUR BROCH

passo Cereda • 38054 TONADICO
☎ e fax 043965028

● H 9

Posizione geografica: montagna (1.369 m).
Periodo di apertura: tutto l'anno, tranne il mese di novembre.
Presentazione: costruzione che accoglie ospiti in 2 appartamenti con 4 posti letto, cucina e bagno, 1 appartamento con 4 stanze, cucina e doppi servizi, 1 appartamento con 3 stanze, cucina e doppi servizi. Tutti con terrazza.
Ristorazione: H/B, F/B. Ristorante aperto al pubblico con 75 coperti. Canederli, minestrone, *tosela*, salsicce, costicine, spezzatino di manzo o di capriolo, coniglio, funghi, fagioli.
Prodotti aziendali: salumi, latticini (formaggio, burro, *tosela*, latte), dolci.
Luoghi di interesse e manifestazioni locali: visita esterna al Castel Pietra, attrazione naturalistica al parco di Paneveggio. In estate diverse manifestazioni tipiche.
Prezzi: pasto da £ 25.000 a 35.000 massimo, B&B fino a £ 30.000. Riduzioni per bambini, sconti nei mesi di settembre, ottobre, maggio. Pasti per gruppi a £ 20.000 per persona.
Note: consigliata la prenotazione soprattutto nei mesi di ottobre, dicembre, aprile, maggio e giugno. Nelle immediate vicinanze d'inverno è possibile praticare sci da fondo e discesa, funziona anche un impianto di risalita per principianti, d'estate passeggiate naturalistiche con raccolta di funghi e frutti di bosco. A 6 km piscina, pattinaggio, equitazione. Uso cucina, uso frigorifero, satellite per TV, riscaldamento autonomo, posto macchina.

LE VALE

loc. Le Vale • 38054 TRANSACQUA ☎ 043964722

● I 9

Posizione geografica: montagna.
Periodo di apertura: dal 1° aprile al 15 ottobre.

Presentazione: locale tipico a 3 km dal paese. Accoglie ospiti in camere per un totale di 18 posti letto.
Ristorazione: H/B, F/B. Cucina casalinga.
Prodotti aziendali: prodotti caseari.
Prezzi: rivolgersi direttamente all'azienda.
Note: riscaldamento.

Ristorazione: H/B.
Prezzi: rivolgersi direttamente all'azienda.
Note: riscaldamento.

ANDREOLLI BRUNO

Vigo Meano • 38100 TRENTO
☎ 0461960900

● L 5

Posizione geografica: collina.
Periodo di apertura: rivolgersi direttamente all'azienda.

Presentazione: locale tipico. Accoglie ospiti in 3 camere per un totale di 6 posti letto.
Ristorazione: F/B.
Prezzi: rivolgersi direttamente all'azienda.
Note: riscaldamento.

LOZZER GRAZIANO

Malga Sass • 38040 VALFLORIANA
☎ 0462910002

● H 7

Posizione geografica: montagna.
Periodo di apertura: periodo estivo.
Presentazione: locale tipico. Accoglie ospiti in 9 camere per un totale di 18 posti letto.
Ristorazione: H/B.
Prodotti aziendali: prodotti caseari.
Prezzi: rivolgersi direttamente all'azienda.

BONFANTI ANNA

fraz. Ranzo • 38070 VEZZANO
☎ 0461844134

● L 5

Posizione geografica: collina.
Periodo di apertura: rivolgersi direttamente all'azienda.
Presentazione: locale tipico. Accoglie ospiti in 2 camere per un totale di 4 posti letto.
Ristorazione: F/B.
Prezzi: rivolgersi direttamente all'azienda.
Note: riscaldamento.

MELCHIORI LIVIO

via Valle, 23 • 38010 VIGO DI TON
☎ 0461657818

● H 8

Posizione geografica: collina.
Periodo di apertura: rivolgersi direttamente all'azienda.
Presentazione: locale tipico. Accoglie ospiti in 4 camere per un totale di 10 posti letto.
Ristorazione: F/B.

Prezzi: rivolgersi direttamente all'azienda.
Note: riscaldamento.

MASO VALLAVERTA

loc. Mosenè • 38030 ZIANO DI FIEMME
☎ 0462571463

● H 8

Posizione geografica: montagna.
Periodo di apertura: rivolgersi direttamente all'azienda.
Presentazione: locale tipico. Accoglie ospiti in 7 camere per un totale di 12 posti letto.
Ristorazione: F/B.
Prodotti aziendali: capretti.
Prezzi: rivolgersi direttamente all'azienda.
Note: riscaldamento.

MASO ROCCA

loc. Maso Rocca • 38061 ALA ☎ 0464670173
cell. 03687391750 fax 0464670173
E-mail:famcavagna@tin.it

▲ O 4

Posizione geografica: montagna.
Periodo di apertura: tutto l'anno.
Associato a: Associazione Agriturismo Trentino.
Presentazione: azienda situata ai piedi delle Piccole Dolomiti, attraversata da un torrente, circondata da boschi e frutteti. Accoglie ospiti in 2 appartamenti, con riscaldamento autonomo, per un totale di 10 posti letto.
Prodotti aziendali: frutta.
Luoghi di interesse e manifestazioni locali: gruppo Piccole Dolomiti, fucina Cortiana, altipiano della Lessinia a 8 km, lago di Garda a 20 km, Gardaland, altopiano di Folgaria e Lavarone.
Prezzi: alloggio fino a £ 30.000.
Note: prenotazione anche solo per il fine settimana. Luogo adatto per gruppi di giovani, coppie, famiglie. La costruzione dispone di stube con caminetto e di ampia sala ricreativa, oltre che di terrazzo e prato per prendere il sole. Raccolta di funghi e frutti di bosco. Nelle vicinanze possibilità di alpinismo, parapendio; piscina e tennis a 2 km. Ping-pong, calcetto, giochi all'aria aperta. Telefono, sala lettura e TV, posto macchina. Accolti animali previo accordo.

MICHELOTTI

via Soccesure, 2 - Bolognano • 38062 ARCO
☎ 0464516272

Posizione geografica: a 5 km dal lago.
Periodo di apertura: tutto l'anno.
Associato a: Terranostra, Turismo Verde.
Presentazione: casa rurale ristrutturata su terreno coltivato a frutteto e vigneto. Accoglie ospiti in 12 appartamenti.
Ristorazione: è possibile nelle vicinanze.
Prodotti aziendali: frutta di stagione.
Luoghi di interesse e manifestazioni locali: chiese, cascate del Varone, castelli.
Prezzi: B&B da £ 50.000 a 120.000.
Note: piscina, tennis, campo da bocce e da calcetto, giochi per bambini. Nelle vicinanze è possibile praticare surf, roccia, mountain bike, passeggiate a cavallo, pesca sportiva e tiro con l'arco. Sala comune con televisione.

RIZZI GIUSEPPE

via IV Novembre, 40 • 38010 COREDO
☎ 0463536310

Posizione geografica: montagna (831 m).
Periodo di apertura: tutto l'anno.
Associato a: Associazione Agriturismo Trentino.
Presentazione: azienda che sorge su 3 ettari di meleto. Accoglie ospiti in 3 appartamenti da 4/5 posti letto e 2 appartamenti da 2 posti letto, per un totale di 13 posti letto.
Prodotti aziendali: mele.
Luoghi di interesse e manifestazioni locali: santuario di San Romedio con gli orsi, lago di Tovel, museo degli usi e dei costumi, ex palazzo assessorile, Castel Bragher. Manifestazioni organizzate dalla locale Pro Loco con frequenza assidua.
Prezzi: estate fino a £ 30.000. Inverno da £ 30.000 a 50.000.
Note: solo su prenotazione e per un minimo di 3 notti. L'azienda organizza corsi di artigianato, caseificazione e serate culturali. Possibilità di praticare alpinismo, calcetto, canoa, golf, orientamento, pallacanestro, pattinaggio, sci, pesca, equitazione, tennis, trekking e passeggiate, mountain bike. La casa è circondata da un grande prato per prendere il sole. Raccolta di asparagi, frutti di bosco, funghi e nocciole.

LEONARDELLI PIO

via Zambaroni, 6 • 38010 COREDO
☎ 0463536335

Posizione geografica: montagna.
Periodo di apertura: tutto l'anno.
Associato a: Agriturismo Trentino, Terranostra.
Presentazione: l'azienda si estende su 5,5 ettari a meleto e bosco. Accoglie ospiti in 4 appartamenti (arredati, con lavatrici e frigo) e dispone di 26 posti letto per pernottamento di gruppi (minimo 2 notti).
Prodotti aziendali: frutti di bosco, funghi, nocciole, mele, albicocche, pesche, prugne.

Luoghi di interesse e manifestazioni locali: santuario di San Romedio con annesso parco degli orsi bruni, lago di Tovel, laghetti di Coredo, castelli. Durante tutto l'anno si tengono parecchie manifestazioni organizzate dalla Pro Loco di Coredo.

Prezzi: da concordarsi a seconda del periodo.
Note: prenotazione gradita, soprattutto per i gruppi. Possibilità di praticare alpinismo, golf, canoa, orientamento, percorso vita, sci da discesa e fondo, giochi delle bocce e calcetto, pesca, equitazione, tennis, mountain bike.
Nella zona è fiorente l'artigianato del legno e del ferro e la caseificazione. Raccolta di frutti di bosco, funghi e nocciole. Telefono in comune, riscaldamento centralizzato, posti macchina.

MARINCONZ GINO

via Inama, 21 • 38010 COREDO
☎ 0463536328

Posizione geografica: montagna (830 m).
Periodo di apertura: tutto l'anno.
Associato a: Terranostra, Agriturismo Trentino.
Presentazione: costruzione rurale risistemata. Accoglie ospiti in 3 appartamenti con 6 camere da letto e 11 posti letto totali, dotate di servizi.
Prodotti aziendali: mele.
Luoghi di interesse e manifestazioni locali: palazzo Nero, santuario di San Romedio, castelli, chiese, mostra archeologica, laghi di Tovel, di Santa Giustina e San Smeraldo. Manifestazioni durante il periodo estivo e natalizio.
Prezzi: rivolgersi direttamente all'azienda.

Note: solo su prenotazione, per un periodo minimo di 5 giorni durante l'anno, di 15 giorni in luglio e agosto. Il paese è dotato di biblioteca comunale e cinema-teatro. A 17 km golf e piscina, nelle vicinanze dell'azienda calcio, pallacanestro, tennis, percorso vita, bocce, equitazione, pesca, parchi giochi. Raccolta di funghi, asparagi e nocciole. Uso di cucina, uso frigorifero, riscaldamento, parcheggio privato, giardino. Non si fornisce biancheria.

WIDIMAN RENZO

via IV Novembre, 31 • 38010 COREDO
☎ 0463536927

Posizione geografica: montagna (831 m).
Periodo di apertura: tutto l'anno.
Associato a: Agriturismo.
Presentazione: nuova costruzione immersa nel verde. Accoglie ospiti in 2 appartamenti con bagno, cucina, soggiorno, per un totale di 10 posti letto.
Prodotti aziendali: latte, mele, patate, verdure, ciliege.
Luoghi di interesse e manifestazioni locali: santuario di San

Romedio, laghi di Coredo, Santa Giustina, Tovel, castelli. Manifestazioni durante tutta l'estate.
Prezzi: alloggio fino a £ 30.000.
Note: solo su prenotazione. Possibilità di conoscere artigianato, caseificazione. Osservazione ambientale e raccolta di funghi e frutti di bosco. Pratica di alpinismo, orientamento, sci, pesca, equitazione, tennis, mountain bike, giochi all'aria aperta, Biliardo, bocce, calcetto. L'azienda mette a disposizione degli ospiti il giardino e la terrazza con barbecue. Posto macchina, giardino.

BIASI GIULIO

via IV Novembre, 7 • 38010 COREDO
☎ 0463536298

▲ H 6

Posizione geografica: montagna (831 m).
Periodo di apertura: tutto l'anno.
Associato a: Associazione Agriturismo Trentino.
Presentazione: tipica costruzione rurale su 70 ettari di meleto. Accoglie ospiti in 4 appartamenti, con 4 posti letto ciascuno, per un totale di 16 posti letto.
Prodotti aziendali: mele.
Luoghi di interesse e manifestazioni locali: santuario di San Romedio con gli orsi, lago di Tovel, museo degli usi e dei costumi, ex palazzo assessorile, Castel Bragher. Manifestazioni organizzate dalla Pro Loco con frequenza assidua.
Prezzi: alloggio fino a £ 30.000.
Note: solo su prenotazione e per un minimo di 6 notti. L'azienda organizza corsi di artigianato, di caseificazione e serate culturali.
Possibilità di praticare alpinismo, calcetto, canoa, golf, orientamento, pallacanestro, pattinaggio, sci, tennis, trekking, passeggiate, mountain bike, pesca, equitazione. Raccolta di asparagi, frutti di bosco, funghi e nocciole.

BARBACOVI AMEDEO

via Casello, 6 • 38010 COREDO
☎ 0463536352

▲ H 6

Posizione geografica: montagna (831 m).
Periodo di apertura: luglio, agosto, settembre, periodo natalizio.
Associato a: Associazione Agriturismo Trentino.
Presentazione: tipica costruzione rurale che si estende su 2 ettari di meleto. Accoglie ospiti in 1 appartamento da 6 posti letto e in 5 appartamenti con 4/5 posti letto, per un totale di 28 posti letto.
Prodotti aziendali: mele, ciliege, ortaggi.
Luoghi di interesse e manifestazioni locali: santuario di San Romedio con gli orsi, lago di Tovel, museo degli usi e dei costumi, ex palazzo assessorile, Castel Bragher. Manifestazioni organizzate dalla Pro loco con grande frequenza.
Prezzi: da concordare con l'azienda.
Note: solo su prenota-

zione. Il periodo minimo di soggiorno è di 15 giorni nel periodo estivo, 1 settimana a Natale. Possibilità di accostarsi all'artigianato e alla caseificazione.
Pratica di alpinismo, canoa, golf, orientamento, pallacanestro, pattinaggio, sci, tennis, mountain bike, pesca, equitazione, trekking e passeggiate.
Gioco del calcetto, giochi all'aria aperta e manifestazioni organizzate appositamente per i bambini. Raccolta di asparagi, frutti di bosco, funghi e nocciole.

ZAMBONI PIA

Maso Fosina • 38040 BOSENTINO
☎ 0461848468

▲ M 5

Posizione geografica: montagna.
Periodo di apertura: tutto l'anno.
Associato a: Agriturismo.
Presentazione: tipica costruzione rurale. L'azienda si estende su 10 ettari con coltivazione di cereali, vigneto, ortaggi. Allevamento di conigli, api, animali da cortile. Accoglie ospiti in 2 stanze con angolo cottura e bagno (4 posti letto complessivi), frigorifero, uso lavatrici.
Prodotti aziendali: frutta, miele, ortaggi, uova, vino, farina.
Luoghi di interesse e manifestazioni locali: costruzioni antiche che si incontrano in passeggiate naturalistiche. Animazione folkloristica, feste paesane.
Prezzi: B&B fino a £ 30.000 per persona.
Note: solo su prenotazione. Osservazione dell'ambiente e dimostrazione con diapositive. Raccolta di castagne, frutti di bosco, funghi. Nelle vicinanze c'è la possibilità di praticare alpinismo, equitazione, mountain bike, tennis, sport di lago.
Prato per prendere il sole, giochi all'aria aperta, sala riunioni. Biancheria, telefono in comune, posto macchina, riscaldamento.

POZZATTI ANNA

via Bevia, 47 • 38020 BRESIMO
☎ e fax 0463539042

▲ H 4

Posizione geografica: montagna.
Periodo di apertura: tutto l'anno.
Associato a: Terranostra.
Presentazione: azienda situata in un tipico paese alpino (noto per le acque termali), oasi di pace nel gruppo dell'Ortles. Accoglie ospiti in 2 appartamenti in azienda e in una casa singola indipendente (15 posti letto totali) tutti con bagno, cucina attrezzata, televisione, telefono.
Luoghi di interesse e manifestazioni locali: chiesa tardo-gotica, resti del castello di Altaguarda, santuario di San Romedio.
Prezzi: alloggio fino a £ 30.000 a persona al giorno.
Note: solo su prenotazione. L'azienda dispone di sala comune arredata. In paese si praticano sci alpinismo, pesca, mountain bike, trekking. Nelle vicinanze (a 25-30 km), golf, equitazione, tennis, sci di discesa, nuoto. Facili escursioni alle malghe, ai rifugi e ai laghetti alpini.
Raccolta di asparagi, funghi e frutti di bosco. Grande terrazza e verde giardino. Posto macchina, riscaldamento.

ZENI MASSIMO

via Molini, 6 • 38010 FAEDO
☎ 0461651088

▲ H 6

Posizione geografica: collina.
Periodo di apertura: tutto l'anno.
Associato a: Terranostra.
Presentazione: tipica costruzione rurale. Accoglie ospiti in 5 camere con bagno.
Prodotti aziendali: mele, confetture.
Luoghi di interesse e manifestazioni locali: Dolomiti del Brenta, museo degli usi e dei costumi della gente trentina. Feste paesane.
Prezzi: B&B fino a £ 30.000. Sconto per bambini.
Note: accessibile agli handicappati. Nelle vicinanze è possibile praticare l'alpinismo. Raccolta frutti di bosco e funghi, giochi all'aria aperta. Prato per prendere il sole. Biancheria, pulizia, riscaldamento, posto macchina.

ODORIZZI MICHELE

via f.lli Pinamonti, 52 - loc. Rallo • 38010 TASSULLO
☎ 0463450294

▲ H 5

Posizione geografica: collina (605 m).
Periodo di apertura: tutto l'anno.
Associato a: Associazione Agriturismo Trentino.
Presentazione: tipica costruzione rurale al centro del paese, su 2 ettari di terreno, che produce solo mele (famose della Val di Non). Accoglie ospiti in 3 appartamenti, con 12 posti letto totali, dotati tutti di servizi.
Luoghi di interesse e manifestazioni locali: lago di Tovel (ex lago rosso, fino agli anni '70), santuario di San Romedio, Val di Rabbi con fonti di acqua ferruginosa e stazione termale, Madonna di Campiglio, stazioni sciistiche. Marcia non competitiva tra i meli in fiore (2ª domenica di maggio), gare di bici, podistiche, di sci, di pesca.
Prezzi: alloggio fino a £ 30.000. Sconto per i bambini fino ai 10 anni, per letto aggiunto e per periodi lunghi di soggiorno.
Note: solo su prenotazione. In estate soggiorno minimo 1 settimana,

in altri periodi anche solo week-end. Si omaggiano gli ospiti di frutta e verdura di stagione e di qualche prodotto aziendale. Possibilità di partecipazione ai lavori in campagna. Possibilità di praticare canoa e rafting sul fiume Noce, golf, parapendio, roccia, alpinismo, sci alpinismo discesa e fondo, pattinaggio su ghiaccio, piscina, tiro con l'arco, equitazione, tennis, trekking e passeggiate, mountain bike, giochi all'aria aperta. Raccolta di frutti di bosco, funghi, asparagi ed erbe selvati-

che. Prato per prendere il sole. Biancheria, pulizia, bagno con doccia, uso cucina, uso frigorifero, TV, riscaldamento, posto auto esterno o in garage. Animali accolti previo accordo.

AGRITUR TRETTER

via Quaresima, 13 • 38019 TUENNO
☎ 0463451276

▲ H 5

Posizione geografica: montagna.
Periodo di apertura: tutto l'anno.
Associato a: Associazione Agriturismo Trentino.
Presentazione: tipica costruzione rurale in azienda frutticola (mele Melinda). Accoglie ospiti in 4 appartamenti, con 4 posti letto ciascuno, arredati, con balcone e garage, bagno proprio.
Prodotti aziendali: mele e miele.
Luoghi di interesse e manifestazioni locali: lago rosso di Tovel, gruppo del Brenta, castelli della Val di Non. Feste paesane in luglio e agosto.
Prezzi: alloggio fino a £ 30.000. OR da £ 25.000 a 35.000. Alloggio in appartamento da £ 550.000 a 700.000. Sconto del 50% per i bambini fino ai 10 anni e del 10% per la seconda settimana di soggiorno.
Note: accessibile agli handicappati. Periodo minimo di prenotazione: 2 giorni. L'azienda organizza escursioni in alta montagna, passeggiate a piedi e in bicicletta, serate di diapositive.
Nelle vicinanze è possibile praticare alpinismo, sci alpismo, fondo e discesa, torrentismo, pesca, tennis, mountain bike, giochi all'aria aperta. Nei dintorni raccolta di mirtilli e funghi. Terrazzo e giardino per prendere il sole. Biancheria, pulizia, telefono in comune, uso cucina, frigorifero, TV a colori, riscaldamento.

DALLAGO RODOLFO

via A. Snao, 7 • 38019 TUENNO
☎ 0436451318

▲ H 5

Posizione geografica: mezza montagna (630 m). Entrata parco Adamello Brenta.
Periodo di apertura: tutto l'anno su prenotazione.
Presentazione: locale tipico. Accoglie ospiti in 1 appartamento e 2 monolocali per un totale di 12 posti letto.

Prezzi: rivolgersi direttamente all'azienda.
Note: biancheria, riscaldamento.

SEGA ROMEO

via Fornasetta, 28 - loc. Varone
38066 RIVA DEL GARDA
☎ 0464520148

▲ H 3

Posizione geografica: pianura, a 1,5 km dal lago.
Periodo di apertura: tutto l'anno.
Associato a: Associazione Agriturismo Trentino.
Presentazione: rustico ristrutturato in azienda coltivata a vigneto, frutteto, orto. Accoglie ospiti in 4 appartamenti, ciascuno con 2 camere, bagno, veranda e giardino, per un totale di 16 posti letto.
Luoghi di interesse e manifestazioni locali: cascate di Varone, laghi di Tenno e Ledro, 220 laghetti nei dintorni.
Prezzi: da £ 350.000 a 480.000 per appartamento alla settimana, spese escluse.
Note: nelle vicinanze si possono praticare surf, roccia, mountain bike, parapendio.

MASO TESADRI

loc. Borceniga, 195 • 38080 VILLA RENDENA
☎ 0465326313 fax 0465326306

▲ L 3

Posizione geografica: montagna (630 m).
Periodo di apertura: tutto l'anno.
Presentazione: tipico maso in legno e pietra del posto. Accoglie ospiti in 7 appartamenti indipendenti composti da due camere, bagno, ampio soggiorno con uso cucina e balcone con vista sulle montagne del parco naturale Adamello Brenta.
Prodotti aziendali: fragole.
Luoghi di interesse e manifestazioni locali: parco naturale Adamello Brenta, terme di Comano a 15 km, palafitte, Dolomiti. Sagre paesane con rievocazioni storiche.
Prezzi: rivolgersi direttamente all'azienda.
Note: prossima apertura giugno 2001. Prenotazione minima di 3 giorni. Accessibile agli handicappati. Possibilità di partecipare alla fienagione e alla raccolta delle fragole. Passeggiate, escursioni e percorsi ciclabili. Tennis a 1 km, piscina a 4 km, piste da sci a 10 km. Ampio parcheggio e giardino. Animali accolti previo accordo.

MARTINELLI LAURO

loc. Doss, 4 • 38040 CENTA SAN NICOLÒ
☎ 0461722125

◆ M 6

Posizione geografica: montagna.
Periodo di apertura: tutto l'anno, da mercoledì a venerdì solo la sera, sabato e domenica anche a mezzogiorno.
Associato a: Associazione Agriturismo Trentino.
Presentazione: tipica costruzione rurale con produzione propria di ortaggi, piccoli frutti, vino; allevamento ovini, conigli.
Ristorazione: 50 coperti. Ristorante aperto al pubblico. Canederli, polenta e coniglio, tosella, agnello.
Prodotti aziendali: frutta, ortaggi e vino.
Luoghi di interesse e manifestazioni locali: lago di Caldonazzo, museo del castello del Buon Consiglio, fortificazioni astroungariche a Lavarone e Folgaria.
Prezzi: pasto da £ 20.000 a 35.000.
Note: accessibile agli handicappati. Prato per prendere il sole. Gradita la prenotazione. Possibilità di praticare alpinismo, mountain bike, pallavolo, ping-pong, tennis, sci di fondo e discesa. Piscina e tennis. Possibilità di praticare equitazione, pesca e mountain bike. Raccolta di castagne, frutti di bosco, funghi.

DELLAGIACOMA FABIO

Malga Bocche • 38035 MOENA
☎ 0462501925

◆ G 8

Posizione geografica: montagna, parco di Paneveggio.
Periodo di apertura: dal 20 giugno al 20 settembre.
Associato a: Agriturismo.
Presentazione: tipica malga di montagna.
Ristorazione: 60 coperti. Ristorante aperto tutto il giorno. Piatti tipici di montagna.
Luoghi di interesse e manifestazioni locali: lago Bocche, 3 laghi, Lusia, cima Bocche, fronte della prima guerra mondiale.
Prezzi: pasto a £ 30.000.

MALGA VALMAGGIORE

loc. Malga Valmaggiore
8037 PREDAZZO
☎ e fax 0462501159

◆ G 7

Posizione geografica: montagna.
Periodo di apertura: luglio e agosto, tutti i giorni.
Presentazione: costruzione tipica. Alpeggio di bovini ed equini.
Ristorazione: ristorante aperto al pubblico (30 coperti all'interno e 15 all'esterno). Polenta, salsicce, formaggi nostrani, dolci tipici.
Prodotti aziendali: latticini.
Luoghi di interesse e manifestazioni locali: a 7-8 km circa parco naturale di Paneveggio, museo dei minerali a Predazzo; da Valmaggiore bellissimi sentieri che portano a quota 2000 m e si possono ammirare i laghetti alpini, dalle montagne circostanti si possono vedere molti resti della Prima Guerra Mondiale, reperti, trincee, grotte. Sagra di San Giacomo il 25 luglio e fuochi di San Martino l'11 novembre.
Prezzi: pasto da £ 15.000 a 30.000.
Note: accessibile agli handicappati. Nella zona si possono praticare alpinismo, equitazione, nuoto, mountain bike, minigolf, parapendio, pesca, roccia, sci, tennis. Gioco delle bocce e biliardo. Osservazione ambientale e raccolta di frutti di bosco e funghi. Zona ricca di caseifici e laboratori artigianali. Prato per prendere il sole.

VOLPAIA

loc. Volpaia, 3 • 38029 VERMIGLIO
☎ 0463758152-0463758393

◆ G 9

Posizione geografica: montagna.
Periodo di apertura: luglio, agosto, metà settembre e dicembre, tutti i giorni; gli altri mesi solo venerdì, sabato, domenica.
Associato a: Agriturismo Trentino.
Presentazione: l'azienda dispone di un allevamento di bovini.
Ristorazione: 40 coperti. Ristorante aperto al pubblico. Piatti tipici: canederli, polenta concia, carne salata.
Prodotti aziendali: prodotti caseari.
Luoghi di interesse e manifestazioni locali: Trento.
Prezzi: pasto da £ 25.000 a 30.000.
Note: è gradita la prenotazione. Raccolta di funghi e frutti di bosco. Possibilità di praticare sci di fondo, discesa, alpinismo. Pesca e mountain bike. Nelle vicinanze canoa e maneggio.

Bolzano

PITSCHLHOF

Grube, 1 • I-39040 ALDINO
☎ 0471887246
● G 7

Posizione geografica: montagna.
Periodo di apertura: rivolgersi direttamente all'azienda.
Presentazione: tipico maso di montagna. Allevamento di bovini, suini. Accoglie ospiti in 6 camere con bagno in comune per un totale di 12+4 posti letto.
Ristorazione: B&B, H/B.
Prezzi: rivolgersi direttamente all'azienda. Sconto 20% per bambini fino a 7 anni.
Note: prato per prendere il sole, ping-pong, giochi all'aria aperta. Riscaldamento centrale, sala comune, posto macchina.

WASTLHOF

Oberradein, 62 • I-39040 ALDINO
☎ 0471887168
● G 7

Posizione geografica: montagna.
Periodo di apertura: rivolgersi direttamente all'azienda.
Presentazione: tipico maso di montagna. Allevamento di bovini, equini, suini. Accoglie ospiti in 6 camere, con bagno in comune, per un totale di 12 posti letto.
Ristorazione: B&B, F/B.
Prezzi: rivolgersi direttamente all'azienda. Sconto 30% per bambini fino a 10 anni.
Note: prato per prendere il sole, ping-pong, giochi all'aria aperta, equitazione. Riscaldamento centrale, sala comune, posto macchina. Animali accolti previo accordo.

BRUNNERHOF

Hinterdorfweg, 14 • I-39010 AVELENGO
☎ 0473279484
● F 6

Posizione geografica: montagna.
Periodo di apertura: rivolgersi direttamente all'azienda.
Presentazione: tipico maso di montagna. Allevamento di bovini, equini, suini, pollame, conigli. Accoglie ospiti in 8 camere con bagno singole e doppie.
Ristorazione: B&B, H/B.
Prezzi: rivolgersi direttamente all'azienda. Sconto 30% per bambini fino a 10 anni.
Note: prato per prendere il sole, ping-pong, giochi all'aperto,

equitazione. Riscaldamento centrale, sala comune, televisione comune, posto macchina anche coperto. Animali accolti previo accordo.

TRATTERHOF

Hinterdorferweg, 16 • I-39010 AVELENGO
☎ 0473279345
● F 6

Posizione geografica: montagna.
Periodo di apertura: rivolgersi direttamente all'azienda.
Presentazione: tipico maso di montagna. Allevamento di bovini, suini, pollame, conigli. Accoglie ospiti in 5 camere con bagno per un totale di 10+2 posti letto.
Ristorazione: B&B, H/B.
Prezzi: rivolgersi direttamente all'azienda. Sconto 10-30% per bambini fino a 10 anni.
Note: prato per prendere il sole, giochi all'aria aperta. Riscaldamento centrale, sala comune, televisione comune, posto macchina anche coperto. Animali accolti previo accordo.

MESSNERHOF

Dreikirchen, 5 • I-39040 BARBIANO
☎ 0471650059
● F 7

Posizione geografica: montagna.
Periodo di apertura: stagione estiva.
Presentazione: tipico maso di montagna. Allevamento di bovini, equini, pollame. Accoglie ospiti in 7 camere doppie e a più letti, con bagno in comune.
Ristorazione: B&B, H/B.
Prezzi: rivolgersi direttamente all'azienda. Sconto 40% per bambini fino a 10 anni.
Note: prato per prendere il sole, ping-pong, giochi all'aria aperta, equitazione. Possibilità di fare passeggiate a cavallo. Sono gradite le famiglie, assoluta tranquillità. Riscaldamento centrale, sala comune. Animali accolti previo accordo.

WEGSCHEIDERHOF

Gereuth, 50 • I-39042 BRESSANONE
☎ 0472835774
● E 8

Posizione geografica: montagna.

Periodo di apertura: tutto l'anno.
Presentazione: tipico maso di montagna. Allevamento di bovini, suini, pollame. Accoglie ospiti in 6 camere doppie con bagno e in 1 appartamento con bagno, per un totale di 14 posti letto.
Ristorazione: B&B, H/B.
Prezzi: rivolgersi direttamente all'azienda. Sconto 10-20% per bambini fino a 12 anni.

Note: prato per prendere il sole, ping-pong, giochi all'aria aperta, uso frigorifero, uso cucina, riscaldamento centrale, posto macchina. Animali accolti previo accordo.

HOCHHUEBHOF

**via Freiten, 11 - loc. Ciardes/Tschars
39020 CASTELBELLO/KASTELBELL
☎ 0473624138 fax 0473624746**

 E 4

Posizione geografica: collina (620 m).
Periodo di apertura: da Pasqua a ottobre.
Associato a: Agriturismo.
Presentazione: casa in stile tipicamente tirolese in azienda di 8 ettari con coltivazioni di viti e alberi da frutto e allevamento di ovini. Accoglie ospiti in 6 camere, con bagno privato, per un totale di 15 posti letto.
Ristorazione: solo per gli ospiti. B&B, H/B. Cucina tipica preparata con prodotti aziendali.
Prodotti aziendali: mele.
Luoghi di interesse e manifestazioni locali: Naturno e Merano. Numerose sagre e feste in piazza.
Prezzi: rivolgersi all'azienda.
Note: piscina. Pulizia e biancheria. Animali accolti con divieto di accesso alla sala ristorante.

PISESHOF

**Steinegg, 69 • I-39050 CORNEDO ALL'ISARCO
☎ 0471376515**

 F 7

Posizione geografica: montagna (823 m).
Periodo di apertura: rivolgersi direttamente all'azienda.
Presentazione: tipico maso di montagna. Allevamento di bovini, suini. Accoglie ospiti in 6 camere con bagno per un totale di 12+3 posti letto.
Ristorazione: B&B, H/B.
Prezzi: rivolgersi direttamente all'azienda. Sconto 30% per bambini fino a 8 anni.
Note: prato per prendere il sole, ping-pong, giochi all'aria aperta. Riscaldamento centrale, sala comune, posto macchina.

GOSTNERHOF

**Wahlen, 39 • I-39034 DOBBIACO
☎ 0474979014**

 E 12

Posizione geografica: montagna.
Periodo di apertura: rivolgersi direttamente all'azienda.
Presentazione: tipico maso di montagna. Allevamento di bovini, suini, pollame. Accoglie ospiti in 3 camere doppie e a più letti, con bagno in comune.
Ristorazione: B&B, H/B.
Prezzi: rivolgersi direttamente all'azienda. Sconto 15% per bambini fino a 12 anni.
Note: prato per prendere il sole, giochi all'aria aperta. Uso frigorifero, sala comune, televisione comune, riscaldamento centrale, posto macchina. Animali accolti previo accordo.

OBERKANTIOLHOF

**St. Magdalena, 43 • I-39040 FUNES
☎ 0472840002**

 E 8

Posizione geografica: montagna.
Periodo di apertura: stagione estiva.
Presentazione: tipico maso di montagna. Allevamento di bovini, suini, pollame. Accoglie ospiti in camere singole, doppie e a più letti, con bagno in comune.
Ristorazione: B&B, H/B.
Prezzi: rivolgersi direttamente all'azienda. Sconto 30% per bambini fino a 10 anni.
Note: prato per prendere il sole, ping-pong, giochi all'aria aperta. Posto macchina. Animali accolti previo accordo.

PROFANTERHOF

**St. Magdalena, 25 • I-39040 FUNES
☎ 0472840158**

● **E 8**

Posizione geografica: montagna.
Periodo di apertura: rivolgersi direttamente all'azienda.
Presentazione: tipico maso di montagna. Allevamento di bovini, suini, pollame. Accoglie ospiti in 12 camere singole, doppie e a più letti con bagno in comune e in un appartamento da 2/4 posti letto.
Ristorazione: B&B, H/B.

Prezzi: rivolgersi direttamente all'azienda. Sconto 10-20% per bambini fino a 12 anni.
Note: prato per prendere il sole, ping-pong, giochi all'aria aperta. Uso frigorifero, uso cucina, riscaldamento centrale, sala comune, posto macchina.

OBERZERUNHOF

St. Peter, 33 • I-39040 LAION
☎ 0471655631

● F 7

Posizione geografica: montagna.
Periodo di apertura: rivolgersi direttamente all'azienda.
Presentazione: tipico maso di montagna. Allevamento di bovini. Accoglie ospiti in 5 camere con bagno per un totale di 10+4 posti letto.
Ristorazione: B&B, H/B.
Prezzi: rivolgersi direttamente all'azienda.
Note: prato per prendere il sole, ping-pong. Riscaldamento centrale, sala comune, posto macchina. Animali accolti previo accordo.

PRODERHOF

Freins, 7 • I-39040 LAION
☎ 0471655724

● F 7

Posizione geografica: montagna.
Periodo di apertura: rivolgersi direttamente all'azienda.
Presentazione: tipico maso di montagna. Allevamento di bovini, suini, pollame. Accoglie ospiti in 6 camere

con bagno per un totale di 12+2 posti letto.
Ristorazione: B&B, H/B.
Prezzi: rivolgersi direttamente all'azienda. Sconto 10% per bambini fino a 10 anni.
Note: prato per prendere il sole, giochi all'aria aperta, equitazione. Posto macchina.

TELFNERHOF

St. Peter, 10 • I-39040 LAION
☎ 0471655698 fax 0471655883

● F 7

Posizione geografica: montagna.
Periodo di apertura: rivolgersi direttamente all'azienda.

Presentazione: tipico maso di montagna. Allevamento di bovini, suini, pollame. Accoglie ospiti in 11 camere singole, doppie e a più letti, con bagno in comune e in 4 appartamenti da 2/5 posti letto (affitto appartamenti solo con H/B).
Ristorazione: B&B, H/B.
Prezzi: rivolgersi diretta-

---

mente all'azienda. Sconto 50% per bambini fino a 6 anni e 15% fino a 12 anni.
Note: prato per prendere il sole, ping-pong, giochi all'aria aperta. Uso frigorifero, riscaldamento centrale, sala comune, posto macchina.

TIEFENBRUNNHOF

St. Agatha - Straße, 14 • I-39011 LANA
☎ e fax 0473561485

● E 5

Posizione geografica: collina.
Periodo di apertura: rivolgersi direttamente all'azienda.
Presentazione: tipico maso di collina con frutteti e vigneti. Accoglie ospiti in 9 camere con bagno per un totale di 17+3 posti letto e in 4 appartamenti con 2/4 posti letto.
Ristorazione: B&B, H/B.
Prezzi: rivolgersi direttamente all'azienda. Sconto 10-30% per bambini fino a 12 anni.
Note: prato per prendere il sole, ping-pong, giochi all'aria aperta, piscina. Uso frigorifero, uso cucina, sala comune, televisione comune, posto macchina anche coperto. Animali accolti previo accordo.

CIASA RAUT

Tolpei, 40 • I-39030 LA VALLE
☎ 0471843105

● F 7

Posizione geografica: montagna.
Periodo di apertura: rivolgersi direttamente all'azienda.
Presentazione: tipico maso di montagna. Allevamento di bovini, suini, pollame, conigli. Accoglie ospiti in 6 camere doppie e a più letti, con bagno in comune.
Ristorazione: B&B, H/B.
Prezzi: rivolgersi direttamente all'azienda. Sconto 20% per bambini fino a 12 anni.
Note: prato per prendere il sole e per giochi all'aria aperta. Uso frigorifero, riscaldamento centrale, sala comune, televisione comune, posto macchina. Animali accolti previo accordo.

LÜCH DA CIURNADÙ

Ciurnadù, 204 • I-39030 LA VALLE
☎ 0471843145

● F 7

Posizione geografica: montagna.
Periodo di apertura: rivolgersi direttamente all'azienda.
Presentazione: tipico maso di montagna. Allevamento di bovini, equini, suini, ovini, pollame, conigli. Accoglie ospiti in 12 camere con bagno e terrazzo per un totale di 25 posti letto.

Ristorazione: B&B, H/B.
Prezzi: rivolgersi direttamente all'azienda. Sconto ai bambini fino a 12 anni.
Note: prato per prendere il sole, ping-pong, giochi all'aria aperta. Riscaldamento centrale, sala comune, posto macchina. Animali accolti previo accordo.

LÜCH DE SOVÍ

Soví, 105 • I-39030 LA VALLE
☎ 0471843349
● F 7

Posizione geografica: montagna.
Periodo di apertura: rivolgersi direttamente all'azienda.
Presentazione: tipico maso di montagna. Allevamento di bovini, suini, pollame. Accoglie ospiti in 3 camere doppie e a più letti, con bagno in comune.
Ristorazione: B&B, H/B.
Prezzi: rivolgersi direttamente all'azienda. Sconto 10-20% per bambini fino a 12 anni.
Note: prato per prendere il sole, giochi all'aria aperta. Riscaldamento centrale, sala comune, televisione comune, posto macchina. Animali accolti previo accordo.

MAIERHOF

Cozz, 46 • I-39030 LA VALLE
☎ e fax 0471843171
● F 7

Posizione geografica: montagna.
Periodo di apertura: rivolgersi direttamente all'azienda.
Presentazione: tipico maso di montagna. Allevamento di bovini, suini, pollame, conigli. Accoglie ospiti in 2 camere a più letti e in 4 appartamenti da 2/6 posti letto.
Ristorazione: B&B, H/B.
Prezzi: rivolgersi direttamente all'azienda. Sconto 10% per bambini fino a 6 anni.
Note: prato per prendere il sole, giochi all'aria aperta. Uso frigorifero, uso cucina, riscaldamento centrale, sala comune, televisione comune, posto macchina anche coperto. Animali accolti previo accordo.

PENSIONE HEROLERHOF

Berg, 14 • I-39040 LUSON
☎ e fax 0472413770
● F 7

Posizione geografica: montagna.
Periodo di apertura: rivolgersi direttamente all'azienda.
Presentazione: tipico maso di montagna. Allevamento di bovini, equini, suini, pollame, conigli. Accoglie ospiti in 16 camere singole, doppie e a più letti, con bagno in comune.
Ristorazione: B&B, H/B, F/B.
Prezzi: rivolgersi direttamente all'azienda. Sconto 50% per bambini fino a 15 anni.
Note: prato per prendere il sole, ping-pong, giochi all'aria aperta, piscina. Riscaldamento centrale, sala comune, posto macchina. Animali accolti previo accordo.

NIEDERHOF

Waldberg, 222 • I-39020 MARTELLO
☎ 0473744534
● G 4

Posizione geografica: montagna.
Periodo di apertura: rivolgersi direttamente all'azienda.
Presentazione: tipico maso di montagna. Allevamento di bovini, suini, ovini, pollame. Accoglie ospiti in 6 camere, con bagno, doppie e a più letti.
Ristorazione: B&B, H/B.
Prezzi: rivolgersi direttamente all'azienda. Sconto 10-20% per bambini fino a 8 anni.
Note: prato per prendere il sole, giochi all'aria aperta, possibilità di imparare le tecniche di lavorazione del pane, della lana. Riscaldamento centrale, posto macchina. Animali accolti previo accordo.

KLUGERHOF

Versein, 4 • I-39010 MELTINA
☎ 0471668061
● F 6

Posizione geografica: montagna.
Periodo di apertura: rivolgersi direttamente all'azienda.
Presentazione: tipico maso di montagna. Allevamento di bovini, suini, pollame. Accoglie ospiti in 6 camere con bagno doppie e a più letti.
Ristorazione: B&B, H/B.
Prezzi: rivolgersi direttamente all'azienda. Sconto 30% per bambini fino a 10 anni.
Note: prato per prendere il sole, ping-pong, giochi all'aria aperta. Riscaldamento centrale, sala comune, televisione comune, posto macchina anche coperto. Animali accolti previo accordo.

MOARHOF

Schlaneid, 3 • I–39010 MELTINA
☎ 0471668032

● F 6

Posizione geografica: montagna.
Periodo di apertura: stagione estiva.
Presentazione: tipico maso di montagna. Allevamento di bovini, equini, suini. Accoglie ospiti in 12 camere con bagno per un totale di 23+3 posti letto e in 2 appartamenti da 2/5 posti letto.
Ristorazione: B&B, H/B.
Prezzi: rivolgersi direttamente all'azienda. Sconto 20% per bambini fino a 8 anni.
Note: prato per prendere il sole, ping-pong, giochi all'aria aperta, equitazione. Uso cucina, riscaldamento centrale, sala comune, televisione comune, posto macchina anche coperto.

GASTHOF HECHER

Katzensteinstraße, 38 • I–39012 MERANO
☎ 0473244086

● E 5

Posizione geografica: montagna.
Periodo di apertura: rivolgersi direttamente all'azienda.
Presentazione: tipico maso di montagna. Allevamento di bovini, suini, pollame. Accoglie ospiti in 4 camere  con bagno per un totale di 8+4 posti letto.
Ristorazione: B&B, H/B, F/B.
Prezzi: rivolgersi direttamente all'azienda. Sconto 10-50% per bambini fino a 10 anni.
Note: prato per prendere il sole, ping-pong, giochi all'aria aperta. Riscaldamento centrale, sala comune, posto macchina. Animali accolti previo accordo.

WALTER ABRAHAM

Glen, 53 • I–39040 MONTAGNA
☎ 0471819832

● G 6

Posizione geografica: collina.
Periodo di apertura: stagione estiva.
Presentazione: tipico maso di collina con frutteti e vigneti. Accoglie ospiti in 6 camere con bagno, doppie e a più letti.
Ristorazione: B&B, H/B.
Prezzi: rivolgersi direttamente all'azienda. Sconto 25% per bambini fino a 10 anni.
Note: prato per prendere il sole. Riscaldamento centrale, sala comune, posto macchina.

INNERFORERHOF

Samerweg, 9 • I–39056 NUOVA LEVANTE
☎ 0471613054

● G 7

Posizione geografica: montagna.
Periodo di apertura: stagione estiva.
Presentazione: tipico maso di montagna. Allevamento di bovini, equini, pollame. Accoglie ospiti in 2 camere con bagno per un totale di 6+3 posti letto.

Ristorazione: B&B, H/B.
Prezzi: rivolgersi direttamente all'azienda. Sconto 20% per bambini fino a 12 anni.
Note: prato per prendere il sole, giochi all'aria aperta. Uso cucina, posto macchina. Animali accolti previo accordo.

EGGERERHOF

Prentnerviertel, 3 • I–39050 NOVA PONENTE
☎ 0471616573

● G 7

Posizione geografica: montagna.
Periodo di apertura: rivolgersi direttamente all'azienda.
Presentazione: tipico maso di montagna. Allevamento di bovini, suini. Accoglie ospiti in 6 camere singole e doppie.
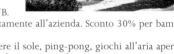
Ristorazione: B&B, H/B.
Prezzi: rivolgersi direttamente all'azienda. Sconto 30% per bambini fino a 10 anni.
Note: prato per prendere il sole, ping-pong, giochi all'aria aperta. Riscaldamento centrale, posto macchina.

SCHADNERHOF

Prentnerviertel, 22 • I–39050 NOVA PONENTE
☎ 0471616586

● G 7

Posizione geografica: montagna.
Periodo di apertura: rivolgersi direttamente all'azienda.
Presentazione: tipico maso di montagna. Allevamento di bovini, suini, pollame. Accoglie ospiti in 2 camere con bagno per un totale di 6+3 posti letto e in 1 appartamento da 4 posti letto.
Ristorazione: B&B, H/B, F/B.
Prezzi: rivolgersi direttamente all'azienda. Sconto 20% per bambini fino ai 10 anni.
Note: prato per prendere il sole, ping-pong, giochi all'aria aperta. Riscaldamento centrale, televisione comune, posto macchina. Animali accolti previo accordo.

TOTTERERHOF

Unterkirch, 2 • I-39050 NOVA PONENTE
☎ 0471616473

● G 7

Posizione geografica: montagna.
Periodo di apertura: rivolgersi direttamente all'azienda.
Presentazione: tipico maso di montagna. Allevamento di equini, suini, ovini, pollame. Accoglie ospiti in 10 camere doppie e a più letti, con bagno.
Ristorazione: B&B, H/B.
Prezzi: rivolgersi direttamente all'azienda. Sconto 10-50% per bambini fino a 12 anni.
Note: prato per prendere il sole, ping-pong, giochi all'aria aperta. Riscaldamento centrale, sala comune, posto macchina. Animali accolti previo accordo.

GASSERHOF

Leopoldstraße, 2/a • I-39010 POSTA FRANGARTO
☎ 0471918260

● F 6

Posizione geografica: collina.
Periodo di apertura: rivolgersi direttamente all'azienda.
Presentazione: tipico maso di collina con frutteti e vigneti. Accoglie ospiti in 9 camere, singole, doppie e a più letti, con bagno.
Ristorazione: B&B, H/B.
Prezzi: rivolgersi direttamente all'azienda. Sconto 20% per bambini fino a 10 anni.
Note: prato per prendere il sole, giochi all'aria aperta, piscina. Sala comune, riscaldamento centrale, posto macchina.

HUBERHOF
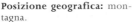

Antholz Obertal, 10 • I-39030 RASUN - ANTERSELVA
☎ 0474492188

● C 11

Posizione geografica: montagna.
Periodo di apertura: rivolgersi direttamente all'azienda.
Presentazione: tipico maso di montagna. Allevamento di bovini, suini, pollame e conigli. Accoglie ospiti in 3 camere con bagno per un totale di 6+3 posti letto e in 2 appartamenti da 2/4 posti letto.
Ristorazione: B&B, H/B.
Prezzi: rivolgersi direttamente all'azienda. Sconto 10% per bambini fino a 12 anni.

Note: prato per prendere il sole, giochi all'aria aperta. Riscaldamento centrale, sala comune, posto macchina anche coperto.

OBEROBERSTALLERHOF

Niederrasen, 130 • I-39030 RASUN - ANTERSELVA
☎ 047446303-0474496303

● F 9

Posizione geografica: montagna.
Periodo di apertura: rivolgersi direttamente all'azienda.
Presentazione: tipico maso di montagna. Allevamento di bovini, pollame. Accoglie ospiti in 5 camere con bagno per un totale di 9+3 posti letto e in 3 appartamenti da 2/5 posti letto.
Ristorazione: B&B, H/B.

Prezzi: rivolgersi direttamente all'azienda. Sconto 30% per bambini fino a 10 anni.
Note: prato per prendere il sole, giochi all'aria aperta. Riscaldamento centrale, sala comune, posto macchina.

PICHLERHOF

Oberrasen, 36 • I-39030 RASUN - ANTERSELVA
☎ 047446181-0474496181

● F 9

Posizione geografica: montagna.
Periodo di apertura: rivolgersi direttamente all'azienda.
Presentazione: tipico maso di montagna. Allevamento di bovini, suini, pollame. Accoglie ospiti in 5 camere con bagno per un totale di 9+4 posti letto e in 4 appartamenti da 2/4 posti letto.
Ristorazione: B&B, H/B.

Prezzi: rivolgersi direttamente all'azienda. Sconto 25% per bambini fino a 10 anni.
Note: prato per prendere il sole, ping-pong, giochi all'aria aperta Uso cucina, televisione comune, riscaldamento centrale, sala comune, posto macchina anche coperto. Animali accolti previo accordo.

WALDNERHOF

Oberbozen, Stauseeweg, 7 • I-39059 RENON
☎ 0471602078

● G 7

Posizione geografica: montagna.
Periodo di apertura: rivolgersi direttamente all'azienda.
Presentazione: tipico maso di montagna. Allevamento di bovini, suini, pollame. Accoglie ospiti in 2 camere doppie con bagno e in 1 appartamento da 2/4 posti letto.
Ristorazione: B&B, H/B.
Prezzi: rivolgersi direttamente all'azienda. Sconto 10% per bambini fino a 8 anni.
Note: prato per prendere il sole, ping-pong, giochi all'aria aperta. Uso cucina, uso frigorifero, riscaldamento centrale, televisione comune, posto macchina anche coperto. Animali accolti previo accordo.

BRUNNERHOF

Spinges, 5 • I-39037 RIO PUSTERIA
☎ e fax 0472849591

● D 11

Posizione geografica: montagna.
Periodo di apertura: rivolgersi direttamente all'azienda.
Presentazione: tipico maso di montagna. Allevamento di bovini, suini, pollame. Accoglie ospiti in 7 camere con bagno, per un totale di 14 posti letto (+ 4 letti aggiunti).
Ristorazione: B&B, H/B.
Prezzi: rivolgersi direttamente all'azienda. Sconto 10-30% per bambini fino a 10 anni.
Note: dispone di prato per prendere il sole e ping-pong. Piscina, possibilità di giochi all'aria aperta. Riscaldamento centralizzato, soggiorno comune, posto macchina. Animali accolti previo accordo.

HINTERLEITNERHOF

Spinges, 23 • I-39037 RIO PUSTERIA
☎ 0472849504

● D 11

Posizione geografica: montagna.
Periodo di apertura: rivolgersi direttamente all'azienda.
Presentazione: tipico maso di montagna. Allevamento di bovini, suini, pollame. Accoglie ospiti in 5

camere, con bagno in comune, per un totale di 10 posti letto (+ 3 letti aggiunti).
Ristorazione: B&B, H/B.
Prezzi: rivolgersi direttamente all'azienda. Sconto 15% per bambini fino a 12 anni.
Note: dispone di prato per prendere il sole, giochi all'aria aperta. Posto macchina, uso cucina, parcheggio coperto. Animali accolti previo accordo.

MOARHOF

Afing, 27 • I-39050 SAN GENESIO ATESINO
☎ 0471350055

● F 6

Posizione geografica: montagna.
Periodo di apertura: stagione estiva.

Presentazione: tipico maso di montagna. Allevamento di bovini, equini, suini, ovini, pollame, conigli. Accoglie ospiti in 17 camere, singole, doppie e a più letti, con bagno in comune.
Ristorazione: B&B, H/B, F/B.

Prezzi: rivolgersi direttamente all'azienda. Sconto 20% per bambini fino a 12 anni.
Note: prato per prendere il sole, giochi all'aria aperta. Sala comune, posto macchina. Animali accolti previo accordo.

CIASA PRADELL

St. Martin, 107 • I-39030 SAN MARTINO IN BADIA
☎ 0474523224

● F 8

Posizione geografica: montagna.
Periodo di apertura: rivolgersi direttamente all'azienda.
Presentazione: tipico maso di montagna. Allevamento di bovini, suini, equini, pollame, conigli. Accoglie ospiti in 6 camere doppie con più letti, bagno e TV e in 1 appartamento da 2/4 letti.
Ristorazione: H/B. Carne di proprio allevamento.
Prezzi: rivolgersi direttamente all'azienda. Sconto 20% per bambini fino a 12 anni.
Note: prato per prendere il sole, ping-pong, giochi all'aria aperta, equitazione. Uso frigorifero, uso cucina, riscaldamento centrale, sala comune, televisione comune. Animali accolti previo accordo.

VALTELEHOF

Flon, Matatzerstraße, 34
I-39010 SAN MARTINO IN PASSIRIA
☎ 0473641329

● F 6

Posizione geografica: montagna.
Periodo di apertura: stagione estiva.
Presentazione: tipico maso di montagna. Allevamento di bovini, equini, suini, ovini. Accoglie ospiti in 3 appartamenti da 2/6 posti letto, dotati di servizi.
Ristorazione: B&B, H/B, F/B.
Prezzi: rivolgersi direttamente all'azienda.
Note: prato per prendere il sole, giochi all'aria aperta. Posto macchina. Animali accolti previo accordo.

WENGERHOF

Außermühlwald, 157 • I-39030 SELVA DEI MOLINI
☎ 0474653168

● C 9

Posizione geografica: montagna.
Periodo di apertura: rivolgersi direttamente all'azienda.
Presentazione: tipico maso di montagna. Allevamento di bovini. Accoglie ospiti in 5 camere per un totale di 9 posti letto (+ 5 letti aggiunti) e in 1 appartamento.
Ristorazione: B&B, H/B.
Prezzi: rivolgersi direttamente all'azienda. Sconto 20% per

bambini fino a 12 anni.
Note: prato per prendere il sole, giochi all'aria aperta. Riscaldamento centrale, posto macchina. Animali accolti previo accordo.

TUMLHOF

Unser Frau, 60 • I-39020 SENALES
☎ 047389149-0473679149

● **D 12**

Posizione geografica: montagna.
Periodo di apertura: rivolgersi direttamente all'azienda.
Presentazione: tipico maso di montagna. Allevamento di bovini, suini, ovini, pollame, conigli. Accoglie ospiti in 6 camere con bagno per un totale di 12+3 posti letto.
Ristorazione: B&B, H/B.
Prezzi: rivolgersi direttamente all'azienda. Sconto 20-50% per bambini fino a 10 anni.
Note: prato per prendere il sole. Riscaldamento centrale, posto macchina. Animali accolti previo accordo.

MAIRHOF

Gschneir, 16 • I-39020 SLUDERNO
☎ 0473615207

● **E 2**

Posizione geografica: montagna.
Periodo di apertura: stagione estiva.
Presentazione: tipico maso di montagna. Accoglie ospiti in 6 camere con bagno per un totale di 10+3 posti letto.
Ristorazione: B&B, H/B.
Prezzi: rivolgersi direttamente all'azienda. Sconto 30% per bambini fino a 10 anni.
Note: prato per prendere il sole, ping-pong, giochi all'aria aperta. Riscaldamento centrale, sala comune, posto macchina.

PALIHOF

Gschneir, 15 • I-39020 SLUDERNO
☎ 0473615010

● **E 2**

Posizione geografica: montagna.

Periodo di apertura: rivolgersi direttamente all'azienda.
Presentazione: tipico maso di montagna. Allevamento di bovini, equini, suini. Accoglie ospiti in 4 camere per un totale di 8+4 posti letto.

Ristorazione: B&B, H/B.
Prezzi: rivolgersi direttamente all'azienda. Sconto 30% per bambini fino a 10 anni.
Note: prato per prendere il sole, giochi all'aria aperta. Uso cucina, riscaldamento centrale, posto macchina. Animali accolti previo accordo.

RAFFALTHOF

Pustertaler Sonnerstraße, 3 • I-39030 TERENTO
☎ 0472546146

● **E 9**

Posizione geografica: montagna.
Periodo di apertura: rivolgersi direttamente all'azienda.
Presentazione: tipico maso di montagna. Allevamento di bovini, pollame. Accoglie ospiti in 8 camere, singole, doppie e a più letti, con bagno.
Ristorazione: B&B, H/B.
Prezzi: rivolgersi direttamente all'azienda. Sconto 25% per bambini fino a 10 anni.
Note: prato per prendere il sole, ping-pong, giochi all'aria aperta, piscina. Riscaldamento centrale, sala comune, posto macchina.

SCHMIEDHOF

Pustertaler Sonnerstraße, 12 • I-39030 TERENTO
☎ 0472546188 fax 0472546388

● **E 9**

Posizione geografica: montagna.
Periodo di apertura: rivolgersi direttamente all'azienda.
Presentazione: tipico maso di montagna. Allevamento di bovini, pollame. Accoglie ospiti in 10 camere con bagno singole, doppie e a più letti, più 4 letti aggiunti.
Ristorazione: B&B, H/B.
Prezzi: rivolgersi direttamente all'azienda. Sconto 20% per bambini fino a 12 anni.
Note: prato per prendere il sole, ping-pong, giochi all'aria aperta. Riscaldamento centrale, sala comune, uso frigorifero. Animali accolti previo accordo.

GLNERHOF

St. Zyprian, 66 • I-39050 TIRES
☎ 0471642132

● G 7

Posizione geografica: montagna.
Periodo di apertura: rivolgersi direttamente all'azienda.
Presentazione: tipico maso di montagna. Allevamento di bovini. Accoglie ospiti in 7 camere, con bagno, doppie e a più letti.
Ristorazione: B&B, H/B.
Prezzi: rivolgersi direttamente all'azienda. Sconto 30% per bambini fino a 6 anni.
Note: prato per prendere il sole, giochi all'aria aperta. Riscaldamento centrale, sala comune, posto macchina. Animali accolti previo accordo.

VERALTENHOF

Oberstraße, 61 • I-39050 TIRES
☎ 0471642102

● G 7

Posizione geografica: montagna.
Periodo di apertura: rivolgersi direttamente all'azienda.
Presentazione: tipico maso di montagna. Allevamento di bovini, equini, conigli. Accoglie ospiti in 7 camere, con bagno, singole, doppie e a più letti.
Ristorazione: B&B, H/B.
Prezzi: rivolgersi direttamente all'azienda. Sconto 20% per bambini fino a 8 anni.
Note: prato per prendere il sole, ping-pong giochi all'aria aperta, equitazione. Riscaldamento centrale, sala comune, posto macchina. Animali accolti previo accordo.

FRIEDRICHSHOF

In der Granz, 7 • I-39040 TRODENA
☎ 0471869012

● G 7

Posizione geografica: montagna.
Periodo di apertura: rivolgersi direttamente all'azienda.
Presentazione: tipico maso di montagna con frutteto e vigneto. Allevamento di bovini, ovini, conigli. Accoglie ospiti in 5 camere con bagno per un totale di 10+2 posti letto.
Ristorazione: B&B, H/B.
Prezzi: rivolgersi direttamente all'azienda.
Note: prato per prendere il sole, ping-pong, giochi all'aria aperta. Riscaldamento centrale, sala comune, posto macchina. Animali accolti previo accordo.

RUBATSCHHOF

Hinterbergstraße, 8 • I-39030 VALDAORA
☎ 0474592066

● D 10

Posizione geografica: montagna.
Periodo di apertura: rivolgersi direttamente all'azienda.
Presentazione: tipico maso di montagna. Allevamento di bovini, suini, pollame. Accoglie ospiti in 3 camere doppie e a più letti.
Ristorazione: B&B, H/B.
Prezzi: rivolgersi direttamente all'azienda.
Note: prato per prendere il sole, giochi all'aria aperta. Posto macchina, anche coperto. Animali accolti previo accordo.

OBERHOF

Kegelbergstraße, 15 - Weitental • I-39030 VANDOIES
☎ 0472548116

● E 8

Posizione geografica: montagna.
Periodo di apertura: rivolgersi direttamente all'azienda.
Presentazione: tipico maso di montagna. Allevamento di bovini, suini, pollame. Accoglie ospiti in 5 camere, con bagno in comune, per un totale di 10+2 posti letto.
Ristorazione: B&B, H/B.
Prezzi: rivolgersi direttamente all'azienda. Sconto 10-20% per bambini fino a 10 anni.
Note: prato per prendere il sole, giochi all'aria aperta. Uso frigorifero, uso cucina, riscaldamento centrale, posto macchina. Animali accolti previo accordo.

OBERMOARHOF

Maiergasse, 3 • I-39030 VANDOIES DI SOPRA
☎ 0472868530 fax 0472868684
E-mail: info@obermoarhof.com
http:www.Obermoarhof.com

● E 8

Posizione geografica: valle (757 m).
Periodo di apertura: annuale.
Presentazione: tipico maso di valle con allevamento di bovini e pollame. Dispone di 8 appartamenti da 2/8 persone molto spaziosi ed arredati in stile rustico, sono dotati di 1-3 camere da letto, soggiorno con TV, cucina, bagno/doccia, balcone e riscaldamento centrale.
Ristorazione: B&B, H/B. Cucina tipica locale con preferenza di prodotti propri fatti in casa.

Prezzi: rivolgersi direttamente all'azienda. Riduzioni per bambini: fino a 3 anni gratis, da 4 a 6 anni il 50% e da 7 a 12 anni il 30%.
Note: giardino con solarium e parco giochi per bambini, ping-pong, parcheggio all'aperto. Si accolgono animali domestici.

UNTERMOARHOF

Mairgasse, 1 - Obervintl • I-39030 VANDOIES
☎ 0472868085
 ● **E 8**

Posizione geografica: valle.
Periodo di apertura: rivolgersi direttamente all'azienda.
Presentazione: tipico maso di valle. Allevamento di bovini, conigli, pollame. Accoglie ospiti in 4 camere, con bagno, doppie e a più letti.
Ristorazione: B&B, H/B.
Prezzi: rivolgersi direttamente all'azienda. Sconto 15% per bambini fino a 8 anni.

Note: prato per prendere il sole, ping-pong, giochi all'aria aperta. Riscaldamento centrale, posto macchina anche coperto. Animali accolti previo accordo.

PAIRERHOF

St. Moritz, 45 • I-39040 VILLANDRO ☎ 0472843178
 ● **F 7**

Posizione geografica: montagna.
Periodo di apertura: stagione estiva.
Presentazione: tipico maso di montagna. Allevamento di bovini, suini, pollame. Accoglie ospiti in 3 camere, con bagno in comune, per un totale di 6+2 posti letto con bagno.
Ristorazione: B&B, H/B. Alimentazione biologica.
Prezzi: rivolgersi direttamente all'azienda. Sconto 50% per bambini fino a 10 anni.
Note: prato per prendere il sole, giochi all'aria aperta, cura alle erbe. Riscaldamento centrale, posto macchina.

RÖCKHOF

St. Valentin, 9 • I-39040 VILLANDRO ☎ 0472847130
● **F 7**

Posizione geografica: collina.
Periodo di apertura: rivolgersi direttamente all'azienda.
Presentazione: tipico maso di collina con frutteti e vigneti. Allevamento di bovini, suini, conigli. Accoglie ospiti in 4 camere con bagno per un totale di 8+3 posti letto.

Ristorazione: B&B, H/B.
Prezzi: rivolgersi direttamente all'azienda. Sconto 30% per bambini fino a 4 anni, 10% fino a 12 anni.
Note: prato per prendere il sole, ping-pong, giochi all'aria aperta. Riscaldamento centrale, sala comune, posto macchina. Animali accolti previo accordo.

THOMASERHOF

Radein, Oberradein, 6/1
I-39040 ALDINO - POSTA FONTANEFREDDE
☎ 0471887242
 ▲ **G 7**

Posizione geografica: montagna.
Periodo di apertura: tutto l'anno.
Presentazione: tipico maso di montagna. Allevamento di bovini, suini, pollame, conigli. Accoglie ospiti in 5 camere doppie di cui 2 con bagno in comune e 3 con bagno privato.

Prezzi: B&B da £ 32.000 a 36.000 a persona. Sconto del 25% per bambini fino a 12 anni. Dal 01/10 al 31/10 per soggiorno minimo di 9 giorni viene offerto 1 giorno aggiuntivo gratis.
Note: prato per prendere il sole, giochi all'aria aperta. Riscaldamento centrale, posto macchina. Animali accolti previo accordo.

LANSERHOF

strada Colterenzio, 37/a - loc. Cornaiano
39057 APPIANO SULLA STRADA DEL VINO
☎ 0471661211
 ▲ **G 6**

Posizione geografica: collina (470 m).
Periodo di apertura: tutto l'anno.
Presentazione: casa tipica immersa nel verde e nella tranquillità, in azienda che coltiva alberi da frutto e viti. Accoglie ospiti in 2 appartamenti da 2/5 posti letto.
Prodotti aziendali: vino, succo di mela e frutta.
Luoghi di interesse e manifestazioni locali: lago di Monticolo.
Prezzi: OR da £ 65.000 a 70.000 al giorno per 2 persone, ogni persona in più £ 7.000. Pulizia finale a £ 30.000.
Note: nelle vicinanze tennis e percorso della salute. Si organizzano grigliate. Cambio biancheria. Animali accolti previo accordo.

NIEDERUNTERERHOF

loc. Riva di Tures, 35 • 39032 CAMPO TURES
☎ 0474672508
▲ **C 10**

Posizione geografica: montagna (1.600 m).
Periodo di apertura: tutto l'anno.
Presentazione: abitazione tipica ristrutturata, in azienda che alleva equini, conigli e bovini. Accoglie ospiti in 2 appartamenti da 4/5 posti letto.
Prodotti aziendali: latte.
Luoghi di interesse e manifestazioni locali: Campo Tures e località sciistiche.
Prezzi: OR da £ 70.000 a 75.000, in agosto da £ 85.000 a 100.000 al giorno.
Note: pulizia e biancheria a richiesta. Non si accolgono animali.

SONNEGGHOF

loc. Verdignes, 29 • 39043 CHIUSA
☎ 0472855476

▲ **E 8**

Posizione geografica: montagna (1.000 m).
Periodo di apertura: da febbraio a dicembre.
Presentazione: edificio moderno in azienda che alleva conigli.
Accoglie ospiti in 3 appartamenti da 3/5 posti letto.
Luoghi di interesse e manifestazioni locali: Chiusa.
Prezzi: OR a £ 20.000.
Note: tennis e piscina nelle vicinanze. Ping-pong e passeggiate naturalistiche. Pulizia e biancheria. Animali accolti previo accordo.

GRUBHOF

Langtauferrs, 84/a • 39020 CURON
☎ e fax 0473633432

▲ **D 2**

Posizione geografica: montagna.
Periodo di apertura: tutto l'anno.
Associato a: Agro Turismo.
Presentazione: l'azienda offre ospitalità in 2 appartamenti, con balcone, per un totale di 9 posti letto, costruiti nel rispetto dell'ambiente.
Prodotti aziendali: latte, panna, uova e miele.
Luoghi di interesse e manifestazioni locali: centri storici tirolesi. Gare di sci, manifestazioni musicali.
Prezzi: OR oltre £ 100.000 per appartamento.
Note: si lavorano la terracotta e il legno. Raccolta di frutti di bosco, funghi e mirtilli. Giochi all'aria aperta, sci, pattinaggio, discesa con le slitte, nuoto, sauna, windsurf, vela, passeggiate a cavallo o in mountain bike.

TANILENZHOF

via Principale, 25 - loc. Resia • 39020 CURON VENOSTA
☎ e fax 0473633238

▲ **D 2**

Posizione geografica: pianura.
Periodo di apertura: tutto l'anno.
Presentazione: abitazione di stile tradizionale in azienda che alleva bovini e suini. Accoglie ospiti in 1 camera, con bagno, da 2/3 posti letto e in 3 appartamenti da 4/5 posti letto.
Luoghi di interesse e manifestazioni locali: Resia, San Valentino, Malles e Melaga.
Prezzi: B&B da £ 30.000 a 35.000. Appartamenti a £ 100.000 al giorno.
Note: pulizia e biancheria. Animali accolti previo accordo.

PRANTSCHURHOF

St. Peter, 51/a • I-39040 LAION ☎ 0471655653

▲ **F 7**

Posizione geografica: montagna.
Periodo di apertura: rivolgersi direttamente all'azienda.
Presentazione: tipico maso di montagna. Allevamento di bovini, equini. Accoglie ospiti in 6 camere con bagno per un totale di 12+3 posti letto.
Ristorazione: B&B, H/B.
Prezzi: rivolgersi direttamente all'azienda. Sconto 10% per bambini fino a 10 anni.
Note: prato per prendere il sole, ping-pong, giochi all'aria aperta, equitazione. Riscaldamento centrale, posto macchina.

WAIDACHHOF

loc. Braies di Dentro • 39030 PRAGS
☎ 0474748655

▲ **D 11**

Posizione geografica: lago.
Periodo di apertura: tutto l'anno.
Presentazione: edificio moderno in azienda che alleva ovini, pollame e conigli. Accoglie ospiti in 6 camere con bagno.
Prodotti aziendali: latte, uova, formaggio e burro.
Luoghi di interesse e manifestazioni locali: lago di Braies, Prato Piazza, località sciistiche.
Prezzi: B&B da £ 28.000 a 30.000.
Note: pista da fondo vicino all'azienda. Pulizia e cambio biancheria. Animali accolti con accesso vietato alla sala ristoro.

SCHÖNBLICK

Spinges, 64 • I-39037 RIO PUSTERIA
☎ e fax 0472849581

▲ **D 11**

Posizione geografica: montagna.
Periodo di apertura: tutto l'anno.
Presentazione: casa tranquilla e soleggiata con stupenda vista panoramica verso le Dolomiti, la val Pusteria e la valle d'Isarco. Offre ospitalità in 4 appartamenti e camere con uso cucina. Si allevano capre, galline e conigli.
Luoghi di interesse e manifestazioni locali: Bressanone a 10 km, valli dolomitiche.
Prezzi: appartamento per persona al giorno £ 19.000-20.000, B&B a £ 29.000-30.000.
Note: prima colazione a richiesta. Passeggiate, escursioni. Parco giochi. Parcheggio, giardino. Cambio biancheria. Si accettano cani.

Emilia Romagna

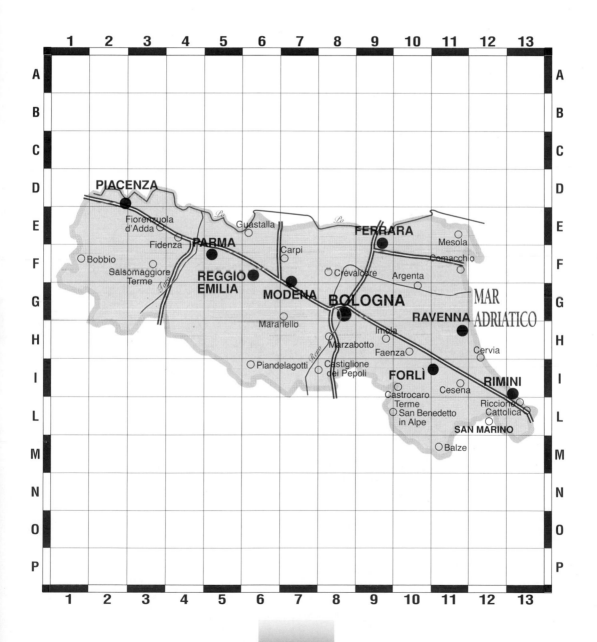

Bologna

CAVAIONE

via Cavaioni, 4 - Paderno • 40136 BOLOGNA
☎ 051589006-051589371 fax 051589060

G 8

Posizione geografica: collina

Periodo di apertura: da marzo a dicembre.

Associato a: Terranostra.

Presentazione: costruzione risalente agli anni '60, circondata da 18 ettari di terreno a vigneto e frutteto. A pochi minuti dal centro storico di Bologna. Offre ospitalità in 3 camere, per un totale di 8 posti letto, e in 4 appartamenti con uso cucina per un totale di 5/6 posti letto. Bagno privato e in comune.

Ristorazione: B&B, cena su prenotazione. Tagliatelle al ragù, gramigna con la salsiccia.

Prodotti aziendali: vino e frutta.

Luoghi di interesse e manifestazioni locali: Bologna, Sasso Marconi, santuario di San Luca. Teatri, concerti e vari altri spettacoli nel centro di Bologna.

Prezzi: pernottamento da £ 50.000 a persona in camera doppia e da £ 60.000 in camera singola, pasto da £ 30.000 a 40.000. Riduzione del 10% per bambini fino ai 10 anni e per la seconda settimana di soggiorno.

Note: accessibile agli handicappati. Sala in comune a disposizione, prato per prendere il sole, servizio di baby sitting. Possibilità di praticare equitazione, tennis, nuoto nelle vicinanze. Raccolta di castagne e funghi. Uso cucina e frigorifero, riscaldamento, posto macchina, biancheria, pulizia, telefono in comune.

BELLE LU

via Banzi, 1 - Bagnarola • 40050 BUDRIO
☎ 051807078 cell. 03389201329 ☎ e fax 051807034

G 9

Posizione geografica: pianura.

Periodo di apertura: tutto l'anno.

Associato a: Turismo Verde.

Presentazione: tipica costruzione rurale al centro di un'estensione di 3,5 ettari di terreno coltivati a orto con metodi biologici. Offre ospitalità in 5 camere doppie e 1 camera a 4 letti, tutte a piano terra con bagno e TV.

Ristorazione: solo per gli ospiti.

Prodotti aziendali: prodotti biologici, ortaggi, frutta. Da aprile a giugno asparagi biologici.

Luoghi di interesse e manifestazioni locali: oasi naturalistica, museo delle ocarine di Budrio, museo della Cultura Contadina a Bentivoglio. Diverse sagre paesane da settembre a novembre.

Prezzi: B&B da £ 70.000 a 100.000, possibilità di H/B (+ £ 30.000). Riduzioni del 20% per bambini fino a 8 anni.

Note: accessibile agli handicappati. Prato per prendere il sole, giochi all'aria aperta, saletta per riunioni. Possibilità di praticare equitazione e pesca nelle vicinanze, osservazione animali. Televisione comune.

CALENZ

via Il Piano, 108/c - Bargi • 40032 CAMUGNANO
☎ e fax 053443144

 I 8

Posizione geografica: collina.

Periodo di apertura: da marzo a dicembre.

Associato a: Agriturismo Emilia Romagna.

Presentazione: tipica costruzione rurale in azienda di 40 ettari di terreno con produzione di funghi e tartufi. Offre ospitalità in 5 camere con bagno per un totale di 10 posti letto.

Ristorazione: ristorante aperto al pubblico con 40 coperti. Cucina tipica bolognese, specialità con tartufi e funghi.

Prodotti aziendali: tartufi, funghi, castagne, farine, miele, pollame, salumi, uova, vini.

Luoghi di interesse e manifestazioni locali: parco regionale, laghi. Festa del tartufo, festa della castagna.

Prezzi: oltre £ 50.000, pasto da £ 40.000 a 70.000. Riduzioni Hotel Card.

Note: accessibile agli handicappati. Solarium. Gastronomia, raccolta funghi, frutti di bosco e castagne. Golf, pesca, caccia, giochi all'aria aperta, trekking e passeggiate, mountain bike. Biancheria, pulizie, riassetto, telefono in camera, prima colazione, uso frigorifero, TV, posto macchina. Animali accolti previo accordo.

LA FENICE

via Santa Lucia, 29 - Rocca di Roffeno
40034 CASTEL D'AIANO ☎ e fax 051919272

 I 7

Posizione geografica: montagna.

Periodo di apertura: tutti i giorni da giugno a settembre, dal giovedì alla domenica gli altri mesi.

Associato a: Turismo Verde.

Presentazione: tipica costruzione rurale del XVI secolo ristrutturata, possiede 24 ettari di terreno per l'allevamento di cavalli. Offre ospitalità in 10 camere con 24 posti letto (in allestimento) e in 4 piazzole per camper.

Ristorazione: H/B, F/B, B&B, ristorante aperto al pubblico. Tagliatelle alle erbe selvatiche, tortellacci al tartufo, gnocchi ai porcini.

Prodotti aziendali: patate, miele.

Luoghi di interesse e manifestazioni locali: pieve romanica nelle vicinanze. Sagre della castagna, del tartufo, della patata.

Prezzi: camera da £ 30.000 a 50.000 a persona, pasto da £ 30.000 a 60.000. Riduzione del 20% per bambini fino agli 8 anni.

Note: corsi di caseificazione, enologia, lavorazione e composizione di vetri colorati, visite guidate nella natura, percorso "degli odori" per i bambini, parapendio, tiro con l'arco, pesca, equitazione, giochi all'aria aperta. Raccolta di castagne e funghi. Per il trattamento di H/B o F/B è necessaria una permanenza di almeno tre giorni. Obbligatoria la prenotazione. Pulizia, riassetto, prima colazione, telefono in comune, frigobar.

CA' DEL RIO ZAFFERINO

via Rio Zafferino, 24 - Giugnola • 40022 CASTEL DEL RIO
☎ 054296022

 I 8

Posizione geografica: collina.

Periodo di apertura: tutto l'anno.

Associato a: Turismo Verde.

Presentazione: tipica costruzione rurale con circa 70 ettari di

terreno coltivati a ortaggi e cereali secondo metodi biologici, allevamento di ovini e altri animali. Offre ospitalità in 3 camere con bagno comune per un totale di 8 posti letto. **Ristorazione:** H/B, F/B, B&B, ristorante aperto al pubblico su prenotazione, con un totale di 30 coperti. Cucina casalinga e naturale.

Prodotti aziendali: ortaggi, castagne.

Luoghi di interesse e manifestazioni locali: vari monumenti di interesse storico. Feste rinascimentali nelle vicinanze, sagra del tortello, festa medievale, sagra del porcino.

Prezzi: da £ 30.000 a 50.000, pasto da £ 20.000 a 60.000. Riduzione del 50% per bambini fino ai 10 anni.

Note: prato per prendere il sole, osservazione ambientale, giochi all'aria aperta, possibilità di praticare l'equitazione, passeggiate a piedi e in mountain bike, trekking. Raccolta di funghi e frutti di bosco. Biancheria, pulizia. Animali accolti previo accordo.

LA CASETTA

loc. Osteria Grande - via Val Quaderna, 3251/b
40060 CASTEL SAN PIETRO TERME
☎ 0516956103 fax 0516956103

 H 9

Posizione geografica: collina.
Periodo di apertura: tutto l'anno nei fine settimana.
Presentazione: azienda agricola collinare di 33 ettari a indirizzo biologico situata tra Bologna e Imola. Offre ospitalità in 3 camere con bagno,

arredate con mobili d'epoca, per un totale di 7 posti letto.
Ristorazione: B&B, H/B, F/B.
Prodotti aziendali: liquori artigianali, frutta, verdura, marmellate, miele, artigianato.
Luoghi di interesse e manifestazioni locali: città di Bologna, parco dei gessi bolognesi, enoteca regionale di Dozza, terre di Castel San Pietro, Gran Premio di Imola.
Prezzi: B&B a £ 40.000, H/B a £ 65.000, F/B a £ 80.000.
Note: passeggiate a cavallo, mountain bike, tiro con l'arco, ping-pong, bird watching, giochi di società e di ruolo. Biancheria. Animali accolti previo accordo.

IL LOGHETTO

via Zenzalino Sud, 4 • 40055 CASTENASO
☎ 0516052218 fax 0516052254

 G 9

Posizione geografica: pianura.
Periodo di apertura: da febbraio a luglio e da settembre a dicembre.
Associato a: Turismo Verde.
Presentazione: casa colonica del '700, con ampio giardino, completamente ristrutturata in azienda di 20 ettari. Accoglie ospiti in 10 camere per un totale di 14 posti letto.
Ristorazione: H/B e B&B. Ristorante aperto al pubblico con 60 coperti. Cucina casalinga.
Prodotti aziendali: ortaggi, patate, frutta e marmellata.
Luoghi di interesse e manifestazioni locali: Ravenna, Bologna, Firenze, Budrio. Ocarinisti di Budrio.
Prezzi: B&B a £ 150.000 (camera doppia) e £ 90.000 (camera singola). Pasto a £ 50.000 bevande escluse.

Note: possibilità di corsi di decorazione floreale, osservazione animali, biliardo, noleggio biciclette e pesca sportiva. Telefono, sala lettura, parcheggio e bar. Cambio biancheria giornaliero e pulizie. Si accolgono animali di piccola taglia.

CA' DI FATINO

fraz. Creda, 169 - Creda • 40035 CASTIGLIONE DEI PEPOLI
☎ e fax 053491801

● **I 8**

Posizione geografica: collina.
Periodo di apertura: tutto l'anno.
Associato a: Turismo Verde.
Presentazione: antica costruzione in pietra nelle vicinanze del fiume, circondata da 10 ettari di terreno con produzione di foraggi e allevamento di cavalli, galline e animali da cortile. Offre ospitalità in 2 camere matrimoniali e 1 camera doppia con bagno in comune, e in 2 camere matrimoniali con bagno privato, per un totale di 10 posti letto.
Ristorazione: H/B, B&B, ristorante aperto al pubblico su prenotazioone. Zuppa di farro, minestrone, verdure dell'orto, pollo al curry, coniglio, crostate, torta di mele.
Prodotti aziendali: marmellate, liquori della casa.
Luoghi di interesse e manifestazioni locali: laghi di Suviana, Brasimone e Tavianella, santuario Bocca di Rio, chiesa di Alvar Aalto. Sagre del tartufo, dei funghi e delle castagne in autunno, festa dell'Agricoltura in maggio e altre fiere nel corso dell'estate.
Prezzi: B&B a £ 50.000 a persona, H/B a £ 80.000. Pasto completo (per i non alloggiati) a £ 35.000 comprensivo di bevande, vino della casa e caffè, solo su prenotazione.
Note: spazio a disposizione per prendere il sole, zona barbecue. Possibilità di praticare tennis, pesca sportiva, piscina, equitazione, trekking e passeggiate, mountain bike. Raccolta di frutti di bosco e funghi. Soggiorni e ristorazione solo su prenotazione. Biancheria, telefono. Animali accolti previo accordo.

CA' DI FOS

via Ronchidoso, 731 • 40041 GAGGIO MONTANO
☎ e fax 053437029 fax 053438521 cell. 03355326128

● **H 8**

Posizione geografica: montagna (800 m).
Periodo di apertura: tutto l'anno, chiuso dal 15 gennaio al 15 marzo.
Associato a: Turismo Verde.
Presentazione: rustico in pietra in azienda di 15 ettari. Allevamento di cani, ovini, api, cavalli e coltivazioni di frutti di bosco e prodotti biologici. Accoglie ospiti in 8 camere, con bagno privato e comune, per un totale di 16 posti letto e appartamento con 10 posti letto.
Ristorazione: ristorante aperto al pubblico. Cucina tipica preparata con i prodotti aziendali.
Prodotti aziendali: miele, marmellate e ortaggi biologici.
Luoghi di interesse e manifestazioni locali: terme di Porretta, Corno alla Scala. Festa della salsiccia, "Gaggio Miraggio".
Prezzi: F/B a £ 90.000, H/B a £ 100.000 per 1 giorno, H/B a £ 75.000 per permanenza di più giorni. Pasto a £ 40.000, spuntino a £ 25.000. Sconto del 30% per i bambini e gratis fino a 2 anni.
Note: osservazione degli animali. Sala riunioni. Tiro con l'arco, mountain bike e ping-pong. Piste da sci a 10 km. Possibilità di partecipare ai lavori agricoli. Telefono, sala TV, sala lettura e parcheggio. Pulizia e biancheria. Animali accolti previo accordo.

CIRCOLO DELL'ORSO

loc. Polveriera • 40030 GRIZZANA MORANDI
☎ 051910237

● H 8

Posizione geografica: collina.
Periodo di apertura: tutti i giorni da giugno a settembre, solo il fine settimana (gli altri giorni su prenotazione) per il resto dell'anno.
Associato a: Terranostra.
Presentazione: tipica costruzione rurale, all'interno di una riserva naturale e inserita nel parco di monte Sole, circondata da 4 ettari di terreno con produzione di frutta e 8 ettari a fieno. Allevamento di cavalli. Offre ospitalità in 5 piazzole per tende e caravan, con 2 bagni esterni. Alloggi in allestimento.
Ristorazione: H/B, F/B, B&B a richiesta. Ristorante aperto al pubblico con disponibilità di 25 posti. Tortelloni alla rucola, tagliatelle ai funghi e tartufi, coniglio alla toscana, faraona alle erbe. Tutti i prodotti sono frutto di coltivazione biologica certificata.
Prodotti aziendali: funghi, frutta, liquori ricavati da frutti selvatici.
Luoghi di interesse e manifestazioni locali: casa di Giorgio Morandi, chiesa di Riola, Porretta Terme, testimonianze del periodo medievale. Festa dello zuccherino il 15 agosto, varie sagre nei diversi mesi.
Prezzi: £ 10.000 a persona (posto macchina escluso), pasto da £ 25.000 a 50.000. Riduzione del 10% per bambini sotto i 10 anni.
Note: sala riunioni per 30 persone. Campo da tennis nelle vicinanze. Passeggiate con cavalli particolarmente docili per i bambini, trekking e passeggiate, mountain bike. Possibilità di visite guidate nel parco di monte Sole con accompagnatore abilitato. Raccolta di castagne, more di gelso, sorbole. È consigliabile la prenotazione. Telefono in comune.

VILLAGGIO DELLA SALUTE PIÙ

via Sillaro, 6 • 40050 MONTERENZIO ☎ e fax 051929791
http:www.villaggiodellasalute.it

● H 8

Posizione geografica: collina, fiume.
Periodo di apertura: da marzo a dicembre. Chiuso lunedì e martedì.
Presentazione: è uno dei più grandi agriturismo d'Italia, si estende su un superficie di 545 ettari ed è costituito dall'insieme della Cittadella del Calanco (palazzo storico del 1700 con ristorante e centro congressi, cappella consacrata del 1800, centro rimedi naturali, residence Ca' Ida e Bottega della Salute) e delle 5 Oasi dello Star Bene. Accoglie ospiti in 30 appartamenti, per un totale di 60 posti letto.
Ristorazione: tagliatelle alle erbe aromatiche, zuppe di verdure, capretto al forno, maiale allo spiedo, fiorentina biologica, porchetta del Sillaro.
Prodotti aziendali: miele, formaggi, ortaggi, salumi e liquori.
Luoghi di interesse e manifestazioni locali: Castel San Pietro, Imola, Bologna, Firenze, Rimini, Sassoleone e Appia Minore. "Settembre Castellano" durante tutto il mese di settembre, G.P. di Imola in maggio, sagra della castagna a Castel del Rio in ottobre.
Prezzi: vasta gamma di proposte. Sconti per gruppi e per lunghi soggiorni. Pernottamento da £ 35.000 a 60.000. Pasto a £ 30.000 bevande escluse.
Note: accessibile agli handicappati. È gradita la prenotazione. Ideale per matrimoni e ricorrenze. Sala convegni. TV, riscaldamento e aria condizionata. Giochi per bambini all'aria aperta. Noleggio mountain bike. Nelle vicinanze tennis, golf, beauty farm, fitness medico e servizi sanitari con possibilità di pacchetti per questi servizi. Piscina in azienda. Cambio biancheria a richiesta. Animali accolti previo accordo.

CORTE D'AIBO

via Marzatore, 15 • 40050 MONTEVEGLIO
☎ e fax 051832583

● G 8

Posizione geografica: collina.
Periodo di apertura: tutti i giorni. Il ristorante è aperto al pubblico dal giovedì al sabato solo alla sera; la domenica mezzogiorno e sera.
Presentazione: tipica costruzione rurale circondata da 34 ettari di terreno coltivato a vigneto e frutteto. Offre ospitalità in 4 camere per un totale di 8 posti letto.
Ristorazione: ristorante aperto al pubblico capace di 50 coperti. Cucina tradizionale.
Prodotti aziendali: vino, grappa, nocino, confetture.
Luoghi di interesse e manifestazioni locali: abbazia di Monteveglio, rocca di Bazzano. Festa dell'abbazia in maggio.
Prezzi: da £ 30.000 a 50.000 a persona. Pasto da £ 35.000 a 45.000 a persona.
Note: pesca nelle vicinanze, raccolta di more, trekking e passeggiate, mountain bike. Possibilità di degustazioni nella cantina aziendale.

LA CAVALIERA

via Canossa, 13 • 40050 MONTEVEGLIO
☎ 051832595 fax 051833126

● G 8

Posizione geografica: collina.
Periodo di apertura: tutto l'anno. Chiuso il lunedì e dal 4 al 22 novembre.
Associato a: Terranostra.
Presentazione: azienda agricola di 12 ettari con produzione di vini D.O.C., cereali, frutta. Offre ospitalità in 4 camere con bagno per un totale di 8 posti letto.
Ristorazione: H/B, B&B, ristorante aperto al pubblico. Crescentine fritte, tigelle, cucina tipica emiliana.
Prodotti aziendali: confetture, frutta, vino.
Luoghi di interesse e manifestazioni locali: parco regionale dell'abbazia di Monteveglio. Festa del cero in giugno, autunno bazzanese in settembre.
Prezzi: oltre £ 50.000, pasto da £ 28.000 a 55.000. Riduzione del 50% per bambini fino ai 10 anni.
Note: accessibile agli handicappati. Prato per prendere il sole, giochi all'aria aperta, mountain bike. Sala riunioni. Biancheria, riassetto, telefono, TV e frigobar in camera, aria condizionata, prima colazione. Animali accolti previo accordo.

DULCAMARA

via Tolara di Sopra, 78-82 - Settefonti
40064 OZZANO DELL'EMILIA ☎ 051796643 fax 0516511630

● G 9

Posizione geografica: collina.
Periodo di apertura: da marzo a novembre (tutti i giorni).
Presentazione: azienda agricola biologica con 43 ettari di terreno all'interno del Parco naturale. Offre ospitalità in camere con bagno comune e in campeggio.
Ristorazione: H/B, F/B, B&B, ristorante vegetariano con prodotti biologici aperto al pubblico.
Prodotti aziendali: ortaggi coltivati biologicamente, conserve e condimenti, farina, vari prodotti trasformati, vino.
Luoghi di interesse e manifestazioni locali: museo archeologico

di Monterenzio, calanchi dell'Abbadessa, rocca di Dozza, antica chiesa di Settefonti, grotta della Spipola.

Prezzi: B&B £ 40.000, H/B £ 55.000, F/B £ 70.000, pasto da £ 25.000 a 35.000. Riduzioni per bambini e per gruppi numerosi.

Note: ospitalità per gruppi che aderiscano alle iniziative proposte dalla Cooperativa o che organizzino in proprio corsi e seminari. Sala riunioni disponibile a pagamento. Si organizzano scambi interculturali per ragazzi, rassegne e spettacoli musicali e teatrali, di burattini, di mimo, di danza, mostre, letture, presentazioni. Visite guidate al parco dei Gessi Bolognesi e ai Calanchi dell'Abbadessa, corsi di musica, danza, cucina. Equitazione, trekking e passeggiate, giochi all'aria aperta, settimane verdi per bambini, campi lavoro, settimane partecipate. Possibilità di laboratori per bambini, campo sportivo. Biblioteca.

FORLANI ANDREA

via Galvani, 81 • 40064 OZZANO DELL'EMILIA
☎ e fax 051798726

● **G 9**

Posizione geografica: collina.
Periodo di apertura: dal 15 marzo al 15 dicembre.
Associato a: Turismo Verde.
Presentazione: costruzione rurale con ampio camino interno, in azienda coltivata a ortaggi, viti, frutta. Allevamento di bovini. Offre ospitalità in 3 camere con bagno per un totale di 5 posti letto.
Ristorazione: solo su prenotazione con un anticipo di almeno 48 ore, 10 coperti totali. Cucina tipica con l'utilizzo di prodotti biologici.
Prodotti aziendali: frutta.
Luoghi di interesse e manifestazioni locali: Bologna, monte Bibele, parco dei Gessi.
Prezzi: da £ 30.000 a 40.000. Pasto da £ 25.000 a 35.000.
Note: ping-pong, possibilità di effettuare varie gite di interesse naturalistico. Accoglienza solo su prenotazione e per un periodo minimo di 2 giorni. Riscaldamento, biancheria, pulizia, riassetto. Animali accolti previo accordo.

IL RULLETTO

via Gorgognano, 3 • 40065 PIANORO
☎ 0516510067-0516519025

● **H 8**

Posizione geografica: collina.
Periodo di apertura: tutto l'anno, chiuso agosto.
Presentazione: azienda di 400 ettari circa con coltivazione di grano, fieno, sorgo, orzo, orto e vigneto. Offre ospitalità in camere singole e matrimoniali per un totale di 7 camere.
Ristorazione: F/B, B&B. Bruschette, affettati misti, lasagne, tortelloni, tagliatelle, lasagne, tortellini, arrosti di coniglio, piccione, faraona, stinchi di maiale, prosciutto al forno e cacciagione varia, pecorino, ciambella e crostata.
Prodotti aziendali: formaggio di capra, salumi nostrani, conserve e marmellate di frutta e verdura, miele vergine, vino e grappe.
Luoghi di interesse e manifestazioni locali: parco regionale Gessi Bolognesi, grotta della Spipola, grotta del Farmeto a Loiano, monte Orzale, mausoleo di Guglielmo Marconi a Marzabotto, città etrusca (VI sec. a.C.).
Prezzi: pasto da £ 40.000 a 50.000. H/B a £ 120.000 in camera matrimoniale e £ 100.000 in camera singola.

Note: osservazione ambientale, giardino. Biblioteca, salotto, TV, riscaldamento. Tiro con l'arco, lancio del boomerang. Passeggiate a piedi e a cavallo, mountain bike. Possibilità di cacciare e pescare.

FATTORIA SAN MARTINO

via Mezzo Ponente, 17 • 40012 SACERNO DI CALDERARA
☎ e fax 0516469000
E-mail: info@sanmartino.it
http:www.sanmartino.it

● **G 8**

Posizione geografica: pianura.
Periodo di apertura: da aprile a dicembre.
Associato a: Agriturist.
Presentazione: tipica costruzione rurale nelle vicinanze di Bologna. Offe ospitalità in 3 camere con bagno per 5 posti letti totali e in 2 appartamenti.
Ristorazione: ristorante aperto al pubblico su prenotazione. Tipica cucina emiliana.
Prodotti aziendali: ortaggi, olio, aceto, liquori, frutta, conserve, confetture, dolci, miele.
Luoghi di interesse e manifestazioni locali: santuario di Santa Clelia, Bologna. Diverse fiere gastronomiche e sagre nel corso dell'anno, particolarmente interessanti le manifestazioni in occasione del Carnevale.
Prezzi: camere da £ 30.000 a 50.000, appartamenti da £ 105.000 a 157.000 a notte. Pasto da £ 21.000 a 52.000. Riduzione del 10% per i bambini fino ai 10 anni, del 5% per letto aggiunto, del 10% per la seconda settimana di soggiorno.
Note: accessibile agli handicappati. Sala riunioni. Corsi di composizione floreale, cucina, giardinaggio, artigianato. Animazione per bambini, baby sitting. Possibilità di giocare a bocce, calcetto, ping-pong, golf su campo per pratica con tre buche, canottaggio, vela, tiro con l'arco, pesca, trekking e passeggiate, escursioni e visite guidate, mountain bike, giochi all'aria aperta. Necessaria la prenotazione. Biancheria, riassetto, pulizia da concordare, uso cucina, uso frigorifero, posto macchina. Animali accolti previo accordo.

PRATI DI SAN LORENZO

via Gamberi, 5/3 - San Lorenzo • 40037 SASSO MARCONI
☎ 051841175

● **H 8**

Posizione geografica: collina.
Periodo di apertura: tutto l'anno.
Associato a: Terranostra.
Presentazione: tipica costruzione rurale con 2 ettari di terreno a vigneto, frutteto e orto. Allevamento di galline. Accoglie ospiti in 3 camere con bagno in comune e in 2 monolocali con bagno privato e angolo cottura, per un totale di 12 posti letto.
Ristorazione: H/B, F/B, ristorante aperto al pubblico con un totale di 25 coperti. Primi piatti tipici bolognesi, grigliate miste, crescentine con affettati e contorni.
Luoghi di interesse e manifestazioni locali: Bologna, Sasso Marconi, museo etrusco, Imola. Fiera di Pontecchio Marconi in settembre, varie sagre paesane nel corso dell'anno.
Prezzi: pasto da £ 30.000 a 35.000. Alloggio in monolocale da £ 65.000 a 70.000 a persona, camera singola da £ 50.000, doppia £ 100.000. Sconto del 50% per bambini fino a 10 anni.
Note: accessibile agli handicappati, saletta per riunioni, prato per prendere il sole, giochi all'aria aperta. Bocce, calcetto. Pesca sportiva praticabile nelle vicinanze, golf, trekking e passeggiate, mountain bike, osservazione ambientale. Si organizzano serate di folklore bolognese. È gradita la prenotazione. Animali accolti previo accordo.

LE CONCHIGLIE

via Lagune, 76 • 40037 SASSO MARCONI
☎ e fax 051840131 ☎ 0335315076

 H 8

Posizione geografica: collina.
Periodo di apertura: chiuso dal 10 gennaio al 10 febbraio.
Associato a: Agriturist.
Presentazione: rustico ristrutturato in moderna azienda zootecnica su 100 ettari di terreno coltivati a foraggi e cereali. Allevamento di bovini. Accoglie ospiti in camere, con bagno comune, per un totale di 30 posti letto e in 4 appartamenti.
Ristorazione: ristorante aperto al pubblico.
Prodotti aziendali: carne, uova, latte e formaggio.
Luoghi di interesse e manifestazioni locali: scavi etruschi di Marzabotto, Corno alle Scale, parco storico regionale di monte Sole. "Tartufesta".
Prezzi: rivolgersi all'azienda.
Note: pulizia e biancheria. Si accolgono animali.

TENUTA BONZARA

loc. San Chierlo • 40050 MONTE SAN PIETRO
☎ e fax 051225772 ☎ 0516768324

 G 8

Posizione geografica: collina (500 m).
Periodo di apertura: da maggio a ottobre.
Associato a: Agriturist.
Presentazione: borgo completamente ristrutturato in azienda di 100 ettari coltivati a seminativi, viti e castagni. Accoglie ospiti in 4 appartamenti per un totale di 12 posti letto.
Prodotti aziendali: vini D.O.C. dei colli bolognesi.
Luoghi di interesse e manifestazioni locali: abbazia di monte Veglio, scavi etruschi di Misa, Marzabotta, rocca di Bazzano, in azienda è possibile visitare il museo delle tradizioni agricole di collina, le cantine e i vigneti. Sagra del vino la prima domenica di settembre, "Cantine Aperte".
Prezzi: OR da £ 680.000 a 780.000 per appartamento a settimana.
Note: trattoria adiacente. Tennis. Pulizia iniziale, biancheria. Animali accolti previo accordo.

Ferrara

PRATO POZZO

via Rotta Martinella, 34/a - Anita • 44011 ARGENTA
☎ e fax 0532801058

 G 10

Posizione geografica: pianura.
Periodo di apertura: tutto l'anno solo su prenotazione.
Associato a: Turismo Verde, Touring Club.
Presentazione: azienda di 16 ettari all'interno di una riserva naturale con tipica costruzione rurale, acquacoltura e alleva-

mento di cavalli Camargue e pecore. Offre ospitalità in 4 casette da 3/4 posti letto dotate di servizi e 12 piazzole per agricampeggio con punto luce e carico/scarico acque.
Ristorazione: cucina tipica romagnola-comacchiese con anguille, castrato, piadine, formaggi, sottoli, tagliatelle, tortelli, risotti, pesce, dolci tradizionali. Prodotti biologici.
Prodotti aziendali: confetture, miele, ortaggi, sottoli, pesce marinato, formaggi, dolci.
Luoghi di interesse e manifestazioni locali: Ravenna, Ferrara, parco del delta del Po, valli di Comacchio.
Prezzi: H/B a £ 60.000, F/B a £ 75.000. Bambini fino a 10 anni sconto dal 20 al 50%. Due giorni minimo di pernottamento.
Note: accessibile agli handicappati. Prato per prendere il sole, foresteria disponibile per gruppi, trekking e passeggiate, escursioni e visite guidate, pesca, giochi all'aria aperta, equitazione. Organizza corsi di acquacoltura, riconoscimento erbe spontanee, corsi di ceramica, lavorazione delle erbe palustri; calesse con pony per i bambini. L'azienda è uno dei centri informazione della LIPU. Telefono in comune, riscaldamento, sala comune. Animali accolti previo accordo.

VAL CAMPOTTO

via M. Margotti, 2 • 44010 CAMPOTTO DI ARGENTA
☎ 0532800516 fax 0532319413

 G 10

Posizione geografica: pianura.
Periodo di apertura: dall'1 marzo al 31 dicembre. Chiuso lunedì e martedì.
Presentazione: l'azienda, ubicata nel parco del delta del Po, produce cereali, ortaggi, frutta e alleva animali di bassa corte e pecore. Il fabbricato rurale è stato ristrutturato e arredato nel rispetto della tradizione contadina. Offre ospitalità in 5 camere per un totale di 14 posti letto.
Ristorazione: cucina tipica locale: tagliatelle, cappellacci, passatelli, pasta e fagioli, pinzini, piadina, faraona, ciambella, crostata.
Prodotti aziendali: miele, ortaggi, frutta, zucche ornamentali.
Luoghi di interesse e manifestazioni locali: Ravenna, Ferrara, Bologna, valli di Campotto.
Prezzi: rivolgersi direttamente all'azienda.
Note: parco giochi per bambini. Escursioni in bicicletta. Birdwatching nelle valli dell'azienda. Nelle immediate vicinanze possibilità di praticare pesca sportiva, golf, nuoto in piscina, tiro con l'arco, tennis ed equitazione.

NOVARA

via Ferrara, 61 - Dogato • 44020 OSTELLATO
☎ 0533651097-0533650143 fax 0533651097

● F 10

Posizione geografica: pianura.
Periodo di apertura: tutto l'anno.
Associato a: Terranostra.
Presentazione: tipica costruzione rurale della fine dell'800 all'interno di una riserva naturale, circondata da 20 ettari coltivati a ortaggi, vino, cereali. Offre ospitalità in 3 camere con bagno comune e 4 con bagno privato.
Ristorazione: H/B, F/B, ristorante aperto al pubblico con 30 coperti. Cucina tipica ferrarese.
Prodotti aziendali: ortaggi.

Luoghi di interesse e manifestazioni locali: parco naturale del delta del Po.

Prezzi: fino a £ 30.000, pasto da £ 20.000 a 38.000. Camera con bagno privato £ 40.000. Riduzione del 10% per bambini fino ai 10 anni.

Note: è gradita la prenotazione. Biancheria, pulizia, telefono in comune, riscaldamento, sala comune. Animali accolti previo accordo.

LA ROCCHETTA

via Rocca, 69 • 44040 SANT'EGIDIO
☎ 0532725824 fax 0532729084
E-mail: larocchetta@larocchetta.com
http: www.larocchetta.com

 F 9

Posizione geografica: pianura.
Periodo di apertura: tutto l'anno.
Presentazione: azienda di 12 ettari coltivata biologicamente a frutteto e ortaggi. Accoglie ospiti all'interno di un antico fienile ristrutturato in 5 stanze doppie con bagno e in un appartamento da 5 posti letto, per un totale di 16 posti letto.
Ristorazione: aperto al pubblico. Cucina tipica ferrarese e regionale: cappelletti, cappellacci, affettati di propria produzione.
Prodotti aziendali: marmellate di frutta biologica, erbe officinali.
Luoghi di interesse e manifestazioni locali: Ferrara, Ravenna, parco naturale del delta del Po, valli di Comacchio. Mille Miglia a maggio e feste popolari nel periodo estivo.
Prezzi: B&B a £ 60.000 a persona, sconto dal 20% al 40% per bambini fino a 10 anni.
Note: è gradita la prenotazione. Giochi all'aria aperta, pesca, passeggiate naturalistiche in bicicletta, visite guidate alla città d'arte di Ferrara.
Cambio biancheria. Animali accolti previo accordo.

LA MIGLIARA

via Provinciale Centese, 187 • 44012 S. BIANCA DI BONDENO
☎ 0532893595 fax 0532893595
http: web.tin.it/migliara
E-mail: micsucci@tin.it

▲ E 8

Posizione geografica: pianura.
Periodo di apertura: tutto l'anno.
Presentazione: circondata da oltre 400 ettari di terreno, offre ospitalità in 4 camere da letto con bagno per un totale di 8 posti letto e in 4 appartamenti con uso cucina, TV satellitare, telefono, gas e riscaldamento.
Luoghi di interesse e manifestazioni locali: Ferrara, Ravenna, Bologna, Mantova
Prezzi: O/R da £ 50.000 a 80.000 al giorno per persona.

Note: giochi per bambini, pesca, noleggio biciclette. Cambio biancheria. Non si accettano animali.

Forlì

BACINO

loc. Vessa, 24 - San Pietro in Bagno
47021 BAGNO DI ROMAGNA ☎ 0543912023 fax 0543918540

● M 10

Posizione geografica: montagna.
Periodo di apertura: tutto l'anno.
Associato a: Turismo Verde.
Presentazione: l'azienda si estende su 35 ettari di terreno con bosco, castagneto, pascolo, produzione di cereali e frutta, tartufaia controllata. Offre ospitalità in 6 camere con bagno privato e comune e in 5 piazzole per campeggiare.
Ristorazione: H/B, F/B, ristorante aperto al pubblico. Primi piatti a base di funghi e tartufi, zuppa di cipolle, carni allo spiedo e cotte nel forno a legna.
Prodotti aziendali: marmellate, dolci, funghi, miele, salumi, formaggi, liquori.
Luoghi di interesse e manifestazioni locali: parco nazionale del Crinale tosco-romagnolo, stabilimenti termali, monte Fumaiolo, santuario della Verna, Camaldoli. Festa del Patrono e del Crocifisso in giugno-luglio, varie sagre popolari nel periodo estivo.
Prezzi: da £ 30.000 a 50.000, pasto da £ 20.000 a 40.000. Sconto del 10% per bambini fino a 8 anni.
Note: posto per prendere il sole, serate con chitarra e mandolino, modellini di aereoplani, bocce, calcetto, ping-pong, sci da fondo praticabile nelle vicinanze, giochi all'aria aperta, mountain bike. Raccolta di funghi e frutti di bosco. Necessaria la prenotazione. Telefono in comune, riscaldamento, sala comune.

MULINO DI CULMOLLE

Mulino di Culmolle, 50 - Poggio alla Lastra
47021 BAGNO DI ROMAGNA ☎ 0543913039

● M 10

Posizione geografica: montagna.
Periodo di apertura: luglio e agosto tutti i giorni, da aprile a ottobre il fine settimana.
Associato a: Turismo Verde.
Presentazione: antico mulino ad acqua ai confini del parco naturale, con podere di 7 ettari coltivato secondo metodi biologici. Allevamento di animali di bassa corte. Offre ospitalità in 3 camere matrimoniali con bagno e in 2 appartamenti di 2 camere ciascuno. Possibilità di agricampeggio attrezzato con tende.
Ristorazione: H/B, F/B, ristorante aperto al pubblico con 15 coperti. Cucina tipica romagnola con prodotti biologici.
Prodotti aziendali: confetture, ortaggi, farine.
Luoghi di interesse e manifestazioni locali: parco nazionale delle Foreste Casentinesi, eremo di Camaldoli, La Verna. Vari mercatini e sagre nel mese di agosto nei paesi vicini.
Prezzi: H/B a £ 75.000, pasti da £ 25.000 a 40.000. Bambini fino a 3 anni sconto del 50%, da 3 a 8 anni sconto del 20%.
Note: corsi di educazione ambientale, micologia, panificazione e vari corsi relativi all'ambiente a richiesta. Canoa, osservazione naturalistica, nuoto, golf, pesca, trekking e passeggiate, mountain bike. Raccolta di frutti del bosco. Obbligatoria la prenotazione. Uso cucina.

SADURANO

via Sadurano, 45 • 47011 CASTROCARO TERME
☎ 0543766643 fax 0543766164
http:www.inItalia.it/Sadurano

I 10

Posizione geografica: collina (300 m).
Periodo di apertura: aperto tutto l'anno dal martedì alla domenica.
Associato a: Agriturismo Emilia Romagna.
Presentazione: l'azienda si estende su 88 ettari con produzione di cereali, foraggi, ortaggi, frutta, olivi e allevamento di ovini, suini e conigli. Offre ospitalità in 8 camere con bagno per un totale di 21 posti letto.
Ristorazione: ristorante aperto al pubblico, 140 coperti in inverno, 250 in estate. Cucina tradizionale romagnola, con prodotti biologici e menu per vegetariani. Molto apprezzate le paste ripiene ed i passatelli asciutti, la zuppa di farro e l'antipasto del pastore. Vino Sangiovese.
Prodotti aziendali: confetture, sottoli, dolci, frutta, latticini, formaggi freschi e stagionati con latte ovino e vaccino, miele, olio, vino, salumi.
Luoghi di interesse e manifestazioni locali: terme di Castrocaro, monte Poggiolo, Predappio, mare a 40 km. Festa di primavera il 25 aprile.
Prezzi: B&B a £ 45.000, H/B a £ 75.000, F/B da £ 90.000 a 120.000. Gratis per bambini da 0 a 6 anni, sconto del 20% da 7 a 11 anni.
Note: accessibile agli handicappati. Sala riunioni, prato per prendere il sole, giochi all'aria aperta, escursioni e visite guidate. Corsi di agricoltura biologica e caseificazione, osservazione ambientale. Biancheria, pulizia, prima colazione, pranzo e cena, sala comune, riscaldamento, telefono pubblico.

AI TAMERICI

via Mesolino, 60 • 47042 CESENATICO
☎ e fax 0547672730 cell. 03472780351

I 12

Posizione geografica: mare.
Periodo di apertura: tutto l'anno.
Associato a: Turismo Verde.
Presentazione: tipica casa colonica di inizio secolo ai margini della strada romana Popilia, circondata da 4 ettari di terreno interamente coltivati. Offre ospitalità in 4 camere per 8 posti letto totali con angolo cottura comune e in appartamenti.
Ristorazione: B&B, aperta al pubblico per un massimo di 20 posti, solo su prenotazione. Cucina vegetariana, carne e varie specialità di pesce.
Prodotti aziendali: miele, marmellate, vino, ortaggi, animali di bassa corte.
Luoghi di interesse e manifestazioni locali: centro storico di Cesenatico, saline di Cervia, Ravenna, San Marino.
Prezzi: B&B da £ 50.000 a 80.000, pasto da £ 50.000 a 90.000. Appartamenti da £ 500.000 a 850.000 a settimana.
Note: accessibile agli handicappati. Campo bocce, ping-pong. Nelle vicinanze maneggio, tennis, scuola di vela, pesca sportiva, golf, tiro con l'arco, trekking e passeggiate, mountain bike. Vengono organizzati "incontri con il jazz" in azienda.

ACERO ROSSO

via Seggio, 28 • 47012 CIVITELLA DI ROMAGNA
☎ 0543984035 fax 0543983876

L 11

Posizione geografica: collina.
Periodo di apertura: da aprile a dicembre.
Presentazione: antica casa rurale pregevolmente ristrutturata nel rispetto dello stile architettonico tosco-romagnolo. Accoglie ospiti in 5 camere per un totale di 12 posti letto. Allevamento di 323 bovini.
Ristorazione: cucina ben curata e alla riscoperta di prodotti locali, piatto forte è la carne di propria produzione accompagnata da buon vino.
Prodotti aziendali: liquori.
Luoghi di interesse e manifestazioni locali: borgo ottocentesco, scavi archeologici.
Prezzi: B&B da £ 40.000 a 60.000, H/B da £ 70.000 a 90.000, F/B da £ 100.000 a 120.000.
Note: permanenza minima 1 notte. Possibilità di praticare caccia, pesca e mountain bike. Si accolgono animali.

FATTORIE FAGGIOLI

via San Giovanni, 42 • 47010 CUSERCOLI
☎ e fax 0543989101
E-mail:cabionda@fattoriefaggioli.it
http:www.fattoriefaggioli.it

I 11

Posizione geografica: collina.
Periodo di apertura: tutto l'anno tranne il mese di gennaio.
Presentazione: antica costruzione rurale in pietra arredata con mobili d'epoca, immersa nel verde, in azienda con colture di

ortaggi e frutta senza l'impiego di sostanze chimiche. Allevamento di ovini, equini e animali di bassa corte. Offre ospitalità in 2 appartamenti con 9 posti letto totali e in agricampeggio per caravan.
Ristorazione: H/B, F/B, ristorante aperto al pubblico. Pasta e fagioli, piatti confezionati secondo ricette del primo '900.
Prodotti aziendali: confetture, miele, liquori di erbe, prodotti naturali per la cosmesi.
Luoghi di interesse e manifestazioni locali: parco nazionale delle Foreste Casentinesi, abbazia di Sant'Ellero, castello di Cusercoli, scavi a Mevaniola. Sagra del tartufo in novembre, sagra del prugnolo in maggio.
Prezzi: oltre £ 50.000; pasto da £ 25.000 a 35.000. Riduzione del 40% per bambini di età inferiore agli 8 anni.
Note: turismo equestre, parapendio, laghetto per la pesca, osservatorio per le stelle; settimane verdi per i bambini. Stages per operatori agrituristici, sala lettura, bocce, ping-pong. Raccolta di funghi, tartufi, mirtilli, nespole, biricoccoli. Biancheria, riassetto, pulizia.

DUE PONTI

via Fenili, 106 - Sala di Cesenatico • 47100 FORLÌ
☎ e fax 054787604

I 11

Posizione geografica: mare.

Periodo di apertura: tutto l'anno.
Associato a: Terranostra.
Presentazione: tipica casa rurale completamente ristrutturata, in azienda con 14 ettari di terreno coltivati a ortaggi e seminativo. Offre ospitalità in 6 camere con bagno per 12 posti letto totali e in 10 piazzole attrezzate per tende e camper.
Ristorazione: H/B, F/B, ristorante aperto al pubblico su prenotazione. Cucina tipica romagnola, tagliatelle, strozzapreti, passatelli, cappelletti fatti in casa.
Prodotti aziendali: polli e verdure.
Luoghi di interesse e manifestazioni locali: casa del Pascoli, Cesenatico, San Marino, Italia in miniatura, Mirabilandia. Numerose fiere e sagre, in particolare nel periodo estivo.
Prezzi: da £ 30.000 a 50.000, pasto da £ 25.000 a 50.000.
Note: prato per prendere il sole, organizzazione di vacanze a cavallo, gare a ostacoli, equitazione anche per bambini, osservazione ambientale, corsi di gastronomia e giardinaggio, corsi di equitazione e passeggiate a cavallo con istruttore, pesca, tiro con l'arco, giochi all'aria aperta, trekking e passeggiate. Biancheria, pulizia, sala in comune, parcheggio.

FRATELLI LECCA

via Casale, 26 - Pracchio • 47015 MODIGLIANA
☎ 0546942122

L 10

Posizione geografica: collina.
Periodo di apertura: ristorazione tutto l'anno, ospitalità da febbraio a settembre e dal 15 dicembre al 15 gennaio, solo su prenotazione.
Associato a: Terranostra.
Presentazione: fabbricato di recente ristrutturazione, allevamento ovino. Ospitalità in 5 camere con bagno per un totale di 10 posti letto e in 5 piazzole in agricampeggio.
Ristorazione: H/B, F/B, ristorante aperto al pubblico con disponibilità fino a 80 coperti, solo su prenotazione. Cucina mista romagnola e sarda (terra d'origine dei gestori).
Prodotti aziendali: formaggio pecorino, ricotta, agnelli, olio, insaccati, castagne, tartufo.
Luoghi di interesse e manifestazioni locali: Faenza. Sagra del Sangiovese in marzo, sagra del kiwi in ottobre.
Prezzi: da £ 40.000 a 60.000, pasto da £ 30.000. Terzo letto gratuito per bambini fino agli 8 anni.
Note: accessibile agli handicappati. Caseificazione, festa della tosatura organizzata in giugno dallo stesso agriturismo, giochi all'aria aperta. Biancheria, pulizia, riassetto, riscaldamento, sala comune, parcheggio.

MALBROLA

via San Martino in Monte, 5 • 47015 MODIGLIANA
☎ e fax 0546941585

L 10

Posizione geografica: collina.
Periodo di apertura: da marzo a novembre e 15 giorni a dicembre, 15 a gennaio.
Associato a: Terranostra.
Presentazione: tipica costruzione rurale circondata da circa 29 ettari di terreno con produzione di frutta, uva, oli-

ve e allevamento di conigli. Offre ospitalità in 6 camere di cui 3 con bagno privato e in 1 appartamento, per un totale di 10 posti letto.
Ristorazione: solo su prenotazione e per gruppi, per un massimo di 20 coperti. Cucina tipica.
Prodotti aziendali: olio, vino, frutta, pollame, uova.
Luoghi di interesse e manifestazioni locali: Faenza, borghi medioevali, località termali. Sagra dell'olio a dicembre, del vino in aprile, del kiwi a novembre.
Prezzi: da £ 30.000 a 40.000, pasto da £ 30.000 a 40.000. Riduzione del 20% per bambini fino ai 10 anni.
Note: prati e ampi spazi per prendere il sole, agriciclismo, trekking e passeggiate, mountain bike. Solo su prenotazione. Biancheria, angolo cottura, uso frigorifero, posto macchina.

CASETTA DEI FRATI

via dei Frati, 8 • 47015 MODIGLIANA
☎ e fax 0546941445 ☎ 0546940241

L 10

Posizione geografica: collina.
Periodo di apertura: dal 15 marzo al 15 novembre e dal 15 dicembre al 15 gennaio; turno di chiusura del ristorante martedì e mercoledì.
Associato a: Col. Diretti.
Presentazione: rustico ristrutturato in pietra e casette di recente costruzione in azienda di 27 ettari con coltivazioni di alberi da frutto, viti, ulivi e ortaggi. Accoglie ospiti in 3 camere doppie e in 8 appartamenti per un totale di 30/35 posti letto.
Ristorazione: ristorante aperto al pubblico. Cucina romagnola.
Prodotti aziendali: vino, miele e frutta.
Luoghi di interesse e manifestazioni locali: Brisighella, Castrocaro, Faenza, Firenze. Festa del Sangiovese l'ultima domenica di aprile, festa del kiwi in novembre, varie manifestazioni in luglio e agosto.
Prezzi: B&B a £ 80.000 (camera doppia), H/B a £ 50.000, F/B a £ 65.000. Pasto da £ 15.000. Sconti per soggiorni prolungati.
Note: campo da calcetto. Nelle vicinanze piscina, tennis e campi sportivi. Pulizia iniziale compresa nel prezzo, durante il soggiorno pulizia a carico dell'ospite o a pagamento, cambio biancheria. Non si accolgono animali.

LE RADICI

via Golano, 808 - Montenovo • 47020 MONTIANO
☎ e fax 0547327001

I 12

Posizione geografica: collina.
Periodo di apertura: da novembre a settembre.
Presentazione: azienda di 8 ettari e mezzo, posta in posizione panoramica, con allevamento di polli e coltivazione di girasoli, ortaggi, frutta, viti e olivi. Accoglie ospiti in 7 camere doppie con bagno.
Ristorazione: riservata agli ospiti. Cucina rustica e vini di produzione propria.
Luoghi di interesse e manifestazioni locali: Brisighella, Castrocaro, Faenza e Firenze.
Prezzi: OR a £ 50.000. Pasto da £ 25.000 a 30.000. Per ulteriori informazioni rivolgersi direttamente all'azienda.
Note: accessibile agli handicappati. Si organizzano settimane verdi per ragazzi nell'arco di tutto l'anno. Soggiorno minimo un fine settimana. Ping-pong, mountain bike e passeggiate naturalistiche. Possibilità di corsi di cucina. Sala lettura e parcheggio. Telefono in camera. Cambio biancheria. Non si accolgono animali.

PIAN DEI GOTI

via Montemirabello, 1 - Predappio Alta • 47016 PREDAPPIO
☎ 0543921118 fax 0543922361

● I 11

Posizione geografica:
collina.
Periodo di apertura: da
marzo a dicembre.
Associato a: Turismo Verde.
Presentazione: casa colonica ristrutturata elegantemente con azienda viti-
vinicola, vigneti, boschi,
sentieristica.

Offre ospitalità in 6 camere doppie e in 2 a più letti, tutte con
bagno.
Ristorazione: H/B, F/B, ristorazione aperta al pubblico. Tipica
cucina romagnola, specialità a base di funghi e tartufi.
Prodotti aziendali: vini D.O.C., miele, confetture, grappa, liquori, olio.
Luoghi di interesse e manifestazioni locali: abbazia gotica di
San Cassiano e Sant'Agostino, cripta e casa natale di Mussolini.
Sagra della mostatura, sagra del vino in settembre-ottobre, sagra
del tartufo.
Prezzi: F/B da £ 95.000 a 105.000, H/B da £ 75.000 a 80.000.
pasto da £ 30.000 a 45.000, B&B da £ 45.000 a 50.000. Pranzo
da £ 32.000 a 45.000, pranzo con specialità da £ 40.000 a
45.000. Riduzioni per bambini e comitive.
Note: solarium, piano bar al sabato, enologia e stages, pallacanestro, ping-pong, golf, piscina, tiro con l'arco, giochi all'aria aperta, equitazione, trekking e passeggiate, escursioni e visite guidate.
Raccolta di funghi, castagne, tartufi. TV, riassetto e pulizia.

RIO SASSO

via Forese, 21 • 47018 SANTA SOFIA
☎ 0543970497 fax 0543971483

● I 10

Posizione geografica: collina.
Periodo di apertura: tutto l'anno.
Associato a: Turismo Verde, Agriturist.
Presentazione: tipica costruzione rurale in pietra e legno in
azienda biologica di 20 ettari di terreno a cereali, vigneto e fo-
raggio. Offre ospitalità in 8 camere con bagno per un totale di
25 posti letto e in 1 appartamento.
Ristorazione: H/B, F/B. Tipica cucina romagnola. Funghi e tartufi su prenotazione.
Prodotti aziendali: marmellate, liquori.
Luoghi di interesse e manifestazioni locali: parco nazionale.
Festa della battitura, fiera del lunedì di Pasqua, fiera di Santa Lucia, diverse manifestazioni nel periodo estivo.
Prezzi: pernottamento da £ 25.000 a 35.000, H/B da £ 45.000
a 60.000, F/B da £ 55.000 a 80.000, pasto da £ 20.000 a
35.000. Riduzione
del 20% per bambi-
ni fino ai 10 anni.
Note: piscina, gio-
chi all'aria aperta,
equitazione. Raccol-
ta di castagne e fun-
ghi. Soggiorni per
almeno 1 settimana.
Necessaria la preno-
tazione.

I PORTICI

via Rubicone Destra II Tratto 5500 - Capanni
47039 SAVIGNANO SUL RUBICONE
☎ 0541938143

● L 12

Posizione geografica: mare.
Periodo di apertura: dal 25
marzo al 20 dicembre.
Associato a: Agriturist, Turismo
Verde.
Presentazione: tipica costruzione rurale del '700 facente parte
della ex tenuta Torlonia con annesso fabbricato recente, circondata da 4 ettari di terreno a vi-

gneto, cereali, ortaggi. Offre ospitalità in 4 camere con bagno
per un totale di 8 posti letto, in 3 appartamenti da 3/4 posti let-
to per un totale di 12 posti e in 5 piazzole in agricampeggio per
caravan o tende.
Ristorazione: H/B, F/B, B&B, ristorante aperto al pubblico.
Passatelli in brodo, strozzapreti al peperone, cappelletti ai formaggi.
Prodotti aziendali: vino e ortaggi.
Luoghi di interesse e manifestazioni locali: San Marino, San
Leo, Gradara, Italia in miniatura, Sant'Arcangelo, San Mauro Pascoli, Rimini, Cesenatico, Ravenna, Faenza.
Prezzi: da £ 41.000 a 47.000, pasto da £ 25.000 a 40.000.
Note: accessibile agli handicappati. Ping-pong. Nelle vicinanze
maneggio e minigolf, piscina, mountain bike, lago per la pesca
sportiva a 300 m. Animali accolti previo accordo.

CASA OTTIGNANA

via Fabbri, 26 - Ottignana • 47019 TREDOZIO
☎ 0546943796 cell. 03333571940

● I 10

Posizione geografica:
collina (400 m).
Periodo di apertura: tutto l'anno, chiuso il mar-
tedì.
Presentazione: edificio
del 1600 completamente
ristrutturato, con solai in
legno e pavimenti in cot-
to. Offre ospitalità in 4
accoglienti camere, ricavate nel vecchio fienile, per un totale di
16 posti letto.
Ristorazione: H/B, F/B. Riscoperta di piatti tipici: il bartolaccio, la polenta con fagioli, paste fatte con il matterello.
Luoghi di interesse e manifestazioni locali: parco nazionale
delle foreste casentinesi, monte Falterona. Sagra e palio dell'uovo
a Pasqua e lunedì dell'angelo, sagra del bartolaccio la prima domenica di novembre.
Prezzi: rivolgersi direttamente all'azienda.
Note: laghetto artificiale. Piscina e campo da tennis a 200 m.

PIAN DI STANTINO

Podere Pian di Stantino - Ottignana • 47019 TREDOZIO
☎ 0546943539

● I 10

Posizione geografica: montagna.
Periodo di apertura: da marzo a gennaio.
Associato a: Turismo Verde.

Presentazione: offre ospitalità in 3 camere da 3/6 posti letto per un minimo di 2 giorni.
Ristorazione: H/B, F/B, ristorante aperto al pubblico. Canederli, cucina vegetariana, cucina trentina.
Prodotti aziendali: miele.
Luoghi di interesse e manifestazioni locali: parco naturale. Sagre varie nel corso dell'anno.
Prezzi: pasto da £ 20.000 a 50.000. Riduzioni da concordare.
Note: raccolta di castagne, funghi. Giochi all'aria aperta, trekking e passeggiate.

SCARZANA

via Scarzana,1 - Scarzana • 47019 TREDOZIO
☎ e fax 0546943913 ☎ 0546943446

● I 10

Posizione geografica: montagna.
Periodo di apertura: da maggio a ottobre, Pasqua, festività natalizie, tutti i giorni; negli altri mesi solo il fine settimana.
Associato a: Terranostra.
Presentazione: azienda in parte compresa nel parco delle Foreste Casentinesi. Offre ospitalità in 1 appartamento con 2 camere e in 5 camere di cui 4 con bagno, per un totale di 20 posti letto.
Ristorazione: aperta al pubblico solo su prenotazione, disponibilità fino a 40 coperti. Cucina appenninica, piatti a base di cinghiale e capriolo.
Prodotti aziendali: kiwi, noci, castagne, susine, miele.
Luoghi di interesse e manifestazioni locali: parco nazionale, lago di Ponte, eremo di Gamogna, Faenza. Palio dell'uovo a Tredozio nel periodo pasquale, concerti estivi, sagra del bartolaccio.
Prezzi: da £ 30.000 a 50.000, pasto da £ 30.000 a 40.000. Riduzione del 10% per bambini fino ai 10 anni.
Note: orientamento, osservazione naturalistica, animazione musicale, gite nel parco nazionale con guida, trekking e passeggiate. Uso cucina e sala, uso forno esterno, telefono, riscaldamento, uso frigo. Animali accolti previo accordo.

MONTE VALBELLE

via Bagnolo, 183 • 47011 CASTROCARO TERME
☎ e fax 0543766192

▲ I 10

Posizione geografica: collina.
Periodo di apertura: tutto l'anno.
Presentazione: azienda di 100 ettari con allevamento di cavalli, daini, cinghiali, pavoni, asini e capre girgentane. Offre ospitalità in 3 appartamenti e in 1 camera matrimoniale.
Prodotti aziendali: vino, liquori, miele, frutta, ortaggi, olio.
Luoghi di interesse e manifestazioni locali: Firenze, Bologna, Ravenna, Cervia e Milano Marittima.
Prezzi: appartamenti da £ 200.000 a 250.000 al giorno, camera matrimoniale a £ 120.000.

Note: tranquillità e relax. Possibilità di fare passeggiate a piedi, a cavallo e in mountain bike. Nelle vicinanze si trovano laghi per la pesca sportiva, poligoni di tiro a volo, piscine e campi da tennis. Cambio biancheria. Si accolgono animali domestici.

Modena

OSPITALITÀ RURALE

via Panaria, 30 • 41034 CA' BIANCA
☎ 0535789977

● F 8

Posizione geografica: pianura.
Periodo di apertura: tutto l'anno.
Associato a: Agriturist.
Presentazione: accoglie ospiti in 7 camere, con bagno privato, 1 appartamento completamente arredato, e in 5 piazzole in agricampeggio dotate di servizi igienici.
Ristorazione: cucina emiliana, solo su prenotazione.
Prodotti aziendali: uova, pollame e ortaggi.
Luoghi di interesse e manifestazioni locali: Ferrara, Bologna, Modena, Reggio, Mantova, Verona, delta del Po e Appennino.
Prezzi: OR da £ 30.000 a 35.000. Appartamento da £ 30.000 a 50.000.
Note: laghetto con animali acquatici e rari, canoe e biciclette. Biancheria e pulizie. Si accolgono animali.

LA FALDA

via Madonna, 20 • 41017 CAMPOGALLIANO
☎ 059526748 cell. 03393019928

● F 7

Posizione geografica: lago.
Periodo di apertura: da aprile a dicembre. Ristorante aperto venerdì, sabato e domenica.
Presentazione: tipica casa padronale circondata da zona alberata e manto erboso con laghetti per itticoltura e orto biologico. Offre ospitalità in 5 camere, di cui 3 con bagno privato e 2 con bagno in comune, e in 2 bilocali con bagno e cucina, per un totale di 12-14 posti letto.
Ristorazione: alimenti biologici, vegetariani e cucina tipica emiliana.
Prodotti aziendali: pesci nostrani, ortaggi e frutta biologici, piante officinali e prodotti erboristici derivati.
Luoghi di interesse e manifestazioni locali: museo delle bilance, parco regionale sul fiume Secchia, piazza Martiri di Carpia, duomo di Modena e centro storico, castello di Vignola.
Prezzi: O/R a persona da £ 30.000 a 50.000 in bassa stagione e da £ 35.000 a 60.000 in alta stagione. Pernottamento minimo 1 notte.
Note: birdwatching, canoa, equitazione, pesca in fiume e in lago, percorsi in mountain bike, passeggiate botanico-erboristiche.

CA' PALAZZA

via Calvanella, 710 • 41020 CANEVARE DI FANANO
☎ e fax 053669311 cell. 03356266972

● I 7

Posizione geografica: montagna (1.220 m).
Periodo di apertura: tutto l'anno, da settembre a giugno è gradita la prenotazione.
Presentazione: tipica costruzione in sasso con copertura in la-

stre di ardesia completamente ristrutturata, posta in posizione panoramica. Allevamento di cavalli, ovini, caprini, suini, animali da cortile e coltivazioni di frutti di bosco, ortaggi biologici e frutta. Accoglie ospiti in 3 monolocali con bagno privato e in 4 camere con bagno per un totale di 20 posti letto .

Ristorazione: aperta al pubblico. Cucina casalinga di tradizione contadina preparata con i prodotti aziendali. Tortelloni di ricotta, tigelle, carne alla brace.

Prodotti aziendali: vendita di frutti di bosco lavorati e ortaggi biologici.

Luoghi di interesse e manifestazioni locali: a 3 km dal consorzio sciistico del Cimone, 5 km dal lago della Ninfa e dal giardino botanico Esperia. Numerose feste paesane nell'arco dell'anno. Simposio internazionale di scultura su pietra l'8 maggio.

Prezzi: F/B da £ 60.000 a 185.000. Bambini gratis fino a 2 anni, sconto del 50% fino a 7 anni. Riduzioni per gruppi.

Note: palaghiaccio, piscina e tennis a 8 km. Possibilità di passeggiate a cavallo e in mountain bike, tiro con l'arco. Parco giochi. Cambio biancheria.

VILLA GAIDELLO

via Gaidello, 18 • 41013 CASTELFRANCO EMILIA
☎ 059926806 fax 059926620
E-mail: gaidello@tin.it
http://members.aol.com/gaidello

● G 7

Posizione geografica: pianura.

Periodo di apertura: tutto l'anno, chiuso in agosto.

Associato a: Agriturist e Associazione Agriturismo Emilia Romagna.

Presentazione: ampia tenuta agricola di pianure da lungo tempo coltivata con metodo biologico e recentemente arricchita di boschetti e siepi. Offre ospitalità in 8 appartamenti, in antica casa padronale immersa fra gli alberi, dotati di di ogni comfort e restaurati con sensibilità.

Ristorazione: piatti genuini e tipici locali, tortellini in brodo di cappone, arrosto di coniglio e faraona, polpette all'aceto balsamico ed il Bansone. Tutto rigorosamente preparato in casa (compreso il pane), serviti in stile casalingo e accompagnati da vini locali.

Prodotti aziendali: conserve, marmellate e ortaggi

Luoghi di interesse e manifestazioni locali: abbazia di Nonantola, duomo di Modena, abbazia di Monteveglio. Festa di San Nicola, in settembre sagra del tortellino.

Prezzi: pasto da £ 75.000, appartamenti da £ 150.000 a 330.000 a persona comprensivi di colazione, tasse e servizi.

Note: necessaria la prenotazione. Sala riunioni per meeting d'affari (max 80 persone). Laghetto privato con cigni, solarium, mountain bike. Tennis a 1 km, piscina a 12 km.

SAN POLO

via San Polo, 5 • 41014 CASTELVETRO
☎ 059799717 fax 059790539

● G 7

Posizione geografica: collina.

Periodo di apertura: da marzo a dicembre, dal giovedì alla domenica. Per gruppi superiori alle 10 persone anche gli altri giorni.

Associato a: AIAB.

Presentazione: borgo settecentesco circondato da vigneti e frutteti. Offre ospitalità in 8 camere matrimoniali, possibilità di campeggiare con camper.

Ristorazione: disponibilità fino a 60 coperti. Cucina naturale e biologica. Specialità aceto balsamico, nocino, limoncino.

Prodotti aziendali: vini D.O.C., prodotti biologici.

Luoghi di interesse e manifestazioni locali: santuario di Puianello, centro storico di Castelvetro, castello di Levizzano. Mercurdo in giugno, festa dell'uva e festa del Cinquecento con dama in costume in settembre, festa della fioritura a Vignola in aprile.

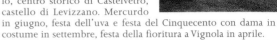

Prezzi: da £ 30.000 a 50.000, pasto £ 35.000 bevande escluse. Riduzione del 10% per bambini fino ai 10 anni.

Note: accessibile agli handicappati. Prato per prendere il sole, piccola sala riunioni. Corsi di pittura e artistici in genere, pesca in fiume e in lago, agriciclismo, giochi all'aria aperta, trekking e passeggiate. Raccolta di more, marusticani e ciliege.

IL FELICETO

via Ca' Zucchi, 454 - Ospitale • 41021 FANANO
☎ 053668409 fax 053669525

● I 6

Posizione geografica: montagna.

Periodo di apertura: da aprile a ottobre.

Associato a: Agriturist, Turismo Verde.

Presentazione: tipica costruzione rurale, circondata da 10 ettari di terreno con produzione di frutta e allevamento di cavalli. Offre ospitalità in 5 camere, di cui 2 con bagno, per un totale di 20 posti letto.

Ristorazione: H/B, F/B. Lasagne e altre paste con i funghi.

Prodotti aziendali: miele, confetture.

Luoghi di interesse e manifestazioni locali: Sestola, Modena, Bologna, monte Cimone. Varie manifestazioni.

Prezzi: da £ 30.000 a 50.000, pasto da £ 30.000 a 35.000.

Note: soggiorni per bambini, animazione, corsi di yoga e terapie naturali. Nelle vicinanze piscina, pattinaggio e tennis. Tiro con l'arco, equitazione, trekking e passeggiate, giochi all'aria aperta, mountain bike. Raccolta di mirtilli. Prima colazione, sala comune.

CA' DI MARCHINO

via Buzzeda, 4 • 41052 MONTE ORSELLO
☎ e fax 059795582

● H 7

Posizione geografica: collina, fiume.

Periodo di apertura: tutto l'anno. È gradita la prenotazione. Ristorante aperto il giovedì, venerdì e sabato solo per la cena e domenica tutto il giorno.

Associato a: Agriturist.

Presentazione: casa rurale su 18 ettari di terreno con produzione di cereali e frutta. Accoglie ospiti in 3 camere doppie.

Ristorazione: ristorante aperto al pubblico con 45 coperti. Cucina tipica modenese, gnocco fritto, crescentine nelle tigelle, borlenghi e cacciagione.

Prodotti aziendali: vendita di pollame, frutta.

Luoghi di interesse e manifestazioni locali: castelli, Pieve Romanica, parco naturale dei sassi di Roccamalatina. Festa della polenta, del borlengo e della castagna.
Prezzi: OR a £ 40.000 a persona, H/B a £ 65.000, F/B a £ 95.000 bevande escluse. Gratis per i bambini fino a 3 anni, sconto del 20% dai 4 ai 10 anni.
Note: soggiorno minimo di un fine settimana. Prato per prendere il sole. Raccolta di funghi. Osservazione ambientale, pesca, passeggiate a piedi o in mountain bike. Piscina e tennis nei comuni vicini. Animali accolti previo accordo.

CASA VOLPA

via Docciola, 2365 - fraz. San Giacomo Maggiore
41050 MONTESE ☎ 059981546
E-mail:casavolpa@iol.it
http://utenti.tripod.it/casavolpa/volpa-web.html

 I 7

Posizione geografica: collina.
Periodo di apertura: da aprile a dicembre tutti i giorni.
Presentazione: costruzione che offre ospitalità in camere, di cui 3 con bagno privato e 2 con bagno in comune, per un totale di 12 posti letto e in 5 appartamenti con 15 posti letto. È circondata da 10 ettari di terreno con produzione di ortaggi, legumi, frutta e allevamento di ovini.
Ristorazione: ristorante con cucina tipica emiliana, specialità culinarie francesi. 50-60 coperti.
Prodotti aziendali: confetture, ortaggi, uova, frutta, formaggi.
Luoghi di interesse e manifestazioni locali: parco naturale dei Sassi di Rocca Malatina, antichi mulini. In ottobre festa della castagna, festa della patata, gare di mountain bike.
Prezzi: £ 70.000 per meno di 3 giorni, £ 60.000 per soggiorni di durata superiore.
Note: accessibile agli handicappati. Corsi di caseificazione. Raccolta di castagne, funghi, tartufi. Serate musicali. Equitazione, trekking e passeggiate, mountain bike. Preferibile la prenotazione. Animali accolti previo accordo.

BELVEDERE

via Montecuccolo, 73 - Montecuccolo
41026 PAVULLO NEL FRIGNANO ☎ e fax 053620856

 H 7

Posizione geografica: collina (800 m).
Periodo di apertura: tutto l'anno su prenotazione.
Associato a: Terranostra, Agriturismo Emilia Romagna.
Presentazione: azienda situata in ottima posizione panoramica, sovrastata dal castello di Montecuccolo. Offre ospitalità in 8 camere, di cui 7 con bagno privato, per un totale di 16 posti letto.
Ristorazione: B&B, ristorante aperto al pubblico con 50 coperti. Piatti tipici della zona, pasta fatta in casa, crescentine, gnocco fritto, polenta di granoturco e di castagne.
Prodotti aziendali: polli, conigli, formaggi, frutta, ortaggi.
Luoghi di interesse e manifestazioni locali: castello rinascimentale, ponte romano, parco ducale, sorgente di acqua solfurea. Numerose sagre paesane, festa della crescentina, fiera dell'Economia Montana.
Prezzi: un pasto da £ 19.000 a 32.000. Riduzioni per il pernottamento in media e bassa stagione.
Note: giochi all'aria aperta, equitazione,

trekking e passeggiate, mountain bike. Raccolta di funghi, lamponi, fragole, more. Prima colazione inclusa nel pernottamento.

LA CERVAROLA

via Cervarola, 1 - Cervarola • 41029 SESTOLA ☎ 053662356

 H 6

Posizione geografica: montagna.
Periodo di apertura: da luglio a settembre, da dicembre a marzo, periodo pasquale, tutte le festività, sabato e domenica di tutto l'anno.
Associato a: Turismo Verde.
Presentazione: estesa su 30 ettari di terreno di prati e pascoli. Allevamento di bovini, ovini, equini. Offre ospitalità in camere matrimoniali con bagno e in 10 piazzole per campeggio.
Ristorazione: H/B, F/B, ristorante aperto al pubblico con 30 coperti. Cucina tipica emiliana.
Prodotti aziendali: formaggi.
Luoghi di interesse e manifestazioni locali: lago Ninfa, giardino botanico, passo del Lupo (impianti di risalita).
Prezzi: H/B a £ 60.000, F/B a £ 75.000 piazzola attrezzata £ 30.000, pasto a £ 35.000.
Note: pallavolo, ping-pong, pesca, giochi all'aria aperta, trekking e passeggiate. Sci da discesa e da fondo, golf e piscina nelle vicinanze. Raccolta di mirtilli, lamponi, funghi.

TIZZANO

via Lamizze, 1197 - loc. Monteombraro • 41059 ZOCCA ☎ 059989581

H 8

Posizione geografica: collina.
Periodo di apertura: da aprile a dicembre, ristorante aperto tutto l'anno su prenotazione.
Associato a: Pro Appennino.
Presentazione: edificio del 1586 in sasso e mattoni con torre annessa, portico esterno con forno a legna, ampia cucina con camino al piano inferiore, scala in legno per accedere al piano superiore dove alloggiano gli ospiti; alcune delle stanze sono mansardate con travi a vista. Accoglie ospiti in 7 camere da 2 a 4 posti letto e in 2 appartamenti con bellissima vista panoramica.

Ristorazione: ristorante aperto al pubblico. Tagliatelle all'ortica, al ragù o ai funghi, gnocchi e risotto all'ortica, pane fatto in casa, crescente nelle tigelle, crescente fritte, formaggi, ricotta, affettati misti, patate fritte, polenta con la panna.
Luoghi di interesse e manifestazioni locali: Modena, Bologna, Maranello, a Zocca risiedono Vasco Rossi e Maurizio Cheli (astronauta), Ferrara, Montecorone, opere d'arte di sasso di Fanano. Mercato il martedì a Zocca e il giovedì a Vignola, sagra della castagna la seconda e terza domenica di ottobre.
Prezzi: H/B a £ 54.000. Pasto a £ 30.000 adulti, £ 20.000 bambini. Riduzioni per soggiorni di oltre 3 giorni.
Note: a 2 km tennis, pesca sportiva nel laghetto aziendale, piscina, idromassaggio, scivoli, bocce, 2 campi sportivi. Ideale per itinerari in mountain bike, a cavallo o in moto. Sala comune. L'azienda di norma fornisce solo le lenzuola, possibilità di asciugamani a richiesta. Animali accolti se al guinzaglio.

MARANDELLO

via per Soiara, 3 • 41030 SORBARA
☎ 059907324 fax 059907584

F 7

Posizione geografica: pianura.
Periodo di apertura: alloggio tutta la settimana escluso agosto e gennaio; ristorante aperto giovedì, venerdì e sabato la sera e domenica tutto il giorno.
Presentazione: sorge a Sorbara tipico paese della campagna emiliana, noto per il suo prodotto tipico per eccellenza: il lambrusco di Sorbara. L'azienda coltiva con il metodo del basso impatto ambientale 10 ettari di vigneto D.O.C., grano, mais, soia, frutta e verdura e alleva bestiame da latte per Parmigiano Reggiano. Offre ospitalità in 6 camere e in 2 appartamenti con bagno per un totale di 20 posti letto.
Ristorazione: cucina curata nel rispetto delle antiche tradizioni, pane e gnocchi fatti in casa. Il menu cambia ogni settimana.
Prodotti aziendali: burro, formaggio, vino Lambrusco.
Luoghi di interesse e manifestazioni locali: duomo di Modena, Accademia, galleria estense, piazza Grande a Ghirlandina, abbazia di Nonantola, duomo di Carpi.
Prezzi: camera singola a £ 80.000, camera doppia a £ 110.000, colazione a £ 5.000, menu fisso a £ 45.000.
Note: cambio biancheria. Si accettano animali domestici.

CA' MONDUZZI

via Vignolese, 1130 • 41059 ZOCCA
☎ 059986206

H 8

Posizione geografica: montagna (800 m).
Periodo di apertura: luglio e agosto dal mercoledì alla domenica, i restanti mesi il fine settimana.
Associato a: Terranostra.
Presentazione: casa colonica del '700 recentemente ristrutturata in azienda in cui si coltivano patate, erba medica, duroni e verdure. Accoglie ospiti in appartamenti da 2/5 posti letto.
Ristorazione: cucina tipica contadina, maltagliati e fagioli, brodo di gallina e cappone con tortellini, tagliatelle ai funghi porcini, spianatine al forno a legna, cacciatora di pollame, crescentine cotte in tigelle, frittelle di castagne (stagionale), assortimento di carni alla griglia.
Prodotti aziendali: castagne, marroni, patate, verdure in genere, duroni e ciliegie.
Luoghi di interesse e manifestazioni locali: parco naturale dei Sassi di Rocca Malatina, Zocchetta, torre di Rosola, borghi antichi. Fiera dell'antiquariato, manifestazioni a carattere storico, frequenti concerti organizzati dalla Pro Loco e da Italia Nostra nel periodo estivo.
Prezzi: appartamenti da £ 90.000 a 180.000. Riduzioni per comitive e soggiorni prolungati.
Note: è possibile alloggiare anche per una sola notte. Passeggiate naturalistiche a piedi o in bicicletta. Cambio biancheria settimanale. Si accolgono animali di piccola taglia.

Parma

CASTAGNETO

Castagneto di Gravaro • 43032 BARDI ☎ 052577141

G 2

Posizione geografica: alta collina (625 m).
Periodo di apertura: tutto l'anno.
Associato a: Terranostra.
Presentazione: situata sull'Appennino tosco-emiliano, in posizione panoramica. Piccolo gruppo di abitazioni rurali in pietra ristrutturate. Offre ospitalità in 3 appartamenti con 18 posti letto totali, campeggio libero nelle vicinanze.
Ristorazione: ristorante aperto al pubblico su prenotazione. Piatti tipici del luogo.
Prodotti aziendali: miele, frutta, ortaggi, funghi.
Luoghi di interesse e manifestazioni locali: castello di Bardi e altri castelli nei dintorni, zone di interesse naturalistico. Sagre in diversi periodi dell'anno.
Prezzi: £ 30.000 a persona, pasto da £ 20.000 a 30.000.
Note: prato per prendere il sole, giochi all'aria aperta, trekking e passeggiate. Raccolta di frutti di bosco.

CAROVANE

Bertoli • 43053 COMPIANO ☎ 0525825324

G 2

Posizione geografica: montagna.
Periodo di apertura: da aprile a settembre tutti i giorni, nel restante periodo dell'anno solo il fine settimana.
Associato a: Agriturist.
Presentazione: si estende su 400 ettari di terreno a bosco, pascolo, prati e cereali. Allevamento di bovini. Offre ospitalità in 11 camere, di cui 2 con bagno privato, per un totale di 26 posti letto.

Ristorazione: H/B, F/B, ristorante aperto al pubblico su prenotazione con 40 coperti. Pasta fatta in casa, salumi nostrani, parmigiano reggiano, carni di produzione propria, piatti tipici della cucina emiliana.
Luoghi di interesse e manifestazioni locali: castello di Compiano e di Bardi, vari borghi rurali e luoghi d'interesse naturalistico. Varie sagre e rappresentazioni nel corso dell'anno.
Prezzi: fino a £ 30.000, pasto da £ 25.000 a 40.000.
Note: tiro con l'arco, giochi all'aria aperta, equitazione, trekking e passeggiate, mountain bike. Raccolta di frutti di bosco. Biancheria, pulizia, riassetto, telefono in comune, prima colazione, riscaldamento, sala comune.

IL TONDINO

via Tabiano, 58 - Tabiano Castello • 43036 FIDENZA
☎ e fax 052462106
E-mail:iltondino@popolaris.it
http:www.iltondino.cjb.net

E 4

Posizione geografica: collina.
Periodo di apertura: da marzo a novembre, dal 28 dicembre al 2 gennaio.
Associato a: Agriturist, Agriturismo Emilia Romagna.
Presentazione: antica casa colonica con scuderie e dependance, in azienda di 18 ettari di terreno a bosco e allevamento di cavalli. Offe ospitalità in 3 camere con bagno e in 1 appartamento con 4 posti letto e bagno.
Ristorazione: H/B, F/B, B&B, ristorante aperto al pubblico su prenotazione con disponibilità fino a 45 coperti. Crespelle, tortelli, stracotto di bufalo e manzo, salumi fatti in casa, stinco con patate, faraona in agro.
Prodotti aziendali: frutta e verdura.
Luoghi di interesse e manifestazioni locali: castelli di Parma, luoghi verdiani, parco dello Stirone e del Taro, terme di Tabiano e Salsomaggiore. Mercati dell'antiquariato, manifestazioni estive nei castelli, sagre autunnali.
Prezzi: B&B a £ 120.000 (camera doppia con bagno), mezza pensione da concordare.
Note: sala riunioni, corsi di tiro con l'arco, di costruzione di archi e frecce, di cucina. Baby sitting nelle vicinanze. Percorso per il tiro con l'arco, pesca nel lago dell'azienda, bocce, giochi all'aria aperta, trekking e passeggiate, mountain bike, golf nelle vicinanze. Minimo 2 pernottamenti, appartamenti per almeno 1 settimana. Biancheria, riassetto, pulizia settimanale, sala in comune, prima colazione, mountain bike a disposizione.

IL CERRETO

via Gabbiano, 96 - Pieve di Cusignano • 43015 NOCETO
☎ 052462113 fax 052462140
 F 4

Posizione geografica: collina.
Periodo di apertura: da marzo a novembre.
Associato a: Agriturismo Emilia Romagna.
Presentazione: costruzione rurale tipica, con 15 ettari di terreno con vigneti, frutteti e boschi. Offre ospitalità in un appartamento di 3 locali con servizi.

Ristorazione: ristorante aperto al pubblico con oltre 100 coperti. Crespelle gratinate, tortelli, specialità emiliane, vino di produzione propria.
Prodotti aziendali: vino, salumi, frutta di stagione.
Luoghi di interesse e manifestazioni locali: Salsomaggiore e Tabiano Terme, Fontanellato, parco dello Stirone.
Prezzi: da £ 30.000 a 50.000, pasto da £ 20.000 a 50.000.
Note: raccolta di more, rosa canina, frutta. Gradita la prenotazione.

LE LAME

via Lame, 40 - San Vittore • 43039 SALSOMAGGIORE TERME
☎ e fax 0524579195
 F 3

Posizione geografica: collina.
Periodo di apertura: dal 20 marzo al 30 novembre.
Associato a: Agriturist e Agrithermae.
Presentazione: tipica costruzione rurale in parte in pietra, allevamento zootecnico. Offre ospitalità in 6 camere con bagno e in 3 miniappartamenti, di cui 2 per 4 persone e 1 per 2 persone.
Prodotti aziendali: parmigiano reggiano.

Luoghi di interesse e manifestazioni locali: parchi e castelli.
Prezzi: fino a £ 35.000.
Note: prima colazione, uso cucina, posto macchina.

ANTICA TORRE

Case Bussandri, 197 - Cangelasio
43039 SALSOMAGGIORE TERME
☎ e fax 0524575425
 F 3

Posizione geografica: collina.
Periodo di apertura: da marzo a novembre.
Associato a: Agriturismo Emilia Romagna.
Presentazione: tipica costruzione rurale con torrione medioevale, con 43 ettari di terra a boschi e pascolo. Allevamento di ovini. Offre ospitalità in 4 camere e in 4 appartamenti per un totale di 16 posti letto.

Ristorazione: H/B, F/B, B&B, ristorante aperto al pubblico su prenotazione con 36 coperti. Cucina tradizionale emiliana, agnello.
Luoghi di interesse e manifestazioni locali: Salsomaggiore Terme, parco paleontologico dello Stirone, castelli e città d'arte, luoghi verdiani. Molteplici manifestazioni nel corso del periodo estivo.
Prezzi: B&B £ 65.000, H/B £ 90.000, pasto da £ 25.000 a 50.000. Riduzione del 50% per bambini fino ai 3 anni, del 20% fino ai 10 anni.
Note: sala riunioni per 20-30 persone. Biliardo, piscina, trekking, passeggiate e mountain bike. Tennis, golf e tiro con l'arco nelle vicinanze. Periodo minimo di permanenza 2 giorni. Animali accolti previo accordo.

LA RIVA

Ca' Balocco, 64 • 43040 TERENZO
☎ 052552495
 F 4

Posizione geografica: collina (450 m).
Periodo di apertura: da febbraio a novembre, solo su prenotazione.
Associato a: Agriturismo Emilia Romagna.
Presentazione: costruzione rurale ristrutturata, circondata da 12 ettari coltivati a cereali e prati stabili. Offre ospitalità in 3 camere con 2 posti letto ciascuna, bagno comune.
Ristorazione: ristorante aperto al pubblico con 25 coperti. Cucina tipica casereccia con prodotti dell'azienda.
Prodotti aziendali: pane casereccio, miele, confetture, castagne.
Luoghi di interesse e manifestazioni locali: strada Francigena, pieve romanica di Bardone, riserva naturale del monte Prinzera. Sagre contadine, sagra del tartufo di Pragno.
Prezzi: da £ 40.000 a 60.000, pasto da £ 30.000 a 40.000.
Note: raccolta di frutti del sottobosco. Mountain bike. Nelle vicinanze piscina, campi da tennis e da golf. Riscaldamento, pulizia, riassetto, prima colazione.

CA' D'RANIER

loc. Groppizioso, 21 • 43028 TIZZANO VAL PARMA
☎ e fax 0521860304

G 4

Posizione geografica: montagna (1.050 m).
Periodo di apertura: tutto l'anno previa prenotazione. Chiuso dal 10 gennaio al 15 febbraio.
Associato a: Turismo Verde.
Presentazione: costruzione rurale circondata da 15 ettari a bosco, frutteto e ortaggi biologici. Offre ospitalità in 4 camere con bagno, 1 camerata da 6 posti letto, 1 camera con 5 posti e 1 da un posto letto, tutte con bagno.
Ristorazione: H/B, F/B, ristorante aperto al pubblico con 30 coperti. Cucina tipica, paste fatte in casa, cacciagione, verdure, salumi, formaggi.
Prodotti aziendali: marmellate, liquori, salumi, paste, dolci.
Luoghi di interesse e manifestazioni locali: castello di Torrechiara, luoghi Matildici, varie pievi, museo della civiltà contadina E. Guatelli. Sagre gastronomiche nel corso dell'anno.
Prezzi: H/B da £ 80.000 a 90.000, F/B da £ 90.000 a 100.000, pasto da £ 35.000 a 50.000 vini esclusi. Riduzioni per gruppi e per soggiorni di almeno 1 settimana da concordare.
Note: stanza con bagno per portatori di handicap. Tiro con l'arco, equitazione, trekking e passeggiate, escursioni e visite guidate, mountain bike. Corsi di ceramica, confezioni marmellate e liquori, parapendio. Raccolta di funghi, castagne, frutti di bosco. Necessaria la prenotazione. Animali accolti previo accordo.

CASA NUOVA

loc. Casanuova, 1 • 43028 TIZZANO VAL PARMA
☎ e fax 0521868278
E-mail:agriturismocasanuova@libero.it
http:www.casa-nuova.com

G 4

Posizione geografica: montagna (800 m).
Periodo di apertura: dal 15 aprile al 15 gennaio.
Associato a: Agriturist.
Presentazione: antica casa, con caratteristica struttura a torre, in azienda di 50 ettari in parte occupati da boschi attrezzati con percorsi e sentieri, in parte destinati all'elicicoltura, all'apicoltura, all'allevamento di animali di bassa corte e alla coltivazione di lavanda, erbe officinali e frutti di bosco. Accoglie ospiti in 6 camere, di cui 4 con bagno privato e 2 con bagno comune, per un totale di 18 posti letto.
Ristorazione: cucina casereccia a base di prodotti dell'azienda.
Prodotti aziendali: marmellate, liquori, oli essenziali, erbe essiccate, frutta, miele, ceramiche e dipinti.
Luoghi di interesse e manifestazioni locali: parco dei 100 laghi, oasi faunistica del monte Fuso, boschi di Carrega, parco dello Stirone, oasi dei Ghirardi, castelli, borghi, pievi.
Prezzi: B&B da £ 50.000 a 70.000, H/B da £ 65.000 a 75.000, F/B da £ 80.000 a 90.000. Sconto del 50% per bambini al di sotto dei 2 anni.
Note: ping-pong, tiro con l'arco, freccette, orienteering, trekking, noleggio biciclette. Percorso di 3 km per non vedenti praticabile in assoluta autonomia attraverso coltivazioni di erbe officinali, frutti di bosco e bosco ceduo. A 2 km si trovano la piscina, i campi da tennis, la pista di pattinaggio e una quotata scuola di parapendio. Cambio biancheria. Si accolgono animali nei box dell'azienda.

Piacenza

TRE NOCI

loc. Fontana • 29020 COLI ☎ 0523931020

F 1

Posizione geografica: montagna (750 m).
Periodo di apertura: tutto l'anno, su prenotazione.
Associato a: AIAB, Turismo Verde, ECEAT.
Presentazione: rustici ristrutturati in azienda di 6 ettari coltivati a seminativi, ortaggi e alberi da frutto. Accoglie ospiti in 4 camere, con bagno privato, per un totale di 20 posti letto.
Ristorazione: ristorante aperto al pubblico con 25 coperti. Cucina tipica, biologica e vegetariana.
Prodotti aziendali: marmellata, miele, salsa di pomodoro, ortaggi, frutti di bosco e castagne.
Luoghi di interesse e manifestazioni locali: Val Trebbia, Bobbio, località termali, castelli delle colline piacentine. Giornata dei funghi, festa della castagne, sagre nel periodo estivo e autunnale.
Prezzi: H/B a £ 75.000, B&B a £ 50.000, F/B a £ 95.000. Pasto a £ 35.000. Nel periodo invernale maggiorazione di £ 15.000 a stanza. Gratis a bambini fino a 2 anni, sconto del 50% da 2 a 8 anni, sconto 20% da 8 a 10 anni.
Note: possibilità di corsi d'equitazione e passeggiate a cavallo nel periodo estivo, mountain bike e canoa. Parcheggio e telefono. Pulizie e biancheria. Animali accolti previo accordo.

TORRE CARMELI

Torre di Torrano • 29028 PONTE DELL'OLIO
☎ 0523878244 fax 0523877384

F 2

Posizione geografica: collina.
Periodo di apertura: da marzo al 10 dicembre.
Associato a: Terranostra.
Presentazione: antico casale del '400 recentemente ristrutturato in azienda con coltivazione di cereali, vigneti, frutta. Accoglie ospiti in 8 camere con bagno per un totale di 18 posti letto.
Ristorazione: H/B, B&B, ristorante aperto al pubblico con un totale di 30 coperti. Grigliate, specialità cotte nel forno a legna, cucina tradizionale.
Prodotti aziendali: vini D.O.C., marmellate, frutti di bosco, miele.
Luoghi di interesse e manifestazioni locali: Grazzano Visconti, Castel Arquato, Bobbio e numerosi castelli medioevali. Festa di Primavera l'ultima domenica di maggio, sagra della vendemmia la prima domenica di ottobre.
Prezzi: da £ 60.000 a 90.000, pasto da £ 30.000 a 50.000 a persona. Riduzione del 50% per bambini fino a 12 anni, del 10% per soggiorni superiori ai 3 giorni.
Note: possibilità di organizzare feste e ritrovi nell'ampia aia all'aperto. Pesca, giochi all'aria aperta, trekking e passeggiate, mountain bike. Pulizia, telefono in comune, prima colazione, riscaldamento, posto macchina.

LA VALLE

via Roma, 17 - La Valle • 29010 SAN PIETRO IN CERRO
☎ 0523839162 cell. 03387392691

● F 2

Posizione geografica: pianura.
Periodo di apertura: tutto l'anno a eccezione di agosto e gennaio dal venerdì alla domenica.
Associato a: Agriturist.
Presentazione: costruzione rurale tipica del '700 circondata da 40 ettari di terreno con allevamento di suini, caprini, bovini, equini, daini, conigli nani e macello. Offre ospitalità in 3 camere doppie con servizi.
Ristorazione: ristorante aperto al pubblico, possibilità di organizzare anche merende e riunioni industriali. 80 coperti. "Maialata", tipica cucina piacentina, salumi di produzione propria.
Prodotti aziendali: salumi e carni.
Luoghi di interesse e manifestazioni locali: diversi castelli, terre del Magnifico, varie passeggiate lungo il Po. Festa nei campi, festa paesana.
Prezzi: da £ 30.000 a 50.000 bevande incluse. Riduzione del 15% per bambini fino ai 10 anni.
Note: accessibile agli handicappati. Sala riunioni, cerimonie, banchetti. Stalla ristrutturata adibita a luogo di musica e ballo, disponibile per feste private. Parco, laghetti con fauna lacustre. Giochi in campagna, rodeo con le capre per i bambini, osservazione ambientale, corsi di agricoltura.

Ravenna

IL PALAZZO

via Baccagnano, 11 - Baccagnano • 48013 BRISIGHELLA
☎ 054680338

● H 11

Posizione geografica: collina.
Periodo di apertura: da marzo a novembre.
Associato a: Agriturist.
Presentazione: azienda vitivinicola biologica con 10 ettari di terreno, in parte a bosco e in parte coltivati. Offre ospitalità in 3 camere con bagno e in 1 appartamento monolocale con bagno, per un totale di 12 posti letto.
Ristorazione: H/B, F/B, B&B, ristorante aperto al pubblico, su prenotazione, con 25 coperti. Cucina vegetariana, pane e focacce fatti in casa, ortaggi di produzione propria.
Prodotti aziendali: vino, frutti del sottobosco.
Luoghi di interesse e manifestazioni locali: rocca di Brisighella, zone termali, parco Carnè, grotta Tanaccia. Sagre e rappresentazioni medioevali, feste in diversi periodi dell'anno.
Prezzi: B&B £ 50.000 a persona, H/B £ 75.000, pasto da £ 25.000 a 40.000. Appartamento a £ 700.000 a settimana. Riduzione del 20% per bambini fino a 6 anni.
Note: accessibile agli handicappati. Prato per prendere il sole. Necessaria la prenotazione. Biancheria, telefono in comune, prima colazione, riscaldamento. Animali accolti previo accordo.

RELAIS TORRE PRATESI

via Cavina, 11 - Cavina • 48013 BRISIGHELLA
☎ 054684545 fax 054684558

● H 11

Posizione geografica: collina.
Periodo di apertura: tutto l'anno.
Associato a: Terranostra.
Presentazione: torre medioevale con casa colonica del XIX secolo a fianco, circondata da 18 ettari di terreno a vigneto, oliveto, allevamento di capre e pastori tedeschi. Offre ospitalità in 7 camere con bagno.
Ristorazione: H/B, ristorante aperto al pubblico con 20 coperti massimo. Cucina tipica della zona.

Prodotti aziendali: olio, vino, confetture, liquori, latticini.
Luoghi di interesse e manifestazioni locali: pieve romanica, Faenza, giardino officinale, parco naturale. "Piatto verde" in marzo, feste medievali in giugno, sagra ovicaprina in ottobre, sagra del tartufo in novembre, sagra dell'olio in dicembre.
Prezzi: oltre £ 50.000, pasto da £ 50.000 a 65.000. Riduzioni da concordare per i bambini.
Note: solarium, piccola sala riunioni. Golf, giochi all'aria aperta, equitazione, trekking e passeggiate. Raccolta di funghi e frutti di bosco. Necessaria la prenotazione. Prima colazione, tutti i comfort. Animali accolti previo accordo.

POGGIOLO MARTIN FABBRI

via Sintria, 9 - Zattaglia • 48010 CASOLA VALSENIO
☎ e fax 054673049 ☎ 054629941

● H 9

Posizione geografica: collina.
Periodo di apertura: da marzo a gennaio, chiuso il martedì e il mercoledì.
Associato a: Agriturismo Emilia Romagna.
Presentazione: fabbricato del '700 completamente restaurato, circondato da 150 ettari di terreno. Offre ospitalità in 5 camere con bagno e in 5 piazzole per tende o caravan.
Ristorazione: H/B, F/B, ristorante aperto al pubblico capace di 100 coperti. Cucina tipica romagnola.
Prodotti aziendali: confettura, frutta, miele, olio, aceti aromatizzati, cosmetici naturali.
Luoghi di interesse e manifestazioni locali: Faenza, Brisighella, Casola Valsenio. Mercato delle erbe officinali a Casola Valsenio, festa medioevale a Brisighella, palio del Niballo a Faenza.
Prezzi: da £ 30.000 a 50.000, pasto da £ 35.000 a 45.000, ogni letto aggiunto £ 6.000. Riduzioni del 40% per bambini fino a 6 anni, del 30% fino a 10 anni.
Note: sala riunioni. Giochi all'aria aperta, equitazione, trekking e passeggiate, mountain bike, caccia, raccolta di castagne, funghi, tartufi, frutti di bosco. Soggiorni a H/B o F/B per almeno 3 giorni, gradita la prenotazione. Biancheria, pulizia, riassetto, telefono in comune, prima colazione, riscaldamento. Animali accolti previo accordo.

VILLA CORTE

via Corte, 7 • 48013 CASTELLINA DI BRISIGHELLA
☎ 054685798 fax 054688087

● **H 10**

Posizione geografica: collina.
Periodo di apertura: da marzo a dicembre.
Associato a: Terranostra.
Presentazione: villa padronale della metà del '700 con parco di alberi secolari, all'interno di un'azienda agricola di circa 300 ettari con produzione di cereali, frutta, uva, castagne, maneggio. Offre ospitalità in 6 camere con bagno per un totale di 16 posti letto.
Ristorazione: H/B, F/B, ristorante aperto al pubblico con 100 posti disponibili, possibilità di organizzare banchetti all'aperto. Strozzapreti allo scalogno, pane cotto al forno, crostini alle erbe, salvia fritta, pane alla griglia, dolci caserecci.
Prodotti aziendali: prodotti agricoli in genere.
Luoghi di interesse e manifestazioni locali: parco Carnè, pieve in Ottavo, musèo del lavoro contadino, Tre Colli, via degli Asini a Brisighella. Feste medievali, sagra del tartufo, ovocaprina, dell'olivo, della pera volpina, del porco, delle castagne.
Prezzi: da £ 35.000, pasto da £ 22.000 a £ 35.000. Riduzione del 10% per bambini fino ai 10 anni.
Note: prato per prendere il sole, sala riunioni, parcheggio per pullman, osservazione ambientale, pallavolo, pallacanestro, ping-pong, golf, trekking e passeggiate, mountain bike. Giochi all'aria aperta e maneggio per bambini. Telefono in comune, riassetto camere, prima colazione, sala comune, riscaldamento, posto macchina.

MASSARI

via Coronella, 110 • 48017 CONSELICE
☎ 0545980013 fax 054589175

● **G 10**

Posizione geografica: pianura.
Periodo di apertura: da settembre a luglio.
Associato a: Turismo Verde.
Presentazione: tipica costruzione rurale circondata da 1.400 ettari di terreno con produzione di cereali, uva, frutta. Allevamento di bovini e altri animali. Accoglie ospiti in camere con bagno.
Ristorazione: H/B, F/B. Ristorante aperto al pubblico capace di 200 coperti. Cucina tipica romagnola, minestre, carni, rane, cacciagione.
Prodotti aziendali: confetture, dolci, erbe, frutta, ortaggi, vini, uova.
Luoghi di interesse e manifestazioni locali: Valle Santa di Campotto, Ferrara, Imola, Ravenna, Faenza, Lugo. Carnevale di San Grugnone a febbraio, motoraduno internazionale femminile in giugno, sagra del ranocchio in settembre.
Prezzi: oltre £ 50.000, pasto da £ 18.500 a 65.000. Riduzione del 10% per bambini fino ai 10 anni.
Note: tiro al volo, caccia, pesca sportiva in 5 laghetti, giochi all'aria aperta, equitazione, escursioni e visite guidate, mountain bike, visite in aziende, passeggiate ecologiche, safari fotografico. Biancheria, pulizia, riassetto, telefono, parcheggio, riscaldamento, prima colazione.

LA SABBIONA

via di Oriolo Fichi, 10 • 48010 FAENZA
☎ 0546642142 fax 0546642355

● **H 10**

Posizione geografica: bassa collina.
Periodo di apertura: tutto l'anno.
Associato a: Terranostra.
Presentazione: recente costruzione e casale ristrutturato, circondati da 16 ettari di vigneto e frutteto. Offre ospitalità nel casale ristrutturato, arredato con mobili fine '800 inizio '900, in camere con bagno, 1 monolocale e 1 camera per disabili. A disposizione uno spazioso appartamento per gruppi di 8/10 persone.
Ristorazione: venerdì, sabato e domenica è possibile cenare in azienda gustando i piatti tipici. Merenda nel periodo estivo.
Prodotti aziendali: vino, frutta e confetture.
Luoghi di interesse e manifestazioni locali: Faenza, Brisighella e Castrocaro Terme, Ravenna, mare nelle vicinanze, torre medioevale, parco divertimenti di Mirabilandia. Varie feste e sagre nel corso dell'anno.
Prezzi: B&B da £ 40.000 a 55.000, inclusa colazione. Appartamento o monolocale una settimana a £ 200.000 a persona (biancheria da letto e da bagno compresa).
Note: accessibile agli handicappati. Prato per prendere il sole, piscina, mountain bike. Maneggio a 5 km. Biancheria, pulizia, riassetto, riscaldamento.

IL LAGHETTO DEL SOLE

via Pittora, 37 • 48018 FAENZA ☎ e fax 0546642196

● **H 10**

Posizione geografica: collina (80 m).
Periodo di apertura: da marzo a ottobre e dal 15 dicembre al 15 gennaio; ristorante aperto tutto l'anno.
Associato a: Terranostra e Agriturismo Emilia Romagna.
Presentazione: edificio rustico in azienda di 65 ettari con coltivazioni di alberi da frutto e ortaggi. Allevamenti di capre, pecore, cavalli, pesci, polli, conigli, bovini e suini. Accoglie ospiti in 4 camere, con bagno privato o comune, e 2 appartamenti per un totale di 12 posti letto.
Ristorazione: ristorante aperto al pubblico con 80 coperti. Cucina tipica romagnola.
Prodotti aziendali: frutta, verdura, confetture, insaccati e miele.
Luoghi di interesse e manifestazioni locali: Faenza, Brisighella, Casola Valsenio. Feste medioevali, mercatini ed expo ceramiche.
Prezzi: B&B a £ 30.000, H/B a £ 55.000, F/B a £ 75.000. Pasto da £ 20.000 a 30.000.
Note: pesca sportiva e 2 campi polivalenti. Parcheggio e telefono. Pulizia e cambio biancheria. Non si accolgono animali.

IL LUPO

via Sant'Alberto, 356 - San Romualdo • 48100 RAVENNA
☎ e fax 0544483321 cell. 0335299365

● **H 11**

Posizione geografica: mare.
Periodo di apertura: da marzo a settembre tutti i giorni; da ottobre a febbraio, sabato, domenica e festivi. Solo su prenotazione.
Associato a: Agriturist.

Presentazione: l'azienda si estende su 7 ettari di terra a frutteto e vigneto coltivati in modo biologico. Allevamento di cavalli da sella. Sosta camper. Offre ospitalità in 5 camere con TV, telefono e bagno.
Ristorazione: ristorante aperto solo su prenotazione con disponibilità di 70 coperti. Menu vegetariano, bruschette miste, rotolo di pasta alle ortiche, lasagne verdi "del lupo", guscioni alle verdure, rane, ciambella alla ricotta, torta di pinoli.
Prodotti aziendali: frutta e verdura coltivate biologicamente.
Luoghi di interesse e manifestazioni locali: punte Alberete, valle della Canna, pineta S. Vitale (stazione nord parco del delta del Po), capanno di Garibaldi. Varie feste paesane.
Prezzi: B&B a £ 55.000, H/B a £ 70.000, F/B a £ 90.000. Pasto da £ 20.000 a 60.000. Riduzione del 10% per bambini fino ai 10 anni.
Note: corsi di agricoltura biologica, osservazione ambientale, guida in aree naturalistiche protette, approcci alla mascalcia, settimane a cavallo, trekking e passeggiate, corsi di orientamento. Tutto solo su prenotazione.

L'AZDÔRA

via Vangaticcio, 14 - Madonna dell'Albero
48100 RAVENNA ☎ e fax 0544497669

● H 11

Posizione geografica: pianura.
Periodo di apertura: tutto l'anno.
Associato a: Terranostra.
Presentazione: l'azienda, costituita da un edificio ristrutturato e da uno di recente costruzione, è circondata da 6 ettari di terreno a frutteto e vigneto. Ospitalità in 4 camere con bagno per 7 posti totali.
Ristorazione: H/B, F/B, B&B, ristorante aperto al pubblico con disponibilità fino a 80 posti al coperto e 60 all'aperto in un terrazzo ombreggiato. Panvestido, azdorini, erbazzone, fagottini, pappardelle ai sapori dell'orto, bracioline alla contadina, biscotti cotti nel forno a legna.
Prodotti aziendali: dolci, frutta, erbe, ortaggi, pollame.
Luoghi di interesse e manifestazioni locali: scavi archeologici di Classe, parco del delta, Mirabilandia, musei del centro storico. Festa dell'uva in settembre, Ravenna in festival, rassegne di antiquariato.
Prezzi: da £ 75.000 a 110.000, un pasto da £ 35.000 a 67.000. Riduzioni del 10% per bambini fino ai 10 anni (se alloggiano).
Note: accessibile agli handicappati. Prenotazione obbligatoria. Gestione familiare. Prato per prendere il sole, piscina con idromassaggio riservata solo agli alloggiati, sala riunioni disponibile. Corsi di cucina, botanica ed educazione ambientale. Biancheria, prima colazione, riscaldamento, posto macchina.

LA CASINA

via dei Lombardi, 66 • 48020 SAVIO ☎ e fax 0544939213
● H 12

Posizione geografica: mare.
Periodo di apertura: da marzo a ottobre.
Associato a: Terranostra.
Presentazione: costruzione rurale con un'estensione di 10 ettari coltivati a cereali, vigneto, frutteto, ortaggi, fragole. Allevamento di equini e pollame. Offre ospitalità in 7 camere con bagno per un totale di 20 posti letto, in 3 appartamenti con uso cucina e in 15 piazzole in agricampeggio per tende o caravan.
Ristorazione: ristoro aperto al pubblico con 60 coperti. Tagliatelle, paste ripiene, arrosti misti, cacciagione.
Prodotti aziendali: frutta e verdura coltivate biologicamente, confetture, vino, pollame.

Luoghi di interesse e manifestazioni locali: Ravenna, saline di Cervia, San Marino, Mirabilandia, parchi acquatici, riviera romagnola. "Sposalizio del mare", sagra del sale.
Prezzi: B&B da £ 40.000 a 50.000, pasto da £ 20.000 a 50.000. Riduzione del 15% per bambini fino ai 10 anni.
Note: nelle vicinanze calcetto, canoa, golf e minigolf, volo con ultraleggeri, pesca sportiva, jet ski, piscina, tennis, tiro con l'arco, vela, windsurf. Equitazione, trekking e passeggiate. Possibilità di fare passeggiate con un simpatico trenino accompagnati dal titolare. Prenotazione necessaria. Biancheria, pulizia, telefono in camera, prima colazione, riscaldamento, posto macchina.

CA' DE' GATTI

via Roncona, 1 - loc. San Mamante in Oriolo dei Fichi
48018 FAENZA ☎ 0039054632037-00546642202
cell. 03358191245 • E-mail: atini@racine.ra.it
http: www.mediagraph.it/ca-de-gatti.htm

▲ H 10

Posizione geografica: collina (200 m).
Periodo di apertura: tutto l'anno.
Presentazione: l'edificio, ristrutturato di recente, risale all'anno 1000 e domina superbo i colli di Faenza e Brisighella. L'azienda sintetizza nella sua attività il nuovo e l'antico, le moderne tecniche di coltura e le produzioni tradizionali. Offre ospitalità in confortevoli camere doppie arredate in stile e in miniappartamenti per un totale di 18 posti letto.
Prodotti aziendali: olio extravergine di oliva, vino, frutta di stagione, confetture, miele.
Luoghi di interesse e manifestazioni locali: centri d'arte di Faenza con le sue ceramiche, Brisighella e Castrocaro note per le loro Terme, Ravenna, Bologna, Forlì e Firenze.
Prezzi: camera doppia da £ 40.000 a 60.000 a notte per persona, appartamento con 4 posti letto a £ 150.000 a notte (minimo 2 pernottamenti). Bambini fino 4 anni sconto del 50%. Per più notti i prezzi possono essere scontati.
Note: escursioni a piedi, corsi di natura culturale. Aree attrezzate per cerimonie, sala riunioni. Si accolgono animali domestici.

PEDRÓSOLA

via San Cassiano, 95 • 48020 S. CASSIANO DI BRISIGHELLA
☎ e fax 054686195
E-mail:pedrosola@libero.it

▲ I 10

Posizione geografica: montagna, fiume.
Periodo di apertura: dall'1 marzo al 15 gennaio.
Presentazione: l'antico edificio offre ospitalità in 3 camere con travi a vista e arredate con mobili antichi. Coltivazioni biologiche.
Prodotti aziendali: miele di acacia, tiglio, castagno, girasole, millefiori e melata di bosco, confetture di lamponi, ribes, josta, uva spina, more e sambuco.
Luoghi di interesse e manifestazioni locali: borgo medioevale

di Brisighella, Faenza, Vena del Gesso col parco del Carnè, grotta carsica della Tanaccia, sentieri CAI.
Prezzi: da £ 40.000 a 50.000 a persona.
Note: cambio biancheria e pulizia ogni 3 giorni. Si organizzano visite guidate agli alveari.

FRATELLI VALENTINI

via Adda, 3 • 48020 SAVIO
☎ e fax 0544939575

▲ **H 12**

Posizione geografica: mare.
Periodo di apertura: tutto l'anno.
Associato a: Terranostra.
Presentazione: costruzione rurale circondata da 2 ettari di terreno con frutteti, vigneti, cereali. Allevamento di cavalli. Offre ospitalità in 6 camere con bagno.
Prodotti aziendali: confetture, verdure biologiche.
Luoghi di interesse e manifestazioni locali: basilica di Classe, Ravenna, Mirabilandia, delta del Po. Feste estive a Lido di Classe.
Prezzi: da £ 40.000.
Note: prato per prendere il sole, piscina, equitazione. Biancheria, riassetto. Animali accolti previo accordo.

Reggio Emilia

LE SCUDERIE

via Donnino, 77 - loc. Regigno • 42033 CARPINETI
☎ 0522618397 ☎ e fax 0522816232

● **H 5**

Posizione geografica: collina.
Periodo di apertura: tutto l'anno.
Presentazione: vecchia casa colonica ristrutturata e adeguata alle esigenze dell'agriturismo. Accoglie ospiti in 7 camere, con bagno privato, per un totale di 30 posti letto.
Ristorazione: tortelloni verdi, riso e tagliatelle con funghi, selvaggina, funghi, dolci della casa.
Prodotti aziendali: formaggio parmigiano reggiano, pane cotto nel forno a legna.
Luoghi di interesse e manifestazioni locali: castello dell'anno 1000, borghi medioevali di interesse storico.
Prezzi: B&B a £ 45.000, H/B da £ 65.000 a 70.000, F/B da £ 80.000 a 85.000.
Note: maneggio, pensionamento cavalli e corsi d'equitazione. Visite guidate. Piscina e impianti sportivi nelle vicinanze.

IL GINEPRO

via Chies, 1 - Ginepreto
42035 CASTELNOVO NE' MONTI
☎ 0522611088 fax 0522812549

● **H 5**

Posizione geografica: montagna.
Periodo di apertura: aperto tutto l'anno, esclusa la settimana di Natale.
Associato a: Turismo Verde, Agriturist, Associazione Emilia Romagna.
Presentazione: costruzione rurale in azienda con 3 ettari di terreno boschivo e 2 a frutteto e coltivazioni varie. Accoglie ospiti in 4 camere, con bagno comune, disposte su due piani, per un totale di 24 posti letto e in 3 piazzole in agricampeggio per tende e camper.

Ristorazione: H/B, F/B, ristorante aperto al pubblico con 70 coperti. Cucina rustica montana, tortellini verdi, di patate, carciofi, brasati, arrosti, rosa di Parma, polenta, salumi nostrani, formaggi, coniglio con funghi, torte di tagliatelle.
Prodotti aziendali: confetture, dolci, funghi, tortelli, ravioli.
Luoghi di interesse e manifestazioni locali: Pietra di Bismantova, gessi triassici, pieve, torri, terre matildiche, castelli. In ottobre sagra della castagna e dei marroni, sagra del vino novello, in settembre sagra di San Michele.
Prezzi: da £ 35.000, pasto da £ 20.000 a 40.000. Riduzione del 50% per bambini dai 5 agli 8 anni, del 10% dai 9 ai 12 anni, del 10% per gruppi superiori alle 10 persone.
Note: sala riunioni per piccoli convegni, solarium, corsi di caseificazione, enologia, gastronomia, artigianato, osservazione ambientale. Orientamento, parapendio, deltaplano, calcetto, ping-pong, roccia, golf, piscina, tiro con l'arco, giochi all'aria aperta, equitazione, tennis, trekking e passeggiate, mountain bike. Durante l'inverno sci da discesa e da fondo. Possibilità di raccogliere castagne, frutti di bosco, funghi. Gradita la prenotazione. Telefono in comune, biancheria, prima colazione, riscaldamento.

NUOVA AGRICOLA RIVIERA

via Riviera - San Bernardino • 42017 NOVELLARA
☎ 0522668189 fax 0522668104

● **F 5**

Posizione geografica: pianura.
Periodo di apertura: tutto l'anno.
Presentazione: tenuta di 500 ettari appartenuta fin dal '500 alla famiglia Gonzaga. La costruzione principale offre ospitalità in 4 camere con bagno per un totale di 15 posti letto.
Ristorazione: la cucina offre piatti tipici del reggiano e del mantovano.
Prodotti aziendali: vino, insaccati, miele, ortaggi.
Luoghi di interesse e manifestazioni locali: Sabbioneta, Colorno, Carpi, zone matildiche, Mantova, Guastalla. In estate varie manifestazioni culturali.
Prezzi: da £ 30.000 a 35.000, pasto da £ 25.000 a 35.000.
Note: sala riunioni, vari sport nel periodo invernale, caccia, osservazione naturalistica. Golf, pesca, giochi all'aria aperta, trekking e passeggiate, mountain bike. Riassetto, pulizia camere. Animali accolti previo accordo.

SPIGONE

loc. Spigone • 42020 VETTO ☎ 0522815288

● **G 4**

Posizione geografica: collina.
Periodo di apertura: tutto l'anno, chiuso il lunedì.
Presentazione: azienda di 40 ettari, circondata da boschi, che coltiva castagni, frutti di bosco e alberi da frutta. Accoglie ospiti in 5 camere con bagno privato e in 1 appartamento.
Ristorazione: cucina tipica locale e vini di produzione propria.
Luoghi di interesse e manifestazioni locali: borghi medioevali.
Prezzi: F/B a £ 88.000, H/B a £ 78.000, B&B a £ 55.000. Pasto da £ 36.000 a 40.000 bevande escluse.
Note: prenotazione obbligatoria. Passeggiate, escursioni naturalistiche, canoa sul fiume Enza, mountain bike, ping-pong. Piscina estiva all'aperto a 8 km.

MONTEFALCONE

via Montefalcone, 8 - Pontenovo
42020 SAN POLO D'ENZA ☎ 0522874174

● **I 12**

Posizione geografica: collina (166 m).
Periodo di apertura: dal 15 aprile al 22 agosto, dal 10 settembre al 30 ottobre, dal 20 dicembre al 5 gennaio.
Associato a: Agriturist.
Presentazione: costruzione rurale attorniata da 4,43 ettari di terreno coltivati a frutteto e vigneto, con prati per allevamento cavalli, caprini e animali da cortile. Offre ospitalità in 3 camere da 2/3 posti letto, con bagno comune.
Ristorazione: H/B, F/B, B&B. Ristorante aperto al pubblico solo su prenotazione con disponibilità fino a 20 coperti al giorno. Gnocco fritto con salame, tigelle, lasagne, tortelli, cinghiale e selvaggina.
Prodotti aziendali: confetture, noci, conigli, capretti.
Luoghi di interesse e manifestazioni locali: oasi LIPU di Bianello, monastero di Montefalcone, rupe di Canossa, castello di Rossena, terre matildiche. Corteo storico matildico, festa delle castagne.
Prezzi: OR a £ 40.000, B&B a £ 45.000, H/B a £ 70.000, F/B a £ 90.000
Note: corsi di equitazione, osservazione ambientale, noleggio mountain bike, golf, giochi all'aria aperta, trekking e passeggiate, escursioni e visite guidate. Nelle vicinanze possibilità di praticare diversi sport, raccolta radicchio di campo, noci, castagne, funghi, amarene e ciliegie. Animazione per i bambini. Pensione cavalli privati. Telefono in comune, uso cucina, riscaldamento, sala comune, posto macchina. Animali accolti previo accordo.

SPARATE VECCHIA

**via Comunale Reggiolo, 2 – Sparate
42012 CAMPAGNOLA EMILIA
☎ 0522972442-0522210118 cell. 03356509006**

◆ **F 6**

Posizione geografica: pianura.
Periodo di apertura: tutto l'anno il venerdì e il sabato la sera, la domenica tutto il giorno.
Associato a: Agriturismo Emilia Romagna.
Presentazione: costruzione rurale circondata da 12 ettari di terreno con produzione cereali e allevamento galline, conigli, anatre, pesci.
Ristorazione: ristorante aperto al pubblico con 50 coperti. Piatti tipici della tradizione gonzaghesca e della vecchia tradizione culinaria locale.
Prodotti aziendali: miele, salumi, uova, pollame, pesce, vino.
Luoghi di interesse e manifestazioni locali: valli di Novellara, rocca di Reggiolo. Festa della polenta, del maiale, del lambrusco, delle erbe, del pesce di acqua dolce.
Prezzi: da £ 30.000 a 40.000. Riduzione del 15% per bambini fino ai 10 anni.
Note: accessibile agli handicappati. Prato per prendere il sole. Corsi di gastronomia. Passeggiate, escursioni a cavallo, pesca.

VILLABAGNO

**via Nello Lasagni, 29 – Bagno • 42100 REGGIO EMILIA
☎ e fax 0522343188**

◆ **F 6**

Posizione geografica: alta pianura.
Periodo di apertura: tutto l'anno, escluso il lunedì.
Associato a: Agriturist, Turismo Emilia Romagna.
Presentazione: interessante costruzione rurale circondata da un parco con roseto e stagno e da 5 ettari in parte coltivati a ortaggi, in parte con ciliegi. Allevamento cavalli.
Ristorazione: ristorante di 40 coperti invernali, il doppio nel periodo estivo. Zuppe, tortelli d'erbetta e di zucca, specialità dell'orto, faraone e pollastrine in tegame.
Prodotti aziendali: farine, frutta di stagione, ortaggi, confetture, sottaceti.
Luoghi di interesse e manifestazioni locali: terre matildiche, Scandiano, oasi di Marmirolo, Reggio, Modena, Parma, Mantova. Festa dei vini frizzanti, festa del tartufo, festa di Scandiano a marzo.
Prezzi: da £ 35.000 a 40.000.
Note: giardinaggio, corso "La cucina delle erbe". Salette per riunioni.

Rimini

IL GRILLO BIANCO

**loc. Misano Monte • 47046 MISANO ADRIATICO
☎ e fax 0541600745**

● **L 13**

Posizione geografica: collina (100 m).
Periodo di apertura: da aprile a settembre.
Associato a: Agriturist.
Presentazione: casa di campagna in azienda di 7 ettari con coltivazioni di ortaggi, viti e alberi da frutto. Accoglie ospiti in 8 camere, con bagno privato, per un totale di 20 posti letto.
Ristorazione: ristorante aperto al pubblico. Cucina romagnola, pasta fatta in casa e carne.
Prodotti aziendali: ciliegie, albicocche, mele, prugne, uva.
Luoghi di interesse e manifestazioni locali: Gradara, San Leo, Urbino, Gabicce, San Marino, località balneari. Numerose manifestazioni secondo un calendario annuale del comune.
Prezzi: B&B a £ 35.000, H/B a £ 55.000, F/B a £ 65.000. Pasto da £ 25.000 a 40.000.
Note: ideale per passeggiate naturalistiche. Pulizia e biancheria.

IL CAMPANACCIO

**via Casiccio, 5 • 47040 MONTE COLOMBO
☎ 0541984643**

● **L 12**

Posizione geografica: collina.
Periodo di apertura: tutto l'anno, esclusi i mesi di ottobre e novembre.
Associato a: Agriturist, Terranostra, Turismo Verde.
Presentazione: costruzione rurale, circondata da 4 ettari a vigneto, oliveto, frutteto, ortaggi. Allevamento di animali di bassa corte. Offre ospitalità in 6 camere con bagno per un totale di 25 posti letto.
Ristorazione: H/B, F/B, B&B, ristorante aperto al pubblico con 60 coperti. Cucina tipica romagnola e marchigiana.
Prodotti aziendali: confetture, dolci, frutta, olio, ortaggi, pollame, uova, vini.

Luoghi di interesse e manifestazioni locali: San Marino, San Leo, Gradara, Mondaino, Montefiore, Montegridolfo, Valconca. Ricostruzioni storiche nei vari mesi dell'anno, sagre e manifestazioni durante tutto il periodo estivo.

Prezzi: da £ 20.000 a 40.000, pasto da £ 20.000 a 50.000. Riduzioni del 20% per bambini sotto i 10 anni.

Note: osservazione ambientale e naturalistica, enologia, settimane a cavallo, ping-pong, golf, pesca, giochi all'aria aperta, equitazione, trekking e passeggiate, mountain bike. Raccolta di frutti di bosco, castagne, more di gelso. Necessaria la prenotazione. Biancheria.

PALAZZO MARCOSANTI

via Ripa Bianca, 441 - Sant'Andrea • 47030 POGGIO BERNI
☎ e fax 0541629522

● **L 12**

Posizione geografica: collina.
Periodo di apertura: tutto l'anno, solo su prenotazione.
Associato a: Agriturist.
Presentazione: fortezza malatestiana di fine 1200, in azienda di 3 ettari che alleva animali di bassa corte, coltiva alberi da frutto e ortaggi esclusivamente biologici. Accoglie ospiti in 2 camere con bagno privato per un totale di 4 posti letto.

Ristorazione: ristorante aperto al pubblico su prenotazione. Cucina romagnola preparata con i prodotti aziendali.

Luoghi di interesse e manifestazioni locali: San Marino, Sant'Arcangelo, San Leo, Verucchio. Teatro in piazza e numerose sagre paesane nel periodo estivo.

Prezzi: B&B a £ 190.000 camera doppia, £ 150.000 camera singola. Pasto a £ 40.000.

Note: nelle vicinanze tennis, golf e pesca sportiva. Pulizia e cambio biancheria. Animali accolti previo accordo.

CASE MORI

via Monte l'Abbate, 9 - loc. San Martino Monte l'Abbate
47851 RIMINI
☎ e fax 0541731262

● **I 13**

Posizione geografica: collina, mare.
Periodo di apertura: dal 15 marzo al 15 febbraio. Chiuso lunedì.
Presentazione: casa colonica di inizio '900 recentemente ristrutturata in azienda di 22 ettari coltivati a vigneto, uliveto, cereali, ortaggi e bosco. Offre ospitalità in 4 camere con bagno privato per un totale di 10 posti letto.
Ristorazione: piatti tipici della tradizione romagnola.
Prodotti aziendali: vino, olio, ortaggi.
Luoghi di interesse e manifestazioni locali: San Marino, San Leo.
Prezzi: B&B da £ 50.000 a 90.000, £ 120.000 in camera doppia. Pasto da £ 40.000 a 45.000, menu di pesce da £ 50.000 a 55.000. Gratis per i bambini fino a 3 anni, sconto del 50% dai 3 ai 10 anni. Sconto del 30% oltre i 70 anni.
Note: solo su prenotazione. Trekking e passeggiate, osservazione naturalistica, mountain bike. Nelle vicinanze si trovano un maneggio, il tiro a segno, la piscina

coperta, campi da tennis e da calcetto e si possono praticare sport di mare. Cambio biancheria, lavanderia. Parcheggio. Si accolgono animali.

CENTRO BIOLIFE

via San Salvatore, 29 • 47037 RIMINI
☎ 0541730204

● **I 13**

Periodo di apertura: ristorazione tutto l'anno, alloggio dal 18 aprile al 18 gennaio.
Presentazione: azienda gestita da agricoltori di origine milanese, dediti a questa attività dal 1978. Accoglie ospiti in 1 camera con bagno per un totale di 2 posti letto.

Ristorazione: piadina romagnola, prosciutto e vino Sangiovese.
Prodotti aziendali: ciliege.
Prezzi: OR da £ 80.000 a 150.000.
Note: esposizione di vecchi attrezzi agricoli e quadri disegnati a china.

TORRE DEL POGGIO

via dei Poggi, 2064 • 47040 SALUDECIO
☎ 0541857190 fax 0541955195

● **L 13**

Posizione geografica: mare.
Periodo di apertura: da novembre al 15 settembre.
Presentazione: azienda di 10 ettari che coltiva barbabietole, viti, cereali, erbe officinali e olive. Accoglie ospiti in 4 camere con bagno privato per un totale di 7 posti letto.
Ristorazione: cucina tipica locale.
Prodotti aziendali: vino D.O.C., erbe officinali, olio extravergine d'oliva, grano, verdura e lavanda.
Luoghi di interesse e manifestazioni locali: San Marino, Sant'Arcangelo e San Leo.
Prezzi: OR da £ 31.000 a 36.000, H/B da £ 56.000 a 60.000. Pasto da £ 25.000 a 35.000.
Note: possibilità di partecipare ai lavori in azienda. Osservazione ambientale. Ping-pong e bocce. Riscaldamento centralizzato, biancheria, telefono, parcheggio e sala lettura. Non si accolgono animali.

LE CASE ROSSE

via Tenuta Amalia, 141 - Villa Verucchio
47827 VILLA VERUCCHIO ☎ e fax 0541678123

▲ **L 12**

Posizione geografica: entroterra riminese a 13 km dal mare.
Periodo di apertura: annuale. Chiusura a gennaio.
Associato a: Agriturist.
Presentazione: edificio rustico ristrutturato di fine '800, arredato con mobili d'epoca, in azienda di 170 ettari che coltiva viti, cereali e alberi da frutta. Accoglie ospiti in 6 camere doppie con bagno privato.
Prodotti aziendali: vino e marmellata.
Luoghi di interesse e manifestazioni locali: San Leo, Montebello, Verucchio, Sant'Arcangelo. Festival a Sant'Arcangelo in luglio, varie sagre nel periodo estivo.
Prezzi: B&B da £ 120.000 a 140.000 (camera doppia).
Note: nelle vicinanze ristorante, maneggio e campo da golf con 18 buche. Biciclette comprese nel prezzo. Pulizia e cambio biancheria. Si accolgono animali di piccola taglia.

Toscana

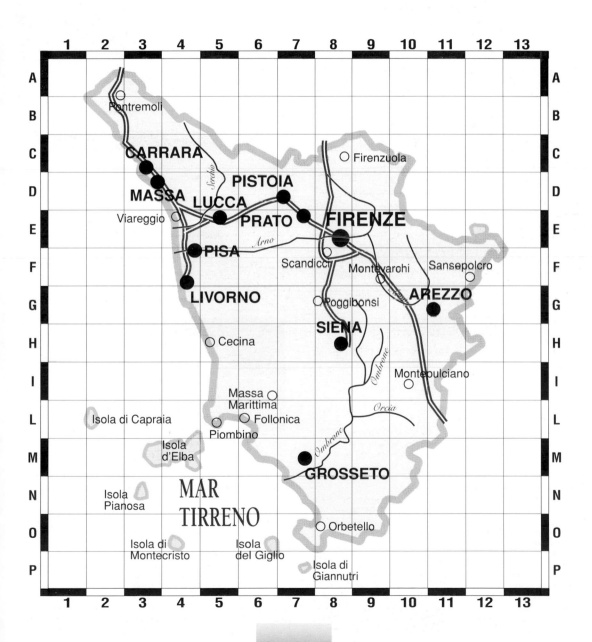

Arezzo

CA' FAGGIO

loc. Toppole di Sucignano, 42 • 52031 ANGHIARI
☎ 0575749025
F 11

Posizione geografica: collina.
Periodo di apertura: tutto l'anno.
Associato a: Agriturist.
Presentazione: tipica costruzione rurale su 100 ettari biologicamente coltivati a cereali, ortaggi, frutteto, vigneto, oliveto. Dispone di 4 appartamenti, ciascuno con 4 posti letto, bagno, cucina, riscaldamento autonomo, arredamento curato.
Ristorazione: H/B.
Prodotti aziendali: confetture, frutta, ortaggi, olio e vino.
Luoghi di interesse e manifestazioni locali: Perugia, Arezzo, San Sepolcro, Madonna del Parto e museo di Piero della Francesca. Festa del Baldino, "Scampanata", sagra della castagna, sagra del fungo, mostra del merletto.
Prezzi: appartamento da £ 90.000 a 140.000. Pasto da £ 20.000 a 25.000.
Note: sala riunioni disponibile. Barbecue. Piscina, pesca, trekking e passeggiate, mountain bike. Raccolta castagne, funghi, frutti del bosco. Biancheria, pulizie, riscaldamento, uso piscina e aree comuni. Animali accolti previo accordo.

CASENTINESE

loc. Casanova, 63 – Banzena • 52011 BIBBIENA
☎ e fax 0575594806
 F 10

Posizione geografica: collina (500 m).
Periodo di apertura: tutto l'anno.
Associato a: Terranostra.
Presentazione: tipica costruzione rurale su 300 ettari coltivati a cereali e foraggi. Allevamento di equini di razza purosangue araba e bovini da carne. Offre ospitalità in 3 camere con bagno e in 2 appartamenti per un totale di 10 posti letto con bagno, cucina con frigorifero, televisione.
Ristorazione: H/B e F/B per permanenze minimo 3 giorni. Ristorante aperto al pubblico con 30 coperti. Piatti della cucina tipica toscana.
Luoghi di interesse e manifestazioni locali: santuario della Verna, monastero di Camaldoli, castello di Poppi, parco delle Foreste casentinesi. Festa del porcino in agosto.
Prezzi: alloggio a partire da £ 50.000. Pasto da £ 25.000 a 35.000.
Note: ambiente ideale per soggiorni relax, escursioni e passeggiate naturalistiche. Osservazione ambientale, mountain bike. Raccolta di funghi e castagne. Sala riunioni disponibile. Saletta bar con servizio telefonico e di fax. Possibilità di organizzare banchetti, colazioni d'affari, cene sociali, incontri conviviali. Scuola di equitazione anche per bambini. Cinema nelle vicinanze. Biancheria, riscaldamento, parcheggio. Animali accolti previo accordo.

LA CAPRAIA

loc. Capraia - fraz. Pulicciano
52020 CASTELFRANCO DI SOPRA
☎ 0559149500 fax 0559148991
http:www.borgolacapraia.com
 **F 9**

Posizione geografica: collina.
Periodo di apertura: tutto l'anno.
Presentazione: antico borgo rurale del XIII secolo su 21 ettari di uliveto. Offre ospitalità in 13 appartamenti per un totale di 30 posti letto.

Ristorazione: riservata agli ospiti con 30 coperti. Cucina tipica toscana.
Prodotti aziendali: olio, confetture, miele, uova, funghi, vino.
Luoghi di interesse e manifestazioni locali: Firenze, Siena, Arezzo, pievi romaniche, museo paleontologico. "Festa del Perdono" in agosto, sagra dell'olio in novembre, fiera dell'artigianato in settembre.
Prezzi: alloggio da £ 50.000 a 70.000 a persona, gratis per bambini fino a 3 anni, da 3 a 8 anni sconto del 50%. H/B da £ 100.0000 a 120.000 a persona.
Note: zona panoramica, ideale per relax e passeggiate. Possibile soggiorno anche per una sola notte secondo disponibilità. Osservazione ambientale, ping-pong, prato per prendere il sole, piscina, giochi all'aria aperta, mountain bike, trekking e passeggiate, escursioni e visite guidate. Teatro nelle vicinanze. Raccolta castagne e funghi. Sala comune, parcheggio coperto.

PRATICINO

loc. Praticino • 52020 CASTELFRANCO DI SOPRA
☎ 0559149726 • e fax 0559149797
E-mail:praticino@val.it
F 9

Posizione geografica: montagna (800 m).
Periodo di apertura: tutto l'anno, chiuso dal 14 gennaio al 14 marzo.
Associato a: Agriturist.
Presentazione: azienda con coltivazioni biologiche e boschive in area biologicamente protetta e soggetta a vincolo ambientale. Offre ospitalità in 8 miniappartamenti, arredati in stile rustico toscano, posti in due casali ristrutturati. La sala ristorante è stata suggestivamente ricavata dalle antiche stalle dell'azienda.
Ristorazione: genuina e tradizionale cucina toscana.
Prodotti aziendali: marmellate, miele, ortaggi biologici.
Luoghi di interesse e manifestazioni locali: Firenze (38 km), Arezzo (40 km), Siena (60 km).
Prezzi: alloggio in alta stagione da £ 750.000 a 1.300.000 a settimana, negli altri periodi da £ 80.000 a 230.000 a notte.
Note: piscina, ping-pong, mountain bike, parapendio, trekking guidato.

PIEVUCCIA

Santa Lucia, 118 • 52043 CASTIGLION FIORENTINO
☎ e fax 0575651007
 G 10

Posizione geografica: collina.
Periodo di apertura: tutto l'anno, chiuso dal 16 gennaio al 15 febbraio.
Associato a: Terranostra.
Presentazione: tipica costruzione rurale su 20 ettari a coltivazione biologica, tra vigneto e oliveto. Allevamento di animali da cortile. Accoglie ospiti in 1 appartamento per 6 persone con 2 bagni, cucina attrezzata e caminetto e in 3 monolocali con uso cucina, da 2 persone. Ingressi indipendenti, sala televisione in comune. TV in camera.
Ristorazione: H/B in ristorante aperto al pubblico con 30 coperti. Zuppa di farro ai funghi, ribollita, uso di erbe aromatiche e officinali.
Prodotti aziendali: confetture, dolci, frutta, miele, olio, vino e vin santo, ortaggi, uova, salumi, pane fatto in casa.
Luoghi di interesse e manifestazioni locali: pievi romaniche, castello di Montecchio, Cortona, lago Trasimeno. Palio dei Rioni a giugno, sacre rappresentazioni a Pasqua, "Maggio castiglionese".
Prezzi: alloggio da £ 30.000 a 60.000 compresa biancheria. Pasto da £ 30.000 a 50.000, H/B £ 45.000. Alloggio omaggio per bambini fino a 3 anni, sconto 30% per bambini da 3 a 10 anni.
Note: accessibile agli handicappati. Prenotazione obbligatoria, permanenza minima 3 giorni. Soggiorno ideale per relax, giardino fiorito e spazi all'aperto attrezzati con panchine, dondoli, tavoli, amache, giochi all'aria aperta, mountain bike, escursioni e visite guidate. Due forni a legna e grill all'aperto. Piscina. Raccolta asparagi, castagne, funghi, tartufi, frutti del bosco. Sala riunioni disponibile. Vasto prato per prendere il sole. Corsi di degustazione vini, cucina, pittura, ceramica, apicoltura. Osservazione ambientale. Animazione e biciclette. Nelle vicinanze cinema, tennis, maneggio e piscina comunale. Posizione panoramica. Cordialità familiare. Corsi di italiano per ospiti stranieri. Animali accolti previo accordo.

PODERE RONCO BIFORCO

loc. Ronco, 6 - fraz. Biforco
53043 CHIUSI DELLA VERNA ☎ e fax 0575518182

● **F 11**

Posizione geografica: montagna.
Periodo di apertura: tutto l'anno.
Associato a: Terranostra.
Presentazione: tipica costruzione rurale su 75 ettari tra pascoli e boschi. Allevamento cavalli di razza Quarter Horse. Offre ospitalità in 3 camere e in 3 piazzole per agricampeggio, tutti con bagni in comune.
Ristorazione: H/B con pasto abbondante. Insalate fresche e cucina vegetariana su richiesta.
Prodotti aziendali: confetture, conserve.
Luoghi di interesse e manifestazioni locali: santuario della Verna, eremo di Camaldoli. Sagre e concerti di musica classica.
Prezzi: B&B a £ 45.000, H/B a £ 70.000. Gratis i bambini fino a 3 anni. Sconto 30% a bambini fino a 12 anni purché alloggiati nella stessa stanza. Pasto a £ 25.000.
Note: prenotazione obbligatoria. Ambiente familiare, ideale per soggiorno relax o vacanza fitness con istruttori diplomati. Settimana con alimentazione e terapie naturali e programma per il controllo del peso. Servizio di fax. Corsi di equitazione western con istruttori diplomati. Per i bambini, corso di avvicinamento al cavallo e ampi spazi per giocare all'aria aperta. Raccolta di castagne, funghi, erbe aromatiche, trekking e passeggiate. Nelle vicinanze cinema, discoteche, golf, piscina coperta. Sala e telefono in comune.

CA' DE CARLICCHI

Teverina, c. s. 80 • 52044 CORTONA ☎ 0575616091

● **M 11**

Posizione geografica: montagna.
Periodo di apertura: tutto l'anno.
Associato a: Terranostra.
Presentazione: tipiche costruzioni in pietra, ristrutturate, su un'area coltivata a cereali, oliveto e bosco. Allevamento di ovini. Offre ospitalità in una casa con cucina, salotto, doppi servizi e 6 posti letto, un appartamento con bagno, angolo cucina e 3 posti letto, 1 dependance con bagno e 2 posti letto.
Ristorazione: H/B. Specialità a base di agnello, tartufi, funghi.
Prodotti aziendali: olio, ortaggi biologici.
Luoghi di interesse e manifestazioni locali: Cortona, San Sepolcro, lago Trasimeno, musei e monasteri. Sagra della bistecca a Cortona a Ferragosto, mercato dell'antiquariato ogni mese ad Arezzo, sagra del fungo a San Leo Bastia in agosto.
Prezzi: alloggio in casa e appartamento a £ 55.000 per persona a notte compresi biancheria, gas e riscaldamento. Dependance a £ 95.000. Pasto £ 35.000.
Note: prenotazione obbligatoria. Permanenza minima 2 giorni

per la dependance, 1 settimana per la casa e l'appartamento. Si parlano italiano, tedesco, inglese. Ideale per passeggiate naturalistiche. Raccolta di funghi. Ping-pong, piscina, giochi all'aria aperta, mountain bike. Nelle vicinanze equitazione. Animali accolti previo accordo.

I PAGLIAI

via Montalla, 23 - loc. Campaccio • 52044 CORTONA
☎ e fax 0575603676

● **M 11**

Posizione geografica: collina.
Periodo di apertura: tutto l'anno.
Associato a: Terranostra.
Presentazione: tipica costruzione rurale in pietra faccia a vista su 25 ettari coltivati a cereali, vigneto, uliveto. Offre ospitalità in 2 camere con bagno, in appartamenti e interi casali, per un totale di 23 posti letto, dotati di telefono, cucina con frigorifero.
Ristorazione: su richiesta e prenotazione. Bistecca alla fiorentina, pizze e specialità toscane cucinate in forno a legna dell'800.
Prodotti aziendali: vino, olio, miele, confetture, vin santo.
Luoghi di interesse e manifestazioni locali: città d'arte (Siena, Arezzo, Firenze, Perugia, Assisi). Sagra della bistecca fiorentina, "Giostra dell'Archidato" in maggio, mostra nazionale del mobile antico in settembre.
Prezzi: alloggio da £ 30.000 a 50.000. Pasto da £ 25.000 a 45.000. Sconti per gruppi e famiglie per lunghi periodi.
Note: grandi spazi esterni, prati per prendere il sole, sala riunioni disponibile. Osservazione ambientale, trekking e passeggiate, escursioni e visite guidate, mountain bike. Corsi di lingue straniere e di gastronomia. Aquiloni e osservazione animali per bambini. Servizio di baby sitting. Raccolta di funghi, more, prodotti del bosco. Pallavolo. Maneggio convenzionato nelle vicinanze. Accoglienza cordiale. Biancheria, pulizie, riscaldamento, sala e forno a legna in comune. Indirizzare corrispondenza in via San Marco in Villa 12/a, Cortona.

FATTORIA LE GIARE

fraz. Fratticciola, 36 • 52044 CORTONA
☎ e fax 0575638063

● H 11

Posizione geografica: collina.
Periodo di apertura: tutto l'anno.
Presentazione: tipico casale completamente ristrutturato. Offre ospitalità in 8 appartamenti dotati di camere con bagno, cucina e ogni comfort.
Ristorazione: H/B per gruppi da 15 persone minimo. Cucina tipica cortonese.
Prodotti aziendali: confetture, dolci, frutta, olio, vino e vin santo, uova, formaggi, ortaggi.
Luoghi di interesse e manifestazioni locali: Cortona, Arezzo, Assisi, Gubbio, Siena, Pienza, Montalcino. Mostra del carro agricolo a Fratticciola in ottobre, fiera antiquariato ad Arezzo, manifestazioni varie a Cortona tutto l'anno.
Prezzi: alloggio da £ 30.000 a 50.000. Pasto da £ 20.000 a 25.000.
Note: ideale per soggiorno relax, trattamento familiare e cordiale. Bocce, calcio, pallavolo, ping-pong, piscina, giochi all'aria aperta, equitazione, tennis, mountain bike, golf. Corsi di cucina. Settimana dell'uva in ottobre e dell'olio in novembre e dicembre. Ampio giardino fiorito. Forno a legna e barbecue. Telefono e salone in comune, pulizia, biancheria noleggiabile.

FATTORIA MONTELUCCI

via Montelucci, 24 • 52020 PERGINE VALDARNO
☎ 0575896525 fax 0575896315

● G 10

Posizione geografica: collina.
Periodo di apertura: dall'1 marzo al 6 gennaio.
Associato a: Agriturist.
Presentazione: fattoria, villa padronale e case coloniche in riserva di caccia e area coltivata a oliveto e vigneto. Offre ospitalità in 10 camere con bagno e in 5 appartamenti.
Ristorazione: H/B e F/B in locale riservato agli ospiti. Cucina tipica toscana.
Prodotti aziendali: olio extravergine, vino.
Luoghi di interesse e manifestazioni locali: Siena, Arezzo, Firenze, Perugia, lago Trasimeno. Palio di Siena, Giostra del Saracino, fiera dell'antiquariato ad Arezzo.
Prezzi: alloggio in camera a partire da £ 50.000, in appartamento fino a £ 30.000. Pasto da £ 25.000 a 30.000 escluso bevande. Alloggio gratuito per i bambini fino a 2 anni. Sconto 25% per i bambini dai 3 a 12 anni. Sconto del 10% per letto aggiunto.
Note: accessibile agli handicappati. Possibilità sala riunioni. Prato attrezzato per prendere il sole. Raccolta di funghi. Biliardo, calcetto, mountain bike. Biancheria e pulizia giornaliera nelle camere, acqua, luce e gas in appartamento. Animali accolti previo accordo.

PODERE SAN PIETRO E PODERE SAN ROCCO

loc. Gli Ori • 52026 PIAN DI SCO' ☎ e fax 055960696

● F 9

Posizione geografica: collina (da 400 a 1.200 m).
Periodo di apertura: da fine marzo al 6 gennaio.
Associato a: Agriturist e TCI.
Presentazione: antica casa colonica ristrutturata immersa

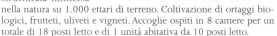

nella natura su 1.000 ettari di terreno. Coltivazione di ortaggi biologici, frutteti, uliveti e vigneti. Accoglie ospiti in 8 camere per un totale di 18 posti letto e 1 unità abitativa da 10 posti letto.
Ristorazione: B&B, H/B, F/B solo per gruppi. Cucina toscana, internazionale e vegetariana.
Prodotti aziendali: olio, vino e vin santo.
Luoghi di interesse e manifestazioni locali: pievi romaniche, Firenze, Arezzo, Siena, attrazioni naturalistiche. Numerose manifestazioni locali nei mesi estivi.
Prezzi: OR oltre £ 50.000. B&B a £ 70.000. H/B a £ 100.000. Pasto da £ 25.000 a 50.000 (per ospiti di San Rocco). Gratis per bambini fino a 1 anno, riduzioni fino a 14 anni.
Note: corsi di cucina, pittura, lavorazione vetro, yoga e fotografia. Settimane di trekking con guida. Mountain bike, maneggio e parapendio nelle vicinanze. Raccolta di castagne, funghi, piante ed erbe medicinali, frutti di bosco. Si accettano cani se educati e sorvegliati.

FATTORIA DI MOGGINANO

loc. Mogginano • 52036 PIEVE SANTO STEFANO
☎ e fax 0575790107

● E 11

Posizione geografica: montagna (700 m).
Periodo di apertura: tutto l'anno.
Associato a: Terranostra, Agriturist, Turismo Verde, Vacanze Verdi.
Presentazione: fattoria di 500 ettari di prato, bosco e pascolo. Allevamento semibrado di bovini di razza chianina, ovini, equini e animali da cortile. Offre ospitalità all'interno dell'antico borgo della fattoria in case coloniche in pietra indipendenti dotate di caminetto, riscaldamento autonomo, giardino.
Ristorazione: nell'antica chiesetta sconsacrata. La cucina casalinga con i prodotti dell'azienda è riservata ai soli ospiti della fattoria.
Prodotti aziendali: miele, ortaggi, uova, carni, formaggi, frutta.
Luoghi di interesse e manifestazioni locali: Anghiari, Sansepolcro, La Verna, Arezzo, Assisi, Gubbio, Perugia, Todi, Firenze. Fiera antiquariato ad Arezzo ogni prima domenica del mese.
Prezzi: alloggio da £ 60.000 a 75.000 per persona. Pasto da £ 35.000 a 40.000. Riduzioni da concordarsi per gruppi numerosi.
Note: accessibile agli handicappati. Prenotazione obbligatoria. Ideale per passeggiate a piedi o a cavallo e per godere una vita sana e tranquilla di campagna. Raccolta di castagne, funghi, fragoline di bosco. Laghetto per balneazione, bocce, ping-pong, biliardo, pesca, equitazione, trekking e passeggiate. Per

bambini si organizzano vacanze verdi in giugno e luglio. Corsi di equitazione, possibilità di assistere o partecipare ai lavori della fattoria. Biancheria, pulizia, riscaldamento.

IL SEGALARE

loc. Il Segalare • 52036 PIEVE SANTO STEFANO
☎ 0575797228 fax 0575797053

● **E 11**

Posizione geografica: collina. **Periodo di apertura:** tutto l'anno. **Associato a:** Agriturist. **Presentazione:** tipiche costruzioni in posizione dominante sulla Valtiberina, offre ospitalità in casolari indipendenti, con o senza piscina, da 2 a 8 posti letto ciascuno.

Ristorazione: cucina tradizionale toscana. Funghi e tartufi.

Prodotti aziendali: pecorino, marmellate, ortaggi, vino, uova, conserve, frutta.

Luoghi di interesse e manifestazioni locali: santuario della Verna, Camaldoli, Gubbio, Assisi, Sansepolcro, Anghiari, Todi, riserva naturale del Casentino. Palio della balestra, sagra della castagna, fiera del fungo e del tartufo, mercato dell'artigianato ad Arezzo.

Prezzi: alloggio da £ 20.000 a 50.000. Pasto (3 portate) a £ 35.000. Gratis per bambini in culla.

Note: accessibile agli handicappati. Riserva di caccia. Coltivazioni biologiche controllate, ambiente ideale per relax e vacanze culturali. Birdwatching. Passeggiate con raccolta di more, nespole, lamponi, castagne, sorbe. Piscina per bambini. Pesca, equitazione, tennis, trekking, mountain bike. Telefono in comune.

SANT'APOLLINARE

loc. Sant'Apollinare • 52036 PIEVE SANTO STEFANO
☎ e fax 0575799112

● **E 11**

Posizione geografica: collina.

Periodo di apertura: tutto l'anno.

Associato a: Turismo Verde e Agriturist.

Presentazione: casa padronale in pietra su 180 ettari coltivati. Allevamento di equini e ovini. Offre ospitalità in 11 camere con bagno per un totale di 30 posti letto.

Ristorazione: H/B e F/B in ristorante aperto al pubblico con 30 coperti al massimo. Pasta fatta in casa, agnello alle erbe.

Prodotti aziendali: confetture, frutta e funghi.

Luoghi di interesse e manifestazioni locali: santuario della Verna, parco naturale delle foreste casentinesi. Sagra della castagna, mostra antiquariato, sagra dei funghi e del tartufo.

Prezzi: B&B da £ 50.000. Pasto da £ 20.000 a 30.000. Sconto del 50% per bambini da 3 a 10 anni. Soggiorno omaggio per bambini fino a 3 anni. Sconto del 10% per gruppi di 15 o più persone.

Note: accessibile agli handicappati. Cinema e teatro nelle vicinanze. Corsi di gastronomia e teatro. Osservazione ambientale, pesca, giochi all'aria aperta, equitazione, trekking e passeggiate, mountain bike. Campi avventura per ragazzi. Raccolta di castagne, funghi e frutti di bosco. Sala riunioni disponibile, sale comuni. Biancheria, pulizie, riscaldamento. Animali accolti previo accordo.

LA CASELLA

via Becarino, 37 • 52014 POPPI
☎ e fax 057552421

● **F 10**

Posizione geografica: collina.

Periodo di apertura: tutto l'anno, solo su prenotazione.

Associato a: Lega VISP Equitazione.

Presentazione: tipica costruzione rurale su 7 ettari di cui 5 a seminativo e 2 a bosco. Accoglie ospiti in 1 appartamento e in 2 camere, con bagno comune, per un totale di 8 posti letto.

Ristorazione: H/B. Cucina tipica toscana.

Prodotti aziendali: confetture, verdure, frutta, pollame, uova e miele.

Luoghi di interesse e manifestazioni locali: pievi e castelli romanici, parco foreste casentinesi, Prato Magno, monastero Camaldoli e la Verna. Varie sagre nel periodo estivo e manifestazioni musicali.

Prezzi: £ 40.000 per persona al giorno. Pasto da £ 15.000 a 30.000. Gratis per bambini fino a 4 anni.

Note: equitazione, tiro con l'arco, giochi all'aria aperta. Baby sitting. Prato per prendere il sole. Nelle vicinanze piscina, ten-

nis, golf, discoteca, ristoranti e pizzerie. Raccolta di castagne, frutti di bosco e funghi. Telefono comune, biancheria, pulizia e riassetto. Animali accolti previo accordo.

LA CHIUSA

loc. Gaviserri, 1 • 52015 PRATOVECCHIO
☎ e fax 0575509066

● **E 10**

Posizione geografica: montagna.

Periodo di apertura: tutto l'anno.

Presentazione: grande casa rurale dell'Ottocento eretta sui resti dell'antica sede dell'Oratorio camaldolese di Sant'Egidio risalente all'XI secolo. Accoglie ospiti in 6 grandi camere, di cui 1 con bagno privato e 5 con bagno comune, per un totale di 30 posti letto. Si allevano principalmente lepri da ripopolamento ma anche galline, cavalli e pecore.

Ristorazione: H/B, F/B. Piatti tipici come l'acqua cotta, i tortelli 'gnudi, la scottiglia, i tradizionali arrosti e le grigliate di carni miste, i crostini toscani e buonissimi dolci.

Prodotti aziendali: miele biologico, marmellate, condimenti aromatizzati.

Luoghi di interesse e manifestazioni locali: castello di Poppi, parco nazionale delle foreste casentinesi, eremo e monastero di Camaldoli, santuario della Verna. Biennale internazionale del ferro battuto in anni dispari a inizio settembre, "Le forme del legno" in anni pari a fine agosto, mostra della pietra lavorata la seconda e terza settimana di settembre.

Prezzi: B&B da £ 35.000 a 45.000, H/B da £ 57.000 a 67.000, F/B da £ 73.000 a 83.000. Sconto del 10% per gruppi e dal 25 al 50% per bambini.

Note: trekking e attività naturalistiche. Si organizzano soggiorni didattico-educativi e ricreativi per ragazzi. Nel raggio di 10 km si trovano piscina, campi da tennis e da golf, maneggio, musei naturalistici e si può praticare la pesca sportiva. Cambio biancheria ogni sette giorni. Si accolgono animali.

VIOLINO

loc. Gricignano, 99 • 52037 SANSEPOLCRO
☎ e fax 0575720174

● **F 12**

Posizione geografica: fiume.
Periodo di apertura: tutto l'anno.
Associato a: Agriturist, Terranostra, FISE, GIV.
Presentazione: tipico podere rurale. Accoglie ospiti in camere doppie, con bagno privato, per un totale di 20 posti letto.
Ristorazione: H/B, F/B e ristorante alla carta, chiuso la domenica sera e il lunedì. Cucina tipica toscana.
Luoghi di interesse e manifestazioni locali: Sansepolcro, Monterchi, Citerna, Anghiari, Città di Castello. Palio della balestra in settembre, fiere di mezza Quaresima, festa della castagna, fiera dell'antiquariato la prima domenica di ogni mese.
Prezzi: OR oltre £ 50.000. Pasto da £ 20.000 a 50.000. Riduzione del 30% per bambini fino a 10 anni, del 35% per letto aggiunto. Dal 6 novembre al 30 maggio per 3 notti di alloggio 1 gratis, escluso Natale, Capodanno, Pasqua, week-end dell'8 dicembre e Primo maggio.
Note: ideale per organizzare settimane a cavallo, passeggiate naturalistiche e soggiorni di relax. Corsi d'equitazione, volteggio, passeggiate per tutte le età e i livelli. Mountain bike, ping-pong, calcetto, piscina, animazione. Prato per prendere il sole. Raccolta di frutti di bosco, funghi e tartufi. Nelle vicinanze pesca sportiva, tiro al piattello, tiro a segno, canoa e tennis. Biancheria, pulizia, riassetto, telefono e televisione in camera, riscaldamento, prima colazione, sala comune e parcheggio per auto. Animali accolti previo accordo.

CASINA DELLA BURRAIA

via La Casina della Burraia, 70 • 52010 SUBBIANO
☎ 0575487193 fax 057526055

● **F 11**

Posizione geografica: montagna (800 m).
Periodo di apertura: tutto l'anno.
Associato a: Turismo Verde e ANTE.
Presentazione: casa colonica posta nel mezzo di una riserva naturale. Allevamento di cavalli maremmani e arabi. Offre ospitalità in 9 camere.
Ristorazione: H/B e F/B. Cucina toscana casentinese e vegetariana.
Prodotti aziendali: conserve e salumi.
Luoghi di interesse e manifestazioni locali: monastero di Camaldoli, La Verna, Poppi, Anghiari, Cortona, Arezzo. Fiera antiquaria ogni primo sabato e domenica del mese, Giostra del Saracino in giugno e settembre, varie sagre paesane.
Prezzi: alloggio fino a £ 30.000 compresa biancheria ed esclusi asciugamani. Sconto 20% per bambini da 6 a 12 anni.
Note: prenotazione obbligatoria. Per ragazzi da 8 a 16 anni si organizzano settimane a cavallo. Ping-pong. Raccolta di castagne, funghi, frutti di bosco. Giochi all'aria aperta, trekking e passeggiate.

VILLA LA SELVA

loc. Montebenichi • 52020 AMBRA ☎ 055998203 fax 055998181 E-mail:laselva@val.it

▲ **G 9**

Posizione geografica: collina
Periodo di apertura: tutto l'anno.

Presentazione: case con ogni comfort, arredamento con mobili d'epoca, bagno in camera, giardino privato con barbecue. Si coltivano vigneti.
Prodotti aziendali: i prestigiosi vini e spumanti di Villa La Selva, olio, grappa, aceto e miele.
Luoghi di interesse e manifestazioni locali: città d'arte. Mostre d'arte e concerti.
Prezzi: rivolgersi direttamente all'azienda.
Note: a disposizione degli ospiti un parco naturale di 80 ettari con due laghetti per la pesca sportiva, percorso naturalistico, piscina, tennis, bocce, mountain bike, tiro con l'arco.

VAL DI COLLE

loc. Bagnoro • 52100 AREZZO ☎ e fax 0575365167

▲ **G 11**

Posizione geografica: collina
Periodo di apertura: da settembre a luglio.
Associato a: Charme e Relax.
Presentazione: costruzione del XIV secolo, ristrutturata. Offre ospitalità in 7 camere.
Prodotti aziendali: erbe, confetture, olio, aceto.
Luoghi di interesse e manifestazioni locali: Arezzo centro (a 5 minuti) e dintorni.
Prezzi: B&B in camera matrimoniale a £ 310.000.
Note: osservazione ambientale. Giardino di Porcinai. Raccolta di frutti di bosco.

IL PALAZZO

loc. Antria • 52100 AREZZO ☎ 0575315016 fax 057524696 cell. 03487234290 – 03477256013

▲ **G 11**

Posizione geografica: collina.
Periodo di apertura: tutto l'anno, solo su prenotazione.
Associato a: Terranostra.
Presentazione: grande azienda agricola ristrutturata. Accoglie ospiti in 3 appartamenti con servizi.
Prodotti aziendali: olio, vino e frutta.
Luoghi di interesse e manifestazioni locali: Arezzo, Anghiari, Montecchi, Camaldoli, Verna, Cortana, Firenze, Siena. Giostra del Saracino.
Prezzi: OR da £ 70.000 a 140.000 al giorno.
Note: accessibile agli handicappati. Splendide sale convegni. Ideale per soggiorni di relax. Pesca sportiva nel lago aziendale. Prato per prendere il sole. Raccolta di mirtilli. Uso cucina, frigorifero, biancheria, sala comune e posto auto.

FATTORIA DI MARENA

loc. Marena, 24 • 52011 BIBBIENA ☎ e fax 0575593655

▲ **F 10**

Posizione geografica: collina (400 m).
Periodo di apertura: tutto l'anno.
Associato a: Agriturist, Terranostra.
Presentazione: tipica fattoria toscana con casa padronale del XVII secolo su oltre 100 ettari con coltivi, bosco e pascolo. Allevamento zootecnico. Offre ospitalità in 9 ampi appartamenti do-

tati di cucina completamente attrezzata da 2, 4 e 6 posti per un totale di 35 posti letto. Arredamento completo e confortevole. **Luoghi di interesse e manifestazioni locali:** Arezzo e monasteri camaldolesi, La Verna, Vallombrosa, parco nazionale delle foreste casentinesi. "Festaestate" a Bibbiena in agosto, mercato dell'antiquariato ad Arezzo la prima domenica di ogni mese.
Prezzi: alloggio da £ 30.000 a 50.000.
Note: permanenza minima 1 week-end in bassa stagione, una settimana in alta stagione. Corsi di equitazione per bambini con istruttori A.N.T.E. A 2 km pesca, tennis, bocce e piscina coperta, a 10 km golf e bowling. Raccolta di funghi e frutti di bosco. Solarium, piscina, mountain bike. Maneggio coperto.

IESOLANA

loc. Iesolana • 52021 BUCINE ☎ 055992988 fax 055992879
▲ **G 10**

Posizione geografica: collina.
Periodo di apertura: da Pasqua a novembre.
Associato a: Agriturist.
Presentazione: azienda su 96 ettari di terreno situata lungo un'antica strada romana nel magnifico paesaggio del Chianti. Grazie a un accorto restauro gli edifici sono stati riportati alla loro originaria bellezza. Accoglie ospiti in appartamenti di varie dimensioni.
Prodotti aziendali: vino Chianti, vin santo, vino bianco, grappa, olio e miele.
Luoghi di interesse e manifestazioni locali: i paesi e i paesaggi del Chianti e del Chianti Classico. Musica in fattoria.
Prezzi: da £ 250.000 a 480.000 per appartamento al giorno.
Note: soggiorno minimo 2 giorni. 1 ettaro di prato all'inglese. Bellissimo lago dove si può praticare la pesca, a disposizione degli ospiti. Piscina e mountain bike. Raccolta di funghi. Biancheria, riscaldamento e cucina attrezzata. Animali accolti previo accordo.

LA VECCHIA FORNACE

via San Salvatore, 70 • 52021 BUCINE ☎ 0559911349 cell. 03287055924 E-mail:tinacci@val.it
▲ **G 10**

Posizione geografica: collina.
Periodo di apertura: tutto l'anno.
Presentazione: azienda con colture a carattere seminativo quali girasoli, orzo, grano. Offre ospitalità in 4 appartamenti recentemente ristrutturati, ricavati dalla suddivisione della grande casa colonica, ciascuno con 2 camere e 5 posti letto, una cucina completamente attrezzata, soggiorno e un bagno con doccia.
Prodotti aziendali: vino, olio.

Luoghi di interesse e manifestazioni locali: Arezzo (30 km), Siena (35 km), Firenze (50 Km), Cortona, Pienza, San Gimignano, Montalcino. Palio di Siena il 2 luglio e il 16 agosto di ogni anno, fiera antiquaria di Arezzo la prima domenica di ogni mese, la Giostra del Saracino di Arezzo il 21 giugno e il 6 settembre di ogni anno, festa del Perdono di Terranuova Bracciolini la quarta domenica di settembre.
Prezzi: appartamento da £ 120.000 a 190.000 al giorno.
Note: è gradita la prenotazione. Il soggiorno minimo è di una settimana in alta stagione e di tre giorni nel restante periodo dell'anno. Tennis, piscina, ping-pong. Prato per giochi e per prendere il sole. Barbecue e struttura comune esterna coperta.

SARDINI

Casa Tripoli - loc. Pieve San Giovanni • 52010 CAPOLONA
☎ e fax 0575451038
▲ **G 10**

Posizione geografica: collina.
Periodo di apertura: dall'1 aprile al 15 ottobre.
Presentazione: antica casa colonica ristrutturata, situata in un piccolo podere di 3 ettari con bosco e uliveto. Accoglie ospiti in un appartamento con 3 camere per un totale di 5 posti letto, grande cucina, due bagni, ampio salone con camino.
Prodotti aziendali: olio extravergine e ortaggi.
Luoghi di interesse e manifestazioni locali: pievi romaniche a Sietina e Gropina, ponte romanico a Ponte Buriano, parco del Casentino. Giostra del Saracino ad Arezzo, fiera dell'antiquariato, Concorso polifonico, concerti in pievi e castelli del Casentino.
Prezzi: alloggio a £ 155.000 al giorno per tutta la casa (massimo 5 persone).
Note: prenotazione obbligatoria, permanenza minima 1 settimana. Ambiente ideale per relax e passeggiate naturalistiche. Cinema, tennis e bocce nelle vicinanze. Raccolta asparagi e funghi, escursioni e visite guidate. Pulizia iniziale e finale. Non è fornita la biancheria da bagno e cucina. Animali accolti previo accordo.

SELVADONICA

loc. Selvadonica, 151 • 52033 CAPRESE MICHELANGELO
☎ 0575791051 fax 0575791183
▲ **F 11**

Posizione geografica: collina.
Periodo di apertura: tutto l'anno.
Associato a: Terranostra.
Presentazione: caratteristico complesso rurale su 76 ettari coltivati a cereali, frutteto, vigneto, bosco. Offre ospitalità in 1 camera con bagno e in 4 appartamenti per un totale di 18 posti letto con doppi servizi, ingresso indipendente, caminetto, cucina con frigorifero.
Prodotti aziendali: ortaggi, pollame, uova, miele, frutta, dolci, confetture, castagne, farine, noci.
Luoghi di interesse e manifestazioni locali: Arezzo, casa natale e museo di Michelangelo a Caprese, santuario della Verna a Camaldoli, Assisi, Anghiari, Sansepolcro. Fiera antiquaria e artigianato ad Anghiari, Palio della balestra a Sansepolcro, sagra della castagna.
Prezzi: alloggio da £ 30.000 a 50.000.
Note: accessibile agli handicappati. Ambiente ideale per relax e passeggiate. Servizio baby sitting. Prato per prendere il sole, giochi all'aria aperta, pesca, piscina, equitazione, tennis, trekking e passeggiate, mountain bike. Raccolta di castagne, funghi, noci, frutti di bosco. Posizione panoramica. Biancheria e uso barbecue. Animali accolti previo accordo.

LODOLAZZO

loc. Brolio, 69 • 52043 CASTIGLION FIORENTINO
☎ e fax 0575652220

▲ H 11

Posizione geografica: collina.
Periodo di apertura: tutto l'anno.
Associato a: Terranostra.
Presentazione: costruzione tipica recentemente ben ristrutturata su 40 ettari coltivati a girasoli, barbabietole e cereali. Offre ospitalità in 6 appartamenti per un totale di 20 posti letto, con ingresso indipendente, 1-2-3 camere doppie, cucina, soggiorno, bagno, frigorifero.
Prodotti aziendali: olio, vino.
Luoghi di interesse e manifestazioni locali: Perugia, Cortona, Siena, Arezzo, Montepulciano, Castiglion Fiorentino, Firenze (90 km), Assisi. Ad Arezzo e a Cortona fiera antiquaria ogni 1ª domenica del mese. Sagre varie di paese.
Prezzi: alloggio da £ 40.000 a 60.000 a persona al giorno.
Note: posto macchina. Piscina, pesca, giochi all'aria aperta, equitazione, trekking e passeggiate, mountain bike. A disposizione anche piscina per bambini con idromassaggio.

SAN SAVINO

via Pieve di Chio, 95 - loc. San Savino
52043 CASTIGLION FIORENTINO ☎ e fax 0575651000

▲ H 11

Posizione geografica: collina.
Periodo di apertura: tutto l'anno.
Associato a: Terranostra.
Presentazione: costruzione dell'XI secolo, ex insediamento monastico dei frati camaldolesi, ristrutturata,

su 50 ettari di boschi e oliveto. Offre ospitalità in 2 appartamenti per un totale di 7/8 posti letto.
Prodotti aziendali: olio, polli, uova, ortaggi e frutta di stagione.
Luoghi di interesse e manifestazioni locali: Firenze, Perugia, Siena, Arezzo, Castiglion Fiorentino, Montepulciano, Pienza. Sagre paesane, fiera mercato del mobile antico, "Maggio Castiglionese".
Prezzi: alloggio da £ 20.000 a 35.000.
Note: parco (8.000 mq) e laghetto, giardino e vasto prato, 5 km di strade di proprietà. Osservazione ambientale, giochi all'aria aperta, piscina. Raccolta asparagi, castagne e funghi. Recinzione con apertura elettronica a distanza del cancello. Biciclette a disposizione. Cinema nelle vicinanze. Biancheria per camere, bagni, cucina, pulizia iniziale e finale. Ampio spazio per parcheggio. Possibilità uso forno a legna. Sala da pranzo con focolare e mobili antichi. Riscaldamento centralizzato.

SANT'ANNA

via C. S. Pietraia, 137 • 52044 CORTONA
☎ e fax 0575692015

▲ H 11

Posizione geografica: campagna.

Periodo di apertura: tutto l'anno.
Associato a: Turismo Verde.
Presentazione: settecentesca costruzione leopoldina, circondata da due rustici ristrutturati, su 114 ettari. Offre ospitalità in accoglienti appartamenti da 2, 4 o 6 posti

letto con ingresso indipendente e riscaldamento autonomo.
Prodotti aziendali: miele.
Luoghi di interesse e manifestazioni locali: scavi archeologici, lago Trasimeno a 22 km, Montalcino a 60 km, Pienza a 40 km, Assisi a 75 km, Gubbio a 50 km, Montepulciano a 25 km. Manifestazioni folkloristiche, "Giostra dell'Archidado", sagra della bistecca, sagra del porcino.
Prezzi: alloggio da £ 30.000 a 50.000.
Note: prenotazione obbligatoria, permanenza minima 2 giorni. Ideale per soggiorno relax. Ampio spazio verde per prendere il sole e per giocare, piscina, pesca, mountain bike. Servizio fax. Nelle vicinanze equitazione, tennis, golf. Posto auto. Animali accolti previo accordo.

BIETOLINI

loc. Salcotto, 20 e loc. Montalla, 753
52044 CORTONA ☎ 0575603598-057562169

▲ H 11

Posizione geografica: collina.
Periodo di apertura: dal 15 marzo al 30 ottobre e dal 24 dicembre al 7 gennaio.
Presentazione: l'azienda offre ospitalità in 2 case rurali restaurate con 5 e 7

posti letto. Ogni casa è costituita da camere, bagni, soggiorno, cucina attrezzata con frigorifero e caminetto. Rimessa auto.
Luoghi di interesse e manifestazioni locali: lago Trasimeno, Cortona, Arezzo, Perugia, Montepulciano. Mostra del mobile antico in agosto e settembre, fiera del rame in maggio, sagra della bistecca a ferragosto, fiera antiquaria ogni mese ad Arezzo, varie sagre di paese.
Prezzi: settimana da £ 500.000 a 850.000 per appartamento, compresa biancheria, esclusi riscaldamento, elettricità e legna (considerati a consumo).
Note: permanenza minima 1 settimana da sabato a sabato. Ampi spazi verdi e prato per prendere il sole con attrezzatura estiva. Nelle vicinanze raccolta di funghi, more, frutti del bosco, asparagi, attività ricreative e culturali di ogni tipo, piscine pubbliche e private, tennis, giochi per bambini nel parco comunale, campi di calcio, bocce, calcetto, teatro, ristoranti, cinema. Nella zona è possibile acquistare prodotti biologici di vario genere direttamente dai produttori. Animali accolti previo accordo.

MOLINO LE GUALCHIERE

loc. Penna, 102 • 52024 LORO CIUFFENNA
☎ 0559172973 fax 0559172998

▲ F 10

Posizione geografica: collina.

Periodo di apertura: tutto l'anno.
Presentazione: vecchio mulino ad acqua restaurato su 5 ettari coltivati a vigneto, oliveto, frutteto. Accoglie ospiti in 4 appartamenti dotati di camere con bagno per un totale di 15 posti letto.
Prodotti aziendali: vino, olio.
Luoghi di interesse e manifestazioni locali: Pieve di Gropina, Loro Ciufenna, Pratomagno. Festa della trota, castagnata, festa del Perdono.
Prezzi: da £ 950.000 a settimana per appartamento con due camere da letto. Non si accettano bambini sotto i 14 anni.
Note: permanenza minima 1 settimana, da sabato a sabato. Ideale per relax e passeggiate, sulle rive del fiume. Raccolta di frutti di bosco. Palestra e sauna, piscina e mountain bike. Corsi di pittura e musica.

BACIOLA

loc. La Villa
52010 ORTIGNANO - RAGGIOLO
☎ e fax 0575594963 cell. 03383068015

▲ **F 10**

Posizione geografica: collina, montagna.
Presentazione: azienda di 90 ettari, tra i 500 e i 1.300 m di altitudine, occupata per la metà da boschi cedui e da castagni, abeti, querce e per la rimanente superficie da

prato e pascolo adibito all'allevamento equino e bovino. Accoglie ospiti in 2 appartamenti, di cui uno con 4+1 posti letto e l'altro con 6 posti letto, all'interno di un casale in pietra immerso nel bosco e fornito di forno a legna per pane e pizza, e di un gazebo per mangiare all'aperto. L'azienda dispone inoltre di una piccola baita, immersa nei boschi del Pratomagno, ricavata da un antico seccatoio per castagne e dotata di una cucinetta, letto doppio nel sottotetto, cantinetta con doccia nel seminterrato, riscaldamento con caminetto, illuminazione con lampade a gas, e raggiungibile solo a piedi o con fuoristrada.
Prodotti aziendali: olio extravergine d'oliva.
Luoghi di interesse e manifestazioni locali: parco nazionale delle Foreste casentinesi, oasi protetta del Pratomagno, eremi di Camaldoli, della Verna e di Vallombrosa, pievi romaniche, castelli.
Prezzi: appartamenti da £ 1.100.000 a 1.300.000 a settimana. Sconto del 15% in bassa stagione.
Note: la permaneza minima è di 3 giorni. Laghetto dove è possibile pescare e nuotare.

LA FABBRICA

Santa Maria alla Rassinata, 46
52100 PALAZZO DEL PERO ☎ 0575319012

▲ **H 11**

Posizione geografica: collina.
Periodo di apertura: tutto l'anno.
Associato a: Terranostra.
Presentazione: tipica costruzione rurale ristrutturata immersa nel verde, su 14 ettari di terreno adibito a viti, ulivi, castagni, bosco, cereali e ortaggi. Accoglie ospiti in 2 appartamenti di 4 e 6 posti letto.
Prodotti aziendali: marmellate, uova, pollame, miele, castagne e vino.
Luoghi di interesse e manifestazioni locali: città d'arte. Festa della montagna in agosto, sagra della castagna e del fungo in ottobre.

Prezzi: OR da 60.000 a 120.000 per appartamento.
Note: prato per prendere il sole. Possibilità di passeggiate naturalistiche nei boschi. Raccolta di castagne, funghi e frutti di bosco. Biancheria, uso cucina e frigo, riscaldamento autonomo.

LA VIGNACCIA

via del Bandino, 6 52020 PERGINE VALDARNO
☎ e fax 0575896364

▲ **G 11**

Posizione geografica: collina.
Periodo di apertura: da febbraio a dicembre.
Presentazione: tipica costruzione rurale in azienda di 9 ettari di oliveto. Accoglie ospiti in un immobile autonomo composto da cucina, bagno, soggiorno, 2 camere e giardino, e nella casa padronale con 1 camera matrimoniale, bagno, ingresso privato sul giardino, per un totale di 6 posti letto.
Prodotti aziendali: olio e miele.
Luoghi di interesse e manifestazioni locali: Siena, Cortona, San Gimignano, Arezzo, La Verna, Camaldoli, Vallombrosa. Festa dell'olio a novembre.
Prezzi: OR oltre £ 50.000.
Note: è gradita la prenotazione in alta stagione. Piscina in azienda. Nella zona tennis, equitazione, pesca sportiva, escursioni in mountain bike o a piedi. Prato per prendere il sole e pergolato. Raccolta di more, funghi e frutti di bosco. Posto auto coperto. Si parlano inglese, francese e spagnolo. Non si accolgono animali.

IL POGGIO

fraz. Madonnuccia – loc. il Poggio
52036 PIEVE SANTO STEFANO ☎ 0575741746

▲ **F 11**

Posizione geografica: collina.
Periodo di apertura: tutto l'anno.
Presentazione: tipica casa colonica su 40 ettari di terreno. La casa, la piscina e i prati sono a esclusiva disposizione degli ospiti. Accoglie ospiti in 5 grandi camere da letto per un totale di 12 posti letto, 2 bagni, salone con camino, cucina con focolare. L'indipendenza e la privacy sono garantite.
Prodotti aziendali: vino e olio.
Luoghi di interesse e manifestazioni locali: città d'arte del Medioevo e del Rinascimento. Palio della balestra a settembre, biennale del merletto e orafa, mostre di antiquariato e artigianato, manifestazioni culturali.
Prezzi: OR da £ 30.000 a 50.000.
Note: solo su prenotazione. Mountain bike, piscina, passeggiate, vela e windsurf nel vicino lago artificiale di Montedoglio. Soggiorno minimo 1 settimana. Cambio biancheria settimanale, pulizia finale, elettricità, acqua calda sono servizi compresi, riscaldamento non compreso da pagarsi al consumo. Animali accolti previo accordo.

FONTANDRONE

loc. Fontandrone • 52036 PIEVE SANTO STEFANO
℡ e fax 0575799180 ℡ 0575799319

▲ **F 11**

Posizione geografica: collina.
Periodo di apertura: tutto l'anno.
Associato a: Agriturist.
Presentazione: casale in pietra perfettamente ristrutturato su 110 ettari coltivati a cereali e bosco. Offre ospitalità in 2 appartamenti con 4 posti letto e in 2 con 2 posti letto ciascuno. In ogni appartamento camere, bagno con doccia, cucina completamente attrezzata con caminetto, riscaldamento autonomo.
Prodotti aziendali: ortaggi e tartufi, prodotti biologici.
Luoghi di interesse e manifestazioni locali: santuario francescano della Verna, Sansepolcro, Cortona, Arezzo, Firenze, Città di Castello, Anghiari, Assisi, San Marino. Sagra della castagna in ottobre, festa della Madonna dei Lumi il 7 e l'8 settembre, premiazione archivio diaristico nazionale in settembre, mostra dell'artigianato in maggio.
Prezzi: alloggio da £ 30.000 a 60.000. Sconto 5% ai soci Agriturist.

Note: ideale per soggiorni relax. Osservazione ambientale e pratiche colturali. Raccolta di funghi, tartufi e frutti di bosco. Piscina, parco giochi per ragazzi, bocce, mountain bike, trekking. Forno con barbecue all'aperto. Nelle vicinanze, vela e canoa, piscina, tennis, equitazione, bar e ristoranti. Telefono e lavanderia in comune. Arredi di buon gusto. Animali accolti previo accordo.

STRUMI

loc. Strumi, 24 • 52014 POPPI ℡ 057521633

▲ **F 10**

Posizione geografica: collina.
Periodo di apertura: da aprile a settembre.
Presentazione: ex monastero benedettino ristrutturato su 9 ettari coltivati. Offre ospitalità in 1 appartamento luminoso con 3 camere. Possibilità letti aggiunti.
Prodotti aziendali: miele.
Luoghi di interesse e manifestazioni locali: Camaldoli, Vallombrosa, Poppi, Romena, Porciano. Artigianato del ferro battuto e della pietra scolpita.
Prezzi: appartamento da £ 100.000 a 150.000.
Note: posizione molto panoramica con vista sul Casentino, su castelli e santuari. Raccolta di frutti selvatici di stagione. Golf, ping-pong, pesca, trekking e passeggiate, mountain bike. Intense attività ricreative e culturali. Ristoranti tipici nelle vicinanze. Si parla francese e inglese. Posto auto.

VILLAGGIO BELVEDERE

loc. Belvedere • 52100 POPPI
℡ 0575509244-0575536281 fax 0575536493

▲ **F 10**

Posizione geografica: collina.
Periodo di apertura: tutto l'anno.
Associato a: Agriturist.
Presentazione: la residenza agrituristica accoglie ospiti in 9 appartamenti arredati con mobili d'epoca, dai particolari raffinati e forniti di ogni confort.
Luoghi di interesse e manifestazioni locali: parco nazionale Foreste casentinesi, Camaldoli, Poppi, santuario della Verna, terme di Stia. Varie sagre e feste paesane.
Prezzi: OR oltre £ 50.000 per appartamento al giorno.

Note: 1 appartamento è accessibile agli handicappati. Piscina, bocce, noleggio mountain bike e possibilità di passeggiate a cavallo nelle vicinanze. Soggiorno minimo 3 giorni. Ampio giardino attrezzato, barbecue, 2 sale comuni con camini in pietra. Ogni appartamento dispone di lavastoviglie, TV color, telefono indipendente, bagno con cabina doccia, porta con chiusura di sicurezza, solarium. Non si accolgono animali.

IL GIARDINO

fraz. Giardino, 44/b • 52037 SANSEPOLCRO
℡ e fax 0575734370

▲ **F 12**

Posizione geografica: collina.
Periodo di apertura: tutto l'anno.
Presentazione: casale del 1500 in azienda di 16 ettari coltivati a orto, frutteto, vigneto, cereali, castagneto, bosco. Accoglie ospiti in 5 appartamenti, tutti con servizi autonomi, per un totale di 18 posti letto.
Prodotti aziendali: ortaggi, frutta, castagne, prodotti del sottobosco.
Luoghi di interesse e manifestazioni locali: Sansepolcro, santuario di La Verna, eremi francescani, paesi medioevali. Palio della balestra in settembre, fiera dell'antiquariato la prima domenica di ogni mese.
Prezzi: rivolgersi direttamente all'azienda.

Note: piscina, biciclette, sala ping-pong, calcio balilla, parco giochi. A 1 km di distanza si possono praticare tennis, equitazione e pesca. TV satellitare, forno a legna, barbecue, ampio parcheggio. Si accolgono animali.

LA CONCA

fraz. Paradiso, 16 • 52037 SANSEPOLCRO
℡ e fax 0575733301 cell. 0360479201

▲ **F 12**

Posizione geografica: collina.
Periodo di apertura: tutto l'anno.
Associato a: Agriturist e Terranostra.
Presentazione: antiche case coloniche in pietra, ristrutturate modernamente, in parco aziendale di 290 ettari di boschi e prati. Allevamento di cavalli, mufloni, caprioli e daini. Offre ospitalità in 7 appartamenti per un totale di 30 posti letto, con cucine e bagni, arredamento rustico di buon gusto.
Prodotti aziendali: uova, carne, verdure dell'orto biologico.
Luoghi di interesse e manifestazioni locali: San Marino, Assisi, Gubbio, Arezzo, Città di Castello, Caprese Michelangelo, La Verna, Anghiari, eremo di Montecasale, cattedrale e museo di Piero Della Francesca a Sansepolcro, la Madonna del Parto a Monterchi. Palio della balestra con Gubbio a settembre.

Prezzi: alloggio da £ 30.000 a 60.000. Soggiorno gratuito per bambini fino a 5 anni.
Note: posizione panoramica. Tiro con l'arco, pesca, equitazione, trekking e passeggiate, escursioni e

visite guidate. Itinerario gastronomico in ristoranti tipici e negozi di specialità toscane convenzionati. Birdwatching, corsi di mountain bike e di cartotecnica con restauro di vecchi libri. Osservazione animali e passeggiate nei boschi aziendali con raccolta di funghi, castagne e frutti di bosco. Chiesetta consacrata. Grande taverna per feste e cerimonie. Nelle vicinanze, cinema, piscina, tennis, discoteca, eliporto. Biancheria, uso stoviglie, legna da ardere, riscaldamento, possibilità uso forno a legna e barbecue. Biancheria di lino.

CASALE CAMALDA CAMPI ORFICI

loc. Castagnoli, 33 • 52010 SERRAVALLE DI BIBBIENA
☎ e fax 0575519104

▲ **F 10**

Posizione geografica:
montagna (678 m).
Periodo di apertura: tutto l'anno.
Presentazione: piccola azienda all'interno del parco nazionale delle foreste casentinesi, antica casa rurale già podere dei monaci Camaldolesi. Terreno adibito a bosco e frutteti biologici specializzati. Accoglie ospiti in 2 appartamenti autonomi ricavati dal fienile e da ex annessi agricoli.
Luoghi di interesse e manifestazioni locali: monastero ed eremo di Camaldoli(raggiungibile anche a piedi attraverso bellissimi sentieri), santuario francescano della Verna, castelli medievali, pievi romaniche, zona d'interesse naturalistico.
Prezzi: sconti per gli iscritti ad associazioni ambientaliste. Omaggio enologico a chi si presenta declamando a memoria una poesia di Dino Campana dai "Canti Orfici".
Note: il titolare è una guida ambientale-escursionistica iscritto all'AIGAE. Si organizzano escursioni e trekking nel parco nazionale e in tutto il Casentino, assistenza e consigli sugli itinerari e fornitura di materiali cartografici e di approfondimento storico-artistico. Piccola biblioteca naturalistica. Sentiero naturalistico-botanico. Esposizione prodotti artigianali e gastronomici tipici. Noleggio mountain bike. Convenzione col vicino centro ippico che organizza passeggiate ed escursioni a cavallo. Cambio biancheria settimanale. Si accolgono animali.

MAGNANI

via la Casina, 171/A - fraz. S. Mama - loc. Calbenzano
52010 SUBBIANO ☎ 0575355578

▲ **F 11**

Posizione geografica: collina.
Periodo di apertura: tutto l'anno.
Associato a: Agriturist.
Presentazione: bella casa rurale immersa nel verde e posta su 4 ettari coltivati a cereali e vigneto. Allevamento di cavalli. Offre ospitalità in 3 appartamenti, ciascuno completamente arredato, con 2 camere, cucina con stoviglie, frigo, lavatrice, riscaldamento autonomo, bagno.

Prodotti aziendali: miele.
Luoghi di interesse e manifestazioni locali: parco delle Foreste casentinesi, Firenze, Siena,

Arezzo, Cortona, Camaldoli, La Verna, Poppi, castello di Valenzano. Feste e sagre paesane.
Prezzi: alloggio fino a £ 30.000.
Note: prenotazione obbligatoria. Trattoria a 300 m, cucina toscana. Possibile partecipazione ad attività agricole. Ping-pong, pesca, trekking e passeggiate a cavallo, equitazione, mountain bike. Raccolta di funghi. Parco attrezzato con gazebo, panchine e sdraio.

LE GRET

via Mama, 128 - loc. Poggio d'Acona • 52010 SUBBIANO
☎ e fax 0575487090 - 0574631921

▲ **D 14**

Posizione geografica: collina (500 m).
Periodo di apertura: tutto l'anno.
Associato a: Agriturist e Terranostra.
Presentazione: tipica costruzione toscana completamente ristrutturata su 27 ettari con produzione di nocciole, tartufi, noci, vino e olio. Accoglie ospiti in 6 monolocali, 2 case indipendenti e 1 appartamento per un totale di 35 posti letto, tutti con arredamento in stile e mobili d'epoca.
Prodotti aziendali: frutta, vino, olio, verdura e nocciole.
Luoghi di interesse e manifestazioni locali: Arezzo, Siena, Firenze, La Verna, Camaldoli, Perugia, Assisi, Poppi, parco nazionale del Casentino, Gubbio, Anghiari. Sagra del porcino, festa del vino, Giostra del Saracino, sagra della polenta, festa di fine estate.
Prezzi: OR da £ 40.000 a 49.000. Riduzione del 30% per bambini fino a 5 anni in bassa stagione.
Note: 1 appartamento è accessibile agli handicappati. Giochi all'aria aperta. Raccolta di funghi, castagne e frutti di bosco. Si organizzano, esclusivamente per gli ospiti, cene tipiche toscane. Sala riunioni. Piscina, tiro con l'arco, ping-pong, tennis (da pagare a parte). Nelle vicinanze equitazione, canoa e golf. Biancheria. Parcheggio. Non si accolgono animali.

CORTOREGGIO

loc. Cortoreggio • 52040 TERONTOLA - CORTONA
☎ e fax 0575678343 ☎ 057567660-057567078
E-mail:bmezzet@tin.it • http:www.wel.it/cortoreggio

▲ **H 11**

Posizione geografica: collina.
Periodo di apertura: tutto l'anno.
Presentazione: casa colonica completamente ristrutturata che offre ospitalità in 8 appartamenti ciascuno con 2 camere da letto (6 posti letto), grande salone, cucina, bagno con doccia idromassaggio, telefono e TV.
Prodotti aziendali: olio di oliva, vino, miele, vin santo, cantucci e altri dolci tipici della zona.
Luoghi di interesse e manifestazioni locali: Cortona etrusca (5 km), lago Trasimeno, Valdichiana, monte Amiata, Perugia, Arezzo, Siena. Feste, fiere e mercati durante l'anno.
Prezzi: appartamento da £ 650.000 a 1.500.000 a settimana.
Note: soggiorno minimo di 2 notti. Piscina. Giochi per bambini e attività naturalistiche. Campi da tennis a 1 km. Escursioni in mountain bike, gite artistico-culturali. Riassetto. Garage per moto. Si accettano animali domestici.

Firenze

POGGIO DI SOTTO

via Galliano, 17 - fraz. Galliano
50031 BARBERINO DI MUGELLO
☎ 0558428447-0558428448 fax 0558429449

● D 8

Posizione geografica: collina, lago.
Periodo di apertura: dall'1 marzo al 7 gennaio. Il ristorante è chiuso il lunedì.
Associato a: Agriturist e Turismo Verde Toscana.
Presentazione: casale ristrutturato circondato da 1.200 ettari di terreno coltivati a seminativi e meleto. Allevamento di selvaggina e di bovini da latte. Accoglie ospiti in 9 camere con bagno e in 1 casale con 9 posti letto, per un totale di 18 posti letto.
Ristorazione: ristorante convenzionato, all'interno del complesso agrituristico, aperto al pubblico con 70 coperti. Piatti tipici toscani e cacciagione.
Prodotti aziendali: mele biologiche.
Luoghi di interesse e manifestazioni locali: Firenze, ville medicee, musei, convento Bosco ai Frati. "Infiorata" in maggio e giugno, "Cantamaggio", "Fiera calda".
Prezzi: camera singola £ 110.000, camera doppia £ 165.000. Gratis per bambini fino a 3 anni. Sconti per gruppi da concordare.
Note: accessibile agli handicappati. Giardino. Taverna per degustazione prodotti. Raccolta di funghi. Trekking, mountain bike. Possibilità di visitare l'azienda agricola. TV, telefono, cambio biancheria settimanale, pulizie, riscaldamento e parcheggio. Si accolgono animali di piccola taglia.

LA SPINOSA

via Le Masse, 8 • 50021 BARBERINO VAL D'ELSA
☎ 0558075413 fax 0558066214
E-mail:info@laspinosa.it

● F 7

Posizione geografica: valle tra le colline del Chianti.
Periodo di apertura: da marzo a novembre.
Presentazione: tipica fattoria del Chianti con case coloniche restaurate su 100 ettari coltivati biologicamente a vigneti, uliveti, cereali e frutta. Accoglie ospiti in 9 camere matrimoniali con bagno e salottino privati. Biblioteca a disposizione e sale da gioco. Telefono in comune. Posto auto.
Ristorazione: H/B in locale riservato agli ospiti. Ricette tipiche e tradizionali ma rivisitate secondo un'adeguata alimentazione moderna. Cibi freschi e vini biologici di propria produzione.
Prodotti aziendali: vino, spumante, grappa, confetture, miele, composizioni di fiori e piante essiccate.
Luoghi di interesse e manifestazioni locali: città d'arte (Firenze, Siena, San Gimignano, Volterra), Maremma e valle del Chianti.
Prezzi: B&B a partire da £ 115.000 a persona, H/B da £

165.000 a 185.000 a persona (bevande escluse). Pasto da £ 50.000 a 60.000, bevande escluse. Soggiorno gratuito per bambini fino a 2 anni, compreso servizio culla. Sconto 25% per bambini da 3 a 8 anni, 15% per bambini oltre i 9 anni. Prenotazione minima 3 giorni.
Note: accessibile agli handicappati. Vasto giardino fiorito e prato all'inglese per passeggiate e per prendere il sole. Piscina, tiro con l'arco, equitazione, tennis, pallavolo. Completa assenza di paesaggio automobilistico. Corsi su richiesta di floricoltura e piante essiccate per composizioni artistiche. Raccolta di funghi e frutti di bosco. Cinema nelle vicinanze. Biancheria, pulizia, consumi, uso piscina e attrezzature, parcheggio. Animali accolti previo accordo.

CASTELLO DELLA PANERETTA

strada della Paneretta, 19 • 50021 BARBERINO VAL D'ELSA
☎ e fax 0558059052

● F 7

Posizione geografica: collina (350 m).
Periodo di apertura: da marzo a gennaio.
Associato a: Tourist Green Club.
Presentazione: tipiche costruzioni rurali su 350 ettari di boschi, vigneto e oliveto. Offre ospitalità in 3 appartamenti con servizi.
Ristorazione: F/B. Cucina tradizionale toscana con prodotti dell'azienda. Selvaggina, bruschette, tagliata di bue chianino.
Prodotti aziendali: Chianti classico Gallo Nero, olio extravergine, marmellate, miele, pecorino, uova.
Luoghi di interesse e manifestazioni locali: città d'arte (Firenze, Siena, San Gimignano, Certaldo, Volterra). Mercato dell'antiquariato, sagra del tartufo, palio di Siena.
Prezzi: B&B a £ 70.000 a persona. Pasto a £ 35.000 vino escluso. Posto letto per bambini fino a 6 anni in omaggio.
Note: passeggiate naturalistiche, equitazione, sedute antistress, corsi di cucina e sul vino o sull'olio. Possibilità baby sitting. Raccolta di more, asparagi, funghi, tartufi, corbezzoli. Sala riunioni disponibile nel castello. La sede aziendale è visitabile a richiesta. Telefono pubblico. Animali accolti previo accordo.

FATTORIA CASA SOLA

loc. Cortine • 50021 BARBERINO VAL D'ELSA
☎ 0558075028 fax 0558059194

● F 7

Posizione geografica: collina.
Periodo di apertura: tutto l'anno.
Associato a: Agriturist, Turismo Verde e Associazione Alberghi del Libro d'Oro.
Presentazione: la fattoria, sulle colline del Chianti Classico, si estende su 120 ettari di terreno a vigneto, uliveto e prodotti biologici. È costituita da una villa padronale e da alcune case rustiche

ristrutturate. Accoglie ospiti in 7 appartamenti per un totale di 40/45 posti letto.
Ristorazione: per gruppi, solo su richiesta. Crostini alla toscana e torta di pinoli.
Prodotti aziendali: Chianti Classico, vin santo e olio.

● 162

Luoghi di interesse e manifestazioni locali: Badia Passignano, San Gimignano e Pieve di San Donato. Concerti durante l'estate e varie sagre.

Prezzi: OR da £ 30.000 a 50.000. Pasto da £ 25.000 a 30.000. Sconto del 5% per i soci Touring.

Note: piscina, equitazione, mountain bike. Possibilità di lezioni di cucina e pittura. Raccolta di funghi, more e asparagi. Soggiorno minimo 1 settimana (da sabato a sabato), in bassa stagione possibilità di fine settimana. Cambio biancheria settimanale, riscaldamento e posto auto.

FATTORIA DI BACCHERETO

via Fontemorana, 179 • 50042 CARMIGNANO
☎ e fax 0558717191

E 7

Posizione geografica: collina.
Periodo di apertura: tutto l'anno.
Associato a: Agriturist, Tourist Green Club.
Presentazione: case coloniche su area coltivata a vigneto e oliveto. Offre ospitalità per oltre 35 posti letto in 5 appartamenti dotati di servizi.
Ristorazione: locale aperto al pubblico. Focaccine al forno a legna, crema di porri con crostini, vitello al Carmignano.
Prodotti aziendali: vini D.O.C.G., olio extravergine, miele, confetture.
Luoghi di interesse e manifestazioni locali: ad Artimino villa medicea, tombe etrusche, museo della ceramica, a Poggio a Caiano villa medicea, a Vinci museo e casa di Leonardo. Firenze, Pisa, Siena. Sagra della ciliegia in giugno, del fico in settembre, della castagna in ottobre.
Prezzi: B&B da £ 50.000 a 80.000 a persona. Appartamento per 1 settimana da £ 750.000 a 1.980.000. Pasto a £ 50.000 circa. È possibile per gli ospiti concordare menu fisso a prezzi particolari. Sconto per bambini sotto i 3 anni.
Note: prenotazione obbligatoria. Ampi spazi verdi e prato attrezzato per prendere il sole. Raccolta di castagne e funghi. Disponibilità sala riunioni. Possibilità di visitare in azienda la cantina storica e il frantoio anche durante la spremitura delle olive. Corsi di cucina, ceramica, yoga. Bocce e ping-pong. Nelle vicinanze golf, maneggio, tennis, pesca. Biancheria, pulizia, riscaldamento. Gli appartamenti sono dotati di camere con bagno privato o con bagno in comune e cucina attrezzata. Posto auto.

LA FATTORESSA

via Volterrana, 58 • 50124 FIRENZE ☎ e fax 0552048418

E 8

Posizione geografica: città-campagna.
Periodo di apertura: tutto l'anno.
Associato a: Agriturist.
Presentazione: tipica costruzione rurale con terreno coltivato a ortaggi, frutteto e uliveto. Offre ospitalità in 6 camere con bagno.

Ristorazione: a richiesta. Cucina tipica toscana.
Prodotti aziendali: frutta, ortaggi, olio, pollame, uova.
Luoghi di interesse e manifestazioni locali: visita a Firenze.
Prezzi: B&B a £ 150.000 (camera doppia) e £ 200.000 (camera tripla).
Note: luogo ideale per soggiorni relax o per visita alla città di Firenze il cui centro storico dista 5 km (mezzi pubblici di colle-

gamento). Ampio giardino con piante e fiori. Telefono in comune, sala soggiorno in comune, posto macchina. Arredamento sobrio e di buon gusto. Biancheria, pulizie a richiesta, riscaldamento, parcheggio.

ROVIGNALE

fraz. Castro San Martino - Capanna • 50033 FIRENZUOLA
☎ 055819343 fax 055819031

C 8

Posizione geografica: collina.
Periodo di apertura: tutto l'anno, solo su prenotazione.
Presentazione: casa colonica ristrutturata in azienda agricola di 200 ettari con allevamento di bovini e lago per la pesca. Accoglie ospiti in 3 camere, di cui 1 con bagno in stanza e le altre con bagno esterno, per un totale di 5 posti letto.
Ristorazione: solo nel periodo invernale per i clienti della riserva di caccia. Cinghiale e tortelli.
Prodotti aziendali: carne bovina, castagne, patate e miele.
Luoghi di interesse e manifestazioni locali: pieve romanica, Cornacchiaia, abbazia di Moschetta, cimitero di tedeschi e inglesi, strada romana, borghi medievali. Sagra del prugnolo, della castagna, serate folkloristiche e fiere, cena in piazza, festa gastronomica.
Prezzi: OR a £ 35.000 a 40.000. Pasto a £ 35.000. Sconto del 10% seconda settimana.
Note: giochi all'aria aperta, balneazione nel fiume Santerno, pesca sportiva, equitazione, trekking. Nelle vicinanze tennis, bocce, campo polivalente, ping-pong, calcetto. Raccolta di frutti di bosco, castagne e funghi. Soggiorno minimo 1 settimana. Alloggio per cavalli in stalla. Parcheggio. Prima colazione o uso cucina, forno a legna e camino. Animali accolti previo accordo.

CASTELLO DI VERRAZZANO

via San Martino in Valle, 12 • 50022 GREVE IN CHIANTI
☎ 055854243 fax 055854241

F 8

Posizione geografica: collina.
Periodo di apertura: tutti i giorni feriali per la visita alle cantine del castello, da aprile ad ottobre per il soggiorno in foresteria, solo su prenotazione.
Presentazione: il castello fu prima insediamento etrusco, poi romano e nel VII secolo divenne proprietà della famiglia Verrazzano. Accoglie fino a 200 persone per le visite alle cantine e le degustazioni, nella foresteria adiacente è possibile soggiornare. Offre ospitalità in 6 camere per un totale di 15 posti letto.
Ristorazione: ristoro presso le cantine, specialità tipiche, salumi e insaccati.
Prodotti aziendali: vini pregiati, olio extravergine d'oliva e miele.
Luoghi di interesse e manifestazioni locali: Greve in Chianti. Feste paesane a maggio e settembre.
Prezzi: OR a £ 50.000. Pasto da £ 35.000 a 50.000.
Note: 1 camera accessibile a portatori di handicap. Visite guidate alle cantine. Soggiorno minimo 3 giorni. Possibilità di trekking e golf. Biancheria, pulizia, riscaldamento, posto macchina.

FATTORIA PRATELLI

via di Pratelli, 1/a - loc. Pratelli • 50064 INCISA VAL D'ARNO
☎ 0558335986 fax 0558336615

● **F 8**

Posizione geografica: collina.
Periodo di apertura: da marzo a novembre e dal 15 dicembre al 15 gennaio.
Associato a: Tourist Green Club.
Presentazione: borgo medievale con castello su 70 ettari coltivati a cereali, vigneto, oliveto. Offre appartamenti per un totale di 30 posti letto.
Ristorazione: solo eccezionalmente e su prenotazione. Cucina toscana, capretto (d'allevamento brado).
Prodotti aziendali: olio, vino, confetture, olive, farine, frutta, ortaggi, uova, pollame.
Luoghi di interesse e manifestazioni locali: Firenze, pievi romaniche di Cascia, di San Romolo, di Santa Maria. "Sagra del perdono" in settembre, sagra del porcino in ottobre.
Prezzi: alloggio a £ 50.000 circa, esclusi pasti, lettini per piscina, lavanderia, escursioni e gite. Riduzioni per soggiorni settimanali o plurisettimanali.
Note: posizione altamente panoramica. Zona chiusa alla caccia. Osservazione ambientale, corsi di enologia, gastronomia, giardinaggio, ping-pong e giochi di sala, piscina, pesca, trekking e passeggiate. Servizio di baby sitting a richiesta. Nelle vicinanze teatro, cinema, equitazione, tennis, golf. Raccolta di castagne e funghi (sotto la responsabilità degli ospiti).

PISTOLESE RANCH

via Samminiatese Pistolese, 117 • 50050 MONTAIONE
☎ e fax 057169196

● **E 8**

Posizione geografica: collina (400 m).
Periodo di apertura: dal 27 dicembre al 24 novembre.
Associato a: Terranostra, Agriturist.
Presentazione: ranch su 154 acri con allevamento non violento di cavalli western. Offre ospitalità in 3 camere con bagno.
Ristorazione: riservata agli ospiti.
Prodotti aziendali: puledri e olio extravergine biologico.
Luoghi di interesse e manifestazioni locali: Sacro Monte di San Vivaldo, Castelfalfi, oratorio della Pietrina, castello del Crociato, resti etruschi e romani nella val d'Evola, Volterra, Certaldo, San Miniato.
Prezzi: alloggio da £ 30.000 a 50.000. Altre formule da concordare. Pasto da £ 26.000 a 33.000. Prima colazione a £ 5.000. Prenotazione obbligatoria.
Note: posizione panoramica, ospitalità cordiale. Guida, assistenza e cavallo personalizzati a ciascun ospite. Corsi di disegno, addestramento non violento cavalli, filmati sulla vita del west, escursioni e visite guidate. Raccolta di more, fragole, castagne, funghi, erbe aromatiche. Portare con sé abbigliamento idoneo e completo per escursioni a cavallo. Si prega di non fumare nei luoghi chiusi. Pulizia e biancheria. Prenotazione obbligatoria. Animali accolti previo accordo.

TENUTA SAN VITO IN FIORE DI SELVA

via San Vito, 32 • 50056 MONTELUPO FIORENTINO
☎ 057151411 fax 057151405
E-mail:sanvito@san-vito.com

● **E 7**

Posizione geografica: collina (200 m).
Periodo di apertura: tutto l'anno.
Associato a: Agriturist.
Presentazione: tipica costruzione rurale su 126 ettari tra bosco, vigneto e oliveto. Offre ospitalità in 14 appartamenti in 4 poderi (podere Casanova, podere Le Querce, podere Frantoio, podere Bellosguardo) per un totale di 29 posti letto.
Ristorazione: cucina tipica toscana.
Prodotti aziendali: Chianti D.O.C., vin santo, vini D.O.C., olio extravergine, grappa.
Luoghi di interesse e manifestazioni locali: museo della ceramica a Montelupo, museo di Leonardo a Vinci. Festa della ceramica in giugno.
Prezzi: pasto da £ 40.000 a 60.000.
Note: posizione molto tranquilla, ideale per vacanze in completo relax. Martedì pomeriggio visita della fattoria con degustazione dei vini. Mountain bike. Tutti i prodotti sono a coltivazione biologica dal 1982 con garanzia AIAB. L'olio viene prodotto nel frantoio dell'azienda con macine di pietra.

CASTELLO DI MONTEGUFONI

via Montegufoni, 18 • 50025 MONTESPERTOLI
☎ 0571671131 fax 0571671514
E-mail:mgufoni@sienanet.it

● **F 7**

Posizione geografica: collina.
Periodo di apertura: da Pasqua a tutto ottobre.
Presentazione: castello con dependance in stile. Offre ospitalità in 24 appartamenti da 4-6-8 posti letto, ciascuno con bagno. Telefono in comune. Sala in comune. Parcheggio.
Ristorazione: limitata agli ospiti. Cucina toscana.
Prodotti aziendali: olio, vino e altri prodotti.
Luoghi di interesse e manifestazioni locali: Firenze a 25 km, museo di Montespertoli, attrazioni naturalistiche. Festa del vino in maggio, festa dell'olio in novembre.
Prezzi: da £ 1.500.000 a 3.000.000 per appartamento a settimana. Pasto da £ 35.000 a 60.000.
Note: intorno al castello ampio parco secolare completamente recintato. Corsi di cucina per gruppi di 15 persone minimo. Possibilità baby sitting. Ping-pong. Piscine, giochi all'aria aperta, campi da tennis a 1 km. Biancheria, riscaldamento.

CASTELLONCHIO

loc. Villa Grassina • 50060 PELAGO
☎ 0558326818-0558303471 fax 0558326009-0558303472

● **E 9**

Posizione geografica: collina (420 m).
Periodo di apertura: da marzo ad ottobre, periodo natalizio e fine anno.
Presentazione: villa caratteristica del barocco toscano in azienda di 50 ettari coltivati ad oliveto, castagneto e bosco.

Offre ospitalità in 12 appartamenti, con servizi privati, per un totale di 30 posti letto.

Ristorazione: riservata agli ospiti e aperto solo per la cena del venerdì, sabato, domenica con piatti tipici toscani e prodotti di stagione, e il mercoledì sera con pizza.

Prodotti aziendali: vino, olio, miele, grappa, vin santo, prodotti con castagne.

Luoghi di interesse e manifestazioni locali: parco nazionale delle Foreste casentinesi, valle dell'Arno. Varie sagre e feste locali in concomitanza delle raccolte agricole.

Prezzi: per gruppi di almeno 10 persone sconto del 10%, gratis per bambini fino ai 2 anni.

Note: da marzo ad ottobre il soggiorno minimo è di 2 notti. Ampi spazi verdi, percorsi segnati, piscina, tennis, ping-pong, mountain bike, passeggiate a cavallo. Azienda associata con il vicino agriturismo Castiglionchio che dista 6 km e dove è possibile effettuare visite guidate nei locali storici delle lavorazioni agricole e nel museo della civiltà contadina e partecipare alle attività agricole come la vendemmia con pranzo nei campi. Sala TV, telefono in appartamento, riscaldamento, biancheria. Si accolgono animali domestici.

CAPITETO

via Sant'Eustachio, 74 - fraz. Acone
50068 PONTASSIEVE ☎ 0558361600

● **E 8**

Posizione geografica: collina.
Periodo di apertura: da marzo al 10 gennaio.
Associato a: Terranostra.
Presentazione: tipica costruzione rurale su 6 ettari coltivati a vigneto, oliveto, frutteto. Offre ospitalità in 6 camere, di cui 3 con bagno.
Ristorazione: H/B e F/B in locale aperto al pubblico. Pasta fatta in casa, ribollita, panzanella, coniglio fritto e ripieno, piccioni arrosto, pollo.
Prodotti aziendali: confetture, olio, ortaggi, pollame, uova.
Luoghi di interesse e manifestazioni locali: Firenze a 30 km. Degustazione vini "Toscanello d'oro" a Pontassieve in maggio.
Prezzi: B&B a partire da £ 90.000, biancheria, riscaldamento, consumi, parcheggio. Pasto da £ 25.000 a 50.000. Sconto del 10% per bambini fino a 10 anni.
Note: accessibile agli handicappati. Ideale per soggiorno relax e passeggiate. Raccolta di funghi e frutti di bosco. Prato per prendere il sole, osservazione ambientale, piscina, giochi all'aria aperta, trekking e passeggiate. Equitazione a 6 km. Bagno e telefono in comune. Sala comune. Posto auto. biancheria, riscaldamento. Animali accolti previo accordo.

IL CROCICCHIO

via San Siro, 133 - loc. Borgo a Cascia
50066 REGGELLO
☎ **0558667262-055868970 fax 055869102**
E-mail:info@crocicchio.com

● **F 9**

Posizione geografica: collina.
Periodo di apertura: da aprile a ottobre.
Associato a: Agriturist.
Presentazione: grande costruzione rurale (casa fortezza) perfettamente ristrutturata su 38 ettari coltivati a cereali, vigneti, oliveto. Offre ospitalità in 2 camere con bagno e in 8 bilocali, 2

monolocali, per un totale di 35 posti letto. Telefono in camera, angoli cottura con frigorifero, cassaforte, asciugacapelli.

Ristorazione: H/B a richiesta. Menu alla carta o a prezzo fisso con soluzioni anche settimanali. Ravioli alla salsa di rucola, steccata di funghi porcini, tagliatelle al tartufo.

Prodotti aziendali: miele, confetture, vino, vin santo, olio, grappa.

Luoghi di interesse e manifestazioni locali: Firenze, Siena, Arezzo, pieve romanica a Cascia (con trittico del Masaccio), abbazia e foresta di Vallombrosa. Concerti nelle chiese da maggio a settembre, feste e sagre di paese.

Prezzi: alloggio da £ 50.000 a 100.000 in base alla stagione e tipologia di appartamento. Pasto da £ 30.000 a 60.000. Sconto pasti per bambini fino ai 6 anni. In alta stagione permanenza minima 1 settimana.

Note: accessibile agli handicappati. Visite alla cantina e proiezione video sulle attività della campagna. Pony per bambini, videoteca, pallacanestro, ping-pong, giochi all'aria aperta, equitazione, mountain bike. Piscina, riscaldata nelle mezze stagioni. Raccolta di castagne, funghi, frutti di bosco. Ampio giardino e posto per prendere il sole, attrezzati. Da giugno a settembre musica e karaoke una volta alla settimana. Biancheria, pulizie iniziali e finali, sala comune, riscaldamento, parcheggio. Animali accolti previo accordo.

IL CASTIGLIONCHIO

via Castiglionchio, 2 • 50067 RIGNANO SULL'ARNO
☎ **0558303169-0558303471**
fax 0558303063-0558303472

● **E 8**

Posizione geografica: collina.
Periodo di apertura: tutto l'anno.
Presentazione: antico insediamento fortificato a mezza costa nella piccola valle del torrente delle Rivolte, a 15 km da Firenze. Offre ospitalità in 40 appartamenti all'interno della villa principale, per un totale di 120 posti letto, e in case coloniche ristrutturate con tipico gusto toscano, circondate dai vigneti della fattoria.

Ristorazione: 4 sere la settimana (venerdì, sabato, domenica, martedì), riservata agli ospiti. Colazione a buffet tutti i giorni. Piatti tipici toscani con prodotti di stagione e selvaggina.

Prodotti aziendali: olio, vino, grappa, vin santo e miele.

Luoghi di interesse e manifestazioni locali: visite guidate al museo della civiltà contadina all'interno della fattoria, dal 20 settembre al 15 ottobre vendemmia con spaghettate nei campi, fine ottobre possibilità di seguire le fasi di trasformazione dell'uva in vino, raccolta e frangitura delle olive nel vecchio frantoio con assaggio del nuovo olio.

Prezzi: sconto del 10% per gruppi di almeno 10 persone, gratis per bambini fino ai 2 anni.

Note: tennis, piscina. Biancheria. Si accolgono animali domestici.

MONDO ALBION

via di Giogoli - loc. le Selve • 50018 SCANDICCI
☎ 055252678 ☎ e fax 0552570886

● F 8

Posizione geografica: collina.
Periodo di apertura: da giugno a settembre.
Presentazione: costruzione rurale caratterizzata in interno ed esterno da sculture e dipinti pregiati. In posizione panoramica, si estende su 24 ettari adibiti ad oliveto, frutteto e vigneto. Accoglie ospiti in 6 camere, con bagno, per un totale di 12 posti letto.
Ristorazione: H/B e F/B. Cucina tradizionale, vegetariana e salutista preparata con prodotti biologici.
Prodotti aziendali: vino, olio e frutta.
Luoghi di interesse e manifestazioni locali: Firenze, Chianti e musei. Varie manifestazioni locali.
Prezzi: camere oltre £ 50.000. Pasto da £ 45.000 a 60.000. Sconto del 10% per bambini fino a 10 anni, del 5% per letto aggiunto e del 10% per la seconda settimana.
Note: è gradita la prenotazione. Prato per prendere il sole. Passeggiate in riva al lago. Ampie sale per riunioni e convegni, ambienti unici fantacolore. A richiesta corsi d'artigianato, pittura, scultura, decorazione, fotografia e gastronomia. Telefono in camera, biancheria, pulizia, frigorifero, aria condizionata e parcheggio custodito.

LA GINESTRA s.c.r.l.

via Pergolato, 3 - loc. San Pancrazio
50020 SAN CASCIANO VAL DI PESA
☎ e fax 0558248196-0558249245

● F 7

Posizione geografica: collina.
Periodo di apertura: tutto l'anno.
Associato a: Agriturist e Promochianti.
Presentazione: la fattoria offre ospitalità in due antiche case coloniche ristrutturate con cura. In posizione panoramica, circondata da giardino e bosco di lecci e cipressi. Accoglie ospiti in 5 appartamenti da 2/8 posti letto; a 200 m di distanza la bellissima casa "Il Mandorlo" di 13 posti letto con giardino. Ospitalità in 16 camere singole e doppie per stages residenziali. Possibilità di soggiorno con pensione.
Ristorazione: 30 coperti. Cucina tipica toscana e mediterranea per ospiti residenti e non, a base di prodotti dell'azienda quali verdura, pasta, carni e salumi, ottenuti con metodo biologico.
Prodotti aziendali: olio, vino, miele, marmellate, conserve, pasta e farina.
Luoghi di interesse e manifestazioni locali: Firenze, San Gimignano, Siena, Pisa, Volterra. Turismo eno-gastronomico nel Chianti. Esposizioni fiori e quadri nei castelli in maggio. Sagre dell'olio nuovo in novembre. Fierucola del pane (mensile). Tuscia Eletta a novembre e gennaio, "Musica dei Popoli" a ottobre e novembre.
Prezzi: OR a £ 55.000, H/B a £ 84.000, F/B a £ 98.000. Sconti per gruppi e bambini.
Note: ideale per relax, passeggiate e degustazioni, escursioni e visite guidate. Piscina. Tennis, maneggio, mountain bike nelle vicinanze. Si accolgono animali. Raccolta di more e asparagi. Ampio giardino attrezzato. Disponibilità sala (100 mq) con possibilità di attività per gruppi. Biancheria, riscaldamento, pulizia.

FATTORIA LA GERMANA

loc. Spalliena, 157 • 50060 SAN GODENZO
☎ 0558374244

● D 9

Posizione geografica: alta collina (700 m).

Periodo di apertura: da aprile a ottobre.
Associato a: Agriturist.
Presentazione: casa padronale del XVI secolo restaurata, su 24 ettari tra frutteto, seminativo e bosco. Offre ospitalità in 3 camere con servizi in comune.
Ristorazione: H/B e F/B in ristorante aperto al pubblico su prenotazione, 20 coperti al massimo. Cucina casalinga.
Prodotti aziendali: marroni, susine Claudia.
Luoghi di interesse e manifestazioni locali: Firenze, abbazia di San Godenzo del 1029, parco naturale del monte Falterona, Foreste casentinesi. Fiera del pecorino in luglio, fiera del marrone in ottobre, sagra del tortello in agosto.
Prezzi: alloggio da £ 30.000. Pasto a £ 30.000.
Note: pesca, trekking e passeggiate, raccolta di funghi e frutti di bosco. Tennis a 1 km. Gradita la prenotazione. Animali accolti previo accordo.

SANTALVICO

loc. Pruneta - Podere Santalvico • 50060 SAN GODENZO
☎ 0558379056

● D 9

Posizione geografica: collina.
Periodo di apertura: tutto l'anno.
Presentazione: tipica costruzione rurale, perfettamente ristrutturata, in azienda di 15 ettari tra uliveto, pineta, seminativo, cipressi e marroneta. Offre ospitalità in 1 appartamento indipendente con 2-3 camere (4-6 posti letto) con bagno, cucina, soggiorno, biancheria in dotazione, tutti i comfort.
Ristorazione: solo per gli ospiti, H/B e prima colazione. Cucina casalinga con prodotti dell'azienda, gnocchi, tagliatelle fatte in casa, ortaggi propri, liquori di ciliege e nocino.
Prodotti aziendali: olio, marroni, polli, uova, frutta.
Luoghi di interesse e manifestazioni locali: parco nazionale delle Foreste casentinesi con visite guidate ai fiumi e alle cascate e possibilità di fare bagni, monte Falterona e Campigna, monastero dei frati francescani a Camaldoli, autodromo del Mugello. Sagra delle castagne e del cacio.
Prezzi: B&B da £ 40.000 a 45.000 a notte con acqua, luce e riscaldamento, pasto a £ 20.000. Affitto della casa per una settimana a £ 700.000.

Note: prenotazione con caparra. Biciclette a disposizione. Raccolta di frutti di bosco, funghi e marroni. Nelle vicinanze equitazione, tennis e piscina. Telefono, parcheggio. Animali accolti previo accordo.

SOVIGLIANO

via Magliano, 9 • 50028 TAVARNELLE VAL DI PESA
☎ e fax 0558076217 fax 0558050770
E-mail:sovigliano@ftbcc.it

● F 7

Posizione geografica: collina.
Periodo di apertura: tutto l'anno.
Associato a: Agriturist.
Presentazione: tipica costruzione toscana. Offre ospitalità in 4 camere, di cui 2 con bagno, e 3 appartamenti completi di cucina e frigorifero.
Ristorazione: H/B. Cucina toscana.

Prodotti aziendali: olio e vino.
Luoghi di interesse e manifestazioni locali: città d'arte della Toscana, pievi e castelli. Concerti nei castelli.
Prezzi: alloggio da £ 70.000. Pasto da £ 40.000 a 60.000.
Note: tiro con l'arco, mountain bike, corsi di cucina. Telefono in comune, biancheria, riscaldamento e pulizie.

POGGIO ALLE LAME

strada Le Lame, 8 • 50028 TAVARNELLE VAL DI PESA
☎ 0558077373-0558050365

 F 7

Posizione geografica: collina.
Periodo di apertura: da dicembre a ottobre.
Presentazione: tipica casa colonica toscana, in luogo isolato e silenzioso, con fienile e annessi rurali ristrutturati, in azienda di 32 ettari coltivati a vigneto, oliveto e bosco. Allevamento di purosangue arabi con superbi stalloni per la monta pubblica. Offre ospitalità in 7 miniappartamenti e 7 camere con bagno, per un totale di 30 posti letto.
Ristorazione: H/B. Piccolo ristorante riservato agli ospiti. In estate cena sull'aia panoramica. Piatti della cucina tipica toscana fra i quali bruschette, crespelle alla fiorentina, tagliata con rucola e pecorino, pasta e dolci fatti in casa.
Prodotti aziendali: vino, olio extravergine d'oliva, ortaggi, uova, marmellate.
Luoghi di interesse e manifestazioni locali: Firenze, Siena, San Gimignano, Volterra, pievi romaniche, castelli. Sagre paesane. Concerti di musica classica nel castello di Badia a Passignano nel periodo di Pentecoste.
Prezzi: OR da £ 45.000 a 60.000, colazione a £ 12.000, H/B da £ 80.000 a 100.000, pasto a £ 30.000 bevande escluse.
Note: permanenza minima in appartamento 1 settimana, in camera 2 giorni. Piscina, mountain bike. Spazi verdi per bambini. Sala lettura, TV satellitare a richiesta, telefono e fax a scatti, posto auto. Biancheria, pulizia. Non si accettano animali.

PODERE CALDINE ALL'ANTELLA

via Di Picille, 34 • 50011 ANTELLA DI BAGNO A RIPOLI
☎ 0556569036

▲ E 8

Posizione geografica: collina.
Periodo di apertura: tutto l'anno.
Associato a: Promo Chianti.
Presentazione: tipiche costruzioni coloniche immerse fra ulivi e boschi. Offre ospitalità in 1 appartamento per due

persone, più eventuale bambino, dotato di camera doppia con bagno, soggiorno con angolo cottura e frigorifero. Biancheria in dotazione. Posto macchina. Tutti i comfort.
Prodotti aziendali: olio extravergine e vino prodotti con tecniche biologiche.

Luoghi di interesse e manifestazioni locali: Firenze a 10 km, Siena a 60 km, Chianti, Antella, Impruneta, Greve in Chianti.
Prezzi: da £ 80.000 a 100.000 l'appartamento, tutto compreso.
Note: accessibile agli handicappati. Nelle vicinanze ristoranti, servizi, equitazione e attività ricreative, giochi all'aria aperta, mountain bike. Posto per prendere il sole. Giochi da tavolo e di sala, passeggiate. Raccolta di asparagi, castagne, frutti di bosco, funghi. Posizione panoramica. Animali accolti previo accordo.

IL VALICO

via Strada di Marcialla, 10 • 50020 BARBERINO VAL D'ELSA
☎ 0558076602 fax 055496427

 F 7

Posizione geografica: collina (350 m).
Periodo di apertura: da marzo a dicembre.
Presentazione: antiche case di contadini ristrutturate con gusto e molto funzionali, circondate da viti, ulivi e cipressi. Accoglie ospiti in 3 appartamenti da 2 posti letto ciascuno, 1 appartamento da 4 posti letto, in 2 appartamenti da 6 posti letto e in 1 appartamento da 8 posti letto, tutti con bagno, salotto e cucina. Dispone inoltre di 1 camera matrimoniale con bagno nel cuore del Chianti a metà strada tra Firenze e Siena.
Prodotti aziendali: vino, olio, vin santo e grappa.
Luoghi di interesse e manifestazioni locali: San Gimignano, Firenze e Siena. Sagra di Marcialla a luglio.
Prezzi: da £ 30.000 a 50.000.
Note: soggiorno minimo di 7 giorni (da sabato a sabato), in inverno possibilità di trascorrere gli week-end (2 notti). Prato attrezzato per prendere il sole. Disponibile barbecue. Raccolta di more. Pulizia finale obbligatoria (da fare personalmente o a pagamento). Riscaldamento a consumo. Biancheria. Animali accolti previo accordo.

FATTORIE GIANNOZZI

loc. La Ceppa • 50020 BARBERINO VAL D'ELSA
☎ 0558076602 fax 055496427

 F 7

Posizione geografica: collina.
Periodo di apertura: da marzo a dicembre.
Associato a: Agriturist.
Presentazione: tipiche case coloniche antiche ristrutturate, immerse nel verde di oliveti, vigneti e cipressi. Si accolgono ospiti in 3 appartamenti di 7, 4 e 6/8 posti letto, con 2 bagni, salotto con camino e cucina.
Prodotti aziendali: vino, vin santo, olio e grappa. Possibilità di degustazioni.
Luoghi di interesse e manifestazioni locali: San Gimignano, Firenze e Siena. A luglio sagra di Marcialla.
Prezzi: da £ 30.000 a 50.000.
Note: 1 appartamento è accessibile agli handicappati. Nelle vicinanze piscina, tennis ed equitazione. Soggiorno minimo 7 giorni (da sabato a sabato). Raccolta di more e funghi. Prato attrezzato per prendere il sole. Disponibile barbecue. Obbligo di pulizie finali (da fare personalmente o a pagamento). Sala comune. Animali accolti previo accordo.

FATTORIA SANT'APPIANO

loc. Sant'Appiano • 50021 BARBERINO VAL D'ELSA
☎ e fax 0558075541

 F 7

Posizione geografica: collina (300 m).
Periodo di apertura: tutto l'anno.
Associato a: Agriturist.
Presentazione: tipiche costruzioni rurali ristrutturate secondo i canoni toscani su 119 ettari coltivati a cereali, vigneto, oliveto. Offre ospitalità in 8 appartamenti con ingresso indipendente, riscaldamento autonomo, cucina, bagno con doccia, caminetto, gazebo illuminato, per un totale di 26 posti letto.
Prodotti aziendali: Chianti D.O.C.G., Bianco Toscano, vin santo, vino Monteloro tenuto 10 mesi in barriques, spumante, grappa, olio extravergine.
Luoghi di interesse e manifestazioni locali: Firenze a 27 km, Siena a 35 km, San Gimignano a 15 km, Volterra a 30 km, chiesa di Sant'Appiano (IX secolo).
Prezzi: appartamento piccolo da £ 75.000 a persona, appartamento grande da £ 80.000 a persona. I prezzi comprendono l'uso della piscina. Prenotazione obbligatoria, minimo 1 settimana in alta stagione, 2 giorni in bassa stagione.
Note: nelle immediate vicinanze equitazione. Piscina, giochi all'aria aperta, trekking e passeggiate. Raccolta di asparagi, frutti di bosco, funghi, tartufi. Vista sulle torri di San Gimignano.

FATTORIA QUERCIA AL POGGIO

via Quercia al Poggio, 2 • 50021 BARBERINO VAL D'ELSA
☎ 0558075278 fax 0558075108

 F 7

Posizione geografica: collina (350 m).
Periodo di apertura: tutto l'anno.
Presentazione: tipica costruzione rurale su 96 ettari coltivati a vigneto e oliveto. Offre ospitalità in 7 appartamenti per un totale di 25 posti letto, dotati di cucina con frigorifero e bagno.
Prodotti aziendali: vino, olio.
Luoghi di interesse e manifestazioni locali: San Gimignano, Siena, Firenze. Palio di Siena il 2 luglio e il 16 agosto, sagra della fettunta in novembre.
Prezzi: da £ 100.000 a 120.000 in camera doppia.
Note: si consiglia di prenotare. Permanenza minima 3 notti nel periodo invernale, 1 settimana da Pasqua a fine settembre. Disponibile nel periodo estivo solo 1 camera con cucina, permanenza minima 3 notti. Ideale per passeggiate naturalistiche all'interno della proprietà. Prati per prendere il sole, giochi all'aria aperta, tennis, piscina. Raccolta di asparagi, frutti di bosco, fichi, funghi. Biancheria, pulizie, parcheggio.

TREPPIÉ DI SOPRA

via Pisana, 114-116 • 50021 BARBERINO VAL D'ELSA
☎ 0558078035-0558078167 fax 0577936146

 F 7

Posizione geografica: collina.
Periodo di apertura: da marzo a ottobre e periodo natalizio.

Associato a: Agriturist.
Presentazione: antica villa con fienile ristrutturata su 22 ettari tra vigneto, oliveto e bosco. Offre ospitalità in 6 camere con 4 bagni in comune e in 3 appartamenti interni all'ex fienile dotati di angolo cottura, per un totale di 30 posti letto.
Prodotti aziendali: vino, grappa, olio.
Luoghi di interesse e manifestazioni locali: Firenze, Siena, San Gimignano.
Prezzi: alloggio £ 30.000 in bassa stagione e da £ 60.000 a 70.000 in alta stagione.
Note: prenotazione minima una settimana. Un appartamento accessibile agli handicappati. Corsi di vinificazione e possibilità di partecipare alla vendemmia. Telefono in comune. Due piscine.

FATTORIA LE FILIGARE

loc. Sicelle • 50021 BARBERINO VAL D'ELSA
☎ 0558072796 fax 055755766 cell. 03355752617

 F 7

Posizione geografica: collina.
Periodo di apertura: tutto l'anno.
Presentazione: tipica costruzione rurale restaurata in perfetta armonia con l'ambiente, coltivata a uliveto e vigneto. Dispone di appartamenti indipendenti dotati di ogni comfort.
Prodotti aziendali: vino tipico Chianti classico D.O.C.G.
Luoghi di interesse e manifestazioni locali: città d'arte, valle del Chianti.
Prezzi: rivolgersi all'azienda.
Note: permanenza minima 1 settimana, da sabato a sabato. Tennis, piscina, mountain bike.

LA TOPAIA

via San Giovanni Maggiore, 57
50032 BORGO SAN LORENZO ☎ e fax 0558408741

 E 8

Posizione geografica: collina.
Periodo di apertura: tutto l'anno.
Associato a: Agriturist, Turismo Verde, Terranostra.
Presentazione: casa colonica recentemente ristrutturata su 36 ettari coltivati a cereali, frutteto, vigneto. Offre ospitalità in 3 camere con 6 posti letto e in 2 appartamenti indipendenti con 12 posti letto.
Prodotti aziendali: frutta e verdura.
Luoghi di interesse e manifestazioni locali: Firenze a 30 km, museo della civiltà contadina e pieve romanica a San Giovanni. Fiera dell'agricoltura in giugno, sagre gastronomiche in estate.
Prezzi: alloggio da £ 40.000 a 60.000 a persona compresi biancheria, riscaldamento, luce, gas, acqua.
Note: ampio giardino attrezzato. Area per barbecue. Tavolo per ping-pong. Nelle vicinanze, cinema, piscina, tennis, golf, equitazione, autodromo del Mugello. Telefono in comune.

CAPEZZANA

via Capezzana, 100 • 50042 CARMIGNANO
☎ 0558706005 fax 0558706673

▲ **E 8**

Periodo di apertura: tutto l'anno.
Associato a: Agriturist.
Presentazione: la fattoria accoglie ospiti in 6 camere doppie.
Prodotti aziendali: vino e olio.
Luoghi di interesse e manifestazioni locali: ville medicee, scavi etruschi, Poggio a Caiano, Artimino, Carmignano.
Prezzi: OR da £ 30.000 a 50.000.
Note: visite su appuntamento al centro aziendale, frantoio, vinsantaia, tinaia e cantina di fermentazione. Biancheria, pulizia, uso cucina e frigorifero, sala comune.

CASTELLO DI CABBIAVOLI

via del Vallone, 53 • 50051 CASTELFIORENTINO
fax 055599405 cell. 0335380926
E-mail:ginevra.puccioni@iol.ot • http:www.cabbiavoli.it

▲ **F 7**

Posizione geografica: collina.
Periodo di apertura: tutto l'anno.
Presentazione: antica casa colonica, con annessi due fienili ristrutturati, in azienda di 115 ettari con allevamento di fagiani. Offre ospitalità in 8 appartamenti attrezzati per un totale di 30 posti letto.
Prodotti aziendali: olio extravergine d'oliva, vino Chianti Putto "Fattoria di Cabbiavoli".
Luoghi di interesse e manifestazioni locali: Firenze a 30 km, San Gimignano a 15 km, Certaldo a 7 km, Volterra a 20 km, museo di Montespertoli con festa del vino a maggio e festa dell'olio a novembre.
Prezzi: da £ 1.000.000 a 1.700.000 per appartamento a settimana.
Note: piscina, pingpong, bocce, trekking, giochi all'aperto per bambini. Nel vicino maneggio si possono praticare corsi di equitazione o gite di gruppo. Campi da tennis e da golf nelle vicinanze. Si accolgono animali.

CASA BASSA

via delle Regioni, 281 • CERTALDO
☎ 0571667619 fax 0571664946

▲ **F 6**

Posizione geografica: collina.
Periodo di apertura: tutto l'anno.
Associato a: Agriturist.
Presentazione: caratteristica casa colonica circondata da bellissimi cipressi, vigneti e oliveti. Accoglie ospiti in 4 appartamenti per un totale di 15 posti letto.
Prodotti aziendali: vino, vin santo, olio e ortaggi.
Luoghi di interesse e manifestazioni locali: casa del Boccaccio, palazzo Pretorio, torri di San Gimignano. Festa della Beata Giulia la prima settimana di ottobre, mercato medioevale la 3ª settimana di luglio, sagra della cipolla.

Prezzi: da £ 40.000 a 50.000.
Note: accessibile agli handicappati. Biancheria, pulizia, uso lavatrice, riscaldamento, sala comune con TV, telefono, sala riunioni, posto auto e piscina. Prato per prendere il sole. Animali accolti previo accordo.

LUCCIANO

via Lucciano, 282 - loc. San Lorenzo a Vigliano
fraz. Marcialla • 50020 CERTALDO
☎ e fax 055710114 cell. 03388072173

▲ **F 6**

Posizione geografica: collina.
Periodo di apertura: da aprile a ottobre.
Associato a: Agriturist.
Presentazione: casale del '600 recentemente restaurato su 25 ettari coltivati a cereali e ulivi. Accoglie ospiti in 2 appartamenti grandi, a richiesta comunicanti, uno da 6 posti letto e l'altro da 4 posti letto, completamente arredati, in posizione tranquilla e isolata. Telefono e lettino per bimbo a richiesta. Posto macchina.
Prodotti aziendali: olio extravergine.
Luoghi di interesse e manifestazioni locali: città d'arte (Firenze, Siena, San Gimignano, Volterra), castello di Certaldo, casa del Boccaccio, pieve romanica di Sant'Appiano, Badia Passignano, Barberino Val d'Elsa, San Pietro in Bossolo. Antica fiera di Mercantia a Certaldo Alto, Marcialla in festa, mostra del vino a Montespertoli.
Prezzi: alloggio da £ 30.000 a 50.000, compresi biancheria, luce, gas, acqua.
Note: permanenza minima 3 giorni. Possibilità escursioni e passeggiate naturalistiche. Pesca sportiva, piscina, tennis, maneggio nelle vicinanze. Prato per prendere il sole. Per informazioni inviare corrispondenza a Pietro Bazzani, via Soldani Benzi 3, 50143 Firenze, tel. e fax 055710114.

FATTORIA IL LAGO

loc. Il Lago - fraz. Campagna • 50062 DICOMANO
☎ 055838047 cell. 03358032783

▲ **E 9**

Posizione geografica: collina, lago.
Periodo di apertura: tutto l'anno.
Presentazione: azienda con coltivazione di olivi e viti. Offre ospitalità in 6 appartamenti dislocati in 5 edifici tutti in pietra di recente ristrutturazione, per un totale di 25 posti letto.
Prodotti aziendali: vino Chianti, vin santo, grappa, olio.
Luoghi di interesse e manifestazioni locali: reperti archeologici a Frascole. Festa del Bacco artigiano a Rufina in settembre, Toscanello d'Oro a Pontassieve in maggio.
Prezzi: permanenza settimanale da £ 800.000 a 1.600.000.
Note: prenotazione obbligatoria. Permanenza minima di 3 giorni in bassa stagione. Visite guidate alla cantina storica. Riserva di caccia. Possibilità di praticare la pesca in tre laghi, equitazione. La struttura aziendale è posta lungo un noto anello di trekking. Piscina con solarium, mountain bike. Area per barbecue in caratteristica grotta. Si accolgono animali domestici.

PODERE LA CASELLINA

via Poggio alla Croce, 60 • 50063 FIGLINE VALDARNO
☎ e fax 055950070 cell. 03334284581
E-mail:poderelacasellina@tin.it

 F 9

Posizione geografica: collina (320 m).
Periodo di apertura: tutto l'anno.
Presentazione: azienda di 5 ettari con coltivazioni di viti, olivi, alberi da frutto e ortaggi. Offre ospitalità in 3 comodissime camere ricavate all'interno di un vecchio fienile ristrutturato, per un totale di 6 posti letto.
Prodotti aziendali: vino, olio, frutta, ortaggi da agricoltura biologica.
Luoghi di interesse e manifestazioni locali: Firenze, Siena, San Gimignano, Arezzo, castelli del Chianti. Mercatini dell'antiquariato e sagre paesane.
Prezzi: B&B a £ 80.000 a persona. Prezzi speciali per lunghi soggiorni.
Note: è necessaria la prenotazione. La permanenza minima è di 2 giorni. Lezioni e letture di storia e architettura del paesaggio toscano, corsi di cucina regionale, degustazione di prodotti dell'azienda. Trekking a piedi o in mountain bike nel bosco. Pulizie ogni 3 giorni. Si accolgono animali.

LE MACINE

viuzzo del Pozzetto, 1 • 50126 FIRENZE
☎ e fax 0556531089

▲ E 8

Posizione geografica: città-campagna.
Periodo di apertura: tutto l'anno.
Associato a: Agriturist.
Presentazione: tipica costruzione rurale del XVII secolo circondata da ville rinascimentali collegate da viuzze antiche ideali per tranquille passeggiate, tra oliveto e frutteto. Offre ospitalità in 1 camera con bagno e in 2 miniappartamenti con bagno e angolo cottura, ingresso indipendente, arredati con gusto e mobili originali.
Prodotti aziendali: olio, vino, ortaggi, frutta.
Luoghi di interesse e manifestazioni locali: Firenze centro, pieve e chiesa di Badia a Ripoli, castello del Bisarno, chiesa di San Piero in Palco (XI secolo).
Prezzi: B&B da £ 45.000 a 70.000.
Note: osservazione ambientale. Prato per prendere il sole. Ping-pong, biciclette, equitazione. Nelle vicinanze piscina, golf, tennis, pesca. Giardino con alberi sempreverdi e fiori. Telefono in comune, riscaldamento, biancheria, pulizie, posto auto. Animali accolti previo accordo.

POGGIO AI GRILLI

via Vecchiarelle • 50050 GAMBASSI TERME
☎ 0571631767 - 03387769816

▲ F 6

Posizione geografica: collina.
Periodo di apertura: tutto l'anno.
Associato a: Terranostra.
Presentazione: tipico casale toscano su 20 ettari coltivati a cereali, ortaggi, frutteto, vigneto, uliveto. Allevamento avicunicolo. Offre

ospitalità in 3 appartamenti (70 mq, 95 mq e 100 mq), per un totale di 12 posti letto, dotati di bagni, angolo cottura con frigorifero, caminetto, TV, posto macchina.
Prodotti aziendali: vino, ortaggi, uova, frutta.
Luoghi di interesse e manifestazioni locali: Firenze, Pisa e Siena a 30 minuti d'auto. Terme, paesi medievali, ruderi romanici. Manifestazioni a Gamassi: "Incanti e banchi" (artigianato), "Mercantia" (artigianato e spettacoli), mostra mercato (vino, olio, artigianato).
Prezzi: alloggio da £ 30.000 a 50.000. Permanenza minima 3 giorni.
Note: ideale per vacanze relax o visite a città d'arte. Piscina. Giochi da tavolo per bambini. Pallacanestro, birdwatching, trekking e passeggiate. Raccolta di asparagi, funghi, frutti di bosco, erbe aromatiche, more. Cinema nelle vicinanze. Biancheria, riscaldamento e parcheggio. Animali accolti previo accordo.

LA SALA

via Cintoia Alta, 47 • 50022 GREVE IN CHIANTI
☎ e fax 0558547962

▲ F 8

Posizione geografica: collina (500 m).
Periodo di apertura: da Pasqua a ottobre.
Associato a: Terranostra.
Presentazione: tipica costruzione rurale ristrutturata fedelmente e arredata con mobili d'epoca, su 20 ettari di oliveto. Offre

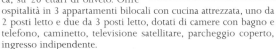

ospitalità in 3 appartamenti bilocali con cucina attrezzata, uno da 2 posti letto e due da 3 posti letto, dotati di camere con bagno e telefono, caminetto, televisione satellitare, parcheggio coperto, ingresso indipendente.
Prodotti aziendali: olio extravergine, ortaggi, Chianti.
Luoghi di interesse e manifestazioni locali: Siena, Volterra, San Gimignano, pieve romanica di San Pietro, abbazia di Monte Scalari, museo d'arte contadina, strade romane. Festa del vino, sagra del tartufo, mercatino dell'antiquariato, mostre di pittura e concerti a Greve.
Prezzi: alloggio da £ 70.000.
Note: posizione superpanoramica, ideale per relax. Trattoria tipica con giardino a 800 m. Frigo in piscina. Osservazione ambientale, giochi all'aria aperta, trekking e passeggiate, mountain bike. Nelle vicinanze equitazione, golf, pesca sportiva, tennis, tiro con l'arco. Raccolta di marroni e castagne, more di bosco, funghi. Gradita la prenotazione. In giugno, luglio, agosto, prenotazione minima 1 settimana. Prima e dopo, 3 giorni. Biancheria per camere, bagni, cucina, pulizie, riscaldamento, parcheggio.

CASANOVA

via Uzzano, 30 • 50022 GREVE IN CHIANTI
☎ e fax 055853459

▲ F 8

Posizione geografica: collina.
Periodo di apertura: da marzo a ottobre.
Associato a: Turismo Verde.
Presentazione: casa colonica ristrutturata su 13 ettari coltivati a uliveto e vigneto. Offre ospitalità in 6 camere con bagno.
Prodotti aziendali: olio, vino.
Luoghi di interesse e manifestazioni locali: Firenze, Siena, San Gimignano. Molte manifestazioni locali.

Prezzi: B&B a £ 60.000.
Note: ideale per soggiorno relax e passeggiate. Frigo-bar e telefono, pulizia, biancheria.

FALCIANI PATRIZIA

via di Melazzano, 5/b • 50022 GREVE IN CHIANTI
☎ e fax 0552301003-0558544504 cell. 0336483226
fax 0558544505

 F 8

Posizione geografica: collina.
Periodo di apertura: tutto l'anno.
Associato a: Promo Chianti.
Presentazione: tipico borghetto rurale. Offre ospitalità in 6 appartamenti a 2, 3, 4, 5 posti letto, dotati di bagno, cucina con forno e lavatrice condominiale.
Prodotti aziendali: vino, olio.
Luoghi di interesse e manifestazioni locali: Siena, San Gimignano, Firenze, Arezzo. Festa del vino e dell'artigianato in settembre. Concerti estivi nelle pievi.
Prezzi: appartamento da £ 110.000 a 140.000. Sconto 10% ai possessori della Guida Agriturismo in Italia.
Note: ideale per relax, privacy e passeggiate. Raccolta di ciliegie, fichi, funghi, asparagi e frutti di bosco. Prato per prendere il sole, piscina. Ogni comfort e servizio in paese (1,5 km). Nelle vicinanze maneggio, piscine, golf, ristoranti.

VILLA BUONASERA

via Cintoia Alta, 32 - loc. La Panca
50022 GREVE IN CHIANTI ☎ e fax 0558547932
http:www.villabuonasera.it

 F 8

Posizione geografica: collina.
Periodo di apertura: dal 15 marzo al 31 ottobre.
Presentazione: costruzioni caratteristiche ristrutturate completamente su 10 ettari coltivati a viti e uliveto. Offre ospitalità in 5 appartamenti con cucina completa, TV, giardino privato e barbecue, per un totale di 11 posti letto.
Prodotti aziendali: vini, vin santo, grappa, olio extravergine, marmellate.
Luoghi di interesse e manifestazioni locali: Firenze, Siena, pieve romanica di La Panca e Dudda. Feste estive a La Panca e Dudda.
Prezzi: appartamento da £ 90.000 a 180.000.
Note: accessibile agli handicappati. Ideale per relax assoluto e tranquillità, nonché romantiche passeggiate nel bosco. Piscina, ping-pong. Grande giardino, prati per prendere il sole, giochi all'aria aperta. Gestione familiare. Si parla italiano, tedesco, inglese. Telefono in comune, biancheria, pulizia, riscaldamento, posto auto. Animali accolti previo accordo.

IL TERMINE

via della Sodera, 47 • 50023 IMPRUNETA
☎ 055207037-055207135 fax 0552072714

 F 7

Posizione geografica: collina.
Periodo di apertura: tutto l'anno.

Associato a: Agriturist.
Presentazione: costruzioni rurali restaurate su 28 ettari coltivati biologicamente a vigneto, piccolo frutteto, bosco e laghetto artificiale. Accoglie ospiti in 3 appartamenti, da 2/4 posti letto. Giardino privato.
Prodotti aziendali: vino (Chianti Colli fiorentini D.O.C.G.), zafferano.
Luoghi di interesse e manifestazioni locali: Firenze, Arezzo, Siena, Pisa, Lucca, San Gimignano. Festa dell'uva, fiera di San Luca.
Prezzi: alloggio a circa £ 45.000 a persona.
Note: accessibile agli handicappati. Ideale per soggiorni di relax e culturali. È possibile la pesca amatoriale nel laghetto di proprietà. Raccolta di asparagi selvatici e funghi nei dintorni. Giochi all'aria aperta. Corsi di agricoltura biologica, enologia, giardinaggio. Nelle vicinanze golf, piscine, equitazione, cinema, ristoranti. Ping-pong.

DAL VERME MARIA ALOISIA

loc. Borri, 8 - fraz. Poggio alla Croce
50064 INCISA VAL D'ARNO ☎ 0558337866

 F 8

Posizione geografica: collina (400 m).
Periodo di apertura: tutto l'anno.
Associato a: Turismo Verde.
Presentazione: tipica casa colonica in posizione panoramica su un podere di 4 ettari con produzione biologica di olivi e iris. Accoglie ospiti in 1 appartamento per un totale di 3/4 posti letto.

Prodotti aziendali: olio.
Luoghi di interesse e manifestazioni locali: pieve romanica e Firenze. Festa del giaggiolo e dell'uva, fiera dell'antiquariato.
Prezzi: OR fino a £ 30.000.
Note: soggiorno minimo 4 giorni. Giardino, parco giochi e pergolato. Possibilità di trekking, mountain bike, ping-pong e corsi di cesteria. Raccolta di castagne, frutti di bosco e insalate selvatiche. Biancheria, pulizia, uso cucina, telefono in comune, riscaldamento e posto macchina.

BELLAVISTA

via Montelfi, 1 - fraz. Loppiano • 50064 INCISA VAL D'ARNO
☎ 0558335768 fax 0558335143

F 8

Posizione geografica: collina (200 m).
Periodo di apertura: tutto l'anno.
Associato a: Agriturist.
Presentazione: azienda agricola di 16 ettari, posta in posizione panoramica e circondata da un parco. Accoglie ospiti in 11 appartamenti recentemente ristrutturati per un totale di 29 posti letto.
Prodotti aziendali: olio, vino, uova e miele.
Luoghi di interesse e manifestazioni locali: pievi romaniche del Valdarno, Firenze (25 km), Chianti, Arezzo e Siena. Varie sagre paesane.
Prezzi: OR da £ 650.000 a 1.250.000 per settimana.
Note: soggiorno minimo 3 giorni. Piscina, calcetto, ping-pong e mountain bike. Lavanderia e stireria. Tutti gli appartamenti sono indipendenti per quanto riguarda servizi, luce e gas.

FONTE DE' MEDICI

via S. Maria a Macerata, 31 • 50020 MONTEFIRIDOLFI
☎ 05582447200 fax 05582447201 cell. 03396153964

 F 8

Posizione geografica: collina, lago.
Periodo di apertura: tutto l'anno.
Presentazione: un complesso di borghi, poderi e casali completamente restaurati in azienda nota per la sua produzione vinicola. Accoglie ospiti 9 appartamenti, per un totale di 35 posti letto, all'interno di due borghi in pietra, immersi nei vigneti, e con un panorama mozzafiato. Gli appartamenti, con travi a vista e pavimenti in cotto, sono dotati di ogni comfort, alcuni anche di una loggia esterna con barbecue e ampio camino.
Prodotti aziendali: olio e vino.
Luoghi di interesse e manifestazioni locali: tour del Chianti, Firenze, Siena e San Gimignano.
Prezzi: rivolgersi direttamente all'azienda.
Note: è gradita la prenotazione. Lago balneabile, mountain bike, piste da trekking. Maneggio nelle vicinanze con possibilità di scuola di equitazione ed escursioni a cavallo. A richiesta degustazioni guidate nelle tenute di famiglia, pranzi o cene alla carta presso il ristorante, di proprietà, di Badia a Passignano. Cambio biancheria. Si accolgono animali di piccola taglia e previo accordo.

LE FONTI A SAN GIORGIO

via Colle San Lorenzo, 16 • 50025 MONTESPERTOLI
☎ e fax 0571609298 fax 057174347

 F 7

Posizione geografica: collina.
Periodo di apertura: tutto l'anno.
Associato a: Agriturist.
Presentazione: rustico che offre ospitalità in 8 appartamenti ristrutturati da 4/6 posti letto, con bagno, angolo cottura, accogliente soggiorno con camino e giardino.
Prodotti aziendali: olio extravergine d'oliva, vino Chianti, vin santo.
Luoghi di interesse e manifestazioni locali: Firenze, Pisa, San Gimignano. Mostra del Chianti la prima settimana di giugno.
Prezzi: OR da £ 85.000 a 170.000 per appartamento. Sconto del 20% in bassa stagione per permanenza superiore a 1 settimana. Fine settimana da £ 60.000 per persona a notte.
Note: piscina, trekking. Pulizie a richiesta. Cambio biancheria settimanale. Animali accolti previo accordo.

FATTORIA CASALOSTE

via Montagliari, 32 • 50022 PANZANO IN CHIANTI
☎ 055852725 fax 0558560807 E-mail:casaloste@casaloste.it
http:www.casaloste.it

 F 8

Posizione geografica: collina.
Periodo di apertura: tutto l'anno, solo su prenotazione.
Associato a: Agriturist.
Presentazione: costruzione rurale toscana con antica torre del 1200 in azienda di 16 ettari di terreno, di cui 7 circa sono adibiti a vigneto specializzato. Accoglie ospiti in 3 appartamenti, arredati con angolo cottura attrezzato, per un totale di 13 posti letto.

Prodotti aziendali: Chianti classico, olio extravergine d'oliva, grappa.
Luoghi di interesse e manifestazioni locali: Firenze, Siena, San Gimignano e Arezzo. Festa del vino in settembre.
Prezzi: da £ 60.000.
Note: soggiorno minimo 1 settimana. Piscina (utilizzabile da fine maggio a fine settembre). Prato per prendere il sole. Biancheria, uso cucina e frigorifero, riscaldamento autonomo e posto macchina. Non si accolgono animali.

FATTORIA DI BASCIANO

via Argomenna, 10 • 50065 PONTASSIEVE
☎ 0558397034 fax 0558399250

 E 8

Posizione geografica: collina.
Periodo di apertura: da aprile a ottobre.
Presentazione: torre di guardia del XIII secolo recentemente restaurata con casa colonica toscana situata tra vigneto e oliveto. Offre ospitalità in 5 appartamenti ciascuno con 2 camere, 2 bagni, soggiorno, cucina, per un totale di 20 posti letto.
Prodotti aziendali: olio e vino.
Luoghi di interesse e manifestazioni locali: Firenze a 25 km, borghi e località del Chianti. Festa del Bacco Artigiano a Rufina in settembre, Toscanello d'Oro a Pontassieve in maggio.
Prezzi: permanenza settimanale (minima) da £ 800.000 a £ 1.500.000, compreso luce, gas, acqua, biancheria, in relazione alle dimensioni dell'appartamento e alla stagione.
Note: prenotazione obbligatoria. Tutti gli sport a Rufina (10 minuti di auto). Piscina. Possibilità di splendide passeggiate. Posizione panoramica.

TORRE DEL CASTELLANO

loc. Torre del Castellano - fraz. Cetina • 50066 REGGELLO
☎ 055863108 fax 055575924

 F 9

Posizione geografica: collina.
Periodo di apertura: tutto l'anno.
Associato a: Agriturist.
Presentazione: tipiche case rurali toscane su 40 ettari coltivati a seminativi, oliveto, vigneto e bosco. Accoglie ospiti in 4 case coloniche, ciascuna con 2 bagni e cucina attrezzata, per un totale di 25 posti letto.
Prodotti aziendali: vino e vin santo, grappa, olio.
Luoghi di interesse e manifestazioni locali: Firenze, Arezzo, Cortona, Pienza, Montepulciano, Montalcino. "Festa del Perdono" in settembre.
Prezzi: rivolgersi all'azienda.
Note: prato per prendere il sole e giardino adiacenti a ciascuna casa. Una delle case è provvista di grande giardino con piscina. Raccolta di frutti di bosco, funghi e castagne. Nelle vicinanze tennis, equitazione e bocce. Periodo di permanenza minima 1 settimana.

PASQUINI

loc. I Ciai • 50066 REGGELLO ☎ 055869260 fax 0558696020

F 9

Posizione geografica: collina.
Periodo di apertura: tutto l'anno.
Presentazione: case rurali ristrutturate, su 45 ettari di oliveto, vigneto, bosco. Dispone di 25 posti letto in 7 appartamenti.

Prodotti aziendali: vino, olio extravergine, grappa.
Luoghi di interesse e manifestazioni locali: Firenze, Siena, Arezzo, pieve romanica di San Pietro a Cascia, foresta di Vallombrosa. "Festa del Perdono" in settembre, mostra dell'olio.
Prezzi: appartamento fino a £ 100.000 escluso riscaldamento.
Note: ideale per soggiorno relax e turismo culturale. Ampio parco, piscina.

BELLOSGUARDO

via Pugliola - fraz. Cancelli • 50066 REGGELLO
☏ 0558695645 fax 0558695644

▲ F 9

Posizione geografica: collina.
Periodo di apertura: tutto l'anno.
Presentazione: tipica costruzione rurale su area coltivata a oliveto e frutteto. Offre ospitalità in 4 appartamenti arredati per un totale di 10 posti letto.
Prodotti aziendali: olio extravergine.
Luoghi di interesse e manifestazioni locali: Firenze, Siena, Arezzo, Vallombrosa, valle del Chianti. Manifestazioni e sagre estive, festa dell'olio in dicembre.
Prezzi: appartamento da £ 120.000 a 190.000 al giorno.
Note: ampio giardino attrezzato per prendere il sole, piscina. Raccolta di castagne e funghi. Biancheria, telefono comune. Gradita la prenotazione.

FATTORIA DI TORRE A CONA

fraz. San Donato • 50067 RIGNANO SULL'ARNO ☏ 055699000

▲ E 8

Posizione geografica: collina.
Periodo di apertura: tutto l'anno, solo su prenotazione.
Associato a: Unione Agricoltori.
Presentazione: caratteristica casa colonica recentemente e finemente ristrutturata. Nei pressi di un bosco, ideale per passeggiate naturalistiche. Accoglie ospiti in 4 appartamenti di cui 2 da 4 posti letto, 1 da 6 e 1 da 2.
Prodotti aziendali: vino, vin santo e olio.
Luoghi di interesse e manifestazioni locali: Firenze, abbazia di Vallombrosa, Saltino e pieve della Valdarno. Varie sagre locali.
Prezzi: OR da £ 730.000 a 1.525.000 per settimana.
Note: piscina aperta dal 17 giugno al 27 settembre. Soggiorno minimo 1 settimana. Prato per prendere il sole. Parcheggio auto. Inclusi nel prezzo acqua, luce, gas, cambio biancheria settimanale, pulizie finali e lettino bambini. Animali accolti previo accordo. Per prenotazioni: c/o Fattoria Torre a Cona tel. e fax 055699000 e Quadrifoglio tel. e fax 057172321.

BRUSCOLA

via Pisignano, 16 • 50026 SAN CASCIANO ☏ e fax 055828450

▲ F 7

Posizione geografica: collina.
Periodo di apertura: tutto l'anno.
Presentazione: antica villa del XVI secolo ristrutturata, tra vigneto e oliveto. Offre ospitalità in 2 camere con bagno, TV, frigorifero, e in 3 bilocali con bagno, cucina, TV (1 bagno attrezzato per portatori di handicap). Allevamento di animali da cortile.

Prodotti aziendali: Chianti classico, vin santo, grappa, olio extravergine d'oliva, miele, uova, pollame, conigli.
Luoghi di interesse e manifestazioni locali: città d'arte, Firenze a 15 km, Siena e Pisa facilmente raggiungibili in comode superstrade. Festa dei fiori in settembre, trebbiatura del grano in piazza, con vecchie attrezzature di proprietà dell'azienda.
Prezzi: da £ 80.000 a 100.000 per camera, in relazione alla stagione e alla permanenza, tutto compreso.
Note: conduzione familiare, ambiente caldo e naturale. Mostra permanente di vecchie attrezzature per l'agricoltura. Ampio giardino con attrezzature, giochi all'aria aperta. Nelle vicinanze, teatro, cinema, tennis, equitazione, pesca. L'azienda organizza degustazioni guidate e merende in cantina per minimo 10 persone. Raccolta di funghi, asparagi.

PODERE DEL LEONE

via dell'Arrigo, 28 - Pian de' Cerri • 50018 SCANDICCI
☏ e fax 055768982 ☏ 057122585

▲ F 8

Posizione geografica: collina (310 m).
Periodo di apertura: da maggio a ottobre.
Associato a: Terranostra
Presentazione: l'azienda è circondata da oliveto e vigneto. Offre ospitalità in 2 case indipendenti, una per 2 persone, l'altra per massimo 6 persone. Gli appartamenti sono dotati di ogni comfort, bagni e cucina. L'arredamento è tipico toscano, cotto e travi a vista.
Prodotti aziendali: vino, olio, miele, frutta e verdura di stagione. Tutti i prodotti sono ottenuti con sistemi di coltivazione biologici secondo i programmi europei.
Luoghi di interesse e manifestazioni locali: Firenze a 10 km. Vicinanza alle principali vie di comunicazione con i luoghi toscani di maggior interesse. Manifestazioni folkloristiche della città e provincia fiorentina.
Prezzi: alloggio da £ 38.000 a 66.000 incluse biancheria e pulizia.
Note: accoglienza familiare. Posizione panoramica. Accesso al parco Poggio Valicaia. Materiale per pittura. Passeggiate nel bosco, ampio giardino con piscina. È possibile partecipare alle attività aziendali. Equitazione e tennis a pochi chilometri. Trekking ed escursioni. Prenotazione obbligatoria.

FATTORIA VILLA SPOIANO

via Spoiano, 2 • 50028 TAVARNELLE
☏ e fax 0558077313

▲ F 7

Posizione geografica: collina.
Periodo di apertura: tutto l'anno.
Associato a: Promo Chianti.
Presentazione: villa rurale del Rinascimento tra vigneto e oliveto. Offre ospitalità in appartamenti per 3 o 4 persone, con camere doppie o singole, tutte con bagno e angolo cottura.

Prodotti aziendali: vino, olio, prodotti di agricoltura biologica.
Luoghi di interesse e manifestazioni locali: Siena, Firenze, San Gimignano, Volterra. Concerti a Badia Passignano in Pentecoste.
Prezzi: alloggio da £ 35.000 a 55.000.
Note: in alta stagione, prenotazione minima 1 settimana. Giardino attrezzato per prendere il sole. Nelle vicinanze, piscina e tennis. Biancheria e pulizie.

PODERI DI COIANO

via Paterno, 17 • 50030 VAGLIA
☎ 055407680 fax 055407772 E-mail:coiano@dada.it

▲ D 8

Posizione geografica: alta collina (500 m).
Periodo di apertura: tutto l'anno.
Associato a: Agriturist, Turismo Verde.
Presentazione: antiche case coloniche in pietra, in posizione isolata tra boschi e pascoli, su 39 ettari coltivati a cereali, ortaggi e frutteto. Allevamento cavalli e animali da cortile. Offre ospitalità in 2 appartamenti per un totale di 10 posti letto.
Prodotti aziendali: ortaggi, pollame, uova.
Luoghi di interesse e manifestazioni locali: Firenze a 18 km, parco di villa Demidoff a Pratolino, castelli medicei del Mugello. Festa della battitura a Bivigliano in luglio.
Prezzi: appartamento da 4 persone a £ 140.000 al giorno, appartamento da 6 persone a £ 180.000 al giorno.
Note: attrezzature esterne per relax, bagni di sole, barbecue, equitazione, trekking e passeggiate, mountain bike. Nei dintorni possibilità di acquistare prodotti tipici (olio, vino, pecorino). Animali accolti previo accordo.

MADONNA

via Zufolana, 42 • 50039 VICCHIO DI MUGELLO
☎ e fax 0558448249

▲ D 9

Posizione geografica: collina.
Periodo di apertura: tutto l'anno.
Presentazione: edificio padronale con 3 casali rurali e cappella recentemente ristrutturata con affreschi del XIII secolo, in azienda di 5 ettari coltivati a cereali. Accoglie ospiti in 3 appartamenti, con servizi, per un totale di 10 posti letto.
Prodotti aziendali: prodotti ortofrutticoli biologici e lumache.
Luoghi di interesse e manifestazioni locali: pieve romanica, Sant'Agata, museo dell'artigianato. Sagra della castagna.
Prezzi: OR da £ 30.000 a 100.000.
Note: ping-pong, piscina tennis, biliardo, golf. Raccolta di noci, nocciole e funghi. Possibilità di corsi di pittura e di lingua italiana per stranieri (francesi, inglesi e tedeschi) tenuti da professori bilingue. Prato per prendere il sole. Sala riunioni. Biancheria, pulizia, cucina posto macchina coperto. Animali accolti previo accordo.

TENUTA LE COLONIE

via Valinardi, 80 • 50059 VINCI
☎ e fax 057156246 E-mail:info@tenutalecolonie.it
http:www.tenutalecolonie.it

▲ E 7

Posizione geografica: collina.
Periodo di apertura: tutto l'anno.
Presentazione: immersa nel verde di olivi e vigneti, l'azienda offre ospitalità in 4 spaziosi ed eleganti appartamenti dotati di comfort.
Prodotti aziendali: vino, olio, miele.
Luoghi di interesse e manifestazioni locali: Vinci (città natale di Leonardo), il castello dei conti Guidi, la casa natale di Leonardo ad Anchiano.

Prezzi: da £ 55.000 a 75.000.
Note: è gradita la prenotazione. Mountain bike, birdwachting. Giardino, piscina, parcheggio. Si accolgono animali di piccola taglia.

PASCIOLICA

via Amerini, 10 • 50059 VINCI
☎ 0571584677 abit. 0571584095
cell. 03478838639 fax 0571584856

▲ E 7

Posizione geografica: collina.
Periodo di apertura: da marzo a dicembre.
Presentazione: vecchio casale ristrutturato in azienda con coltivazione di oliveti e vigneti del Chianti D.O.C. Offre ospitalità in 6 camere matrimoniali, con servizi privati, per un totale di 12/14 posti letto.

Prodotti aziendali: vino, olio, miele, grappe alla frutta, vin santo, pasta fresca all'uovo.
Luoghi di interesse e manifestazioni locali: Vinci, principali città d'arte toscane raggiungibili in meno di un'ora. Sagre e feste paesane nelle località limitrofe.
Prezzi: alloggio a £ 100.000 giornaliere a camera.
Note: ristoro convenzionato a circa 800 m. Piscina, mountain bike e giochi per bambini. Tennis, maneggio e trekking nelle vicinanze.

Grosseto

IL DUCHESCO

via Vecchia Aurelia, 31/A • 58010 ALBERESE
☎ e fax 0564407323
E-mail:info@ilduchesco.it • http:www.ilduchesco.it

● N 8

Posizione geografica: collina, fiume Ombrone.
Periodo di apertura: tutto l'anno.
Presentazione: azienda di 9 ettari coltivati a frutteto, oliveto e vigneto nel territorio del parco naturale della Maremma. Offre ospitalità in 10 camere con servizi privati, ingresso indipendente, piccolo giardino e barbecue. Angoli cottura in comune.
Ristorazione: colazione con dolci e confetture casalinghe. Il fine settimana degustazione di piatti tipici quali bruschette, acquacotta, verdure ripiene e sformati.
Prodotti aziendali: vino bianco e rosso, olio extravergine d'oliva, grappa, miele, frutta e verdura di stagione.
Luoghi di interesse e manifestazioni locali: a 5 minuti dal mare. Resti etruschi e romani a Roselle, Argentario, borghi medioevali.
Prezzi: rivolgersi direttamente all'azienda.
Note: mountain bike in uso gratuito per gli ospiti. Canoa sul fiume Ombrone, percorsi a cavallo nel parco anche con i butteri, trekking nel parco naturale. Su richiesta si tengono corsi di cucina toscana per gruppi o di reiki, in progettazione corsi di ceramica. Pulizie, biancheria. Non si accolgono animali.

PODERE MONTEGRAPPA

via del Mulinaccio, 32 • 58010 ALBERESE ☎ 0564407237

N 8

Posizione geografica: mare.
Periodo di apertura: dall'1 marzo al 2 novembre e dal 27 dicembre al 10 gennaio. Ristorante chiuso il lunedì.
Associato a: Agriturist e Turismo Verde.

Presentazione: casale toscano tipico su un'area di 24 ettari a coltivazione biologica (controllata da A.I.A.B.) di ortaggi, cereali, frutteto, oliveto, vigneto. Offre ospitalità in 6 camere, di cui 5 con bagno privato, per un totale di 12 posti letto.
Ristorazione: riservata agli ospiti, cucina tipica toscana.
Prodotti aziendali: frutta, ortaggi, olio, sottoli, marmellate.
Luoghi di interesse e manifestazioni locali: mare a 8 km, parco dell'Uccellina a 300 m, ruderi etruschi e romani, borghi medioevali. Torneo dei butteri in maggio e agosto.
Prezzi: H/B a £ 90.000 per persona al giorno.
Note: ampi spazi verdi attrezzati. Nelle vicinanze trekking, canoa, mountain bike, equitazione, pesca, ristoranti. Cambio biancheria settimanale, riscaldamento, sala comune, posto auto.

GHIACCIO BOSCO

strada Sgrilla, 4 • 58011 CAPALBIO
☎ e fax 0564896539

O 8

Posizione geografica: collina, a 9 km dal mare.
Periodo di apertura: da Pasqua a metà gennaio.
Associato a: Terranostra.
Presentazione: casa colonica con dependance su 60 ettari coltivati a cereali, oliveto, frutteto, ortaggi. Offre ospitalità in 10 camere con bagno, per un totale di 19 posti letto.
Ristorazione: H/B. Cinghiale, acqua cotta, zuppa contadina, correggioli mantecati al pecorino, tagliatelle fatte in casa.
Prodotti aziendali: olio, confetture, conserve, prodotti ortofrutticoli.
Luoghi di interesse e manifestazioni locali: musei etruschi, terme di Saturnia, parco dell'Uccellina, isola del Giglio, Giannutri. Sagra del cinghiale in settembre.
Prezzi: B&B a partire da £ 70.000. Pasto a £ 30.000 escluse bevande.
Note: prenotazione obbligatoria e permanenza minima 1 settimana in alta stagione. Ping-pong, equitazione, trekking e passeggiate, mountain bike. Degustazione olio. Raccolta di asparagi e funghi. Prato per prendere il sole. Veranda in giardino per cene estive. Biancheria, pulizia, riscaldamento, telefono, televisione, cassetta di sicurezza, aria condizionata e spazio esterno con tavolo e sedie, posto auto.

CORNACCHINO

loc. Cornacchino • 58034 CASTELL'AZZARA
☎ 0564951582 fax 0564951655
E-mail: cornacchino@dada.it
http:www.cavalloweb.it\cornacchino

M 10

Posizione geografica: montagna (800 m), al centro della riserva naturale del monte Penna.
Periodo di apertura: da aprile a novembre.
Associato a: Agriturist.
Presentazione: piccolo borgo su 100 ettari di seminativo, bosco e pascoli. Allevamento di cavalli e cervi. Accoglie ospiti in 12 camere, con servizi comuni, uno ogni 2 camere, per un totale di 21 posti letto e in 4 piazzole per agricampeggio.
Ristorazione: H/B e F/B. Cucina amiatina e vegetariana.
Luoghi di interesse e manifestazioni locali: necropoli etrusche a Sovana e Pitigliano, terme di Saturnia, Pienza, lago di Bolsena, monte Amiata.
Prezzi: B&B da £ 40.000 a 60.000. Pasto da £ 30.000 a 36.000. Soggiorno gratuito per bambini fino a 2 anni. Sconto del 50% per bambini da 3 a 9 anni.
Note: centro di turismo equestre con 40 cavalli in lavoro specializzato in viaggi di 3-7 giorni nella Maremma toscana e laziale. Lezioni in maneggio per principianti. Cavalli addestrati alla monta western. Programmi speciali di equitazione per ragazzi dai 7 ai 14 anni in collaborazione con il WWF. Prato per prendere il sole, trekking e passeggiate. Raccolta di castagne, funghi, frutti di bosco. Telefono pubblico. Posto auto. Animali accolti previo accordo.

PODERE PIATINA MONTE ANTICO

loc. Piatina • 58045 CIVITELLA PAGANICO
☎ e fax 0564991037

L 8

Posizione geografica: collina.
Periodo di apertura: tutto l'anno.
Associato a: Agriturist.
Presentazione: antico casale in pietra del XIII secolo, ristrutturato, su 120 ettari coltivati a cereali, vigneto, oliveto. Allevamento api, bovini, equini, suini. Offre ospitalità in 7 camere, di cui 5 con bagno, singole e doppie.
Ristorazione: H/B, F/B in locale aperto al pubblico. Antipasti, pasta fatta in casa, cacciagione, carni alla griglia, cucina vegetariana.
Prodotti aziendali: olio, vino, miele, salumi, uova.
Luoghi di interesse e manifestazioni locali: Montalcino, abbazie di Sant'Antino e San Galgano, Pienza, parco dell'Uccellina, terme di Saturnia, Massa Marittima, Siena, San Gimignano, monte Amiata. Sagra del porcino in ottobre e altre feste popolari gastronomiche.
Prezzi: alloggi da £ 30.000 a 50.000. Pasto da £ 20.000 e 40.000. Sconto del 10% bambini fino a 10 anni. Prenotazione obbligatoria, permanenza minima 2 giorni.
Note: accessibile agli handicappati. In posizione molto panoramica, nei pressi di un fiume. Corsi di tiro con l'arco, fotografia, composizione fiori secchi, gastronomia, conoscenza delle piante.

Animazione per bambini. Ping-pong, bocce, pesca, giochi all'aria aperta, trekking e passeggiate, escursioni e visite guidate, mountain bike, canoa. Raccolta di asparagi, castagne, funghi, frutti di bosco. Ampi spazi verdi. Disponibilità di sala riunioni. Biancheria, pulizia, uso cucina e frigorifero, riscaldamento, sala e telefono in comune. Animali accolti previo accordo.

PODERE ARNAIO

loc. Arnaio, 8 - fraz. Giuncarico • 58023 GAVORRANO
☎ 056688877 cell. 03386740603

 L 6

Posizione geografica: collina.
Periodo di apertura: da Pasqua a ottobre.
Associato a: Agriturist, Turismo Verde.
Presentazione: piccola azienda agricola con oliveto. Offre ospitalità in 3 camere con bagno.
Ristorazione: H/B in locale aperto al pubblico con 30 coperti. Farfalle verdi, coniglio ripieno, pane alle erbe aromatiche, budino di mele.
Prodotti aziendali: olio extravergine, conserve, marmellate, erbe aromatiche.
Luoghi di interesse e manifestazioni locali: necropoli etrusche di Vetulonia e di Roselle, parco naturale della Maremma, Massa Marittima. Sagre e feste popolari specie in autunno.
Prezzi: B&B da £ 45.000 a 60.000, H/B da £ 75.000 a 95.000, pasto da £ 30.000 a 40.000, a persona e bevande escluse. Sconto del 50% bambini fino a 7 anni.
Note: posizione panoramica, giardino ben custodito. Corsi di cucina, informazioni su piante e animali, guida all'assaggio dell'olio extravergine di oliva. Raccolta di asparagi. Pulizia, biancheria, frigo-bar, sala e televisione in comune, posto auto. Animali accolti previo accordo.

L'ANTICA SOSTA

loc. Mondo Novo, 8 • 58014 MANCIANO
☎ e fax 0564629706 cell. 03391225892-03394669536
E-mail:stefanonelli@tiscalinet.it

 M 10

Posizione geografica: collina.
Periodo di apertura: tutto l'anno.
Associato a: Terranostra.
Presentazione: tipica costruzione rurale su 20 ettari coltivati a cereali, vigneto, oliveto. Allevamento di ovini. Offre ospitalità in 4 camere con bagno.
Ristorazione: cucina tipica maremmana e toscana.
Luoghi di interesse e manifestazioni locali: zone archeologiche (Sovrana, Pitigliano, Vulci), monte Amiata, lago di Bolsena, terme di Saturnia. Festa delle cantine con degustazione dei prodotti tipici e fiaccolata a cavallo la seconda settimana di settembre.
Prezzi: alloggio singola da £ 70.000 a 100.000, doppia a £ 100.000. Sconto del 10% per bambini al di sotto dei 10 anni.
Note: accessibile agli handicappati. Ideale per passeggiate naturalistiche. Prato attrezzato per prendere il sole. Equitazione, trekking e passeggiate, mountain bike. Raccolta di asparagi, castagne, frutti di bosco. Possibilità di partecipazione alla vita aziendale, alla vendemmia, alla raccolta delle olive. Seminario sul pecorino di altri tempi. Cinema e ristorante nelle vicinanze. Frigo-bar, posto auto. Animali accolti previo accordo.

LE MACCHIE ALTE

loc. Macchie Alte di Montemerano • 58014 MANCIANO
☎ 0564620470 fax 0564629878

 M 10

Posizione geografica: collina.
Periodo di apertura: tutto l'anno.
Associato a: Agriturist.
Presentazione: due casali in pietra fedelmente ristrutturati su 400 ettari biologicamente coltivati a cereali, foraggio, uliveto. Allevamento di bovini di razza maremmana. Accoglie ospiti in 12

camere con bagno per un totale di 26 posti letto.
Ristorazione: H/B e F/B riservato a chi (ospite o no) usufruisce delle attività aziendali. Cucina con prodotti biologici dell'azienda, acquacotta, cinghiale.
Luoghi di interesse e manifestazioni locali: terme di Saturnia, necropoli etrusche, Pitigliano, Sovana, monte Argentario.
Prezzi: B&B a £ 60.000 a persona, H/B da £ 85.000 a 90.000. Pasto a £ 30.000. Soggiorno gratuito per bambini fino ai 2 anni, sconto 50% per bambini da 2 a 6 anni, 30% per bambini da 7 a 12 anni.
Note: accessibile agli handicappati. Prato per prendere il sole, attrezzato. Raccolta di funghi. Percorso verde, equitazione. Cinema nelle vicinanze. Biancheria, pulizie, riscaldamento, consumi, sala e telefono comune, posto auto. Animali accolti previo accordo.

LOCANDA IL PODERINO LE 3 QUERCE

s.s. Maremmana, 74 • 58014 MANCIANO
☎ e fax 0564625031 E-mail:ilpoderino@laltramaremma.it

 M 10

Posizione geografica: collina.
Periodo di apertura: tutto l'anno.
Presentazione: edificio su due piani che accoglie ospiti in 7 camere, con bagno privato, per un totale di 14 posti letto e in 1 appartamento.
Ristorazione: cucina tipica maremmana.
Prodotti aziendali: olio, vino e vegetali.
Luoghi di interesse e manifestazioni locali: terme di Saturnia, Pitigliano, Sovana, Sorano. Sagra delle fragole a maggio, sagre estive, festa dell'uva a settembre, raccolta olive e spremitura a novembre.

Prezzi: OR da £ 70.000 a 90.000. Pasto da £ 40.000 a 50.000.
Note: prenotazione consigliata. Piscina, solarium e idromassaggio. Biciclette disponibili. Biancheria, riscaldamento, televisione e posto auto. Si accolgono animali.

FLYING BUTTERO

podere 283 - loc. San Sisto • 58010 MARSILIANA
☎ 0564606559 cell. 03382411734

 N 8

Posizione geografica: pianura.
Periodo di apertura: tutto l'anno.
Associato a: Turismo Verde.
Presentazione: struttura su 10 ettari coltivati a cereali, ortaggi, fragole e meloni. Offre ospitalità in 5 camere matrimoniali con bagno, ingresso indipendente e saletta comune, e in 6 piazzole per agricampeggio per tende e roulotte.
Ristorazione: prossima apertura, riservato agli ospiti. Acquacotta, cinghiale.
Prodotti aziendali: frutta, ortaggi, pollame, uova.
Luoghi di interesse e manifestazioni locali: scavi archeologici di Sovana, museo preistoria e protostoria a Manciano, terme di Saturnia. Sagra della fragola in maggio.

Prezzi: alloggio in camera da £ 60.000 a 70.000, in agricampeggio persona £ 10.000, tenda piccola £ 8.000, tenda grande e roulotte £ 12.000 compreso posto auto, camper £ 14.000. Sconto 20% per bambini da 4 a 6 anni.

Note: vicinanza fiume e mare. Osservazione ambientale. Volo da diporto con aerei ultraleggeri. Ampio prato ombreggiato, spazi attrezzati per prendere il sole, giochi all'aria aperta. Docce con acqua calda, prese energia elettrica. Animali accolti previo accordo.

MARRUCHETONE VECCHIO

loc. Sgrillozzo • 58010 MARSILIANA
☎ e fax 0564609058

 N 8

Posizione geografica: collina.
Periodo di apertura: tutto l'anno.
Associato a: Terranostra.
Presentazione: tipica costruzione rurale su 28 ettari coltivati a cereali e vigneto. Allevamento bovino. Accoglie ospiti in 6 camere con bagno per un totale di 13 posti letto.
Ristorazione: F/B in locale con 30 coperti. Acquacotta, tortelli maremmani, cinghiale.
Luoghi di interesse e manifestazioni locali: sagra della fragola e Marsiliana in maggio.
Prezzi: B&B da £ 30.000 a 50.000. Pasto da £ 20.000 a 50.000.
Note: prato attrezzato per prendere il sole. Raccolta di asparagi e funghi. Biancheria, pulizia, riscaldamento, bagno comune, telefono e sala in comune. Animali accolti previo accordo.

PODERE PIAN DI BARCA

loc. Voltina • 58046 MARINA DI GROSSETO
☎ e fax 056425763 cell. 0330271923 – 03397668814
E-mail:p.nati@gr.tdnet.it

 N 7

Posizione geografica: mare.
Periodo di apertura: tutto l'anno.
Associato a: Agriturist.
Presentazione: azienda di 70 ettari coltivata a grano e girasoli, ideale per soggiorni al mare e di relax. Offre ospitalità in 1 appartamento da 4/5 posti letto, 2 da 2/3 posti letto ciascuno e in 2 ampie camere, da 3-4 posti letto, con bagno e ingresso indipendenti.
Ristorazione: ristorante convenzionato a 400 m. Zuppa di pane, acquacotta, cinghiale e scottiglia.
Prodotti aziendali: carciofi, fichi, prugne, uova.
Luoghi di interesse e manifestazioni locali: parco naturale della Maremma, zone archeologiche, oasi del WWF, ippodromo. "Canti del Maggio" dal 30 aprile all'1 maggio, settimane del cavallo a fine settembre e primi di ottobre, corse dei cavalli da primavera a ottobre.
Prezzi: OR da £ 40.000 a 80.000. Pasto da £ 20.000 a 40.000.

Note: 1 appartamento per disabili. Trekking di più giorni a cavallo con maneggio convenzionato. Canoa e pesca nelle vicinanze. Soggiorno minimo di 1 settimana in alta stagione e di 2 notti in bassa stagione. Biancheria, acqua, luce, gas, riscaldamento programmato. Animali di piccola taglia accolti previo accordo.

TENUTA DEL FONTINO

loc. Fontino • 58024 MASSA MARITTIMA
☎ e fax 0566919232

 I 6

Posizione geografica: collina.
Periodo di apertura: tutto l'anno.
Associato a: Agriturist.
Presentazione: villa colonica con edifici rurali annessi, ristrutturata, su 700 ettari coltivati a cereali, vigneto, uliveto. Offre ospitalità in 24 camere con bagno.
Ristorazione: H/B. Cucina casalinga toscana.
Prodotti aziendali: vino, olio.
Luoghi di interesse e manifestazioni locali: Massa Marittima, Siena, Firenze, Pisa, terme di Saturnia, Bagni di Petriolo, archeologia etrusca. Spettacoli operistici in agosto, concerti in estate. Sagre e feste di paese.
Prezzi: H/B a partire da £ 73.000. Pasto da £ 25.000 a 50.000. Soggiorno gratuito per bambini fino a 2 anni. Sconto del 50% per bambini da 3 a 5 anni, 30% per bambini da 6 a 12 anni, 15% da 13 anni in poi.
Note: ideale per soggiorno relax, vicinanze mare. Lago per balneazione, biliardo e concerti in villa. Raccolta di funghi, asparagi, more. Parco, giardino e prato attrezzato per prendere il sole, giochi all'aria aperta, equitazione, escursioni e visite guidate. Silenzio e tranquillità, ambiente accogliente e trattamento familiare. Nelle vicinanze caccia, pesca, tennis, ciclismo. Biancheria, pulizia, riscaldamento, sala, telefono e televisione comuni.

TENUTA IL CICALINO

loc. Cicalino • 58024 MASSA MARITTIMA
☎ 0566902031 fax 0566904896 cell. 03476444130
E-mail: info@ilcicalino.it

I 6

Posizione geografica: pianura.
Periodo di apertura: dal 10 febbraio al 30 ottobre.
Associato a: Agriturist.
Presentazione: case coloniche ristrutturate su 315 ettari coltivati a cereali, oliveto intensivo e bosco ceduo. Offre ospitalità in appartamenti composti da camere, cucina, bagni, soggiorno e ampio spazio verde, e in 8 camere doppie con bagno, per un totale di 80 posti letto. Arredamento di buon gusto con mobili antichi.
Ristorazione: cucina tradizionale toscana.
Prodotti aziendali: olio.
Luoghi di interesse e manifestazioni locali: Follonica, Punta Ala, Vetulonia, Populonia, Volterra, Larderello, mare a 18 km. Festa del Girifalco a Massa in agosto.
Prezzi: OR da £ 55.000 a 70.000. H/B a £ 95.000 a 120.000 al giorno (bevande escluse).
Note: accessibile agli handicappati. Sala degustazione vino e olio. Disponibilità sala riunioni. 4 piscine, fitness room, sauna, idromassaggio, mountain bike, percorsi aziendali. Pulizia giornaliera, cambio biancheria, riscaldamento autonomo. Animali ospitati a pagamento.

LE FONTANELLE

loc. Fontanelle • 58050 PODERI DI MONTEMERANO
☎ e fax 0564602762 cell. 0337709167

N 8

Posizione geografica: collina (400 m).
Periodo di apertura: tutto l'anno.
Presentazione: costruzione rurale in pietra su 6 ettari di oliveto e parco naturale. Offre ospitalità in 7 camere con bagno per un totale di 15 posti letto.
Ristorazione: H/B in ristorante con 15 coperti. Cucina tipica toscana.

Prodotti aziendali: miele, olio d'oliva, pollame, uova, cosmetici naturali.
Luoghi di interesse e manifestazioni locali: terme di Saturnia, archeologia etrusca, cattedrale romanica. Sagre e manifestazioni folkloristiche estive.
Prezzi: B&B a partire da £ 60.000 a persona. Pasto da £ 40.000.
Note: prenotazione obbligatoria. Osservazione ambientale in parco naturale con animali ungulati (daini, cervi, mufloni). Ampio giardino e prato per prendere il sole attrezzati. Pesca, trekking e passeggiate. Raccolta di asparagi, funghi, frutti di bosco. Telefono e frigo-bar, biancheria, pulizia, riscaldamento, sala comune, garage. Animali accolti previo accordo.

PERUCCI DI SOPRA

fraz. Montorgiali • 58054 SCANSANO
☎ 0564580138

 N 9

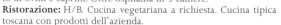

Posizione geografica: collina.
Periodo di apertura: tutto l'anno.
Associato a: Agriturist, Turismo Verde.
Presentazione: tipica costruzione rurale in pietra su 12 ettari coltivati a vigneto e orto biologico. Allevamento di ovini e caprini. Offre ospitalità in 5 camere.
Ristorazione: H/B. Cucina vegetariana a richiesta. Cucina tipica toscana con prodotti dell'azienda.
Luoghi di interesse e manifestazioni locali: siti archeologici, cascate e terme di Saturnia, parco dell'Uccellina, mare. Festa dell'uva in settembre, sagre estive.
Prezzi: B&B a £ 55.000 camera singola e £ 110.000 camera matrimoniale. Pasto da £ 20.000 a 25.000. Soggiorno gratuito per bambini fino a 3 anni.
Note: accessibile agli handicappati. Ideale per passeggiate. Raccolta di funghi e asparagi selvatici. Prato attrezzato per prendere il sole. Disponibilità sala riunioni. Nelle vicinanze tennis, equitazione, canoa, pesca sportiva, mountain bike. Servizio baby sitting. Osservazione ambientale. Sala telefono in comune. Riscaldamento, biancheria, pulizia.

IL COLOMBAIO

fraz. Pancole - loc. Montepò
58054 SCANSANO ☎ 0564580249

 N 9

Posizione geografica: collina (500 m).
Periodo di apertura: tutto l'anno.
Associato a: Agriturist, Terranostra.
Presentazione: costruzione rurale estesa su 21 ettari coltivati a cereali, orto e oliveto. Allevamento di equini e suini. Offre ospitalità in 3 camere per un totale di 8 posti letto.
Ristorazione: H/B. Cucina tipica maremmana con prodotti dell'azienda.
Prodotti aziendali: olio, ortaggi e altro.
Luoghi di interesse e manifestazioni locali: terme di Saturnia, parco dell'Uccellina, Argentario, zone archeologiche (Pitigliano, Sorano, Sovana). Sagra dell'uva in settembre e di San Giorgio in aprile.
Prezzi: H/B a £ 70.000. Pasto da £ 25.000 a 30.000. Sconto del 50% per bambini fino ai 10 anni.
Note: prenotazione obbligatoria. Permanenza minima 3 giorni. In posizione molto panoramica e in zona faunistica. Raccolta di asparagi, more, funghi, castagne, trekking e passeggiate. Biancheria, pulizia, riscaldamento. Sala comune.

BORGO DE' SALAIOLI

loc. Salaioli, 181 • 58054 SCANSANO
☎ e fax 0564599205

 N 9

Posizione geografica: collina.
Periodo di apertura: tutto l'anno.
Associato a: Agriturist.
Presentazione: antico podere da poco ristrutturato conservandone il fascino e l'armonia. Accoglie ospiti in 3 camere, con bagno privato, per un totale di 8 posti letto.
Ristorazione: ristorante convenzionato. Acquacotta, zuppa di funghi e cinghiale.
Prodotti aziendali: olio extravergine di oliva.
Luoghi di interesse e manifestazioni locali: terme di Saturnia, parco naturale dell'Uccellina, necropoli etrusche, parco naturale dell'Arcipelago Toscano, laguna di Orbetello, monte Amiata. Festa dell'uva in luglio, festa dell'uva a ottobre, rappresentazioni teatrali nell'anfiteatro romano di Roselle a giugno e luglio.
Prezzi: OR da £ 30.000 a 50.000. Pasto da £ 20.000 a 30.000. Riduzione del 50% per letto aggiunto e del 10% per la seconda settimana.
Note: trekking, equitazione, tennis, canoa, ping-pong. Pergolato. Raccolta di funghi, asparagi, more e more di gelso. Pulizia settimanale, prima colazione, uso cucina e frigorifero, riscaldamento e posto macchina. Si accolgono animali domestici.

FATTORIA IL PINO

loc. Imposto • 58020 SCARLINO ☎ e fax 056637388
E-mail:ilpino@agriturismoilpino.it
http:www.agriturismoilpino.it

 L 6

Posizione geografica: pianura, mare.
Periodo di apertura: tutto l'anno.
Presentazione: antica azienda agricola tipica maremmana con produzione di pregiati vini D.O.C. e dell'olio extravergine d'oliva. Accoglie ospiti in 5 appartamenti e 2 camere, con bagno privato, per un totale di 25 posti letto.
Ristorazione: piatti tipici maremmani a base di prodotti aziendali.
Prodotti aziendali: olio, vini tipici e D.O.C., grappa, sottoli.

Luoghi di interesse e manifestazioni locali: scavi etruschi, Massa Marittima, Punta Ala, Follonica, Castiglione della Pescaia.
Prezzi: da £ 750.000 a 1.200.000 in appartamento a settimana per 4 persone. Camera doppia con bagno da £ 120.000 a 140.000. Pulizia finale £ 80.000. Prima colazione e cena a £ 50.000 per persona (bevande escluse).
Note: è gradita la prenotazione. Corsi di cucina e degustazione di prodotti aziendali. Nelle vicinanze possibilità di praticare trekking, escursioni a cavallo e in mountain bike, golf. Cambio biancheria. Si accolgono animali all'esterno.

ANTICA TENUTA LE CASACCE

loc. Casacce • 58038 SEGGIANO
☎ 0564950895 fax 0564950970
E-mail:agriturismo@lecasacce.com
http:www.lecasacce.com

 I 9

Posizione geografica: collina.
Periodo di apertura: tutto l'anno, chiuso in febbraio.
Associato a: Agriturist.
Presentazione: tipica costruzione rurale del XV secolo, ristrutturata, su 211 ettari coltivati a oliveto e pascolo.

Allevamento di bovini. Offre ospitalità in 8 appartamenti in stile tipico rustico toscano, da 40 a 80 m², dotati di servizi.
Ristorazione: H/B. Cucina tipica toscana. Acquacotta, scottiglia, carni alla griglia.
Prodotti aziendali: olio extravergine e carne bovina.
Luoghi di interesse e manifestazioni locali: Montalcino, Pienza, Bagno Vignoni terme, monte Amiata, Siena, Sorano, Pitigliano. Sagra del tordo a Montalcino, palio a Castel del Piano da settembre a novembre.
Prezzi: alloggio a partire da £ 50.000. Pasto a menu fisso £ 30.000, escluso bevande. Sconto 50% per bambini fino a 7 anni.
Note: accessibile agli handicappati. Permanenza minima 2 giorni. Maneggio a 15 km. Osservazione ambientale. Raccolta di asparagi, frutti di bosco, castagne e funghi. Giochi di sala, piscina, bocce, golf, giochi all'aria aperta per bambini, mountain bike. Nelle vicinanze cinema e tennis. Legna per caminetto inclusa, biancheria.

FIORDALISO

podere Fiordaliso, 69 • 58020 VALPIANA
fax 0566918058 cell. 03383597905

 L 6

Posizione geografica: pianura.
Periodo di apertura: dall'1 aprile al 31 ottobre e Capodanno.
Presentazione: azienda di 20 ettari con coltivazioni di viti, olivi e un bosco di sughere. Offre ospitalità in 7 camere per un totale di 14 posti letto.
Ristorazione: salumi, formaggi, insalate di riso e pasta, torte salate.

Prodotti aziendali: olio, vino.
Luoghi di interesse e manifestazioni locali: Punta Ala, isole d'Elba, Giglio e Montecristo, Follonica a 8 km, Massa Marittima a 13 km.
Prezzi: OR da £ 70.000 a 80.000, B&B da £ 80.000 a 90.000, H/B da £ 100.000 a 125.000, F/B da £ 135.000 a 145.000, a persona.
Note: piscina con ambientazioni in roccia e idromassaggio, utilizzo di mountain bike. Pulizie giornaliere, cambio biancheria settimanale.

PODERE MAGNABOSCHI

via Barbicato, 104 • 58010 ALBERESE ☎ e fax 0564405200
E-mail:ancavall@gol.grosseto.it

 N 8

Posizione geografica: pianura.
Periodo di apertura: tutto l'anno.
Associato a: Terranostra.
Presentazione: costruzione rurale su 20 ettari coltivati a cereali, ortaggi, vigneto e oliveto. Offre ospitalità in 4 camere con bagno, 1 camera accessibile agli handicappati e in 2 appartamenti da 5 posti letto con cucina attrezzata.

Prodotti aziendali: olio extravergine e vino.
Luoghi di interesse e manifestazioni locali: parco naturale della Maremma, scavi etruschi. Marchiatura del bestiame brado in maggio, trebbiatura sull'aia in luglio, rodeo della rosa in agosto.
Prezzi: alloggio da £ 40.000. Sconto 35% per letto aggiunto.
Note: vicinanza mare e parco naturale. Prato per prendere il sole, attrezzato. Tavoli per cene all'aperto. Ping-pong, giochi all'aria aperta, calcetto e pallacanestro. Canoa, maneggio, minigolf, nelle vicinanze. Biancheria, riscaldamento, barbecue, parcheggio.

PODERE DEI FRATI

Podere dei Frati - fraz. Montelaterone • 58031 ARCIDOSSO
☎ e fax 0564966271 ☎ 0564966351

 L 9

Posizione geografica: collina.
Periodo di apertura: tutto l'anno.
Associato a: Terranostra.
Presentazione: casolare tipico toscano completamente ristrutturato su 25 ettari coltivati a frutteto, vigneto, oliveto e bosco. Allevamento animali di vario tipo. Accoglie ospiti in 1 appartamento con 2 camere, cucina e bagno (3 posti letto), 1 appartamento con 2 camere, soggiorno, cucinotto e bagno (4 posti letto), 1 appartamento con 4 camere, salone, cucina, 4 bagni (8 posti letto).
Prodotti aziendali: olio, vino, castagne, carne, salumi dell'azienda.
Luoghi di interesse e manifestazioni locali: borghi medievali con pievi, castelli, abbazie, monte Amiata, terme di Saturnia, Bagni Vignoni terme. Fiere paesane, sagre, fiaccolate, palio con corse di cavalli.
Prezzi: alloggio da £ 30.000 a 50.000.
Note: accessibile agli handicappati. La piscina è aperta da giugno

a settembre. Campo da bocce, trekking e passeggiate, escursioni e visite guidate. Cinema nelle vicinanze. Biancheria, pulizia, uso piscina, posto auto. Animali accolti previo accordo.

LE VIGNE

loc. Migliorini • 58042 CAMPAGNATICO
☎ 0564997315-0564451584

▲ L 8

Posizione geografica: collina.
Periodo di apertura: da maggio a ottobre.
Associato a: Agriturist.
Presentazione: antica costruzione rurale ristrutturata su 21 ettari coltivati a cereali, oliveto, vigneto, frutteto. Offre ospitalità in 4 camere e in 1 appartamento.
Prodotti aziendali: olio, vino.
Luoghi di interesse e manifestazioni locali: parco naturale della Maremma, parco archeologico di Roselle, monte Amiata. Sagre paesane.
Prezzi: per alloggio da £ 30.000 a 50.000.
Note: accessibile agli handicappati. Permanenza minima 3 giorni. Ideale per relax e passeggiate. Raccolta di more, asparagi, funghi. Mare a 25 km. Nelle vicinanze piscina, pesca, equitazione. Biancheria, riscaldamento, uso cucina, sala e televisione in comune.

CAPALBIO

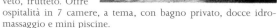

loc. Torre Palazzi • 58011 CAPALBIO
☎ e fax 0564896687

▲ O 8

Posizione geografica: collina.
Periodo di apertura: tutto l'anno.
Associato a: Terranostra.
Presentazione: tipico casale toscano su 10 ettari coltivati a cereali, vigneto, uliveto, frutteto. Offre ospitalità in 7 camere, a tema, con bagno privato, docce idromassaggio e mini piscine.
Prodotti aziendali: confetture, miele, olio.
Luoghi di interesse e manifestazioni locali: monte Argentario, mare a 7 km, terme di Saturnia, giardino dei Tarocchi, Vulci, Capalbio, parco dell'Uccellina. Sagra del pesce in luglio, della birra e del cinghiale in settembre.
Prezzi: B&B a partire da £ 65.000 a persona. Alloggio gratuito per bambini fino a 3 anni. Sconto 30% per bambini dai 4 ai 12 anni.
Note: ricco brunch al mattino servito in spazi privati per ogni camera. Prenotazione consigliata in alta stagione. Vicinanza mare. Ideale per passeggiate naturalistiche a cavallo. Osservazione ambientale, giochi all'aria aperta, equitazione. Mountain bike comprese nel prezzo. Servizio di baby sitting. Giardino fiorito con gazebo. Ampi spazi attrezzati per elioterapia. Biancheria, pulizia, riscaldamento, frigorifero, televisione, cassetta di sicurezza, posto auto. Animali accolti previo accordo.

LA ROMBAIA

loc. Rombaia • 58043 CASTIGLIONE DELLA PESCAIA
☎ e fax 0564944012 cell. 03472628485

▲ M 6

Posizione geografica: mare.
Periodo di apertura: tutto l'anno.
Associato a: Agriturist, Turismo Verde, Terranostra.
Presentazione: edifici di recente ristrutturazione su 24 ettari di vigneto, frutteto, oliveto e campi di cereali. Offre ospitalità in appartamenti, con servizi privati e comuni, e in camere per un totale di 22 posti letto.
Prodotti aziendali: vino, olio.
Luoghi di interesse e manifestazioni locali: parco naturale (birdwatching), Diaccia Botrona, siti archeologici a Vetulonia e Roselle.
Prezzi: alloggio in camera da £ 30.000 a 60.000, in appartamento da £ 40.000 a 80.000.
Note: accessibile agli handicappati. Vasto prato attrezzato per prendere il sole. Equitazione e ristoranti nelle vicinanze. Ogni appartamento è composto da angolo cottura e frigorifero, camere con bagno o con bagno in comune, riscaldamento autonomo, parcheggio coperto. Lavanderia in comune, biancheria, pulizia. Animali accolti previo accordo.

BADIOLA

loc. La Badiola • 58043 CASTIGLIONE DELLA PESCAIA
☎ 0564944136 fax 0564944093

▲ M 6

Posizione geografica: collina.
Periodo di apertura: tutto l'anno.
Associato a: Agriturist.
Presentazione: costruzione rurale ristrutturata su 750 ettari. Offre ospitalità in 5 appartamenti per un totale di 12 posti letto.
Luoghi di interesse e manifestazioni locali: Castiglione della Pescaia, terme di Saturnia, Sovana, Pitigliano, località archeologiche, parco naturale della Maremma. Sagre in autunno.
Prezzi: alloggio da £ 30.000 a 50.000.
Note: ideale per soggiorno relax. Vicinanza mare. Trattorie nei dintorni. Raccolta di asparagi, funghi, more. Disponibilità sale riunioni. Biancheria, pulizia settimanale, riscaldamento. Cucine attrezzate, arredamenti di buon gusto.

SANTA LUCIA

via Aurelia Nord, 66 - loc. Laschi • 58010 FONTEBLANDA
☎ 0564885473-0564885474

▲ N 7

Posizione geografica: pianura.

Periodo di apertura: tutto l'anno.
Associato a: Terranostra
Presentazione: costruzione rurale su 16 ettari coltivati a cereali, vigneto, oliveto. Offre ospitalità in 6 camere con bagno, cucina con frigo e ingresso indipendente, e

in 1 miniappartamento sul monte Argentario (300 m) da 3 posti letto. Posizione panoramica e perfettamente tranquilla.

Prodotti aziendali: vino, grappa, olio, marmellate, miele, formaggi.

Luoghi di interesse e manifestazioni locali: mare, parco naturale della Maremma, itinerari archeologici etruschi e romani. Sagre estive ed esibizioni dei butteri.

Prezzi: B&B da £ 30.000 a 40.000. Letto aggiunto a £ 20.000. Appartamento a £ 1.000.000 per 1 settimana (permanenza minima).

Note: accessibile agli handicappati. Prato attrezzato per prendere il sole, pineta e ampi spazi verdi per bambini. Raccolta di asparagi e funghi. Giochi da tavolo. Corsi di agricoltura ed enologia. Biancheria, posto auto.

LA VALENTINA

loc. Valentina • 58010 FONTEBLANDA
☎ 0564885355

▲ N 7

Posizione geografica: mare.
Periodo di apertura: tutto l'anno.
Associato a: Turismo Verde, Terranostra.
Presentazione: la fattoria un tempo convento dei monaci Benedettini, divenne in seguito un luogo di sosta per i pellegrini

in viaggio verso la Terrasanta. Oggi è viva e accogliente, immersa nella natura e circondata da secolari oliveti e dalla macchia mediterranea. Si coltivano cereali e intorno pascola bestiame maremmano brado. Accoglie ospiti in appartamento con camere da 3-4 posti letto, servizi, soggiorno e angolo cottura.

Luoghi di interesse e manifestazioni locali: parco della Maremma, itinerari archeologici etruschi e medioevali. Festambiente.

Prezzi: OR da £ 25.000 a 50.000.

Note: birdwatching, doma del cavallo brado, escursioni all'Isola del Giglio. Nelle vicinanze equitazione, canoa, nuoto, pesca e tennis. Previo accordo si accettano cani, gatti e cavalli. Riscaldamento e posto macchina.

PIAN DEL NOCE

Zona Pereta Est • 58051 MAGLIANO IN TOSCANA
☎ e fax 0564505100

▲ N 8

Posizione geografica: collina, lago.
Periodo di apertura: tutto l'anno.
Presentazione: casale in pietra ristrutturato in azienda agricola biologica di circa 70 ettari in parte coltivati e in parte a boschi di querce. Offre ospitalità

in 4 camere indipendenti con ampia sala comune, cucina completamente attrezzata, tre bagni, riscaldamento.

Prodotti aziendali: frutta e ortaggi di stagione.

Luoghi di interesse e manifestazioni locali: costiera marina dell'Argentario e parco dell'Uccellina (35 minuti), terme di Saturnia (a circa 25 minuti), zone di interesse archeologico.

Prezzi: da £ 40.000 a 50.000 a persona.

Note: la permanenza minima è di 2 giorni. Due laghetti alimentati da acque sorgive. Possibilità di escursioni a cavallo. Biancheria. Animali accolti previo accordo.

GALEAZZI

loc. Spinicci di Marsiliana • 58014 MANCIANO
☎ e fax 0564605017-0564605047

▲ M 10

Posizione geografica: collina.
Periodo di apertura: tutto l'anno.
Associato a: Agriturist, Turismo Verde, Terranostra.
Presentazione: costruzione rurale su 18 ettari coltivati, accoglie ospiti in 7 camere con bagno.

Prodotti aziendali: asparagi, vino.

Luoghi di interesse e manifestazioni locali: terme di Saturnia (25 km), mare (15 km), monte Argentario (20 km), parco della Maremma (20 km), Vulci, Pitigliano. Sagra della fragola in maggio a Marsiliana (sito etrusco).

Prezzi: B&B da £ 40.000 a 60.000. Letto aggiuntivo a £ 10.000. Sconto da concordare per periodi lunghi o fuori stagione.

Note: accessibile agli handicappati. Fuori stagione si accettano permanenze di 1 giorno. Ideale per terme, mare, passeggiate nel cuore della Maremma. Raccolta di asparagi e funghi. Prato attrezzato per prendere il sole. Golf, piscina, pesca, giochi all'aria aperta, trekking e passeggiate, mountain bike. Angolo cottura, biancheria, pulizia, televisione e tutti i comfort. Aria condizionata. Forno a legna per cucinare, gazebo e tavoli all'aperto.

QUERCESECCA

loc. Quercesecca • 58046 MARINA DI GROSSETO
☎ 0564425404 ☎ e fax 0564418859 cell. 0335308903

▲ N 7

Posizione geografica: pianura.
Periodo di apertura: tutto l'anno.
Associato a: Agriturist.
Presentazione: tipica costruzione su 60 ettari coltivati a cereali e oliveto. Allevamento di api. Offre ospitalità in 6 appartamenti di vario tipo e 1 casetta indipendente.

Prodotti aziendali: miele.

Luoghi di interesse e manifestazioni locali: Roselle a 7 km, parco dell'Uccellina a 24 km, Siena a 75 km, mare e isole a 2 km, pineta a 1 km, borghi medievali, scavi archeologici, terme di Saturnia, Punta Ala. Feste e sagre di paese.

Prezzi: rivolgersi all'azienda.

Note: accessibile agli handicappati. Raccolta di more, fichi, prugne. Possibilità di acquistare nei dintorni frutta e verdura biologiche. Ristoranti convenzionati nelle vicinanze. Equitazione, tennis, calcio, ciclismo, ping-pong e ampi spazi attrezzati. Mobili d'epoca, riscaldamento autonomo. Indirizzare corrispondenza in corso Carducci 73, Grosseto.

PODERE FEMMINELLA

loc. San Carlo • 58040 MARINA DI GROSSETO
☎ e fax 056431179

▲ N 7

Posizione geografica: mare.
Periodo di apertura: tutto l'anno.
Presentazione: tipica costruzione rurale con mattoni faccia a vista posta nel parco della Maremma, su 94 ettari coltivati. Offre ospitalità in 5 camere con bagno e in 1 appartamento completo con 3 camere doppie e giardino e in 10 bilocali.
Luoghi di interesse e manifestazioni locali: Siena, Firenze, Roma, Saturnia terme, Castiglione della Pescaia, Punta Ala, parco della Maremma. Varie sagre estive.
Prezzi: alloggio da £ 30.000 a 110.000 per camera doppia.
Note: accessibile agli handicappati. Riserva naturale a 400 m dal villaggio turistico di Noto. Pineta interna. Aria condizionata, riscaldamento, angolo cottura personale, telefono comune, giardino e posto auto. Box per cavalli.

PODERE BELLAVISTA

loc. Ghirlanda • 58024 MASSA MARITTIMA
☎ e fax 0566902486

▲ I 6

Posizione geografica: collina.
Periodo di apertura: da maggio a settembre.
Presentazione: tipica costruzione rurale su 5 ettari coltivati biologicamente. Offre ospitalità in appartamenti con 1 o 2 camere con bagno, cucina con frigorifero, ingresso indipendente, giardino.
Prodotti aziendali: erbe officinali, miele, pappa reale, vino.
Luoghi di interesse e manifestazioni locali: Massa Marittima, Punta Ala, Follonica, Siena, parco minerario, colline metallifere, parco naturale della Maremma, mostra artigianato, Balestra del Girifalco.
Prezzi: alloggio da £ 30.000 a 50.000. Sconto 10% bambini fino a 10 anni.
Note: prenotazione obbligatoria. Mare nelle immediate vicinanze. Corsi di riconoscimento piante selvatiche, apicoltura, birdwatching. Centro ippico convenzionato nei dintorni. Raccolta di erbe officinali, asparagi, ginepro, funghi. Prato per prendere il sole, trekking e passeggiate, mountain bike. Orto botanico. Biancheria, posto auto.

PODERE PRATO A BALDO

58024 MASSA MARITTIMA
☎ e fax 0566940054

▲ I 6

Posizione geografica: pianura.
Periodo di apertura: da marzo a ottobre.

Associato a: Agriturist.
Presentazione: tipica costruzione rurale, offre ospitalità in 4 appartamenti con cucina e bagno.
Prodotti aziendali: olio.
Luoghi di interesse e manifestazioni locali: Massa Marittima. Feste e sagre estive.
Prezzi: alloggio da £ 30.000 a 50.000.
Note: ideale per il soggiorno relax. Ping-pong, piscina. Riscaldamento, garage.

AGRITURISMO TESORINO

loc. Valpiana • 58024 MASSA MARITTIMA
☎ 056655606 fax 0566262428

▲ I 6

Posizione geografica: collina.
Periodo di apertura: da aprile a settembre.
Associato a: Agriturist.
Presentazione: l'azienda è situata al centro di 50 ettari prevalentemente adibiti a oliveti, vicino ad un laghetto. Accoglie ospiti in 7 appartamenti da 2/5 posti letto ciascuno.

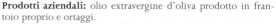

Prodotti aziendali: olio extravergine d'oliva prodotto in frantoio proprio e ortaggi.
Luoghi di interesse e manifestazioni locali: Massa Marittima, siti etruschi. Mostra dell'artigianato a maggio, Balestra del Girifalco a giugno e agosto, lirica in piazza ad agosto.
Prezzi: OR da £ 30.000 a 60.000.
Note: nuoto in piscina. Giochi all'aria aperta, ping-pong, piscina, mountain bike. Nelle vicinanze tennis, minigolf e golf. Tutti gli appartamenti dispongono di giardino e balcone attrezzati con mobili da esterno e barbecue. Biancheria, riscaldamento e telefono comune. Si accolgono animali.

BORGO PETRAIO

loc. Petraio • 58026 MONTIERI
☎ e fax 0566997772 cell. 0368451423 - 03382047163

▲ N 7

Posizione geografica: collina.
Periodo di apertura: tutto l'anno.
Associato a: Agriturist, Tourist Green Club.
Presentazione: antiche case coloniche attentamente ristrutturate su 140 ettari a silvicoltura. Offre ospitalità in 3 appartamenti, di cui 1 in un ex convento, indipendenti e dotati di cucina e bagno, per un totale di 10 posti letto. Arredi accurati.

Prodotti aziendali: frutta, castagne, carne di cinghiale.
Luoghi di interesse e manifestazioni locali: abbazia goti-

ca cistercense di San Galgano, riserva naturale "Le Cornate di Gerfalco", Massa Marittima, San Gimignano, Siena, Firenze. Sagra della castagna (ottobre), feste paesane nei dintorni in estate e autunno.

Prezzi: alloggio da £ 35.000 a 50.000 per persona al giorno.

Note: prenotazione obbligatoria, permanenza minima 3 giorni. Ideale per soggiorno relax. Corsi di silvicoltura, storia medievale toscana. Osservazione ambientale. Raccolta di funghi e frutti di bosco. Ampio prato attrezzato per prendere il sole. Nelle vicinanze riserva naturale e trekking, equitazione, tennis, piscina, trattorie tipiche economiche. Biancheria, consumi, riscaldamento, parcheggio e accesso al castagneto di proprietà. Animali accolti previo accordo.

PODERE SALICA

s.s. 223 km 8 • 58040 ROSELLE
☎ 056422420 fax 056428834

▲ M 7

Posizione geografica: pianura.

Periodo di apertura: tutto l'anno.

Presentazione: casa colonica fine '800 in mattoni e pietra, ristrutturata. Accoglie ospiti in 2 appartamenti, ciascuno composto da soggiorno, cucina con frigorifero, lavastoviglie, 2 camere e 2 bagni abilitati anche per portatori di handicap.

Prodotti aziendali: olio, formaggio e miele.

Luoghi di interesse e manifestazioni locali: scavi etruschi a Roselle (2 km), Tino di Moscona (3 km), convento di Batignano (3 km), parco dell'Uccellina (15 km), mare a 20 km.

Prezzi: appartamento a £ 1.200.000 a settimana.

Note: accessibile agli handicappati. Prenotazione obbligatoria. Permanenza minima 1 settimana. Luogo tranquillo ai piedi delle colline, con ampio giardino (5.000 mq) completamente recintato. Raccolta di funghi, tartufi, more, asparagi. Nelle vicinanze equitazione, tennis, piscine, altri sport. Osservazione ambientale. Riscaldamento autonomo, biancheria, caminetto e televisione. Posto auto e cavallo. Telefono in comune. Animali accolti previo accordo.

PODERE LILLASTRO

loc. Vallerotana • 58040 ROSELLE
☎ 0564401171

▲ M 7

Posizione geografica: pianura, circondata da colline.

Periodo di apertura: tutto l'anno.

Associato a: Turismo Verde.

Presentazione: podere recentemente ristrutturato su 11 ettari coltivati a oliveto, vigneto e prati. Accoglie ospiti in 3 camere. In allestimento altre 4 camere indipendenti con servizi.

Prodotti aziendali: olio.

Luoghi di interesse e manifestazioni locali: parco archeologico di Roselle, parco naturale della Maremma. Marca del bestiame in maggio, feste dell'olio, del vino, dei funghi in autunno.

Prezzi: alloggio da £ 35.000 a 50.000. Sconto del 10% per bambini fino a 10 anni.

Note: azienda posta all'interno di una riserva naturale. Maneggio con cavalli in azienda. Nelle vicinanze, ristorante, pineta, mare (a 20 km), canoa, tennis, piscina. Prato per prendere il sole, trekking e passeggiate, mountain bike. Uso cucina, biancheria, riscaldamento. Animali accolti previo accordo.

IL MARCIATOIO

loc. Pomonte - Bivio Aquilaia • 58054 SCANSANO
☎ e fax 0564599075 cell. 03396618855

▲ N 8

Posizione geografica: collina.

Periodo di apertura: tutto l'anno.

Associato a: Terranostra.

Presentazione: azienda di 35 ettari di terreno coltivati a cereali, olivi, viti. Offre ospitalità in 1 appartamento con 3 posti letto e in 2 camere doppie con bagno all'interno di una tipica costruzione rurale di recente ristrutturazione.

Prodotti aziendali: olio.

Luoghi di interesse e manifestazioni locali: terme di Saturnia, scavi etruschi, mare, località costiere, Argentario, Santo Stefano. Da luglio a settembre numerose feste e sagre paesane.

Prezzi: sconto del 10% per una permanenza superiore a una settimana.

Note: è gradita la prenotazione. Passeggiate naturalistiche, osservazione ambientale. Trekking, pesca e mountain bike. Tennis ed equitazione nelle vicinanze. Prato per giocare e prendere il sole.

Raccolta di asparagi, funghi e more. Forno a legna per grigliate all'aperto. Riscaldamento, posto auto. Pulizia, biancheria. Si accolgono animali domestici.

LE CAPANNE

loc. Capanne • 58038 SEGGIANO
☎ e fax 0564950840 cell. 03477023956

▲ I 9

Posizione geografica: montagna.

Periodo di apertura: tutto l'anno.

Presentazione: nuova struttura su 41 ettari coltivati a cereali e oliveto, accoglie ospiti in 3 camere.

Prodotti aziendali: confetture, frutta, funghi, olio, ortaggi, uova e pollame.

Luoghi di interesse e manifestazioni locali: terme a San Filippo e a Bagni Vignoni, monte Amiata, Pienza, Montalcino, Santa Fiora. Sagra della castagna in ottobre, sagra dell'acquacotta in agosto, sagra del fungo e della polenta.

Prezzi: alloggio a £ 40.000. Pernottamento bambini fino a 10 anni £ 20.000.

Note: accessibile agli handicappati. Ideale per soggiorno relax. Raccolta di frutti di bosco, funghi, castagne. Prato attrezzato per prendere il sole. Stagione sciistica sul monte Amiata. Cucina e bagni in comune. Animali accolti previo accordo.

FATTORIA ETRUSCA

fraz. Rocchette di Fazio - Podere Tartuchino II
58055 SEMPRONIANO ☎ 03683193392

 N 9

Posizione geografica: collina.
Periodo di apertura: tutto l'anno.
Associato a: Turismo Verde.
Presentazione: costruzione rurale su 35 ettari coltivati a cereali. Allevamento di ovini. Accoglie ospiti in 3 camere con bagno e angolo cottura.
Luoghi di interesse e manifestazioni locali: terme di Saturnia, tombe etrusche. Sagra della bruschetta in agosto.
Prezzi: alloggio a £ 30.000.
Note: accessibile agli handicappati. Raccolta di asparagi e funghi. Tiro con l'arco, giochi all'aria aperta, equitazione, trekking e passeggiate. Biancheria, riscaldamento.

AGRITURISMO POGGIO DELL'AIONE

loc. Catabbio • 58050 SEMPRONIANO
☎ e fax 0360232546 - 0564986389

 N 9

Posizione geografica: collina.
Periodo di apertura: tutto l'anno.
Presentazione: antichi casolari ristrutturati con vista panoramica sulla vallata, immersi nel verde e circondati da oliveti. Accoglie ospiti in 7 appartamenti e 9 camere, con bagno privato, per un totale di 18 posti letto.
Prodotti aziendali: vendita di prodotti tipici.
Luoghi di interesse e manifestazioni locali: terme di Saturnia, necropoli etrusche, parchi faunistici e riserve naturali del monte Amiata e del parco dell'Ucellina, borghi medioevali.
Prezzi: OR da £ 35.000 a 40.000. Riduzioni per comitive e bambini da concordare.
Note: è gradita la prenotazione. L'azienda è convenzionata con le terme di Saturnia. Piscina. Passeggiate a cavallo con itinerari archeologici e naturalistici, spedizioni notturne con cene al bivacco lungo i fiumi, trekking di più giorni all'Argentario o al lago di Bolsena. Cambio biancheria ogni 4 giorni. Si accolgono animali.

Livorno

CASALE DEL MARE

strada vicinale delle Spianate • 57012 CASTIGLIONCELLO
☎ 0586759007 fax 0586759921
E-mail:info@casaledelmare.it • http:www.casaledelmare.it

● **G 5**

Posizione geografica: collina a 2 km dal mare.
Periodo di apertura: tutto l'anno.
Associato a: Turismo Verde, Agriturist, Terranostra.

Presentazione: antica fattoria, sapientemente restaurata, sita sull'altopiano delle Spiante di Castiglioncello. L'azienda è di circa 100 ettari in parte coltivati a cereali e ulivi, in parte occupati da macchia mediterranea. Accoglie ospiti in monolocali e bilocali, per un totale di 6, con angolo cottura, doccia o idromassaggio, TV e telefono.
Ristorazione: piatti tipici toscani.
Luoghi di interesse e manifestazioni locali: riviera degli Etruschi, Pisa, Volterra, San Gimignano.
Prezzi: rivolgersi all'azienda.
Note: piscina, solarium, giardino. Campo da tennis, scuderie e maneggio.

AGRIHOTEL ELISABETTA

via Tronto 10/12 - loc. Collemezzano • 57023 CECINA
☎ e fax 0586661392-0586661096-0586662308

● **H 5**

Posizione geografica: collina.
Periodo di apertura: dall'1 marzo al 4 novembre.
Presentazione: azienda agricola del '700 recentemente ristrutturata e ampliata, arredata in stile povero, ma molto confortevole, su 25 ettari di vigneto, frutteto e oliveto. Accoglie ospiti in 31 camere doppie, 2 appartamenti con cucina da 4 persone e 3 suite da 4/6 posti letto.
Ristorazione: piatti tipici toscani, pizzeria.
Prodotti aziendali: vino, olio, frutta, verdura e miele.
Luoghi di interesse e manifestazioni locali: Volterra, Firenze, Pisa, Isola d'Elba, Piombino. Mercato di Cecina il martedì, festa del pesce i primi di giugno, varie sagre paesane.
Prezzi: B&B da £ 100.000 a 140.000 e H/B da £ 135.000 a 175.000 (in camera doppia); suite: B&B da £ 360.000 a 756.000 e H/B da £ 486.000 a 945.000 al giorno per 4/6 persone; appartamento: OR da £ 1.400.000 a 2.000.000 a settimana. Prima colazione a £ 15.000. Pasto a £ 50.000.
Note: è gradita la prenotazione. Piscina, equitazione, tennis, giochi. È possibile conoscere la cultura contadina, partecipare alla vendemmia e alla raccolta e molitura delle olive.

MONZONE RANCH

via Pandoiano, 40 • 57010 PARRANA SAN GIUSTO
☎ 0586972792 cell. 03397122106

● **F 5**

Posizione geografica: collina.
Periodo di apertura: tutto l'anno.
Associato a: Terranostra e Consorzio Vacanze Attive.
Presentazione: tipica costruzione rurale del '700 completamente ristrutturata su 16 et-

tari coltivati a vigneto, oliveto, frutteto. Offre ospitalità in 5 camere con bagno per un totale di 12 posti letto.
Ristorazione: H/B, F/B. Cucina tipica toscana.
Prodotti aziendali: vino, olio, marmellate, conserve.
Luoghi di interesse e manifestazioni locali: città d'arte (Pisa, Lucca, Firenze, Volterra, Siena), terme di Casciana, Maremma, zone archeologiche e mare. Mostre, sagre e mercati nei paesi vicini.
Prezzi: B&B a £ 60.000, H/B da £ 80.000 a 90.000, F/B a £ 110.000. Sconto del 50% per bambini di età inferiore a 5 anni.
Note: ideale per soggiorno relax, passeggiate e gite culturali.

Piscina. Bar che rievoca un tipico saloon western. Corsi di cucina contadina, enologia ed equitazione (anche per bambini). Trekking e passeggiate, escursioni e visite guidate, mountain bike. Raccolta di funghi, asparagi, frutti di bosco. A richiesta disponibilità ampi saloni per cerimonie, riunioni, conferenze. A richiesta per gli amanti del western riding è possibile fare dei viaggi a cavallo, con bivacchi notturni sotto le stelle e immancabili cavalcate nelle notti di luna piena. Box per cavalli degli ospiti.

ORZALESI

loc. Orzalesi • 57016 ROSIGNANO MARITTIMO
☎ 0586799672

 H 5

Posizione geografica: collina.
Periodo di apertura: tutto l'anno.
Presentazione: tipica costruzione rurale su 7 ettari coltivati biologicamente a vigneto, oliveto, frutteto. Allevamento suini e animali da cortile. Offre ospitalità in 2 camere per un totale di 6 posti letto.
Ristorazione: H/B, F/B. Cucina tipica toscana.
Prodotti aziendali: confetture, erbe, frutta, olio, ortaggi, pollame, uova, vino, conserve.
Luoghi di interesse e manifestazioni locali: Castiglioncello, Volterra, San Gimignano, Siena, scavi etruschi. Palio e festa del vino.
Prezzi: B&B da £ 30.000 a 50.000. Pasto da £ 20.000 a 50.000. Sconto del 10% per bambini fino a 10 anni.
Note: ideale per relax, ampio giardino e prato per prendere il sole. Osservazione ambientale, giochi all'aria aperta. Raccolta di asparagi e funghi. Cinema e teatro nelle vicinanze. Vicinanza mare. Bagno, telefono, sala in comune. Biancheria, pulizia, consumi, parcheggio.

LE PINETE

loc. Le Pinete, 74 - frazione Castelnuovo
57016 ROSIGNANO MARITTIMO
☎ 0586744275

 H 5

Posizione geografica: collina.
Periodo di apertura: tutto l'anno.
Presentazione: costruzione rurale su 7 ettari coltivati a cereali, vigneto, frutteto, ortaggi. Allevamento animali da cortile. Accoglie ospiti in 2 camere.
Ristorazione: H/B, F/B. Cucina tipica toscana e cucina vegetariana.
Prodotti aziendali: confetture, miele, olio, vino, uova, conserve.
Luoghi di interesse e manifestazioni locali: Castiglioncello, Pisa, Volterra, imbarchi per le isole. Feste e sagre di paese.
Prezzi: B&B a £ 30.000. H/B da £ 60.000 a 70.000. Pasto a £ 30.000. Bambini fino a 2 anni £ 20.000. Sconto 30% per bambini dai 3 ai 10 anni.
Note: posizione panoramica in luoghi verdi e tranquilli. Raccolta di asparagi, funghi, frutti di bosco. Trattamento familiare cordiale. Prato e terrazza per prendere il sole. Osservazione animali per bambini. Bocce e ping-pong. Corsi di artigianato, enologia. Osservazione ambientale, trekking e passeggiate. Nelle vicinanze maneggio. Biancheria, pulizia, riscaldamento e frigorifero. Uso cucina solo per le necessità dei bambini piccoli. Telefono in comune. Posto auto. Sala con pianoforte.

SAN MARCO

loc. San Marco • 57016 ROSIGNANO MARITTIMO
☎ e fax 0586799380

 H 5

Posizione geografica: collina, mare.
Periodo di apertura: dall'1 marzo al 31 ottobre.
Associato a: Turismo Verde.
Presentazione: costruzione rurale su 30 ettari di terreno adibiti a vigneto, ortaggi, uliveto e frutteto di coltivazione biologica. Allevamento di bovini ed equini. Accoglie ospiti

in camere con bagno per un totale di 20 posti letto.
Ristorazione: cucina tipica toscana preparata con i prodotti biologici dell'azienda.
Prodotti aziendali: olio extravergine d'oliva e miele.
Luoghi di interesse e manifestazioni locali: Pisa, Livorno, Volterra, San Gimignano e le isole dell'arcipelago. Varie manifestazioni locali.
Prezzi: H/B da £ 70.000 a 105.000 (bevande incluse). Sconto del 30% per bambini da 2 a 10 anni.
Note: possibilità di partecipare alla vita aziendale. Piscina, equitazione, trekking. Sala riunioni. Raccolta di asparagi, funghi e frutta. Soggiorno minimo 1 settimana in alta stagione e 3 giorni in bassa stagione. Non si accolgono animali.

SAN BARTOLO

via San Bartolo, 35 • 57027 SAN VINCENZO
☎ 0565704096

 I 5

Posizione geografica: collina.
Periodo di apertura: tutto l'anno.
Presentazione: tipica costruzione rurale ristrutturata su 6 ettari di terreno coltivato a oliveto e bosco. Offre ospitalità in agricampeggio con ampio spazio ombreggiato per tende e caravan. Affitta roulotte e chalet da 4 posti letto con cucina attrezzata.
Ristorazione: su prenotazione. Cucina tipica toscana.
Prodotti aziendali: confetture, asparagi, olio, vino.
Luoghi di interesse e manifestazioni locali: parco archeominerario della val di Cornia, scavi etruschi di Populonia, parco naturale di Rinigliano, isole dell'Arcipelago Toscano, Volterra, Siena, Pisa, Firenze. Palio della costa etrusca in aprile, sagra del grano, sagra del pesce in luglio, feste di paese.
Prezzi: alloggio fino a £ 30.000. Pasto da £ 35.000 a 55.000. Riduzione del 10% agli associati rivista "Plen air". Soggiorno gratuito per bambini fino a 3 anni. Sconto del 50% per bambini da 3 a 10 anni.
Note: prenotazione obbligatoria per il mese d'agosto. Permanenza minima 1 settimana. Posizione panoramica e vicinanza mare, ideale per soggiorno relax e passeggiate. Corsi di potatura, gastronomia, modellismo. Biliardo, volo ultraleggero, ping-pong, vela, equitazione, piscina, giochi all'aria aperta, trekking e passeggiate, mountain

bike. Raccolta di asparagi, funghi, frutti di bosco. Ampi spazi per prendere il sole e spazi all'aperto con tavoli per pranzi e cene. Sala e telefono in comune. Bagni con docce, posto macchina. Animali accolti previo accordo.

LA CERRETA

via Campagna Sud, 143 • 57020 SASSETTA
☎ e fax 0565794352

● I 5

Posizione geografica: collina.
Periodo di apertura: tutto l'anno.
Associato a: Turismo Verde, A.I.A.B.
Presentazione: tipico podere toscano del '700 in pietra, ristrutturato, su 31 ettari coltivati biologicamente a oliveto, ortaggi, frutteto, vigneto, parco naturale a macchia mediterranea e castagni. Allevamento di animali da cortile, cavalli maremmani, bovini, ovini, suini, api. Offre ospitalità in 12 camere con bagno per un totale di 30 posti letto, suddivise in 4 fabbricati adiacenti.
Ristorazione: H/B, F/B. Pranzi da asporto per escursionisti. Piatti della tradizione maremmana contadina, preparati con prodotti biologici dell'azienda nonché ortaggi e frutta selvatici del bosco circostante. La somministrazione dei pasti avviene a un grande tavolo comune in un clima di familiarità tipico dell'ospitalità toscana.
Prodotti aziendali: confetture, conserve, miele, olio extravergine, frutta, ortaggi, pecorino.
Luoghi di interesse e manifestazioni locali: villaggio archeominerario Rocca di San Silvestro, necropoli etrusca di Baratti, Massa Marittima, Volterra. Sagra della castagna, "Polentata e tordata" in ottobre, sagra del cinghiale a Suvereto in dicembre, feste di paese.
Prezzi: H/B da £ 75.000 a 95.000. Soggiorno omaggio per bambini fino a 1 anno, sconto del 50% per bambini da 1 a 5 anni, del 30% per bambini da 5 a 10 anni, sconto del 10% per gruppi di oltre 20 persone.
Note: accessibile agli handicappati. Corsi di erboristeria, fotografia naturalistica, disegno e pittura, italiano per stranieri. Corsi di equitazione (monta maremmana). Si organizzano viaggi a cavallo di più giorni, viaggi al mare e di interesse naturalistico-storico con pernottamento in tenda e pranzo al sacco. Trekking e passeggiate, mountain bike. Raccolta di castagne, frutti di bosco, funghi, erbe spontanee. Posto per prendere il sole. Possibilità di partecipazione alle attività aziendali di raccolta e trasformazione dei prodotti. Telefono, sala e stanza lavanderia in comune, biancheria, pulizia, riscaldamento. Posto auto. Animali accolti previo accordo.

SAN LORICA

via Campagna Nord, 46 • 57020 SASSETTA
☎ e fax 0565794335

● I 5

Posizione geografica: collina.
Periodo di apertura: tutto l'anno.
Associato a: Agriturist.
Presentazione: tipica costruzione su 372 ettari tra seminativi, oliveto, boschi. Offre ospitalità in 10 camere con bagno per un totale di 22 posti letto.
Ristorazione: H/B. Cucina tipica toscana.
Luoghi di interesse e manifestazioni locali: Volterra, San Gimignano, Pisa, Populonia, Punta Ala. Festa della tordata in ottobre.

Prezzi: B&B a partire da £ 65.000. Pasto da £ 20.000 a 50.000. Riduzioni da concordarsi.
Note: prenotazione obbligatoria. Prati, giardini, ampi spazi per relax e passeggiate, piscina, tennis, giochi all'aria aperta, pesca. Raccolta di castagne e asparagi. Telefono e sala in comune. Pulizia, riassetto e riscaldamento. Animali accolti previo accordo.

LA BULICHELLA

loc. Bulichella, 131 • 57028 SUVERETO
☎ 0565829892 fax 0565829553

● I 6

Posizione geografica: collina.
Periodo di apertura: dal 10 gennaio al 20 dicembre.
Associato a: Agriturist.
Presentazione: casa colonica su 34 ettari coltivati biologicamente, con autosufficienza alimentare. Accoglie ospiti in 10 camere per un totale di 30 posti letto.
Ristorazione: H/B dal 15 giugno al 15 settembre. Piatti a base dei prodotti biologici aziendali. Cucina tipica ricca di verdure, cereali, legumi.
Prodotti aziendali: vino, olio, miele, marmellate, conserve, frutta, verdura.
Luoghi di interesse e manifestazioni locali: mare, piscine termali, parco archeominerario, resti etruschi. Sagra del cinghiale in dicembre, "Estate suveretana" in luglio e agosto.
Prezzi: alloggio da £ 60.000 a 130.000 per persona al giorno. Pasto a £ 30.000. Sconto bambini e gruppi oltre le 15 persone da concordare.
Note: posizione panoramica vista mare. Animazione di gruppo. Raccolta di asparagi e funghi. Pesca, giochi all'aria aperta, escursioni e visite guidate. Riscaldamento, pulizia, lavanderia e uso frigorifero, sala comune. Posto auto.

VILLA GRAZIANI

via per Rosignano, 14 • 57018 VADA
☎ e fax 0586788244 ☎ 0586785998 - 0360337017

● H 5

Posizione geografica: mare.
Periodo di apertura: tutto l'anno.
Associato a: Agriturist.
Presentazione: villa ottocentesca recentemente ristrutturata. Offre ospitalità in 8 camere con bagno per un totale di 24 posti letto.
Ristorazione: H/B e F/B in ristorante aperto al pubblico con 30 coperti al massimo. Cinghiale, cucina tipica toscana.
Prodotti aziendali: olio, vino, frutta.
Luoghi di interesse e manifestazioni locali: Volterra, Pisa, Firenze, Bolgheri, riviera degli Etruschi, museo di Rosignano Marittimo, scavi archeologici di Vada. Feste e sagre di paese, tra cui "Vadasullaia" la prima domenica di giugno.
Prezzi: B&B a partire da £ 80.000. Sconto del 70% per bambini da 0 a 3 anni, sconto 30% per bambini da 3 a 8 anni. Pasto da £ 40.000 a 70.000.
Note: accessibile agli handicappati. In agosto permanenza minima di 1 settimana, prenotazione obbligatoria. Vasto parco di piante secolari e giardino fiorito. Accoglienza ospitale. Disponibilità sala riunioni in edificio storico. Visita al museo della fattoria e al parco botanico con reperti archeologici. Servizio di baby sitting. Ping-pong, equitazione, mountain bike. Nelle vicinanze altri sport, cinema e teatro. Telefono, riscaldamento e televisione in tutte le camere. Arredamento con mobili antichi. Biancheria, pulizia, riscaldamento, sale comuni e biblioteca. Animali accolti previo accordo.

LEONI

via Mortaiolo, 74 • 57019 VICARELLO
☎ 0586964857 fax 0586964859

● F 4

Posizione geografica: pianura.
Periodo di apertura: tutto l'anno.
Associato a: Agriturist.
Presentazione: costruzione rurale recentemente ristrutturata su 14 ettari coltivati a cereali e vigneto. Allevamento animali da cortile. Offre ospitalità in 7 camere con bagno, di cui 3 camere sono complete di cucina, frigorifero, televisione, per un totale di 15 posti letto.
Ristorazione: H/B, F/B. Piatti tipici della cucina toscana con prodotti genuini. Servizio bar e specialità cocktail.
Prodotti aziendali: vino, uova, pollame, conigli.
Luoghi di interesse e manifestazioni locali: città d'arte (Pisa, Lucca, Firenze, Volterra, San Gimignano, Siena), mare e monti. Feste e sagre tutto l'anno.
Prezzi: alloggio da £ 35.000 a 100.000. Sconto del 10% per bambini fino ai 10 anni. Pasto da £ 20.000 a 50.000.
Note: ambiente tranquillo, ideale per relax, passeggiate, itinerari artistici. Conduzione e accoglienza familiare. Ping-pong, tiro con l'arco, giochi all'aria aperta, escursioni e visite guidate, moun-

tain bike, terrazza per prendere il sole. Su richiesta informazioni sui lavori agricoli e sull'ambiente. Nelle vicinanze maneggio, campo (privato) per deltaplano, canale per canoa, tennis, porto e aeroporto. Posto auto. Arredi eleganti.

GHIACCI VECCHI

via dei Granai, 28 - loc. Ghiacci Vecchi - Venturina
57021 CAMPIGLIA MARITTIMA
☎ 0565846537-0565851074 fax 0565846474

▲ I 5

Posizione geografica: mare.
Periodo di apertura: da Pasqua a ottobre.
Associato a: Agriturist.
Presentazione: tipiche costruzioni rurali in azienda di 30 ettari, ideale per rilassanti soggiorni marittimi con bambini. Accoglie ospiti in 20 appartamenti con servizi per un totale di 100 posti letto.
Prodotti aziendali: olio e vino.
Luoghi di interesse e manifestazioni locali: San Vincenzo, Baratti, terme di Caldana, laghetto del Calidario, Populonia, Suvereto, Volterra, San Gimignano, Siena, Firenze, Pisa, Lucca, Pienza, Montalcino e Massa. Visita alle miniere. Sagre del cinghiale e del carciofo, sfilate storiche.
Prezzi: OR da £ 30.000 a 50.000.
Note: baby sitting, giochi all'aperto, calcetto, mountain bike, ping-pong, piscina. Biancheria, pulizia finale, telefono privato, cucina attrezzata, riscaldamento e posto auto.

VALLEBUIA

loc. Vallebuia - Seccheto • 57034 CAMPO NELL'ELBA
☎ 0565987035

▲ M 4

Posizione geografica: valle.
Periodo di apertura: tutto l'anno.
Associato a: Turismo Verde.
Presentazione: offre ospitalità in 7 appartamenti indipendenti con cucina, soggiorno, camere e servizi.
Prodotti aziendali: vino, miele.
Luoghi di interesse e manifestazioni locali: mare a meno di 2 km, colonne romane, monte Capanne. Feste, regate, rally.
Prezzi: appartamento a settimana da £ 500.000 a 750.000.
Note: posizione panoramica, vista mare. Spiagge con sabbia. Si organizzano gite in barca lungo la costa. Osservazione ambientale. Corsi di smielatura, vendemmia, imbottigliamento del vino. Grandi terrazze e spazi verdi. Raccolta di funghi. Ruscello. Posto auto.

MAZZI

loc. Lacona • 57031 CAPOLIVERI - ISOLA D'ELBA
☎ e fax 0565964083

▲ M 4

Posizione geografica: mare.
Periodo di apertura: da aprile a ottobre.
Associato a: Terranostra.
Presentazione: tipica costruzione con giardino e area coltivata a ortaggi e frutta. Offre ospitalità in 2 appartamenti da 7 posti letto ciascuno.
Prodotti aziendali: frutta, verdura, miele, olio.
Prezzi: alloggio da £ 30.000 a 50.000.
Note: ping-pong, bocce, giochi all'aria aperta. Nelle vicinanze cinema, maneggio, minigolf, tennis. Riscaldamento, posto auto.

LA VALLE

loc. Vignone • 57022 CASTAGNETO CARDUCCI
☎ 0565763881 cell. 0368466280

▲ I 5

Posizione geografica: pianura
Periodo di apertura: tutto l'anno.
Associato a: Agriturist.
Presentazione: costruzione rurale su 10 ettari coltivati a oliveto, frutteto, vigneto, ortaggi.

Allevamento di animali di piccola taglia. Offre ospitalità in 7 appartamenti composti da 1-2 camere con bagno, cucina, riscaldamento autonomo, per un totale di 17 posti letto.
Prodotti aziendali: ortaggi, frutta, uova, olio, vino.
Luoghi di interesse e manifestazioni locali: zone etrusche (Baratti e Populonia), Volterra, Massa Marittima, San Gimignano. Sagra della castagna, del cinghiale, la tordata e altre manifestazioni folkloristiche e gastronomiche.
Prezzi: alloggio a £ 40.000 a persona.
Note: ideale per escursioni a piedi o in bicicletta. Mare a 4 km, aria molto pulita. Raccolta di asparagi, castagne, funghi. Calcetto, ping-pong, pallavolo, giochi all'aria aperta, mountain bike. Osservazioni ambientali. Corsi vari di artigianato. Ristoranti tipici nelle vicinanze. Pulizia, biancheria, parcheggio. Animali accolti previo accordo.

PODERE GRATTAMACCO

loc. Grattamacco • 57022 CASTAGNETO CARDUCCI
☎ 0565763840 fax 0565763217

▲ **I 5**

Posizione geografica: collina.
Periodo di apertura: tutto l'anno, chiuso dal 10 gennaio al 10 febbraio.
Associato a: Cons. strada del vino "Costa degli etruschi".
Presentazione: tipiche costruzioni rurali con cantina per invecchiamento e imbottigliamento dei vini, su 30 ettari coltivati a vigneto specializzato e oliveto, circondati da macchia mediterranea. Accoglie ospiti in 2 appartamenti da 2/3 posti letto, dotati di televisione, cucina attrezzata, riscaldamento, spazi esterni attrezzati.
Prodotti aziendali: olio, vino, grappa.
Luoghi di interesse e manifestazioni locali: Marina di Castagneto (spiaggia, pineta) a 8 km, Bolgheri(viale dei Cipressi, parco letterario) a 10 km, Massa Marittima, Populonia, Volterra, Pisa a 50 km. D'estate manifestazioni musicali, teatrali e sportive, feste gastronomiche.
Prezzi: affitto giornaliero appartamento da £ 150.000 a 200.000.

Note: prenotazione obbligatoria, permanenza minima 1 settimana. Ideale per relax. Vicinanza mare. Raccolta di asparagi e funghi. Nelle vicinanze cinema e parco giochi "Cavallino matto". Biancheria, pulizia. Animali accolti previo accordo.

GRATTAMACCO PODERE SANTA MARIA

loc. Grattamacco, 130 • 57022 CASTAGNETO CARDUCCI
☎ e fax 0565763933

▲ **I 5**

Posizione geografica: collina.
Periodo di apertura: tutto l'anno.
Associato a: Agriturist.
Presentazione: tipica costruzione rurale su 8 ettari di oliveto e frutteto biologici. Offre ospitalità in 2 appartamenti e 2 piazzole per agricampeggio.
Prodotti aziendali: olio e frutta biologici.
Luoghi di interesse e manifestazioni locali: città d'arte (Pisa, Firenze, Lucca), zone etrusche (Volterra, Populonia, Roselle). Bosco e mare (6 km). "Castagne a tavola", festa del cinghiale a Suvereto, sagre varie.
Prezzi: alloggio fino a £ 30.000.
Note: osservazione ambientale, trekking e passeggiate. Raccolta di more, erbe officinali, olive, funghi, erbe selvatiche. Ping-pong, calcetto, pallavolo, calcio, biciclette. Cinema e teatro nelle vicinanze. Posizione panoramica con vista mare.

ACQUABONA

loc. Acquabona, 191 • 57022 CASTAGNETO CARDUCCI
☎ e fax 0565765027

▲ **I 5**

Posizione geografica: collina.
Periodo di apertura: tutto l'anno.
Presentazione: si trova ai piedi del castello di Segalari, ambiente tranquillo per rilassare corpo e anima. Tipica costruzione rurale immersa negli ulivi su area coltivata biologicamente. Accoglie ospiti in 1 appartamento composto da camera tripla, soggiorno, angolo cottura, bagno, terrazza e giardino recintato.
Prodotti aziendali: olio, frutta coltivata biologicamente.
Luoghi di interesse e manifestazioni locali: centro storico medievale di Castagneto, Bolgheri, oasi di Bolgheri, scavi etruschi di Populonia. Carnevale, concerti, spettacoli teatrali, feste religiose, esposizioni e mostre di artigianato, accademia musicale.

Prezzi: alloggio da £ 80.000 a 130.000.
Note: prenotazione obbligatoria. Permanenza minima 1 settimana. Lingue parlate italiano, francese, inglese. Cinema, ampia spiaggia e parco giochi nelle vicinanze. Riscaldamento autonomo, posto auto.

GREPPO ALL'OLIVO

loc. Greppo all'Olivo, 49 • 57024 DONORATICO
☎ e fax 0565775366

▲ **I 5**

Posizione geografica: pianura.
Periodo di apertura: tutto l'anno.
Associato a: Terranostra.
Presentazione: tipica costruzione rurale ristrutturata su 7 ettari coltivati biologicamente a cereali, oliveto, vigneto, ortaggi. Offre ospitalità in 3 appartamenti composti da ingresso indipendente, cucina completa, giardino con barbecue, per un totale di 10 posti letto.
Prodotti aziendali: olio, vino, frutta e ortaggi biologici.
Luoghi di interesse e manifestazioni locali: Baratti Populonia, Isola d'Elba, Volterra, San Gimignano, Pisa, Lucca, Firenze, Siena, Massa Marittima, oasi WWF a Bolgheri, mare. Sagre di paese tutto l'anno.
Prezzi: in proporzione ai posti letto, alle dimensioni dell'appartamento, alla stagione.
Note: prenotazione minima 1 settimana, da sabato a sabato. Ideale per vacanze relax e passeggiate. Raccolta di castagne, funghi, frutti di bosco. Biciclette anche per bambini. Ping-pong, mountain bike, giochi all'aria aperta, campo da calcetto. Nelle vicinanze equitazione, biliardo, tennis, pattinaggio, minigolf, tiro con l'arco, vela, pesca, cinema. Pulizia iniziale e finale, riscaldamento, parcheggio, uso barbecue con legna.

CASA FÈLICI

via Costarella, 36 • 57030 MARCIANA - ISOLA D'ELBA
☎ 0565901297-0565901067-0565908110

▲ **M 4**

Posizione geografica: collina.
Periodo di apertura: tutto l'anno.
Associato a: Agriturist, Turismo Verde, Terranostra.
Presentazione: casa colonica ristrutturata in area coltivata a vigneto, frutteto, bosco. Offre ospitalità in 2 appartamenti, dotati di servizi.
Prodotti aziendali: frutta, vino.

Luoghi di interesse e manifestazioni locali: musei, luoghi d'arte, attrazioni naturalistiche, feste e sagre.

Prezzi: alloggio appartamento (con 1 camera da 2/3 posti letto) da £ 70.000 a 150.000 a notte, appartamento con 2 camere (4/5 posti letto) da 80.000 a 170.000 a notte. Sconti per bambini.

Note: prenotazione obbligatoria. Posizione panoramica, vicinanza mare e montagna, ambiente tranquillo e familiare. Solarium. Raccolta di castagne, funghi, frutti di bosco. Osservazione ambientale, concerti, mostre di pittura, giardinaggio, escursioni e visite guidate. Nelle vicinanze canoa, golf, minigolf, mountain bike, parapendio, pesca, roccia, tennis, windsurf, trekking, vela, teatro e cinema. Biancheria, cucina attrezzata con frigorifero, riscaldamento, terrazza, giardino, barbecue e parcheggio privato. Animali accolti previo accordo.

VILLE CALA BELLA

loc. Fonza • 57034 MARINA DI CAMPO - ISOLA D'ELBA
☎ e fax 0565976837 cell. 03356748686

 M 4

Posizione geografica: mare.
Periodo di apertura: dal 15 aprile al 15 ottobre.
Presentazione: Cala Bella è una caletta privata, nell'area protetta del parco naturale dell'arcipelago toscano, che domina il golfo di Marina

di Campo, le isole di Montecristo, del Giglio, di Pianosa. L'azienda è tenuta a parco fino al mare con coltivazioni di pini, rosmarino, salvia, malva, finocchio e a macchia mediterranea con ginestre, corbezzoli, lentischi. Offre ospitalità in ville moderne suddivise in appartamenti indipendenti o suite con giardino.

Luoghi di interesse e manifestazioni locali: Marina di Campo, le spiagge più rinomate dell'isola d'Elba, monte Capanne, torri medicee, villa di Napoleone. Rally di auto d'epoca a fine settembre. Gare di bicicletta, mountain bike, triatlon durante le stagioni primavera e autunno.

Prezzi: riduzioni nei mesi di aprile, maggio, giugno, settembre, ottobre.

Note: sentiero privato agli scogli, escursioni e trekking. Posizione strategica per raggiungere le più belle spiagge e calette dell'isola, le foreste del monte Perone, cabinovia per Capanne (100 m), fortezze medicee, torri pisane, paesini medievali. Non si accolgono animali.

I CINQUE LECCI

via di Quercianella, 168 - loc. Castellaccio
57128 MONTENERO ☎ e fax 0586578111

 H 5

Posizione geografica: collina, mare.
Periodo di apertura: tutto l'anno.
Associato a: Terranostra.
Presentazione: casa colonica su 20 ettari coltivati biologicamente a ortaggi. Accoglie ospiti in 7 appartamenti dotati di servizi e cucina con frigo per un totale di 24 posti letto.
Prodotti aziendali: ortaggi biologici.
Luoghi di interesse e manifestazioni locali: città d'arte, musei, acquario marino, località balneari, mare a 3 km. Parco delle colline li-

vornesi. Palio marinaro in estate, mostre quadri macchiaioli, manifestazione "Effetto Venezia" e altre.
Prezzi: appartamento da £ 400.000 a 1.000.000 a settimana.
Note: accessibile agli handicappati. Azienda vista mare. Prenotazione obbligatoria. Posizione panoramica, ideale per soggiorno relax e passeggiate. Mare a 2 km. Prato per prendere il sole, equitazione, trekking e passeggiate, mountain bike. Raccolta di asparagi, funghi, frutti di bosco. Posto auto.

SANTA TRICE

loc. Santa Trice - fraz. Riotorto
57020 PIOMBINO ☎ e fax 056520618

 G 5

Posizione geografica: pianura e collina.
Periodo di apertura: da maggio a ottobre e Pasqua, Natale, Capodanno, ponti festivi.
Associato a: Agriturist.
Presentazione: tre costruzioni rurali tipiche su 314 ettari coltivati a oliveto, vigneto, frutteto, orto. Allevamento bovini chianini e cavalli avellinesi. Offre ospitalità in 6 appartamenti composti da cucina, sala pranzo, bagni, camere, corridoio, per un totale di 27 posti letto.
Prodotti aziendali: vino, olio.
Luoghi di interesse e manifestazioni locali: Piombino, Campiglia Marittima, Rocca di San Silvestro, Suvereto, Massa Marittima. Mostre a Venturina, sagra del cinghiale a Suvereto, Balestra del Girifalco a Massa.
Prezzi: appartamenti da £ 400.00 a 1.250.000 per settimana. Sconto 5% ai soci Agriturist. Soggiorno omaggio per bambini fino a 3 anni.
Note: accessibile agli handicappati. Raccolta di funghi e asparagi. Animali accolti previo accordo.

MONTE FABBRELLO

loc. Schiopparello • 57037 PORTOFERRAIO - ISOLA D'ELBA
☎ 0565933324 fax 0565940020 cell. 03386183584

 M 4

Posizione geografica: mare.
Periodo di apertura: tutto l'anno.
Associato a: Agriturist e Terranostra.
Presentazione: tipica costruzione toscana ristrutturata nel rispetto delle forme originali posta al centro di una riserva di ripopolamento selvaggina. Accoglie ospiti in 2 camere con bagno e in 3 appartamenti con cucina completamente attrezzata.
Prodotti aziendali: vino da tavola e passito, olio extravergine, frutta, verdura, miele.
Luoghi di interesse e manifestazioni locali: castelli, fortezze medicee, villa di Napoleone, passeggiate naturalistiche, cave di granito. Mostra dei vini elbani, sagre per bambini fino ai 5 anni.
Prezzi: B&B da £ 30.000 a 70.000 a persona, colazione a £ 10.000. In bassa stagione sconti e offerte. Soggiorno gratuito per bambini fino a 5 anni.
Note: ambiente ideale per soggiorno relax, a 600 m dal mare. Raccolta di castagne, asparagi, funghi. Golf, vela, tennis, mountain bike, giochi all'aria aperta, trekking e passeggiate. Corsi di restauro e di tintura naturale. Guida alle attività agricole. Cinema nelle vicinanze. Ottimo comfort in tutte le camere, dotate di bagno, telefono, televisione, posto auto. Biancheria, pulizia, riscaldamento. Animali accolti previo accordo.

LE DUE PALME

viale Elba, 171 - loc. Schiopparello, 146
57037 PORTOFERRAIO - ISOLA D'ELBA
☎ e fax 0565933017-0565978005 ☎ 0565933017

▲ M 4

Posizione geografica: collina.
Periodo di apertura: tutto l'anno.
Associato a: Agriturist.
Presentazione: azienda agricola posta nella piccola piana di Schiopparello al centro dell'Isola d'Elba. Coltivazione di frutteto e oliveto. Offre ospitalità in appartamenti con ingresso indipendente, cucina dotata di frigorifero e giardino. A circa 850 m spiaggia con comodo parcheggio ombreggiato.
Prodotti aziendali: miele, olio, frutta, uova.
Luoghi di interesse e manifestazioni locali: museo Napoleonico, cure termali, orto botanico, archeologia romana. Festa dell'uva e sagre di paese.
Prezzi: alloggio da £ 30.000 a 50.000 in bassa stagione, a partire da £ 50.000 in alta stagione a persona. Interessanti offerte in bassa stagione con arrivi infrasettimanali o per coppie senior.
Note: prato per prendere il sole. L'azienda offre 2 ore di tennis gratis alla settimana. Nelle vicinanze golf, canoa, vela, trekking guidato, mountain bike, equitazione.

FATTORIA MONTE ORELLO

loc. Monte Orello • 57037 PORTOFERRAIO - ISOLA D'ELBA
☎ 0565933283 cell. 0336711608

▲ M 4

Posizione geografica: collina.
Periodo di apertura: da aprile a ottobre.
Associato a: Terranostra.
Presentazione: tipiche costruzioni in 500 ettari di pineta. Offre ospitalità in 3 camere e in 3 piazzole per agricampeggio.
Prodotti aziendali: ortaggi, frutta, uova, olio, vino.
Prezzi: alloggio a £ 30.000.
Note: zona suggestiva, posizione panoramica vista mare. Ideale per settimane a cavallo. Piscina, trekking e passeggiate, mountain bike, equitazione. Animali accolti previo accordo.

CASA MARISA

loc. Schiopparello, 12 • 57037 PORTOFERRAIO
ISOLA D'ELBA ☎ e fax 0565933074

▲ M 4

Posizione geografica: mare.
Periodo di apertura: tutto l'anno.
Associato a: Terranostra.
Presentazione: tipica casa rurale con giardino, offre ospitalità in 3 miniappartamenti con bagno, cucina attrezzata e parcheggio per un totale di 9 posti letto.
Prodotti aziendali: uova, vino, olio.

Luoghi di interesse e manifestazioni locali: Portoferraio storica, musei. Festa dell'uva, manifestazioni degli sbandieratori.
Prezzi: alloggio da £ 30.000 a 50.000.
Note: ideale per soggiorno relax. Laghetto con oche e anatre. Nuoto, canottaggio, bicicletta, podismo. Raccolta di more selvatiche. Prato per elioterapia. Nelle vicinanze pizzeria, maneggio e campi da tennis. Biancheria, riscaldamento, posto auto. Animali accolti previo accordo.

PODERE SANTA GIULIA

loc. Santa Giulia • 57020 VIGNALE RIOTORTO
☎ e fax 056520830

▲ I 6

Posizione geografica: mare.
Periodo di apertura: da marzo a dicembre.
Associato a: Agriturist.
Presentazione: case coloniche su area coltivata a cereali, ortaggi, oliveto. Offre ospitalità in appartamenti da 2-3-4-6 posti letto con cucina ben attrezzata.
Prodotti aziendali: olio extravergine, ortaggi.
Luoghi di interesse e manifestazioni locali: vestigia etrusche a Populonia, paesi medievali come Suvereto e Massa Marittima, monti dell'Uccellina, terme. Balestra del Girifalco a Massa in maggio e agosto, sagra del cinghiale a Suvereto in dicembre, palio marinaio a San Vincenzo in aprile.
Prezzi: alloggio da £ 40.000 a 80.000 al giorno. Sconto del 5% per permanenza di 3 settimane.
Note: permanenza minima 2 giorni in bassa stagione, 1 settimana in alta stagione. Soggiorno ideale per concedersi una pausa di riposo, nel cuore di un parco di pini e mimose circondato da campi di girasoli. Possibilità di mangiare all'aperto in ambiente piacevole. Raccolta di asparagi e funghi. Ping-pong, bocce, percorso della sa-

lute, piscina, giochi all'aria aperta, trekking e passeggiate, mountain bike. Osservazione ambientale. Nelle vicinanze trattoria, cinema all'aperto, acquapark. Telefono e sala con caminetto in comune. Posto auto.

TENUTA DI VIGNALE

loc. Vignale • 57020 VIGNALE RIOTORTO
☎ e fax 056520846

▲ I 6

Posizione geografica: mare.
Periodo di apertura: da aprile a settembre.
Associato a: Agriturist.
Presentazione: appartamenti in tipica villa nobiliare maremmana di inizio Ottocento su 738 ettari con allevamento di chianine. Accoglie ospiti in 4 appartamenti per un totale di 22 posti letto.
Prodotti aziendali: olio, miele, uova e ortaggi. Si raccolgono asparagi e funghi.
Luoghi di interesse e manifestazioni locali: Populonia, Vetulonia, Suvereto, Massa Marittima, Pisa e Firenze. "Cavallo & Maremma" in maggio.
Prezzi: OR da £ 20.000 a 50.000 per persona al giorno. Riduzione del 5% per soci Agriturist.

Note: soggiorno minimo 1 settimana (da sabato a sabato), in bassa stagione anche week-end lunghi. Caparra di £ 300.000 al momento della prenotazione. A disposizione degli ospiti l'orto per la raccolta diretta dei prodotti di stagione. Possibilità di praticare windsurf, equitazione, tennis e golf. Piscina, solarium, giardino, giochi per bambini. Biancheria, pulizia finale, parcheggio, lavanderia comune, forno a legna.

Lucca

PRA' DI RETO

loc. Gragnanella • 55032 CASTELNUOVO GARFAGNANA
☎ e fax 058365734 E-mail:pradireto@hotmail.com

● **C 5**

Posizione geografica: collina (480 m).
Periodo di apertura: tutto l'anno.
Presentazione: vecchia casa colonica della seconda metà del Cinquecento sita nella piazza del respiro di Gragnanella antico borgo medioevale, all'interno del parco delle Apuane. Accoglie ospiti in 2 appartamenti completamente arredati, con cucina, camino e servizi, e in 1 camera doppia con servizi privati per un totale di 10 posti letto.
Ristorazione: cucina tipica garfagnina.
Prodotti aziendali: farina di castagne e di granturco, marmellate di frutti di bosco.
Luoghi di interesse e manifestazioni locali: grotta del Vento, parco dell'Orecchiella, parco Apuane, Barga, Sanpellegrino in Alpe, Versilia, Lucca. Canto del Maggio.
Prezzi: OR a £ 80.000 camera doppia, B&B a £ 50.000 a persona, H/B a £ 75.000 a persona, appartamento £ 700.000 a settimana.
Note: nelle vicinanze è possibile praticare tennis, golf, equitazione, pesca, mountain bike, trekking. Cambio biancheria. Si accolgono animali.

ULIVIERI

via Poggio Baldino, 21 • 55015 MONTECARLO ☎ 0583286088

● **E 6**

Posizione geografica: collina.
Periodo di apertura: da marzo a dicembre.
Associato a: Turismo Verde.
Presentazione: rustico ristrutturato su 13 ettari coltivati a oliveto, cereali, vigneto. Allevamento animali da cortile. Offre ospitalità in 4 camere e in 3 piazzole per agricampeggio con 12 posti tenda o autocaravan.
Ristorazione: ristorante aperto al pubblico con 52 coperti. Zuppa toscana, farro, arrosti di suino, pollo e coniglio fritto.
Prodotti aziendali: olio, vino, carni, frutta, verdura, cereali.
Luoghi di interesse e manifestazioni locali: Montecarlo, Collodi, Lucca, Montecatini Terme, Pisa. Mostra dei vini lucchesi in settembre.
Prezzi: alloggio da £ 30.000 a 50.000. Campeggio a £ 15.000.

Pasto da £ 25.000 a 40.000. Sconto 10% ai soci ACI, Hotel Card e 50% per i bambini fino a 6 anni.
Note: prenotazione obbligatoria, permanenza minima 3 giorni, massima 28. Ideale per soggiorno relax. Angolo osservazione erbe aromatiche e descrizione dei principali usi in cucina, partecipazione ai lavori agricoli. Visite guidate all'interno dell'azienda. Corse campestri, battute di caccia, campo bocce, giochi all'aria aperta, trekking e passeggiate. Noleggio mountain bike. Nei dintorni discoteca, pesca sportiva, maneggio, tennis. Raccolta di funghi, nespole, corbezzoli. In ottobre e novembre cantine aperte per degustazioni. Bagni in comune, biancheria, pulizia, uso cucina. Animali accolti previo accordo.

FATTORIA MICHI

via San Martino, 34 • 55015 MONTECARLO
☎ e fax 058322011

● **E 6**

Posizione geografica: collina.
Periodo di apertura: tutto l'anno.
Associato a: Movimento Turistico del Vino.
Presentazione: tipica costruzione toscana in azienda di 30 ettari coltivati a vigneto e oliveto. Offre ospitalità in 2 appartamenti per un totale di 12 posti letto.
Ristorazione: servizio pasti su richiesta. Zuppa di farro, zuppa di verdura, carni alla griglia.
Prodotti aziendali: vino D.O.C., olio.
Luoghi di interesse e manifestazioni locali: pieve romanica di San Piero in Campo, rocca e paese medievale di Montecarlo, parco e giardino di Collodi. Mostra mercato vini D.O.C. nella 1ª settimana di settembre.
Prezzi: pasto da £ 20.000 a 40.000. Pernottamento da £ 30.000 a 50.000.

Note: solo su prenotazione. Periodo minimo di permanenza 1 settimana. Solarium e prato per prendere il sole, piscina, pesca, tennis. Raccolta di castagne, frutti di bosco e funghi. Biancheria, acqua, luce, attrezzatura da cucina. Animali accolti previo accordo.

BRACCICORTI

loc. Braccicorti - fraz. Pontecosi • 55036 PIEVE FOSCIANA
☎ e fax 058362371

● **C 5**

Posizione geografica: collina.
Periodo di apertura: tutto l'anno.
Associato a: A.I.A.B.
Presentazione: tipica costruzione rurale su 9 ettari tra campi coltivati a ortaggi e farro, vigneto e frutteto. Offre ospitalità in 2 appartamenti e 4 camere con servizi per un totale di 24 posti letto.
Ristorazione: H/B. Farro, polenta, prodotti biologici dell'azienda.

Prodotti aziendali: farro e derivati, farina di castagne e di granoturco.

Luoghi di interesse e manifestazioni locali: parco dell'Orecchiella, Alpi Apuane, grotta del Vento, Castelnuovo, Garfagnana, Barga, San Pellegrino. "Canto del Maggio" nel periodo estivo, manifestazioni folkloristiche.

Prezzi: B&B a £ 45.000. H/B a £ 65.000. Pasto da £ 20.000 a 30.000. Riduzioni per gruppi.

Note: golf in impianti adiacenti e interni, equitazione, trekking e passeggiate, escursioni e visite guidate, mountain bike. Settimane verdi per ragazzi. Nelle vicinanze alpinismo, sci da fondo e discesa. Telefono, biancheria.

CELLI

loc. Celli • 55060 SAN MARTINO IN FREDDANA
☎ e fax 03486620726 - 03476694876

 E 5

Posizione geografica: collina.

Periodo di apertura: tutto l'anno.

Presentazione: la casa, immersa in un antico uliveto, offre ospitalità in 1 appartamento e 4 camere, con bagno, per un totale di 8 posti letto.

Ristorazione: piatti tipici locali, tortelli, maccheroni, farro, zuppa, polenta, castagnaccio, necci con ricotta.

Prodotti aziendali: olio, vino, miele, formaggio pecorino, marmellate, frutta, ortaggi.

Luoghi di interesse e manifestazioni locali: Versilia, Lucca, Pisa, Garfagnana.

Prezzi: camera doppia £ 100.000, pasto da £ 20.000 a 35.000. Gratis per bambini al di sotto di 3 anni e sconto del 50% da 3 a 10 anni.

Note: si consiglia di prenotare con largo anticipo. Permanenza minima 2 notti. Area giochi per bambini e adulti. Sentieri per trekking e mountain bike. Guida per la raccolta di funghi ed escursioni notturne. Cambio biancheria settimanale, pulizie a richiesta. Si accolgono animali.

PODERE CONSANI

loc. Consani di Monsagrati
55060 SAN MARTINO IN FREDDANA
☎ e fax 058338187-058338010

● **E 5**

Posizione geografica: collina.

Periodo di apertura: tutto l'anno.

Presentazione: fabbricati colonici di remota costruzione recentemente ristrutturati e corredati di piscina, al centro di un'azienda agricola collinare di 14 ettari di oliveto, vigneto, pascolo e bosco. Accanto sono state recentemente costruite le scuderie in cui si svolgono attività equestri a livello federale e si allevano cavalli. Accoglie ospiti in 2 rustici con 5 camere per un totale di 10 posti letto. Bagno in camera e/o comune.

Ristorazione: B&B, H/B e F/B.

Prodotti aziendali: olio e vino.

Luoghi di interesse e manifestazioni locali: Versilia, Lucca, Garfagnana.

Prezzi: B&B a £ 60.000, pasto a partire da £ 30.000.

Note: permanenza minima 2 notti. Possibilità di camere o appartamenti. Piscina. Lezioni di equitazione. Ideale per vacanze di relax e passeggiate. Raccolta di funghi e castagne. Si parla inglese. Si accolgono animali.

LIPPI ITALIA

loc. Gallonzola - Vorno 55021 CAPANNORI
☎ 0583331097

▲ **E 5**

Posizione geografica: collina.

Periodo di apertura: periodo pasquale e da maggio a ottobre, solo su prenotazione.

Presentazione: tipica costruzione rurale in azienda di 5 ettari di terreno con produzione di oliveto e vigneto. Accoglie ospiti in 1 appartamento di 120 m^2 composto da 3 camere, 1 bagno, sala, cucina, per un totale di 6 posti letto.

Prodotti aziendali: olio, vino, miele, frutta, pollame e uova.

Prezzi: OR fino a £ 30.000.

Note: soggiorno minimo 1 settimana. Relax garantito. Raccolta di funghi, castagne, frutti di bosco ed erbe selvatiche. Parcheggio per 2 macchine. Aia di 80 mq. Forno. Si accolgono animali di piccola taglia previo accordo.

LE MURELLE

via per Camaiore trav. V • 55060 CAPPELLA
☎ e fax 0583394306 ☎ 0583394055

▲ **D 5**

Posizione geografica: collina.

Periodo di apertura: tutto l'anno.

Associato a: Agriturist, Lucca in Villa.

Presentazione: tipica fattoria lucchese del '700 ristrutturata, su 35 ettari coltivati a vigneto, oliveto, frutteto, bosco, pascolo. Accoglie ospiti in 5 appartamenti per un totale di 22 posti letto.

Prodotti aziendali: vino, olio extravergine, frutta.

Luoghi di interesse e manifestazioni locali: tesori d'arte a Lucca, ville, pievi e bellezze naturali nella sua provincia. Salone del fumetto in settembre, processione storica di Santa Croce e fiere in estate.

Prezzi: da £ 30.000 a 50.000.

Note: ampi spazi verdi con sorgente e ruscello. Forno e barbecue, mountain bike. Nelle vicinanze maneggio, tennis, piscina, jogging, bar e ristoranti tipici. Accoglienza familiare. Cucina attrezzata con frigorifero e caminetto in ogni appartamento. Posto auto e lavatrice a gettone, biancheria. Riscaldamento autonomo.

POLLE

loc. Polle, 4 • 55020 FABBRICHE DI VALLICO
☎ e fax 0583761985 ☎ 0583761906

▲ **D 6**

Posizione geografica: collina (600 m).

Periodo di apertura: tutto l'anno.

Associato a: Terranostra.

Presentazione: tipica costruzione rurale. L'azienda si estende su

15 ettari coltivati a ortaggi e ampi appezzamenti di castagneti. Allevamento di ovini. Offre ospitalità in 1 appartamento con ampia cucina attrezzata, 3 camere e 2 bagni con doccia, per un totale di 8 posti letto.

Prodotti aziendali: salumi, uova, ortaggi, formaggio.

Luoghi di interesse e manifestazioni locali: grotta del Vento, parco Alpi Apuane, monte Matanna, monte San Luigi, chiesa romanica di San Michele, Barga, Bagni di Lucca, Coreglia, Castelnuovo Garfagnana. Botteghe artigiane di prodotti in ferro battuto. Corsa podistica nella 1ª domenica di agosto, rally del ciocco, canto del Maggio.

Prezzi: alloggio da £ 50.000 a 70.000 per persona. Affitto settimanale £ 800.000. Sconto del 10% per bambini fino a 8 anni e per la seconda settimana.

Note: permanenza minima 3 giorni. Ristorante a 3 minuti dall'azienda. Osservazione ambientale (cormorani, aironi, lepri ecc.). Speleologia, golf, pesca, giochi all'aria aperta, equitazione, trekking e passeggiate, mountain bike. Raccolta di funghi e radicchi selvatici. Prato per prendere il sole. Animali accolti previo accordo.

FATTORIA DI FUBBIANO

via per Fubbiano, 6 • 55010 SAN GENNARO
☎ 0583978011 fax 0583978344

D 6

Posizione geografica: collina.
Periodo di apertura: tutto l'anno, solo su prenotazione.
Associato a: Agriturist e Movimento del Turismo del Vino.
Presentazione: azienda su 40 ettari di terreno adibiti a oliveti e vigneti. Accoglie ospiti in 4 unità abitative: 1 villa del '700 con 12 posti letto, 1 casa colonica con 6 posti letto, 1 casetta rustica da 4 posti letto.
Prodotti aziendali: olio extravergine, vini D.O.C. colline lucchesi.
Luoghi di interesse e manifestazioni locali: Lucca, Collodi, Pisa, Montecatini. Mostra delle camelie a febbraio, mercato dell'antiquariato la 2ª domenica di ogni mese.
Prezzi: OR oltre £ 40.000.
Note: piscina, equitazione, mountain bike. Soggiorni da sabato a sabato, eccezionalmente soggiorni di 3 notti. Prato per prendere il sole. Biancheria.

COLLE DI BORDOCHEO

via Piaggiori Basso, 123 • 55018 SEGROMIGNO IN MONTE
☎ 0583929821 fax 0583929842

D 6

Posizione geografica: collina.
Periodo di apertura: tutto l'anno.
Presentazione: tipica costruzione rurale in pietra circondata da vigne e oliveto. Ideale per relax e passeggiate. Offre ospitalità in 7 appartamenti con 2/3 camere da letto ciascuno per un totale di 27 posti letto. Gli appartamenti sono dotati di cucina con lavastoviglie, di bagno con vasca o doccia, riscaldamento autonomo.
Prodotti aziendali: olio, vino.
Luoghi di interesse e manifestazioni locali: visita alle ville lucchesi: villa Mansi, villa Torrigiani. Nei dintorni, in primavera e in estate, sagre gastronomiche.
Prezzi: da £ 30.000 a £ 50.000. Nessun aumento per letti aggiunti.
Note: accessibile agli handicappati. A richiesta, in estate, si organizzano cene tipiche all'aperto. Nelle vicinanze, è possibile praticare tennis ed equitazione. Due piscine con solarium. Raccolta di frutta e di erbe aromatiche. Prato per prendere il sole con attrezzatura adeguata. Lavanderia comune. Riscaldamento, acqua calda, luce, gas, biancheria, pulizia. Animali accolti previo accordo.

Massa

AGRITURISMO CASALINA

loc. Gorasco • 54011 AULLA
☎ e fax 0585982024 cell. 03384193882

B 3

Posizione geografica: collina.
Presentazione: immerso nel verde della Lunigiana tra pini e castagni a soli 500 m dal torrente Bardine, a 30 minuti dalle spiagge di Marinella e dalle piste da sci di Cerreto Laghi. Offre ospitalità in 3 camere con bagno per un totale di 9 posti letto.
Ristorazione: piatti tipici sani e gustosi preparati esclusivamente con prodotti di produzione propria e cucinati nel forno a legna.
Luoghi di interesse e manifestazioni locali: spiagge di Marina di Carrara, Cinque Terre, piste da sci di Cerreto Laghi, cave di marmo di Carrara, grotte di Equi, castelli e musei della Lunigiana. Manifestazioni estive "Estate Insieme", festa enologica di Aulla, festa in piazza "La Quercia d'Oro".
Prezzi: F/B £ 90.000, H/B £ 75.000. Sconto del 10% per permanenze di oltre una settimana. Sconto del 50% per bambini al di sotto dei 10 anni.
Note: prenotazione obbligatoria. Prato per prendere il sole. Nelle vicinanze cinema e discoteche. Corsi di agricoltura biologica, enologia, di gastronomia e giardinaggio. Pallavolo, ping-pong, pesca, giochi all'aria aperta, equitazione, trekking e passeggiate, escursioni e visite guidate, mountain bike. Raccolta di castagne, asparagi, funghi, more, fragole. Sala da pranzo comune e posto macchina. Animali accolti previo accordo.

CA' D'R MORETO

fraz. Canepari, 46 • 54035 FOSDINOVO
☎ e fax 0187628016 cell. 03388957538

C 3

Posizione geografica: collina.
Periodo di apertura: da maggio a settembre, periodo pasquale e natalizio.
Presentazione: azienda di circa 4 ettari con coltivazioni di viti e olivi, bosco di castagni e lecci, macchia mediterranea. Offre ospitalità in 3 appartamenti indipendenti con 1 camera doppia e in 1 appartamento con 2 camere doppie.
Ristorazione: solo su prenotazione.
Prodotti aziendali: olio, vino, ortaggi.

Luoghi di interesse e manifestazioni locali: anfiteatro di Luni, museo di Storia Naturale ad Aulla, Alpi Apuane.
Prezzi: OR a £ 40.000, H/B a £ 75.000, F/B a £ 100.000. Sconto del 50% per bambini da 2 a 4 anni, sconto del 30% per bambini da 5 a 12 anni.
Note: area giochi per bambini. Percorsi per la conoscenza delle piante medicinali della zona e il loro uso. Percorsi di trekking sulle vie delle Alpi Apuane e dell'Appennino.

LA PRADUSCELLA

via la Praduscella • 54010 MONCIGOLI DI FIVIZZANO
☎ e fax 058593271

C 3

Posizione geografica: collina.
Periodo di apertura: tutto l'anno, giorno di chiusura martedì.
Presentazione: l'agriturismo, in azienda di 30 ettari coltivati a frutteto, vigneto, oliveto, pascolo, ortaggi e adibiti ad allevamento faunistico, è formato dalla struttura principale, in cui si trovano la sala da pranzo, 5 camere e 1 sala riunioni, e da 2 edifici adiacenti che dispongono di 6 appartamenti per un totale di 30 posti letto. Bagno in camera.
Ristorazione: piatti tipici lunigianesi.
Prodotti aziendali: ortofrutticoli e vinicoli.
Luoghi di interesse e manifestazioni locali: castello di Fosdinovo, Verrucola, Aulla, siti archeologici, località d'interesse artistico e naturalistico, parco delle Alpi Apuane e grotte di Equi Terme.
Prezzi: OR a £ 40.000, H/B £ 60.000, F/B £ 80.000, bevande escluse. Appartamento grande a £ 120.000 al giorno, piccolo a £ 100.000.
Note: soggiorno minimo 2 giorni, prenotare almeno con 2 giorni d'anticipo. Giochi per bambini. Baby sitting. Pulizia, biancheria. Si accolgono animali con accesso vietato alla sala ristorante.

KARMA

via Guadagni, 1 - loc. Castello Aghinolfi • 54038 MONTIGNOSO
☎ e fax 0585821237 cell. 03395308777
E-mail:karma@floating.net

D 4

Posizione geografica: collina.
Periodo di apertura: tutto l'anno.
Associato a: Terranostra, Agriturist, Turismo Verde, Tourist Green Club.
Presentazione: antica costruzione in pietra del luogo, restaurata con criteri di bioarchitettura, in posizione panoramica con vista mare. Accoglie ospiti in 3 camere con bagno privato, per un totale di 8-10 posti letto.
Ristorazione: H/B e pasti su prenotazione. 30 coperti. Cucina mediterranea, vegetariana. Torte di verdure, dolci, piatti esotici stagionali, salumi di antico laboratorio artigiano, piatti tradizionali, prodotti biodinamici dell'azienda.
Prodotti aziendali: confetture, dolci, erbe, olio, vino, confezioni regalo su prenotazione.
Luoghi di interesse e manifestazioni locali: castello Aghinolfi (VII secolo), parco delle Alpi Apuane, cave di marmo, laboratori artigiani, antichi borghi, Forte dei Marmi. Mostre e sagre. Antiche rappresentazioni folkloristiche, Borgo di Filetto in agosto, feste del vino.
Prezzi: alloggio da £ 40.000 a 50.000. H/B da £ 90.000 a 100.000. Pasto da £ 40.000 a 50.000. Riduzioni per 3° e 4° letto aggiunto.
Note: prenotazione obbligatoria. Massaggi energetici e antistress, shiatsu. Corsi di cucina toscana e vegetariana. Settimane salute, terapia antifumo. Nelle vicinanze trekking, pesca, mountan bike, golf, vela, parapendio, equitazione. Sala soggiorno. Animali accolti con riserva e previo accordo.

IL BARDELLINO

loc. Bardellino • 54018 SOLIERA APUANA
☎ e fax 058593304

C 4

Posizione geografica: collina.
Periodo di apertura: tutto l'anno, giorno di chiusura lunedì.
Associato a: Terranostra.
Presentazione: azienda di circa 16 ettari coltivati a vigneto, uliveto, foraggi, cereali. Allevamento di animali di bassa corte. L'antico casolare è stato ristrutturato e offre ospitalità in 7 camere con bagno per un totale di 16 posti letto.
Ristorazione: cucina casalinga a base di piatti tipici e prodotti aziendali, testaroli e focaccette, vini aziendali.
Prodotti aziendali: vino, olio, prodotti ortofrutticoli e piccoli animali vivi.
Luoghi di interesse e manifestazioni locali: terme e grotte di Equi, cave di Carrara, museo delle statue stele di Pontremoli, numerosi castelli e musei di vario genere. Disfida degli arceri.
Prezzi: B&B da £ 40.000 a 50.000, H/B da £ 55.000 a 70.000, F/B da £ 65.000 a 80.000.
Note: in luglio e agosto il soggiorno minimo è di 7 giorni. Piscina, bocce, ping-pong, basket, mountain bike. Nelle vicinanze località balneari e sciistiche, tennis e maneggio. Pulizia, biancheria. Non si accolgono animali.

Pisa

I FELLONI

via Culminezza, 1 - loc. Tre Colli • 56011 CALCI
☎ 050938665 cell. 03386483528

E 4

Posizione geografica: alta collina (300-400 m).
Periodo di apertura: da aprile a ottobre.
Associato a: Turismo Verde.
Presentazione: antiche costruzioni in pietra (XVIII sec.), restaurate, su 60 ettari tra oliveto e bosco. Offre ospitalità in 8 camere con bagno e in 4 appartamenti.
Ristorazione: in edificio separato, "Il Conventino" (100 coperti) aperto al pubblico. Cucina tradizionale toscana.
Prodotti aziendali: olio, miele.
Luoghi di interesse e manifestazioni locali: certosa di Calci, museo di storia naturale, parco San Rossore, città d'arte (Lucca, Volterra, Firenze, Pisa). Manifestazioni folkloristiche (Gioco del mulino, Giugno pisano, sagra della castagna), fiere e sagre in agosto.
Prezzi: alloggio da £ 30.000 a 45.000. Sconto gruppi da concordare. Sconto 30% per bambini fino a 10 anni. Sconto del 50% per letti aggiunti. Pasto da £ 20.000 a 45.000.
Note: prenotazione minima 2 giorni. Attività ricreative per gruppi, equitazione, trekking e passeggiate, servizio di baby sitting a richiesta. Mare a 15 km. Impianti sportivi a 4-6 km. Solarium e 2 sale riunioni disponibili. Per gruppi di minimo 15 persone possibilità di pensione in casa. Ambiente rilassante. Raccolta di castagne, funghi, asparagi. Uso cucina con frigorifero. Sale comuni, telefono in comune. Animali accolti previo accordo.

LE RENE

via Palazzi, 40 • 56010 COLTANO
☎ 050989222 fax 050989179

F 4

Posizione geografica: pianura, all'interno del parco naturale regionale.
Periodo di apertura: tutto l'anno.
Presentazione: tenuta con costruzione del '600 ristrutturata su 1.200 ettari coltivati biologicamente a cereali. Offre ospitalità in appartamenti da 2 a 7 posti letto.
Ristorazione: cucina casalinga, piatti tipici toscani, ristorante aperto al pubblico.
Prodotti aziendali: miele, farro, farina, ceci, passata di pomodoro.
Luoghi di interesse e manifestazioni locali: Pisa, Lucca, museo di storia naturale presso la Certosa di Calci, parco naturale regionale. Festa della mietitura in luglio.
Prezzi: alloggio da £ 35.000 a 70.000. Sconto 20% sulle attività sportive. Pasto da £ 18.000 a 40.000.
Note: attività e animazione. Centro di didattica ambientale. Soggiorni per ragazzi. Tennis, minigolf, canoa, piscina, tiro con l'arco, equitazione, escursioni e visite guidate, mountain bike. Raccolta di frutti di bosco, funghi, asparagi. Disponibile aula didattica per lezioni. Biancheria, pulizia iniziale e finale. In alta stagione permanenza minima 1 settimana, da sabato a sabato. Si parlano inglese e francese. Animali accolti previo accordo.

PARISI PAOLO

via le Macchie, 2 - loc. Usigliano • 56035 LARI
☎ 0587685327

F 5

Posizione geografica: collina (110 m).
Periodo di apertura: tutto l'anno.
Associato a: Agriturist e Terranostra.
Presentazione: costruzione rurale del '700 in azienda di 13 ettari di terreno. Allevamento di suini allo stato brado, coltivazione di frutta e olive. Accoglie ospiti in appartamenti per 4/6 persone e in camere per un totale di 15 posti letto. Bagno e telefono in camera.
Ristorazione: ristorante aperto al pubblico.
Prodotti aziendali: marmellate, frutta sciroppata, conserve di pomodoro e olio.
Luoghi di interesse e manifestazioni locali: ville medicee e castello di Lari.
Prezzi: B&B oltre £ 50.000. Pasto da £ 30.000 a 50.000 (bevande escluse). Sconto del 10% per la seconda settimana in appartamento.
Note: corsi di cucina con utilizzo del forno a legna e di conoscenza delle erbe spontanee. Piscina con idromassaggio e servizio bar. Nel periodo primaverile ed estivo gli appartamenti si affittano da sabato a sabato.

SANT'AGNESE

via della Badia, 17 • 56040 MONTEVERDI MARITTIMO
☎ e fax 0565784172 cell. 0360901942 – 03383353650
E-mail:santagnese@cavalloweb.it
http:www.cavalloweb.it/santagnese

 I 5

Posizione geografica: collina.
Periodo di apertura: tutto l'anno.
Presentazione: azienda di circa 70 ettari le cui attività prevalenti solo l'olivicoltura, la viticoltura, l'orticoltura e l'allevamento di api, bovini

ed equini. Situata nell'alta maremma tra le colline metallifere e circondata da boschi, sorgenti, corsi d'acqua e paesaggi incontaminati. Accoglie ospiti in un rustico del '900 in 12 camere con bagno per un totale di 24 posti letto e in 4 piazzole per tende e caravan.
Ristorazione: cucina casalinga e naturale alla riscoperta di vecchi sapori con pietanze preparate sul caminetto e nel forno a legna. Tagliatelle ai funghi, acquacotta, polenta e cinghiale, tortelli al ragù, grigliate e arrosti misti, vitello, maiale, polli, tacchini, agnello, piccione, oche, anatre.
Luoghi di interesse e manifestazioni locali: mare (20 km), centri archeologici e culturali, Populonia, Baratti, Campiglia Marittima, Suvereto, Castagneto Carducci, Volterra, San Gimignano, Massa Marittima, Siena.
Prezzi: rivolgersi direttamente all'azienda.
Note: permanenza minima 2 notti. Equitazione, trekking, mountain bike, laghetti per la pesca, tiro con l'arco. Raccolta di funghi e asparagi. Corsi di cucina, mungitura, apicoltura, potatura e di sopravvivenza. Non si accolgono animali.

PODERE PRATELLA

via della Badia, 19 • 56040 MONTEVERDI MARITTIMO
☎ e fax 0565784325
E-mail: agriturismo.pratella@etruscan.li.it
http:www.etruscan.li.lt/pratella

 I 5

Posizione geografica: collina.
Periodo di apertura: tutto l'anno.
Associato a: Agriturist, Turismo Verde, Terranostra, Tourist Green Club.
Presentazione: podere a conduzione familiare su area coltivata a orti e frutteto. Allevamento di bovini, equini, avicoli. Offre ospitalità in 7 camere con bagno in camera e comune per un totale di 20 posti letto.
Ristorazione: H/B cucina tipica toscana, casalinga e genuina.
Prodotti aziendali: confetture, erbe, latticini, funghi, olio, pollame, ortaggi.
Luoghi di interesse e manifestazioni locali: terme del Calidario, città d'arte, siti etruschi, oasi WWF di Bolgheri e di Orti-Bottagone. Sagra del cinghiale e della tordata.
Prezzi: B&B da £ 35.000 a 50.000. Pasto da £ 22.000 a 45.000. Sconto 30% per bambini fino a 7 anni, 10% per 3° e 4° letto.
Note: accessibile agli handicappati. Permanenza minima 1 settimana in alta stagione. Vicinanza mare. Tennis a 5 km. Piscina, equitazione, trekking e passeggiate, mountain bike. Raccolta di asparagi, castagne, corbezzoli, funghi. Corsi di trasformazione

del latte e di gastronomia. Biancheria, pulizia, riscaldamento, telefono pubblico, uso frigorifero, parcheggio. Animali accolti previo accordo.

LA CERBANA

via delle Colline, 35 - loc. La Cerbana • 56030 PALAIA
☎ 0587632144-0587632058

F 5

Posizione geografica: collina.
Periodo di apertura: tutto l'anno.
Presentazione: costruzione rurale su 600 ettari coltivati biologicamente a cereali. Allevamento di cinghiali, daini, mufloni, polli, anatre e oche. Offre ospitalità in 15 camere doppie con bagno e TV, e in 3 appartamenti.
Ristorazione: H/B e F/B. Cucina con prodotti biologici e con carni di animali allevati in azienda con sistemi naturali. Specialità vegetali, agnello, cinghiale, anatra, pollo.
Prodotti aziendali: selvaggina.
Luoghi di interesse e manifestazioni locali: San Gimignano, Volterra, Pisa, San Miniato. A Montefoscoli museo della civiltà contadina e sagra del bacello il 1° maggio a Palaia.
Prezzi: B&B a £ 60.000, H/B a £ 90.000, F/B a £ 120.000. Pasto da £ 25.000 a 45.000.
Note: ideale per soggiorno relax e passeggiate naturalistiche. Piscina ad uso esclusivo degli ospiti, giochi all'aria aperta. Disponibili mountain bike. Battute di caccia e addestramento cani. Raccolta di asparagi, funghi, tartufi, frutti di bosco. A disposizione sala per meeting e banchetti. In comune sala televisione e biblioteca.

I PINI

via Provinciale delle Colline - fraz. Montefoscoli
56030 PALAIA ☎ e fax 0587632140

F 5

Posizione geografica: collina.
Periodo di apertura: tutto l'anno.
Presentazione: tipica costruzione rurale. Accoglie ospiti in 2 camere con bagno e in 6 appartamenti per un totale di 28 posti letto.
Ristorazione: H/B in locale aperto al pubblico con 50 coperti. Cacciagione, tartufi, funghi.
Prodotti aziendali: miele, olio.
Luoghi di interesse e manifestazioni locali: Pisa, Firenze, San Gimignano, Volterra, San Miniato, Castelfalfi, San Vivaldo. Spettacoli e palio delle contrade in luglio, corteo storico e sagra del tartufo in settembre, sagra della castagna in ottobre.
Prezzi: H/B a £ 75.000. Pasto a £ 35.000. Sconto del 10% per bambini fino a 10 anni. Letto aggiunto £ 50.000 a settimana.
Note: prenotazione obbligatoria, permanenza minima 1 settimana. Corsi di gastronomia. Osservazione ambientale. Golf, piscina, equitazione, tennis, mountain bike. Telefono pubblico, riscaldamento.

SAN GERVASIO

loc. San Gervasio • 56036 PALAIA
☎ 0587483360 fax 0587484361
E-mail:sangervasio@sangervasio.pisa.it
http:www.sangervasio.pisa.it

F 5

Posizione geografica: collina.
Periodo di apertura: tutto l'anno.
Associato a: Agriturist.
Presentazione: l'azienda è caratterizzata dall'architettura seicentesca propria delle fattorie toscane e conta oltre 200 ettari di coltivato a seminativo, vigneto e oliveto, con un bosco di circa 300

ettari. Allevamento di cinghiali, fagiani e lepri. Accoglie ospiti in 16 appartamenti indipendenti da 2/6 posti letto.
Ristorazione: piatti tipici toscani.
Prodotti aziendali: vino e olio.
Luoghi di interesse e manifestazioni locali: San Gervasio, Pisa, Lucca e Volterra.
Prezzi: appartamenti da £ 415.000 a 1.075.000 per settimana. Cauzione £ 200.000.
Note: mountain bike, laghetto per pesca sportiva, percorsi trekking nei territori aziendali, 2 piscine e solarium. Elettricità, acqua, riscaldamento, gas, pulizie finali e biancheria compresi.

LA GINEPRAIA

loc. Montelopio • 56037 PECCIOLI
☎ 0587697292 cell. 03384901302

F 5

Posizione geografica: collina.
Periodo di apertura: tutto l'anno.
Presentazione: antico casale toscano di fine '700 in azienda di 180 ettari coltivati a vigneti, uliveti e bosco. Allevamento di bovini. Offre ospitalità in 6 camere con bagno.
Ristorazione: F/B. Ricette toscane e serate a tema con piatti medioevali.
Prodotti aziendali: vino (Merlot, Sangiovese, Trebbiano, Pinot), olio extravergine d'oliva, miele, salumi.
Luoghi di interesse e manifestazioni locali: San Gimignano, Volterra, Pisa, Casciana Terme, parco preistorico di Peccioli. Mercato dell'antiquariato la terza domenica del mese a Lucca e la seconda a Bientina.
Prezzi: F/B a £ 170.000, H/B £ 140.000. Sconto del 30% per bambini di età inferiore a 10 anni.
Note: piscina. Cambio biancheria. Si accolgono animali.

SAN MARTINO

via Poggino, 15 • 56038 PONSACCO ☎ e fax 0587732949

F 6

Posizione geografica: collina.
Periodo di apertura: tutto l'anno, su prenotazione.
Presentazione: casa colonica tipica toscana circondata dal bosco e con vista panoramica. Offre ospitalità in 1 appartamento, 2 camere con bagno per un totale di 9 posti letto.
Ristorazione: piatti tipici della cucina contadina toscana (anche vegetariana).
Prodotti aziendali: olio e vino.

Luoghi di interesse e manifestazioni locali: Pisa, mare (25 km), Certosa Calci, Lucca, San Gimignano, Volterra, Siena, cure termali a Casciana Terme. Musica e rappresentazioni teatrali in luglio, sagra delle ciliege in giugno.

Prezzi: da £ 30.000 a 50.000.

Note: passeggiate ecologiche nel bosco, campo giochi, piscina, campo bocce, mountain bike, percorso trekking. Nelle vicinanze lago per pesca sportiva e maneggio. Biancheria. Animali accolti previo accordo.

MONTALTO

via Vaghera, 25 • 56024 SAN MINIATO ☎ 0571466459

 F 7

Posizione geografica: collina.
Periodo di apertura: tutto l'anno.
Associato a: Agriturist, Terranostra, Touring Club.
Presentazione: casa colonica settecentesca ristrutturata, su 24 ettari coltivati a vigneto, oliveto, bosco. Offre ospitalità in 10 camere per un totale di 24 posti letto.

Ristorazione: H/B e F/B in ristorante riservato agli ospiti. Cucina tipica toscana a base di tartufo, funghi, chiocciole. Cucina vegetariana su richiesta.

Prodotti aziendali: olio extravergine, vino, miele, prodotti del sottobosco.

Luoghi di interesse e manifestazioni locali: Pisa, Firenze, Lucca, Siena, San Miniato, Vinci. Mostra del tartufo in novembre. Teatro e concerti tutto l'anno a San Miniato.

Prezzi: B&B a partire da £ 55.000, H/B a partire da £ 80.000. Possibilità di solo OR. Pasto da £ 20.000 a 50.000. Soggiorno gratuito per bambini fino a 2 anni, sconto 50% per bambini da 3 a 6 anni.

Note: posizione panoramica, vialetti nel bosco per passeggiate. Solarium e ampia sala per riunioni. Raccolta di asparagi, funghi, castagne. Osservazione ambientale. Corsi di cucina, ricamo, lingua italiana e lingue straniere. Servizio baby sitting. Bocce, ping-pong, percorsi della salute nel bosco, piscina, tiro con l'arco, giochi all'aria aperta, mountain bike. Nelle vicinanze cinema e teatro. Telefono pubblico. Sala televisione in comune, biancheria, riscaldamento, posto auto. Animali accolti previo accordo.

PODERE SAN LORENZO

loc. Strada • 56048 VOLTERRA
☎ 058839080 fax 058839090
E-mail:info@toscana-toskana.de

G 7

Posizione geografica: collina, a 2 km da Volterra.
Periodo di apertura: tutto l'anno.
Presentazione: bel podere del volterrano su 10 ettari tra bosco, oliveto, orti, sorgenti e laghetti. Offre ospitalità in 7 appartamenti composti da cucina, bagni, telefono in camera, e di cui 4 con terrazzo proprio.
Ristorazione: cucina toscana con prodotti dell'azienda. Una volta alla settimana cena nella chiesetta ristrutturata del XIII secolo.
Prodotti aziendali: olio extravergine, ortaggi e frutta biologici.
Luoghi di interesse e manifestazioni locali: San Gimignano, Volterra, Pisa, Firenze, Siena, Lucca, mare a 40 minuti. Sbandieratori a Pasqua e settembre, Primavera musicale," Volterrateatro" a giugno-luglio, sagre paesane, festa medievale in agosto.

Prezzi: alloggio per 2 persone per 1 settima-

---

na da £ 700.000 a 1.100.000 più £ 175.000 per persona. Pasto da £ 30.000 a 35.000. Sconti in bassa stagione.

Note: permanenza minima 1 settimana. Ideale per soggiorno relax, a 3 minuti da Volterra. Soggiorni inferiori a 1 settimana solo secondo disponibilità. Laghetto balneare. Raccolta di more, castagne, noci. Pesca, trekking e passeggiate. Biancheria, pulizia settimanale, riscaldamento.

FATTORIA LISCHETO

loc. la Bacchettona • 56048 VOLTERRA
☎ e fax 0586670346 ☎ 058830403

G 7

Posizione geografica: collina.
Periodo di apertura: tutto l'anno.
Presentazione: tipica casa colonica nella quiete della campagna toscana. Accoglie ospiti in 4 monolocali e 2 bilocali per un totale di 16 posti letto.

Ristorazione: piatti tipici toscani e sardi.

Prodotti aziendali: pecorino e olio biologici, miele, sottoli.

Luoghi di interesse e manifestazioni locali: Volterra, San Gimignano, Pisa, Firenze, Siena, Bolgheri, Populonia. "Volterrateatro" a giugno-luglio.

Prezzi: camera OR a £ 47.500, B&B a £ 57.500, H/B a £ 85.000. Sconto del 50% per bambini da 2 a 10 anni. Monolocale da £ 450.000 a 800.000, bilocale grande con giardino da £ 700.000 a 1.000.000, bilocale piccolo senza giardino da £ 550.000 a 900.000. Riscaldamento da £ 5.000 a 10.000 al giorno.

Note: piscina, trekking e mountain bike. Possibilità di partecipare alle attività svolte in azienda. Acqua, gas, elettricità, pulizie finali incluse nel prezzo, biancheria esclusa. Si accolgono animali.

IL SERACINO

loc. Seracino Basso • 56032 BUTI
☎ e fax 0587723665

▲ E 5

Posizione geografica: collina.
Periodo di apertura: tutto l'anno.
Associato a: Terranostra.
Presentazione: tipica costruzione rurale su 5 ettari coltivati a vigneto, oliveto, frutteto. Allevamento di ovini ed equini. Accoglie

ospiti in 2 appartamenti composti da cucina con frigorifero e lavatrice, biancheria, bagni, televisione, per un totale di 11 posti letto.
Prodotti aziendali: frutta, uova, pollame, olio, vino.
Luoghi di interesse e manifestazioni locali: certosa, castello medievale, villa medicea. Palio di Buti, rappresentazioni teatrali, settembre butese, sagre dei paesi circostanti.
Prezzi: appartamento da £ 100.000 a 120.000.
Note: ideale per soggiorno relax e passeggiate naturalistiche. Raccolta di funghi, more, castagne, frutti di bosco. Bocce, ping-pong, calcio balilla, pallavolo, pallacanestro, giochi all'aria aperta, equitazione. Nelle vicinanze tennis, piscina, cinema, teatro. Posto macchina. Box per animali, accolti previo accordo.

VILLA ROSSELMINI

via Rosselmini, 10 • 56011 CALCI
☎ 050934226 - 03355916645 fax 050934226
E-mail: agriross@tin.it • http:www.infomark.it/mazzarosa

 E 4

Posizione geografica: collina, ai piedi dei monti pisani.
Periodo di apertura: tutto l'anno.
Associato a: Agriturist.
Presentazione: tipica costruzione rurale in fattoria di 20 ettari di terreno, ideale per soggiorni di relax, passeggiate naturalistiche e turismo artistico. Offre ospitalità in 6 appartamenti per un totale di 20 posti letto.
Prodotti aziendali: olio e vino.
Luoghi di interesse e manifestazioni locali: certosa di Calci. "Gioco del mulino" a giugno, "Gioco del ponte" e "Giugno pisano".
Prezzi: da £ 30.000 a 50.000.
Note: piscina. Si noleggiano mountain bike. Prato per prendere il sole. Tennis nelle vicinanze. Soggiorno minimo di una settimana.

IL PICCOZZO

loc. Piccozzo, 113 • 56034 CASCIANA TERME
☎ e fax 0587649209

 F 6

Posizione geografica: collina.
Periodo di apertura: da aprile a settembre tutti i giorni, solo su prenotazione.
Presentazione: tipica costruzione rurale in pietra in azienda di 17 ettari con bosco e olivi, ideale per soggiorni di relax. Accoglie ospiti in 3 appartamenti per un totale di 14 posti letto.
Luoghi di interesse e manifestazioni locali: Volterra, San Gimignano, Pisa e il litorale. Numerose manifestazioni gastronomiche e culturali.
Prezzi: £ 110.000 per appartamento al giorno.
Note: soggiorno minimo una settimana. Possibilità di trekking.

PODERE CASTAGNO

via La Capannina, 5 • 56042 CRESPINA
☎ e fax 050634058

 F 5

Posizione geografica: collina.
Periodo di apertura: tutto l'anno, chiuso in novembre e febbraio.
Presentazione: tipico casale toscano in azienda di 6 ettari di terreno coltivato a viti, olivi, boschi e pinete. Offre ospitalità in 2 camere e 1 appartamento, con servizi privati, all'interno di suggestivi annessi agricoli elegantemente ristrutturati con ingresso indipendente.

Prodotti aziendali: olio extravergine, vino, pollame, uova, ortaggi.
Luoghi di interesse e

manifestazioni locali: principali città d'arte toscane, Versilia e San Rossore. Mare a 25 km. Sagre e feste locali, settembre crespinese.
Prezzi: alloggio da £ 25.000 a 50.000 a persona.
Note: il periodo minimo di soggiorno è di 2 notti in camera o 3 giorni in appartamento. In luglio e agosto permanenza minima di 1 settimana. Baby sitting a richiesta. Noleggio mountain bike. Ping-pong. Nelle vicinanze si possono praticare tennis, equitazione e pesca sportiva. Riserva di caccia. Lavanderia.

LE STALLE

via Puntoni, 15 • 56043 FAUGLIA ☎ e fax 050650748

 F 4

Posizione geografica: collina.
Periodo di apertura: tutto l'anno.
Presentazione: costruzione rurale su 4 ettari coltivati a orto, frutteto, oliveto, vigneto. Offre ospitalità in 2 appartamenti per un totale di 10 posti letto.
Prodotti aziendali: olio, ortaggi, vino, frutta.
Luoghi di interesse e manifestazioni locali: Pisa, Firenze, Volterra, Siena, mare a 20 km, montagna. Feste e sagre paesane.
Prezzi: alloggio da £ 30.000 a 50.000.
Note: ideale per soggiorno relax e passeggiate. Nelle vicinanze tennis e pesca sportiva. Piscina, equitazione. Biancheria, riscaldamento, pulizia iniziale e finale. Permanenza minima di 3 giorni, in luglio e agosto di 1 settimana.

POGGIO DEI MICHELAZZI

via Botra, 1 • 56043 FAUGLIA ☎ e fax 050650649

F 4

Posizione geografica: collina.
Periodo di apertura: tutto l'anno.
Presentazione: costruzione rurale su 12 ettari tra orti, oliveto, vigneto, frutteto. Offre ospitalità in 3 appartamenti, con spazi attrezzati all'aperto e barbecue, per un totale di 12 posti letto.
Prodotti aziendali: olio, vino, miele, ortaggi di stagione.
Luoghi di interesse e manifestazioni locali: Pisa, Volterra, San Gimignano, Lucca, certosa e museo di scienze naturali a Calci, mare a 15 km. "Gioco del ponte" a Pisa in luglio, "Luminaria" a Pisa in giugno, sagra a Fauglia e nei paesi vicini.
Prezzi: alloggio da £ 40.000 a 60.000. Sconto del 20% per bambini fino a 10 anni.
Note: accessibile agli handicappati. Ideale per il soggiorno relax e passeggiate nel bosco. Ping-pong. Raccolta di funghi, castagne, asparagi, frutti di bosco. Ampio parco per prendere il sole, piscina. Osservazione ambientale. Partecipazione vendemmia. Nelle vicinanze cinema all'aperto. Cucina, riscaldamento e parcheggio. Telefono in comune. Animali accolti previo accordo.

LE PANTANE

via Pantane, 6 • 56043 FAUGLIA ☎ e fax 050650718

 F 4

Posizione geografica: collina.

Periodo di apertura: tutto l'anno.
Associato a: Terranostra e Agriturismo.
Presentazione: azienda agricola di 13 ettari in posizione isolata e tranquilla non distante dal mare, ideale per una vacanza rilassante e come base per escursioni turistiche alle città d'arte toscane. Accoglie ospiti in 2 appartamenti con 4/6 posti letto.
Prodotti aziendali: ortaggi.
Luoghi di interesse e manifestazioni locali: Pisa , Volterra, San Gimignano, Firenze, Lucca e Vinci. Numerosi mercati, fiere, sagre e spettacoli.
Prezzi: da £ 40.000 a 60.000.
Note: biancheria, lavatrice e uso telefono. Giochi all'aria aperta, piscina, pallavolo, bocce, ping-pong, mountain bike, trekking. Nelle vicinanze equitazione, pesca, golf, bowling e tennis. Raccolta di frutti di bosco, funghi e asparagi.

IL GHEPPIO

via delle Cerretelle, 33 • 56040 GUARDISTALLO
☎ 0586684170 fax 0586683500

 G 5

Posizione geografica: collina.
Periodo di apertura: tutto l'anno.
Presentazione: costruzione rurale totalmente ristrutturata, immersa fra gli ulivi. Offre ospitalità in 3 appartamenti per un totale di 15 posti letto.
Prodotti aziendali: olio.
Luoghi di interesse e manifestazioni locali: città d'arte della Toscana centrale (Pisa, Siena, Volterra, Firenze, Lucca), Isola d'Elba. "Targa Cecina" in settembre, sagre paesane estive.
Prezzi: alloggi da £ 36.000 a 144.000.
Note: prenotazione minima 1 settimana. Posizione panoramica con vista mare. Vasto prato attrezzato per prendere il sole, giochi all'aria aperta, trekking e passeggiate, mountain bike. Raccolta di more, ciliegie, amarene, frutta varia. Posto auto e ampio giardino indipendente.

LE CASETTE

via Provinciale del Poggetto, 13 • 56040 GUARDISTALLO
☎ 0586794404 fax 0586655040

G 5

Posizione geografica: collina.
Periodo di apertura: tutto l'anno.
Associato a: Terranostra.
Presentazione: tipico podere toscano restaurato tenendo inalterate le caratteristiche originali su 40 ettari coltivati a cereali, olivi, vigne. Allevamento di cavalli e animali da cortile. Offre ospitalità in 2 appartamenti composti da salotto con caminetto, cucina abitabile, 2 camere doppie, giardino.

Prodotti aziendali: ortaggi, vino D.O.C., olio, frutta di stagione.
Luoghi di interesse e manifestazioni locali: Firenze, Siena, Pisa, Lucca, Volterra, Costa degli Etru-

schi. Sagre estive, cinema in piazza e spettacoli nel locale Antico Teatro dalla primavera all'autunno.
Prezzi: alloggio da £ 80.000 a 140.000 per appartamento al giorno.
Note: ideale per soggiorno relax. A 10 km dal mare. Ampio giardino attrezzato e prato per prendere il sole. Equitazione, trekking e passeggiate, mountain bike. Raccolta di asparagi, funghi, frutti di bosco. Corsi di descrizione e dimostrazione della vita quotidiana di un'impresa familiare nella campagna toscana. Nelle vicinanze teatro e cinema anche all'aperto. Posto auto. Forno antico per fare il pane in comune. Biancheria. Animali accolti previo accordo.

VALLITRI

loc. Vallitri • 56040 LORENZANA ☎ 050662556 fax 050662900

▲ **F 5**

Posizione geografica: collina.
Periodo di apertura: da maggio a settembre.
Presentazione: azienda in posizione panoramica tra boschi e oliveto. Offre ospitalità in 5 appartamenti e in 3 rustici ristrutturati per un totale di 20 posti letto.
Prodotti aziendali: vino, olio, miele.

Luoghi di interesse e manifestazioni locali: città d'arte (Volterra, Pisa, Lucca, Firenze), centri termali (Casciana Terme), mare a 30 minuti d'auto, Bolgheri. Manifestazioni folkloristiche a Pisa, festa di San Ranieri il 16-17 giugno e "Gioco del ponte".
Prezzi: alloggio da £ 28.000 a 41.000 per persona al giorno.
Note: prenotazione minima di 1 settimana, da sabato a sabato. Trattorie e ristoranti nelle vicinanze. Ping-pong e bocce, piscina, giochi all'aria aperta. A 1 km campi da tennis. Vicino alla piscina tettoia con barbecue, sedie e tavoli. Giardino indipendente, lavatrice e telefono in comune, pulizia iniziale e finale, elettricità, acqua calda e fredda, ombrelloni e sdraio. Animali accolti previo accordo.

AGRICOLA SFORNI

via O. Chiesa, 4 • 56040 LORENZANA
☎ e fax 050662809 - 02860242
http:www.icom.it • E-mail:sforni@icom.it

▲ **F 5**

Posizione geografica: collina.
Periodo di apertura: tutto l'anno.
Associato a: Agriturist.
Presentazione: l'azienda agricola offre ospitalità in 5 case coloniche tra loro vicine ma indipendenti restaurate nel rispetto della struttura originaria, arredate con gusto e dotate di ogni comfort.
Prodotti aziendali: vino, olio, miele.
Luoghi di interesse e manifestazioni locali: Firenze, Siena, Volterra, Pisa, Lucca, La Versilia. A Lorenzana festa dell'aquilone l'ultima domenica di luglio. Mercati dell'antiquariato.
Prezzi: alloggio settimanale da £ 600.000 per 4 persone a £ 4.000.000 per 12 persone.
Note: possibilità di week-end e settimane da sabato a sabato. Tennis, piscina, passeggiate a piedi e in bicicletta, ping-pong, bocce. Equitazione nelle vicinanze. Servizi domestici a richiesta.

POGGIO AI MONTI

loc. Poggio ai Monti - Castello di Querceto
56040 MONTECATINI VAL DI CECINA
☎ e fax 058837342 cell. 03477955102

▲ **E 6**

Posizione geografica: collina.
Periodo di apertura: tutto l'anno.
Associato a: Turismo Verde.
Presentazione: tipica costruzione rurale su 43 ettari coltivati a cereali, frutteto, bosco. Offre ospitalità in 5 camere con bagno e/o 3 appartamenti.
Luoghi di interesse e manifestazioni locali: Volterra, Lardarello, castello di Querceto, San Gimignano, Pisa, mare a 20 km, montagna. Sagre e feste di paesi vicini.
Prezzi: alloggio da £ 40.000 a 80.000.
Note: ideale per un soggiorno in relax e passeggiate. Raccolta di asparagi, frutti di bosco, funghi, erbe aromatiche. Prati e terrazze per prendere il sole, giochi all'aria aperta, trekking e passeggiate, mountain bike. Maneggio a 5 km. Partecipazione alla vita e alle attività contadine. Osservazione ambientale. Nelle vicinanze piscina e tennis. Biancheria, posto macchina. Animali accolti.

LA CA' SOLARE

strada delle Colline, 19 • 56030 MONTEFOSCOLI
☎ e fax 0587670190
E-mail: gc.gatti@server.tdnet.it

▲ **F 7**

Posizione geografica: collina.
Periodo di apertura: tutto l'anno.
Presentazione: piccola fattoria in podere di 7 ettari con coltivazioni di asparagi, olivi, frutteto, orto, pioppi e allevamento di lumache.

Accoglie ospiti in residenze indipendenti dotate di tutti i confort necessari, cucina completamente attrezzata, bagno in camera e arredate con caratteristici mobili del passato.
Prodotti aziendali: olio, vino, marmellate, miele, uova, asparagi, frutta (in stagione).
Luoghi di interesse e manifestazioni locali: città d'arte, San Gimignano, Volterra, Lucca, Pisa, i caratteristici borghi di Peccioli, Palaia, Montaione, Certaldo, San Miniato e Lari, Vinci, Colle Val d'Elsa, Casciana Terme. Sagre del tartufo e dei funghi. Fiere e mercati d'antiquariato.
Prezzi: alloggio da £ 30.000 a 99.000 al giorno. Prezzi particolari per lunghi soggiorni invernali.
Note: permanenza minima 2 notti o settimanale. Corsi di restauro mobili (in inverno) e di lingua italiana (per stranieri). Passeggiate o jogging lungo il percorso "verde" all'interno della proprietà. Piscina. Campo da golf con 18 buche a 10 km, club ippico con maneggi all'aperto e al coperto a 5 km. Pulizia e cambio biancheria settimanale. Si accolgono animali di piccola taglia previo accordo.

LA FERRAIOLA

loc. Montefoscoli • 56035 PALAIA
☎ 0587622622-3 - 0552298742 fax 0587622622

▲ **F 5**

Posizione geografica: collina.

Periodo di apertura: da dicembre a ottobre.
Presentazione: tipiche costruzioni rurali risalenti alla prima metà dell'800 su 14 ettari coltivati biologicamente a frutteto, oliveto, vigneto. Offre ospitalità in 2 appartamenti indipendenti composti da soggiorno, cucina con lavastoviglie, due camere doppie, un bagno con doccia, televisione e telefono.
Prodotti aziendali: confetture, erbe, frutta, funghi, olio, ortaggi, pollame, uova, vino.
Luoghi di interesse e manifestazioni locali: città d'arte (Castelfalfi, Volterra, San Gimignano, Pisa, Firenze), località termali (Casciana Terme). Manifestazioni folkloristiche, sagra del tartufo in settembre, sagra dell'olio in dicembre, sagra del crostino in aprile.
Prezzi: soggiorno settimanale da £ 900.000 a 1.400.000, biancheria e pulizie settimanali per £ 80.000.
Note: prenotazione obbligatoria, prenotazione minima di 1 settimana. Passeggiate naturalistiche. Ping-pong e bocce, golf, piscina, tiro con l'arco. Golf nelle vicinanze. Raccolta di asparagi, funghi, more. Riscaldamento.

CARBONAIA

via Carbonaia • 56036 PALAIA
☎ 0587657092

▲ **F 5**

Posizione geografica: collina, posizione panoramica.
Periodo di apertura: tutto l'anno.
Presentazione: l'azienda offre ospitalità in 4 edifici rurali, di cui 3 indipendenti e 1 diviso in 2 appartamenti.
Prodotti aziendali: olio, prosciutti, frutta.
Luoghi di interesse e manifestazioni locali: Pisa, museo permanente della civiltà rurale a Montefoscoli. Sagra del crostino il primo maggio e festa del Medioevo la seconda domenica di settembre a Palaia.
Prezzi: alloggio da £ 30.000 a 50.000 a persona.
Note: pulizia, biancheria. Piscina. Si accolgono animali domestici.

PODERE CANALE

via Celli - loc. Montelopio • 56030 PECCIOLI
☎ e fax 0587622109

▲ **F 5**

Posizione geografica: collina.

Periodo di apertura: tutto l'anno.
Presentazione: tipica costruzione rurale su 4 ettari coltivati a oliveto, vigneto, frutteto. Offre ospitalità in un rustico e un fienile ristrutturati, rispettivamente con 6 e 2 apparta-

menti con cucina, soggiorno, 1 o 2 camere, bagno.

Prodotti aziendali: confetture, miele, olio, uova, vino, frutta.

Luoghi di interesse e manifestazioni locali: pieve di Palaia, pieve di Peccioli, parco preistorico di Peccioli. Sagra del crostino in maggio a Palaia, altre sagre e palio delle contrade in estate.

Prezzi: alloggio a partire da £ 50.000.

Note: prenotazione obbligatoria. Ideale per relax e passeggiate naturalistiche. Raccolta di asparagi, castagne, frutti di bosco, funghi. Prato attrezzato per prendere il sole. Ping-pong, piscina, giochi all'aria aperta, equitazione, trekking e passeggiate, mountain bike. Corsi di gastronomia ed enologia. Osservazione ambientale. Parcheggio coperto. Telefono e sala in comune. Biancheria, pulizia, riscaldamento.

SANTA LINA

loc. Santa Lina • 56045 POMARANCE
☎ 058865234 - 03478581644 fax 058864677

▲ G 7

Posizione geografica: collina.

Periodo di apertura: tutto l'anno.

Associato a: Agriturist, TCI.

Presentazione: rustico ristrutturato, in posizione panoramica, in azienda di 55 ettari di terreno coltivato con metodi biologici a cereali, uliveto, frutteto, ortaggi, bosco. Offre ospitalità in 3 appartamenti indipendenti con camere dotate di bagno con doccia, per un totale di 12 posti letto.

Prodotti aziendali: coltivazioni biologiche certificate da "Suolo e Salute", olio extravergine, ortaggi, uova, pollame.

Luoghi di interesse e manifestazioni locali: Volterra, San Gimignano, Firenze, Siena, Pisa, Maremma, costa degli etruschi. Sagre estive e mercati nei borghi limitrofi.

Prezzi: alloggio da £ 30.000 a 60.000 al giorno. Gratis per bambini fino ai 3 anni.

Note: ideale per soggiorni di relax. Prato per prendere il sole e piscina attrezzata. A 2 km fiume con specchi d'acqua adatti alla balneazione, passeggiate naturalistiche nei boschi vicini, trekking, noleggio mountain bike, visite guidate. Nelle vicinanze tennis ed equitazione. Corsi di erboristeria. Si parlano inglese, tedesco e francese. Sala comune per riunioni. Biancheria, riscaldamento e legna (pagamento al consumo), posto auto. Non si accettano animali.

VALLORSI

via della Cascina, 32 - fraz. Morrona
56030 TERRICCIOLA ☎ 0587658470 fax 0587658470
E-mail:vallorsi@vallorsi.it
http:vallorsi@vallorsi.it

▲ F 6

Posizione geografica: collina.

Periodo di apertura: da maggio a settembre.

Presentazione: tipica costruzione rurale con cantina adiacente in azienda di 18 ettari a vigneto. Ideale per soggiorni di relax. Accoglie ospiti in 5 appartamenti per un totale di 20 posti letto.

Prodotti aziendali: vino, olio e frutta.

Luoghi di interesse e ma-

nifestazioni locali: Pisa, Lucca e Firenze. Numerose sagre.

Prezzi: da £ 100.000 a 150.000 al giorno per appartamento.

Note: accessibile agli handicappati. Prato per prendere il sole. Raccolta di asparagi. Il soggiorno minimo è di 1 settimana.

I PRATINI

loc. Montelopio • 56040 VILLAMAGNA
☎ e fax 0587697184

▲ G 5

Posizione geografica: collina.

Periodo di apertura: tutto l'anno.

Presentazione: tipica costruzione rurale che si estende su 200 ettari di terreno coltivati con metodo biologico a cereali e foraggi e, in piccola parte, a viti e olivi. Accoglie ospiti in 3 appartamenti di oltre 70 mq, composti da 2 camere, cucina, soggiorno e bagno.

Prodotti aziendali: vino e olio.

Luoghi di interesse e manifestazioni locali: Volterra, San Gimignano, Firenze, Pisa, Lucca, Siena, San Miniato e Certaldo. Museo contadino. Sagre e manifestazioni teatrali nel mese di luglio, manifestazione di arte contemporanea a settembre.

Prezzi: da £ 30.000 a 50.000. Riduzione del 15-25% in bassa stagione.

Note: accessibile agli handicappati. Ampi spazi per prendere il sole. Raccolta di asparagi, lattughina selvatica e funghi. Piscina, equitazione, pesca e passeggiate. Giochi all'aria aperta. Biancheria non inclusa. Posto macchina. Animali accolti previo accordo.

ORZALESE

Podere Orzalese in San Girolamo • 56048 VOLTERRA
☎ e fax 058842121 cell. 03485833653

▲ G 7

Posizione geografica: collina.

Periodo di apertura: tutto l'anno.

Associato a: Terranostra.

Presentazione: antica costruzione rurale ristrutturata. Offre ospitalità in 1 camera con bagno e in 1 appartamento con 4 posti letto, bagno, cucina con frigorifero, riscaldamento, giardino.

Prodotti aziendali: olio extravergine.

Luoghi di interesse e manifestazioni locali: Pisa, Firenze, Siena, San Gimignano. Itinerari naturalistici, storici, d'arte. Giochi con la bandiera "Astiludio" nella 1ª domenica di settembre, Volterrateatro in giugno e luglio, sagre estive, iniziative culturali e ludiche a Volterra da marzo a giugno.

Prezzi: alloggio £ 100.000 per 4 persone, £ 150.000 per 6 persone.

Note: ambiente ideale per soggiorno relax e passeggiate. Giardino e prato attrezzato per prendere il sole. Su richiesta guida al territorio. Escursioni e visite guidate. Posto macchina. Biancheria, pulizia. Animali accolti previo accordo.

Pistoia

LE ROCCHINE

via San Giusto, 45 • 51034 CASALGUIDI
☎ 0573929035 cell. 03356116970
E-mail:lerocchine@virgilio.it

D 6

Posizione geografica: collina.
Periodo di apertura: tutto l'anno, previa prenotazione.
Presentazione: caratteristica stazione di posta del 1614 perfettamente ristrutturata e integrata nel paesaggio, circondata da olivi secolari, con vista panoramica su Pistoia e Lucca. Accoglie ospiti in 5 suite costituite da soggiorno con caminetto, bagno e camera matrimoniale; 2 suite dispongono anche di una camera singola.
Ristorazione: cucina tipica toscana.
Prodotti aziendali: confetture, miele, olio e vino.
Luoghi di interesse e manifestazioni locali: Montecatini, Pistoia, Lucca, Firenze, Siena e Pisa.
Prezzi: da £ 80.000 a 130.000 a persona. Pasto da £ 40.000 a 60.000. Sconto del 30% sul pernottamento per bambini fino a 10 anni.
Note: piscina, trekking. Raccolta di funghi, more e castagne. Biancheria, pulizia giornaliera, telefono in camera, prima colazione e frigobar, TV satellitare, riscaldamento, parcheggio e aria condizionata.

IL LAMPAGGIO

loc. Porciano • 51035 LAMPORECCHIO ☎ e fax 057381870

E 7

Posizione geografica: collina.
Periodo di apertura: tutto l'anno.
Associato a: Turismo Verde.
Presentazione: tipica casa colonica con 5 ettari coltivati a ortaggi, viti, oliveto. Allevamento di bovini e animali da cortile. Offre ospitalità in 4 camere.
Ristorazione: H/B, F/B e ristoro. Prodotti dell'azienda.
Prodotti aziendali: olio, vino, miele.
Luoghi di interesse e manifestazioni locali: visita alle città d'arte vicine (Firenze, Pisa, Pistoia, Siena, Lucca e Vinci). Sagre folkloristiche di paese.
Prezzi: B&B da £ 30.000 a 50.000. Sconto del 10% per bambini. Pasto da £ 20.000 a 50.000.
Note: telefono in comune. Osservazione ambientale, giardinaggio, gastronomia. Ping-pong, piscina, mountain bike. Biancheria, pulizia, riscaldamento e posto auto.

COOPERATIVA RINASCITA AGRICOLA

via Giugnano, 81/87 - loc. San Baronto
51035 LAMPORECCHIO ☎ e fax 057388097-057388352
E-mail:cooria@tin.it • http:utenti.tripod.it/cooria

E 7

Posizione geografica: collina.
Periodo di apertura: tutto l'anno.
Associato a: Turismo Verde, A.I.A.B.
Presentazione: costruzione rurale su area coltivata biologicamente a ortaggi, oliveto, vigneto. Allevamento ovino. Accoglie ospiti in 2 appartamenti indipendenti, per un totale di 16 posti letto.

Ristorazione: possibilità di degustare i prodotti biologici aziendali (per gruppi su richiesta).
Prodotti aziendali: olio, formaggio, ortaggi, uova.
Luoghi di interesse e manifestazioni locali: Firenze, Pistoia, Lucca, Pisa, Montecatini, Vinci. "Fierucola" a Montalbano in maggio, sagre paesane da maggio a ottobre.
Prezzi: alloggio in appartamento da £ 30.000 a 50.000 per persona al giorno.
Note: è gradita la prenotazione. Corsi di agricoltura biologica e caseificazione, possibilità di partecipare ai lavori aziendali (caseificazione, mungitura, raccolta olive). Osservazione ambientale. Nei dintorni piscina coperta, pesca sportiva, tennis, golf, giochi all'aria aperta, trekking e passeggiate, mountain bike. Raccolta di asparagi, castagne, more di rovo. Si parlano inglese e tedesco. Prato attrezzato per prendere il sole. Biancheria. Riscaldamento e parcheggio inclusi. Animali accolti.

IL PILLONE

loc. Renaggio, 26 • 51010 NIEVOLE
☎ e fax 057267065 cell. 03483923237

E 6

Posizione geografica: collina (300 m).
Periodo di apertura: tutto l'anno.
Presentazione: edificio storico in azienda di 6 ettari coltivati a oliveto e frutteto. Offre ospitalità in 4 camere con bagno per un totale di 12 posti letto.
Ristorazione: riservata agli ospiti, cucina tipica toscana.
Prodotti aziendali: olio biologico.
Luoghi di interesse e manifestazioni locali: città d'arte, Firenze (40 km), Pistoia, Lucca (25 km), Prato (20 km), Pisa (50 km), villa medicea, terme di Montecatini.
Prezzi: B&B da £ 120.000 a 150.000 in camera doppia, da £ 160.000 a 190.000 in camera tripla .
Note: solo su prenotazione. Vasca di 20 mq nel giardino, piccoli giochi per bambini, tiro con l'arco, ping-pong, calcetto, solarium. Cambio biancheria. Animali accolti previo accordo.

IL FRANTOIO

via del Frantoio, 8 - loc. San Quirico • 51017 PESCIA
☎ 0572400222-0572453138-0572453061 fax 0572453365

E 6

Posizione geografica: collina.
Periodo di apertura: tutto l'anno.
Presentazione: antico frantoio ristrutturato su 4 ettari di bosco e oliveto. Accoglie ospiti in 4 appartamenti composti da ingresso indipendente, cucina, soggiorno, bagno, telefono, televisione a colori satellitare, barbecue, per un totale di 16 posti letto.
Ristorazione: riservato agli ospiti, solo cena, cucina tipica toscana.
Prodotti aziendali: confetture, miele, vino, funghi, latticini, fagioli di Sorana.
Luoghi di interesse e manifestazioni locali: pieve di Castelvecchio, parco di Collodi, museo della carta a Pietrabuona. Varie sagre estive.
Prezzi: alloggio da £ 30.000 a 50.000. Pasto a £ 30.000. Altre soluzioni da concordare per week-end in bassa stagione. Letto aggiunto £ 100.000 settimanali. Letto bambino gratis.
Note: permanenza minima 1 settimana in alta stagione. Ideale

per relax e passeggiate naturalistiche. Raccolta di castagne, frutti di bosco, funghi, asparagi, erbe selvatiche per insalate. Museo etnologico in azienda. Osservazione ambientale. Piscina, tiro con l'arco, giochi all'aria aperta, trekking e passeggiate, escursioni e visite guidate, mountain bike. Nelle vicinanze tennis e bocce. Biancheria, pulizia settimanale.

L'ALBERACCIO

loc. Lolle, 5 • 51020 PITEGLIO ☎ e fax 057369135

● **D 6**

Posizione geografica: montagna (600 m).
Periodo di apertura: tutto l'anno, solo su prenotazione.
Associato a: Turismo Verde.
Presentazione: tipica costruzione rurale del '600 in azienda di 9 ettari di terreno adibito a frutteto e coltura biologica di castagni. Accoglie ospiti in 3 camere per un totale di 6 posti letto.
Ristorazione: cucina tipica locale, necci di farina di castagne.
Prodotti aziendali: mele, pere, noci, castagne e farina di castagne.
Luoghi di interesse e manifestazioni locali: ponte sospeso, pieve Matoldica, ponte romanico. Sagra della farina di castagne a ottobre e a Pasqua.
Prezzi: H/B e F/B da £ 30.000 a 50.000. Pasto da £ 20.000 a 40.000.
Note: soggiorno minimo 3 giorni. Nelle vicinanze possibilità di canoa, equitazione, tennis, pesca sportiva e parapendio. Osservazione animali selvatici. Raccolta di mirtilli, fragole, lamponi e more.

GLI ARANCINI

via Lecceto, 1 • 51039 QUARRATA ☎ e fax 0573750100

● **D 7**

Posizione geografica: collina.
Periodo di apertura: tutto l'anno.
Associato a: Terranostra.
Presentazione: tipica costruzione rurale ai margini di un bosco, in zona di tutela ambientale. Si estende su 2 ettari coltivati biologicamente a ulivi, frutta, viti, ortaggi. Allevamento di ovini, suini, cavalli. Offre ospitalità in 5 camere con bagno.
Ristorazione: H/B in ristorante aperto al pubblico con 30 coperti. Fett'unta, pasta e pane fatti in casa, ribollita, tagliata alla fiorentina, coniglio alle erbe, sformati di verdura, pollo all'aretina, crostate di marmellata, schiacciata alla fiorentina, cantucci con vin santo. Cucina con prodotti biologici dell'azienda.
Prodotti aziendali: confetture, olio, ortaggi, uova, dolci.
Luoghi di interesse e manifestazioni locali: città d'arte (Firenze, Pistoia) e di interesse commerciale (Prato, Quarrata nota per la lavorazione del legno e dei mobili). Manifestazioni folkloristiche quali il "Settembre Quarratino", la sagra della castagna in ottobre, la "Passeggiata a cavallo" nel parco reale a maggio, la sagra dell'olio a novembre.
Prezzi: B&B a £ 60.000. Pasto da £ 30.000 a 45.000. H/B a £ 100.000.
Note: corsi per la conoscenza delle erbe e del loro utilizzo. Osservazione ambientale. Equitazione, trekking e passeggiate, escursioni e visite guidate, mountain bike. Raccolta di castagne, lamponi, mirtilli, more, funghi. Prati per prendere il sole. Forno e tavolata all'aperto ad uso comune. Zona silenziosa. Frigorifero, angolo cottura, telefono in comune, riscaldamento, sala comune, sala lettura, biancheria, pulizia, posto macchina.

FATTORIA LE PÒGGIOLA

via di Treggiaia, 13 • 51030 SERRAVALLE PISTOIESE
☎ 057351071

● **E 7**

Posizione geografica: collina, lago.
Periodo di apertura: dal 7 febbraio al 7 gennaio, solo su prenotazione.
Associato a: Terranostra, Tourist Green Club, TCI, Aci.
Presentazione: offre ospitalità in 4 camere doppie di cui 2 con bagno, in 1 appartamento da 4-6 posti letto composto da 2 camere, bagno e cucina, e in 1 appartamento da 6-9 posti letto composto da 3 camere, bagno, ampia cucina abitabile.
Ristorazione: ristorante aperto al pubblico, possibilità di cena su prenotazione.
Luoghi di interesse e manifestazioni locali: mercati dell'antiquariato e dell'artigianato, luglio pistoiese, palio dei mercenari tra il 15 e il 19 agosto, festa del patrono il 19 agosto, "Cantine aperte" 3° o 4° fine settimana di maggio, "Calici di stelle" il 10 agosto, fierucola di prodotti biologici a San Baronto il 1° maggio.
Prezzi: OR camera doppia da £ 80.000 a 120.000, letto aggiunto da £ 20.000 a 30.000, H/B da £ 80.000 a 120.000 (bevande escluse). Appartamento da £ 160.000. Colazione da £ 8.000 a 10.000. Bambini fino a 2 anni in culla £ 10.000. Sconto del 40% per bambini fino a 5 anni, del 5% su soggiorni di 15 giorni, del 5-10% per le associazioni di cui sopra. Non si accettano carte di credito.
Note: nelle vicinanze piscina, tennis, campo da golf e minigolf, scuola di roccia parapendio, bocce, equitazione, stabilimenti termali. Degustazione di prodotti di produzione propria. Escursioni guidate. Pesca sportiva a mosca e lezioni di lancio. Prati per prendere il sole e boschi per passeggiare. Ping-pong, mountain bike (a pagamento), giochi per bambini e percorso botanico. Lezioni e gare di tiro con l'arco. Seminari, incontri e stages. Telefono a scatti, parcheggio, biancheria e pulizia settimanale gratuita, giornaliera o su richiesta a pagamento. Si accolgono animali di piccola taglia.

VILLA STABBIA

via Casorino, 3 • 51010 MASSA E COZZILE ☎ e fax 057272208

▲ **E 6**

Posizione geografica: collina.
Periodo di apertura: da Pasqua a fine ottobre e periodo natalizio.
Associato a: Consorzio "Le Guardatoie" di Pescia (PT).
Presentazione: tipica costruzione rurale su 18 ettari coltivati a olivi. Offre ospitalità in 3 appartamenti.
Prodotti aziendali: olio extravergine biologico.
Luoghi di interesse e manifestazioni locali: città d'arte della Toscana settentrionale, Montecatini Terme a 3 km.
Prezzi: alloggio da £ 30.000 a 50.000.

Note: accessibile agli handicappati. Ping-pong, calcetto, golf. Trekking e passeggiate relax. Gli appartamenti sono dotati di soggiorno, angolo cucina, 2 camere da letto doppie, 2 bagni, spazio esterno per parcheggio, pic-nic e griglia, riscaldamento autonomo, forno, lavatrice, lavastoviglie, stiro, frigorifero, televisione, biancheria per camere, bagni e cucina.

LE COLONNE

via Berlinguer, 21 • 51017 PESCIA
☎ 0572477242 cell. 03473689016 fax 0572499598
E-mail:firraosi@italway.it
http:www.italway.it/aziende/lecolonne

▲ E 6

Posizione geografica: collina.
Periodo di apertura: tutto l'anno.
Presentazione: azienda di 30 ettari, con coltivazioni di viti e olivi, sul limitare di un'ampia area boschiva, con stupenda vista panoramica. Accoglie ospiti nella villa settecentesca detta "Uccelliera" che la tradizione vuole fosse teatro degli amori segreti di Paolina Bonaparte, nella villa "Giulia", nella villetta "Belvedere" e nella villa "Sulle soglie del bosco". In queste ville sono ricavati appartamenti a 4-6-7 posti letto con bagno in camera e angolo cottura, dotati di ogni comfort.
Prodotti aziendali: olio, vino e miele.
Luoghi di interesse e manifestazioni locali: Lucca, Pisa, Montecatini Terme. Sagra delle castagne a ottobre, sagra del neccio a marzo.
Prezzi: OR a £ 50.000 a persona.
Note: trattamento di B&B. Deposito cauzionale del 20% alla prenotazione. Piscina, ping-pong, trekking, mountain bike, incontri e corsi di bridge. Biancheria, riscaldamento, parcheggio, telefono, sala lettura, TV.

LE CALDE

via Mammianese, 184 - fraz. Pietrabuona • 51017 PESCIA
☎ 0572408161 ☎ e fax 0572617902

▲ E 6

Posizione geografica: montagna.
Periodo di apertura: tutto l'anno.
Associato a: Terranostra.
Presentazione: tipica costruzione rurale su 50 ettari. Accoglie ospiti in 1 appartamento con 3 camere e servizi comuni.
Prodotti aziendali: fagioli di Soprana, ortaggi, uova, pollame.
Luoghi di interesse e manifestazioni locali: Lucca, Pisa, Montecatini Terme. Sagra delle castagne a ottobre, sagra del neccio a marzo.
Prezzi: alloggio fino a £ 30.000. Sconto del 10% per bambini fino a 10 anni, sconto del 10% dalla seconda settimana.
Note: accessibile agli handicappati. Prenotazione minima 1 settimana. Passeggiate naturalistiche e relax. Osservazione ambientale. Raccolta di castagne e funghi. Prato per prendere il sole, giochi all'aria aperta, trekking e passeggiate, mountain bike. Ristoranti con cucina casalinga a 2 km. Cucina con frigorifero, posto macchina. Animali accolti previo accordo.

FATTORIA DI MONTORIO

via Carraia, 97 • 51039 QUARRATA
☎ e fax 0573750265

▲ D 7

Posizione geografica: collina.
Periodo di apertura: tutto l'anno.
Associato a: Terranostra.
Presentazione: tipica costruzione rurale su 45 ettari tra bosco e oliveto. Allevamento cinghiali. Offre ospitalità in quartieri indipendenti con bagno per un totale di 14 posti letto.
Prodotti aziendali: olio extravergine.
Luoghi di interesse e manifestazioni locali: città d'arte (Firenze, Pistoia, Pisa, Lucca, Vinci), Montecatini Terme, Viareggio. Manifestazioni folkloristiche durante il "Settembre Quarratino".
Prezzi: £ 35.000 compresa pulizia (una volta alla settimana).
Note: prenotazione minima obbligatoria per 2 settimane. Raccolta di castagne e funghi. Prato per prendere il sole. Ristoranti nelle vicinanze. Posizione panoramica. Nelle vicinanze, tennis, equitazione, golf. Ogni quartiere è dotato di cucina con frigorifero, televisione, riscaldamento, posto macchina. Animali accolti previo accordo.

I PIANACCI

via dei Pianacci, 7 • 51010 UZZANO
☎ e fax 0572478905

▲ E 6

Posizione geografica: collina (470 m).
Periodo di apertura: tutto l'anno.
Presentazione: azienda di 7 ettari circa, coltivati a vigneto e uliveto. L'edificio è stato completamente ristrutturato nel rispetto della sua tipologia architettonica tipicamente rurale. Accoglie ospiti in 4 appartamenti con 4 posti letto ciascuno.
Prodotti aziendali: olio e vino.
Luoghi di interesse e manifestazioni locali: Montecatini Terme, Lucca, Firenze, Pisa e Versilia.
Prezzi: 1 notte per 2 persone £ 100.000, 3 persone £ 135.000 e 4 persone £ 160.000; fine settimana (2 notti) per 2 persone a £ 180.000, 3 persone a £ 240.000 e 4 persone a £ 280.000; da sabato a sabato (7 notti) per 2 persone da £ 450.000 a 550.000, 3 persone da 550.000 a 650.000, 4 persone da £ 650.000 a 750.000.
Note: salone comune con camino, stalla con 6 box. Piscina e maneggio con monta western, lezioni e passeggiate a cavallo. Cambio biancheria. Compresi nel prezzo gas, acqua, elettricità, biancheria da letto e da bagno, pulizia settimanale. Animali accolti previo accordo.

Prato

PONTE ALLA VILLA

via di Lucciana, 273 • 59025 CANTAGALLO
☎ e fax 0574956094

● D 7

Posizione geografica: collina con vista lago e fiume.
Periodo di apertura: tutto l'anno, solo su prenotazione.
Associato a: Agriturist e Terranostra.
Presentazione: costituito da un antico fabbricato a due piani, recentemente restaurato, con terreni adiacenti e lago montano. La zona offre grandi possibilità per il turismo verde con itinerari organizzati di carattere ambientale, storico e artistico. Accoglie ospiti in 8 camere con

bagno per un totale di 24 posti letto.

Ristorazione: ristorante aperto al pubblico. Cucina tipica con alimenti di produzione propria e pasta fatta in casa.

Prodotti aziendali: prodotti tipici.

Luoghi di interesse e manifestazioni locali: monasteri, abbazie, castelli, musei, torri, scavi archeologici e aree di interesse naturalistico. Sagra della polenta a febbraio e della castagna a dicembre.

Prezzi: OR £ 35.000, H/B £ 65.000, F/B £ 85.000. Prima colazione £ 5.000. Pasto da £ 25.000 a 30.000 (£ 15.000 per chi pernota). Sconti per i bambini fino a 6 anni.

Note: permanenza minima di 2 giorni. Possibilità di trekking, pesca sportiva, ping-pong, tiro con l'arco e corsi di cucina. Trattamento familiare. Biancheria, pulizia settimanale, telefono, riscaldamento, sala comune, sala riunioni, ampi spazi aperti e parcheggio.

Siena

TENUTA DI MONTE SANTE MARIE

loc. Monte Sante Marie • 53041 ASCIANO
☎ e fax 0577700020

 D 6

Posizione geografica: collina, fiume.

Periodo di apertura: tutto l'anno, solo su prenotazione.

Associato a: Agriturist e Associazione Dimore Storiche.

Presentazione: borgo medioevale che fu castello di confine, posto su un colle di cipressi che domina le crete senesi, in azienda di 227 ettari adibiti a grano, oliveto e girasoli. Accoglie ospiti in 6 appartamenti da 2 e 6 posti.

Ristorazione: solo per gli ospiti, massimo 12 coperti, solo su richiesta.

Prodotti aziendali: olio extravergine d'oliva, miele e marmellate.

Luoghi di interesse e manifestazioni locali: crete senesi, abbazia Monte Oliveto, palio di Siena, Montalcino, Pienza, Cortona, Chianti Classico, Rapolano Terme, San Galgano, San Antimo, Siena.

Prezzi: fine settimana da £ 300.000 a 550.000, settimanale da £ 650.000 a 1.500.000 (pulizie e riscaldamento inclusi). Sconti ai soci Agriturist, TCI, Tourist Green Club. Cauzione obbligatoria £ 300.000. Supplemento pulizie in caso di presenza di animali £ 60.000.

Note: percorsi aziendali da percorrere a piedi o in mountain bike. Piccola piscina. Soggiorno minimo 3 giorni. Salone a disposizione per feste (50 posti). Su prenotazione si organizzano corsi (anche per week-end) di degustazione olio extravergine e vini senesi D.O.C. (Chianti, Brunello), di reportage fotografico, affresco e calligrafia. A richiesta si organizzano visite a cantine e frantoi. Asciugamani non forniti. Parcheggio coperto, terrazza-solarium panoramica. Animali accolti previo accordo.

PIEVE A SALTI

53022 BUONCONVENTO
☎ e fax 0577807244

 L 7

Posizione geografica: collina.

Periodo di apertura: tutto l'anno.

Associato a: Terranostra.

Presentazione: tipiche costruzioni rurali su 700 ettari coltivati biologicamente a cereali, foraggio, oliveto. Allevamento bovini.

Offre ospitalità in 11 camere con bagno e in 4 appartamenti con cucina per un totale di 29 posti letto.

Ristorazione: H/B e F/B. Piatti tipici (pici e cinghiale).

Prodotti aziendali: olio, marmellate, cereali, formaggi.

Luoghi di interesse e manifestazioni locali: abbazia di Monte Oliveto Maggiore e di Sant'Antimo, Montepulciano, Siena, Montalcino, Buonconvento, Pienza, San Quirico, Monticchiello. Sagra del tartufo in ottobre, sagra della val d'Arbia in settembre.

Prezzi: B&B a partire da £ 70.000. Pasto da £ 30.000.

Note: corsi di agricoltura biologica, cucina, ceramica, fotografia. Servizio di baby sitting. Calcetto. Raccolta di funghi. Centro benessere con massaggi, sauna, bagno turco, piscina coperta, idromassaggio e nuoto contro corrente. Pesca, giochi all'aria aperta, equitazione, tennis, mountain bike. Nelle vicinanze cinema. Sala e telefono in comune, pulizia, riassetto, biancheria.

CASAFRASSI

loc. Casafrassi • 53011 CASTELLINA IN CHIANTI
☎ 0577740621 fax 0577740805

 H 8

Posizione geografica: collina.

Periodo di apertura: da aprile a ottobre.

Presentazione: tipica costruzione rurale su area coltivata a vigneto e oliveto, bosco e pineta. Allevamenti. Offre ospitalità in camere e appartamenti per un totale di 35 posti letto.

Ristorazione: locale aperto al pubblico. Cucina toscana.

Prodotti aziendali: vino, olio.

Luoghi di interesse e manifestazioni locali: Siena, San Gimignano, Volterra, Firenze.

Prezzi: B&B da £ 60.000 a 90.000 compreso riscaldamento. Pasto da £ 40.000 a 50.000. Sconto 20% per bambini fino a 10 anni.

Note: ideale per soggiorno relax, passeggiate naturalistiche, itinerari artistici. Piscina, tennis, mountain bike. Telefono in appartamento, posto auto. Animali accolti previo accordo.

QUERCETO

loc. Querceto • 53011 CASTELLINA IN CHIANTI
☎ 0577733590 fax 0577733636
E-mail: querceto@chiantinet.it

 H 8

Posizione geografica: collina.

Periodo di apertura: tutto l'anno.

Presentazione: azienda coltivata a vigneti. Offre ospitalità in 9 appartamenti, da 2 a 8 posti letto, con un'area esterna.

Ristorazione: si organizzano cene per un minimo di 10 persone. Colazione a richiesta.

Prodotti aziendali: vino, olio, marmellate, miele.

Luoghi di interesse e manifestazioni locali: Siena (20 km), Firenze (45 km), San Gimignano (30 km), Monteriggioni (15 Km), Monte Rinaldo, Montepulciano, castello di Volpaia, Radoa in Chianti, castello di Vertine.

Prezzi: rivolgersi direttamente all'azienda.

Note: soggiorno minimo 3 notti. Biblioteca, zona comune attrezzata con ampio soggiorno. Piscina, ping-pong, mountain bike, giochi per bambini. Tennis a 8 km, equitazione a 4 km. Cambio biancheria. Non si accolgono animali.

VILLA PAGLIARESE

via Pagliarese, 8 • 53019 CASTELNUOVO BERARDENGA
☎ 0577359070 fax 0577359200
http:wwwAGRITURISMO.com/pagliarese

 H 9

Posizione geografica: collina.
Periodo di apertura: tutto l'anno, prenotazione obbligatoria.
Presentazione: azienda con coltivazioni di viti e olivi, allevamento di api. Accoglie ospiti in appartamenti in tipiche case di pietra per un totale di 26 posti letto.
Ristorazione: per gli ospiti dell'agriturismo cucina tipica toscana.
Prodotti aziendali: vino, olio extravergine d'oliva, miele, grappa.
Luoghi di interesse e manifestazioni locali: Siena, Firenze, Marina di Grosseto. Palio di Siena, musei e chiese, mercato dell'antiquariato ad Arezzo, varie fiere paesane.
Prezzi: circa £ 60.000 al giorno (la cifra varia in base alle dimensioni dell'appartamento).
Note: piscina, bocce, mountain bike. Pineta e giardini. Soggiorni da sabato a sabato, prenotazione via fax con caparra. Ogni appartamento dispone di 1 o 2 bagni, riscaldamento, acqua calda, cambio biancheria settimanale o a richiesta.

POGGIO COVILI

s.s. Cassia km 178, 2 • 53023 CASTIGLIONE D'ORCIA
☎ e fax 0577887106

 I 9

Posizione geografica: collina.
Periodo di apertura: tutto l'anno.
Associato a: Terranostra.
Presentazione: antico casale ristrutturato situato in posizione panoramica. Accoglie ospiti in 3 appartamenti per un totale di 18 posti letto e in 1 camera doppia con bagno.
Ristorazione: a richiesta per chi pernotta. Ribollita, pici e cinghiale.
Prodotti aziendali: olio, vino.
Luoghi di interesse e manifestazioni locali: Bagno Vignoni, Pienza, Montalcino, Motepulciano, Castiglione d'Orcia e Monte Amiata. Festa di Barbarossa in giugno, teatro povero in luglio e agosto, sagra della castagna in ottobre.
Prezzi: OR da £ 35.000 a 70.000. Pasto da £ 30.000 a 40.000. Riduzione del 10% per bambini fino a 10 anni.
Note: accessibile agli handicappati. Piscina e giochi all'aperto. Pesca sportiva e maneggio a 4 km. Raccolta di funghi e asparagi. Sala riunioni. Gli appartamenti dispongono di cucina attrezzata, caminetto, biancheria. Riscaldamento non incluso nel prezzo.

GROSSOLA

via Grossola, 4 • 53023 CASTIGLIONE D'ORCIA
☎ e fax 0577887537

 I 9

Posizione geografica: collina.
Periodo di apertura: tutto l'anno.
Associato a: Terranostra.
Presentazione: tipica costruzione rurale su 37 ettari coltivati a cereali, vigneto, oliveto. Accoglie ospiti in 8 camere con bagno, per un totale di 18 posti letto e in 2 appartamenti.
Ristorazione: ristorante aperto al pubblico con 45 coperti. Crostini, ravioli, tortelli e pici fatti in casa.
Prodotti aziendali: confetture, olio, vino, funghi.
Luoghi di interesse e manifestazioni locali: abbazia di Sant'An-

timo, Montalcino, Pienza, Bagni Vignoni Terme, monte Amiata, Bagni San Filippo. Sagra del miele in settembre, del tordo in ottobre, concerti e manifestazioni culturali in agosto.
Prezzi: B&B da £ 40.000 a 60.000 a persona. HB da £ 65.000 a 90.000. Pasto da £ 20.000 a 30.000 (escluse bevande).
Note: accessibile agli handicappati. Permanenza minima 2 giorni, 1 settimana in agosto. Ideale per relax e passeggiate naturalistiche. Raccolta di asparagi, castagne, frutti di bosco, funghi. Prato attrezzato per prendere il sole, giochi all'aria aperta, trekking e passeggiate, mountain bike. Disponibilità sala riunioni. Corsi di gastronomia, osservazione ambientale (flora e fauna), yoga e meditazione. Nelle vicinanze cinema. Possibilità aggiunta letti in camera. Sala comune, biancheria, pulizia, uso cucina, uso frigorifero, riscaldamento, posto auto.

PALAZZO BANDINO

via Stiglianesi, 6 • 53040 CHIANCIANO
☎ 057861199 fax 057862021

 I 20

Posizione geografica: collina e località termale.
Periodo di apertura: da marzo a dicembre.
Associato a: Agriturist.
Presentazione: l'azienda, ristrutturata nel più rigoroso rispetto delle tradizioni e della cultura d'epoca, offre all'ospite il piacere di immergersi nella quiete di un mondo agreste di

rara bellezza e di respirare l'atmosfera di una natura dolcissima e incontaminata. Accoglie ospiti in 8 appartamenti completamente arredati, dotati di ogni confort.
Ristorazione: piatti tipici della cucina toscana.
Prodotti aziendali: vivi D.O.C. e D.O.C.G., olio extravergine d'oliva.
Luoghi di interesse e manifestazioni locali: Montepulciano, Pienza, Siena, Perugia. Visita alle cantine dell'azienda e degustazione prodotti.
Prezzi: appartamenti da £ 600.000 a 1.400.000 a settimana.
Note: possibilità di B&B. Piscina alla finlandese, ping-pong e biciclette. Orto aziendale a disposizione degli ospiti.

FATTORIA MUGNANO

loc. Campiglia - Mugnano • 53034 COLLE VAL D'ELSA
☎ 0577959023-0577958048(abitazione)

 H 7

Posizione geografica: collina.
Periodo di apertura: tutto l'anno tranne dal 10 gennaio al 10 febbraio.

Presentazione: la tenuta, risalente al XII secolo, è costituita da una antica e bellissima villa di stile fiorentino e un parco di querci e lecci secolari. Il proprietario ha provveduto alla ristrutturazione delle case che un tempo costituivano le abitazioni di contadini e mezzadri. Accoglie ospiti in 4 appartamenti, con cucina attrezzata, per un totale di 16 posti letto e in 6 camere doppie, con servizi.

Ristorazione: ristorante aperto al pubblico con 60 coperti. Bruschette, ravioloni e cannelloni fatti in casa, umidi, carne alla brace e alcuni piatti tipici siciliani.

Prodotti aziendali: olio extravergine d'oliva, Chianti D.O.C.G.

Luoghi di interesse e manifestazioni locali: Colle Val d'Elsa, San Gimignano, pieve romanica, Siena, Certaldo e Volterra. Sagra della miseria, festa dell'artigianato e teatrale medioevale.

Prezzi: OR a £ 50.000 circa a persona. Pasto da £ 30.000 a 50.000. Sconti per gruppi che concordano anticipatamente il menu.

Note: possibilità di trekking a piedi. Da ammirare nella fattoria "I Patriarchi della natura" tre bellissime querce secolari monumentali. Biancheria, pulizia, riassetto, riscaldamento e telefono in comune. Il cambio biancheria si effettua settimanalmente.

FATTORIA BELVEDERE

loc. Belvedere • 53034 COLLE VAL D'ELSA
☎ 0577920009 fax 0577923500

H 7

Posizione geografica: collina.
Periodo di apertura: tutto l'anno, solo su prenotazione.
Associato a: Agriturist.
Presentazione: case coloniche ristrutturate in azienda che produce olio, vino, cereali e alleva per uso proprio polli, conigli, cavalli e capre. Accoglie ospiti in appartamenti da 2/6 posti letto.
Ristorazione: per gli ospiti alloggiati, cucina casalinga con piatti tipici popolari e tradizionali toscani.
Prodotti aziendali: vino Chianti D.O.C., olio extravergine d'oliva, salumi, miele e marmellata.
Luoghi di interesse e manifestazioni locali: Firenze, Siena, San Gimignano, Volterra, località balneari.
Prezzi: appartamenti da £ 500.000 a 900.000 a settimana.
Note: permanenza minima 7 giorni. Piscina, ping-pong, bocce. Cambio biancheria settimanale. Non si accolgono animali.

CASTELLO DI TORNANO

loc. Tornano • 53013 GAIOLE IN CHIANTI
☎ e fax 0577746067
E-mail:castellotornano@chiantinet.it
http:www.chiantinet.it/castellotornano

H 8

Posizione geografica: collina.
Periodo di apertura: tutto l'anno.
Associato a: Agriturist.
Presentazione: castello del 1000, monumento nazionale protetto dalle belle arti, circondato da 120 ettari di bosco, uliveto e vigneto. Accoglie ospiti in 9 appartamenti per un totale di 30 posti letto arredati in stile rustico antico con grande cura.
Ristorazione: solo per gli ospiti, cucina tipica toscana con prodotti di fattoria.
Prodotti aziendali: vino, olio, miele, marmellata e uova.
Luoghi di interesse e manifestazioni locali: parco naturale di Cavriglia, Siena e Firenze. Numerose feste paesane.
Prezzi: pasto a £ 35.000 (bevande escluse). Alloggio a settimana da £ 780.000 a 3.700.000.
Note: culla gratuita. In alta stagione soggiorno minimo 1 settimana (da sabato a sabato). Prato e sdraio per prendere il sole. Piscina, ping-pong, bocce, pesca sportiva, tennis e passeggiate naturalistiche. Sala comune con TV satellitare. Pulizia dell'appartamento il sa-

bato per i clienti che soggiornano più di 1 settimana. Biancheria, telefono comune, riscaldamento e posto macchina. Animali accolti previo accordo.

PIOMBAIA

podere Crocina • 53024 MONTALCINO
☎ 0577847197-0577848645 fax 0577849249
E-mail:piombaia@libero.it • http:www.piombaia.it

 I 9

Posizione geografica: collina (500 m).
Periodo di apertura: tutto l'anno.
Presentazione: antica casa colonica del fine '600 ristrutturata su di un'area di circa 200 ettari coltivati a vigneto, oliveto e cereali. Il complesso offre ospitalità in 7 appartamenti, da 2-6 posti letto, con servizi, TV, telefono, riscaldamento autonomo.
Ristorazione: ristorante aperto al pubblico con 35 coperti. Cucina montalcinese.
Prodotti aziendali: vino Brunello di Montalcino D.O.C., vino rosso D.O.C., olio e grappa.
Luoghi di interesse e manifestazioni locali: abbazia di San Antimo e di monte Oliveto, Montalcino, Pienza, Montepulciano, parco naturale della Val d'Orcia, Siena. Sagra del tordo l'ultima domenica di ottobre, torneo di apertura della caccia seconda domenica di agosto, settimana del miele prima settimana di settembre, sagra del galletto e festa del tartufo.
Prezzi: da £ 40.000 a 90.000.
Note: corsi di cucina e degustazione vini. Piscina e tiro con l'arco in azienda, tennis e calcetto, pallavolo poco distanti. Raccolta di funghi e castagne. Biancheria, pulizia, riscaldamento, TV, telefono, posto auto. Si accolgono animali.

FATTORIA DEI BARBI

loc. Podernuovi di Podernovaccio • 53024 MONTALCINO
☎ 0577841111-0577848277 fax 0577849356

 I 9

Posizione geografica: collina.
Periodo di apertura: tutto l'anno.
Associato a: Agriturist.
Presentazione: tipica fattoria toscana su area coltivata a vigneto e oliveto. Allevamento suini. Offre ospitalità in 7 appartamenti composti da bagno, cucinotto attrezzato, soggiorno, posto macchina per un totale di 18 posti letto.
Ristorazione: locale aperto al pubblico. Zuppa di fagioli, pici, zuppa di funghi, scottiglia, piccione al rigatino, rostinciana, ricotta montata.
Prodotti aziendali: vino, olio extravergine, pecorino, ricotta, salumi, grappa.
Luoghi di interesse e manifestazioni locali: abbazia di Sant'Antimo, fortezza medicea di Montalcino. Sagra del tordo in ottobre, torneo di apertura delle cacce in agosto.

Prezzi: alloggio da £ 50.000 a 100.000 al giorno. Pasto da £ 45.000 a 70.000.
Note: visite guidate alla cantina con degustazioni didattiche. Trekking e passeggiate, escursioni e visite guidate. Ampi spazi all'aperto attrezzati anche per mangiare. Telefono in comune, biancheria da letto e da bagno, stoviglie. Animali accolti previo accordo.

TENUTA IL SANTO

loc. Il Santo • 53015 MONTICIANO
☎ 0577757107 fax 0577757085

● I 8

Posizione geografica: collina.
Periodo di apertura: tutto l'anno.
Presentazione: antico borgo medioevale ristrutturato all'interno di una tenuta di 1.200 ettari situata nel meraviglioso e incontaminato paesaggio della maremma toscana, nella Val di Farma attigua alle terme di Petriolo, in una suggestiva cornice di boschi alternati a uliveti, vigneti, prati, lambita dalle limpide acque del torrente Farma e del fiume Merse. Rinomata riserva di caccia al fagiano e al cinghiale. Accoglie ospiti in 17 camere e in 2 ampi casali con impianto di riscaldamento per un totale di 60 posti letto.
Ristorazione: aperto al pubblico, 100 coperti. Cucina tipica locale (senese-maremmana).
Prodotti aziendali: vino, olio extravergine d'oliva, marmellate.
Luoghi di interesse e manifestazioni locali: Firenze, Siena, San Gimignano, terme di Petriolo, San Galgano, Bagno Vignoni, Montalcino, Pienza. Visite a castelli e cantine del Chianti con degustazione.
Prezzi: alloggio a partire da £ 50.000, pasto da £ 25.000. Sconto del 50% per bambini da 2 a 8 anni, sconto del 50% a partire dalla seconda settimana.
Note: ideale per relax, allevamento di cavalli con possibilità di lezioni, escursioni e trekking di più giorni, mountain bike, campi da bocce, tiro con l'arco, canoa, pesca nel lago interno all'azienda, bagni termali in acqua sulfurea. Piano bar, sala biliardo, sauna, palestra.

FATTORIA CASABIANCA

loc. Montepescini • 53010 MURLO
☎ 0577811033 fax 0577811017

● I 8

Posizione geografica: collina.
Periodo di apertura: tutto l'anno; ristorante aperto tutto l'anno, tranne febbraio. Da inizio maggio a fine settembre è in funzione anche uno snack-bar presso il centro sportivo.
Associato a: Agriturist e Club Italia Enti.
Presentazione: azienda di 700 ettari immersa nel verde delle colline senesi, tra vigneti, boschi e prati. Allevamento di selvaggina e produzione di vino Chianti D.O.C.G. Accoglie ospiti in 5 casali del XIV secolo suddivisi in 29 appartamenti e 4 camere.
Ristorazione: cucina tipica toscana, zuppa di farro, acquacotta, ribollita, pici al ragù, selvaggina, carne alla brace.
Prodotti aziendali: vino Chianti D.O.C.G., rosso da tavola, bianco e rosato I.G.T., grappa di Sangiovese, spumante e vin santo.
Luoghi di interesse e manifestazioni locali: Siena, Montalcino, Murlo, Pienza, Montepulciano, San Gimignano.
Prezzi: appartamenti da £ 540.000 a 2.400.000 per settimana, da £ 190.000 a 670.000 per fine settimana. Camera a notte da £ 75.000 a 140.000. Supplemento H/B £ 45.000 a persona al giorno (colazione internazionale).
Note: piscina con ombrellone, sdraio e cabina, tennis, ping-pong, bocce, lago per la pesca e biciclette. Appartamenti attrezzati, acqua, gas, elettricità e pulizia finale compresi, cambio biancheria settimanale.

PODERE TERRENO

Podere Terreno, 21 • 53017 RADDA IN CHIANTI
☎ e fax 0577738312
E-mail: podereterreno@chiantinet.it

● H 8

Posizione geografica: collina.
Periodo di apertura: tutto l'anno.
Associato a: Agriturist, Turismo Verde.
Presentazione: casa colonica del '500, ristrutturata, si estende su 52 ettari coltivati a vigneto, oliveto, frutteto. Accoglie ospiti in 7 camere con bagno.
Ristorazione: H/B. Cucina toscana e mediterranea accompagnata da Chianti classico.
Prodotti aziendali: vini pregiati, olio extravergine, marmellate.
Luoghi di interesse e manifestazioni locali: Firenze, Siena, San Gimignano, Arezzo, castelli del Chianti. Manifestazione "Musica nel Chianti" e mercato antiquario a Radda.
Prezzi: H/B a £ 160.000 al giorno. Cena £ 60.000 (vino compreso). Sconti per bambini fino a 10 anni.
Note: permanenza minima 2 giorni in alta stagione. Ideale per

passeggiate. Maneggio nelle vicinanze. Raccolta castagne, funghi, frutti del bosco. Biliardo, bocce, golf, pesca. Lago per balneazione. Si parlano francese, tedesco, inglese. Mobili antichi. Sala lettura in comune. Animali accolti previo accordo.

LA PALAZZINA

loc. Le Vigne • 53040 RADICOFANI
☎ 057855771 fax 057853553 - 0577899985

● L 10

Posizione geografica: collina.
Periodo di apertura: da marzo a novembre.
Associato a: Agriturist e Terranostra.
Presentazione: villa di caccia della seconda metà del '700 circondata da un parco di lecci e cipressi. Accoglie ospiti in 10 camere in fattoria e in due casali ricavati da un antico monastero del '600 che distano 500 m. Arredata con mobili di fine '800.
Ristorazione: ristorante aperto al pubblico su prenotazione. Vellutata d'ortiche, zuppa di farro e ceci al rosmarino, pici all'aglione, faraona alle bacche di ginepro, sorbetti di frutta, biancomangiare.
Prodotti aziendali: prodotti biologici, vendita di vino, olio, vin santo, grappa, limoncello, confetture e salse fatte in casa.
Luoghi di interesse e manifestazioni locali: Pienza, Bagno Vignoni, Sant'Antonio, Montepulciano, San Quirico d'Orcia, Montalcino e Cetona. Sagra dei pici a maggio, cantiere internazionale d'arte, concerti in terra di Siena, forme nel verde e sagre gastronomiche.
Prezzi: H/B da £ 130.000 a 150.000. Pasto da £ 40.000 a 50.000. Riduzione del 30% per bambini fino a 6 anni. Riduzione del 20% per letto aggiunto.
Note: accessibile agli handicappati. Concerti di musica classica in

giardino, stage di cucina rinascimentale toscana, osservazione del cielo. Possibilità di equitazione, tennis, tiro con l'arco, trekking e mountain bike. Raccolta di tartufi, funghi, castagne, erbe aromatiche. Piscina riscaldata e panoramica. Servizio di baby sitting. Soggiorno minimo 3 notti. Sala per seminari e piccole riunioni. Bagno e caminetto in camera, sala lettura, biblioteca. Animali accolti previo accordo.

CASA TONIETTI

via Casa Tonietti • 53040 RADICOFANI
☎ 057855876

 L 10

Posizione geografica: montagna (800 m).
Periodo di apertura: tutto l'anno.
Presentazione: tipico edificio rurale toscano posto in zona panoramica. Offre ospitalità in 6 camere per un totale di 12 posti letto e in 6 piazzole per tende e caravan.
Ristorazione: degustazione di piatti tipici della cucina contadina locale.
Prodotti aziendali: formaggio, vino, olio.
Luoghi di interesse e manifestazioni locali: monte di Cetona, parco naturalistico della val d'Orcia, città del parco di interesse artistico e termale, monte Amiata.
Prezzi: H/B a £ 80.000, F/B a £ 100.000.
Note: permanenza minima di 3 giorni. Attività ricreative. Numerose possibilità di escursioni e passeggiate guidate nei boschi. Pulizia, biancheria, baby sitting.

IL TESORO

53030 RADICONDOLI
☎ 0577790693

 H 7

Posizione geografica: collina (300 m).
Periodo di apertura: tutto l'anno.
Associato a: Agriturist, Turismo Verde, Terranostra.
Presentazione: casale del '700 interamente ristrutturato. Offre ospitalità in 2 appartamenti da 8 posti letto ciascuno e in 7 camere.
Ristorazione: H/B e F/B in sala ricavata da un'antica stalla. Cucina tipica toscana e sarda.
Prodotti aziendali: confetture, funghi, latticini, miele, olio, vino, ortaggi, salumi, grappa, aceto aromatico.
Luoghi di interesse e manifestazioni locali: terme delle Gallerafe, San Galgano, San Gimignano, Monteriggioni, Siena e Volterra. "Estate Radicondolese" in luglio e agosto, con spettacoli di musica, teatro e danza.
Prezzi: alloggio da £ 30.000 a 50.000. Pasto da £ 20.000 a 30.000. Sconto del 50% sulla ristorazione per bambini fino a 6 anni. Preferenza per gruppi di almeno 10 persone.
Note: posizione panoramica. Prato attrezzato per prendere il sole, giochi all'aria aperta, piscina, pesca. Raccolta funghi. Videoteca, giochi da tavolo. Corsi di cucina sarda e toscana, e di erboristeria. Nelle vicinanze, tennis e discoteca. Ospitalità, cortesia, silenzio, buon umore. Le camere sono affittabili anche separatamente con bagno in comune. Telefono in comune. Giardino indipendente. Biancheria, riscaldamento, uso cucina. Animali accolti previo accordo.

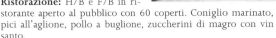

PODERE LA FONTE

53030 RADICONDOLI ☎ 0577790797

 H 7

Posizione geografica: collina tra Siena, Volterra e San Gimignano.
Periodo di apertura: tutto l'anno, chiuso dal 20 al 26 dicembre.
Associato a: ASCI.
Presentazione: tipico podere dei colli senesi su 20 ettari coltivati a oliveto, vigneto, ortaggi, frutteto, cereali, erbe officinali. Allevamento di api e cavalli maremmani. Accoglie ospiti in 5 camere.
Ristorazione: H/B e F/B. Preparata con prodotti dell'azienda, zuppa di tortellini alle verdure e cereali, legumi, specialità tipiche locali. Pasta di grano duro fatta a mano.
Prodotti aziendali: erbe, frutta, verdura, vino, olio, conserve.
Luoghi di interesse e manifestazioni locali: riserva naturale delle Cornate, Maremma, San Gimignano, Volterra, Massa Marittima, Firenze. Sagre, concerti, teatro e danza a Radicondoli in estate.
Prezzi: alloggio da £ 40.000 a 60.000. Sconto del 10% per soggiorno oltre la settimana.
Note: equitazione, giochi all'aria aperta, escursioni e visite guidate. Tennis nelle immediate vicinanze. Raccolta di frutti di bosco. Informazioni sulla cartografia della zona. Uso cucina, posto auto. Animali accolti previo accordo.

IL POGGIO

fraz. Celle sul Rigo • 53040 SAN CASCIANO DEI BAGNI
☎ 057853748 fax 057853587

L 10

Posizione geografica: collina.
Periodo di apertura: da marzo a dicembre.
Associato a: Agriturist.
Presentazione: tipica costruzione rurale su 70 ettari coltivati a cereali, vigneto, oliveto. Allevamento di equini e animali da cortile. Offre ospitalità in 8 camere con bagno e in 20 appartamenti, per un totale di 60 posti letto.
Ristorazione: H/B e F/B in ristorante aperto al pubblico con 60 coperti. Coniglio marinato, pici all'aglione, pollo a buglione, zuccherini di magro con vin santo.
Prodotti aziendali: confetture, miele, olio, vino, dolci, uova, sughi tipici.
Luoghi di interesse e manifestazioni locali: Cetona, Chiusi, Pienza, Montepulciano, Orvieto, laghi di Bolsena e Trasimeno. Sagra dei pici in maggio.
Prezzi: B&B a partire da £ 160.000. H/B a partire da £ 120.000. Pasto da £ 40.000 a 60.000. Sconto del 30% per bambini fino a 6 anni.
Note: accessibile agli handicappati. Ideale per settimane a cavallo con cavalli dell'azienda a disposizione. Corsi di equitazione. Prato attrezzato per prendere il sole, piscina, tiro con l'arco, pesca, tennis, trekking e passeggiate, mountain bike. Disponibilità sala riunioni. Raccolta di funghi e frutti di bosco. Bagni e cucina con frigorifero negli appartamenti. Sala comune, biancheria, pulizia, riassetto, uso cucina e frigorifero, riscaldamento, telefono pubblico, posto auto. Animali accolti previo accordo.

LA CROCETTA

loc. La Crocetta • 53040 SAN CASCIANO DEI BAGNI
☎ 057858360 – 0330549775 fax 057858353

● L 10

Posizione geografica: collina.
Periodo di apertura: dal 24 marzo al 6 novembre.
Presentazione: caratteristica costruzione in pietra. Offre ospitalità in 8 camere con bagno. **Ristorazione:** locale aperto al pubblico con 35 coperti. Tortelli fatti in casa, fritto misto vegetariano, bistecche alla fiorentina, cacciagione, zuppa di farro, ribollita.
Prodotti aziendali: confetture, miele, olio, vino.
Luoghi di interesse e manifestazioni locali: Montepulciano, Pienza, Montalcino, Radicofani, Val d'Orcia, Città della Pieve. "Sagra del Ciaffagnone" in giugno, palio delle ranocchie in agosto, sagra dei pici in maggio.
Prezzi: B&B a partire da £ 80.000. Pasto da £ 40.000 a 60.000. Sconto 15% per bambini fino a 8 anni.
Note: ideale per soggiorni relax, grande giardino, disponibilità sala riunioni. Equitazione, trekking e passeggiate. Centro termale con piscina a 1 km. Raccolta di castagne, frutta, funghi, verdure di campo. Corsi di decorazione floreale. Telefono in camera, biancheria, pulizia, riscaldamento. Animali accolti previo accordo.

LE RADICI

Podere Le Radici • 53040 SAN CASCIANO DEI BAGNI
☎ 057856033 ☎ e fax 057856038

● L 10

Posizione geografica: collina.
Periodo di apertura: tutto l'anno.
Associato a: Agriturist, Terranostra, Tourist Green Club.
Presentazione: fabbricato principale del XV secolo e dependance circondati da boschi e pinete con querce, pini, cipressi, volpi, daini, istrici, scoiattoli. Offre ospitalità in 1 appartamento, 7 camere e 4 suite (con vasca idromassaggio), arredati con mobili d'epoca e kilim antichi, TV, telefono, camino, riscaldamento.

Ristorazione: esclusivo ristorante a lume di candela con argenteria. Cucina eccellente.
Luoghi di interesse e manifestazioni locali: terme di San Casciano, museo di Cetona, museo e scavi di Chiusi, Pienza, Montepulciano, Orvieto. Sagra dei pici in maggio, del Ciaffagnone in giugno, rally mondiale di Radicofani in febbraio, festa del vino in giugno, palio di San Casciano in agosto.
Prezzi: alloggio da £ 85.000 a 150.000. Soggiorno gratuito per bambini fino a 3 anni.
Note: prenotazione consigliata. Ideale per relax. Posizione panoramica. Piscina panoramica con bordo a sfioro, tiro con l'arco, trekking e passeggiate, mountain bike. Possibilità di settimane "remise en forme" o "estetica" in collaborazione con il beauty-farm "Fonteverde". Osservazione ambientale. Raccolta di funghi, ginepro, more. Giardini e spazi esterni attrezzati. Cinema, teatro, piscina termale nelle vicinanze. Animali accolti previo accordo.

LA ROMITA

via Umberto I, 144 - fraz. Montisi
53020 SAN GIOVANNI D'ASSO ☎ e fax 0577845201
E-mail:romita@romita.it • http:www.romita.it

● I 9

Posizione geografica: collina.
Periodo di apertura: da marzo a ottobre.
Presentazione: tipica fattoria rurale su 80 ettari coltivati a cereali e oliveto biologici. Offre ospitalità in 4 appartamenti e in 4 camere con bagno per un totale di 22 posti letto. Azienda inserita in un circuito dell'AIAB per l'agricoltura biologica.
Ristorazione: B&B. Locale aperto al pubblico con 15 coperti. Antica cucina senese.
Prodotti aziendali: olio extravergine biologico, prodotti biologici.
Luoghi di interesse e manifestazioni locali: Pienza, Montepulciano, San Quirico d'Orcia, Montalcino, Sant'Antimo, Bagno Vignoni Terme, Monte Oliveto Maggiore. Giostra di Simone in agosto.
Prezzi: alloggio a partire da £ 60.000. Pasto a partire da £ 60.000.
Note: prenotazione minima per l'appartamento 1 settimana. Osservazione ambientale. Corsi di degustazione olio. Piscina, trekking e passeggiate. Biancheria, riscaldamento, aria condizionata e televisione, uso cucina, uso frigorifero. Posto auto.

PODERE ARCANGELO

loc.Capezzano, 26 • 53037 SAN GIMIGNANO
☎ 0577944404 fax 0577945628
E-mail:poderearcangelo@iol.it • http:web.tin.it/arcangelo

● H 7

Posizione geografica: collina (230 m).
Periodo di apertura: tutto l'anno.
Associato a: Agriturist, Terranostra.
Presentazione: ex convento del '600, tipica costruzione rurale ristrutturata su 20 ettari di vigneto e oliveto. Offre ospitalità in 4 camere con bagno e in appartamenti per un totale di 25 posti letto.
Ristorazione: H/B in locale attrezzato anche per degustazione vino e pranzi per gruppi su prenotazione. Minestra di farro, ribollita, carni alla griglia, pasta fatta in casa.
Prodotti aziendali: vini (Vernaccia San Gimignano, Chianti D.OC.G.), olio extravergine, grappa, confetture, miele.
Luoghi di interesse e manifestazioni locali: San Gimignano, Certaldo, Siena, Firenze, Volterra. Mercato dell'antiquariato, "Mercantia", festa medievale in luglio.
Prezzi: B&B a £ 75.000 a persona. Cena a £ 40.000 (vini inclusi) a persona. Sconto del 40% per bambini al di sotto dei 10 anni. Letto aggiunto £ 40.000 (colazione inclusa).
Note: permanenza minima 3 giorni in camera, 1 settimana in appartamento. Ideale per relax e passeggiate. Si parlano inglese e francese. Visita alle cantine. Ping-pong e bocce, golf, piscina, giochi all'aria aperta. Telefono e fax in comune, biancheria, parcheggio coperto.

LA BUCA

loc. La Buca • 53027 SAN QUIRICO D'ORCIA
☎ e fax 0577897078

● I 9

Posizione geografica: collina.
Periodo di apertura: tutto l'anno.
Presentazione: casa colonica ristrutturata in azienda di 38 ettari

coltivati a cereali, foraggio, olivicoltura e viticoltura. Allevamento di animali da cortile. Offre ospitalità in 1 camera, con 2 posti letto, servizi privati, aria condizionata e riscaldamento, e in 1 appartamento (2+2 posti letto) attrezzato con lavatrice, frigorifero, riscaldamento.

Ristorazione: è possibile, per i soli ospiti, cenare con piatti tipici locali.

Luoghi di interesse e manifestazioni locali: Bagni Vignoni con le sue acque sulfuree, San Quirico con la Collegiata, Pienza voluta da Pio II, abbazia di Sant'Antimo, abbazia di Monte Oliveto Maggiore, Montalcino.

Prezzi: camera a £ 50.000 a persona al giorno, appartamento da £ 120.000 a 200.000 al giorno. Pasto a £ 35.000.

Note: il soggiorno minimo in appartamento è di 3 giorni. Possibilità di passeggiate e visite nei dintorni, partecipazione ai lavori agricoli, osservazione degli animali. Parcheggio, telefono, biliardo. Biancheria. Non si accolgono animali.

NOCE TORTA

loc. Noce Torta • 53047 SARTEANO
☎ 0578265336 fax 0578268791 http:www.nocetorta.com
● **I 10**

Posizione geografica: collina.
Periodo di apertura: tutto l'anno.
Presentazione: caratteristica casa colonica ristrutturata in azienda di 50 ettari coltivati a frutteto, vigneto e uliveto. Bosco con fauna selvatica. Accoglie ospiti in 5 camere e 6 appartamenti, con bagno privato, per un totale di 22 posti letto.
Ristorazione: piatti e vini tipici toscani.
Prodotti aziendali: vino, olio, frutta e ortaggi biologici.
Luoghi di interesse e manifestazioni locali: Montepulciano, Pienza, Siena, Perugia. Itinerari storici, termali e naturalistici nel cuore della Toscana. Giostre e sagre di paese.
Prezzi: camera da £ 150.000 a 200.000, appartamenti (da 2 a 4 persone) da £ 180.000 a 300.000.
Note: piscina. Si organizzano corsi di cucina. Partecipazione alle attività agricole. Mountain bike, trekking, piscina, palestra, ping-pong. Stalla dell'Ottocento ristrutturata per meeting, feste, riunioni aziendali. Si accolgono animali.

PODERE MONTEMELINO

via Chianciano, 106 - loc. Montemelino • 53047 SARTEANO
☎ e fax 0578265480
● **I 10**

Posizione geografica: collina.
Periodo di apertura: da maggio a settembre o su richiesta.
Presentazione: tipica costruzione rurale su 6 ettari coltivati a serre e oliveto. Offre ospitalità in 8 camere doppie separate o in appartamento con cucina.
Ristorazione: su richiesta.
Prodotti aziendali: miele, ortaggi, frutta, olio extravergine.
Luoghi di interesse e manifestazioni locali: Pienza, Montepulciano, tombe etrusche di Chiusi, Bagno Vignoni Terme, Siena, Firenze, Roma, Perugia.
Prezzi: alloggio da £ 30.000 a 50.000.
Note: prenotazione obbligatoria. Posizione panoramica, ideale per soggiorni relax. Corsi di riutilizzo decorativo materiali vari, pittura su stoffa. Osservazione ambientale. Raccolta di fun-

ghi, castagne e prodotti del bosco. Raccolta e composizione di fiori del campo. Corsi di storia del costume, del teatro e della moda. Ping-pong, golf, piscina, equitazione, trekking e passeggiate, mountain bike, torrentismo. Prato attrezzato per prendere il sole. Su richiesta, pic-nic, canti e balli all'aperto nel pomeriggio. Vacanze personalizzate a tema per gruppi. Bagno in comune, biancheria, sala in comune, posto auto.

LA SOVANA

via di Chiusi, 37 - loc. Sovana • 53047 SARTEANO
☎ 0578274086 ☎ e fax 075600197
E-mail:lasovana@krenet.it
http:www.evols.it/sovana
● **I 10**

Posizione geografica: collina.
Periodo di apertura: dal 12 febbraio al 10 novembre e festività natalizie.
Presentazione: antico gruppo di case ristrutturate al centro di un'area di 22 ettari. L'azienda produce grano, mais, girasoli, olio d'oliva e vino e pratica il florovivaismo. Accoglie ospiti in suite (da 2 a 6 persone) indipendenti, con angolo cottura e servizi privati. Possibilità di soggiorno in formula hotel (B&B e H/B) o residence.
Ristorazione: solo per gli ospiti. Cucina casalinga con prodotti freschi.
Prodotti aziendali: vino, olio e conserve alimentari.
Luoghi di interesse e manifestazioni locali: Siena, Arezzo, Pienza, Cetona, Montepulciano, Montalcino, San Quirico d'Orcia, monte Amiata, Orvieto, Perugia, Assisi e lago Trasimeno, terme di San Casciano Bagni, Bagno Vignone e Bagni San Filippo, abbazia di Monte Oliveto Maggiore, Sant'Antimo e Spineta, castelli. Giostra del Saracino a Sarteano, "Bravio delle botti" a Montepulciano.
Prezzi: H/B a £ 140.000 in bassa stagione, £ 160.000 in media stagione e £ 190.000 in alta stagione, a persona al giorno.
Note: ideale per soggiorno di relax nella bellezza e tranquillità di un ambiente naturale. Soggiorno minimo 3 notti in bassa e media stagione, di 1 settimana in alta stagione. Possibilità di trekking, la-

ghetto per pesca sportiva, 2 campi da tennis, piscina con solarium pavimentato e arredato, mountain bike. Parco giochi attrezzato. Barbecue all'aperto, angolo cottura, corredo cucina, telefono e servizi privati, biancheria, sala TV e lettura.

MONTAUTO

loc. Montauto • 53040 SERRE DI RAPOLANO
☎ e fax 07531751 ☎ 0577704049
● **H 8**

Posizione geografica: collina.
Periodo di apertura: tutto l'anno.
Associato a: Agriturist.
Presentazione: grande fattoria ex antico convento su 60 ettari con vigneto, oliveto e bosco. Offre ospitalità in 2 appartamenti per un totale di 18 posti letto.
Ristorazione: a richiesta e per gruppi.
Prodotti aziendali: vino, olio.
Luoghi di interesse e manifestazioni locali: Siena, Montepulciano, Pienza, terme di Rapolano con acqua solforosa a 39° C. Concerti in Terra di Siena a Sinalunga.
Prezzi: alloggio fino a £ 30.000.
Note: ideale per relax e passeggiate. Servizio di baby sitting. Pulizie, riscaldamento, biancheria.

LA GAVINA

loc. Santa Colomba • 53100 SIENA
☎ e fax 0577317046

H 8

Posizione geografica: collina.

Presentazione: antico casale ristrutturato in parte utilizzato come alloggio agrituristico. Accoglie ospiti in 5 camere con bagno.
Ristorazione: cucina tipica della campagna toscana.
Luoghi di interesse e manifestazioni locali: antichi casali, chiese e castelli, Siena, San Gimignano, Volterra, Chianti.
Prezzi: H/B a £ 580.000 a persona a settimana.
Note: piccola piscina. Sentieri per trekking. Ampio soggiorno. Pulizia settimanale, biancheria.

LILÀ AURO.RA

loc. Motrano • 53018 SOVICILLE
☎ 0577311072

H 8

Posizione geografica: collina, in area protetta della Montagnola Senese.
Periodo di apertura: tutto l'anno.
Associato a: Vacanze Verdi, Tourist Green Club.
Presentazione: antico casale in pietra su 11 ettari. Accoglie ospiti in 5 camere con bagno.
Ristorazione: H/B solo per gli ospiti. Cucina vegetariana.
Prodotti aziendali: confetture e sottoli.
Luoghi di interesse e manifestazioni locali: San Galgano, Siena, Monteriggioni, San Gimignano, Volterra, Pienza. Palio di Siena, sagra del fungo, altre feste popolari.
Prezzi: B&B a £ 50.000, H/B a £ 75.000. Pasto da £ 27.000 a 35.000. Sconti da concordare per bambini.
Note: prenotazione obbligatoria. Centro per la pratica yoga integrale. Corsi di yoga, cucina vegetariana, radiestesia. Raccolta di funghi e frutti di bosco, trekking e passeggiate. Ampi spazi esterni. Disponibilità salone per riunioni, stage, concerti. Palestra di roccia. Biancheria, riscaldamento. Vietato fumare.

CENTRO TERRA DI SIENA°

loc. Simignano • 53018 SOVICILLE
☎ 0577311065

H 8

Posizione geografica: collina.
Periodo di apertura: tutto l'anno, tranne il periodo invernale.
Associato a: Associazione Kinderheine Italiana (AKI).
Presentazione: organizziamo vacanze per bambini da 9 a 15 anni della durata di due settimane comprendenti ospitalità, vitto, organizzazione di gite, giochi, attività sportive e ricreative. In primavera e autunno offre ospitalità a gruppi di giovani per soggiorni di durata da concordare con possibilità di vitto, alloggio ed eventuali programmi turistici e/o sportivi. Accoglie ospiti in ampia stanza con letti a castello e bagno.
Ristorazione: cucina casalinga preparata con prodotti locali, di coltivazione propria e non.
Luoghi di interesse e manifestazioni locali: Siena, San Gimignano, Colle Val d'Elsa.

FATTORIA DEL COLLE

loc. Il Colle • 53020 TREQUANDA
☎ 0577662108-0577849421 fax 0577849353

I 9

Posizione geografica: alta collina (404 m).
Periodo di apertura: tutto l'anno.
Associato a: Agriturist.
Presentazione: nel cuore della Toscana medioevale, quasi un piccolo borgo, con la villa del XVI secolo circondata da

case coloniche, la cappella, il pozzo, l'osteria, la cantina storica e giardini, su 336 ettari coltivati a cereali, oliveto, vigneto, boschi. Offre ospitalità in 19 appartamenti, perfettamente ristrutturati, con camere arredate con mobili antichi e affrescate, pranzo-soggiorno con angolo cottura, almeno un bagno con doccia, tavoli esterni per mangiare all'aperto e riscaldamento indipendente.
Ristorazione: 40 coperti all'interno dell'osteria di Donatella. Piatti della tradizione locale, zuppa trequandina, cinghiale con la salsiccia e l'alloro, salsiccia con le pulezze, baccalà alla fratina, crostini neri e panforte.
Prodotti aziendali: olio extravergine, vino D.O.C. e D.O.C.G., grappa.
Luoghi di interesse e manifestazioni locali: Trequanda, Pienza, abbazia di Monte Oliveto Maggiore, Bagno Vignoni, Montalcino, Montepulciano. Fiere e sagre.
Prezzi: rivolgersi direttamente all'azienda.
Note: posizione panoramica. È possibile affittare camere nei periodi di bassa stagione. 6 riserve tartufigene. Corsi di cucina, degustazione vini. Ping-pong, 3 piscine, giochi all'aria aperta, tennis, escursioni e visite guidate, itinerario nel bosco da percorrere con archi e frecce e le mountain bike. Disponibilità sala per riunioni o convegni. Servizio fax. Biancheria, sala televisione.

LE MONACONE

via Gramsci, 19 • 53041 ASCIANO ☎ 0577718223

D 6

Posizione geografica: collina.
Periodo di apertura: tutto l'anno.
Associato a: Terranostra.
Presentazione: tipica costruzione rurale su 12 ettari coltivati a cereali, oliveto e vigneto. Accoglie ospiti in 2 appartamenti dotati di cucina con frigorifero, bagni, televisione, biancheria, riscaldamento, posto auto, per un totale di 8 posti letto.
Prodotti aziendali: vino, olio, uova, confetture.
Luoghi di interesse e manifestazioni locali: abbazia di Monte Oliveto Maggiore, musei, parco delle crete senesi, Siena, Montalcino, Pienza, Montepulciano. Corse di cavalli e asini, mostre, gastronomia, spettacoli in occasione del "Settembre Ascianese".
Prezzi: alloggio da £ 40.000 a 70.000.
Note: ideale per relax e passeggiate naturalistiche, pesca.

PODERE SCURCOLI

53041 ASCIANO ☎ e fax 0444695209

D 6

Posizione geografica: collina.
Periodo di apertura: tutto l'anno, solo su prenotazione.

Associato a: Agriturist.
Presentazione: azienda di 72 ettari, costituita da 2 tipici casolari rustici recentemente ristrutturati adagiati su un poggio. Offre ospitalità in 3 appartamenti di 10-5-3 posti letto.
Luoghi di interesse e manifestazioni locali: Siena, Monte Oliveto, Pienza, Perugia, lago Trasimeno.
Prezzi: OR da £ 30.000 a 60.000 al giorno per persona.
Note: soggiorno minimo 2 giorni. Raccolta di funghi e castagne. Ping-pong, piscina, pesca sportiva, trekking. Camino esterno. Biancheria e riscaldamento. Inviare la corrispondenza a Natalino Mattiello, piazza Carli 41, 36075 Montecchio Maggiore (Vicenza).

PIANO DI SOPRA

loc. Piano di Sopra • 53022 BUONCONVENTO
☎ e fax 0577806046 ☎ 0577807172

 L 7

Posizione geografica: pianura.
Periodo di apertura: tutto l'anno.
Associato a: Terranostra.
Presentazione: casa colonica di fine '800 ristrutturata, su 17 ettari coltivati a cereali. Offre ospitalità in 2 appartamenti composti di cucina, bagno, caminetto, posto macchina, per un totale di 10 posti letto.
Prodotti aziendali: ortaggi, frutta, uova.
Luoghi di interesse e manifestazioni locali: museo etrusco a Murlo, monastero a monte Oliveto Maggiore, Montalcino, Sant'Antimo, Pienza, Montepulciano, Siena. Sagra "Val d'Arbia" in settembre, festa di San Pietro e San Paolo in giugno, mostra antiquariato a Pasqua.
Prezzi: alloggio da £ 30.000 a 50.000. Sconto del 10% per bambini fino a 10 anni. Sconto del 10% a partire dalla seconda settimana di permanenza.
Note: permanenza minima 1 settimana. Ampio parco con alberi ad alto fusto, attrezzature da giardino. Ping-pong e biciclette. Cinema, ristoranti e piscina comunale nei dintorni. Arredamento molto curato. Taverna in comune. Biancheria, pulizia, riscaldamento. Animali accolti previo accordo.

LA RIPOLINA

loc. Pieve di Piana • 53022 BUONCONVENTO
☎ e fax 0577282280 cell. 03355739284

L 7

Posizione geografica: collina.
Periodo di apertura: tutto l'anno.
Associato a: Agriturist, Touring Club.
Presentazione: antichi casolari ristrutturati su 97 ettari coltivati a cereali e vigneto. Offre ospitalità in 7 appartamenti con cucina e in 1 camera con bagno per un totale di 30 posti letto.
Prodotti aziendali: vino, uova.
Luoghi di interesse e manifestazioni locali: Siena, Montalcino, abbazia di Monte Oliveto Maggiore, Pienza, Montepulciano, San Gimignano. Carnevale, Processione del Venerdì Santo, mostra d'antiquariato a Pasqua e ogni ultima domenica del mese, sagra a settembre.
Prezzi: alloggio da £ 30.000 a 60.000.
Note: ideale per soggiorno relax o passeggiate naturalistiche con osservazione animali e ambiente. Soggiorni nella medievale pieve di Piana e in casolari ristrutturati.

Corsi di italiano, inglese, cucina toscana. Raccolta di more e funghi. Ping-pong, bocce, pesca, giochi all'aria aperta, mountain bike. Culla e seggiolone disponibili per bambini. Prato per prendere il sole, attrezzato. A 3 km piscina. Telefono in comune. Posto auto. Arredamenti eleganti. Barbecue. Biancheria, pulizie finali. Inviare la corrispondenza a Laura Cresti, via Vecchietta, 156, 53100 Siena. Animali accolti previo accordo.

PODERE SAN QUIRICO

strada del Paradiso • 53019 CASTELNUOVO BERARDENGA
☎ e fax 0577355206

 H 9

Posizione geografica: collina.
Periodo di apertura: tutto l'anno.
Associato a: Agriturist.
Presentazione: antico casale del XIV secolo, ristrutturato. Offre ospitalità in camere con bagno e in appartamenti.
Prodotti aziendali: olio extravergine, vino, vin santo, miele, cereali, conserve, marmellate.
Luoghi di interesse e manifestazioni locali: Siena, Arezzo, Volterra, Montalcino, San Gimignano, lago Trasimeno, abbazie benedettine. Processione spettacolare a Pasqua. Sagre e feste gastronomiche con spettacoli da giugno a settembre, palio dei "ciuchi" (agosto), palio di Siena.
Prezzi: alloggio in camerea £ 100.000 (per 2 persone), appartamento (per 5 persone) £ 250.000 a notte. Soggiorno gratuito per bambini fino a 5 anni.
Note: prenotazione consigliata. Ideale per soggiorno relax tra i colli senesi, nel cuore del Chianti. Prato attrezzato per prendere il sole. Vasto giardino fiorito. Ottime trattorie economiche a 100-300 m di distanza. Nelle vicinanze piscina, palestra, maneggio. L'azienda ospita cavalli all'aperto. Appartamenti dotati di camere, bagni, salotto, cucina, veranda, giardino. Posto auto e cavalli all'aperto. Cucina e sala con camino in comune. Riscaldamento centrale.

SAN MARCELLO

loc. San Marcello - strada di Castignano, 5
53010 CASTELNUOVO BERARDENGA
☎ e fax 0577281382-0577356795

H 9

Posizione geografica: collina.
Periodo di apertura: da maggio a ottobre e Natale, Pasqua, fine settimana e ponti festivi.
Associato a: Agriturist.
Presentazione: fienile ristrutturato su 60 ettari di riserva faunistico-venatoria popolata da fagiani, lepri, cinghiali. Offre ospitalità in 6

camere con bagno e in 1 appartamento da 4 posti letto dotato di soggiorno, vano cottura con frigo, bagno.
Prodotti aziendali: olio, uova, vino, pollame.
Luoghi di interesse e manifestazioni locali: Siena, Firenze, valle del Chianti, Arezzo, Monteriggioni, Montalcino, Pienza, mare e terme. Palio in luglio e agosto, sagra dell'olio.
Prezzi: alloggio da £ 30.000 a 50.000, biancheria £ 10.000 per persona. Sconto del 5% per letto aggiunto.
Note: prenotazione obbligatoria in alta stagione. Permanenza minima 1 settimana. Ideale per passeggiate, zona panoramica, osservazione ambientale. Scoperta della fauna e giochi sull'aia per bambini. Barbecue a disposizione e spazi attrezzati. Nelle vicinanze ristoranti con specialità toscane, tennis, piscina, maneggio, golf, pesca, ciclismo. Raccolta di funghi, castagne, frutti di bosco. Prato per prendere il sole. Accogliente per bambini, anziani, giovani coppie, pittori in cerca di paesaggi da ritrarre.

SELVOLE BUCENA

loc. Vagliagli • 53019 CASTELNUOVO BERARDENGA
☎ 0577322662 fax 0577322718

 H 9

Posizione geografica: collina.
Periodo di apertura: dal 15 marzo al 31 ottobre.
Associato a: Agriturist.
Presentazione: tipica costruzione rurale su 162 ettari coltivati a oliveto e vigneto. Accoglie ospiti in 20 appartamenti, tra i 40 e i 60 m², immersi nel verde dei vigneti e disposti intorno alla piscina.
Prodotti aziendali: vini (Chianti classico, bianco Val D'Arbia), vin santo, grappa, olio extravergine d'oliva, miele.
Luoghi di interesse e manifestazioni locali: Certosa di Pontignano, castelli di Meleto e di Brolio, Siena, San Gimignano, Volterra, Firenze, Arezzo.
Prezzi: alloggio da £ 600.000 a 1.200.000 la settimana a seconda delle dimensioni dell'appartamento e della stagione. Per periodi più brevi rivolgersi direttamente all'azienda.
Note: ping-pong, bocce, pallavolo, golf, piscina, giochi all'aria aperta, tennis, mountain bike. Biancheria, uso cucina e uso frigorifero, posto auto.

MASSETO

loc. La Piazza • 53011 CASTELLINA IN CHIANTI
☎ e fax 0577733553 fax 0577733628

 H 8

Posizione geografica: collina.
Periodo di apertura: tutto l'anno.
Presentazione: case coloniche ristrutturate. Offre ospitalità in 2 appartamenti per un totale di 10 posti letto.
Prodotti aziendali: vino Chianti classico e olio extravergine d'oliva.

Luoghi di interesse e manifestazioni locali: Siena, Firenze, San Gimignano, Volterra. Palio di Siena in luglio e agosto, sagre paesane e concerti estivi in pievi e castelli.
Prezzi: alloggio a partire da £ 50.000.
Note: permanenza minima 1 settimana in alta stagione, 3 giorni in bassa stagione. Piscina. Nelle vicinanze tennis, maneggio, golf, ristoranti. Spazi esterni ombreggiati o attrezzati per prendere il sole. In ogni appartamento cucina con caminetto, televisione a colori, telefono, arredi eleganti. Biancheria, pulizia.

CASINA DI CORNIA

loc. Casina di Cornia • 53011 CASTELLINA IN CHIANTI
☎ 0577743052 fax 0577743059

 H 8

Posizione geografica: collina.
Periodo di apertura: tutto l'anno.
Associato a: Turismo Verde.
Presentazione: tipico fienile rurale ristrutturato offre ospitalità in 2 appartamenti composti da cucina, bagno, soggiorno e camere da letto.

Prodotti aziendali: vino Chianti classico e vini IGT, olio, ceramica di Grés con smalti a base di cenere.
Luoghi di interesse e manifestazioni locali: Chianti Classico, Siena, San Gimignano, Volterra. Mostra del vino a Pentecoste.
Prezzi: appartamento a £ 140.000 al giorno.
Note: permanenza minima 3 giorni.

CASA VECCHIA ALLA PIAZZA

loc. Casa Vecchia alla Piazza • 53011 CASTELLINA IN CHIANTI
☎ e fax 0577749754

 H 8

Posizione geografica: collina (400 m).
Periodo di apertura: tutto l'anno, chiuso in gennaio.
Presentazione: tipica costruzione rurale risalente al 1500 su 18 ettari di terreno adibito a vigneto, uliveto e bosco. Accoglie ospiti in appartamenti autonomi, con cucina, per un totale di 7 posti letto.
Prodotti aziendali: vino Chianti classico, bianco di Toscana, vin santo, grappa e olio extravergine d'oliva.
Luoghi di interesse e manifestazioni locali: Firenze, Siena, San Gimignano e i borghi del Chianti classico. Numerose sagre locali.
Prezzi: OR oltre £ 50.000 al giorno per appartamento.
Note: aree di sosta attrezzate all'aperto. Biancheria e pulizia settimanale. Animali accolti previo accordo.

IL POGGIO

Podere Poggio al Vento - Ripa D'Orcia
53023 CASTIGLIONE D'ORCIA
☎ 0577897383-0577897384 fax 0577897175

I 9

Posizione geografica: collina.
Periodo di apertura: tutto l'anno.
Associato a: Turismo Verde.
Presentazione: in casali rurali ristrutturati offre ospitalità in appartamenti da 2-4-10 posti letti.
Prodotti aziendali: olio extravergine, vino, miele. Coltivazione biologica.
Luoghi di interesse e manifestazioni locali: Siena, Montalcino, Monte Oliveto, crete senesi, Sant'Antimo, Pienza, Montepulciano, Chianciano, monte Amiata. Sagra del tordo, del raviolo, del crostino, della castagna, festa del Barbarossa, del tartufo, dell'olio.
Prezzi: alloggio fino a £ 30.000.
Note: immerso nel verde, luogo ideale per relax e passeggiate. Raccolta di asparagi, frutti di bosco, funghi, cicoria di campo. Nelle vicinanze piscine con acque termali, trekking, mountain bike, maneggio. Giochi all'aria aperta. Gli appartamenti sono tutti dotati di cucina con frigo e caminetto. Biancheria, riscaldamento, legna per caminetto, posto auto.

CASOLARE SANT'ALBERTO

Podere Sant'Alberto - bivio per Campiglia D'Orcia
s.s. Cassia km 167 • 53023 CASTIGLIONE D'ORCIA
☎ 0577897227 cell. 03382988959
E-mail:smcpe@tin.it

 I 9

Posizione geografica: collina.
Periodo di apertura: tutto l'anno.
Associato a: Terranostra e Agriturist.

Presentazione: casolare rurale su 95 ettari coltivati. Offre ospitalità in 2 camere con bagno, di cui 1 accessibile ai disabili, e in 2 appartamenti. **Luoghi di interesse e manifestazioni locali:** Pienza, Montepulciano, Montalcino, monte Amiata, attrazioni storiche, artistiche, naturali, acque termali. Festa dell'olio in dicembre, sagra della castagna in novembre, sagra del raviolo e festa del calcio in settembre, rassegna di cinema in luglio e agosto.
Prezzi: alloggio da £ 30.000 a 50.000.
Note: azienda all'interno del parco naturale della val d'Orcia. Biliardino. Spazi verdi attrezzati. Barbecue con forno a legna per grigliate all'aperto, tavoli e tettoia. Prato attrezzato per prendere il sole, mountain bike. Parcheggio coperto. Telefono a scatti, riscaldamento, biancheria, uso cucina e lavatrice. Animali accolti previo accordo.

LA RIMBECCA

loc. Rimbecca • 53023 CASTIGLIONE D'ORCIA
☎ 0577880104-0577897589

▲

Posizione geografica: collina.
Periodo di apertura: da Pasqua al 10 gennaio.
Associato a: Agriturist.
Presentazione: fabbricato medievale ristrutturato in azienda a coltivazione biologica. Offre ospitalità in vari appartamenti indipendenti da 2-4-6 posti

letto, dotati di cucina con tutti gli accessori, biancheria, bagno, televisione e frigorifero.
Prodotti aziendali: olio.
Luoghi di interesse e manifestazioni locali: Pienza, Montepulciano, Bagno Vignoni Terme, San Filippo, Chianciano. Concerti in Terra di Siena, festa del Barbarossa in giugno, festa dell'olio in dicembre.
Prezzi: alloggio da £ 35.000 a 50.000.
Note: permanenza minima 3 giorni. Osservazione ambientale. Vicinanza fiumi. Posizione panoramica sulla valle dell'Orcia. Lago aziendale.

IL POZZO

s.s. 323 km 3 • 53023 CASTIGLIONE D'ORCIA
☎ e fax 0577887210 cell. 03355927730

▲

Posizione geografica: collina.
Periodo di apertura: tutto l'anno.
Presentazione: antico casolare in azienda di 30 ettari coltivati a cereali, vigneto e oliveto. Allevamento di cavalli Appaloosa. Offre ospitalità in 2 miniappartamenti dotati di cucina attrezzata, televisione, riscaldamento, per un totale di 5 posti letto.
Prodotti aziendali: olio, frutta, verdura, vino.
Luoghi di interesse e manifestazioni locali: Pien-

za, Siena, Montalcino, Castiglione d'Orcia, torri e borghi medioevali, Bagno Vignoni, Bagno San Filippo con le acque termali. Sagra del crostino (agosto), festa dell'olio.
Prezzi: alloggio da £ 40.000 a 60.000.
Note: azienda all'interno del parco naturale della Val d'Orcia, ideale per relax e passeggiate. Prato attrezzato per prendere il sole. Vecchia porcilaia ristrutturata con forno e caminetto per grigliate. Biancheria, posto auto. Animali accolti previo accordo.

POGGIO AL VENTO

Podere Poggio al Vento, 7 - Ripa d'Orcia
53023 CASTIGLIONE D'ORCIA
☎ e fax 0577897384

▲

Posizione geografica: collina (500 m).
Periodo di apertura: tutti i giorni.
Associato a: Turismo Verde.
Presentazione: tipica costruzione rurale del '600. Offre ospitalità in 1 appartamento dotato di servizi per un totale di 6 posti letto e in 3 miniappartamenti indipendenti con servizi e 6 posti letto.
Ristorazione: prima colazione a richiesta.
Prodotti aziendali: vino, olio, miele, uova, confetture.
Luoghi di interesse e manifestazioni locali: abbazie e borghi medievali, stazioni termali, enoteche. Sagra del tordo, del miele, del crostino, del raviolo, della castagna, del tartufo, dell'olio, del cacio.
Prezzi: alloggio da £ 35.000 a 50.000.
Note: accessibile ai disabili. Ideale per relax e passeggiate naturalistiche. Raccolta di asparagi, frutti di bosco, funghi, cicorie selvatiche. Posizione panoramica con terrazzo, giochi all'aria aperta. Caminetto e barbecue per grigliate. Osservazione ambientale. Nelle vicinanze, piscine con acque termali e mountain bike. Biancheria, riscaldamento, posto auto. Si accolgono animali da compagnia.

S. ANSANO

podere S. Ansano, 12 • loc. Gallina
53023 CASTIGLIONE D'ORCIA
☎ e fax 0577880248 abit. 0578748477
E-mail:cgnfran@tin.it

▲

Posizione geografica: collina.
Periodo di apertura: tutto l'anno.
Presentazione: azienda di 80 ettari con coltivazioni di cereali, legumi e girasoli. Accoglie ospiti in 3 appartamenti, arredati con mobili in stile toscano e dotati di ogni comfort, per un totale di 9 posti letto.
Luoghi di interesse e manifestazioni locali: centri storici e piccoli borghi come Castiglione d'Orcia, San Quirico, Pienza e paesi termali come Bagni San Filippo, Bagni Vignoni e Chianciano Terme.
Prezzi: OR da £ 45.000 a 60.000 al giorno per persona.
Note: permanenza minima di una notte. Grazioso laghetto per la pesca sportiva, piscina e solarium attrezzati con ombrelloni, sdraio e doccia. Riscaldamento autonomo e TV satellitare. Barbecue. Mountain bike e possibilità di escursioni sul monte Amiata. Cambio biancheria, pulizie finali comprese. Animali accolti previo accordo.

CASA VECCHIA

s.s. 321 Est, 49 • 53040 CETONA
☎ 0578238383 cell. 03391837211

▲ I 10

Posizione geografica: collina.
Periodo di apertura: tutto l'anno.
Presentazione: tipico casale toscano immerso nel verde ai piedi del monte Cetona. Accoglie ospiti in 2 appartamenti in stile rustico, con ampio terrazzo attrezzato e una magnifica vista panoramica, per un totale di 6 posti letto.
Luoghi di interesse e manifestazioni locali: museo e grotte preistoriche a Cetona, terme di Chianciano a 15 km, terme di San Casciano dei Bagni a 20 km, cantine di Montepulciano a 25 km, Pienza a 45 km. Giostra del Saracino a Sarteano, palio di Siena.
Prezzi: appartamenti da £ 140.000 a 280.000 al giorno. OR da £ 50.000 a 60.000 a persona. Sconti per soggiorni settimanali.
Note: possibilità di solo pernottamento. Ampi spazi verdi. Maneggio e corsi di pattinaggio a Cetona, pesca sportiva a 7 km. Viene fornita biancheria per bagno, camera e cucina. Riscaldamento autonomo. Barbecue, parcheggio. Non si accolgono animali.

SPAZZAVENTO

strada di Salci - loc. Spazzavento • 53040 CETONA
☎ 0578226551-0578227475-0578244014

▲ I 10

Posizione geografica: collina.
Periodo di apertura: tutto l'anno.
Associato a: Vacanze Verdi e Agriturist.
Presentazione: tipica costruzione rurale su 30 ettari coltivati a cereali, vigneto, oliveto. Accoglie ospiti in 4 appartamenti con riscaldamento per un totale di 20 posti letto.
Prodotti aziendali: vino, olio, marmellate.
Luoghi di interesse e manifestazioni locali: Pienza, Montepulciano, Cetona, Siena, Arezzo, Cortona. Festa del vino, mostra auto d'epoca, palio delle torri, mercati e sagre.
Prezzi: alloggio da £ 80.000 a 150.000.
Note: permanenza minima 2 notti. Ideale per soggiorno relax e passeggiate naturalistiche. Raccolta di funghi. Prato attrezzato per prendere il sole, giochi all'aria aperta. Biancheria. Animali accolti previo accordo.

LA CHIUSA

loc. La Chiusa • 53012 CHIUSDINO
☎ 0577750204 fax 0577750380

▲ I 6

Posizione geografica: collina.
Periodo di apertura: tutto l'anno.
Associato a: Turismo Verde.
Presentazione: tipica costruzione rurale toscana su 50 ettari coltivati a ortaggi, frutteto, vigneto e oliveto. Allevamento di bovini e di suini. Offre ospitalità in 2 appartamenti da 140 m² ciascuno composti da cucina completamente attrezzata, 2 bagni, caminetto, riscaldamento autonomo, posto auto, per un totale di 12 posti letto.
Prodotti aziendali: vino, olio, ortaggi, frutta, uova, salumi.
Luoghi di interesse e manifestazioni locali: abbazia di San Galgano, Siena, San Gimignano, Follonica, Massa Marittima, ter-

me, museo del bosco, parco archeologico-minerario. Sagra del ciaccino in agosto, sagra del dolce in settembre.
Prezzi: rivolgersi direttamente all'azienda.
Note: l'azienda è inserita in area protetta e riserva faunistica. Corsi di panificazione, giardinaggio. Osservazione ambientale. Per i bambini osservazione animali della fattoria e quelli selvatici (lepri, caprioli ecc.), corsi di equitazione, trekking, mountain bike. Raccolta castagne e funghi. Prato per prendere il sole, resti archeologici su terreno aziendale. Fiume a 400 m. Biancheria, pulizia. Animali accolti previo accordo.

POGGIOCORBO

loc. Montalcinello • 53012 CHIUSDINO
☎ 0577798096

▲ I 6

Posizione geografica: collina.
Periodo di apertura: da aprile a settembre.
Associato a: Turismo Verde.
Presentazione: tipica costruzione rurale su 28 ettari coltivati a girasoli, prati e bosco.

Offre ospitalità in 2 appartamenti dotati di bagno con doccia, angolo cottura, forno a legna, da 5 posti letto ciascuno.
Luoghi di interesse e manifestazioni locali: abbazia di San Galgano, Siena, Volterra. "Sagra del dolce" a Montalcinello in settembre.
Prezzi: alloggio fino a £ 30.000.
Note: accessibile agli handicappati. Permanenza minima 1 settimana. Ideale per soggiorno relax e passeggiate. Solarium. Nelle vicinanze maneggio e tennis. Piscina, giochi all'aria aperta. Osservazione ambientale. Ristoranti nei dintorni. Animali accolti previo accordo.

LA PIEVE

loc. Campiglia - La Pieve • 53034 COLLE VAL D'ELSA
☎ 0577959121 fax 0577948111

▲ H 7

Posizione geografica: collina.
Periodo di apertura: da maggio a settembre.
Associato a: Terranostra.
Presentazione: tipica costruzione rurale su 27 ettari coltivati a cereali, vigneto, oliveto, bosco. Accoglie ospiti in 4 appartamenti autonomi dotati di bagno, cucina con frigo, televisione a richiesta, parcheggio, per un totale di 16 posti letto.
Prodotti aziendali: olio.

Luoghi di interesse e manifestazioni locali: pievi romaniche, San Gimignano, Volterra, Siena, Colle Val d'Elsa. Sagre e feste di paese.
Prezzi: alloggio da £ 30.000 a 50.000. Sconto 10% per bambini fino a 10 anni.

Note: prenotazione obbligatoria. Ideale per relax e passeggiate. Piscina. Raccolta di funghi e frutti di bosco. Nelle vicinanze piscina olimpionica, maneggio, tennis, ristoranti. Prato e terrazzo per prendere il sole. Biancheria.

LA CROCIONA

loc. La Croce • 53024 MONTALCINO
☎ e fax 0577848007-0577847133 E-mail:crociona@tin.it

Posizione geografica: collina (490 m).
Periodo di apertura: tutto l'anno.
Associato a: Agriturist.
Presentazione: tipica costruzione rurale su 47 ettari coltivati a oliveto e vigneto. Offre ospitalità in 5 appartamenti per un totale di 14 posti letto, con possibilità di letti aggiunti.
Prodotti aziendali: vino Brunello di Montalcino D.O.C.G., rosso di Montalcino D.O.C. e vin santo, olio extravergine d'oliva, grappa, miele, rosolio.
Luoghi di interesse e manifestazioni locali: abbazia di Sant'Antimo, Siena, Montalcino, Pienza, Monte Oliveto, val d'Orcia, mare a 70 km. Sagra del tordo, rievocazioni storiche, feste gastronomiche, festa del tartufo e dell'antiquariato.
Prezzi: alloggio da £ 50.000 a 80.000.
Note: a 3 km dal centro di Montalcino, ideale per relax e passeggiate. L'azienda è dotata di un salone convegni per 35/40 persone utilizzabile per conferenze, meeting, party e degustazioni, a richiesta servizio di ristorazione. Raccolta di asparagi, castagne, frutti di bosco, funghi. Solarium, ping-pong, piscina, trekking e passeggiate. Nelle vicinanze tennis, cinema, ristorante (a 200 m) e norcineria (a 50 m). Degustazione dei vini aziendali, corsi di cucina toscana, di storia dell'arte, di italiano. Biancheria, pulizia, riscaldamento, posto auto. Telefono pubblico. Animali accolti previo accordo.

PIETROSO

loc. Pietroso • 53024 MONTALCINO
☎ 0577848573-0577847129 fax 0577848573
cell. 03494632460

Posizione geografica: collina.
Periodo di apertura: tutto l'anno.
Associato a: Terranostra.
Presentazione: costruzione su area coltivata a oliveto. Offre ospitalità in 2 camere con bagno e

in 1 appartamento con 3 posti letto, bagno, cucina.
Prodotti aziendali: vini (Brunello e rosso di Montalcino), olio, grappa di Brunello.
Luoghi di interesse e manifestazioni locali: Montalcino (a 800 m), Pienza, Montepulciano, Siena, abbazia di Sant'Antimo. Sagra del tordo in ottobre, festa del miele in settembre, festa di apertura della caccia in agosto.
Prezzi: camera matrimoniale a £ 70.000 al giorno e £ 350.000 la settimana, appartamento £ 90.000 al giorno e £ 500.000 la settimana.
Note: luogo ideale per relax e passeggiate. Biancheria, riscaldamento.

IL COCCO

loc. Villa a Tolli • 53024 MONTALCINO ☎ e fax 0577285086

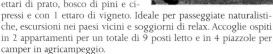

Posizione geografica: collina (610 m).
Periodo di apertura: da Pasqua a ottobre, solo su prenotazione.
Associato a: Agriturist.
Presentazione: tipica costruzione rurale in pietra in azienda con 6 ettari di prato, bosco di pini e cipressi e con 1 ettaro di vigneto. Ideale per passeggiate naturalistiche, escursioni nei paesi vicini e soggiorni di relax. Accoglie ospiti in 2 appartamenti per un totale di 9 posti letto e in 4 piazzole per camper in agricampeggio.
Prodotti aziendali: confetture di frutta, miele, olio, vino e pollame.
Luoghi di interesse e manifestazioni locali: pieve romanica, musei. Festival della musica a luglio, fiera del miele a settembre, sagra del tordo e del Brunello a ottobre.
Prezzi: OR da £ 30.000 a 50.000.
Note: biancheria e riscaldamento esclusi, elettricità e gas inclusi. Soggiorno minimo 3 giorni. Nella vicinanze piscina, mountain bike, parapendio, tennis e trekking. Colloqui rustici. Raccolta di more, funghi e tartufi.

PODERE PODERUCCIO

loc. Sant'Angelo in Colle • 53020 MONTALCINO
☎ 0577844052 fax 0577844150

Posizione geografica: collina.
Periodo di apertura: da Pasqua a novembre.
Presentazione: tipica costruzione rurale tra oliveto e vigneto. Accoglie ospiti in 7 camere con bagno.
Prodotti aziendali: olio, vino.
Luoghi di interesse e manifestazioni locali: cattedrale romanica di Sant'Antimo, Pienza, San Quirico d'Orcia, monte Amiata. Sagra del tordo in ottobre.
Prezzi: alloggio a £ 75.000 a persona.
Note: terrazza panoramica. Si ospitano solo adulti. Mare a 30 minuti d'auto. Gestione familiare. Piscina, campo bocce. Televisione e frigorifero in camera, parcheggio, sala comune, ingressi indipendenti, mobili rustici, biancheria, pulizia.

LA CASA DELLE QUERCE
ALPHA 3

via di Setinaiola, 1 - loc. Cervognano - fraz. Acquaviva
53040 MONTEPULCIANO ☎ 0578767789

Posizione geografica: collina.
Periodo di apertura: tutto l'anno.
Associato a: Agriturist.
Presentazione: immersa fra ulivi e cipressi si erge l'antica fattoria, protetta da un'enorme e secolare quercia. Il casolare è stato restaurato nel 1990 e suddiviso in appartamenti, che pur conservando le originali strutture interne, archi e vecchie pietre, offrono le più moderne comodità. Accoglie ospiti in 10 appartamenti per un totale di 19 posti letto.
Luoghi di interesse e manifestazioni locali: Siena, Montepulciano, Pienza, Arezzo, Assisi e Perugia. "Bravio delle botti" in agosto.
Prezzi: oltre £ 50.000 a persona al giorno, appartamento da £ 110.000 a 300.000 al giorno.
Note: piscina. Biancheria, acqua, gas, luce e pulizia finale compresi. Non si accolgono animali.

GREPPO

via dei Greppi, 47 - Abbadia di Montepulciano
53045 MONTEPULCIANO ☎ 0578707112

▲ I 10

Posizione geografica: collina (300 m).
Periodo di apertura: tutto l'anno.
Associato a: Agriturist, Terranostra.
Presentazione: casa rurale ristrutturata su 60 ettari coltivati a cereali, ortaggi, vigneto, oliveto. Offre ospitalità in appartamenti dotati di servizi, per un totale di 28 posti letto.
Prodotti aziendali: vino, olio, frutta e ortaggi.
Luoghi di interesse e manifestazioni locali: Montepulciano, Pienza, Siena, Arezzo, Perugia. Palio, "Bravio" e Quintana.
Prezzi: alloggio da £ 50.000 a 70.000 a persona per notte.
Note: permanenza minima 2 notti. Luogo tranquillo con ampia veduta sulla Valdichiana. Nelle vicinanze ristoranti, tennis, equitazione, discoteca. Piscina, bocce, mountain bike, ping-pong, giochi per bambini, trekking e passeggiate. Camere con bagno, biancheria, angolo cottura. Posto auto. Sala comune. Forno a legna e barbecue a disposizione.

PODERE FONTECASTELLO

via dell'Acqua Puzzola, 3 • 53045 MONTEPULCIANO
☎ e fax 0578716831 cell. 03356644419

▲ I 10

Posizione geografica: collina.
Periodo di apertura: tutto l'anno.
Presentazione: casa colonica ristrutturata nelle immediate vicinanze del centro storico. Accoglie ospiti in 3 appartamenti

di varie dimensioni, con bagno in camera, soggiorno con angolo cottura, TV, focolare, riscaldamento autonomo e spazio esterno attrezzato.
Luoghi di interesse e manifestazioni locali: Montepulciano, Siena. "Bravio delle botti" l'ultima domenica di agosto a Montepulciano, concerti e varie manifestazioni.
Prezzi: appartamento 4+2 posti letto da £ 750.000 a 850.000 a settimana, appartamento 2+2 posti letto da £ 600.000 a £ 750.000 a settimana, appartamento 2+1 posti letto da £ 550.000 a 650.000 a settimana.
Note: da maggio a settembre permanenza minima 1 settimana, periodo invernale anche solo per week-end. Piscina pubblica a 2 km, tennis pubblico a 300 m. Cambio biancheria settimanale. Animali accolti previo accordo.

PODERE FORNACE

via di Pianoia, 1 • 53045 MONTEPULCIANO
☎ 0578798352

▲ I 10

Posizione geografica: collina.
Periodo di apertura: tutto l'anno.
Associato a: Turismo Verde e A.C.I.
Presentazione: tipica costruzione rurale su area coltivata con allevamenti. Offre ospitalità in 2 appartamenti, dotati di servizi,

cucina attrezzata, frigorifero, terrazzo e posto auto.
Prodotti aziendali: olio, vino, confetture, prosciutti, carni bianche.
Luoghi di interesse e manifestazioni locali: città d'arte, terme, oasi naturali, parchi naturali, musei etruschi e reperti archeologici. Palio di Siena e "Bravio delle botti" a Montepulciano.
Prezzi: alloggio da £ 30.000 a 50.000. Sconto per bambini da concordare. Sconto del 10% a partire dalla seconda settimana.
Note: azienda inserita in una riserva naturale. Possibilità letto aggiunto per bambini. Biancheria, pulizia, riscaldamento.

BORGO DELLE MORE
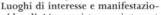

via Montenero, 18 - loc. Cervognano - fraz. Acquaviva
53045 MONTEPULCIANO ☎ e fax 0578768166

▲ I 10

Posizione geografica: collina.
Periodo di apertura: tutto l'anno.
Associato a: Agriturist.
Presentazione: tipica fattoria senese circondata da vigneti e uliveti, convertita in un centro vacanze che mantiene il giusto rapporto uomo-spazio, il rispetto dell'ambiente circostante e i caratteri principali della struttura originaria. Accoglie ospiti in 18 appartamenti forniti di ogni confort per un totale di 46 posti letto.

Luoghi di interesse e manifestazioni locali: Montepulciano e altri paesi ricchi di storia e arte. "Bravio delle botti" ad agosto.
Prezzi: appartamento da £ 110.000 a 300.000 al giorno.
Note: biancheria, acqua, gas, luce e pulizia finale. Piscina. Non si accolgono animali.

BELVEDERE

loc. Belvedere • 53014 MONTERONI D'ARBIA
☎ e fax 0577378063

▲ I 8

Posizione geografica: collina.
Periodo di apertura: tutto l'anno.
Associato a: Terranostra e Consorzio Valli Senesi.
Presentazione: costruzioni rurali ristrutturate su 125 ettari coltivati a cereali. Offre ospitalità in 5 appartamenti dotati di soggiorno, angolo cottura e caminetto, bagno, riscaldamento autonomo, parcheggio, per un totale di 15 posti letto.
Luoghi di interesse e manifestazioni locali: Siena a 7 km, palio di Siena in luglio e agosto.
Prezzi: a partire da £ 600.000 a 800.000.

Note: posizione panoramica, ideale per relax e passeggiate. Nelle vicinanze, ristoranti, trekking, mountain bike, maneggio e golf. L'azienda è situata nella zona caratteristica delle crete senesi.

VILLA RANDAGIA

loc. Villa Randagia, 46 • 53014 MONTERONI D'ARBIA
☎ 0577375678

▲ I 8

Posizione geografica: collina.
Periodo di apertura: tutto l'anno.
Associato a: Confederazione Italiana Agricoltori.
Presentazione: tipica costruzione rurale su 3 ettari coltivati a vigneto e frutteto. Offre ospitalità in 3 appartamenti con cucina e bagni, per un totale di 9 posti.
Prodotti aziendali: vino.
Luoghi di interesse e manifestazioni locali: Siena, San Gimignano, Montalcino, Pienza, Montepulciano. Palio di Siena, sagra del tordo a Montalcino.
Prezzi: alloggio da £ 30.000 a 50.000.
Note: ideale per soggiorno relax e passeggiate. Raccolta di funghi e castagne. Prato attrezzato per prendere il sole e parco fiorito. Piscina, trekking e passeggiate. Biancheria, pulizia. Animali accolti previo accordo.

AZIENDA AGRICOLA BARBI

Podere Montello, 26 • 53020 MONTICHIELLO - PIENZA
☎ e fax 0578755149 cell. 03387705202
http:www. agriturismo.regione.toscana. it

▲ I 10

Posizione geografica: collina (550 m).
Periodo di apertura: tutto l'anno.
Associato a: Turismo Verde.
Presentazione: tipiche costruzioni su 33 ettari coltivati a cereali, vigneto, oliveto. Offre ospitalità in 2 appartamenti, di cui uno con 4 posti letto e l'altro con 6 posti letto, dotati di cucina, bagno attrezzato, riscaldamento, televisione, prato.
Prodotti aziendali: olio extravergine di oliva, miele, pici, lenticchie, ceci, orzo tostato.
Luoghi di interesse e manifestazioni locali: Monticchiello, Pienza, Bagno Vignoni, Siena, Montalcino, abbazie di San Galgano, San Antimo e Monte Oliveto. "Teatro Povero di Monticchiello".
Prezzi: alloggio fino a £ 60.000.
Note: azienda interna al parco artistico naturale e culturale della Val d'Orcia. Osservazione naturale ambientale. Ideale per relax e passeggiate. Tiro con l'arco, mountain bike. Si parlano francese e inglese. Posizione panoramica. Biancheria, pulizia iniziale. Animali accolti previo accordo.

MONTORGIALINO

loc. Montorgialino Vescovado • 53016 MURLO
☎ 0368297709 – 0577814373

▲ I 8

Posizione geografica: collina.
Periodo di apertura: tutto l'anno.
Presentazione: costruzione rurale in pietra su 32 ettari coltivati a oliveto e bosco. Offre ospitalità in 2 camere con bagno e in 2 appartamenti per un totale di 14 posti letto.
Prodotti aziendali: olio.
Luoghi di interesse e manifestazioni locali: Siena, Montalcino, Pienza, Montepulciano, museo etrusco di Murlo. Sagre e feste popolari.
Prezzi: alloggio a partire da £ 75.000 compreso biancheria, pulizia, riscaldamento e uso piscina.
Note: in luglio e agosto permanenza minima 1 settimana. Piscina, trekking e passeggiate. Ideale per soggiorno relax.

FATTORIA FERRAIOLO

strada Montechiaro, 54 • 53010 PIANELLA
☎ e fax 0577363013 ☎ 0583493776

▲ H 8

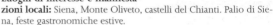

Posizione geografica: collina.
Periodo di apertura: dall'1 marzo al 15 novembre.
Associato a: Agriturist.
Presentazione: case coloniche ristrutturate e villa su 29 ettari coltivati a vigneto, oliveto e pascolo. Offre ospitalità in 3 appartamenti da 3 a 5 posti letto, per un totale di 12 posti letto.
Prodotti aziendali: olio, ortaggi.
Luoghi di interesse e manifestazioni locali: Siena, Monte Oliveto, castelli del Chianti. Palio di Siena, feste gastronomiche estive.
Prezzi: alloggio da £ 30.000 a 45.000 a persona al giorno, appartamento da £ 115.000 a 225.000 al giorno.
Note: azienda posta in zona di selvaggina protetta. Ampi spazi verdi per relax e per prendere il sole. Piscina, noleggio biciclette, trekking a piedi. Forno a legna. Si parlano francese, tedesco, inglese. Raccolta di more e funghi. Nei dintorni corsi di cucina, pesca, tennis, bar e ristoranti. Biancheria, posto auto.

PODERE CRETAIOLE

via Podere Cretaiole, 19 • 53026 PIENZA
☎ e fax 0578748378 ☎ 0578748083 cell. 03396640060

▲ I 9

Posizione geografica: collina.
Periodo di apertura: tutto l'anno.
Associato a: Agriturist, Terranostra, Touring Club, Turismo Verde, Vacanze Verdi.
Presentazione: antico casale etrusco situato in posizione panoramica sulla Val d'Orcia. Accoglie ospiti in 6 appartamenti con camino e riscaldamento autonomo.
Prodotti aziendali: olio, vino, tartufi, verdure di stagione.
Luoghi di interesse e manifestazioni locali: Pienza, Montalcino, Montepulciano, Bagno Vignoni. Fiera dei fiori in maggio, del cacio in settembre, concerti di musica classica tutto l'anno.
Prezzi: alloggio da £ 90.000 a 220.000 al giorno.
Note: accessibile agli handicappati. Prato per prendere il sole. Possibilità di praticare trekking, mountain bike e pallavolo.

Osservazioni naturalistiche e visite culturali. Parco giochi. Biancheria, pulizia finale, telefono, posto macchina. Si accolgono animali.

PODERE CERRETO

s.p. 71 per Sant'Anna in Camprena • 53026 PIENZA
☎ e fax 0578748282-0578749121

 I 9

Posizione geografica: collina.
Periodo di apertura: tutto l'anno.
Associato a: Agriturist.
Presentazione: antico casolare costruito su un promontorio roccioso, domina la vegetazione circostante. Intimamente legata all'ambiente in cui si trova inserita, l'azienda è stata ristrutturata e dotata dei comfort indispensabili pur mantenendo il proprio antico fascino. Accoglie ospiti in 3 appartamenti da 2-3-7 posti letto o in camere doppie con bagno.
Prodotti aziendali: vino, olio, ortaggi e funghi.
Luoghi di interesse e manifestazioni locali: Pienza, parco Val d'Orcia, Bagno Vignoni, Montepulciano, Montalcino. Festa dei fiori e del cacio, fiera dell'artigianato e antiquariato, serenata a Pienza, concerti di musica classica.
Prezzi: da £ 45.000 a 65.000 a persona.
Note: mountain bike ed escursioni naturalistiche. Sdraio e lettini per prendere il sole. Sala TV e riunioni. Cambio biancheria settimanale, cucina completa e posto macchina.

CASALGALLO

via Chianti Classico, 5 • 53010 QUERCEGROSSA
☎ e fax 0577328008

 H 8

Posizione geografica: collina.
Periodo di apertura: tutto l'anno.
Associato a: Terranostra.
Presentazione: costruzione rurale su area coltivata a vigneto, oliveto e bosco. Offre ospitalità in 3 camere con bagno e in 2 appartamenti.
Prodotti aziendali: vino Chianti classico, vin santo, grappa, olio extravergine d'oliva, miele.
Luoghi di interesse e manifestazioni locali: Siena, colline del Chianti, San Gimignano, Monteriggioni, Montalcino, Pienza, Volterra. Palio di Siena.
Prezzi: alloggio da £ 45.000 a 65.000.
Note: ideale per relax e passeggiate. Mountain bike. Si organizzano visite guidate alla cantina con degustazione dei propri prodotti. Pulizia, biancheria, riscaldamento, telefono in comune, uso cucina, frigorifero in camera, barbecue, posto auto.

CAPARSA

loc. Caparsino • 53017 RADDA IN CHIANTI
☎ 0577738174 fax 0577738651

▲ H 8

Posizione geografica: collina.
Periodo di apertura: tutto l'anno.
Presentazione: casa colonica su area coltivata biologicamente a vigneto. Offre ospitalità in 1 appartamento con bagno.

Prodotti aziendali: vino Chianti classico, olio extravergine d'oliva.
Luoghi di interesse e manifestazioni locali: Siena, Firenze, San Gimignano, Volterra, borghi medievali. Feste e manifestazioni vinicole e patronali.
Prezzi: rivolgersi direttamente all'azienda.
Note: ampi spazi verdi, tiro con l'arco. Visita aziendale. Posto auto.

PODERE VAL DELLE CORTI

loc. Val delle Corti, 141 • 53017 RADDA IN CHIANTI
☎ e fax 0577738215

▲ H 8

Posizione geografica: collina.
Periodo di apertura: da aprile a settembre solo su prenotazione.
Associato a: Agriturist e Turismo Verde.
Presentazione: tipica costruzione rurale in podere di 13 ettari adibito a vigneto e uliveto. Accoglie ospiti in 1 appartamento costituito da 2 camere doppie, soggiorno, cucina e bagno.
Prodotti aziendali: vino, vin santo, olio e miele.
Luoghi di interesse e manifestazioni locali: località d'interesse storico, artistico e naturalistico.
Prezzi: OR da £ 30.000 a 50.000.
Note: corsi di lingue straniere e di cucina. Nelle vicinanze tennis, equitazione e piscina. Soggiorno minimo 1 settimana. Aree aperte, parcheggio auto, biancheria, pulizia e telefono in comune. Riscaldamento escluso.

LA MONTALLA

fraz. Contignano • 53040 RADICOFANI
☎ 057852161 fax 057852141 cell. 0336700145
E-mail:montalla@krenet.it • http:www.evols.it/lamontalla

▲ L 10

Posizione geografica: collina.
Periodo di apertura: dal 15 marzo al 15 gennaio.
Associato a: Agriturist.
Presentazione: due tipiche costruzioni rurali su 113 ettari coltivati a cereali, viti, olivi. Offre ospitalità in 5 camere con bagno e in 6 appartamenti con cucina.
Prodotti aziendali: vino, olio, marmellate.
Luoghi di interesse e manifestazioni locali: Bagno Vignoni, Pienza, Montepulciano, Montalcino, monte Amiata, Radicofani, Bagno San Filippo, Chianciano Terme. Sagra del raviolo a Contignano in agosto, rievocazione della Mille Miglia a Contignano in maggio.
Prezzi: B&B £ 50.000 (camera doppia) e £ 40.000 (camera tripla). Sconto 5% per soci Agriturist, 10% per letto aggiunto.
Note: accessibile agli handicappati. Azienda inserita nel parco artistico naturale e culturale della val d'Orcia. Ideale per soggiorno relax e passeggiate. Pesca, giochi all'aria aperta, trekking e passeggiate. Piscina comunale a 200 metri. Raccolta di funghi e tartufi. Guida alle attività agricole. Disponibile sala riunioni. Nelle vicinanze tennis, bocce e ristoranti. Pulizia, riassetto, uso cucina, riscaldamento, biancheria. Animali accolti previo accordo.

BELLAVISTA

loc. Bellavista di Belforte • 53030 RADICONDOLI
☎ 0577793051 ☎ e fax 057751251

▲ H 7

Posizione geografica: collina.
Periodo di apertura: tutto l'anno.
Associato a: Agriturist.
Presentazione: azienda su 60 ettari coltivati a cereali, vigneto, oliveto. Offre ospitalità in 3 appartamenti tipici recentemente ristrutturati, per un totale di 13 posti letto.
Prodotti aziendali: uova, vino, olio.
Luoghi di interesse e manifestazioni locali: terme delle Galleraie, borghi medievali di Radicondoli e Belforte, castelli e fattorie. Rassegna di arte e musica a Radicondoli in luglio e agosto.
Prezzi: alloggio da £ 30.000 a 50.000.
Note: prenotazione minima 1 settimana in alta stagione. Ideale per soggiorno relax e per passeggiate. Raccolta di funghi e castagne. Bocce, golf, piscina. Osservazione ambientale. Aree a prato e parco di lecci e cipressi, con barbecue e tettoia per pranzi all'aperto. Nelle vicinanze bagni termali, fanghi, aerosolterapia. Lavanderia in comune, biancheria, posto auto.

CESANI

loc. Pancole, 82/d • 53037 SAN GIMIGNANO
☎ e fax 0577955084

 H 7

Posizione geografica: collina.
Periodo di apertura: tutto l'anno.
Associato a: Terranostra.
Presentazione: azienda familiare su 12 ettari di vigneto e oliveto. Offre ospitalità in 7 camere con bagno e in 1 appartamento.

Prodotti aziendali: vino, olio d'oliva, grappa.
Luoghi di interesse e manifestazioni locali: San Gimignano, Certaldo, pieve romanica di Cellole, Pisa, Firenze, Siena, Volterra. Carnevale a febbraio, stagione lirica in agosto.
Prezzi: alloggio da £ 40.000 a 60.000.
Note: è gradita la prenotazione. Trekking e passeggiate, escursioni e visite guidate, mountain bike. Si parlano inglese, francese, tedesco. Visita alle cantine e alle colture. Degustazioni enologiche guidate. Ampio giardino fiorito. Biancheria, pulizia, parcheggio coperto per moto e cicli, posto macchina, riscaldamento. Animali accolti previo accordo.

LA MORMORAIA

loc. Sant'Andrea • 53037 SAN GIMIGNANO
☎ 0577940096

 H 7

Posizione geografica: collina.

Periodo di apertura: tutto l'anno.
Presentazione: fabbricato accuratamente ristrutturato su 90 ettari coltivati a vigneto e oliveto. Offre ospitalità in 7 appartamenti e in 1 camera con bagno.
Prodotti aziendali: olio e vini pregiati.

Luoghi di interesse e manifestazioni locali: Volterra, Siena, Firenze, Pisa.
Prezzi: alloggio a partire da £ 50.000.
Note: raccolta funghi e frutti del bosco. Posizione panoramica. Ampi spazi attrezzati per mangiare all'aperto. Piscina, pesca, equitazione, mountain bike. Soggiorno, angolo cottura, camere, frigorifero, TV, parcheggio, giardino con barbecue. Telefono in comune. Arredamenti raffinati.

PODERE POGGIO AI CIELI

loc. Santa Maria, 21/B • 53037 SAN GIMIGNANO
☎ 0577950312 fax 0577950081 cell. 03487756876

▲ **H 7**

Posizione geografica: collina.
Periodo di apertura: tutto l'anno.
Presentazione: tipica costruzione rurale su 12 ettari coltivati a cereali, vigneto, oliveto, frutteto. Offre ospitalità in 2 camere con bagno e

in 5 appartamenti per un totale di 13 posti letto.
Prodotti aziendali: vini D.O.C.G. (Vernaccia di San Gimignano e Chianti), vin santo D.O.C. del Chianti, olio extravergine d'oliva, frutta e verdura di stagione.
Luoghi di interesse e manifestazioni locali: San Gimignano, Certaldo, Volterra, Colle Val d'Elsa, Monteriggioni, Firenze, Siena, Pisa, Lucca. Festa di Santa Fina a marzo, festa medievale "Mercantia" in luglio.
Prezzi: alloggio da £ 35.000 a 60.000. Lettino gratuito.
Note: ideale per relax, passeggiate, itinerari turistici. Percorso naturalistico didattico, visite guidate alle attività aziendali e degustazione. Piscina, ping-pong. Parco giochi per bambini. Maneggio nelle vicinanze. Grill e forno a legna. Sala comune con telefono e TV satellitare. Riscaldamento autonomo, biancheria, pulizia, lavanderia con stireria. Si accolgono animali.

PODERE SIGNANO

loc. Santa Margherita • 53037 SAN GIMIGNANO
☎ 0577941677

▲ **H 7**

Posizione geografica: collina.
Periodo di apertura: tutto l'anno.
Presentazione: costruzione colonica su 45 ettari coltivati a vigneto. Accoglie ospiti in 2 camere con bagno.
Prodotti aziendali: vino.
Luoghi di interesse e manifestazioni locali: colline del Chianti, Firenze, Siena, Volterra, Montalcino. Carnevale e sagre estive.
Prezzi: B&B a partire da £ 80.000 con prima colazione a richiesta (supplemento £ 5.000 a persona).
Note: ideale per soggiorni di relax e passeggiate naturalistiche. Sala comune, biancheria, riscaldamento, posto auto. Animali accolti previo accordo.

MONCHINO

loc. Casale, 12 • 53037 SAN GIMIGNANO
☎ 0577941136 fax 0577943042

▲ H 7

Posizione geografica: collina.
Periodo di apertura: dal 20 marzo al 10 novembre.
Presentazione: nucleo architettonico del XIII secolo con case coloniche su area coltivata. Ottima ristrutturazione e arredo. Offre ospitalità in 10 camere con bagno.
Prodotti aziendali: vini pregiati (Chianti e Vernaccia), olio extravergine, grappa.
Luoghi di interesse e manifestazioni locali: Firenze, Siena, San Gimignano. Feste e sagre estive.
Prezzi: camera doppia da £ 105.000 a 140.000. Colazione a £ 9.500 per persona.
Note: posizione panoramica. Ideale per relax, passeggiate e trekking, piscina, escursioni e visite guidate. Maneggio e ristoranti nelle vicinanze. Visita guidata alla cantina. Frigobar.

IL PODERINO LA FIDANZA

loc. Contennaro, 16 • 53037 SAN GIMIGNANO
☎ 0577941565 fax 0577942037

▲ H 7

Posizione geografica: collina.
Periodo di apertura: tutto l'anno.
Presentazione: oasi di pace immersa nel verde dei vigneti. Accoglie ospiti in 3 appartamenti per un totale di 12 posti letto e in 4 camere doppie.

Prodotti aziendali: vino e olio.
Luoghi di interesse e manifestazioni locali: San Gimignano, Volterra, Colle Val d'Elsa, Monteriggioni, Siena. Cantine del Chianti e della Vernaccia. Estate musicale, palio di Siena, Cinefestival.
Prezzi: OR £ 50.000 per persona.
Note: accessibile agli handicappati. Possibilità di aggiungere un terzo letto per bambini. È gradita la prenotazione. Piscina, trekking e tennis. Giochi all'aria aperta. Biancheria, uso cucina, frigorifero, riscaldamento, sala comune e posto macchina.

TENUTA TORCIANO

via Crocetta, 18 - loc. Ulignano • 53030 SAN GIMIGNANO
☎ 0577950055 fax 0577950161
E-mail: torciano@torciano.com • http:www.torciano.com

▲ H 7

Posizione geografica: collina.
Periodo di apertura: tutto l'anno.
Presentazione: appartamenti e camere in fattoria completamente ristrutturati, con arredamento prestigioso e raffinato. Le

cantine per l'invecchiamento dei vini in barriques e la sala degustazione vini sono a disposizione degli ospiti. Accoglie ospiti in camere e appartamenti, tutti con telefono.
Ristorazione: convenzionato con un ristorante tipico locale.
Prodotti aziendali: Vernaccia di San Gimignano, Chianti, vini rossi con invecchiamento in barriques, vin santo, olio di oliva, olio aromatico, aceto balsamico, tartufi, salse ai funghi porcini e miele.
Luoghi di interesse e manifestazioni locali: San Gimignano, Firenze, Siena, Volterra, Pisa e Lucca.
Prezzi: OR £ 55.000.
Note: fiume per la pesca, trekking a cavallo, mountain bike e passeggiate. Ampio giardino con area solarium e piscina. Si accettano carte di credito. Disponibili fax e internet. Assistenza 24 ore su 24. Riscaldamento, frigo bar, televisione, macchina per l'espresso, biancheria, pulizia e parcheggio privato.

IL MATTONE

loc. Mattone - strada per Ulignano • 53037 SAN GIMIGNANO
☎ e fax 0577950075

▲ H 7

Posizione geografica: collina.
Periodo di apertura: tutto l'anno.
Presentazione: il complesso, in vista della città medievale di San Gimignano, offre ospitalità in due fabbricati recentemente ristrutturati, in cui sono state

ricavate 10 camere con bagno dotate di ogni confort, arredate con elementi originali, pergolato e piccoli giardini attrezzati, e in 2 miniappartamenti, per un totale di 23 posti letto. L'azienda dispone di vigneti D.O.C.G. Chianti e Vernaccia di San Gimignano, uliveti, terreni a seminativo e appezzamenti di bosco.
Prodotti aziendali: vino e olio.
Luoghi di interesse e manifestazioni locali: San Gimignano, Firenze, Siena, Pisa, Volterra, Certaldo, Colle Val d'Elsa, Monteriggioni.
Prezzi: £ 160.000 a camera al giorno (servizi inclusi).
Note: soggiorno minimo 3 giorni. Auditorio per concerti e iniziative culturali. Piscina con solarium, campo da tennis, bocce, piccolo laghetto. Maneggio a 1,5 km. Cambio biancheria settimanale. Sala comune, barbecue, parcheggio coperto. Non si accolgono animali.

RIGUARDINO IL COLLE

via Dante Alighieri, 68 • 53027 SAN QUIRICO D'ORCIA
☎ 0577897562 fax 0577897197

▲ I 9

Posizione geografica: collina.
Periodo di apertura: tutto l'anno.
Presentazione: casa colonica in mattoni con oliveto e vigneto. Offre ospitalità in 1 appartamento per un totale di 6 posti letto.
Prodotti aziendali: olio e vino.
Luoghi di interesse e manifestazioni locali: Pienza, Chianciano,

Siena, Bagni Vignoni, abbazia Monte Oliveto, Montalcino, San Antimo. Festa del Barbarossa in giugno, sagra dell'olio in novembre, manifestazioni artistiche varie.

Prezzi: alloggio settimanale da £ 600.000 a 800.000.

Note: zona panoramica, ampio loggiato coperto, spazi verdi per passeggiate e per prendere il sole. Nelle vicinanze piscina, tennis, terme, ristoranti.

PODERE SCANNELLI
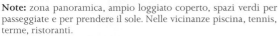

53027 SAN QUIRICO D'ORCIA
☎ 0577834193 - 065894148

▲ I 9

Posizione geografica: collina (400 m).
Periodo di apertura: da aprile a settembre.
Presentazione: antico casolare ristrutturato, presente negli archivi di Siena dal 1776, situato nel cuore delle crete senesi, gode di un'ottima posizione panoramica. La produzione aziendale è totalmente olivicola. Accoglie ospiti in 6 camere, con bagno, per un totale di 11 posti letto.
Luoghi di interesse e manifestazioni locali: Montalcino. Mostra mercato piante e fiori a metà maggio, teatro povero nella seconda metà di luglio, fiera del cacio pecorino la prima domenica di settembre, festa del Barbarossa a giugno.
Prezzi: OR stanza singola fino a £ 100.000, stanza doppia fino a £ 160.000.
Note: ping-pong e piscina. Cambio biancheria. Non si accolgono animali.

SANT'ANGELO

via di Chianciano, 120 • 53047 SARTEANO
☎ 0587265927-055571692

▲ I 10

Posizione geografica: collina.
Periodo di apertura: tutto l'anno.
Associato a: Agriturist.
Presentazione: appartamento recentemente ristrutturato in un complesso di case coloniche che nel XV secolo era un piccolo convento. Accoglie ospiti in 5 appartamenti da 5-4-3-2 posti letto, con soggiorno, bagno con doccia e cucinotto completo in vano separato.
Prodotti aziendali: vino Chianti e olio extravergine d'oliva.
Luoghi di interesse e manifestazioni locali: Montepulciano, Pienza, Siena e Perugia. Giostra del Saracino ad agosto.
Prezzi: OR fino a £ 30.000.
Note: soggiorno minimo 1 settimana, possibilità di soggior-

nare per il fine settimana in bassa stagione. Piscina e 4.000 m² di prato all'inglese. Possibilità di praticare equitazione. Biancheria, riscaldamento, parcheggio coperto e barbecue.

MOGGIANO

via Moggiano, 3 • 53047 SARTEANO
☎ e fax 0587265349 ☎ 0587265595 cell. 03472616349

▲ I 10

Posizione geografica: collina.
Periodo di apertura: tutto l'anno.
Associato a: TCI.
Presentazione: antico casale in pietra, in posizione panoramica, restaurato con criteri conservativi. Suddiviso in 4 appartamenti, completamente autonomi e ben arredati, uno dei quali costituito da grande ingresso-soggiorno con angolo cottura, 2 camere matrimoniali, 1 doppia, 1 singola e 2 bagni con doccia; i rimanenti costituiti da ingresso-soggiorno con angolo cottura, 1 camera doppia, 1 matrimoniale e bagno con doccia.
Prodotti aziendali: vino e olio.
Luoghi di interesse e manifestazioni locali: Chiusi, Sarteano, Montepulciano, Pienza, San Casciano B., Cetona, Chianciano, Cortona e Montalcino. Giostra del Saracino, palio di Siena e numerose sagre.
Prezzi: OR da £ 100.000 a 200.000 giornaliere per appartamento. Sconto del 50% per letto aggiunto. Trattamento particolare in bassa stagione.
Note: accessibile ai portatori di handicap. Piscina, trekking, ping-

pong. Prato e sdraio per prendere il sole. Giochi all'aria aperta. Raccolta di castagne, funghi e frutti di bosco. Biancheria. Animali accolti previo accordo.

PODERE DEL PERETO

loc. Pereto • 53040 SERRE DI RAPOLANO
☎ 0577704371-0577704719

▲ H 8

Posizione geografica: collina.
Periodo di apertura: tutto l'anno.
Presentazione: azienda agricola a coltivazione biologica di cereali, legumi, oliveto e vigneto. Offre ospitalità in 3 appartamenti da 4 posti letto ciascuno.
Prodotti aziendali: legumi, olio d'oliva, girasoli, vino, miele, cereali.
Luoghi di interesse e manifestazioni locali: Siena, Firenze, Arezzo, Perugia, borghi della Toscana e dell'Umbria, stabilimenti termali. Festa ciambragina medievale a maggio, sagra del cinghiale in aprile e settembre.
Prezzi: alloggio a da £ 30.000 a 50.000. Sconto del 10% per bambini fino a 10 anni.
Note: ideale per soggiorno di relax e itinerari artistici. Ampi spazi all'aperto attrezzati con tavoli a disposizione. Piscina. Biancheria, riscaldamento, posto macchina.

GHINI ROBERTA

loc. Camugnano, 112
53040 SERRE DI RAPOLANO
☎ e fax 0577704488 cell. 03683450755

 △ H 8

Posizione geografica: collina.
Periodo di apertura: tutto l'anno.
Presentazione: l'azienda alleva bovini, suini e animali da cortile e produce olio e vino. Accoglie ospiti in 1 appartamento indipendente composto da cucina con camino, 1 camera matrimoniali con bagno e giardino e 1 camera tripla.
Prodotti aziendali: olio, vino, ortaggi, uova, confetture e animali da cortile.
Luoghi di interesse e manifestazioni locali: stabilimento termale aperto da aprile a novembre, fiera dell'antiquariato il primo fine settimana di ogni mese, rievocazione medioevale la 2ª settimana di maggio, "Solstizio d'Estate".
Prezzi: alloggio a £ 60.000 per persona a notte, £ 120.000 camera matrimoniale. Sconto del 60% per bambini da 3 a 7 anni. Riduzioni per soggiorni settimanali.
Note: è possibile pernottare per una sola notte. Piscina. Cambio biancheria. Animali accolti previo accordo.

FULLINO NERO

via Petriccio e Belriguardo, 168 • 53100 SIENA
☎ 0577685524 fax 0577686480

 △ H 8

Posizione geografica: collina.
Periodo di apertura: tutto l'anno.
Associato a: Terranostra.
Presentazione: antica casa colonica ristrutturata su 8 ettari coltivati a cereali, oliveto, vigneto e bosco. Offre ospitalità in appartamenti da 5 posti letto dotati di camere con bagno, cucina e soggiorno.
Luoghi di interesse e manifestazioni locali: pievi e castelli medievali, Siena, Montagnola. Palio di Siena in luglio e agosto, concerti all'Accademia Chigiana, musei, sagre e spettacoli teatrali.
Prezzi: alloggio da £ 40.000 a 55.000 a persona al giorno. Sconto del 20% per bambini fino a 10 anni e per soggiorni di una settimana o più.
Note: prenotazione obbligatoria, permanenza minima 3 giorni. Ampio giardino attrezzato. Esposizione di antichi attrezzi agricoli, informazioni sulle antiche ricette di cucina locale, itinerario botanico. Raccolta di frutti e fiori di bosco, erbe aromatiche e di campo. Prato attrezzato per prendere il sole. Giochi all'aria aperta, trekking e passeggiate, escursioni e viste guidate, mountain bike. Nelle vicinanze ristoranti, cinema, teatro. Biancheria, pulizia, riscaldamento.

CASTELLO DI GROTTI

via dei Pratini - fraz. Orgia • 53018 SOVICILLE
cell. 0337458860 - 03356142181 fax 0657301003
E-mail:castellogrotti@mclink.it

 △ H 8

Posizione geografica: collina.
Periodo di apertura: tutto l'anno.
Presentazione: accoglie ospiti in appartamenti con tinello-cucina e salotto, con a disposizione una comoda area comune e il giardino adiacente al magnifico parco del Castello di Grotti.
Prodotti aziendali: olio.
Luoghi di interesse e manifestazioni locali: Siena (12 km), crete senesi, Monte Oliveto, Pienza, visite a siti archeologici.
Prezzi: da £ 1.200.000 a 1.800.000 a settimana. Per periodi minori prezzi da concordare.

Note: soggiorni di relax. Periodo minimo di soggiorno 2 notti. Trekking, passeggiate, mountain bike, bagni nel fiume Merse. Maneggio a 4-5 km, piscina nelle vicinanze. Cambio biancheria settimanale, lavanderia. Animali accolti previo accordo.

PODERE "LE CAGGIA"

loc. Celsa • 53018 SOVICILLE
☎ 0577317023

△ H 8

Posizione geografica: alta collina.
Periodo di apertura: tutto l'anno.
Associato a: Turismo Verde.
Presentazione: tipico podere toscano su 22 ettari coltivati biologicamente a cereali, orto, lecci e castagni. Offre ospitalità in 2 appartamenti, con 4 e 2 posti letto.
Prodotti aziendali: verdure biologiche.
Luoghi di interesse e manifestazioni locali: Siena, San Gimignano, pievi romaniche. Sagre e feste estive.
Prezzi: alloggio fino a £ 35.000.
Note: ideale per relax e passeggiate nel bosco di proprietà. Raccolta di castagne e funghi. Fiume a 15 km. Corsi di tai chi a richiesta. Nelle vicinanze equitazione. Prato per prendere il sole. Ogni appartamento è dotato di ingresso indipendente, bagno, lavanderia comune, cucina attrezzata, lavatrice.

MARCO SMEDILE

loc. Montioni - San Rocco a Pili • 53018 SOVICILLE
☎ 0577342016 fax 0577342191

 △ H 8

Posizione geografica: collina.
Periodo di apertura: tutto l'anno.
Associato a: Agriturist.
Presentazione: l'azienda, di 100 ettari coltivati a cereali, sorge sulle colline tra il fiume Merse e le antiche terme di Petroiolo,

circondata da boschi con castelli e torri medioevali. L'antica villa offre ospitalità in 6 appartamenti, per un totale di 21 posti letto.
Luoghi di interesse e manifestazioni locali: costiera maremmana, Siena, San Gimignano, Montalcino. Palio di Siena in luglio e agosto.
Prezzi: alloggio da £ 40.000 a 50.000 a persona.
Note: ampio giardino attrezzato. Piscina, pesca. Raccolta di funghi e frutti di bosco. Vicinanza fiume. Nei dintorni tennis, equitazione, ristorante e pizzeria. Biancheria, pulizia. Si parlano inglese e tedesco. Animali accolti previo accordo.

LE CAPANNE DI SOPRA

fraz. Montefollonico • 53049 TORRITA DI SIENA
☎ 0577669456 – 0635341578

▲ I 10

Posizione geografica: collina.
Periodo di apertura: da aprile a ottobre.
Associato a: Agriturist.
Presentazione: due costruzioni rurali su 5 ettari coltivati a oliveto,
vigneto, frutteto, bosco. Offre ospitalità in 2 casali attrezzati con 6 posti letto ciascuno.
Prodotti aziendali: vino.
Luoghi di interesse e manifestazioni locali: Montepulciano, Pienza, Montalcino, Cortona, monte Oliveto, Chiusi, Montichiello, monte Amiata. "Teatro Povero" a Montichiello in agosto, "Cantiere Internazionale" a Montepulciano in luglio e agosto, "Il Bruscello" a Montepulciano in agosto, Festival Internazionale a Cortona.
Prezzi: appartamento per 1 settimana da £ 800.000 a 1.200.000 secondo la stagione.
Note: ambiente tranquillissimo, ideale per soggiorno relax, passeggiate, ciclismo. Posizione panoramica. A 1 km da Montefollonico, dotato di ogni servizio. Nella zona è possibile acquistare formaggi e altri prodotti genuini. Cambio biancheria settimanale.

FATTORIA "LA SELVA"

loc. La Selva • 53020 TREQUANDA
☎ e fax 0577662017-057747833

▲ I 9

Posizione geografica: collina.
Periodo di apertura: da Pasqua a dicembre.
Associato a: Agriturist.
Presentazione: antica costruzione rurale ristrutturata su 212 ettari coltivati a cereali e oliveto. Offre ospitalità in appartamenti da 2-4-6-7 posti letto con bagni e cucina.
Prodotti aziendali: olio extravergine.
Luoghi di interesse e manifestazioni locali: Monte Oliveto, Pienza, Montalcino, Montepulciano, Cortona, Siena. Palio di

Siena, "Bravio delle botti" a Montepulciano, concerti a Trequanda, sagra del tartufo a San Giovanni d'Asso.
Prezzi: alloggio da £ 30.000 a £ 50.000 e oltre. Per settimana da £ 400.000 a 1.735.000.
Note: permanenza minima 3 giorni. Fattoria inserita nella zona delle crete senesi. Osservazione ambientale, degustazione vino. Ping-pong, piscina, giochi all'aria aperta, mountain bike. Telefono in comune.

LA FONTE DI TREQUANDA

via Buggea, 52 • 53020 TREQUANDA
☎ e fax 0577662028 (periodo estivo)
0577687383 (periodo invernale)

▲ I 9

Posizione geografica: collina.
Periodo di apertura: tutto l'anno.
Presentazione: tipico piccolo podere di 3 ettari della mezzadria toscana, abitato da contadini fino agli anni '60. Ristrutturato nel rispetto dei canoni architettonici, l'ambiente mantiene il suo antico fascino pur essendo dotato di ogni confort.

Prodotti aziendali: olio, vino, ortaggi, frutta, uova, polli, conigli e piccioni.
Luoghi di interesse e manifestazioni locali: nei pressi delle mete classiche del turismo di umbria e toscana. Festa patronale a maggio.
Prezzi: OR da £ 45.000 a 70.000.
Note: nei mesi di luglio e agosto soggiorno minimo 1 settimana. Ristorante tipico nelle vicinanze. Possibilità di escursioni a piedi o in bicicletta ed equitazione.

PODERE MISCIANELLO

loc. Miscianello • 53010 VAGLIAGLI
☎ 0577356840 fax 0577356640
E-mail:miscianello@si.tdnet.it
http:www.si.tdnet.it/miscianello

▲ H 8

Posizione geografica: collina (371 m), a 7 km da Siena.
Periodo di apertura: tutto l'anno.
Associato a: Agriturist.
Presentazione: piccolo borgo di case coloniche su 50 ettari coltivati a oliveto e vigneto. Accoglie ospiti in appartamento arredato con mobili toscani di fine secolo e dotato di soggiorno, 2 camere doppie, bagno con doccia, cucina-soggiorno con camino, frigorifero, biancheria, telefono, giardino, posto auto.
Prodotti aziendali: vino, olio.
Luoghi di interesse e manifestazioni locali: Siena, San Gimignano, Pienza, Monteriggioni, Gaiole, Radda, Montalcino, Pontignano, San Antimo.
Palio di Siena, sagre e feste popolari.
Prezzi: appartamento da £ 220.000 a £ 280.000 a notte.
Note: posizione panoramica. Antica cantinetta. Bosco per passeggiate. Piscina.

TENUTA DELLA SELVA

loc. La Selva • 53010 VILLE DI CORSANO
☎ 0577377063

▲ | 1 8

Posizione geografica: collina.
Periodo di apertura: tutto l'anno.
Presentazione: l'azienda dispone di 12 appartamenti da 2-4-5-6 posti.
Prodotti aziendali: vino, olio, formaggi, miele, salumi.
Luoghi di interesse e manifestazioni locali: abbazia Monte Oliveto, museo etrusco di Murlo, Montalcino, Pienza, Monte-pulciano, Siena, San Gimignano, Volterra. Festa in collina a maggio, sagra del tordo a ottobre.
Prezzi: alloggio da £ 35.000 a 55.000.

Note: golf, piscina, pesca, equitazione, trekking e passeggiate, mountain bike. Raccolta di funghi. Ambiente ideale per riunioni aziendali. Biancheria.

Umbria

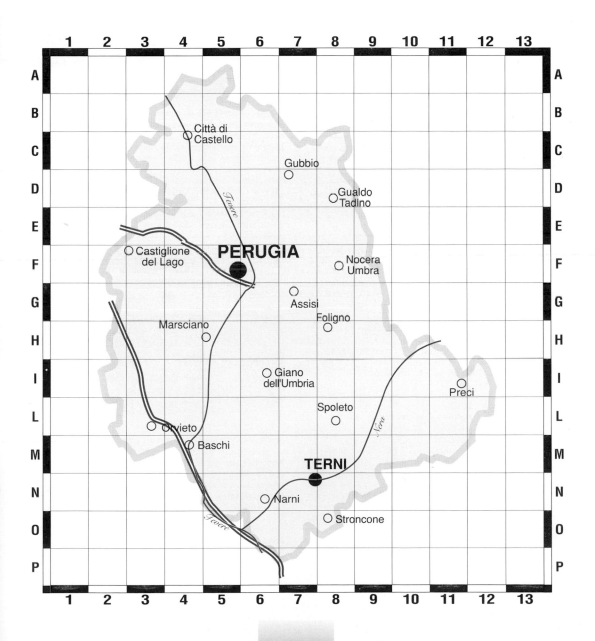

	1	2	3	4	5	6	7	8	9	10	11	12	13	

A

B — Città di Castello

C — Gubbio

D — Gualdo Tadino

Tevere

E

F — Castiglione del Lago — PERUGIA — Nocera Umbra

G — Assisi

Marsciano — Foligno

H

I — Giano dell'Umbria — Preci

Spoleto

L — Orvieto

M — Baschi — TERNI

Nera

N — Narni

O — Stroncone

Tevere

P

Perugia

LE QUERCE DI ASSISI

fraz. Pian della Pieve • 06081 ASSISI
☎ 075802332 fax 0758025000

● G 7

Posizione geografica: collina, riserva naturale del monte Subasio nei pressi di un ruscello.
Periodo di apertura: tutto l'anno.
Associato a: Agriturist, Turismo Verde, Terranostra.
Presentazione: tipiche costruzioni rurali (casa colonica e un antico mulino) che si trovano su un terreno di 30 ettari. Allevamento di daini, cavalli, caprette, anatre. Accogli ospiti in 8 camere con bagno e in 4 appartamentini.
Ristorazione: strangozzi ai tartufi, tagliatelle al sugo d'oca, spezzatino di daino, faraona alla ghiotta, coniglio alla cacciatora, rocciate umbre. Cena per gli ospiti facoltativa.
Prodotti aziendali: tartufi, funghi, confetture, ortaggi, capretti.
Luoghi di interesse e manifestazioni locali: Assisi, Perugia, Spello, Norcia, Cascia, Todi, Orvieto, Città di Castello, Cortona, Gubbio, monte Subasio, Deruta. Processione di Pasqua, Calendimaggio di Assisi, fiera dell'antiquariato a Perugia e alle sorgenti del Clitunno, in estate feste e sagre in tutti i paesini.
Prezzi: B&B da £ 60.000 a 80.000, H/B da £ 90.000 a 110.000. Pasto da £ 20.000 a 30.000, alloggio da £ 30.000 a 50.000. Sconti del 30% per bambini.
Note: no F/B. Sconti per comitive e per 1 settimana di soggiorno. Balneazione estiva nel ruscello. Attrezzi per giochi all'aria aperta per bambini e calessino con pony per passeggiate con i genitori. Raccolta di funghi, tartufi e frutti di bosco. Gioco delle bocce e ping-pong, pesca, equitazione, trekking e passeggiate, mountain bike. Biancheria, telefono in camera, riscaldamento, sala comune, posto macchina coperto. Animali accolti previo accordo.

MALVARINA
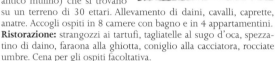

loc. Capodacqua • 06081 ASSISI ☎ e fax 0758064280
E-mail:malvarina@umbria.net
http:www.umbria.net/malvarina

● G 7

Posizione geografica: collina.
Periodo di apertura: tutto l'anno.
Associato a: Umbria in campagna, Agriturist.
Presentazione: l'azienda è suddivisa in varie unità. "Il Casale" è un tipico casolare in pietra, con caratteristico loggiato umbro, dotato di sale per ricevimenti e momenti di vita in comune. "Casa Angelo", immersa nel verde di un querceto, è divisa in monolocali (fino a 4 posti letto ciascuno). "Casa del gallo" è un miniappartamento situato in un boschetto, in grado di ospitare fino a 4 persone. "La Ginestra" (il vecchio granaio ristrutturato) può ospitare fino a 4 persone. "Il Fienile" è un ampio appartamento per 4 persone. Parte della vecchia cantina è stata trasformata in sala da pranzo con camino.
Ristorazione: antiche e tradizionali ricette umbre. Tagliatelle senza uova, cicerchie, pollo alla contadina, verdure di stagione.
Prodotti aziendali: confetture, pollame, olio, miele, tartufi.

Luoghi di interesse e manifestazioni locali: tutti i più importanti della regione.
Prezzi: pasto a £ 45.000 (solo cena), H/B a £ 120.000 a persona.
Note: prenotazione obbligatoria, soggiorno minimo 3 giorni. Prato per prendere il sole. Equitazione, trekking e passeggiate. Corsi di cucina. Raccolta di prodotti selvatici. Interessanti itinerari a cavallo. Biancheria, posto auto. Animali accolti previo accordo.

IL CASTELLO

loc. Costa di Trex, 25 • 06081 ASSISI ☎ 075813683

● G 7

Posizione geografica: montagna, parco naturale del monte Subasio.
Periodo di apertura: tutto l'anno.
Associato a: Agriturist, Terranostra.
Presentazione: tipico casale umbro del XIII secolo completamente ristrutturato. Offre ospitalità in camere con bagno. L'azienda si estende su 8 ettari con coltivazione di olive, uva, cereali. Allevamento di animali di bassa corte.
Ristorazione: H/B. Tipica cucina umbra.
Prodotti aziendali: miele, olio, vino, uova.
Luoghi di interesse e manifestazioni locali: Assisi, Perugia, Spello, Spoleto, Deruta, Todi, Orvieto, Gubbio, Nocera Umbra, Gualdo Tadino, Foligno. Calendimaggio, Quintana di Foligno, Umbria jazz, festival dei Due Mondi di Spoleto.
Prezzi: pasto da £ 25.000 a 35.000, alloggio da £ 35.000 a 55.000.
Note: accessibile agli handicappati. Biancheria, pulizia, telefono comune, riscaldamento, sala comune, posto macchina. Animali accolti previo accordo.

IL MORINO

via Spoleto, 8 • 06083 BASTIA UMBRA ☎ e fax 0758010839

● G 6

Posizione geografica: collina.
Periodo di apertura: tutto l'anno.
Associato a: Agriturist, Turismo Verde, Terranostra.
Presentazione: costruzione rurale ristrutturata su 3 ettari di terreno con produzione di cereali, uva, frutta. Allevamento di animali di bassa corte. Offre ospitalità in camere con bagno.
Ristorazione: cucina tipica umbra. Ristorante aperto al pubblico con 70-80 coperti.
Prodotti aziendali: frutta, miele, olio, ortaggi, vino.
Luoghi di interesse e manifestazioni locali: Assisi, Spello, Perugia, Gubbio, Todi, Spoleto, Orvieto, Deruta, Cascia, Norcia, lago Trasimeno. Corsa dei ceri a Gubbio, Calendimaggio ad Assisi, "Infiorata" a Spello e numerose sagre.
Prezzi: pasto da £ 25.000 a 50.000, alloggio da £ 40.000 a 50.000 per persona. Sconti del 15% per bambini fino a 6 anni, del 10% oltre i 6 anni.
Note: solo su prenotazione. Soggiorno minimo di 3 giorni, in agosto e settembre 1 settimana. Osservazione ambientale. Enologia. Raccolta di asparagi e funghi. Prato per prendere il sole, mountain bike, minigolf. Pesca sportiva, piscina, tennis ed equitazione nelle vicinanze. Biancheria, pulizia, riassetto, riscaldamento, sala comune, sala televisione, parcheggio.

TORRE BURCHIO

loc. Burchio • 06084 BETTONA
☎ e fax 075987150 ☏ 0759885017
E-mail:torreburchio@tin.it

● **G 6**

Posizione geografica: collina.
Periodo di apertura: da marzo a dicembre. Nei mesi di novembre e dicembre aperto solo per il week-end.
Associato a: Agriturist, Terranostra, Umbria in campagna, Tourist Green Club.
Presentazione: casale di fine '800 inserito in una riserva naturale di 600 ettari dove si pratica agricoltura biologica. Offre ospitalità in camere con bagno nel corpo centrale o in dependance (a 10 m). Disponibilità di alcuni miniappartamenti in casale fine 700 completamente ristrutturato.
Ristorazione: H/B, F/B. Pane, pasta, dolci, biscotti fatti a mano giornalmente. Cucina tipica umbra, antipasti della casa, gnocchi, fettuccine, oca, agnello, cinghiali, menu vegetariani.
Prodotti aziendali: olio extravergine di oliva biologico, miele, marmellate, biscotti.
Luoghi di interesse e manifestazioni locali: museo della ceramica a Deruta, museo e cantine a Torgiano, pinacoteca a Bettona, centro medioevale a Bevagna. Sagra dell'oca la 1ª settimana di agosto, grande festa del patrono di Bettona il 12 maggio, mercato delle *gaite* a Bevagna l'ultima settimana di giugno.
Prezzi: B&B da £ 70.000 a 90.000, H/B da £ 110.000 a 130.000. Supplementi: pensione completa £ 35.000 gli adulti e £ 25.000 i bambini, camera doppia uso singola £ 30.000. Appartamenti da £ 700.000 a 1.600.000 (i prezzi variano da monolocale, bilocale, trilocale) sono comprese le quote di consumo d'acqua, luce, gas, biancheria da bagno, letto, cucina, pulizia finale. Riduzioni del 70% ai bambini da 0 a 2 anni, del 30% da 2 a 12 anni, del 20% per il terzo letto.
Note: accessibile agli handicappati. Soggiorni settimanali. Tutte le camere dispongono di servizi privati, telefono e TV. Biblioteca, sala di lettura, sale per riunioni. Si organizzano escursioni guidate sia nella riserva sia in luoghi di particolare interesse storico e artistico nelle vicinanze. Gioco delle bocce e ping-pong, 2 piscine, pesca, equitazione, campo da tennis, trekking e passeggiate. Per i bambini possibilità di compiere escursioni in jeep con il guardiacaccia nella riserva faunistica. Telefono, televisione in ogni camera, biancheria, pulizia e riassetto, riscaldamento, sala comune. Animali accolti previo accordo.

IL CALESSE

via San Giovanni - fraz. Torre del Colle • 06031 BEVAGNA
☎ e fax 0742360660

● **H 7**

Posizione geografica: collina.
Periodo di apertura: tutto l'anno.
Presentazione: l'azienda si estende su 20 ettari con prati, pascoli, oliveti, boschi. Allevamento di ovini e animali da cortile. Offre ospitalità in 6 miniappartamenti dotati di servizi, con camera matrimoniale e possibilità di aggiunta di 2 letti singoli nel salottino.
Ristorazione: H/B, F/B. Piatti tipici locali, cotiche e fagioli, animelle con fave. Ristorante aperto al pubblico con 65 coperti.
Prodotti aziendali: confetture, farine, frutta, miele, olio, pollame, salumi, uova, vini, formaggi.
Luoghi di interesse e manifestazioni locali: centro storico di Bevagna, Assisi, Spello, Perugia, Spoleto. Sagre paesane. Le *gaite*.
Prezzi: pasto da £ 15.000 a 50.000, B&B da £ 30.000 a 50.000. Sconto 25% per bambini fino a 10 anni, 10% per letto aggiunto.
Note: aree verdi, percorsi nei boschi, possibilità di apprendere la

potatura degli alberi, raccolta olive, partecipazione ai lavori agricoli. Osservazione ambientale. Raccolta di asparagi e funghi. Gioco delle bocce, tiro con l'arco, giochi all'aria aperta, mountain bike. Biancheria, pulizia, riassetto, riscaldamento, posto macchina.

IL POGGIO DEI PETTIROSSI

loc. Pilone, 301 • 06031 BEVAGNA
☎ 0742361744-0742361740 fax 0742360379

● **H 7**

Posizione geografica: collina.
Periodo di apertura: da marzo a dicembre/gennaio.
Associato a: Agriturist.
Presentazione: tipica costruzione rurale, panoramica su Bevagna, Spello, Assisi, Montefalco, di 7 ettari coltivati a tartufi, oliveto, risaia.

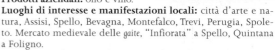

Ristorazione: H/B. Cucina tipica umbra, aperto solo agli ospiti della struttura.
Prodotti aziendali: olio e vino.
Luoghi di interesse e manifestazioni locali: città d'arte e natura, Assisi, Spello, Bevagna, Montefalco, Trevi, Perugia, Spoleto. Mercato medievale delle *gaite*, "Infiorata" a Spello, Quintana a Foligno.
Prezzi: pasto da £ 25.000 a 30.000 (bevande escluse), alloggio da £ 65.000 a 75.000 con prima colazione inclusa. Sconto 35% per bambini fino a 10 anni.
Note: accessibile agli handicappati. Prato per prendere il sole, giochi all'aria aperta. Solarium e piscina. Raccolta di asparagi, funghi e tartufi. Equitazione, rafting, bici, trekking, corsi per brevetto sub, tutti convenzionati. Verde attrezzato per i bambini. Biancheria (ogni 3 giorni), pulizia e riassetto giornalieri, sala comune, parcheggio.

VILLA SILVANA

via Fonte Pigge, 6 • 06032 BORGO DI TREVI
☎ 074278821 cell. 03356928285 fax 0755053642

● **H 8**

Posizione geografica: collina.
Periodo di apertura: tutto l'anno.
Associato a: Agriturist Umbria, A.I.A.B.
Presentazione: tipica costruzione rurale umbra, circondata da olivi sotto le antiche mura del borgo medievale di Trevi. Offre ospitalità in 9 appartamenti ristrutturati e in 4 camere con bagno per un totale di 45 posti letto. L'azienda agraria di 30 ettari è coltivata con metodo biologico, fornisce prodotti genuini destinati al ristorante e allo spaccio aziendale.
Ristorazione: H/B, F/B, 40 coperti. Cucina tipica umbra.
Prodotti aziendali: olio extravergine di oliva naturale o aromatizzato, cereali, legumi, tartufi, frutta e verdura.
Luoghi di interesse e manifestazioni locali: Assisi, Cascia, Gubbio, Perugia, Spello, Spoleto, Trevi, santuari. Manifestazioni varie da marzo a dicembre.
Prezzi: rivolgersi direttamente all'azienda.
Note: soggiorni da sabato a sabato, camere giornalmente. Racchiude un'oasi di tranquillità, piscina, campo di calcetto, osservatori faunistici, viali di cipressi, parco per bambini. Possibilità di praticare nuoto, calcetto, trekking e passeggiate. Raccolta di asparagi, funghi e tartufi. È preferibile raggiungere l'azienda con la propria auto. Cambio biancheria settimanale, telefono in comune, uso cucina, posto macchina. Riscaldamento autonomo. Animali di piccola taglia accolti previo accordo.

IL CICALETTO

via Cicaletto - loc. Collemancio • 06033 CANNARA
☎ 074272623 ☎ e fax 0742361456

● G 6

Posizione geografica: collina (400 m).
Periodo di apertura: tutto l'anno.
Associato a: Turismo Verde.
Presentazione: antico casale in pietra, completamente ristrutturato, con vista panoramica su Assisi.
Azienda di 8 ettari di terreno con produzione di cereali, uva, olive. Offre ospitalità in 3 camere matrimoniali con bagno e in 4 miniappartamenti, dotati di servizi.
Ristorazione: H/B (prima colazione e cena). Cucina tipica umbra.
Prodotti aziendali: olio, vino, confetture, biscotti.
Luoghi di interesse e manifestazioni locali: Calendimaggio ad Assisi, "Infiorata" a Spello, Montefalco, mercato delle *gaite* a Bevagna, Quintana a Foligno, festival dei Due Mondi a Spoleto, Todi, Umbria jazz e Eurochocolate a Perugia, Trevi, "Infiorata" e sagra della cipolla a Cannara.
Prezzi: pasto da £ 25.000 a 40.000, alloggio da £ 35.000 a 50.000, H/B a £ 70.000 escluse le bevande.
Note: piscina, gioco delle bocce, ampio giardino con giochi per bambini. Possibilità di partecipare alle attività aziendali. Raccolta di asparagi, funghi e more selvatiche.

LA FATTORIA DEL GELSO

via Bevagna, 16 • 06033 CANNARA ☎ e fax 074272164

● G 6

Posizione geografica: pianura sulle rive del fiume.
Periodo di apertura: tutto l'anno.
Associato a: Agriturist, Terranostra, Umbria in campagna.
Presentazione: tipica costruzione rurale. Accoglie ospiti in camere con bagno. L'azienda si estende su 30 ettari con produzione di cereali, uva, olive, ortaggi.
Ristorazione: H/B. Cucina tipica umbra.
Prodotti aziendali: olio, ortaggi.
Luoghi di interesse e manifestazioni locali: Assisi, Spello, Bevagna, Deruta, Montefalco, Perugia, Todi. Festa della cipolla in settembre, "Infiorata" il giorno del Corpus Domini.
Prezzi: pasto £ 40.000 (bevande incluse), alloggio a £ 60.000.
Note: solo su prenotazione periodo minimo un week-end. A richiesta corsi di cucina (minimo 10 persone). Piscina, mountain bike. Equitazione nelle vicinanze. Biancheria, pulizia, riassetto, telefono comune, riscaldamento, sala comune.

IL CORBEZZOLO

loc. San Sisto, 59 • 06031 CASTELBUONO DI BEVAGNA
☎ 0742361933 fax 0742369042 cell. 03473797259

● H 7

Posizione geografica: collina.
Periodo di apertura: tutto l'anno.

Presentazione: casale tipico umbro in pietra, all'interno di un uliveto di 60 ettari con vista panoramica su Assisi, Spello, Bevagna, Montefalco. Offre ospitalità in 5 camere con bagno e un appartamento per un totale di 18 posti letto.
Ristorazione: strangozzi, pasta di farro, minestre di legumi, salumi.
Prodotti aziendali: olio extravergine, marmellate da agricoltura biologica.
Luoghi di interesse e manifestazioni locali: mercato delle *gaite* a Bevaglia dal 20 al 30 giugno, Umbria jazz a Perugia dal 9 al 19 luglio, giostra della Quintana a Foligno, festival di Spoleto, Calendimaggio ad Assisi, Eurochocolate a Perugia.
Prezzi: B&B a £ 55.000, H/B da £ 85.000 a 95.000, letto aggiunto a £ 30.000. Animali £ 10.000.
Note: camere prenotazione minima 3 notti, appartamento 1 settimana per 2-3 persone con pulizia. Cambio biancheria 2 volte a settimana. Vendita prodotti. Tiro con l'arco, mountain bike, passeggiate, raccolta frutta e olive. Si accettano animali domestici.

VILLA OSVALDO

loc. Villastrada • 06061 CASTIGLIONE DEL LAGO
☎ e fax 0759527241 ☎ 075825317

● F 3

Posizione geografica: collina.
Periodo di apertura: tutto l'anno.
Associato a: Agriturist, Turismo Verde.
Presentazione: casale del '700 in azienda di 30 ettari situato in posizione panoramica con vista sul lago Trasimeno. Accoglie ospiti in 10 appartamenti per un totale di 30 posti letto.
Ristorazione: H/B solo in alta stagione. Ristorante aperto al pubblico. Cucina tipica umbra e toscana.
Prodotti aziendali: olio, crema d'olive, vino e miele.
Luoghi di interesse e manifestazioni locali: Perugia, Castiglione del Lago, Cortona, Chiusi, tombe etrusche. Umbria jazz, Rassegna Internazionale del Folklore.
Prezzi: H/B da £ 60.000 a 90.000. Pasto da £ 30.000 a 35.000.
Note: piscina e mountain bike. Nelle vicinanze equitazione e tennis. Sport acquatici sul lago Trasimeno. Telefono e parcheggio. Pulizie e biancheria. Animali di piccola taglia accolti previo accordo.

CASAL DE' CUCCHI

loc. Petrignano - voc. I Cucchi
06061 CASTIGLIONE DEL LAGO
☎ 0759528116-0755173122 cell. 0337653583 fax 0755171244

● F 3

Posizione geografica: collina.
Periodo di apertura: tutto l'anno.
Associato a: Agriturist.
Presentazione: azienda vinicola di 10 ettari costituita da più edifici rurali immersi nel verde e nella tranquillità, a due passi dalle città d'arte umbre e toscane. Accoglie ospiti in 4 camere doppie con bagno e in 8 appartamenti per un totale di 30 posti letto.
Ristorazione: ristorante aperto al pubblico con 80 coperti. Cucina tipica umbra e pesce di lago.
Prodotti aziendali: olio, vino e grappa.
Luoghi di interesse e manifestazioni locali: Cortona, Pienza, Castiglione del Lago, Perugia, Città della Pieve, Siena. Mostra dell'antiquariato e palio di Siena.
Prezzi: H/B a £ 95.000 bevande escluse, pasto da £ 25.000 a 40.000 bevande escluse.
Note: piscina, mountain bike, giochi per bambini e ping-pong.

Parcheggio. TV in camera, pulizia e cambio biancheria settimanali, riscaldamento. Non si accolgono animali.

MADONNA DELLE GRAZIE

loc. Madonna delle Grazie, 6 • 06062 CITTÀ DELLA PIEVE
☎ e fax 0578299822
E-mail:madgrazie@ftbcc.it

 G 3

Posizione geografica: collina.
Periodo di apertura: tutto l'anno.
Associato a: Agriturist, Turismo Verde, Terranostra.
Presentazione: tipico casale ristrutturato accuratamente in podere di 7 ettari di oliveto, vigneto, pascolo e orto. Allevamento di animali di bassa corte. Offre ospitalità in camere con bagno e in un piccolo appartamento con 2 bagni.
Ristorazione: H/B (prima colazione e cena). Cucina tosco-umbra da azienda biologica A.I.A.B. (olio, bruschetta, arrosti).
Prodotti aziendali: olio, vino, miele, confetture.
Luoghi di interesse e manifestazioni locali: Roma, Firenze, Siena, Orvieto, Perugia, Assisi. "Infiorata" per San Luigi il 19 giugno, palio dei terzieri, sagra della pizza e *collanga* per Pasquetta.
Prezzi: alloggio oltre £ 50.000. Riduzioni da 0 a 2 anni £ 10.000 al dì, sconto 20% per bambini fino a 12 anni.
Note: in alta stagione periodo minimo di soggiorno 1 settimana. Recinto e cucce per cani. Prato per prendere il sole. Zona barbecue e pic-nic. Piscina, gioco delle bocce, calcetto, ping-pong, biciclette, tiro con l'arco, equitazione, trekking e passeggiate, percorso-vita. Possibilità di effettuare osservazione ambientale nella fattoria.

Raccolta di castagne e funghi. Si organizzano corsi di cucina e di lingua. Pulizia quotidiana, telefono, riscaldamento, salone per ospiti, posto auto. Animali accolti previo accordo.

LA VALLE DEI FALCHI

loc. Candeggio Felcino, 9 • 06012 CITTÀ DI CASTELLO
☎ 0758526184

G 3

Posizione geografica: alta collina in una riserva naturale.
Periodo di apertura: tutto l'anno.
Associato a: Agriturist, Turismo Verde.
Presentazione: antica residenza del principe Boncompagni Ludovizi in azienda di 50 ettari. Lago di acque sorgive per bagni e pesca. Allevamento di rapaci in via di estinzione. Offre ospitalità in 6 appartamenti per 30 posti letto totali.
Ristorazione: H/B, F/B. Tartufi, funghi porcini, formaggi e vini tipici.
Prodotti aziendali: miele, marmellate, funghi porcini, tartufi.
Luoghi di interesse e manifestazioni locali: Gubbio, Assisi, Perugia. Sagra del tartufo, mostra dell'antiquariato, mostra del cavallo.
Prezzi: pasto da £ 20.000 a 38.000, alloggio da £ 30.000 a 50.000. Sconto del 10% per bambini fino ai 10 anni, del 5% per letto aggiunto, del 10% per la seconda settimana.
Note: corsi di erboristeria, apicoltura, cucina, falconeria, tiro con l'arco. Per bambini giochi all'aria aperta e osservazione ambientale. Pesca, trekking e passeggiate, mountain bike. Raccolta di frutti di bosco, funghi e tartufi. Canoa nel ruscello. Escursioni guidate a piedi, a cavallo e in fuoristrada.

PIAN D'ISOLA

loc. Pian d'Isola • 06021 COSTACCIARO
☎ 0759170567 cell. 0336830800 fax 0759172014

 **D 8**

Posizione geografica: collina, parco naturale di monte Cucco (500 m).
Periodo di apertura: tutto l'anno.
Presentazione: antico casale ristrutturato su 40 ettari coltivati a cereali, olivi, frutteto. Allevamento. Tartufaia, bosco. Offre ospitalità in camere con bagno.
Ristorazione: H/B, F/B. Piatti tipici.
Prodotti aziendali: farro, grano, orzo, lenticchie tutti da agricoltura biologica certificata. Tartufi.
Luoghi di interesse e manifestazioni locali: parco naturale di monte Cucco, Gubbio, Perugia, Assisi, Urbino. Festa dei ceri a Gubbio il 15 maggio, palio delle balestre a Gubbio l'ultima domenica di maggio, giochi "de le Porte" a Gualdo Tadino l'ultimo week-end di settembre, mostra internazionale della ceramica d'arte a Gualdo Tadino da agosto a settembre, festa delle bighe a Scheggia l'8 settembre, festa della montagna a Costacciaro in agosto.
Prezzi: pasto £ 30.000, alloggio da £ 40.000 (non si fanno sconti).
Note: si parlano inglese e francese. Maneggio e corsi di equitazione, parco giochi per bambini, mountain bike, ping-pong, campo di bocce, escursioni con guide, rafting, torrentismo, volo libero. Fornitura biancheria e riassetto giornaliero, sala TV e videoregistratore. Animali accolti previo accordo.

ANTICA FATTORIA DEL COLLE

strada E.V. Colle delle Forche, 6 • 06053 DERUTA
☎ e fax 075972201

H 6

Posizione geografica: collina (250 m).
Periodo di apertura: tutto l'anno.
Associato a: Terranostra.
Presentazione: tipici casali umbri del 1800 circa sottoposti a restauro conservativo. L'azienda si estende su 10 ettari e produce cereali, uva, olive e ortaggi. Allevamento di animali da fattoria. Offre ospitalità in 5 camere e 2 miniappartamenti per un totale di 15 posti letto.
Ristorazione: H/B solo per gli ospiti. Cucina tipica umbra e italiana preparata con prodotti propri, sia dell'allevamento che dell'orto.
Luoghi di interesse e manifestazioni locali: Todi, Assisi, Spello, Perugia, Gubbio, Orvieto, lago Trasimeno. Sagre legate alle tradizioni rurali e alle varie produzioni agricole, artigianali e artistiche.
Prezzi: B&B a £ 80.000 in bassa stagione, H/B da £ 130.000 a 150.000. Sono comprese le bevande.
Note: in alta stagione periodo minimo di soggiorno 1 settimana. Corsi di ceramica. Possibilità di partecipare ai lavori agricoli e zootecnici. Gioco delle bocce, biliardo, ping-pong, piscina, tiro con l'arco, mountain bike. Nelle vicinanze equitazione, tennis, pesca sportiva. Animali accolti previo accordo.

FORNACE

loc. Fornace, 6 - loc. Castelleone • 06053 DERUTA
☎ e fax 0758707338-0759710603 cell. 03388383428

● H 6

Posizione geografica: collina.
Periodo di apertura: tutto l'anno.
Associato a: Terranostra.
Presentazione: tipico fabbricato rurale, immerso in boschi di querce e olivi, circondato da un'azienda agraria di 100 ettari con produzione di cereali, girasoli, vigneti e oliveti. Offre ospitalità in appartamenti da 2 a 7 posti letto completamente autonomi, con riscaldamento.
Ristorazione: H/B, F/B. Tipica cucina umbra, tagliatelle, gnocchi, cacciagione, carne alla brace, arrosti misti cotti nel forno a legna (60 coperti).
Prodotti aziendali: olio estratto nel frantoio a pietra dell'azienda, vino, miele, confetture, pollame, uova, salumi.
Luoghi di interesse e manifestazioni locali: Perugia, Assisi, Spoleto, lago Trasimeno, Deruta (città della maiolica), Gubbio, Todi, Roma. Calendimaggio ad Assisi, festival dei Due Mondi a Spoleto in luglio, corsa dei ceri a Gubbio, sagre paesane da maggio a ottobre.
Prezzi: pasto da £ 20.000 a 50.000, alloggio da £ 25.000 a 50.000 (OR). Sconto del 10% per bambini fino a 10 anni, del 5% per letto aggiunto.
Note: accessibile agli handicappati. Osservazione dell'ambiente attraverso sentieri tracciati nell'azienda, corsi di ceramica, serate musicali presso la veranda del ristorante. Gioco delle bocce, piscina, tiro con l'arco, pesca, equitazione, trekking e passeggiate, mountain bike. Raccolta di asparagi selvatici, funghi, castagne, frutti di bosco. Il riscaldamento è da pagarsi a parte, in base al consumo.

SEMIDIMELA

fraz. Scritto - loc. Petroia, 36 • 06020 GUBBIO
☎ e fax 075920039

● D 7

Posizione geografica: collina.
Periodo di apertura: tutti i giorni da marzo al 10 gennaio.
Associato a: Turismo Verde.
Presentazione: tipico casale in pietra su 5,5 ettari biologici con pascolo, foraggio, ortaggi, frutteto, oliveto. Offre ospitalità in camere con bagno.
Ristorazione: H/B, solo per ospiti.
Prodotti aziendali: ortaggi, pollame.
Luoghi di interesse e manifestazioni locali: Gubbio, Perugia, Assisi. Festa dei ceri, Palio della balestra, Umbria jazz.
Prezzi: pasto a £ 35.000, H/B a £ 90.000 a persona. Gratis i bambini da 0 a 2 anni. Sconto del 50% dai 3 ai 6 anni.
Note: solo su prenotazione. Periodo minimo di soggiorno in agosto 1 settimana, negli altri mesi 2 giorni. Terrazza per prendere il sole, tiro con l'arco, trekking e passeggiate, mountain bike. Piscina convenzionata nelle vicinanze. Biancheria, pulizia a giorni alterni, telefono in comune, riscaldamento, sala comune, parcheggio.

PETROIA

fraz. Scritto - loc. Petroia • 06024 GUBBIO
☎ 075920287-075920109 fax 075920108

● D 7

Posizione geografica: collina.
Periodo di apertura: da aprile a novembre.
Associato a: Agriturist.
Presentazione: edificio monumentale al centro di un'azienda agricola di 290 ettari. Allevamento di bovini chianini e cavalli. Offre ospitalità in 3 camere con bagno e in 2 suites.
Ristorazione: cena solo per gli ospiti. Carne chianina prodotta in azienda.
Luoghi di interesse e manifestazioni locali: Gubbio, Perugia, Spoleto, Assisi, Orvieto, Urbino. Festa dei ceri il 15 maggio a Gubbio.
Prezzi: pasto £ 40.000, B&B oltre £ 50.000.
Note: frigobar e telefono in camera. Televisione, pulizia giornaliera, garage. Trekking e passeggiate.

VILLA STAMPA

via Villa Stampa, 14 - fraz. Pian di Marte
06060 LISCIANO NICCONE ☎ e fax 075844265

● D 4

Posizione geografica: collina.
Periodo di apertura: tutto l'anno.
Associato a: Turismo Verde, Terranostra.
Presentazione: tipico borgo composto da casa padronale e annessi ristrutturati. L'azienda si estende su 60 ettari collinari di pascolo. Offre ospitalità in camere e in 6 appartamenti per un totale di 24 posti letto.
Ristorazione: H/B, F/B. Ristorante non aperto al pubblico con 40 coperti. Caprini sottolio, risotto di borragine, cinghiale in agrodolce, dolce di castagne. Si preparano anche menu vegetariani. Principalmente vengono utilizzati i prodotti dell'azienda.
Prodotti aziendali: confetture, erbe aromatiche.
Luoghi di interesse e manifestazioni locali: Cortona, lago Trasimeno, Perugia, Assisi, Gubbio. Sagra della castagna di Pregio in ottobre.
Prezzi: pasto da £ 30.000 a 40.000, alloggio da £ 40.000 a 50.000.
Note: la struttura è specializzata nell'accogliere gruppi in un'ampia sala con pavimento in legno e riscaldata. Si organizzano corsi di tutti i tipi. Sala di 140 mq ristrutturata. Raccolta di castagne, funghi e asparagi. Gioco del ping-pong, pesca, giochi all'aria aperta, equitazione. Biancheria, telefono pubblico, uso frigorifero, riscaldamento, posto macchina.

PODERE I SETTE

via Case Sparse, 7 - loc. Caligiana • 06063 MAGIONE
☎ 0758409364 cell. 0360488457
E-mail:isette@csinternational.com.

● F 4

Posizione geografica: collina.
Periodo di apertura: tutto l'anno.
Associato a: Turismo Verde, Casa sui campi, Terranostra.
Presentazione: tipiche costruzioni in pietra che sorgono su un terreno di 70 ettari. Allevamento di ovini ed equini. Offre ospitalità in 6 appartamenti da 2/4 posti letto e in 3 piazzole per la sosta dei camper.
Ristorazione: H/B, F/B. Agnello arrosto, spezzatino di bufalo.
Prodotti aziendali: confetture, miele, olio di agricoltura biologica.
Luoghi di interesse e manifestazioni locali: lago Trasimeno, città della domenica, Perugia, Assisi. Sagre paesane da maggio a ottobre.
Prezzi: pasto a £ 30.000, appartamento da £ 110.000 a 150.000, H/B da £ 80.000 a 100.000, sosta camper da £ 25.000 a 30.000.

Sconto del 50% per bambini fino a 10 anni.
Note: corsi di cucina, corsi sull'olio di oliva. Raccolta di asparagi, frutti di bosco, funghi. Giochi di sala per bambini. Ping-pong, pallavolo, bocce, piscina, pesca, equitazione, trekking e passeggiate, mountain bike.

Biancheria, riscaldamento, televisione, sala riunioni. Animali accolti previo accordo.

TORRE COLOMBAIA

fraz. San Biagio della Valle • 06055 MARSCIANO
☎ 0758787381

● H 5

Posizione geografica: collina.
Periodo di apertura: tutto l'anno.
Associato a: Agriturist.
Presentazione: centro aziendale immerso in bosco d'alto fusto (100 ettari) e campi di cereali biologici (60 ettari). Costruzioni tipiche. Offre ospitalità in camere con 10 posti letto e in 3 appartamenti con 18 posti letto, tutti dotati di servizi.
Ristorazione: H/B. Cucina regionale italiana, vegetariana o macrobiotica a base di prodotti biologici. Minestra di farro, sformato di miglio, torte. Cena su prenotazione.
Prodotti aziendali: cereali biologici, olio di girasole, lino, pane.
Luoghi di interesse e manifestazioni locali: Perugia, Assisi, lago Trasimeno. Festival di musica, Umbria jazz, teatro, mercati di antiquariato e artigianato.
Prezzi: pasto da £ 20.000 a 50.000, B&B da £ 30.000 a 50.000. Sconto 30% per i bambini sotto i 6 anni.
Note: periodo minimo di prenotazione 2 notti, 1 settimana nelle festività pasquali, natalizie, ferragosto. Osservazione ambientale (fauna e flora). Raccolta di funghi. Equitazione, tennis, mountain bike. Si organizzano corsi di yoga e di ballo popolare. Sala riunioni. Biancheria, pulizia, telefono comune.

ORSINI

loc. Casa Fanello, 238 • 06056 MASSA MARTANA ☎ 075889140

● I 7

Posizione geografica: collina.
Periodo di apertura: dal 10 gennaio al 20 dicembre.
Associato a: Terranostra.
Presentazione: casale e torre del '300 ristrutturati su proprietà di 80 ettari collocata al centro dell'Umbria. Base ideale per visitare tutte le città d'arte. Offre ospitalità in 4 appartamenti (da 2 a 4 posti letto), dotati di servizi.
Ristorazione: H/B o F/B da concordare. Piatti tipici umbri. Ristorante aperto al pubblico con 40 coperti.
Prodotti aziendali: olio.
Luoghi di interesse e manifestazioni locali: numerosi resti romanici, meravigliose abbazie, oltre alle città d'arte umbre. Todifestival a settembre, festival dei Due Mondi a Spoleto in luglio, festival delle nazioni a Città di Castello in luglio, mercato delle gaite a Bevagna in maggio-giugno.
Prezzi: pasto da £ 20.000 a 40.000 (bevande escluse), alloggio fino a £ 30.000 in appartamento da 4 posti letto, da £ 30.000 a 50.000 in appartamento da 2/3 posti letto.
Note: turismo regionale, vicinanza con Roma. Ospitalità giornaliera. Raccolta di asparagi e funghi. Equitazione, golf, piscina, calcetto, pesca, tiro con l'arco, volo in ultraleggero a 15 km, tennis.

Biciclette in azienda. Pulizia e biancheria settimanali, telefono comune, angolo cottura, stoviglie, riscaldamento, posto macchina, frigorifero, sala comune, televisione, lavanderia.

AGRINCONTRI

via Santa Maria Apparita - fraz. Doglio
06057 MONTE CASTELLO VIBIO
☎ 0758749610 fax 063315517

● I 5

Posizione geografica: collina.
Periodo di apertura: tutto l'anno.
Associato a: Terranostra.
Presentazione: casali di 600 e 700 mq di superficie in tipico stile contadino umbro, corredati di fienili, numerose porcilaie, ampia stalla aperta. L'azienda possiede anche 3 fabbricati colonici e altre comodità rurali, un'antica torre di guardia del XIV secolo e la chiesetta della "Madonna della Neve". Offre ospitalità in camere con bagno. L'azienda occupa circa 160 ettari a boschi e seminativi (pascoli, cereali e ortaggi). Apicoltura, allevamento di cavalli, vacche maremmane e vitelli, maiali, ovini, animali da cortile e selvaggina. Piscicoltura.
Ristorazione: selvaggina, insaccati. Solo prodotti dell'azienda.
Prodotti aziendali: miele, marmellate, insaccati, olio, selvaggina.
Luoghi di interesse e manifestazioni locali: Todi, Orvieto, monte Peglia, lago di Corbara, Narni, Montefalco, Assisi, Gubbio. Varie manifestazioni locali.
Prezzi: pasto da £ 35.000 a 45.000, alloggio oltre £ 50.000. H/B, F/B. Sconti e riduzioni da concordare.
Note: si privilegia prevalentemente l'attività per gruppi con stages naturalistici per adulti e bambini, esperienze antistress, caccia fotografica, corsi di formazione, microconvegni. Caccia con l'avancarica e con l'arco precedute da seminari. Piscina, tiro con l'arco, pesca, equitazione, tennis. Corsi di WAH-PEE-YAH, stage di BAHA-SCKA, corsi sullo studio dell'ambiente. Raccolta funghi.

FATTORIA DI VIBIO

loc. Buchella, 9 • 06057 MONTE CASTELLO VIBIO
☎ 0758749607 fax 0758780014
http:www.fattoriadivibio.com

● I 5

Posizione geografica: collina in zona parco (monte Peglia).
Periodo di apertura: dal 3 marzo al 5 novembre.
Associato a: Agriturist, Casa sui campi, Terranostra.
Presentazione: tre tipici casali rurali umbri di fine '700. Quello padronale si estende su 20 ettari coltivati a oliveto specializzato, frutteto e orto. Noci e mandorli. Accoglie ospiti in camere con bagno e in appartamenti.
Ristorazione: H/B, F/B. Cacciagione, funghi, tartufo nero, minestre con farro o verdure.
Prodotti aziendali: olio, miele, marmellate, erbe.
Luoghi di interesse e manifestazioni locali: Deruta, Todi, Orvieto, cantine di vini, frantoio a pietra, riserva faunistica. Todifestival, Umbria jazz, mostra dell'antiquariato.
Prezzi: pasto a £ 35.000 (bevande escluse), alloggio oltre £ 50.000.
Note: si organizzano week-end a tema. Corsi di cucina per italiani e stranieri. Enoteca. Piscina, pesca, giochi all'aria aperta, equitazione, tennis, mountain bike. Raccolta di funghi, asparagi, more. Sala riunioni attrezzata. Pulizia e cambio biancheria giornaliero, telefono e televisione, sala comune, parcheggio al coperto. Animali accolti previo accordo.

CAMIANO PICCOLO

loc. Camiano Piccolo, 5 • 06036 MONTEFALCO
☎ e fax 0742379492 - 0330646176

H 7

Posizione geografica: collina.
Periodo di apertura: tutto l'anno.
Associato a: Agriturist, Terranostra.
Presentazione: villa di campagna circondata da 8 ettari di oliveti. Accoglie ospiti in 3 appartamenti con soggiorno e angolo cottura e in 1 camera con bagno.
Ristorazione: H/B a richiesta. Paste umbre, carni arrostite.
Prodotti aziendali: vino D.O.C. Rosso di Montefalco, olio extra-vergine di oliva.
Luoghi di interesse e manifestazioni locali: Spoleto, Assisi, Todi, Foligno. Festival dei Due Mondi, Giostra della Quintana, museo di Montefalco, settimana enologica (settimana di Pasqua), agosto montefalchese.
Prezzi: pasto da £ 25.000 a 30.000, alloggio oltre £ 50.000.

Note: in alta stagione periodo minimo di prenotazione di 1 settimana. Tiro con l'arco, trekking e passeggiate. Raccolta di asparagi, funghi. Sala riunioni. Animali accolti previo accordo.

PETRALTA

loc. Petralta • 06010 MONTE SANTA MARIA TIBERINA
☎ e fax 0758570228

C 4

Posizione geografica: collina.
Periodo di apertura: tutto l'anno.
Associato a: Agriturist e Vacanze Verdi.
Presentazione: costruito in parte su una vecchia torre in pietra, il casale è abitato al primo piano dai proprietari, mentre le 4 camere riservate agli ospiti, per un totale di 11 posti letto, si trovano al piano superiore. Offre ospitalità inoltre in 2 appartamenti composti da 2 camere, bagno, soggiorno con angolo cottura, in posizione panoramica.
Ristorazione: gustosi piatti stagionali, preparati in casa. Malfatti, oca al forno con patate, arrosti di coniglio, faraona e piccione, dolci casarecci.
Prodotti aziendali: marmellate, ortaggi, animali da cortile e tartufi.
Luoghi di interesse e manifestazioni locali: monte Santa Maria Tiberina, Città di Castello, Sansepolcro. Fiera del cavallo il 14 settembre, del tartufo l'ultima settimana di novembre.
Prezzi: appartamento da £ 500.000 a 850.000 a settimana. Camere B&B da £ 40.000 a 45.000, H/B da £ 70.000 a 75.000.
Note: soggiorno minimo 2 giorni. Equitazione, ping-pong, passeggiate naturalistiche. Cambio biancheria ogni 4 giorni. Non si accolgono animali.

CIVITELLA

zona Carpini, 60 • 06014 MONTONE
☎ e fax 0759306358

D 5

Posizione geografica: collina (480 m), fiume.
Periodo di apertura: tutto l'anno.
Presentazione: azienda di 27 ettari. Accoglie ospiti in 5 camere doppie e 2 quadruple, tutte con bagno.
Ristorazione: ristorante aperto al pubblico su prenotazione con 28 coperti. Pasta fatta a mano, funghi, tartufi, arrosti allo spiedo e in forno a legna, vini regionali, prodotti aziendali.
Prodotti aziendali: miele, marmellate, pollame e uova.
Luoghi di interesse e manifestazioni locali: corsa dei ceri dal 14 maggio al 16 giugno, "Donazione della sacra spina" l'ultima domenica di agosto.
Prezzi: OR a £ 40.000, B&B a £ 50.000, H/B a £ 90.000, F/B a £ 115.000, bevande escluse. In bassa stagione (eslusi i fine settimana) gratis per bambini fino a 3 anni, sconto del 50% da 3 a 6 anni, del 10% per gruppi di almeno 10 persone, per persone di oltre 65 anni e per clienti che hanno già alloggiato presso l'azienda.

Note: accessibile agli handicappati. Soggiorno minimo 3 giorni. Si parlano inglese e francese. Si accettano carte di credito. Trekking, osservazione naturalistica, maneggio, bocce, tiro con l'arco, ping-pong e mountain bike. Nelle vicinanze pesca, caccia, piscina, volo a motore e tennis. Sala lettura, telefono e fax. Animali accolti previo accordo.

LA CHIUSA

s.s. del Niccone km 2 • 06010 NICCONE-UMBERTIDE
☎ 0759410848 fax 0759410774
E-mail:lachiusa@netemedia.net
http:www.netemedia.net/lachiusa

D 5

Posizione geografica: collina.
Periodo di apertura: da marzo a ottobre, Natale e Capodanno.
Associato a: Terranostra, Agriturist.
Presentazione: tipica casa colonica dell'800 in azienda di 5 ettari di terreno. Fattoria biologica controllo A.I.A.B. Coltivazione di cereali e ortaggi, vigneto e frutteto. Offre ospitalità in 2 suites con servizi (4+4 posti letto) e 3 appartamenti con angolo cottura (6+4 posti letto).
Ristorazione: H/B. Agnello alla dalmata, pici ai fiori di zucca, tortelli di carne in salsa di pomodoro aromatizzata. Ristorante aperto al pubblico con 20 coperti.
Prodotti aziendali: pomodori secchi sott'olio.
Luoghi di interesse e manifestazioni locali: Assisi, Gubbio, Perugia, Orvieto, Spoleto, Siena, Montepulciano, Bagno Vignoni, Pienza. Festival delle nazioni a Città di Castello in settembre, festa dei frutti di bosco a Montone in novembre, festa del tartufo a Città di Castello in novembre.
Prezzi: pasto da £ 35.000 a 60.000, alloggio da £ 40.000 a 65.000. Sconto del 15-20% per letto aggiunto.
Note: ristorazione di particolare pregio, cucina riconosciuta da

guide nazionali e internazionali. Piscina, trekking e passeggiate. Equitazione a 5 km. Corsi di cucina tradizionale, introduzione all'orticoltura. Biancheria, telefono in comune, uso cucina, sala comune, posto macchina. Animali accolti previo accordo.

LE FRANCESCHE

loc. Poggio Parrano • 06025 NOCERA UMBRA
☎ 0742810363

● **F 8**

Posizione geografica: collina.
Periodo di apertura: tutto l'anno.
Associato a: Terranostra.
Presentazione: tipica villa di campagna immersa nel bosco e circondata da circa 9 ettari di terreno a vigneto e oliveto. Allevamento di ovini e pollame. Offre ospitalità in 7 camere con bagno.
Ristorazione: H/B, F/B. Ristorante aperto al pubblico con 50 coperti. Cucina tipica umbra, bigoli, pappardelle, gnocchi, agnello e maiale alla griglia, cacciagione, tartufo.
Prodotti aziendali: confetture, miele, ortaggi, dolci, uova.
Luoghi di interesse e manifestazioni locali: Assisi, Gubbio, Nocera Umbra, terme del Centino, Gualdo Tadino (sorgenti acqua Rocchetta), Spoleto, Perugia, festa in costume d'epoca a Nocera Umbra la 1ª domenica d'agosto, "Giochi delle porte" a Gualdo Tadino l'ultima domenica di settembre, mostra mercato del tartufo le ultime due domeniche di novembre.
Prezzi: pasto da £ 25.000 a 45.000, alloggio fino a £ 30.000. Sconto del 20% per i bambini fino a 10 anni, letto aggiunto £ 20.000.
Note: accessibile agli handicappati. Osservazione ambientale. Raccolta di asparagi e frutti di bosco. Prato per prendere il sole, piscina, giochi all'aria aperta, trekking e passeggiate, mountain bike. Piccola sala riunioni. biancheria, pulizia, riassetto, telefono in camera, riscaldamento, sala comune, posto macchina.

LA LUPA

loc. Colpertana • 06025 NOCERA UMBRA
☎ e fax 0742813539

● **F 8**

Posizione geografica: collina.
Periodo di apertura: tutto l'anno.
Associato a: Terranostra.
Presentazione: costruzione in pietra faccia vista. L'azienda si estende su 8 ettari di terra coltivati a cereali. Allevamento di ovini e conigli. Offre ospitalità in camere con bagno.

Ristorazione: H/B, F/B. Cacciagione, carni alla brace, pasta fatta in casa, dolci.
Prodotti aziendali: confetture, dolci, conigli, uova, pasta.
Luoghi di interesse e manifestazioni locali: Assisi, Gubbio, Spoleto, itinerari naturalistici di interesse storico. "Giochi delle porte" a Gualdo Tadino l'ultimo week-end di settembre, Quintana a Foligno in settembre.
Prezzi: pasto da £ 25.000 a 45.000, OR a £ 60.000 a persona. Sconto del 50% per bambini da 0 a 2 anni, 30% da 2 a 5 anni.
Note: accessibile agli handicappati. Solo su prenotazione. Spazio esterno. Corsi di artigianato (lavorazione della pasta di pane). Raccolta di frutti spontanei, erbe aromatiche, funghi. Piscina, ping-pong, bocce, pallavolo, giochi al'aria aperta, mountain bike, maneggio (a 3 km), escursioni guidate. Biancheria, pulizia, telefono comune, riscaldamento, sala comune.

LA COSTA

loc. Costa • 06025 NOCERA UMBRA
☎ 0742810042 fax 0742810072

● **F 8**

Posizione geografica: media montagna.
Periodo di apertura: tutto l'anno, escluso qualche periodo da gennaio a marzo.
Presentazione: tipica costruzione rurale collocata su circa 83 ettari a cereali e oliveto. Allevamento di conigli, polli e anatre. Accoglie ospiti in 1 camera con bagno.
Ristorazione: cucina vegetariana, animali da cortile, daino, tartufi, funghi, legumi. Il ristorante ha 25 coperti.
Prodotti aziendali: confetture, miele, olio, funghi, tartufi, frutta.
Luoghi di interesse e manifestazioni locali: Assisi, Gubbio, Spello, parco del monte Subasio. Varie sagre.
Prezzi: pasto da £ 25.000 a 50.000 (vini esclusi), alloggio da £ 40.000 a 50.000. H/B £ 80.000, F/B £ 100.000. Sconto 25% bambini fino a 10 anni.
Note: accessibile agli handicappati. Corsi di agricoltura biologica, gastronomia, osservazione ambientale, ricerca di tartufi col cane. Raccolta di asparagi, funghi, erbe spontanee. Prato per prendere il sole, equitazione, mountain bike, giochi all'aria aperta per bambini. Gioco delle bocce e minigolf. Biancheria, pulizia, riassetto, telefono in camera, riscaldamento.

LAMBORGHINI

loc. Soderi, 1 • 06064 PANICALE
☎ 0758350029 fax 0758350025
E-mail:info@lamborghini.cc

● **G 4**

Posizione geografica: collina, affacciata sul lago Trasimeno.
Periodo di apertura: tutto l'anno.
Presentazione: azienda di 120 ettari di cui 40 a vigneti, 40 utilizzati come campo da golf, 40 a cereali e bosco. Offre ospitalità in 12 appartamenti (1-2-3 locali) con bagno.
Ristorazione: il ristorante è aperto al pubblico con 90 coperti. Pici al sugo d'anatra, cucina tipica umbro-toscana con specialità fatte a mano.
Prodotti aziendali: vini rossi D.O.C. colli del Trasimeno tutti con il marchio "Lamborghini".
Luoghi di interesse e manifestazioni locali: Panicale, Chiusi, Città della Pieve, Cortona, Montepulciano, Pienza, Perugia, lago Trasimeno. In luglio e agosto folklore e cinema all'aperto a Castiglione del lago, a settembre festa dell'uva a Panicale e fuochi d'artificio a Panicarola.
Prezzi: pasto da £ 30.000 a 45.000, alloggio da £ 40.000 a 50.000. Riduzioni nella media e bassa stagione.
Note: periodo minimo di soggiorno 1 settimana. Si organizzano corsi di golf per adulti e bambini, corsi di nuoto per bambini. Paracadutismo in convenzione con scuola operante nell'aviosuperficie. Gioco delle bocce, ping-pong, biliardo, golf, giochi all'aria aperta,

tennis, piscina, mountain bike. Biancheria, pulizia, televisione in appartamento, frigorifero, forno, uso cucina, posto auto, barbecue, telefono pubblico, lavanderia con lavatrice a gettoni. Animali accolti previo accordo.

LA ROSA CANINA

via Dei Mandorli, 23 - fraz. Casalini • 06064 PANICALE
☎ e fax 0758350660
E-mail: larosacanina@tin.it
http:www.altair2000.it/rosacanina

● G 4

Posizione geografica: collina.
Periodo di apertura: da Pasqua ai primi di novembre e a Capodanno.
Associato a: Turismo Verde, Terranostra, Agriturist.
Presentazione: tipica costruzione rurale che sorge su 20 ettari di terreno coltivati a vigneto, oliveto, cereali e ortaggi. Allevamento di ovini, suini, cavalli e animali da cortile. Accoglie ospiti in 8 camere con bagno.
Ristorazione: H/B. Cucina umbra e di fantasia.
Luoghi di interesse e manifestazioni locali: Perugia, Assisi, confine con la Toscana. Festa dell'uva, mostra di scultura e concerti in piazza.
Prezzi: pasto £ 35.000, alloggio da £ 50.000 a 60.000. Gratis bambini fino a 2 anni, sconto 50% fino a 6 anni, 30% fino a 10 anni.
Note: solo su prenotazione. Equitazione, centro ippico A.N.T.E. con accompagnatore con brevetto. Ping-pong, bocce, piscina, tiro con l'arco, giochi all'aria aperta, mountain bike. Golf nelle vicinanze. Biancheria, telefono comune, riscaldamento, posto macchina, prima colazione.

MONTALI

via Montali, 23 • 06064 PANICALE
☎ 0758350680 fax 0758350144
E-mail:montali@edisons.it
http:www.edison.it/montali

● G 4

Posizione geografica: collina.
Periodo di apertura: tutto l'anno.
Associato a: vari tour operator stranieri.
Presentazione: casali tutti in pietra, accuratamente ristrutturati, in località isolata e tranquillissima. Posizione panoramica. Accoglie ospiti in 10 camera con bagno.
Ristorazione: H/B. Cucina esclusivamente vegetariana "Gran Gourmet" (ha attratto varie testate internazionali, televisive con un programma appositamente realizzato dalla B.B.C. inglese e i mercati anglosassoni).
Prodotti aziendali: olio extravergine di oliva.
Luoghi di interesse e manifestazioni locali: lago Trasimeno, Assisi, Gubbio, Orvieto, Spoleto, Todi, Perugia. Calendimaggio ad Assisi, corsa dei ceri a Gubbio, palio dei terzieri a Foligno.
Prezzi: H/B da £ 108.000 a 118.000 per persona.
Note: disponibile sala per riunioni. Piscina, trekking e passeggiate. Si organizzano saltuariamente corsi di cucina vegetariana. Concerti serali di musica etnica e indiana. Raccolta di frutti di bosco, funghi, asparagi. Servizio biancheria, bar, parcheggio, telefono comune, salone.

LOCANDA DEL GALLUZZO

fraz. Castel Rigone - loc. Trecine
06065 PASSIGNANO SUL TRASIMENO
☎ e fax 075845352 cell. 03471467642
http: www.emmeti.it/galluzzo

● E 4

Posizione geografica: collina con vista lago.
Periodo di apertura: tutto l'anno. Chiuso a novembre e il martedì per turno.
Associato a: Agriturist, Osterie d'Italia.
Presentazione: costruita rifacendosi allo stile delle antiche fattorie umbre, l'azienda si estende su 13 ettari. Produzione di olio e cereali. Accoglie ospiti in camere con bagno e in 6 appartamenti con 2/3/4 posti letto, soggiorno con angolo cottura, televisione, servizi, riscaldamento.
Ristorazione: H/B. Pane e pasta fatti in casa, zuppe, cacciagione, piatti tipici.
Prodotti aziendali: burro, pane, olio, ortaggi.
Luoghi di interesse e manifestazioni locali: Assisi, Gubbio, Perugia, Orvieto, Siena, Spoleto, cascate delle Marmore, lago Trasimeno. Umbria jazz, Calendimaggio, sagra delle castagne, corsa dei Ceri, palio di Siena, palio delle barche.
Prezzi: pasto da £ 25.000 a 40.000, OR da £ 40.000 a 55.000.
Note: periodo minimo di prenotazione 1 settimana (da sabato a sabato) in alta stagione.
Passeggiate naturalistiche. Raccolta di funghi e frutti di bosco. Prato per prendere il sole, piscina, mountain bike. Sala riunioni. Biancheria, televisione, pulizia, uso cucina, uso frigorifero. Gioco delle bocce, pallavolo. Equitazione a 3 km. Animali accolti previo accordo.

LA BUONA TERRA

loc. Le Guardie • 06065 PASSIGNANO SUL TRASIMENO
☎ 075829105-0758296059

● E 4

Posizione geografica: collina, lago.
Periodo di apertura: tutto l'anno.
Associato a: C.T.M., AIAB, Agriturismo Bio-Ecologico.
Presentazione: centro di educazione ambientale, fattoria-scuola all'interno di azienda biologica. Il casale dell'800, ristrutturato, sorge su un territorio di oltre 100 ettari a bosco di latifoglie, oliveto, pascoli e un orto di erbe officinali. Allevamento di pecore, capre, cavalli e animali da cortile.
Ristorazione: prodotti biologici.
Prodotti aziendali: olio extravergine di oliva, formaggi, mandorle.
Luoghi di interesse e manifestazioni locali: isola Polvese, isola Maggiore, lago Trasimeno, percorso di Annibale, percorsi naturalistici. Varie manifestazioni.
Prezzi: H/B £ 35.000, F/B £ 50.000. Alloggio giornaliero £ 770.000, settimanale a £ 4.515.000. I prezzi dell'alloggio si riferiscono all'affitto giornaliero o settimanale dell'intera struttura, mentre quelli dei pasti devono essere aggiunti ai precedenti nel caso in cui i pasti vengano preparati dal personale dell'agriturismo.
Note: soggiorno solo su prenotazione, per un periodo minimo di 5 giorni. Ospitalità solo a gruppi scolastici, associazioni, dopolavoro, cooperative di servizi. Corsi di formazione nell'ambito dell'educazione ambientale. Per bambini e ragazzi fattoria-

scuola durante l'anno scolastico, settimane verdi d'estate. Biancheria da letto e da cucina, detersivi eco-compatibili per la pulizia della casa e delle stoviglie, uso cucina attrezzata.

AGROBIOLOGICA

strada Torre Villa Belvedere, 10 - fraz. Bosco
06010 PERUGIA ☎ 075602811

 F 5

Posizione geografica: collina.
Periodo di apertura: tutto l'anno tranne dal 15 al 30 giugno.
Associato a: Bioumbria, A.I.A.R.
Presentazione: tipico casolare umbro in pietra. L'azienda si estende su 11 ettari con produzione di cereali, legumi, ortaggi. Accoglie ospiti in due monolocali (2 posti letto ciascuno) e un miniappartamento (4 posti letto) indipendenti dotati di servizi.
Ristorazione: H/B a richiesta, B&B. Cucina regionale, a richiesta vegetariana, lenticchie alla romana, cicerchiata.
Prodotti aziendali: olio di girasole, ceci, lenticchie, cicerchie, lardo, miglio, ortaggi, farine, vino.
Luoghi di interesse e manifestazioni locali: Assisi, Perugia, Gubbio, lago Trasimeno. Umbria jazz, corsa dei ceri.
Prezzi: pasto a £ 25.000, alloggio da £ 30.000 a 35.000. Letto aggiunto £ 20.000, culla £ 15.000. Sconto del 10% in bassa stagione.
Note: solo su prenotazione, soggiorno minimo di 3 giorni. Prato per prendere il sole, golf, giochi all'aria aperta, trekking e passeggiate, mountain bike. Possibilità di partecipazione alle attività agricole, orticoltura familiare, giardinaggio. Biancheria, uso cucina, uso frigorifero, riscaldamento, telefono in comune, posto macchina.

IL PODERE

via Casa Madonna, 11 • 06086 PETRIGNANO DI ASSISI
☎ 0758038806

 F 6

Posizione geografica: pianura (350 m).
Periodo di apertura: tutto l'anno.
Presentazione: fabbricato rurale di nuova costruzione con accanto un rustico in pietra della fine del '700 inizi '800. L'azienda si estende su 8 ettari di terreno coltivato a cereali con vigneto, noceto, orto e alberi da frutto. Allevamento di animali di bassa corte. Offre ospitalità in appartamenti, arredati, con quattro posti letto più letto aggiunto per bambini.
Ristorazione: B&B, H/B.
Prodotti aziendali: vino, frutta, noci, uova, ortaggi, pollame.
Luoghi di interesse e manifestazioni locali: Assisi, Spello, Perugia, parco naturale del Subasio, Gubbio, Spoleto, Todi, Orvieto. Calendimaggio ad Assisi, "Infiorata" a Spello, Umbria jazz a Perugia, festa dei ceri a Gubbio, festival dei due mondi a Spoleto.
Prezzi: alloggio da £ 30.000 a 50.000 più £ 20.000 per letto aggiunto.
Note: ampio giardino per prendere il sole, barbecue e forno a legna. Giochi all'aria aperta per bambini. Equitazione a 2 km, tennis a 500 m. Biancheria, pulizia, uso cucina attrezzata e frigorifero, riscaldamento, televisione, posto macchina. Si accettano animali domestici.

LA CERQUA

loc. San Salvatore • 06026 PIETRALUNGA
☎ 0759460283 fax 0759462033
E-mail:info@cerqua.it
http:www.cerqua.it

 B 6

Posizione geografica: collina con riserva naturale.
Periodo di apertura: tutto l'anno.
Associato a: A.I.B.A., Agriturismo Bioecologici.
Presentazione: antico casolare in pietra, legno e cotto in cima a una collina che domina il borgo di Pietralunga. Azienda di 70 ettari con boschi, pascoli. Coltivazione biologica di cereali. Allevamento di ovini, bovini, equini, anatre e faraone. Offre ospitalità in camere con arredo in stile, con bagno, alcune con camino.
Ristorazione: H/B e F/B in alta stagione. Zagagnotti rustici, coniglio ripieno tartufato.
Prodotti aziendali: confetture, cereali, liquori di erbe.
Luoghi di interesse e manifestazioni locali: Gubbio, Città di Castello, Montone, Perugia, Assisi, Urbino, Cortona. Corsa dei ceri a Gubbio, palio delle mannaie in agosto a Pietralunga.
Prezzi: pasto da £ 25.000 a 45.000, alloggio oltre £ 50.000. Gratis bambini fino a 2 anni, sconto 50% per bambini da 3 a 6 anni, 20% per letto aggiunto.
Note: all'interno della fattoria vi è un'area naturalistica-didattica denominata "il giardino del mago", con percorso naturalistico attrezzato, capanni per bird watching, torretta di avvistamento, percorso vita, aule verdi, sentieri segnati, aree di sosta, percorso di campagna per il tiro con l'arco. Piscina, giochi all'aria aperta, equitazione, trekking e passeggiate, mountain bike. Raccolta di funghi e frutti di bosco. Biancheria, pulizia, riassetto, telefono comune, prima colazione, riscaldamento, sala televisione, sala lettura. Piscina per bambini, pony, giochi di sala, videocassette Disney. Animali accolti previo accordo.

FATTORIA CRESTA VERDE

via Montebagnolo, 1 • 06085 PONTE PATTOLI
☎ e fax 0755899438 cell. 0335230305

 E 6

Posizione geografica: collina.
Periodo di apertura: tutto l'anno.
Associato a: Agriturist, Terranostra.
Presentazione: casa colonica ristrutturata su 28 ettari di terreno. Allevamento di purosangue arabo, bovini e conigli. Accoglie ospiti in 3 camere con bagno e in 2 appartamenti.
Ristorazione: cucina italiana e tirolese.
Prodotti aziendali: marmellate e olio d'oliva.
Luoghi di interesse e manifestazioni locali: località umbre, numerose feste e sagre locali.
Prezzi: OR a £ 40.000, H/B a £ 70.000. Pasto da £ 20.000 a 30.000. Gratis per bambini fino a 3 anni, da 3 a 8 anni riduzione del 50%, da 8 a 12 del 20%.

Note: piscina, mountain bike, pallavolo, ping-pong, sauna invernale. Possibilità di escursioni. Riscaldamento. Animali accolti previo accordo.

CASANOVA DI CAMPERSALLE

via Trasimeno, 73 • 06010 SAN LEO BASTIA
☎ 0758504243-0758504523

● G 6

Posizione geografica: collina.
Periodo di apertura: tutto l'anno.
Presentazione: situato in una delle più belle vallate trasversali al Tevere. Offre ospitalità in 3 camere e in 2 appartamenti per un totale di 12 posti letto.
Ristorazione: piatti tipici, tagliatelle al castrato, polenta ai funghi, pappardelle al cinghiale e arrosti caserecci cotti su forni a legna.
Prodotti aziendali: funghi porcini, biette, melanzane, sottoli, sottoaceti, marmellate, miele, ortaggi.
Luoghi di interesse e manifestazioni locali: a breve distanza si può raggiungere il lago Trasimeno, Città di Castello, Gubbio, Perugia, Assisi, Spoleto, Cortona, Todi, Siena, Orvieto, monti Sibillini. Manifestazioni annuali, sagra del fungo, fiera delle nazioni e festival di musica da camera, mostra del cavallo, fiera del mobile in stile e antiquariato, mostra del tartufo.
Prezzi: agevolazioni per gruppi e sconto del 10% per bambini inferiori ai 10 anni. Per ospiti sconto del 10% sulla ristorazione.
Note: durata minima di permanenza 2 giorni. Nelle vicinanze pesca, bocce, tennis, equitazione, piscina. Cambio biancheria, pulizia su richiesta. Animali accolti previo accordo.

LE VAIE

fraz. Grotti - loc.Vaie • 06040 SANT'ANATOLIA DI NARCO
☎ 0743613269

● L 10

Posizione geografica: collina.
Periodo di apertura: tutto l'anno.
Associato a: Terranostra.
Presentazione: costruzione di recente ristrutturazione su terreno di 30 ettari, di cui 6 di bosco ceduo e pino d'Aleppo. Il resto coltivato a foraggio e cereali. Allevamento di bovini, ovini ed equini. Accoglie ospiti in camere con bagno.

Ristorazione: cucina tipica umbra, piatti al tartufo. Ristorante aperto al pubblico con 50 coperti.
Prodotti aziendali: vino, miele, salumi, pollame.
Luoghi di interesse e manifestazioni locali: parco dei Sibillini, città di interesse storico. Festival dei Due Mondi, sagre paesane.
Prezzi: OR da £ 35.000 a 40.000 a persona, H/B a £ 50.000, F/B a £ 60.000.
Note: osservazione ambientale. Piscina, giochi all'aria aperta, equitazione, tennis, escursioni e visite guidate. Possibilità di pratica di agricoltura. Raccolta asparagi e funghi. Prati per prendere il sole. Biancheria, riassetto, riscaldamento, telefono comune. Animali accolti previo accordo.

L'OLIVETO

v.le delle Regioni - fraz. Capitan Loreto • 06038 SPELLO
☎ e fax 0742301363

● G 8

Posizione geografica: collina (300 m).
Periodo di apertura: tutto l'anno.
Associato a: Turismo Verde, Agriturist, Terranostra.
Presentazione: villetta rustica su circa 4 ettari di terreno. Offre ospitalità in camere con bagno e in 3 miniappartamenti con 8 posti letto. Caravan.
Ristorazione: cucina tipica umbra.
Prodotti aziendali: olio, vino, marmellate, miele, verdure, tartufi.
Luoghi di interesse e manifestazioni locali: dalla sede dell'azienda qualsiasi parte della regione è raggiungibile nel tempo massimo di 1 ora.
Prezzi: pasto da £ 20.000 a 50.000, alloggio da £ 32.000 a 40.000.
Note: date le varie forme di ospitalità che l'azienda può offrire, si prega di comunicare le necessità di posti anticipatamente. Attività ricreative e culturali e attività per bambini vengono stabilite annualmente. Raccolta di asparagi e funghi. Biancheria, pulizia, telefono in camera, uso cucina, uso frigorifero (da concordare), riscaldamento, parcheggio.

CONVENTO DI AGGHIELLI

loc. Agghielli - fraz. Pompagnano • 06049 SPOLETO
☎ e fax 0743225010 E-mail:convaggh@tin.it

● L 8

Posizione geografica: collina (600 m).
Periodo di apertura: dall'1 gennaio al 5 novembre e dal 5 al 31 dicembre.
Presentazione: antico borgo del 1000 con convento, torre colombaia e chiesetta, restaurato secondo l'orientamento della bioarchitettura, in azienda di 100 ettari coltivati a castagneto, oliveto, frutteto, prati e boschi. Offre ospitalità in 10 confortevoli camere, con bagno e salotto, per un totale di 30 posti letto.
Ristorazione: piatti preparati con prodotti dell'azienda certificati biologici e biodinamici.
Prodotti aziendali: confetture di frutta, marroni.
Luoghi di interesse e manifestazioni locali: Spoleto a 3 km, fonti del Clitunno (15 km), Assisi (47 km). Festival dei Due Mondi a Spoleto a fine giugno-inizio luglio.
Prezzi: B&B da £ 70.000 a 100.000 a persona, H/B da £ 110.000 a 150.000 a persona.
Note: attrezzato per portatori di handicap. Permanenza minima di 3 giorni. Maneggio, noleggio mountain bike. Terapie di rilassamento e antistress. Cambio biancheria ogni 3 notti. Si accolgono animali di piccola taglia.

PATRICE

loc. San Martino in Trignano • 06049 SPOLETO
☎ e fax 0743268008

● L 8

Posizione geografica: collina.
Periodo di apertura: tutto l'anno.
Presentazione: tipica costruzione rurale, l'azienda biologica si estende su 17 ettari di terreno con produzione di uva, olive, frutta, ortaggi. Allevamento di bovini, ovini e suini. Il territorio è riserva con divieto di caccia, possibilità di vedere lepri, fagiani, istrici. Offre ospitalità in 14 camere con bagno per un totale di 30 posti letto.
Ristorazione: tipiche specialità umbre, a richiesta cucina vegetariana.
Prodotti aziendali: confetture, pane, dolci, farine, frutta, lattici-

ni, olio, ortaggi, pollame, salumi, uova, vini.

Luoghi di interesse e manifestazioni locali: Spoleto, Valnerina, Montefalco, cascate delle Marmore, Assisi, Spello, Festival dei Due Mondi, varie sagre locali.

Prezzi: H/B a £ 65.000, B&B a £ 40.000. Bambini fino a 3 anni gratis e fino a 12 anni riduzione del 50%.

Note: prato per prendere il sole. Giochi all'aria aperta, mountain bike. Corsi di agricoltura biologica, caseificazione, enologia, gastronomia, panificazione. Raccolta di asparagi, funghi e frutti di bosco. Sala riunioni. Biancheria, pulizia, riassetto, telefono comune, uso frigorifero. Animali accolti previo accordo.

CIRIMPICCOLO

via Madonna di Lugo, 43 • 06049 SPOLETO
☎ 0743223780 fax 0743223782

 ● L 8

Posizione geografica: collina, montagna.

Periodo di apertura: dal 20 ottobre al 20 settembre, tutti i giorni.

Associato a: 2 Mondi Viaggi, Italian Turist, Agritop.

Presentazione: tipica costruzione rurale in azienda di 110 ettari di terreno coltivato a frutteto, cereali, olivi. Offre ospitalità in 15 camere con bagno.

Ristorazione: H/B. Ristorante aperto al pubblico su prenotazione. Cucina rustica tipica. Varie specialità.

Prodotti aziendali: olio, prosciutti, formaggi.

Luoghi di interesse e manifestazioni locali: Assisi, Todi, Norcia, cascate delle Marmore, città medioevali, musei, castelli. Festival dei Due Mondi, Umbria Jazz, sagra del tartufo, sagra degli asparagi, sagra dei funghi, sagra delle ciliegie.

Prezzi: pasto da £ 20.000 a 40.000, alloggio da £ 30.000 a 50.000. Riduzioni per famiglie (2 adulti + 2 bambini =3 quote). Sconto 10% per letto aggiunto, 20% per quarto letto aggiunto.

Note: 2 camere accessibili agli handicappati (minimo 3 notti). Prato per prendere il sole, golf, piscina, pesca, mountain bike. Sala riunioni. Baby-sitter. Raccolta di asparagi, funghi, castagne, noci. Possibilità di escursioni a cavallo. Biancheria, pulizia, posto macchina, televisione. Animali accolti previo accordo.

AGRIRIVOLI

loc. Uncinano, 18 • 06049 SPOLETO ☎ e fax 0743268106

 ● L 8

Posizione geografica: collina.

Periodo di apertura: tutto l'anno.

Presentazione: casolare, completamente ristrutturato, immerso in una campagna d'incanto. L'azienda si estende su 100 ettari coltivati a oliveto e vigneto. Offre ospitalità in 10 camere con bagno arredate in modo confortevole ed in stile rustico.

Ristorazione: H/B, F/B. Stringozzi al tartufo, oca arrosto con patate, crescionda.

Prodotti aziendali: olio extravergine di oliva, vino.

Luoghi di interesse e manifestazioni locali: Assisi, Gubbio, Todi, Orvieto, Spoleto, Norcia, Cascia, cascate delle Marmore. Festival di Spoleto dal 20 giugno al 15 luglio, corsa dei ceri a metà maggio, sagra degli asparagi il 25 aprile.

Prezzi: pasto da £ 25.000 a 45.000, alloggio da £ 30.000 a 50.000. B&B da £ 50.000 a 60.000, H/B da £ 75.000 a 86.000, F/B da £ 90.000 a 108.000. Gratis bambini 0/2 anni, sconto 50% fino a 10 anni, piano famiglia (4 persone = 3 paganti).

Note: pullmino per transfer gratuito. Lavorazione olio di oliva e maiale (norcineria) a richiesta. Raccolta di funghi, tartufi, raponzoli, asparagi, more. Vengono organizzate passeggiate a cavallo o in mountain bike della durata di un giorno (pranzo al sacco). Animazione per bambini. Gioco delle bocce, piscina, giochi all'aria aperta, equitazione, tennis.

BARTOLI

loc. Patrico • 06049 SPOLETO ☎ e fax 0743220058

● L 8

Posizione geografica: montagna (1.050 m).

Periodo di apertura: tutto l'anno, solo su prenotazione.

Presentazione: costruzione rurale su 170 ettari di terreno adibito a pascolo e allevamento di ovini, suini, equini e animali di bassa corte. Accoglie ospiti in 6 camere matrimoniali con bagno e in 1 appartamento con 6 posti letto.

Ristorazione: tartufi e funghi.

Prodotti aziendali: asparagi, funghi, tartufi, fragole, more, bacche di rosa canina, erba di campagna.

Luoghi di interesse e manifestazioni locali: Spoleto, Bevagna, Assisi, Marmore, Pie di Luco, Valnerina. Sagra della ciliegia.

Prezzi: OR a £ 35.000, H/B a £ 60.000, F/B a £ 80.000. Pasto da £ 20.000 a 35.000. Riduzioni del 30-50% per bambini.

Note: prato per prendere il sole. Equitazione, bocce, mountain bike, trekking, giochi all'aria aperta. Biancheria, telefono in comune, riscaldamento e sala comune.

TENUTA DI CANONICA

loc. Canonica 75/76 • 06059 TODI ☎ 0758947545 fax 0758947581
E-mail:tenutadicanonica@tin.it

 ● L 6

Posizione geografica: collina, con vista sulla valle del Tevere e su Todi.

Periodo di apertura: chiuso dal 15 gennaio al 15 febbraio e Natale.

Presentazione: torre di avvistamento medioevale con basamenti romani e casale padronale degli inizi del XIX secolo. Offre ospitalità in 11 camere, tutte con bagno privato e alcune con camino, per un totale di 27 posti letto.

Ristorazione: B&B o H/B. cucina tipica umbra, lasagne con tartufo, cacciagione, funghi, pizza nel forno a legna. Su richiesta si preparano menu vegetariani..

Prodotti aziendali: marmellate, patè, olio e salse.

Luoghi di interesse e manifestazioni locali: musei, Todi a 5 km, Perugia, Spoleto, Assisi. Oasi naturalistiche quali il parco del monte Peglia, parco del Tevere, oasi di Alviano. Umbria jazz, festival dei Due Mondi, mostre dell'antiquariato, mercato delle *gaite* a Bevagna in giugno.

Prezzi: B&B da £ 65.000 a 90.000. Pernottamento gratuito per bambini fino ai 3 anni.

Note: permanenza minima 2 notti. Soggiorno, piccola biblioteca, saletta per riunioni e stage. Piscina, passeggiate naturalistiche nel bosco. Possibilità di andare a cavallo e di praticare mountain bike. Tennis e calcetto a 2 km. Si accettano animali previo accordo.

PODERE LA FORNACE

via Ombrosa, 3 • 06081 TORDIBETTO DI ASSISI
☎ 0758019537 fax 0758019630
E-mail:info@lafornace.com

G 7

Posizione geografica: pianura.
Periodo di apertura: dall'1 marzo al 15 gennaio.
Presentazione: intorno all'aia sorgono tre rustici in mattoni ristrutturati e dotati di moderni comfort, con vista suggestiva sulla valle umbra. Accoglie ospiti in 4 appartamenti per un totale di 18 posti letto.
Ristorazione: solo per gli ospiti, piatti tipici umbri.
Prodotti aziendali: vino, olio extravergine d'oliva, pasta di grano duro, frutta e verdura.
Luoghi di interesse e manifestazioni locali: Assisi, Perugia, Foligno, Spello, Bevagna, Trevi, Santa Maria degli Angeli.
Prezzi: appartamenti a settimana da £ 750.000 a 1.200.000 in bassa stagione, da £ 900.000 a 1.450.000 in media stagione, da £ 1.200.000 a 1.950.000 in alta stagione.
Note: soggiorno minimo di 3 giorni. Giochi all'aperto, mountain bike a disposizione, ping-pong, piscina. Tennis a 2 km. Cambio biancheria, pulizia su richiesta a pagamento. Si accolgono animali di piccola taglia.

FATTORIA DEL CERRETINO

via Colonnata, 3 - loc. Calzolaro • 06010 UMBERTIDE
☎ 0759302103 ☎ e fax 0759302166-0759302191
E-mail: cerretino@tiscalinet.it
http://web.tiscalinet.it/cerretino

D 5

Posizione geografica: collina.
Periodo di apertura: tutto l'anno.
Associato a: Agriturist.
Presentazione: borgo collinare, circondato da pinete e boschi, in azienda di 20 ettari coltivati a mais, frumento, tabacco, viti e olivi, ortaggi. Offre ospitalità in 5 appartamenti trilocali (4+1 posti letto), 2 appartamenti bilocali (2 posti letto) e in 3 camere doppie, con bagno.
Ristorazione: il ristorante è una tipica locanda umbra con forno a legna con 60 coperti. Eventuale H/B. Ristorante aperto al pubblico. Paste fatte in casa, carni alla griglia e al forno, funghi e tartufi, ortaggi biologici, dolci fatti in casa, vino e vin santo.
Prodotti aziendali: vino, miele, funghi, ortaggi, vin santo.
Luoghi di interesse e manifestazioni locali: città d'arte dell'Umbria e della Toscana (Perugia, Gubbio, Assisi, Cortona, Arezzo, lago Trasimeno). Mostra del tartufo a novembre, sagra del fungo a settembre, festival delle Nazioni di musica da camera in agosto.
Prezzi: pasto da £ 25.000 a 40.000 (bevande incluse), alloggio da £ 30.000 a 50.000. Riduzioni per gruppi e bambini.
Note: accessibile agli handicappati. Osservazione ambientale. Piscina, trekking e passeggiate, mountain bike, bici, giochi di sala per bambini. Raccolta di castagne e funghi. Sala riunioni. Biancheria,

uso cucina, stoviglie, frigorifero, televisione, parcheggio. Riscaldamento a gas non compreso. Animali accolti previo accordo.

LA COMPLESSIONE

Preggio, 297 - loc. San Bortolomeo De' Fossi
06019 UMBERTIDE ☎ 0759410318

D 5

Posizione geografica: collina.
Periodo di apertura: tutto l'anno.
Associato a: Turismo Verde.
Presentazione: tipica costruzione rurale in pietra circondata da boschi. L'azienda copre 10 ettari circa a orto e frutteto. Allevamento di bovini. Offre ospitalità in camere con bagno.
Ristorazione: H/B. Cucina tradizionale con prodotti biologici. Menu vegetariani su richiesta.
Prodotti aziendali: ortaggi, salumi, formaggi, miele (in piccoli quantitativi).
Luoghi di interesse e manifestazioni locali: Città di Castello (collezione Burri), Umbertide, Montone, Cortona, lago Trasimeno. Varie sagre autunnali, Umbria jazz, festival di musica da camera a Città di Castello.
Prezzi: H/B da £ 55.000 a 60.000, OR da £ 28.000 a 30.000, pasto a £ 28.000. Gratis ai bambini da 0 a 3 anni e sconto del 30% da 3 a 10 anni.
Note: solo su prenotazione. Periodo minimo 3 giorni. Gioco delle bocce, ping-pong. Raccolta di castagne, funghi, erbe spontanee. Biancheria, telefono in comune, uso cucina. Animali accolti previo accordo.

PRATO VERDE

loc. Niccone, 173 • 06019 UMBERTIDE ☎ e fax 0759410958
E-mail:pratoverde@netemedia.net
http:www.netemedia.net/pratoverde

D 5

Posizione geografica: collina (500 m).
Periodo di apertura: tutto l'anno.
Associato a: Turismo Verde.
Presentazione: casale colonico completamente ristrutturato con 6 ettari di terreno. Produzione di olive e foraggere alternate. Offre ospitalità in camere.
Ristorazione: H/B. Cucina tipica regionale.
Prodotti aziendali: olio, miele, ortaggi.
Luoghi di interesse e manifestazioni locali: raggiungibili tutte le città d'arte umbre e molti centri minori, meno conosciuti ma altrettanto significativi. Da maggio a ottobre il calendario regionale offre una serie di manifestazioni spesso di livello internazionale.
Prezzi: B&B a £ 50.000, H/B a £ 75.000. Gratis per bambini fino a 3 anni e sconto del 30% al di sotto dei 12 anni.
Note: nei mesi di luglio si tengono soggiorni per bambini da 8 a 13 anni. Giochi all'aria aperta, equitazione, trekking e passeggiate. Raccolta di castagne e funghi. Biancheria, riscaldamento. Animali accolti previo accordo.

CASA FAUSTINA

fraz. Mora, 28 • 06081 ASSISI
☎ 0758039377 fax 0758039377
E-mail: casa faustina@edisons.it

▲ **G 7**

Posizione geografica: collina (500 m).

Periodo di apertura: tutto l'anno.

Associato a: Agriturist, Touring Club Italiano, Touring Green Club.

Presentazione: casale in pietra con rustico annesso, circondato da 15 ettari di terreno con pini, cipressi, ulivi, querce. Offre ospitalità in 8 appartamenti (2 monolocali, 4 bilocali, 2 trilocali, con angolo cottura).

Ristorazione: convenzionata con 2 ristoranti nelle vicinanze.

Prodotti aziendali: olio extravergine di oliva, miele, frutti di bosco, tartufi.

Luoghi di interesse e manifestazioni locali: base ideale per muoversi alla scoperta dell'Umbria. Calendimaggio, Umbria jazz, festival di Spoleto, sagre paesane da maggio a ottobre.

Prezzi: alloggio da £ 35.000 a 60.000. Letto aggiunto £ 15/20.000. Letto aggiunto a £ 20.000.

Note: accessibile agli handicappati. Permanenza minima 1 settimana in luglio e agosto. Libera per i restanti periodi. Sala comune con televisione e annessa cucina attrezzata per gruppi in autogestione. Piscina, giochi all'aria aperta, ping-pong, Beach volley, mountain bike, scacchi da giardino. Cambio settimanale di biancheria, legna per il barbecue, pulizia settimanale e finale, riscaldamento. Corsi di pittura, scultura, disegno. Servizio di baby-sitter a richiesta.

LA CANTINA

via San Pietro Campagna, 112 • 06081 ASSISI
☎ 075813386

 G 7

Posizione geografica: pianura (350 m).

Periodo di apertura: tutto l'anno.

Associato a: Terranostra.

Presentazione: antica torre di guardia ampliata e ristrutturata una prima volta negli anni '50 e poi nel '91. Offre ospitalità in 4 camere matrimoniali, di cui 3 con bagno, e in 2 camere singole, di cui 1 con bagno.

Prodotti aziendali: olio di oliva, vino.

Luoghi di interesse e manifestazioni locali: Assisi, Spoleto, Todi, Gubbio, Perugia, tutti raggiungibili in superstrada in mezzora di macchina. Umbria jazz a Perugia in luglio, Calendimaggio (manifestazione medioevale assisana) il 1° week-end di maggio.

Prezzi: camera matrimoniale £ 35.000 a persona, singola £ 40.000. B&B.

Note: biancheria, pulizia, telefono comune, sala comune, riscaldamento, parcheggio ombreggiato.

GIRASOLE

loc. San Pietro Campagna, 199 • 06081 ASSISI
☎ 075813449 cell. 03471030526

G 7

Posizione geografica: collina.

Periodo di apertura: tutto l'anno.

Associato a: Vacanze Natura, Terranostra.

Presentazione: tipica costruzione. Allevamento di bovini, suini, pollame. Offre ospitalità in 1 appartamento con 4 posti letto e in camere con bagno.

Ristorazione: B&B.

Prodotti aziendali: olio, vino, miele, frutta.

Luoghi di interesse e manifestazioni locali: Assisi, Spello, Spoleto, Perugia, Todi, lago Trasimeno (Frasassi). Calendimaggio, "Infiorata" Corpus Domini, feste paesane.

Prezzi: alloggio da £ 30.000 a 40.000 a persona.

Note: raccolta di more e tartufi. Giochi all'aria aperta. Biancheria, pulizia, riassetto, telefono comune, uso frigorifero, riscaldamento, posto macchina, ampio giardino.

LA PIAGGIA

via San Pietro Campagna, 60 • 06081 ASSISI ☎ 075816231

 G 7

Posizione geografica: collina.

Periodo di apertura: tutto l'anno.

Associato a: Terranostra.

Presentazione: costruzione in pietra, situata a 600 m da Assisi. Si estende su circa 10 ettari e produce olio extravergine di oliva. Offre ospitalità in camere da 2-3-4 posti letto con bagno.

Prodotti aziendali: olio extravergine di oliva.

Luoghi di interesse e manifestazioni locali: Assisi, Gubbio, Spello, Spoleto, Orvieto, Todi, parco nazionale del Subasio. Passeggiata rievocativa a cavallo da Nocera Umbra ad Assisi, Calendimaggio.

Prezzi: alloggio a £ 35.000. £ 20.000 per letto aggiunto.

Note: maneggi pubblici nelle vicinanze, luogo per parapendio. Giochi all'aria aperta, trekking e passeggiate, mountain bike. Prima colazione servita in camera. Biancheria, pulizia, riassetto, telefono comune, riscaldamento, posto macchina.

LA CASTELLANA

fraz. Costa di Trex, 4 • 06081 ASSISI ☎ 0758019046

G 7

Posizione geografica: collina (550 m).

Periodo di apertura: tutto l'anno.

Associato a: Agriturist, Turismo Verde, Terranostra.

Presentazione: due casali rurali del '700 ristrutturati. L'azienda si estende su 13 ettari di terreno con produzione di cereali, ortaggi, olive, frutta, uva. Allevamento di cavalli, pecore e animali da cortile. Offre ospitalità in 3 camere (6 posti letto), 2 monolocali (5 posti letto), 1 appartamento (2-4 posti letto) con bagno.

Ristorazione: B&B. Ottimo ristorante tipico nelle vicinanze.

Prodotti aziendali: confetture, miele, olio, vino, uova, ortaggi, tartufi.

Luoghi di interesse e manifestazioni locali: Assisi, Perugia, Gubbio, Todi, lago Trasimeno, Spello, Spoleto. Da maggio a ottobre numerose sagre.

Prezzi: alloggio da £ 30.000 a 50.000.

Note: osservazione ambientale. Pesca e mountain bike. Raccolta di asparagi e funghi. Prato per prendere il sole. Ad Assisi piscina, campo da tennis, equitazione a 12 km. Biancheria, pulizia, telefono comune, uso cucina, riscaldamento, posto macchina.

BRIGOLANTE

via Costa di Trex, 31 - loc. Costa di Trex • 06081 ASSISI
☎ e fax 075802250

▲ G 7

Posizione geografica: collina.
Periodo di apertura: tutto l'anno, solo su prenotazione.
Presentazione: casolare in pietra ristrutturato del 1600, diviso in appartamenti da 50 mq ben rifiniti, costituiti da camera matrimoniale, soggiorno con angolo cottura, bagno e 2 letti mobili.
Prodotti aziendali: olio extravergine d'oliva, ortaggi, frutta e uova.
Luoghi di interesse e manifestazioni locali: Assisi, Orvieto, Gubbio, Spoleto, Todi, Siena e Perugia. Parco del monte Subasio e dei Sibillini, lago Trasimeno, cascate delle Marmore.
Prezzi: affitto settimanale per appartamento da £ 500.000 a 700.000, affitto giornaliero da £ 90.000 a 110.000.,
Note: si affitta da sabato a sabato o per il fine settimana. Piscina, equitazione, parapendio, strutture sportive e tennis nelle vicinanze. Giardino. Mountain bike. 1 camera accessibile a portatori di handicap, 1 con camino, 1 con idromassaggio. Televisione, telefono, lavatrice, riscaldamento autonomo (non compreso nel prezzo), pulizia finale. Non si accettano animali.

CASALE SANT'ANTONIO

loc. Casali Sant'Antonio • 06043 CASCIA
☎ 074376819-074376232

▲ L 10

Posizione geografica: collina (900 m) con riserva naturale e oasi di ripopolamento.
Periodo di apertura: da marzo al 31 ottobre.
Associato a: Terranostra.
Presentazione: costruzione rurale su 16 ettari di terreno coltivati biologicamente a cereali, legumi, ceci, lenticchie, farro e foraggio. Allevamento di mucche da latte. Offre ospitalità in 2 appartamenti dotati di servizi per un totale di 10 posti letto.
Prodotti aziendali: legumi, farro, animali di bassa corte.
Luoghi di interesse e manifestazioni locali: Cascia, Norcia, parco nazionale Sibillini, museo d'arte contadina, borghi della Valnerina. Sagre locali.
Prezzi: alloggio da £ 30.000 a 40.000.
Note: prenotazione per soggiorno minimo di 3 giorni, di 1 settimana in luglio e agosto. Possibilità di osservazione ambientale, di partecipazione ai lavori agricoli, di visitare la raccolta degli attrezzi contadini. Raccolta di funghi e frutti di bosco. Trekking e passeggiate. Giardino, prato per relax, barbecue. Biancheria, pulizie iniziali e finali, uso cucina, uso frigorifero, riscaldamento. Animali accolti previo accordo.

LE QUATTRO STAGIONI

via Castagni - loc. Palareto • 06061 CASTIGLIONE DEL LAGO
☎ 0759652892 ☎ e fax 0759652454

▲ F 3

Posizione geografica: pianura, a 3 km dal lago Trasimeno.
Periodo di apertura: tutto l'anno.
Associato a: Agriturist, Terranostra.
Presentazione: antico casale ristrutturato in azienda agricola che si estende su una superficie di 150 ettari. Vivai, cereali, vigneti, frutteti. Accoglie ospiti in 4 appartamenti per un totale di 15 posti letto. Ampia sala comune con grande focolare e cucina annessa a disposizione per comitive (30-40 persone).
Prodotti aziendali: vino, vin santo, uova, frutta, olio.
Luoghi di interesse e manifestazioni locali: Cortona, Montepulciano, Città della Pieve, Perugia. Sagra del tulipano in aprile, "Coloriamo i cieli" (raduno internazionale di aquiloni), gare di motocross internazionali.
Prezzi: alloggio da £ 40.000 a 50.000 per comitive, £ 90.000 per 2 persone. Pulizia finale £ 30.000 ad appartamento.
Note: il casale è inserito in un centro di "Riproduzione fauna selvatica" con fagiani, pernici rosse, lepri (90 ettari di superficie, possibilità di prelievo per tutto l'anno). Offerta speciale di pernottamento cacciatori £ 40.000 a testa, per minimo 2 notti. I prezzi della selvaggina sono da concordare in loco. Raccolta di funghi. Biciclette, bocce, ping-pong e per l'estate 2000 la piscina. Biancheria, pulizia finale, uso cucina, frigorifero, riscaldamento, televisione in ogni appartamento.

POGGIO DEL SOLE

loc. Ceraso Alto, 2 - Sanfatucchio
06061 CASTIGLIONE DEL LAGO
☎ 0759680221 abit. 0759589678 fax 0759680221
E-mail: terreumbre@terreumbre.com
http:www.terreumbre.com

▲ F 3

Posizione geografica: collina.
Periodo di apertura: tutto l'anno.
Associato a: Terranostra.
Presentazione: casolare umbro in pietra e mattoni circondato da oliveto sulle colline del lago Trasimeno, al confine tra Umbria e Toscana. Offre ospitalità in 1 appartamento con 9 posti letto, 3 appartamenti con 4 posti letto, 2 appartamenti con 2 posti letto più divano letto e in 1 appartamento con 2 posti letto, tutti con blocco cucina e bagno con doccia.
Prodotti aziendali: olio, miele, marmellate.
Luoghi di interesse e manifestazioni locali: area archeologica di Chiusi, lago Trasimeno, Valdorcia, Montepulciano, Pienza, città d'arte umbre, oasi LIPU, lago di Montepulciano. Raduno internazionale degli aquiloni a Castiglione del lago, sagre con cucina locale nel periodo estivo in molte località circostanti.
Prezzi: alloggio da £ 30.000 a 50.000.
Note: un appartamento è accessibile agli handicappati. In alta stagione soggiorni di 1 settimana (da sabato a sabato), in altri periodi anche solo week-end. Campo da calcetto, bicicletta, windsurf e vela sul Trasimeno, tennis a 5 km, giochi all'aria aperta, trekking e passeggiate, mountain bike. A disposizione degli ospiti l'oliveto che circonda la struttura e il bosco retrostante. Piscina con angolo per bambini. Biancheria, pulizie finali, posto macchina, telefono a scatti.

LE QUERCE

fraz. Ferretto, 1 • 06061 CASTIGLIONE DEL LAGO
☎ 0759659126

▲ F 3

Posizione geografica: lago.
Periodo di apertura: tutto l'anno.
Presentazione: tipica costruzione rurale. L'azienda si estende su 32 ettari ed è al centro di un bosco di querce e pini recintato. Produzione di rosai in vaso da collezione. Offre ospitalità in 3 appartamenti con cucina e bagno privati per un totale di 15 posti letto.
Prodotti aziendali: fiori, piante, uova, ortaggi, frutta.
Luoghi di interesse e manifestazioni locali: Perugia, Assisi, Cortona, Montepulciano, Farneta, Panicale, Corciano, Arezzo. Varie sagre per tutta l'estate.
Prezzi: OR fino a £ 30.000 a persona.
Note: prenotazione obbligatoria. Raccolta di funghi e frutti di bosco. Si tengono corsi di coltivazione delle rose. Equitazione a 10 km, piscina e tennis a 7 km, lago a 4 km. Gioco delle bocce.

IL FORTINO

fraz. Gioiella - loc. Lopi • 06061 CASTIGLIONE DEL LAGO
☎ 057821022 fax 057820847

▲ F 3

Posizione geografica: collina.
Periodo di apertura: tutto l'anno.
Associato a: Terranostra e Turismo Verde.
Presentazione: l'azienda è costituita da una vecchia villa padronale, un'antica casa colonica e tre moderni fabbricati disposti armoniosamente ai lati di circa 2 ettari di parco recintato, con frutteto, oliveto e produzione di ortaggi. Accoglie ospiti in appartamenti indipendenti di 2, 4 e 6 persone.
Prodotti aziendali: frutta, confetture, dolci e ortaggi.
Luoghi di interesse e manifestazioni locali: Perugia, Assisi, Firenze, Roma, Orvieto, Gubbio, Chiusi, Chianciano, Pienza, Montepulciano. Sagre paesane, spettacoli, teatro all'aperto.
Prezzi: OR da £ 30.000 a 50.000 al giorno per persona, da £ 550.000 a 1.100.000 per appartamento a settimana. Riduzione del 10% per la seconda settimana.
Note: prato per prendere il sole. Giochi all'aria aperta, ping-pong, bocce e piscina. Biancheria, pulizia iniziale e finale, riscaldamento, parcheggio. Animali accolti previo accordo.

NATURA AMICA

via dei Cacciatori, 7 • 06084 FRATTA DI BETTONA
☎ 075982828 ☎ e fax 075982922

▲ H 6

Posizione geografica: collina.
Periodo di apertura: da aprile a ottobre.
Presentazione: vecchio casale in pietra restaurato. Accoglie ospiti in 6 camere doppie con bagno.
Prodotti aziendali: olio d'oliva.
Luoghi di interesse e manifestazioni locali: Assisi, Deruta, Spello. Nel periodo estivo feste gastronomiche paesane.
Prezzi: B&B a £ 45.000. Letto aggiunto per bambini £ 20.000.
Note: piscina e maneggio. Parcheggio. Animali accolti previo accordo.

VILLAMAGNA PALAZZO

loc. Villamagna - voc. Palazzo • 06024 GUBBIO
☎ 0759221809 fax 0759221660 cell. 03355756329
E-mail: villamagna@gubbioholidays.it
http:www.gubbioholidays.it/villamagna

▲ D 7

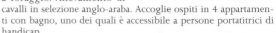

Posizione geografica: montagna.
Periodo di apertura: tutto l'anno.
Associato a: Agriturist.
Presentazione: tipica costruzione rurale in pietrame di recente ristrutturazione ('94-'95). Si estende su 105 ettari a foraggio. Allevamento di cavalli in selezione anglo-araba. Accoglie ospiti in 4 appartamenti con bagno, uno dei quali è accessibile a persone portatitrici di handicap.
Ristorazione: convenzione con ristorante tipico. Possibilità di catering.
Luoghi di interesse e manifestazioni locali: Gubbio, Todi, Assisi, Perugia, Orvieto. Festa dei ceri il 15 maggio, palio della balestra a fine maggio, processione sacra il Venerdì Santo.
Prezzi: alloggio da £ 50.000 a 65.000 a persona. Letto/culla aggiunti £ 50.000. Sconto 10% bambini fino a 10 anni.
Note: periodo minimo di soggiorno 2/3 notti, su prenotazione. Piscina, trekking (a cavallo, a piedi o in mountain bike), giochi per bambini, ping-pong. Barbecue. Spazio verde attrezzato. Raccolta di funghi, more, frutti di bosco, tartufi, asparagi. Prato per prendere il sole. Sala comune in allestimento. Biancheria, telefono comune, uso cucina, uso frigorifero. TV negli appartamenti. Baby sitting. Animali accolti previo accordo.

AGRIVIP LA CONTESSA

loc. San Bartolomeo, 42 • 06024 GUBBIO
☎ e fax 0759257057

▲ D 7

Posizione geografica: campagna, collina (510 m).
Periodo di apertura: tutto l'anno.
Presentazione: villa a due piani con parco, bosco e frutteto che occupano complessivamente 23 ettari. Offre ospitalità in 2 appartamenti di 160 mq ciascuno, con cucina, bagno, 3 camere da letto, salotto, televisione, lavanderia.
Luoghi di interesse e manifestazioni locali: tutte le città d'arte dell'Umbria: Assisi, Spoleto, Todi, Orvieto e Gubbio. Festa dei ceri il 15 maggio, tiro della balestra, sagre e sfilate in costumi medioevali.
Prezzi: alloggio £ 50.000 al giorno a persona.
Note: accessibile agli handicappati. Solo su prenotazione. Il soggiorno viene consigliato a gruppi di parenti o amici che desiderano una vacanza riservata (max 12 persone). Tiro con l'arco, giochi all'aria aperta. Possibilità di praticare equitazione a 1 km, a circa 6 km dalla villa si trovano tutte le strutture per vari sport (tennis compreso). Raccolta di funghi e more selvatici. Pratica del giardinaggio. Biancheria, pulizia finale. Animali accolti previo accordo.

IL PALAZZETTO

fraz. Sant'Andrea del Calcinaro • 06024 GUBBIO
☎ 0759273128
sede legale via Reposati, 8 • 06024 GUBBIO
E-mail: AlfredoBrofferio@infoservice. it

 ▲ D 7

Posizione geografica: collina.
Periodo di apertura: tutto l'anno.
Associato a: Terranostra.
Presentazione: tipica costruzione rurale suddivisa in 5 appartamenti indipendenti, con 400 ettari di pascoli e boschi. Offre ospitalità in 5 unità (1 da 6, 2 da 4, 1 da 3, 1 da 2 posti letto).

Prodotti aziendali: legumi, cereali, formaggio, insaccati, vino.
Luoghi di interesse e manifestazioni locali: in un'ora di auto si possono raggiungere tutte le località più famose dell'Umbria. Festa dei ceri, tiro della balestra, cene gastronomiche, festival musicali.
Prezzi: alloggio da £ 500.000 a 1.400.000 alla settimana. Riduzioni per gruppi e per soggiorni di più di 1 settimana.
Note: periodo minimo di soggiorno di 1 settimana. L'appartamento per 2 persone è accessibile agli handicappati. Possibilità di organizzare passeggiate a cavallo, area giochi per bambini, percorso vita. Nelle vicinanze si praticano tutti gli sport, in particolare tennis, parapendio e speleologia. Raccolta di tartufi. Ogni appartamento è dotato di cucina o angolo cottura e di bagno con vasca o doccia.

SANT'ERASMO

fraz. Padule - voc. Sant'Erasmo • 06024 GUBBIO
☎ 0759291017-0759271024 fax 0759291017

 ▲ D 7

Posizione geografica: collina.
Periodo di apertura: tutto l'anno.
Associato a: Terranostra, A.C.I., European Service Card.
Presentazione: antico casale completamente ristrutturato e suddiviso in 5 comodi appartamenti per un totale di 21 posti letto, con riscaldamento autonomo e caminetto a legna. L'azienda copre circa 55 ettari, coltivati a cereali e foraggi.
Prodotti aziendali: miele, uova, pollame.
Luoghi di interesse e manifestazioni locali: Gubbio, Assisi, Perugia, Todi, Spoleto. Festa dei ceri il 15 maggio, sagra del tartufo in novembre, palio della balestra in maggio.
Prezzi: alloggio da £ 10.000 a 50.000 a notte per persona.
Note: solo su prenotazione. Raccolta di asparagi e funghi. Gioco delle bocce, giochi all'aria aperta, mountain bike. Equitazione a 3 km. Piscina a 5 km. Biancheria, pulizie finali, televisione, cucina.

I DUE OLMI

loc. Terraccia San Secondo • 06024 GUBBIO
☎ 0759220446-0759275873 cell. 03383448922

 ▲ D 7

Posizione geografica: a 2,8 km dal centro storico.
Periodo di apertura: tutto l'anno.

Prodotti aziendali: miele.
Luoghi di interesse e manifestazioni locali: Assisi, grotte di Frasassi, Perugia, Todi, Città di Castello, Spoleto, lago Trasimeno. Festa dei ceri il 15 maggio, tiro della balestra il 30 maggio, festa dei quartieri il 14 agosto, teatro di prosa e classici, mostre varie.
Prezzi: alloggio da £ 80.000 a 120.000 per appartamento.
Note: accessibile agli handicappati. Prato per prendere il sole. Biancheria e stoviglie. Animali accolti previo accordo.

LE DUE TORRI

via Torre Quadrano, 1 • 06038 LIMITI DI SPELLO
☎ 0743275983 fax 0743270273 cell. 0330646124

 ▲ E 4

Posizione geografica: pianura.
Periodo di apertura: tutto l'anno.
Presentazione: l'azienda, che deve il suo nome a due fortificazioni medioevali, pratica l'agricoltura biologica con produzione di vino, olio extravergine d'oliva e girasole, cereali, legumi, ortaggi. Allevamento di bovini di razza chianina. Offre ospitalità in due casali in pietra bianca e rosa del monte Subasio, arredati con mobili fine '800 inizio '900.
Prodotti aziendali: olio extravergine d'oliva, vino e marmellate.
Luoghi di interesse e manifestazioni locali: Foligno, Assisi, Perugia, Spello, Bevagna. Giostra della Quintana a Foligno in settembre, Eurochocolate a Perugia in ottobre, manifestazione medioevale a Bevagna a metà giugno, "Infiorata" a Spello la prima domenica di giugno.
Prezzi: B&B da £ 55.000 a 60.000 a persona, appartamento (2/4 posti letto) da £ 100.000 a 180.000 al giorno.
Note: la permanenza minima è di 2 notti. Servizio di prima colazione con latte fresco, succo di frutta e dolci della casa. Ampio giardino attrezzato, barbecue, forno a legna, sala TV e ristoro. Piscina, biciclette. Biancheria. Si accettano animali domestici.

PODERE FORNO ANTICO

via Case Sparse, 20 – loc. Caligiana • 06063 MAGIONE
☎ e fax 0758409315 cell. 0330215479
http:www.ware.it/Agritour/Umbria/Trasimeno/
PodereFornoAntico

 ▲ F 4

Posizione geografica: collina, vicino al lago Trasimeno.
Presentazione: l'antico casolare ottocentesco in pietra ristrutturato, in azienda di 14 ettari immersa tra antiche querce, ginepri e 250 piante secolari di ulivi, offre ospitalità in 6 appartamenti, tutti indipendenti, arredati con gusto, con bagno e angolo cottura.

Prodotti aziendali: marmellate, olio e olive.
Luoghi di interesse e manifestazioni locali: parchi, musei e siti archeologici, Perugia, Assisi, Spello, Todi, Gubbio. Calendimaggio ad Assisi, "Infiorata" a Spello, Corsa dei Ceri a Gubbio in maggio, festival dei Due Mondi a Spoleto.
Prezzi: rivolgersi direttamente all'azienda.
Note: 1 appartamento attrezzato per portatori di handicap. Letture, passeggiate a piedi o a cavallo. Possibilità di praticare tiro con l'arco, bocce, ping-pong, mountain bike. Pesca, sci nautico e windsurf sul lago Trasimeno. Piscina e tennis a 7 km. Posto auto. Biancheria, riassetto. Socio Fiteec-Ante (Federazione Italiana Turismo Equestre ed Equitazione di Campagna) e WWF. Si accettano animali domestici.

IL MONTE E IL VILLAGGIO DEL SOLE

loc. Il Buio • 06010 MONTE SANTA MARIA TIBERINA
☎ **0758571009 fax 0758550041**

▲ C 4

Posizione geografica: collina (600 m).
Periodo di apertura: tutto l'anno.
Associato a: Agriturist, Terranostra.
Presentazione: tipica casa rurale circondata da 3 annessi completamente ristrutturati. L'azienda si estende su 20 ettari coltivati a oliveto e vigneto. Allevamento di cavalli. Accoglie ospiti in 8 appartamenti di varie dimensioni (da 2 a 6 posti letto ciascuno), con cucina completamente attrezzata.
Prodotti aziendali: vino, olio, miele, ortaggi, uova, pollame.
Luoghi di interesse e manifestazioni locali: affreschi di Piero della Francesca (Madonna del Parto) e di Luca Signorelli, museo Burri. Varie sagre: polenta, uva, castagna. Mostra del tartufo e frutti di bosco in novembre, mostra nazionale del cavallo in settembre.
Prezzi: da £ 30.000 a 50.000. Sconti dal 10% al 20% nella media e bassa stagione.
Note: in luglio e agosto minimo di prenotazione 1 settimana. L'azienda è centro A.N.T.N., possiede un maneggio con 20 box per ospitare cavalli. Si danno lezioni di equitazione, si organizzano passeggiate a cavallo di 1 o più giorni. Piscina, giochi all'aria aperta, equitazione. Raccolta di tartufi, funghi, castagne, frutti di bosco. Biancheria, sala comune con televisione e telefono, parcheggio coperto, uso piscina con ombrelloni e sdraio. Animali accolti previo accordo.

I FRATI

via Sensini • 06060 PACIANO
☎ **0755721232** ☎ **e fax 075830185**

▲ F 4

Posizione geografica: collina e pianura con vista sul lago Trasimeno.
Periodo di apertura: tutto l'anno.
Associato a: Agriturismo.
Presentazione: 7 tipiche case coloniche autonome inserite in una vasta proprietà di circa 200 ettari con produzione di cereali, meloni, pomodori, miele, olio, vino, vin santo. Casa "Cappuccini" (4 posti letto, bagno, soggiorno, cucina), casa "Faldo" (8 posti letto, 2 bagni, cucina, soggiorno), casa "Convento" (7 posti letto, bagno, soggiorno, cucina), casa "Torrione A" (4 posti letto, soggiorno, cucina, servizi), casa "Torrione B" (4/6 posti letto, soggiorno, cucina, servizi, studio), casa "Casaglia" (8 posti letto, 2 bagni, soggiorno, cucina).
Prodotti aziendali: miele, meloni, pomodori, olio, vino, vin santo.

Luoghi di interesse e manifestazioni locali: Assisi, Perugia, Panicale, lago Trasimeno, Siena, Cortona. Festa di primavera, sagra dell'olio, Umbria jazz, palio di Città della Pieve, numerosissime sagre locali.
Prezzi: settimanali da £ 700.000 a 2.200.000.
Note: soggiorni solo su prenotazione minima di 1 settimana, eccetto i fine settimana da ottobre ad aprile. Prati per prendere il sole. Passeggiate su percorsi segnati. Raccolta di castagne e funghi. Varie piscine e campo da golf nelle vicinanze. Biancheria, pulizia, cucina, frigorifero, parcheggio.

CAMPODONICO

loc. Campodonico, 107 • 06060 PACIANO
☎ **075837244-0759589996 fax 0759653202**

▲ F 4

Posizione geografica: collina.
Periodo di apertura: tutto l'anno.
Presentazione: borgo medioevale inserito tra vigne e uliveti. Campodonico è un casale di fine settecento circondato dall'azienda agricola e con vista sul lago Trasimeno. Offre ospitalità in appartamenti per un totale di 12 posti letto.
Prodotti aziendali: vino, miele, olio.
Luoghi di interesse e manifestazioni locali: Perugia a 30 km, Assisi a 60 km, Siena a 70 km, lago Trasimeno a 5 km, Chiusi e museo etrusco.
Prezzi: £ 550.00 in alta stagione e £ 450.000 in bassa stagione per appartamento a settimana. 10% di sconto a chi è in possesso della presente Guida all'Agriturismo in Italia.
Note: biancheria, riassetto. Piscina, tennis a 5 km, escursioni naturalistiche. Si noleggiano mountain bike. Si accettano animali domestici.

BAGNARA

loc. Solfagnano - strada della Bruna • 06080 PERUGIA
☎ **075604136 fax 075604272**

▲ F 5

Posizione geografica: collina.
Periodo di apertura: da Pasqua a ottobre.
Associato a: Agriturist.
Presentazione: costruzione medioevale nel cuore di un'azienda che produce cereali, tabacco, barbabietole. Allevamento di bovini di razza chianina. Offre ospitalità in 3 appartamenti per un totale di 132 posti letto.
Prodotti aziendali: olio, noci, nocciole.
Luoghi di interesse e manifestazioni locali: Assisi, Perugia, Gubbio, Spello, Spoleto, castelli medioevali. Varie manifestazioni locali.
Prezzi: alloggio da £ 45.000 a 55.000.
Note: periodo minimo di soggiorno 1 settimana. Possibilità di passeggiate nei boschi e sui prati. Raccolta di more, castagne, funghi, asparagi. Prato per prendere il sole. Tennis, golf, trekking e passeggiate, equitazione nelle vicinanze. Sala riunioni disponibile su richiesta. Biancheria, cucina, frigo.

CIGNANO I

loc. Cignano I, 147 • 06060 PREGGIO DI UMBERTIDE
☎ 0759410292 fax 07543066

▲ D 5

Posizione geografica: alta collina.
Periodo di apertura: tutto l'anno.
Associato a: Turismo Verde, Terranostra.
Presentazione: costruzioni in pietra in azienda di circa 34 ettari a bosco e seminativo. Offre ospitalità in 4 appartamenti per un totale di 10 posti letto.
Prodotti aziendali: vino, olio, nocino, miele.
Luoghi di interesse e manifestazioni locali: Perugia, Assisi, Gubbio, eremo di Montecorona, borghi medioevali e castelli. Festival di musica da camera l'ultima decade di luglio-prima decade di agosto, sagra della castagna in ottobre.
Prezzi: alloggio da £ 30.000 a 50.000.
Note: periodo minimo di prenotazione 2 notti (1 settimana in agosto). Pesca, equitazione, tennis. Raccolta di more e funghi. Biancheria, riassetto finale, posto macchina. Animali accolti previo accordo.

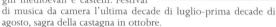

LA GINESTRA

loc. Sterpare • 06030 SELLANO
☎ e fax 074396247

▲ I 9

Posizione geografica: montagna.
Periodo di apertura: tutto l'anno.
Associato a: Agriturist, Terranostra, Turismo Verde.
Presentazione: tipica costruzione rurale in azienda di 15 ettari a cereali e foraggio. Allevamento di bovini. Offre ospitalità in 4 appartamenti per un totale di 20 posti letto.
Prodotti aziendali: uova, farro, lenticchie, ortaggi.
Luoghi di interesse e manifestazioni locali: Foligno, Spoleto, Cascia, Norcia, Assisi, Gubbio, Perugia, Castelluccio, Bevagna, Spello. Sagra del tartufo e del cinghiale.
Prezzi: alloggio fino a £ 30.000. Riduzione del 10% per la seconda settimana di soggiorno.
Note: osservazione ambientale. pesca, equitazione, trekking e passeggiate. Raccolta di tartufi, asparagi, castagne, funghi. Prato per prendere il sole. Giochi all'aria aperta per i bambini. Biancheria, posto macchina. Animali accolti previo accordo.

TORRE QUADRANA

via Limiti, 39 • 06038 SPELLO ☎ 0742652856 cell.
03470781208 E-mail:torrequ@tiscalinet.it
•web.tiscalinet.it/agriturtorrequadrana

▲ G 8

Posizione geografica: pianura.
Periodo di apertura: tutto l'anno.
Associato a: Turismo Verde, Agriturist, Terranostra.
Presentazione: costruzione rurale ristrutturata, si estende su 15 ettari con produzione di cereali, uva, olive. Accoglie ospiti in 7 camere con bagno privato e in comune per un totale di 14 posti letto.

Prodotti aziendali: olio extravergine, vino.
Luoghi di interesse e manifestazioni locali: Assisi, Cannara, Bevaglia, Deruta, Montefalco, Perugia, Todi, Spoleto, Gubbio, Foligno. Manifestazioni: "Infiorata" il giorno del Corpus Domini, festa della cipolla e Quintana a settembre, mercato delle *gaite* a giugno, Umbria jazz a luglio.
Prezzi: alloggio da £ 30.000 a 45.000 (inclusa la colazione). Riduzione del 20% per bambini fino a 10 anni.
Note: pulizia, riassetto, cambio biancheria ogni 2 giorni, telefono comune, riscaldamento, sala comune con televisione, uso cucina e frigorifero. Nelle vicinanze equitazione e tennis. Si accettano animali.

L'ULIVO

loc. Bazzano Inferiore • 06049 SPOLETO
☎ 074349031-0743222755 fax 0743222527

▲ L 8

Posizione geografica: collina.
Periodo di apertura: tutto l'anno.
Associato a: Agriturist, Umbria in campagna.
Presentazione: l'azienda sorge su un terreno di 26 ettari cotivati a uliveto, frumento e foraggio.

Casali restaurati per un totale di 4 appartamenti più 2 camere con bagno. Sono arredati con mobili d'epoca e forniti di TV color, camino, riscaldamento.
Prodotti aziendali: olio biologico, marmellate.
Luoghi di interesse e manifestazioni locali: Spoleto, Assisi e tutti gli altri centri storici umbri sono facilmente raggiungibili. Festival dei Due Mondi, teatro lirico sperimentale, sagre e rievocazioni storiche in piccoli borghi vicini all'azienda.
Prezzi: alloggio da £ 50.000 a 60.000 a persona per notte.
Note: richiesta prenotazione anticipata per week-end o settimane. Osservazione ambientale, passeggiate guidate nei sentieri per riconoscere erbe officinali. Raccolta di asparagi e funghi. A 1 km biliardo, calcetto, minigolf, pallavolo, tennis, bowling, ping-pong. A 5 km piscina, equitazione, bocce, pesca sportiva. Prato per prendere il sole e grande giardino per bambini. Animali accolti previo accordo.

IL CASALE GRANDE

loc. Beroide di Spoleto • 06049 SPOLETO
☎ 0330646124 - 0743275983 fax 0743270273

▲ L 8

Posizione geografica: pianura.
Periodo di apertura: tutto l'anno.
Presentazione: ricavato da un'abitazione contadina ottocentesca, il casale è stato ristrutturato nel pieno rispetto dell'ambiente circostante. Allevamento di bovini da latte. Accoglie ospiti in 4 appartamenti da 2 a 6 posti letto composti da soggiorno, cucina abitabile attrezzata e zona notte.

Prodotti aziendali: olio extravergine d'oliva.
Luoghi di interesse e manifestazioni locali: Spoleto, Spello, Assisi, Perugia, Orvieto, Todi, cascata delle Marmore. Festival dei Due Mondi, Eurochocolate, Giostra della Quintana.
Prezzi: OR da £ 35.000 a 60.000 a persona al giorno. Riduzioni per soggiorni settimanali.
Note: latte fresco per la colazione su richiesta. Ampio giardino attrezzato con giochi per bambini e barbecue. Piscina. Biciclette a disposizione. Possibilità di visite guidate all'azienda. Cambio biancheria settimanale. Posto auto. Animali accolti previo accordo.

COLLELIGNANI

via Crivellini, 107 - fraz. Eggi • 06049 SPOLETO
☎ 0337593930 ☎ e fax 0743229361

▲ **L 8**

Posizione geografica: collina.
Periodo di apertura: tutto l'anno, solo su prenotazione.
Associato a: Agriturist e Terranostra.
Presentazione: azienda su 10 ettari con produzione di cereali, mais, barbabietole, foraggi. Allevamento di ovini ed equini. Accoglie ospiti in 4 camere, con bagno, per un totale di 8 posti letto, 2 bilocali da 2 posti letto e in 3 trilocali da 4 posti letto.
Prodotti aziendali: vino e olio.
Luoghi di interesse e manifestazioni locali: Spoleto, Assisi, cascata delle Marmore, parco dei Sibillini. Festival dei Due Mondi a giugno, varie sagre gastronomiche.
Prezzi: OR da £ 30.000 a 50.000.
Note: accessibile agli handicappati. Soggiorno minimo 3 giorni. Nelle vicinanze mountain bike, pallavolo, pesca sportiva, piscina, tennis, tiro con l'arco, bowling, trekking su sentieri segnati. Raccolta di asparagi, funghi e tartufi. Biancheria, telefono, cucina attrezzata.

CASTELLO DI PORCHIANO

fraz. Porchiano • 06059 TODI
☎ 0758853127 fax 0635347308 cell. 0330290066

▲ **L 6**

Posizione geografica: collina (300 m).
Periodo di apertura: da marzo al 31 gennaio.
Associato a: Agriturist.
Presentazione: piccolo borgo medioevale su 44 ettari con produzione di cereali, vigneto e frutteto.
Offre ospitalità in 4 appartamenti dotati di servizi per un totale di 12 posti letto.
Prodotti aziendali: vino, frutta.
Luoghi di interesse e manifestazioni locali: varie città d'arte. Mostra dell'antiquariato e festival a Todi, festival dei Due Mondi a Spoleto. Varie sagre nel periodo estivo in tutta la regione.
Prezzi: alloggio da £ 30.000 a 50.000. Gratis bambini da 0 a 4 anni (in culla), sconto 50% da 5 a 10 anni (letto aggiunto).
Note: solo su prenotazione. Periodo minimo in agosto 1 settimana, a Capodanno 5 giorni, a Pasqua e festività 3 giorni. Piscina, tiro con l'arco, equitazione, tennis, trekking e passeggiate. Prato per prendere il sole. Sala per banchetti (30-40 coperti). Sala riunioni. Biancheria, pulizia.

CORDIGLIANO

loc. Case Nuove, 17 • 06059 TODI
☎ 0758947775 fax 0758943785

▲ **L 6**

Posizione geografica: collina.
Periodo di apertura: tutto l'anno.
Associato a: Agriturismo, Terranostra.
Presentazione: ex monastero del '200 su 12 ettari di terreno. L'azienda produce cereali, olio e vino. Offre ospitalità in miniappartamenti (da 4 a 7 posti letto) arredati, con riscaldamento autonomo, televisione, camino e angolo cottura.
Prodotti aziendali: olio, vino, miele, marmellate, conserve.
Luoghi di interesse e manifestazioni locali: Assisi, Orvieto, Spoleto, cascate delle Marmore, Gubbio, Todi, Perugia. Mostra internazionale dell'antiquariato, "Todifestival", gran premio mongolfieristico italiano e varie sagre.
Prezzi: alloggio in stagione medio-bassa da £ 30.000 a 50.000, appartamento da 4 posti letto (50 m²) in alta stagione £ 900.000 alla settimana. Sconto 30% su lunghe permanenze (2 settimane), 50% per bambini fino a 12 anni.
Note: altalena, spazio con sabbia e giardino per i bambini. Maneggio a 3 km. Calcetto, ping-pong, piscina, tiro con l'arco, tennis, mountain bike. Possibilità di partecipare ai lavori aziendali (giardinaggio). Stanza comune con bar, televisione, camino e telefono. Animali accolti previo accordo.

TENUTA DI FIORE

fraz. Romazzano - loc. Torricella, 37 • 06059 TODI
☎ 0758853259 ☎ e fax 0758853118

▲ **L 6**

Posizione geografica: collina.
Periodo di apertura: da marzo a settembre.
Associato a: Agriturist, Terranostra.
Presentazione: case medioevali del '600 e annessi. Offre ospitalità in camere con bagno e in 3 appartamenti con 12 posti letto totali.
Prodotti aziendali: olio di oliva.
Luoghi di interesse e manifestazioni locali: tutte le città d'arte dell'Umbria. Mostra dell'artigianato, "Todifestival" (teatro).
Prezzi: alloggio da £ 40.000 a 100.000.
Note: solo su prenotazione. Soggiorno minimo 1 settimana. Piscina, laghetto privato, campetto da pallavolo, angolo giochi per bambini, sala comune con TV, ping-pong, barbecue, passeggiate con possibilità di trovare erbe officinali e bacche. Cani accolti previo accordo.

POGGIO ALLE VIGNE

piazza Matteotti, 1 - loc. Montespinello • 06089 TORGIANO
☎ 075982994 fax 075982129

▲ G 6

Posizione geografica: collina.
Periodo di apertura: tutto l'anno.
Associato a: Terranostra.
Presentazione: casale del XVII secolo con annessi, tra i vigneti del "Rubesco" (zona Torgiano D.O.C.). Offre ospitalità in 10 appartamenti autonomi, di varia formula, da 3 a 7 posti letto ciascuno con bagno.
Ristorazione: convenzionato con ristorante "Le Tre Vaselle" di Torgiano.
Prodotti aziendali: vini, confetture, olio d'oliva, salsa balsamica di uva, grappe.
Luoghi di interesse e manifestazioni locali: museo del vino a Torgiano, museo della ceramica a Deruta, pinacoteca, museo archeologico, Rocca Paolina a Perugia. Vinarelli a Torgiano dal 13 al 26 agosto.
Prezzi: alloggio in appartamento per 1 settimana da £ 799.000 a 1.490.000.
Note: solo su prenotazione, anche per periodi inferiori alla settimana. Ampio prato con tavolo, seggiole e sdraio per ogni appartamento. Piscina aperta da maggio a ottobre. Possibilità baby-sitter a pagamento. Tennis, equitazione e golf nelle vicinanze, giochi all'aria aperta. Lavatrici a gettone, telefono comune, sala comune, parcheggio.

NATALINI AGRITURIST

fraz. San Lorenzo • 06039 TREVI
☎ e fax 0742399062

▲ H 8

Posizione geografica: pianura.
Periodo di apertura: tutto l'anno.
Associato a: Agriturist.
Presentazione: tipiche costruzioni rurali in azienda di 300 ettari. Coltivazioni di cereali, tabacco, girasoli, mais. Offre ospitalità in 12 monolocali, un appartamento con 4 e uno con 6-8 posti letto, tutti con bagno, angolo cottura, riscaldamento.
Prodotti aziendali: olio, uova, miele.
Luoghi di interesse e manifestazioni locali: tutta l'Umbria. Sagre e feste varie nel periodo estivo.
Prezzi: alloggio £ 40.000 o prezzi settimanali da £ 400.000.
Note: accessibile agli handicappati. Telefono comune, sala riunioni disponibile.

MONTEMELINO

loc. Fonte Sant'Angelo, 15 • 06069 TUORO SUL TRASIMENO
☎ 0758230127 fax 0758230156

▲ E 3

Posizione geografica: collina affacciata sul lago Trasimeno, tra Umbria e Toscana.
Periodo di apertura: dal 15 aprile al 15 ottobre.
Associato a: Agriturist.
Presentazione: tipica antica costruzione rurale situata fra oliveto e

vigneto al centro di un'azienda agricola di 30 ettari, in posizione tranquilla e panoramica. Offre ospitalità in 5 appartamentini, ciascuno con 4 posti letto, soggiorno, cucina, uno o due bagni, veranda o terrazza.
Prodotti aziendali: vini D.O.C. colli del Trasimeno prodotti nella cantina dell'azienda, olio extravergine di oliva, frutta.
Luoghi di interesse e manifestazioni locali: Perugia, Siena, Arezzo, Gubbio, Assisi, Spoleto, Todi, Cortona, Città di Castello, San Sepolcro, Orvieto, Spello, Chiusi, Bevagna, Montefalco, Pienza, Montepulciano, tutti a meno di 1 ora d'auto. Sagre e festival, Umbria jazz, sagra musicale umbra, festival dei Due Mondi.
Prezzi: alloggio da £ 500.000 a 800.000 per settimana (da sabato a sabato) tutto compreso escluso il consumo riscaldamento.
Note: periodo minimo di soggiorno 1 settimana. Gli appartamenti sono completi di arredi, biancheria, stoviglie e scoperto attrezzato (forno, barbecue, posto auto e ping-pong). Raccolta di prodotti selvatici. Entro 3 km balneazione, vela, tennis, trekking, bicicletta, ippica.

GLI ARRIGHI

voc. Arrighi di Sotto - loc. San Paolo di Preggio
06019 UMBERTIDE ☎ 0759410225

▲ D 5

Posizione geografica: collina.
Periodo di apertura: tutto l'anno.
Associato a: Terranostra.
Presentazione: costruzione rurale tipica umbra su 22 ettari di terreno coltivato a mais, girasoli, barbabietole. Forestazione. Offre ospitalità in 2 unità autonome con 4 e 5 posti letto. Doppio bagno nell'unità con 5 posti.
Prodotti aziendali: ortaggi, uova, pollame, miele.
Luoghi di interesse e manifestazioni locali: lago Trasimeno, Cortona, Perugia, Gubbio, Città di Castello. Sagra della castagna in ottobre, Umbria rock, festival delle Nazioni di musica da camera, fiera del cavallo in settembre.
Prezzi: rivolgersi all'azienda.
Note: accessibile agli handicappati. Solo su prenotazione. Prato per prendere il sole. Maneggio, tennis e ristoranti tipici in prossimità. Possibilità di trekking, tiro con l'arco, giochi all'aria aperta, mountain bike. Osservazione ambientale, percorsi per passeggiate. Raccolta di asparagi, funghi (abbondanti), castagne. Biancheria, giardino esclusivo, cucina attrezzata, posto macchina. Animali accolti previo accordo.

IL CASTELLO DI GIOMICI

fraz. Giomici • 06029 VALFABBRICA
☎ e fax 075901243 ☎ 0755055259 fax 0755003285
http:www.ilcastellodigiomici.it

▲ E 7

Posizione geografica: collina (600 m).
Periodo di apertura: tutto l'anno.
Associato a: Agriturist.
Presentazione: castello medievale con torre belvedere in azienda di 160 ettari coperti di boschi e pascoli. Offre ospitalità in

appartamenti collocati nel castello stesso o in casolari, per un totale di 56 posti letto.

Prodotti aziendali: olio di oliva, vino, miele, frutta e ortaggi.

Luoghi di interesse e manifestazioni locali: Assisi, Gubbio, parchi nazionali del monte Subasio e del monte Cucco. Sagra del pesce in agosto, feste medioevali ai primi di settembre.

Prezzi: alloggio giornaliero a £ 100.000, settimanale a £ 400.000.

Note: in luglio e agosto periodo minimo di soggiorno 1 settimana. Raccolta di tartufi (con cani addestrati), funghi, uva (fine ottobre) e olive (dicembre). Piscina, tiro con l'arco, pesca, equitazione, trekking e passeggiate, mountain bike. Sala riunioni. Biancheria da letto, pulizie finali, riscaldamento, biblioteca, appartamenti autonomi con cucina, telefono comune, ampio parcheggio. Animali accolti previo accordo.

SAN LORENZO

fraz. Casa Castalda - loc. San Lorenzo • 06029 VALFABBRICA
☎ e fax 075909247 cell. 03358091071
E-mail: alpo@etr.it
http://agri-turismo.com/san.lorenzo.html

 E 7

Posizione geografica: collina.

Periodo di apertura: tutto l'anno.

Associato a: Agriturist.

Presentazione: azienda che si estende su 19 ettari con produzione di cereali. Offre ospitalità in appartamento da 1-2-3 camera con bagno in abitazione ristrutturata.

Prodotti aziendali: marmellate, miele, frutta, olio, ortaggi, pollame, salumi, uova.

Luoghi di interesse e manifestazioni locali: Assisi, Gubbio, Perugia. Sagra dello spaghetto dal 10 al 15 agosto, festa del Cantamaggio l'ultimo sabato di maggio.

Prezzi: alloggio fino a £ 35.000. Sconto del 10% per bambini fino a 10 anni.

Note: periodo minimo di prenotazione 1 settimana in luglio e agosto, 2 giorni in altri periodi. Piscina. Raccolta di funghi. Gioco delle bocce, giochi all'aria aperta, mountain bike. Biancheria, pulizia, riassetto, uso di cucina e frigorifero, riscaldamento. Animali accolti previo accordo.

LE MORE E I GELSOMINI

Collelungo, 21 • 06060 VILLASTRADA
☎ 0686326932 cell. 03387972322

 G 3

Posizione geografica: collina.

Periodo di apertura: tutto l'anno.

Associato a: Agriturist.

Presentazione: tra i due laghi, Trasimeno e Chiusi, si colloca il casale e i suoi annessi risalenti al 1800. In posizione panoramica. Al centro di un'azienda di 90 ettari coltivati a girasoli, grano, meloni e peperoni. Offre ospitalità in 11 appartamenti tutti con bagno, in 2 sale comuni, per un totale di 44 posti letto.

Prodotti aziendali: vino, olio, miele.

Luoghi di interesse e manifestazioni locali: Perugia, Siena, Firenze, Montepulciano, Pienza, Gubbio, a Chiusi le tombe etrusche, a Paciano il parco naturale, a Spoleto il festival dei Due Mondi, a Città della Pieve la festa delle contrade, terme di San Casciano e di Chianciano.

Prezzi: appartamenti a settimana: £ 600.000 in bassa stagione, £ 1.000.000 in media stagione, £ 2.100.0000 in alta stagione.

Note: in alta stagione periodo minimo di permanenza 1 settimana. Convenzioni con ristoranti tipici della zona. Piscina, palestra, sauna, bicicletta, trekking. Golf a 4 km, bowling a 5 km, pesca sportiva a 1 km, sport acquatici ed equitazione a 6 km. Si organizzano corsi di lingue. Pulizia e cambio biancheria settimanale. Non si accettano animali.

Terni

ANGELETTI

strada di Montepiglio, 3 - loc. Angeletti • 05022 AMELIA
☎ e fax 0744988402

 N 6

Posizione geografica: collina. Riserva faunistica venatoria.

Periodo di apertura: tutto l'anno.

Presentazione: casale tipico restaurato con scuderie, vigneto, oliveto, cereali, orto. Voliere con stanziali e recinti con cinghiali. Offre ospitalità in camere con bagno.

Ristorazione: H/B, F/B. Ristorante con 20 coperti. Cucina tipica umbra, carni alla brace, cacciagione.

Prodotti aziendali: olio, vino, marmellate, cacciagione, pollame, conigli, uova, farina, frutta.

Luoghi di interesse e manifestazioni locali: Todi, Orvieto, Spoleto, Assisi, cascate delle Marmore, Narni, Rocca Albornoz, Alviano (oasi WWF). Sagre da luglio a ottobre, cinema all'aperto, piste da ballo all'aperto.

Prezzi: pasto da £ 20.000 a 40.000, alloggio da £ 30.000 a 50.000. Sconto 20% per letto aggiunto, 10% per seconda settimana di soggiorno.

Note: accessibile agli handicappati. È gradita la prenotazione per periodo minimo di 1 fine settimana. Si organizzano corsi di botanica con tecnologie avanzate. Tiro con l'arco, equitazione, trekking e passeggiate. Raccolta di asparagi, more e funghi selvatici. Safari fotografico. Attività di pesca sportiva e barca nelle vicinanze. Bicicletta e pista da pattinaggio. Nell'azienda si trovano sorgenti minerali. Biancheria, pulizia, riassetto, telefono in camera, riscaldamento, sala comune, bar, posto macchina. Animali accolti previo accordo.

SAN CRISTOFORO

strada San Cristoforo, 16 • 05022 AMELIA
☎ 0744988249 fax 0744988459

● N 6

Posizione geografica: collina.
Periodo di apertura: tutto l'anno.
Associato a: Agriturist, TCI, Umbria in Campagna.
Presentazione: piccolo borgo medioevale con chiesetta annessa posto in posizione panoramica, in azienda di 70 ettari che coltiva girasoli, frumento, olivi, viti, ortaggi e alleva polli e cavalli. Accoglie ospiti in 7 camere, con bagno, e in 3 appartamenti per un totale di 20 posti letto.
Ristorazione: B&B e H/B. Ristorante aperto al pubblico su prenotazione. Piatti tipici, tagliatelle al tartufo, penne alle rigaglie, coniglio alla San Cristoforo, cinghiale e polenta.
Prodotti aziendali: olio, vino, ortaggi, carni e insaccati.
Luoghi di interesse e manifestazioni locali: foresta fossile di Dunarobba, scavi di Carsulae, cascate delle Marmore, Todi. Corsa all'anello a Narni in maggio e palio dei colombi ad Amelia.
Prezzi: B&B da £ 45.000 a 60.000 a persona, H/B da £ 500.000 a 700.000 per settimana. Appartamenti da £ 450.000 a 1.500.000 per settimana.
Note: piscina, equitazione, trekking a cavallo di un giorno o settimanali, tiro con l'arco, mountain bike, pesca sportiva, percorso della salute, parco giochi. Pulizie e cambio biancheria settimanale. Animali accolti previo accordo.

FATTORIA COLLEPINA

loc. Collepina, 6 - fraz. Macchie • 05022 AMELIA
☎ 0744987166-0744987167
http: www.collepina.it

● N 6

Posizione geografica: collina (500 m).
Periodo di apertura: da febbraio all'8 gennaio, ristorante aperto dal mercoledì al sabato per la cena e la domenica a pranzo.
Presentazione: camere in fienile e appartamenti nelle porcilaie, il tutto completamente ristrutturato, in azienda di 120 ettari adibita a colture di cereali, oliveto e vigneto e allevamento di bovini, pecore, suini, pollame, cinghiali e daini. Accoglie ospiti in 6 camere con bagno e in 3 appartamenti per un totale di 30 posti letto.
Ristorazione: H/B. Tagliatelle, pappardelle al cinghiale e funghi.
Prodotti aziendali: carne, marmellata, miele, olio, pane e biscotti.
Luoghi di interesse e manifestazioni locali: Amelia, Narni, Viterbo, oasi di Auliano, Orvieto, Roma, Ternia, cascate delle Marmore, lago di Piediluco.
Prezzi: bambini fino a 3 anni soggiorno gratuito, da 4 a 10 anni riduzione del 25%.
Note: piscina. Biancheria. Non si accolgono animali.

POMURLO VECCHIO

loc. Pomurlo Vecchio • 05023 BASCHI
☎ 0744950190 fax 0744950500

● M 11

Posizione geografica: collina, lago.
Periodo di apertura: tutto l'anno.
Associato a: Agriturist, Terranostra, Turismo Verde.
Presentazione: 3 casali in pietra ristrutturati. Allevamento di bo-

---

vini, ovini, caprini, cavalli e animali di bassa corte allo stato brado. Coltivazioni a oliveto, vigneto, cereali, girasoli, frutteto, foraggere e pascoli.
Ristorazione: ristorante aperto al pubblico con 60 coperti. Piatti tipici umbri cucinati con prodotti aziendali biologici.
Prodotti aziendali: vino e olio.
Luoghi di interesse e manifestazioni locali: Orvieto, Todi, Viterbo, Narni, Amelia, Città di Bagnoregio, Assisi e Perugia. Corpus Domini e Palombella a giugno, Giostra della Quintana, mercato il giovedì e il sabato, varie fiere.
Prezzi: H/B da £ 85.000 a 95.000, F/B da £ 105.000 a 115.000. Riduzione del 20% per bambini con meno di 6 anni, del 10% per terzo letto adulti.
Note: in alta stagione soggiorno minimo 7 giorni, B&B a richiesta in bassa stagione. Piscina ed equitazione. Pulizia settimanale, cambio biancheria ogni 3 giorni o a richiesta a pagamento, riscaldamento anche con caminetti. Animali di piccola taglia accolti previo accordo.

"IL CASANOVA"

loc. Cerreto - via Casenuove, 30
05020 CIVITELLA DEL LAGO BASCHI
☎ 0744950368 ☎ e fax 0744950383

● M 4

Posizione geografica: collina (400 m), lago.
Periodo di apertura: tutto l'anno, da gennaio a marzo su prenotazione.
Associato a: Agriturist, Terranostra, Vacanze Verdi.
Presentazione: due casali rurali immersi negli uliveti. L'azienda si estende su 80 ettari con produzione

di cereali, vino, olio, frutta. Allevamento di ovini e animali da cortile. Offre ospitalità nei due casali (7 camere con 18 posti letto totali) e in 4 appartamenti (con 15 posti letto totali).
Ristorazione: H/B, F/B. Ristorante aperto al pubblico per un massimo di 70 persone. Arrosti, tagliatelle ai funghi, piatti della cucina contadina delle vecchie generazioni.
Prodotti aziendali: uva, vini, ceci, fagioli, frutta, marmellate, olio extravergine di oliva, miele, formaggi.
Luoghi di interesse e manifestazioni locali: Orvieto, Todi, Civita di Bagnoregio, oasi di Alviano, parco fluviale del Tevere. Sagra delle castagne in ottobre, sagra della focaccia e del bignè in agosto, festa del vino in agosto.
Prezzi: OR da £ 45.000 a 50.000, H/B da £ 75.000 a 80.000, F/B da £ 100.000 a 110.000, pasto da £ 30.000 a 40.000. Sconti 10% per bambini fino a 7 anni, 20% per letto aggiunto, 5% per la seconda settimana di soggiorno, 10% per gruppi di 20 persone.
Note: accessibile agli handicappati. Per gli appartamenti, periodo minimo di soggiorno di una settimana.
Possibilità di partecipazione ai lavori aziendali e di osservazione ambientale.
Raccolta di asparagi, funghi, more. Prato per prendere il sole. Sala per riunioni. Nelle vicinanze si pratica canoa nel lago di Corbora, equitazione (solo per patentati A1 F.I.S.E.), pesca nel lago di Corbora. Biancheria, pulizia, riassetto, telefono in camera, riscaldamento, sala comune, parcheggio coperto. Animali accolti previo accordo.

LA CASELLA

strada la Casella • 05016 FICULLE
☎ e fax 076386684-076386588
E-mail: lacasella@tin.it

 I 3

Posizione geografica: collina.
Periodo di apertura: tutto l'anno.
Presentazione: l'azienda è costituita da 4 vecchi casali in pietra immersi nel verde, arredati in stile con mobili vecchi. Nel corpo centrale, oltre ai servizi di reception, ristorante, piscina e tennis, c'è una caratteristica club house che offre agli ospiti la possibilità di socializzare.
Ristorazione: cucina tipica con pasta fatta a mano. Fettuccine al sugo, pappardelle al cinghiale, frange di pasta con petto di pollo e asparagi.
Prodotti aziendali: olio, miele, ortaggi.
Luoghi di interesse e manifestazioni locali: Orvieto, Cetona, Pienza, Montepulciano, Todi, Civita di Bagnoregio. Il Cantamaggio il 30 aprile, Umbria Jazz Winter dal 30 dicembre al 6 gennaio.
Prezzi: H/B da £ 130.000 a 140.000, F/B da £ 140.000 a 150.000. Sconto del 10% per terzo letto aggiunto. Bambini 0-2 anni £ 35.000, 2-12 anni riduzione del 40%.
Note: equitazione, tennis, biliardo, piscina stagionale, ping-pong, mountain bike. Centro benessere. Sala convegni.

LE CASETTE

loc. Le Casette • 05020 MONTECCHIO
☎ 0744957645 fax 0744950500

M 5

Posizione geografica: collina, lago.
Periodo di apertura: tutto l'anno.
Associato a: Agriturist, Terranostra e Turismo Verde.
Presentazione: casale in pietra ristrutturato in azienda con coltivazioni di oliveto, vigneto, cereali, girasoli, frutteto, foraggere e pascoli. Allevamento di bovini, ovini, caprini, animali di bassa corte allo stato brado ed equini. Accoglie ospiti in 14 camere, con bagno, per un totale di 28 posti letto.

Ristorazione: piatti tipici umbri cucinati con prodotti aziendali biologici.
Prodotti aziendali: vino e olio.
Luoghi di interesse e manifestazioni locali: Orvieto, Todi, Viterbo, Narni, Amelia, Civita di Bagnoregio, Assisi e Perugia. Corpus Domini e Palombella a giugno, mercato il giovedì e il sabato, varie fiere.
Prezzi: H/B da £ 85.000 a 95.000, F/B da £ 105.000 a 115.000. Riduzione del 20% per bambini con meno di 6 anni, del 10% per terzo letto adulti.
Note: in alta stagione soggiorno minimo 7 giorni. Piscina ed equitazione. Pulizia settimanale, cambio biancheria ogni 3 giorni, riscaldamento anche con caminetti. Animali accolti previo accordo.

POGGIO DELLA VOLARA

via San Savino, 32 • 05020 MONTECCHIO
☎ e fax 0744951820 ☎ 03473352523

 M 5

Posizione geografica: collina (400 m).
Periodo di apertura: tutto l'anno, solo su prenotazione.
Associato a: Agriturist e Vacanze Verdi.
Presentazione: azienda su 36 ettari di terreno adibiti a bosco, uliveti, vigneti, tartufaia, seminativi e ampi pascoli con animali di bassa corte. Accoglie ospiti in camere con servizi.

Ristorazione: H/B, F/B. Piatti genuini e casalinghi caratteristici della terra umbra, semplici e raffinati.
Prodotti aziendali: vino Orvieto Classico D.O.C., olio extravergine d'oliva lavorato a freddo, confetture, miele.
Luoghi di interesse e manifestazioni locali: Orvieto, Todi, Perugia, Assisi, Spoleto, necropoli etrusche, musei archeologici.
Prezzi: B&B da £ 50.000 a 60.000, H/B da £ 80.000 a 100.000.
Note: piscina, ping-pong, tennis, equitazione, tiro con l'arco, biciclette, pesca sportiva e caccia. Sala giochi, TV e biblioteca. Biancheria e riscaldamento.

L'ELMO

loc. San Faustino, 17/18 • 05010 ORVIETO
☎ 0763215219 fax 0763215790 E-mail:umbriagritour.com

 L 3

Posizione geografica: collina.
Periodo di apertura: tutto l'anno.
Presentazione: borgo del '700 in pietra recentemente ristrutturato e arredato usando materiali originali. L'azienda agricola di 50 ettari è situata nel parco del monte Peglia e Selva di Meana. Accoglie ospiti in 4 appartamenti.
Ristorazione: piatti tradizionali anche a base di tartufi e cacciagione.
Prodotti aziendali: olio, vino, tartufo.
Luoghi di interesse e manifestazioni locali: Orvieto, Todi, Spoleto, Assisi, Gubbio, Montepulciano, Montalcino, Civita di Bagnoregio.
Prezzi: B&B a £ 50.000, H/B a £ 80.000, F/B a £ 100.000. Riduzione 3°-4° letto. Sconto del 50% per bambini da 2 a 8 anni. Culla gratis. Appartamenti da £ 650.000 a 1.100.000 a settimana.

TITIGNANO

loc. Titignano • 05010 ORVIETO
☎ 0763308000-0763308022 fax 0763308002

L 3

Posizione geografica: collina.
Periodo di apertura: tutto l'anno.
Presentazione: borgo medioevale con castello del 1150, su 2.000 ettari di terreno, in posizione panoramica. Accoglie ospiti in 6 camere e in 4 miniappartamenti, con servizi.
Ristorazione: cucina tradizionale umbra con pasta fatta in casa, cacciagione, piatti cotti in forno a legna.
Prodotti aziendali: olio, vino e formaggi pecorini.
Luoghi di interesse e manifestazioni locali: Todi, Orvieto, monte Castello.

Prezzi: B&B a £ 65.000, H/B a £ 95.000, F/B a £ 110.000.
Note: in luglio e agosto solo soggiorni settimanali. Piscina, bocce, mountain bike. Parco giochi.

SAN GIORGIO

loc. San Giorgio, 6 • 05018 ORVIETO
☎ e fax 0763305221

● L 3

Posizione geografica: collina.
Periodo di apertura: tutto l'anno.
Associato a: Turismo Verde, Tourist Green Club, Umbria in campagna.
Presentazione: tipica costruzione rurale in pietra. L'azienda si estende su circa 50 ettari, di cui circa 30 sono di bosco. Produce vino, olio, cereali. Offre ospitalità in 5 appartamenti autonomi per un totale di 22 posti letto e in un nuovo appartamento situato di fronte al laghetto dell'azienda a 400 m dalla casa padronale. 4 appartamenti ristrutturati saranno disponibili per l'estate 2000 immersi nel bosco sulla riva di un piccolo fiume situati in un antichissimo mulino.
Ristorazione: H/B, solo per gli ospiti. Cucina tipica umbra.
Prodotti aziendali: vino, olio, miele, confetture. L'orto è a disposizione degli ospiti (gratis).
Luoghi di interesse e manifestazioni locali: Orvieto, Todi, Perugia, Bolsena, Viterbo, Civita. Corteo storico del Corpus Domini, Umbria jazz winter a Capodanno, sagra del tartufo a novembre, sagra della castagna a ottobre, sagra degli gnocchi a giugno.
Prezzi: pasto da £ 25.000 a 35.000, alloggio da £ 40.000 a 60.000, gratis per i bambini fino a 3 anni, 10% per la seconda settimana di soggiorno.
Note: in piscina corsi di nuoto individuali e non, per tutte le età. Si organizzano, a richiesta degli ospiti, itinerari e passeggiate (in bici, a piedi, percorsi nel bosco, itinerari degli Etruschi, visite a Orvieto ipogea). Raccolta di funghi e more. Gioco delle bocce, ping-pong, giochi all'aria aperta, trekking e passeggiate, mountain bike. Nelle vicinanze equitazione e tennis. A richiesta baby sitting. Biancheria, pulizia all'arrivo, riscaldamento e legna da ardere, cucina attrezzata, televisione in ogni appartamento, telefono e fax comuni, barbecue e forno a legna, lavatrici in comune.

SOSSOGNA

fraz. Rocca Ripesana, 61 • 05018 ORVIETO
☎ e fax 0763343141

● L 3

Posizione geografica: collina, in un bosco a 8 km da Orvieto.
Periodo di apertura: tutto l'anno per l'ospitalità agrituristica. Ristoro e camper autonomi. Campeggio da marzo a ottobre.
Associato a: Turismo Verde.
Presentazione: tipica costruzione rurale con muri in pietra, solai e tetto in legno, pavimento in cotto. Coltivazione biologica di orto, frutteto, vigneto, castagneto, noceto. Offre ospitalità in 2 appartamenti (rispettivamente da 4 e 7 posti letto), 1 stanza con 3 posti letto e in 3 piazzole per campeggio.
Ristorazione: H/B, F/B. Ristorazione aperta al pubblico su prenotazione. Pasta e ceci, pasta e fagioli, fettuccine, lombrichelli, pizza e pane cotti in forno a legna, verdure biologiche variamente preparate.

Prodotti aziendali: marmellate, conserve, castagne, noci, ortaggi, vino.
Luoghi di interesse e manifestazioni locali: Orvieto, le città d'arte umbre, Bolsena, Civita. Umbria jazz winter, Corpus Domini.
Prezzi: pasto da £ 30.000 a 40.000, alloggio da £ 30.000 a 50.000. Riduzione sui pasti per bambini sotto i 10 anni (20%) e sul pernottamento dei bambini in camping (50%).
Note: nell'azienda si trova una vasca di acqua sorgiva balneabile. Palestra verde, sentieri. Gioco delle bocce, pesca sportiva e ping-pong possono essere praticati a 1 km. Raccolta di funghi e castagne. L'azienda organizza corsi di cucina tipica umbra e italiana e corsi di italiano per stranieri. Aree attrezzate con barbecue e panche. Giochi all'aria aperta, trekking e passeggiate, mountain bike.

LA CACCIATA

loc. La Cacciata, 6 • 05018 ORVIETO
☎ 076392881 fax 0763341373

● L 3

Posizione geografica: collina.
Periodo di apertura: tutto l'anno
Associato a: Agriturist.
Presentazione: l'azienda, estesa per circa 90 ettari, è il risultato dell'unione di due poderi adiacenti. La fattoria gode di un panorama incantevole. Due ville padronali restaurate e ristrutturate rispettando le caratteristiche architettoniche del luogo. Disseminati nella proprietà vi sono altri casali rustici, completamente ristrutturati. Accoglie ospiti in 1 camera con bagno.
Ristorazione: H/B, F/B solo per gruppi previa prenotazione. Cucina tradizionale locale.
Prodotti aziendali: vino D.O.C. Orvieto, olio extravergine di oliva, miele, marmellate.
Luoghi di interesse e manifestazioni locali: Orvieto, città medioevale ed etrusca, lago di Bolsena, Todi, Assisi, Spoleto.
Prezzi: pasto da £ 25.000 a 40.000, alloggio da £ 30.000 a 50.000. Riduzione del 30% per letto aggiunto. Gratis per i bambini fino a 2 anni.
Note: si organizzano corsi di cucina. Piscina, equitazione, trekking e passeggiate. Biancheria, pulizia, riscaldamento, sala comune. Non si accolgono animali.

SELVA DI OSARELLA

loc. Osarella, 53 • 05018 ORVIETO
☎ 0763302671

● L 3

Posizione geografica: collina.
Periodo di apertura: tutto l'anno.
Associato a: Agriturist.
Presentazione: tipica costruzione rurale. Coltivazione di vigneti e oliveti. Offre ospitalità in camere con bagno.
Ristorazione: H/B, F/B. Pollo, coniglio, anatra muta.
Prodotti aziendali: marmellate, olio extravergine di oliva, vini (Orvieto classico, rosso d'azienda).
Luoghi di interesse e manifestazioni locali: duomo di Orvieto, pozzo di San Patrizio, pozzo della Cava, Civita di Ba-

gnoregio. Corteo storico del Corpus Domini, Umbria jazz.
Prezzi: pasto a £ 25.000, B&B £ 35.000, H/B £ 60.000, F/B £ 75.000. Lo sconto per i bambini è da stabilire alla prenotazione.
Note: Pasqua, metà agosto, fine anno soggiorno minimo di 3 giorni. Trekking e passeggiate. Sala riunioni disponibile. Telefono in comune.

POMONTE

fraz. Corbara - loc. Canino • 05018 ORVIETO
☎ e fax 0763304080 cell. 0360912984
E-mail: pomonte@orvienet
http: www.orvienet.it/agriturismo.pomonte

 L 3

Posizione geografica: collina.
Periodo di apertura: tutto l'anno.
Associato a: Turismo Verde.
Presentazione: tipica costruzione rurale in pietra, in azienda di 25 ettari a cereali e mais. Allevamento di vacche da latte. Accoglie ospiti in 6 camere doppie con bagno.
Ristorazione: H/B, F/B su prenotazione. Tagliatelle fatte in casa, vino.
Prodotti aziendali: vino bianco, formaggio.
Luoghi di interesse e manifestazioni locali: Orvieto, Bolsena, Civita di Bagnoregio, Baschi, Todi, Perugia, Assisi, Spoleto. Umbria jazz winter a fine dicembre, Corpus Domini a giugno, varie sagre in estate.
Prezzi: B&B a £ 45.000, H/B a £ 70.000, F/B a £ 85.000 .
Note: raccolta di asparagi e funghi. Mountain bike. Nelle vicinanze possibilità di praticare tennis, caccia, pesca, canottaggio, trekking e passeggiate Cambio biancheria 2 volte alla settimana.

BORGO SAN FAUSTINO

loc. San Faustino, 11/12 - fraz. Morrano • 05018 ORVIETO
☎ 07632530

● L 3

Posizione geografica: collina.
Periodo di apertura: da febbraio a dicembre compreso.
Associato a: Turismo Verde.
Presentazione: tipica costruzione rurale in pietra, in azienda di 200 ettari con produzione di cereali, vino, olio. Allevamento di bestiame di razza chianina. Offre ospitalità in camere con bagno.
Ristorazione: B&B, H/B, F/B. Cucina tipica umbra. Il ristorante ha 70 coperti.
Prodotti aziendali: olio, carne chianina, vino, funghi, tartufi, marmellate.
Luoghi di interesse e manifestazioni locali: Orvieto, Todi, Civita di Bagnoregio. Corpus Domini, fiera del vino e Umbria jazz a Orvieto.
Prezzi: pasto da £ 15.000 a 50.000. Alloggio da £ 50.000 a 100.000.
Note: accessibile agli handicappati. Osservazione ambientale. Tiro con l'arco, trekking e passeggiate, mountain bike. Raccolta di asparagi e castagne.

BORGO SPANTE

borgo Spante • 05010 SAN VENANZO
☎ 0758709134 - 0368434674 fax 0758709201

● I 4

Posizione geografica: collina.
Periodo di apertura: tutto l'anno.
Associato a: Agriturist e Turismo Verde.
Presentazione: borgo rurale del '500 circondato da un parco secolare. Accoglie ospiti in 4 camere con bagno e in 8 appartamenti per un totale di 30 posti letto.
Ristorazione: H/B. Lasagne al tartufo, risotto all'ortica, agnello arrosto, spezzato alla marengo, fagiano, polenta, pizze e crostini, cinghiale, torta al testo, dolci rustici locali.
Prodotti aziendali: olio extravergine d'oliva, miele, marmellata, formaggio di pecora.
Luoghi di interesse e manifestazioni locali: Perugia, Assisi, Siena, Bolsena, Gubbio e Foligno. Fiere, manifestazioni folkloristiche e sagre paesane in costume.
Prezzi: H/B a £ 90.000. Sconti per bambini fino a 8 anni.
Note: soggiorno minimo 1 fine settimana. Piscina e solarium. Equitazione, tennis, caccia, pesca e trekking nelle vicinanze. Giochi per bambini, bocce, tiro con l'arco. Dispone di cappella e sala da pranzo per matrimoni. Cambio biancheria. Pulizia non compresa nel prezzo. Animali accolti previo accordo

LA CIRIOLA

loc. Valle Spoletina, 18 - Piediluco • 05100 TERNI
☎ 0744368179

● N 7

Posizione geografica: collina affacciata sul lago.
Periodo di apertura: tutto l'anno.
Associato a: Turismo Verde.
Presentazione: nuova costruzione in azienda di 89 ettari con vigneto e uliveto. Offre ospitalità in camere con bagno.
Ristorazione: ristorante aperto al pubblico con minimo 20 coperti. Cucina tipica, pizzelle farcite, ciriole tartufate, tagliatelle, fregnacci, trote, dolci della casa.
Prodotti aziendali: vino, olio, farine, tartufi, dolci, confetture.
Luoghi di interesse e manifestazioni locali: lago di Piediluco, cascata delle Marmore, Labro, monastero di Greccio, monte Terminillo, mummie di Ferentillo, Valnerina. Cantamaggio ternano, festa delle acque a fine luglio, gare nazionali e internazionali di canottaggio, mostra De Felice di Villalago.
Prezzi: pasto da £ 20.000 a 50.000. B&B da £ 80.000 a 95.000, H/B da £ 70.000 a 80.000, OR oltre £ 40.000.
Note: periodo minimo di prenotazione 3 giorni. Possibilità di osservazione ambientale e visita dell'azienda. Raccolta di asparagi, funghi, more, fragole selvatiche. Giochi all'aria aperta, equitazione, trekking e passeggiate. In azienda ping-pong, biliardino. A Piediluco possibilità di praticare biliardo, calcetto, canoa, windsurf, tennis, pesca sportiva, torrentismo. Disponibili salottino e bar. Biancheria, pulizia, telefono in comune, uso frigorifero, riscaldamento, sala comune, posto macchina. Animali accolti previo accordo.

LA FATTORIA

strada Pisciarello, 3 • 05022 AMELIA
☎ 0744983240 fax 0744981178

▲ N 6

Posizione geografica: collina.
Periodo di apertura: tutto l'anno.
Presentazione: tipica costruzione rurale. L'azienda si estende su 7 ettari con produzione di cereali, vigneto, frutteto e oliveto. Offre ospitalità in 2 grandi appartamenti, dotati di servizi, per 2 famiglie per un totale di 12 posti letto.
Ristorazione: a richiesta si preparano ravioli sardi.
Prodotti aziendali: tutti biologici, frutta, verdura, uova, miele, vino, olio, formaggio, ricotta, latte, frutta secca.
Luoghi di interesse e manifestazioni locali: cascate delle Marmore, Piediluco, Spoleto, Orvieto, Amelia. Feste paesane e sagre durante l'estate.
Prezzi: alloggio £ 150.000 giornaliere a famiglia.
Note: accessibile agli handicappati. Piscina, giochi all'aria aperta, periodo minimo di prenotazione 1 settimana. A richiesta si organizzano corsi di agricoltura biologica, caseificazione, enologia, giardinaggio. Raccolta di asparagi, castagne, frutti di bosco, funghi, cicoria, tavoli da ping-pong. Prato per prendere il sole. Sala riunioni in comune. Biancheria, telefono comune, uso cucina, uso frigorifero e lavatrice, riscaldamento. Animali accolti previo accordo.

giardino privato, per un totale di 15 posti letto.
Ristorazione: convenzionata con ristoranti tipici locali.
Prodotti aziendali: olio extravergine di oliva, frutta, confetture, succhi di frutta, miele, verdure di stagione.
Luoghi di interesse e manifestazioni locali: zona archeologica Ocriculum, centro medioevale di Narni, cascate delle Marmore, lago di Piediluco, Amelia, Todi, Orvieto. Festa religiosa e civile di San Pancrazio con cortei in costume dall'11 al 13 maggio, Corpus Domini, "Infiorata" in giugno, fiaccolata a Ferragosto.
Prezzi: alloggio da £ 42.000 a 60.000.
Note: soggiorno minimo 1 settimana in alta stagione (luglio, agosto, Natale), 2 notti in altri periodi. Raccolta di funghi, asparagi, more. Piscina, parco giochi per bambini, giochi all'aria aperta, trekking e passeggiate, mountain bike. Percorso attrezzato intorno al laghetto dell'azienda, piazzale per pic-nic e palestra verde. Partecipazione alle attività agricole. Biancheria, pulizia, telefono comune, sala comune con televisione, parcheggio, riscaldamento. Animali accolti previo accordo.

BARBERANI

loc. Cerreto • 05023 BASCHI ☎ 0763341820 fax 0763340773

▲ M 11

Posizione geografica: collina.
Periodo di apertura: tutto l'anno.
Presentazione: l'azienda, affacciata sul lago di Corbara e con coltivazioni di viti e ulivi, offre ospitalità in casali per un totale di 85 appartamenti e 30 posti letto.
Prodotti aziendali: vini D.O.C. e IGT, olio extravergine d'oliva D.O.P.
Luoghi di interesse e manifestazioni locali: città d'arte di Orvieto e Todi, laghi di Corbara e Bolsena, oasi di Alviano. Umbria jazz winter, mercato della Palombella a maggio.
Prezzi: appartamenti da 2 posti letto da £ 70.000 a 100.000, con 3 posti letto da £ 100.000 a 150.000, con 4 posti letto da £ 130.000 a 200.000.
Note: soggiorno minimo di 3 notti. Possibilità di visitare la moderna cantina. Corsi di artigianato e di cucina, guida alle attività agricole. Biciclette. Piscina, tennis, palestra attrezzata e calcetto a 1 km, equitazione a 2 km. Biancheria, riassetto, aria condizionata e riscaldamento. Si accettano animali domestici.

SAN MARTINO

loc. Colle San Martino, 10 • 05032 CALVI DELL'UMBRIA
☎ 0744710644 fax 074471644 cell. 0368435100

▲ O 7

Posizione geografica: sulla sommità di un colle, posizione panoramica a 360°.
Periodo di apertura: tutto l'anno.
Associato a: Agriturist, Turismo Verde.
Presentazione: vecchio casale rurale ristrutturato. Azienda di 60 ettari a oliveto e vigneto. Allevamento di cavalli. Offre ospitalità in 4 appartamenti indipendenti, completamente attrezzati, con

IL CASTELLO

via Case Sparse, 9 – loc. Matterella • 05034 FERENTILLO
☎ 0744780473 cell. 03395338071

▲ M 8

Posizione geografica: collina (300 m), fiume.
Periodo di apertura: tutto l'anno.
Presentazione: tipico casolare umbro, recentemente ristrutturato, in azienda di 13 ettari coltivati a bosco e uliveto. Offre ospitalità in 3 appartamenti, per un totale di 15 posti letto, con servizi privati, TV e riscaldamento.
Prodotti aziendali: miele, uova, olio di oliva e tartufi.
Luoghi di interesse e manifestazioni locali: Spoleto (20 km), Norcia (30 km), Cascia, Assisi, Perugia, Todi, Orvieto, Roma (100 km), cascate delle Marmore e lago di Piediluco (10 km). Festival dei Due Mondi, Umbria jazz.
Prezzi: appartamento da £ 950.000 a 1.500.000 a settimana.
Note: la permanenza minima è di 1 settimana. Giardino. Mountain bike, passeggiate a piedi e a cavallo, pesca sportiva, arrampicata sportiva, canoa, rafting, bungee jumping, tiro con l'arco. Escursioni di interesse artistico e culturale.

LA PILA

loc. La Pila • 05034 FERENTILLO

▲ M 8

Posizione geografica: collina, fiume.
Periodo di apertura: tutto l'anno.
Presentazione: casa colonica completamente ristrutturata situata nel verde della Valnerina, in posizione tranquilla a circa 300 m sul livello del mare, inserita nel verde di querce e olivi. Per una vacanza sana e riposante sono disponibili 5 monolocali (con angolo cottura) per un totale di 12 posti letto, tutti acco-

glienti e ben arredati, per un totale di 12 posti letto.
Ristorazione: convenzione con trattorie locali.
Luoghi di interesse e manifestazioni locali: a 20 km da Spoleto, a circa 50 km da Norcia - Rascia, a 10 km dalle cascate delle Marmore e Piediluco, a circa 70 km da Assisi, Orvieto, Perugia, a 100 km da Roma.
Prezzi: a £ 450.000 a settimana (appartamento per 2 persone), a £ 580.000 a settimana (appartamento per 3 persone).
Note: possibilità di passeggiate a piedi, in mountain bike e a cavallo. Canoa, arrampicata sportiva, rafting, bungee jumping, torrentismo, pesca sportiva, piscina, tennis. Cambio biancheria. Vendita prodotti aziendali. Si accettano animali solo in giardino.

PODERE ANDREANA

strada Piani, 12 • 05016 FICULLE
☎ 076386616

 I 3

Posizione geografica: collina.
Periodo di apertura: tutto l'anno.
Presentazione: costruzione rurale del 1600, completamente ristrutturata, in azienda con bosco e frutteto. Offre ospitalità in un appartamento nel corpo centrale della costruzione e in un granaio ristrutturato completamente indipendente.
Prodotti aziendali: olio, vino, miele, tartufo.
Luoghi di interesse e manifestazioni locali: Orvieto, Todi, terme di San Casciano, Città della Pieve (palio dei Terzieri a Ferragosto), Monteleone d'Orvieto (Presepe vivente), fiera del tartufo a novembre, concerti estivi di musica classica nel castello di Montegiove.
Prezzi: appartamento da 4 posti letto a £ 750.000 a settimana, appartamento da 2 posti letto a £ 500.000.
Note: permanenza minima 1 settimana. Convenzione con ristoranti tipici della zona. Possibilità di fare trekking con accompagnatori esperti e mountain bike, di partecipare ad attività lavorative quali la raccolta delle olive e la vendemmia. Biancheria. Si accettano animali domestici di piccola e media taglia.

VERDEALLOGGIO

voc. Costa del Gallo, 100 • 05024 GIOVE
☎ 0744992147 fax 0744994447

 N 5

Posizione geografica: collina (350 m) vista panoramica della valle del Tevere.
Periodo di apertura: tutto l'anno.
Associato a: Agriturist.
Presentazione: tipica costruzione rurale in azienda di 6 ettari dove si coltivano ortaggi, frutta, olive. Apicoltura. Offre ospita-

lità in 2 appartamenti per un totale di 8 posti letto.
Ristorazione: ristoranti con tipica cucina umbra nelle vicinanze.
Prodotti aziendali: miele, ortaggi.
Luoghi di interesse e manifestazioni locali: a 80 km da Roma, Perugia, Assisi. Terme dei papi a Viterbo, Orte, Orvieto, cascate delle Marmore, oasi di Alviano (WWF), castelli medievali. Festa del grano a luglio, festa di San Giovanni a giugno, "Il sole e la luna" a fine luglio per 7 giorni.
Prezzi: alloggio da £ 30.000 a 50.000. Sconto 10% per la seconda settimana di soggiorno e per i bambini fino a 10 anni.
Note: si organizzano corsi di pittura ad acquarello, di cucina naturistica, passeggiate a piedi e visite ai castelli e al corridoio etrusco (a richiesta). Nelle vicinanze si possono trovare strutture per tennis, bocce, equitazione, minigolf, ping-pong, piscine e piscine termali. Raccolta di funghi e asparagi selvatici. Prato per prendere il sole. Sala disponibile previo accordo. Pulizie finali, biancheria, telefono comune. Animali accolti previo accordo.

UMBRIA (79)

loc. Greppocannella, 19 • 05010 MONTEGABBIONE

 I 3

Posizione geografica: collina.
Periodo di apertura: tutto l'anno.
Presentazione: tipica costruzione rurale su 42 ettari con produzione di olive, frutta e ortaggi. Allevamento di bovini, ovini e suini. Accoglie ospiti in 2 appartamenti per un totale di 10 posti letto.
Prodotti aziendali: olio, uova, frutta e ortaggi.
Luoghi di interesse e manifestazioni locali: Perugia, Assisi, Spoleto, Spello, Orvieto e Todi.
Prezzi: monolocale a £ 350.000, bilocale da £ 550.000 a 600.000 per settimana.
Note: prato per prendere il sole. Laghetto di acqua sorgiva per fare il bagno e pescare. Biancheria, pulizia finale, riscaldamento attrezzato, piccola cucina. Non si accolgono animali.

POGGIO MIRAVALLE

loc. Cornieto, 2 - fraz. San Lorenzo
05017 MONTELEONE D'ORVIETO
☎ e fax 0763835309 cell. 0336796431
E-mail: miravalle@tiscalinet.it

 H 3

Posizione geografica: collina (400 m).
Periodo di apertura: dal 15 marzo al 30 ottobre, Natale, Capodanno e Pasqua. Il restante periodo su accordo.
Presentazione: tipica costruzione rurale in pietra completamente restaurata in azienda di 30 ettari in posizione panoramica biologicamente coltivata. Accoglie ospiti in 5 appartamenti indipendenti, composti da camera, soggiorno, bagno, angolo cucina, terrazzo esterno, per un totale di 18 posti letto.
Prodotti aziendali: olio extravergine da coltivazione biologica certificata AIAB, vino rosso e bianco.

Luoghi di interesse e manifestazioni locali: Città della Pieve, Cetona Sarteano, San Casciano, Pienza, Assisi, Orvieto, Perugia, Arezzo, Montepulciano, lago di Bolsena, lago di Chiusi, lago Trasimeno, lago di Corbara, siti archelogici, località termali. Eventi culturali come Umbria jazz e Umbria jazz winter.

Prezzi: affitto giornaliero ad appartamento da £ 100.000 a 200.000 (escluse pulizie finali e riscaldamento).

Note: è necessaria la prenotazione. In luglio e agosto soggiorno minimo di 7 notti, in bassa stagione periodo minimo 3 notti. Ping-pong. Piscina con vista panoramica sulla valle di Chiani. Noleggio mountain bike. Area pic-nic esterna. Tennis nelle vicinanze. Giardino per elioterapia. Luogo adatto a persone adulte amanti della natura, del silenzio e della contemplazione. Vietato fumare all'interno degli appartamenti. Cambio biancheria.

COLLE ABRAMO DELLE VIGNE

strada di Colle Abramo, 34 • 05030 NARNI
☎ e fax 0744796428 cell. 0330420978
http: www.colleabramo.com

Posizione geografica: a 50 km da Roma nord.
Periodo di apertura: tutto l'anno.
Associato a: Agriturist, Terranostra, Turismo Verde.
Presentazione: accoglie ospiti in 5 appartamenti in 3 casolari: due sono dell'800, in pietra, ristrutturati, l'altro, di più recente costruzione, anch'esso ristrutturato (15 posti letto totali).

Ristorazione: convenzione con ristoranti, trattorie e pizzerie del luogo.

Prodotti aziendali: vino, olio, formaggi, verdure, ortaggi, pollame, uova.

Luoghi di interesse e manifestazioni locali: Orvieto, Todi, Spoleto, Roma, Cascia, Norcia, cascate delle Marmore, Narni, San Gemini. Corsa dell'anello, mercato del rigattiere e del mobile antico, festival dei Due Mondi, numerose sagre.

Prezzi: alloggio in bassa stagione fino a £ 40.000, in alta fino a £ 60.000 (prima colazione compresa).

Note: accessibile agli handicappati. In alta stagione periodo minimo di soggiorno 1 settimana. Nessun limite negli altri periodi. Si impartiscono lezioni di tiro con l'arco. Osservazione ambientale. Raccolta di asparagi, castagne, funghi, frutta. Giochi all'aria aperta, trekking e passeggiate, piscina, mountain bike, tennis tavolo, parco giochi per bambini, campo da calcetto e pallavolo. Escursioni in jeep. Biancheria, pulizia, uso cucina, riscaldamento, posto macchina. Uso di camino, forno e barbecue esterno. Animali accolti previo accordo.

PODERE CASALE

loc. Benano, 65/B • 05018 ORVIETO
☎ e fax 0763361001 cell. 0368462366

Posizione geografica: collina.
Periodo di apertura: tutto l'anno.
Associato a: Turismo Verde, Ospitalità rurale.
Presentazione: costruzione rurale su 40 ettari circa coltivati a vigneto, cereali, oliveto. Offre ospitalità in 6 unità tra appartamenti e miniappartamenti, dotati di servizi, per un totale di 24 posti letto.

Prodotti aziendali: confetture, formaggi, miele, olio, vino.

Luoghi di interesse e manifestazioni locali: Orvieto, lago di Bolsena, necropoli etrusche. Sagre paesane da maggio a settembre, Umbria jazz.

Prezzi: alloggio da £ 15.000 a 30.000. Sconti da convenire.

Note: 1 camera dispone di servizi per portatori di handicap. Golf, trekking e passeggiate, mountain bike. Prato per prendere il sole. Raccolta di funghi e more. Minigolf a 5 km.

IL POGGIOLO DI PARRANO

via Provinciale Parranese 52, km 8,5 • 05010 PARRANO
☎ e fax 0763838471 fax 0763838776 cell. 03683057435
E-mail:ilpoggiolo@tin.it
http:www.ware.it/Agritour/Umbria/Terni/Poggiolo

Posizione geografica: collina (450 m), in posizione panoramica, ai confini con Toscana e Alto Lazio.
Periodo di apertura: chiuso dal 15 gennaio al 15 febbraio
Presentazione: offre ospitalità in 4 suite e 1 camera matrimoniale, con bagno, arredate piacevolmente con qualche oggetto d'epoca.
Ristorazione: gli ospiti vengono indirizzati a sperimentati e convenienti ristori della zona.
Prezzi: in alta stagione suite da £ 140.000 a 160.000 (bassa stagione a £ 120.000) a notte, matrimoniale con Jacuzzi a £ 130.000 (bassa stagione a £ 100.000).

Riscaldamento addebitato a consumo.
Note: piscina, tiro con l'arco. Convenzione con le terme di San Casciano a Bagni. Tutto è mirato al relax nella massima privacy e nel comfort.

Marche

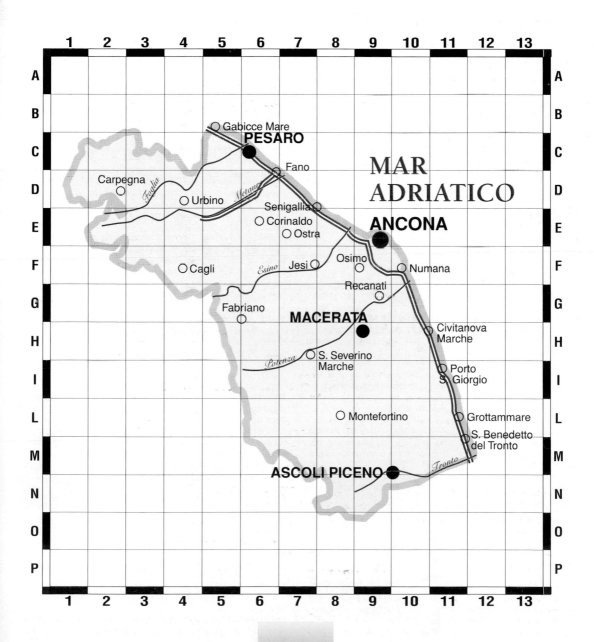

Ancona

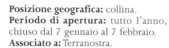

LA GIUGGIOLA

fraz. Angeli di Varano, 204/a • 60029 ANCONA
☎ 071804336

● **E 9**

Posizione geografica: collina.
Periodo di apertura: tutto l'anno, chiuso dal 7 gennaio al 7 febbraio.
Associato a: Terranostra.
Presentazione: tipica costruzione rurale all'interno di una riserva naturale, circondata da 13 ettari di terreno coltivati a vigneto, frutteto, cereali. Offre ospitalità in 7 camere con bagno per un totale di 15 posti letto.
Ristorazione: H/B, F/B. Ristorante aperto al pubblico con 70 coperti. Cucina tipica marchigiana.
Prodotti aziendali: confetture, vini.
Luoghi di interesse e manifestazioni locali: fortino napoleonico, Numana, Sirolo, Recanati, Loreto. Feste medioevali a Offagna nel mese di agosto.
Prezzi: da £ 40.000 a 80.000, un pasto da £ 25.000 a 40.000. Bambini fino ai 3 anni gratis, dai 3 ai 6 anni riduzione del 50%, dai 6 agli 11 riduzione del 35%.
Note: accessibile agli handicappati. Ampio giardino con sdraio per prendere il sole, giochi all'aria aperta, osservazione ambientale. Nelle immediate vicinanze calcetto, equitazione, golf, tennis, piscina, pallavolo, windsurf, canoa. Raccolta di asparagi selvatici. Pulizia, riassetto, telefono in comune, prima colazione, riscaldamento, posto macchina, sala comune.

IL PICCOLO PARADISO

via Ripalta, 90 - fraz. Piticchio • 60010 ARCEVIA
☎ 0731981346 - 03388426997 - 0719674707

● **F 7**

Posizione geografica: collina.
Periodo di apertura: da Pasqua a San Martino tutti i giorni solo su prenotazione, il restante periodo solo sabato e domenica o su prenotazione.
Associato a: Agriturist, Turismo Verde e Terranostra.
Presentazione: tipica costruzione rurale su 3 ettari di terreno con produzione di ortaggi. Ideale per passeggiate naturalistiche e soggiorni di relax. Accoglie ospiti in 5 camere, con bagno, per un totale di 13 posti letto, in 1 appartamento con 5 posti letto e in piazzole in agriturismo per camper.
Ristorazione: H/B e F/B. Ristorante aperto al pubblico con 50 coperti. Gnocchi al sugo di papera, faraona alle olive, piadine alle erbe di campo.
Prodotti aziendali: dolci, marmellate, ortaggi e miele.
Luoghi di interesse e manifestazioni locali: grotte di Frasassi, museo archeologico, scavi archeologici, spiaggia di velluto. Sagra del tartufo, della fragola, di Piticchio l'11 ottobre, festa dell'uva, fiera dei tacchini e del Verdicchio.

Prezzi: OR da £ 30.000 a 50.000. Pasto da £ 20.000 a 50.000. Riduzione del 10% per

bambini fino a 10 anni e del 10% per la seconda settimana.
Note: accessibile agli handicappati. Osservazione ambientale. Raccolta di asparagi, more ed erbe. Giochi all'aria aperta, pesca, mountain bike, trekking, tiro con l'arco e bocce. Prato per prendere il sole. Telefono in comune, biancheria, pulizia, posto macchina e riscaldamento. Animali accolti previo accordo.

IL VILLINO CAMPAGNOLO

via Gasparini, 4 • 60013 CORINALDO
☎ 0717975159 fax 0717976006

● **E 6**

Posizione geografica: mare.
Periodo di apertura: tutto l'anno.
Presentazione: casa colonica ristrutturata e adibita all'accoglienza di tutti coloro che amano la natura. Offre ospitalità in 5 camere, con bagno comune, per un totale di 12 posti letto.
Ristorazione: possibilità di F/B presso ristorante convenzionato. Cucina casalinga.
Prodotti aziendali: vino, frutta e verdura.
Luoghi di interesse e manifestazioni locali: rocca di Senigallia, di Mondavio, Pesaro, Fonte Avellana, Gola del Furlo, Genga, grotte di Frasassi, Urbino, San Leo, Gradara, San Marino, spiaggia di Velluto.
Prezzi: alta stagione (agosto) camera doppia a £ 80.000, bassa stagione a £ 60.000. Sconti da concordarsi.
Note: in alta stagione prenotare con 30 giorni di anticipo e soggiorno minimo di 4 giorni, in bassa stagione 2 giorni prima e soggiorno minimo di 2 giorni. Cambio biancheria ogni 4 giorni, uso cucina. Non si accolgono animali.

IL FAGGIO

Serradica • 60040 FABRIANO
☎ e fax 0732259433 ☎ 073272343

● **G 6**

Posizione geografica: montagna.
Periodo di apertura: dall'1 aprile al 10 novembre, periodo pasquale e natalizio.
Associato a: Turismo Verde, Club Wigwam.
Presentazione: costruzione rurale all'interno di una riserva naturale con 500 ettari di terreno a pascolo, boschi e orto biologico.

Allevamento di equini, bovini. Offre ospitalità in 7 camere per un totale di 28 posti letto e in 20 piazzole per agricampeggio.
Ristorazione: H/B, F/B, B&B.
Prodotti aziendali: carni, insaccati, funghi.
Luoghi di interesse e manifestazioni locali: parco naturale, varie abbazie e castelli, grotte di Frassari, museo della Catra e della Filigrana.
Prezzi: H/B £ 50.000, F/B £ 60.000, B&B £ 35.000. Riduzioni per bambini e gruppi. Prezzi da concordare per settimane verdi.

Note: corsi di educazione ambientale e di equitazione, orienteering, escursioni e visite guidate, golf, tiro con l'arco, trekking e passeggiate. In collaborazione con la Lega Motociclismo sono stati realizzati percorsi per moto da enduro su mulattiere e strade di montagna. Raccolta di funghi e di frutti di bosco. Attrezzatura per stage didattici per scuole. Telefono in comune, riscaldamento, sala comune, posto macchina.

HORNOS

via Marina II, 16 • 60020 NUMANA
☎ 0717391242

 P 5

Posizione geografica: mare.
Presentazione: azienda circondata da 80 ettari di pineta mediterranea, all'interno del parco naturale del monte Conero. Possibilità di agriturismo e agricampeggio.
Ristorazione: trattoria tipica.
Luoghi di interesse e manifestazioni locali: grotte di Frasassi, Recanati, Loreto, Castelfidardo, spiagge del Conero.
Note: corsi di equitazione di campagna, passeggiate a cavallo diurne e notturne ed escursioni sul monte Conero, pony per bambini, doma e pensione cavalli, mountain bike.

L'ARCOBALENO

via Torre, 10 • 60020 OFFAGNA
☎ 0717107567

 F 9

Posizione geografica: collina.
Periodo di apertura: tutto l'anno.
Associato a: Terranostra.
Presentazione: azienda immersa nel verde, tra la riviera del Conero e i monti Sibillini. Offre ospitalità in 6 camere doppie o triple con servizi comuni per un totale di 18 posti letto.
Ristorazione: H/B. Ristorante aperto al pubblico con 18 coperti. Cucina prevalentemente vegetariana con specialità locali.
Prodotti aziendali: miele, frutta, marmellate, olio.
Luoghi di interesse e manifestazioni locali: riviera del Conero, Recanati, Osimo, rocca di Offagna, grotte di Frasassi. Feste medioevali a metà luglio, stagione teatrale e di balletto a Osimo in luglio e agosto.
Prezzi: fino a £ 30.000, un pranzo da £ 18.000 a 30.000. Riduzione del 20% per bambini fino ai 6 anni, del 10% per letto aggiunto, del 10% per la seconda settimana di soggiorno.
Note: gradita la prenotazione. Parco con pineta, possibilità di passeggiate con interessanti osservazioni naturalistiche, giochi all'aperto per i bambini, mountain bike, tiro con l'arco, bocce, trekking. Raccolta di more e susine. Biancheria, prima colazione, riscaldamento, pulizia spazi comuni.

SAN SETTIMIO

60010 PALAZZO DI ARCEVIA
fax 07319912 cell. 0337407221 - 0335207597

 F 7

Posizione geografica: collina.
Periodo di apertura: da aprile a ottobre tutti i giorni, da ottobre ad aprile aperto sabato e domenica, venerdì su prenotazione.
Presentazione: azienda di 400 ettari con coltivazione di vigneti

e uliveti, allevamento di animali, riserva di caccia, due laghetti. Offre ospitalità in 5 case coloniche ristrutturate e 1 padiglione di caccia che ospita anche il ristorante, per un totale di 14 camere.
Ristorazione: cucina tipica marchigiana con ortaggi e carni di propria produzione, pasta fatta in casa, coniglio in porchetta.
Prodotti aziendali: vino bianco, olio, miele.
Luoghi di interesse e manifestazioni locali: Arcevia, Fabriano, grotte di Frasassi, Urbino, Gubbio, Assisi, Numana, Sirolo, Loreto, riviera romagnola e adriatica.
Prezzi: B&B da £ 50.000 a 85.000, H/B da £ 70.000 a 95.000, F/B da £ 125.000 a 135.000.
Note: prenotazione obbligatoria. Accessibile agli handicappati. Gite a cavallo con istruttore, noleggio mountain bike per escursioni nella riserva. Piscina panoramica, tiro con l'arco con istruttore, pesca sportiva, tennis, calcetto. Telefono e TV in camera. Biancheria, pulizia. Animali accolti previo accordo.

CROCE DEL MORO

via Tassanare, 5 • 60030 ROSORA
☎ 0731814292-0731712112 fax 0731814308

 F 7

Posizione geografica: collina.
Periodo di apertura: tutto l'anno.
Associato a: Terranostra.
Presentazione: costruzione rurale con 5 ettari di terreno coltivato a vigneto e cereali. Allevamento di ovini. Offre ospitalità in 6 camere con bagno per un totale di 14 posti letto, 1 miniappartamento da 3 posti letto e in 8 piazzole in agricampeggio per tende e camper.
Ristorazione: H/B, F/B. Ristorante con 30 coperti. Cucina tipica marchigiana, salumi, formaggi, prosciutti di produzione propria.
Prodotti aziendali: salumi, formaggi, uova, frutta, ortaggi, pollame, olio, miele, vino.
Luoghi di interesse e manifestazioni locali: grotte di Frasassi, Ancona, Senigallia, Recanati, Fabriano, museo della civiltà contadina. Sagra della sapa in ottobre, festa in campagna in settembre, sagra e festa dell'uva.
Prezzi: fino a £ 30.000 a persona, un pasto da £ 20.000 a 30.000. Riduzione del 20% per bambini fino a 10 anni, del 30% per letto aggiunto.
Note: accessibile agli handicappati. Prato per prendere il sole, sala riunioni e sala televisione comune. Corsi di agricoltura, enologia, osservazione ambientale, parco giochi per bambini, bocce, mountain bike, golf, giochi all'aria aperta, trekking e passeggiate, escursioni e visite guidate, tennis nelle vicinanze. Raccolta di asparagi, frutti di bosco, funghi. Biancheria, telefono in comune, riscaldamento, uso frigorifero, televisione in camera. Animali accolti previo accordo.

IL CAMPETTO

via Torre Campetto, 130 - Montignano • 60019 SENIGALLIA
☎ e fax 07169536-0717927098 ☎ 0336649017

 ● D 7

Posizione geografica: collina e mare.
Periodo di apertura: tutto l'anno, turno di chiusura il lunedì.
Associato a: Turismo Verde, Terranostra.
Presentazione: tipica azienda agricola marchigiana di 30 ettari con coltivazione di cereali, erba medica, vigneto, frutteto, oliveto. Accoglie ospiti in 8 camere con bagno e in 3 appartamenti fuori dall'azienda.
Ristorazione: H/B e F/B. Ristorante con 50 coperti. Specialità tipiche marchigiane.
Prodotti aziendali: confetture, dolci, frutta, miele, olio, ortaggi, pollame, uova e vini.
Luoghi di interesse e manifestazioni locali: grotte di Frasassi, casa natale di Santa Maria Goretti e di Leopardi, Loreto, borghi rurali. Fiera di Sant'Agostino il 28 agosto, festa della polenta nel pozzo la seconda domenica di luglio.

Prezzi: OR da £ 35.000 a 50.000. Pasto da £ 20.000 a 35.000. Riduzione del 30% per bambini fino a 8 anni.
Note: accessibile agli handicappati. Corsi di agricoltura, artigianato ed enologia. Giochi all'aperto, equitazione, mountain bike, tennis. Raccolta di asparagi e funghi. Sala convegni. Biancheria, telefono in comune, riscaldamento, posto auto.

LA TANA DEL LELE

via Madonna delle Stelle, 1 • 60048 SERRA SAN QUIRICO
☎ 073186737

 ● F 7

Posizione geografica: collina.
Periodo di apertura: tutto l'anno.
Associato a: Amab, Terranostra, Tra terra e cielo, Buono naturale.
Presentazione: costruzione rurale completamente ristrutturata. Ospitalità in casa, assieme ai proprietari, in 5 camere di cui 3 con bagno privato e 2 con bagno in comune per un totale di 16 posti letto.
Ristorazione: solo per gli ospiti. Pane biologico, dolci, pizza, confetture, conserve, salumi e carni dell'azienda.
Prodotti aziendali: farine, polli, conigli, sottoli, conserve, olio d'iperico e olio al peperoncino.
Luoghi di interesse e manifestazioni locali: grotte di Frasassi, abbazia di Sant'Elena, Sant'Urbano, Fabriano, Valleremita, fonte Avellana. Varie sagre durante tutto il tempo dell'anno.
Prezzi: pernottamento da £ 30.000 a 35.000, H/B da £ 65.000 a 70.000, colazione £ 5.000. Bambini al di sotto dei 2 anni gratis, dai 2 ai 5 anni sconto del 50%.
Note: accessibile agli handicappati. Parco con possibilità di giocare a pallavolo, piscina, golf, ping-pong, giochi per bambini. Raccolta di erbe officinali, asparagi, funghi. TV e riscaldamento

IL RITORNO

via Piani di Aspio, 12 - loc. Copro • 60020 SIROLO
☎ 0719331544

 ● F 9

Posizione geografica: collina nelle vicinanze del mare.
Periodo di apertura: tutto l'anno.
Associato a: Agriturist, Terranostra.
Presentazione: tipica costruzione rurale all'interno di una riserva naturale, circondata da 26 ettari a bosco, prato, cereali. Allevamento di equini selezionati. Offre ospitalità in 6 camere con bagno per un totale di 20 posti letto.
Ristorazione: H/B. Ristorante aperto al pubblico. Cucina tipica marchigiana, casereccia.
Luoghi di interesse e manifestazioni locali: Loreto, Recanati, grotte di Frasassi, riviera del Conero. Stagione teatrale, vari mercatini e sagre.
Prezzi: oltre £ 50.000, un pasto da £ 25.000 a 35.000. Sconti da concordare.
Note: equitazione. Nelle vicinanze possibilità di praticare golf, tennis e altri sport. Possibilità di acquistare vino e oli in aziende specializzate nei dintorni. Biancheria, pulizia, riassetto, riscaldamento.

SANT'ANNA

via Sant'Anna, 11 • 60031 CASTELPLANIO
☎ e fax 0731814104 ☎ 073156765

 ▲ F 7

Posizione geografica: collina.
Periodo di apertura: tutto l'anno.
Associato a: Agriturist, Turismo Verde, Terranostra.
Presentazione: tipica costruzione rurale circondata da 4 ettari di terreno coltivati a ortaggi, olivo e vite, per la produzione di Verdicchio, secondo metodi biologici. Offre ospitalità in 4 appartamenti dotati di servizi per un totale di 15 posti letto e in 15 piazzole in agricampeggio per tende e caravan.
Prodotti aziendali: vino, olio.
Luoghi di interesse e manifestazioni locali: grotte di Frasassi, Fabriano. Sagra della crescia, sagra della sapa, sagre del Verdicchio.
Prezzi: fino a £ 30.000.
Note: accessibile agli handicappati. Necessaria la prenotazione. Prato per prendere il sole, corsi di agricoltura biologica, enologia, giardinaggio, osservazione ambientale, parco giochi per bambini. Raccolta di cicoria. Bocce, orientamento, pallavolo, ping-pong, biliardino, golf, tiro con l'arco, giochi all'aria aperta, trekking e passeggiate, escursioni e visite guidate, mountain bike. Biancheria, pulizia, uso cucina, uso frigorifero, riscaldamento, terrazza all'aperto, posto macchina.

FATTORIA "LA GINESTRA"

via Serraloggia - loc. Callarelle • 60044 FABRIANO
☎ 07323182-073224013

 ▲ G 6

Associato a: Agriturist, Terranostra.
Presentazione: tipica costruzione rurale circondata da 50 ettari di terreno con produzione di cereali. Offre ospitalità in 3 camere doppie con servizi privati e cucina, in 3 camere (9 posti letto) con servizi comuni e uso cucina, e in 10 piazzole.

Prodotti aziendali: dolci, pizzelle.
Luoghi di interesse e manifestazioni locali: museo della civiltà contadina all'interno dell'azienda, grotte di Frasassi, Gubbio, Assisi, Urbino, Macerata. Palio di San Giovanni nel mese di giugno.
Prezzi: £ 30.000 a persona.
Note: solo su prenotazione. Spazio per prendere il sole. Bocce, passeggiate. Spazi con giochi per bambini. Pesca sportiva a 8 km, circolo ippico a 4 km. Raccolta di asparagi selvatici, frutti di bosco, funghi. Biancheria, uso cucina e frigorifero.

PARVA DOMUS

via Borgo Fornaci, 15 • 60036 MONTECAROTTO
☎ 073189690

▲ F 6

Posizione geografica: collina.
Periodo di apertura: tutto l'anno.

Presentazione: l'azienda, ubicata nel cuore dell'area di produzione del Verdicchio, accoglie ospiti in 2 appartamenti autonomi, termocondizionati, con pavimenti in cotto e arredati con mobili rustici, di cui uno composto da due camere a 2 letti + 2, cucina-soggiorno e l'altro da una camera da 2 letti + 1, cucina-soggiorno.
Prodotti aziendali: vino, olio, miele, pane, formaggi.
Luoghi di interesse e manifestazioni locali: grotte di Frasassi, mare del Conero, monti Sibillini, l'eremo camaldolese di Fonte Avellana, Jesi e i suoi castelli.
Prezzi: rivolgersi direttamente all'azienda.
Note: biancheria e pulizia.

LE COLLINE

fraz. Tassanare - via Fondiglie, 68 • 60030 ROSORA
☎ 0731813844 cell. 03472271867
E-mail: lecolline@pasadena.it
http:www.pasadena.it/lecolline/home.htm

▲ F 7

Posizione geografica: collina.
Periodo di apertura: tutto l'anno.
Associato a: Terranostra.
Presentazione: tipica costruzione rurale con ampio panorama sui castelli di Jesi. Offre ospitalità in 3 appartamenti per un totale di 8 posti letto.
Luoghi di interesse e manifestazioni locali: grotte di Frasassi, Senigallia, Loreto, Fabriano, Urbino. Varie sagre paesane, presepio vivente in dicembre.
Prezzi: fino a £ 40.000.
Note: accessibile agli handicappati. Periodo minimo di prenotazione 2 giorni. Prato per prendere il sole. Animazione per i bam-

bini, giochi all'aria aperta, escursioni e visite guidate ad ambienti naturali, campi da bocce, mountain bike. Raccolta di erbe di campo. Biancheria, lavanderia, riscaldamento, pulizia finale. Animali accolti previo accordo.

COLMERÙ

via Cagli, 5 - Colmeroni • 60041 SASSOFERRATO
☎ 07329277

▲ G 6

Posizione geografica: montagna.
Periodo di apertura: tutto l'anno.
Associato a: Terranostra.
Presentazione: casa-museo in azienda, nella zona dell'Appennino centrale, di 25 ettari coltivati in parte biologicamente a cereali, in parte boschivi. Allevamento di animali da cortile. Offre ospitalità in 3 camere doppie con bagno comune e in 1 appartamento.
Prodotti aziendali: uova, animali da cortile.
Luoghi di interesse e manifestazioni locali: grotte di Frasassi, Fonte Avellana, Fabriano, Sassoferrato, Appennino centrale, costa adriatica. Varie sagre, mostre e rappresentazioni nelle vicinanze.
Prezzi: alloggio in camera doppia a £ 50.000.
Note: prato per prendere il sole, impianti sportivi nelle vicinanze, possibilità di partecipare a complessi di musica d'insieme. Raccolta di erbe e bacche. Uso cucina con suppellettili, posto macchina coperto.

Ascoli Piceno

VILLA CICCHI

via Salaria Superiore, 137 • 63040 ABBAZIA DI ROSARA
☎ 0736252272 fax 0736262164

● L 9

Periodo di apertura: tutto l'anno, solo su prenotazione.
Associato a: Turismo Verde, Tourist Green Club, Eda Agricole.
Presentazione: casa padronale di villeggiatura con annessa chiesetta del 1734 e ampio parco, su 5 ettari e mezzo adibiti a

uliveto, vigneto, frutteto e allevamento di animali da cortile. Accoglie ospiti in 6 camere con bagno privato, per un totale di 15 posti letto e in alcune piazzole in agricampeggio.
Ristorazione: H/B e F/B. Ristorante aperto al pubblico su prenotazione. Fritto misto all'ascolana, cinghiale cotto in forno a legna, ravioli di ricotta e spinaci, timballo al ragù, spezzatino alla n'cip en'ciap, crostate con marmellate fatte in casa.
Prodotti aziendali: dolci, olio, ortaggi e uova.
Luoghi di interesse e manifestazioni locali: Ascoli Piceno (centro storico), paesi limitrofi caratteristici (Offida, Castignano, Acquaviva). Ascoli Piceno Festival.
Prezzi: camera matrimoniale da £ 50.000 a 60.000 a persona. Letto aggiunto da £ 30.000 a 40.000. Pasto da £ 35.000 a 60.000.
Note: animazione, giochi all'aria aperta, mountain bike, orientamento, ping-pong, roccia, sci alpinismo e discesa, sci d'erba, tennis e trekking. Servizio baby sitting. Visite guidate. Raccolta di asparagi, funghi e castagne. Solarium e terrazza panoramica. Cantina. Spettacoli e intrattenimenti in giardino. Pulizia, telefono pubblico, riscaldamento. Animali accolti previo accordo.

DIMENSIONE NATURA

via San Cristoforo, 26
63021 AMANDOLA
☎ 0733660477
● L 9

Posizione geografica: lago (350 m).
Presentazione: allevamento di animali da cortile, maiali. Frutteto e orto. Offre ospitalità in 8 piazzole per camper.
Ristorazione: disponibilità fino a 60 coperti. Vincisgrassi, polentone, abbacchio. Area pic-nic con gazebo e barbecue.
Prodotti aziendali: prodotti dell'allevamento, verdure, formaggi, prodotti artigianali.
Luoghi di interesse e manifestazioni locali: abbazia di San Ruffino, Smerillo, monte San Martino, Servigliano, Amandola, santuario della Madonna dell'Ambro, parco nazionale dei Sibillini. Contesa dell'anello a Servigliano la seconda domenica di agosto, festival internazionale di teatro ad Amandola.
Prezzi: un pranzo da £ 18.000 a 25.000.
Note: guide turistiche e storico-naturalistiche, vari itinerari naturalistici da percorrere a piedi o in bicicletta, affitto mountain bike, giochi all'aria aperta, trekking e passeggiate, escursioni e visite guidate, maneggio. Il lago è navigabile con canoe e barche a vela

FIORENIRE

c.da Filette, 8 • 63032 CASTIGNANO
☎ 0736821606-0736822117
● L 10

Posizione geografica: collina.
Periodo di apertura: dall'1 marzo al 31 ottobre.
Associato a: Terranostra.
Presentazione: struttura appartenente da tempo alla famiglia, immersa in un parco di 10.000 m² con ampio panorama in un'azienda agraria di 80 ettari. Offre ospitalità in 6 camere con bagno per un totale di 15 posti letto.
Ristorazione: H/B, F/B. Ristorante aperto al pubblico con 25 coperti. Olive all'ascolana, vincisgrassi, verdure e animali da cortile di produzione propria.
Prodotti aziendali: ortaggi, animali da cortile, miele, olio, vino e mistrà.
Luoghi di interesse e manifestazioni locali: antichi paesi del Piceno e monti della Laga, Ascoli Piceno, parco dei Sibillini, Riviera delle Palme. Torneo cavalleresco della Quintana ad Ascoli Piceno, carnevale estivo, "Templaria" in agosto, varie manifestazioni nel corso dell'anno.
Prezzi: da £ 30.000 a 50.000, un pranzo da £ 20.000 a 35.000. Riduzione del 20% per il terzo e il quarto posto letto, del 30% per letti aggiunti per bambini dai 3 ai 9 anni.
Note: accessibile agli handicappati. Prato per prendere il sole. Baby sitting, ballo, equitazione per bambini, illustrazione delle attività agricole, mostra permanente del tombolo, rievocazioni medioevali. Golf, pesca, equitazione, tennis, trekking e passeggiate, escursioni e visite guidate, mountain bike, calcetto. Biancheria, pulizia, riassetto, telefono in comune, prima colazione, riscaldamento, sala comune, posto macchina.

"BELSITO" TENUTA BARNABEI

via San Silvestro, 8 • 63030 CASTORANO
☎ e fax 073687131
● M 10

Posizione geografica: collina (260 m).
Periodo di apertura: tutto l'anno.
Associato a: Agriturismo, Millionaire Market, Vacanze nella Natura.
Presentazione: tipica costruzione rurale nei pressi della villa padronale con 25 ettari di vigneto e oliveto. Offre ospitalità in 4 camere con bagno per un totale di 12 posti letto.
Ristorazione: H/B. Ristorante aperto al pubblico con 35 coperti nella stagione invernale, 60 in estate. Olive fritte all'ascolana al formaggio.
Prodotti aziendali: confetture, olio, olive in salamoia, uova, vino, miele, sfusi o confezionati.
Luoghi di interesse e manifestazioni locali: centri storici di Offida e di Ascoli Piceno. Carnevale del bove finto a Offida in febbraio, Quintana di Ascoli Piceno a settembre, "Templaria" a Castignano in agosto, sagre varie.
Prezzi: fino a £ 35.000, un pranzo £ 30.000. Bambini fino a 2 anni gratis, da 2 a 6 anni riduzione del 50%, fino ai 10 anni del 30%. Sconti per i possessori della Millionaire Card.
Note: solo su prenotazione. Terrazza e prato per prendere il sole, guida alle attività agricole, visita in azienda, giochi di sala e all'aperto per i bambini, escursioni e visite guidate, trekking e passeggiate a piedi e a cavallo. Maneggio, piscina, tennis nelle vicinanze. Raccolta di asparagi. Biancheria, pulizia, riscaldamento, sala televisione comune.

CITTADELLA

via E. Pascali, 65 • 63044 COMUNANZA
☎ 0736856361 fax 0736844262 cell. 0337957368
● M 11

Posizione geografica: montagna (800 m).
Periodo di apertura: da maggio a ottobre, nel restante periodo dell'anno solo negli week-end e giorni festivi.
Associato a: Agriturist.
Presentazione: casale del '500 in azienda con allevamento equino. Offre ospitalità in 15 camere, dotate di servizi e riscaldamento autonomo.
Ristorazione: cucina semplice e genuina, basata sui gustosi piatti tradizionali della gastronomia montana.
Luoghi di interesse e manifestazioni locali: Ascoli Piceno, Fermo, Offida, paesi medioevali, chiese rurali, parco nazionale dei Sibillini, monte Vettore, lago di Pilato, selvaggia gola dell'Infernaccio, monte della Sibilla.
Prezzi: rivolgersi direttamente all'azienda.
Note: ampio locale per incontri e relax. Passeggiate a piedi, a cavallo e in mountain bike nei boschi e lungo i sentieri, pesca sportiva sulle sponde dei laghi e lungo il corso dei torrenti montani, canoa e canottaggio nel lago di Gerosa, escursioni sulle cime dei monti Sibillini. Raccolta di castagne, funghi e frutti di bosco.

CASA VECCHIA

Val d'Aso • 63010 LAPEDONA
☎ 0734933159-0734932929 fax 0734937539
E-mail: agritcav@tin.it
http:www.agricoop.it/agritur.htm

I 10

Posizione geografica: collina sul mare.
Periodo di apertura: tutto l'anno.
Associato a: Turismo Verde.
Presentazione: tipica costruzione mezzadrile marchigiana nelle vicinanze del mare e dei monti Sibillini, circondata da 2 ettari di terreno a frutteto e orto. Offre ospitalità in 9 camere con 18 posti letto, in 1 appartamento con 4 posti letto e in 8 piazzole in agricampeggio per roulotte e tende.
Ristorazione: H/B, F/B. Ristorante aperto al pubblico con 45 coperti. Cucina tradizionale picena.
Prodotti aziendali: confetture, frutta, verdura, miele, olio, aceto.
Luoghi di interesse e manifestazioni locali: Fermo, Ascoli Piceno, Moresco, Monterubbiano, Offida, centri piceni con vari musei e pinacoteche, parco nazionale dei Sibillini. Festival di Fermo, palio dell'Assunta, Quintana, sagre paesane, contesa del Secchio.
Prezzi: da £ 30.000 a 50.000, un pranzo da £ 25.000 a 35.000. Riduzione del 20% per bambini fino a 10 anni, del 10% ogni letto aggiunto.
Note: necessaria la prenotazione. Escursioni e visite guidate, corsi di storia locale e dell'agricoltura, passeggiate in mountain bike, a piedi e a cavallo, trekking, golf, pesca, equitazione, osservazione ambientale, orticoltura, giochi all'aria aperta, gite al fiume per bambini, calcetto, pattinaggio. Raccolta di pesche e altra frutta. Pulizia, biancheria, riassetto, telefono in comune, riscaldamento, prima colazione, posto macchina, sala comune. Animali accolti previo accordo

LA CAMPANA

c.da Menocchia, 39 • 63010 MONTEFIORE DELL'ASO
☎ 0734938229 fax 0734938484

M 10

Posizione geografica: collina.
Periodo di apertura: tutto l'anno su prenotazione.
Associato a: Turismo Verde.
Presentazione: borgo rurale alle pendici dei monti Sibillini nelle immediate vicinanze del mare, completamente ristrutturato con 40 ettari di terreno a cereali, vigneto, frutteto, orto biologico. Allevamento di ovini e conigli. Offre ospitalità in 12 camere con bagno per un totale di circa 30 posti letto.

Ristorazione: H/B, F/B. Ristorante aperto al pubblico. Lasagne verdi, risotto alle erbe, cannelloni alla parmigiana, coniglio alla frutta, agnello, pecora, verdure biologiche crude e al forno.
Prodotti aziendali: dolci, frutta, olio, ortaggi, conigli, agnelli, vino, ricotta di pecora, conserve di frutta, lane tinte naturalmente.

Luoghi di interesse e manifestazioni locali: musei, pinacoteche, museo malacologico, parco dei Sibillini, cittadine medioevali, cave di fossili. Quintana di Ascoli, palio dell'Assunta a Fermo, sagre di paese.
Prezzi: H/B da £ 70.000 a 130.000, F/B da £ 90.000 a 150.000, un pranzo da £ 27.000 a 65.000. Bambini da 1 a 2 anni sconto del 65%, da 3 a 6 anni sconto del 35%, da 7 a 11 anni sconto del 15%. Culla a £ 10.000.
Note: necessaria la prenotazione. Sala riunioni con attrezzatura per video, solarium, baby sitting a richiesta, corsi di cucina, disegno, giardinaggio, osservazione ambientale, ripetizioni scolastiche. Pallavolo, tennis, ping-pong, piscina, trekking e passeggiate, escursioni e visite guidate, mountain bike. Equitazione nelle vicinanze. Raccolta di asparagi, funghi, castagne. Biancheria, pulizia, riassetto, telefono in comune, prima colazione, uso frigorifero, riscaldamento, sala comune, posto macchina. Animali accolti previo accordo.

CROSTA

via Pozzetto, 2 • 63026 MONTERUBBIANO
☎ 073459169 fax 0734255151

L 10

Posizione geografica: collina.
Periodo di apertura: tutto l'anno.
Associato a: Agriturist e Terranostra.
Presentazione: costruzione di recente ristrutturazione dotata di tutti i servizi. Offre ospitalità in 7 camere doppie con bagno e in 2 piazzole per campeggiare.
Ristorazione: H/B, F/B. Ristorante aperto al pubblico con 40/50 posti. Risotti con verdure di stagione, salumi e formaggi di produzione propria, frittura ascolana.
Prodotti aziendali: conserve di frutta, salumi, formaggi, fragole, olio d'oliva, vino.
Luoghi di interesse e manifestazioni locali: mare, diversi centri d'arte. Varie manifestazioni nel corso dell'anno.
Prezzi: H/B da £ 50.000 a 65.000 circa, F/B da £ 60.000 a 80.000. Sconto per bambini dal 50% al 100%.
Note: necessaria la prenotazione. Per soggiorni di almeno 1 settimana omaggio aziendale. Parco giochi, ampio giardino con gioco delle bocce, giochi all'aria aperta, trekking e passeggiate. Tutti gli sport nelle vicinanze. Cambio biancheria settimanale, servizio di lavanderia, parcheggio.

LA VIGNA

via Cabiano, 34 - Valtesino • 63038 RIPATRANSONE
☎ 073590113

L 11

Posizione geografica: mare.
Periodo di apertura: tutto l'anno su prenotazione.
Associato a: Turismo Verde.
Presentazione: azienda di 14 ettari con vigneti, frutteti e oliveti. Offre ospitalità in 3 appartamenti indipendenti e 6 bungalow, per 4 persone ciascuno, dotati di servizi.
Ristorazione: H/B, F/B, B&B. Cucina rurale genuina.
Prodotti aziendali: vini D.O.C., dolci, frutta, miele, olio, salumi, uova.
Luoghi di interesse e manifestazioni locali: paesi medioevali, Acquaviva, mare, monti Sibillini.
Prezzi: da £ 60.000 a 70.000, pasto £ 30.000. Riduzione del 50% per bambini fino ai 7 anni.
Note: gradita la prenotazione. Prato per prendere il sole, sala riunioni per 45 persone, bocce, calcetto, golf, mountain bike. L'azienda ospita una scuola di equitazione in maneggio e organizza passeggiate a cavallo, trekking nei fine settimana e corsi di ippoterapia. Servizio di pensione e istruzione cavalli. Biancheria, telefono in comune, posto macchina all'aperto. Animali accolti previo accordo.

CASCINA DAGLI ULIVI

c.da Commenda, 4 • 63029 SERVIGLIANO
☎ e fax 0734710235 cell. 03387094170

L 9

Posizione geografica: collina.
Periodo di apertura: tutto l'anno.
Associato a: Agriturist.
Presentazione: tipica costruzione rurale ristrutturata circondata da 27 ettari di terreno con produzione di cereali. Offre ospitalità in 5 camere con bagno con 14 posti letto, 1 appartamento con 4 posti letto e in 8 piazzole in campeggio attrezzato per tende e caravan.
Ristorazione: H/B, F/B. Ristorante aperto al pubblico su prenotazione con disponibilità fino a 40 coperti. Cucina casalinga con specialità della zona.
Prodotti aziendali: olio, ortaggi, vino, pollame.
Luoghi di interesse e manifestazioni locali: anfiteatro romano, piscine romane, santuari, parco dei Sibillini. Torneo cavalleresco a Castel Clementino, palio dell'Assunta, Quintana di Ascoli Piceno.
Prezzi: da £ 30.000 a 50.000, un pasto da £ 20.000 a 50.000. Sconto del 20% sul pernottamento per bambini sotto i 5 anni.
Note: periodo minimo di soggiorno 2 giorni. Prato e terrazze per prendere il sole, osservazione ambientale, bocce, calcetto, pallavolo, ping-pong, golf, piscina, tiro con l'arco, giochi all'aria aperta, escursioni e visite guidate, mountain bike. Biancheria, pulizia all'arrivo e alla partenza, uso cucina e frigo, sala comune, parcheggio coperto.

ANGOLO VERDE

c.da Valle Ignara • 63021 AMANDOLA
☎ 0736847717

L 9

Posizione geografica: collina.
Periodo di apertura: tutto l'anno.
Associato a: Turismo Verde.
Presentazione: tipica costruzione rurale con 10 ettari di terreno coltivato a cereali e vigneto. Offre ospitalità in 4 camere con bagno in comune per un totale di 10 posti letto e in 1 appartamento.
Prodotti aziendali: uova e vino.
Luoghi di interesse e manifestazioni locali: parco naturale dei monti Sibillini, museo della civiltà contadina. Varie sagre gastronomiche e manifestazioni religiose.
Prezzi: £ 20.000 a persona.
Note: gradita la prenotazione per un periodo minimo di soggiorno di 1 settimana. Animazione, osservazione ambientale, escursioni. Raccolta di piante erbacee e arbustifere, equitazione, tennis, trekking e passeggiate. Biancheria, uso cucina e frigorifero, riscaldamento, posto macchina. Animali accolti previo accordo.

TENUTA LE PIANE

Villa Piane, 21 • 63021 AMANDOLA
☎ 0736847641 fax 0736848557

L 9

Posizione geografica: collina.
Periodo di apertura: da maggio a ottobre.
Presentazione: casale in pietra e mattoni restaurato in azienda di

150 ettari. Ideale per fare passeggiate nei boschi. Accoglie ospiti in 4 camere con bagno e in 2 appartamenti con angolo cottura, salone, sala da pranzo, ampie camere da letto con vista per un totale di 10 posti letto.
Prodotti aziendali: castagne, noci e tartufi.
Luoghi di interesse e manifestazioni locali: parco nazionale dei monti Sibillini, Amandola, Sarnano, Ascoli Piceno, Macerata.
Prezzi: OR a £ 40.000.
Note: mountain bike, piscina, trekking. Escursioni guidate nel parco, bird watching. Baby sitter e pulizie a richiesta. Soggiorno minimo 1 week-end. Tennis nelle vicinanze. Biancheria. Animali accolti previo accordo.

IL FOCOLARE

c.da San Silvestro • 63030 CASTORANO
☎ 073687301

M 10

Posizione geografica: collina.
Periodo di apertura: da marzo a ottobre per le camere, locale cucina a disposizione tutto l'anno.
Associato a: Terranostra.
Presentazione: costruzione rurale tipica con 400 ettari di terreno a frutteto, vigneto, oliveto. Offre ospitalità in 3 camere e in 2 miniappartamenti per un totale di 9 posti letto.
Ristorazione: locale cucina a disposizione degli ospiti.
Prodotti aziendali: frutta, olio, uova, vini, pollame, conigli.
Luoghi di interesse e manifestazioni locali: Ascoli Piceno, Offida, mare e montagna. Sagra del prosciutto e melone in agosto, varie manifestazioni popolari nei mesi estivi.
Prezzi: doppia da £ 30.000 a 50.000, singola da £ 20.000 a 35.000.
Note: accessibile agli handicappati. Osservazione ambientale. Giochi all'aria aperta, trekking e passeggiate, mountain bike. Pulizia, riassetto, biancheria, uso cucina e frigorifero, posto macchina, telefono in comune. Camino e forno a legna.

COLLE VACCARO

c.da Colle Vaccaro • 63030 COLLI DEL TRONTO
☎ e fax 0736899071 cell. 03383697058
E-mail: pfonzi@hotmail.com

M 11

Posizione geografica: collina.
Periodo di apertura: da maggio a ottobre.
Associato a: Turismo Verde.
Presentazione: tipica costruzione rurale ristrutturata, costituita da un casale principale e due villini separati. Circondata da bosco e oliveti. Accoglie ospiti in 4 appartamenti nel casale principale e

in 2 appartamenti nei villini, per un totale di circa 20 posti letto.
Prodotti aziendali: olio extravergine d'oliva, conserve di pomodoro, vino locale, ortaggi e pollame.
Luoghi di interesse e manifestazioni locali: Ascoli Piceno, montagna dei fiori. Sagre ga-

stronomiche nel periodo estivo, giostra della Quintana in agosto. **Prezzi:** OR da £ 300.000 a 900.000 per appartamento. Riduzione del 10% per la seconda settimana in periodi da concordare. **Note:** mountain bike, tennis (a pagamento), bocce, attività balneari (convenzionate). A richiesta baby sitter. Prati per prendere il sole. Spiagge a 15 minuti d'auto. Soggiorno minimo 1 settimana. Sala lettura, gioco delle carte e TV. Cucina attrezzata, biancheria, televisore su richiesta, parcheggio auto. Animali accolti previo accordo.

MARCHETTI TOMMASO ED ETTORE

via San Michele, 105 - fraz. Santi • 63012 CUPRA MARITTIMA
☎ 0735593252 fax 0734932198

 L 11

Posizione geografica: collina. **Periodo di apertura:** da maggio a ottobre, Pasqua e Natale. **Presentazione:** tipica costruzione rurale su 14 ettari di terreno adibiti a vigneto, oliveto e frutteto biologico. Accoglie ospiti in 1 appartamento, al primo piano, composto da 4 camere, doppi servizi, soggiorno e cucina. **Prodotti aziendali:** vino, olio e aceto.
Luoghi di interesse e manifestazioni locali: parco dei monti Sibillini e dei monti della Laga, acquapark, discoteche, Ascoli Piceno. Numerose sagre locali.
Prezzi: OR fino a £ 30.000 per persona al giorno. Sconto del 10% per la seconda settimana.
Note: raccolta di asparagi e di quantità prefissate di frutta. Riscaldamento, cucina e posto auto.

IL BORGHETTO

loc. Bugione, 4 • 63047 MONTEFORTINO
☎ 0736847473 fax 03396026151
E-mail:agropellori@libero.it

M 9

Posizione geografica: montagna.
Periodo di apertura: tutto l'anno.
Associato a: Agriturist.
Presentazione: tipica costruzione rurale, all'interno del parco dei monti Sibillini, circondata da 8 ettari di terreno, adiacente a un fiume, coltivati a cereali, frutteto, vigneto. Offre ospitalità in casa colonica con 6/8 posti letto e in 4 miniappartamenti da 2-3-4 posti dotati di servizi.
Prodotti aziendali: vino, noci, frutta.
Luoghi di interesse e manifestazioni locali: monti Sibillini, lago di Pilato, monte Vettore, gola dell'Infernaccio, museo della civiltà contadina, pinacoteca comunale. Numerose sagre nel periodo estivo, festival teatrale, rassegna musicale nel parco.
Prezzi: fino a £ 30.000. Convenzione con prezzi scontati del 10% con il ristorante a 200 m dall'azienda.
Note: prato per prendere il sole, sci di fondo, alpinismo, trekking e passeg-

giate, giochi all'aria aperta, mountain bike, pesca, osservazione ambientale. Raccolta di castagne, more, asparagi. Piscina e tennis nelle vicinanze. Uso cucina, uso frigorifero, posto macchina, riscaldamento.

Macerata

LA CAVALLINA

s.s. 77 km 48, 899 - loc. Polverina • 62032 CAMERINO
☎ 073746173

 17

Posizione geografica: collina.
Periodo di apertura: tutto l'anno.
Associato a: Terranostra.
Presentazione: casolare in pietra risalente ai primi dell'800, completamente ristrutturato e circondato da 12 ettari con cereali, viticoltura, foraggi. Allevamento di equini. Offre ospitalità in 2 camere con bagno per un totale di 6 posti letto e in piazzole per camper.
Ristorazione: ristorante aperto al pubblico con 50/60 coperti. Cucina tipica regionale con selezione di vini del luogo e prodotti biologici.
Prodotti aziendali: confetture, conserve, frutta, ortaggi.
Luoghi di interesse e manifestazioni locali: parco nazionale dei monti Sibillini, rocche, eremi e castelli medioevali, musei e chiese romaniche. Corsa della Spada in maggio.
Prezzi: B&B £ 40.000, un pasto da £ 25.000 a 45.000. Riduzione del 10% per letto aggiunto.
Note: accessibile agli handicappati. Ampi spazi aperti, campo da bocce, escursioni e visite guidate nel parco dei Sibillini. Nelle vicinanze possibilità di praticare diversi sport. Raccolta di asparagi, frutti di bosco, tartufi, funghi. Biancheria, pulizia, riassetto, riscaldamento, telefono in comune, posto macchina.

IL GIARDINO DEGLI ULIVI

via Crucianelli, 54 • 62022 CASTELRAIMONDO
☎ 0737642121 fax 0737640441

 17

Posizione geografica: collina.
Periodo di apertura: da febbraio a dicembre.
Associato a: Agriturist e Terranostra.
Presentazione: rustico medioevale restaurato con 20 ettari di terreno coltivati a cereali e foraggi. Allevamento di cavalli trottatori. Accoglie ospiti in 5 camere doppie con bagno.
Ristorazione: cucina tradizionale e vini locali.
Luoghi di interesse e manifestazioni locali: borghi romani e medioevali, musei. Sagra della castagna in ottobre, dell'uva in settembre.
Prezzi: H/B a £ 80.000 (soggiorno minimo 3 giorni), OR da £ 60.000 a 75.000. Pasto da £ 40.000 a 50.000 (vini esclusi).
Note: accessibile agli handicappati. Mountain bike, passeggiate naturalistiche. Telefono comune, biancheria, sala di lettura e TV.

LA CORTE SUL LAGO

fraz. Moscosi, 33 • 62011 CINGOLI
☎ 0733612067

● G 7

Posizione geografica: collina, lago.
Periodo di apertura: tutto l'anno. Giorno di chiusura martedì.
Presentazione: l'azienda accoglie ospiti in 5 camere, con bagno, vista lago, per un totale di 14 posti letto.
Ristorazione: pasta fatta in casa con tartufo e funghi di bosco.
Luoghi di interesse e manifestazioni locali: museo archeologico, palazzo comunale, cattedrale del 1654, palazzo Mattioli, Castiglioni (XVII sec.), Silvestri (XVI sec.), fontana del Maltempo (XVI sec.), chiesa di San Esuperanzio, aula verde "A Cavalletti". Varie manifestazioni a carattere storico e fieristico.
Prezzi: H/B a £ 65.000, F/B a £ 75.000.
Note: biancheria, pulizia. Non si accolgono animali all'interno dello stabile.

"LE CASETTE"

loc. Campobonomo • 62033 FIASTRA
☎ 073752571-073752360

● I 7

Posizione geografica: montagna.
Periodo di apertura: da aprile a dicembre tutti i giorni tranne il martedì, da gennaio a marzo solo sabato, domenica e festivi.
Associato a: Terranostra.
Presentazione: tipica costruzione rurale circondata da 110 ettari di terreno con allevamento di ovini. Offre ospitalità in 6 camere con bagno per un totale di 13 posti letto e in 5 piazzole per tende o caravan.
Ristorazione: H/B, F/B. Ristorante aperto al pubblico con 120 coperti. Ravioli, tagliatelle di farro, tagliatelle di tritello, stringozzi, agnello.
Prodotti aziendali: formaggio e ricotta di pecora.
Luoghi di interesse e manifestazioni locali: lago, museo della civiltà contadina, zona montuosa con diversi luoghi di interesse naturalistico. Diverse sagre nel mese di agosto.
Prezzi: H/B da £ 60.000 a 65.000, F/B da £ 70.000 a 80.000, un pasto da £ 20.000 a 40.000. Riduzione del 50% per bambini sotto i 10 anni.
Note: accessibile agli handicappati. Prato per prendere il sole, sala riunioni disponibile. Caseificazione, osservazione ambientale, pony per i bambini, calcetto, pallavolo, sci di fondo e discesa, golf, pesca, giochi all'aria aperta, trekking e passeggiate, tennis, escursioni e visite guidate, mountain bike. Raccolta di castagne, frutti di bosco, funghi. Biancheria, pulizia, riassetto, sala comune, riscaldamento, telefono in comune, prima colazione, posto macchina. Animali accolti previo accordo.

LOCANDA SAN ROCCO

fraz. Collaiello, 2 • 62020 GAGLIOLE
☎ 0737641900 ☎ e fax 0737642324

 H 7

Posizione geografica: collina.
Periodo di apertura: dal 1° luglio al 30 settembre e durante le vacanze natalizie e pasquali.
Associato a: TCI, Vacanze Verdi, Caffeletto, Dolce Casa e Case e Country.
Presentazione: ampia casa rustica di fine '700 situata in un piccolo borgo circondato da colline, boschi e vigneti nella terra del "Verdicchio di Matelica". Accoglie ospiti in 6 camere per un totale di 14 posti letto e in 1 bilocale con 4 posti letto, bagno e angolo cottura.

Ristorazione: H/B. Ristorante aperto al pubblico la sera con 20 coperti (su prenotazione).
Luoghi di interesse e manifestazioni locali: grotte di Frasassi, riserva naturale dell'abbazia di Fiastra, parco nazionale dei monti Sibillini, costa Adriatica, Matelica, San Severino, Camerino, Macerata, Recanati.
Prezzi: B&B da £ 140.000 a 150.000 per camera doppia. Pasto da £ 35.000 a 45.000.
Note: mountain bike. Per il solo pernottamento soggiorno minimo 2 giorni. Sala riunioni. Telefono e TV in camera, biancheria, pulizia e riscaldamento. Animali accolti previo accordo.

TESEI ANGELO

via Appezzana, 91 • 62020 LORO PICENO
☎ 0733510001

● I 10

Posizione geografica: collina, mare.
Periodo di apertura: tutto l'anno.
Associato a: APIMAI e Col. Diretti.
Presentazione: azienda agrituristica che accoglie ospiti in 6 camere per un totale di 14 posti letto.
Ristorazione: cucina tipica marchigiana.
Prodotti aziendali: grano, girasoli, bietole, foraggi e vino.
Luoghi di interesse e manifestazioni locali: siti archeologici, Loro Piceno, Urbisaglia, Macerata. Stagione lirica, sagra del vino cotto la seconda quindicina d'agosto, varie manifestazioni estive.
Prezzi: rivolgersi all'azienda.
Note: biancheria compresa nel prezzo.

IL VECCHIO GRANAIO

c.da Chiaravalle, 47/b • 62010 PASSO DI TREIA
☎ 0733843488 fax 0733541312 hotel ☎ 0733843400

 H 8

Posizione geografica: collina.
Periodo di apertura: tutto l'anno.
Associato a: Agriturist, Turismo Verde.
Presentazione: tipiche costruzioni rurali inserite all'interno di un parco di interesse storico-naturalistico di 6 ettari con piscina. L'azienda agraria possiede 136 ettari di terreno a cereali, ortaggi, girasoli. Offre ospitalità in 21 camere con bagno per un totale di 50 posti letto e in 24 appartamenti da 2 a 10 posti letto.
Ristorazione: ristorante aperto al pubblico con porticato e gazebo nel parco e capacità fino a 300 coperti. Paste fatte in casa con condimenti alle verdure di stagione, salumi dell'azienda, carni alla brace, dolci fatti in casa, olio e vino aziendale.
Prodotti aziendali: miele, dolci, olio, ortaggi, salumi, olive.
Luoghi di interesse e manifestazioni locali: borghi medioevali, pievi romaniche, pinacoteca di San Severino Marche. Stagione lirica dell'Arena di Sfristerio, concorso ippico a Treia, festa a Treia.
Prezzi: da £ 45.000 a 55.000, un pasto da £ 20.000 a 50.000. Riduzione del 10% nella seconda settimana di soggiorno.

Note: accessibile agli handicappati. Sala riunioni e congressi, organizzazioni di mostre e sfilate di moda. Piscina semiolimpionica, giochi all'aria aperta, passeggiate naturalistiche, escursioni e visite guidate al parco storico archeologico. Equitazione e polo nelle vicinanze. Tennis nelle vicinanze. Possibilità di baby sitting a pagamento. Raccolta di noci e fichi. Biancheria, pulizia, uso cucina e frigorifero, riscaldamento e aria condizionata, sala comune, telefono in comune, posto macchina. Animali accolti previo accordo.

IL SAMBUCO

c.da Nesciano, 29 • 62026 SAN GINESIO
☎ 0733656392

● **I 9**

Periodo di apertura: dal 28 dicembre al 7 gennaio e dal 30 febbraio al 23 dicembre.
Presentazione: offre ospitalità in 6 camere con bagno e in campeggio con 8 piazzole.
Ristorazione: H/B, F/B. Cucina marchigiana, vini locali di produzione propria.
Luoghi di interesse e manifestazioni locali: San Ginesio, Camerino, Macerata, Tolentino, San Severino, parco dei Sibillini.
Prezzi: nelle stanze da £ 60.000 a 80.000, con un aggiunta di £ 20.000 per ogni letto in più, nel campeggio con £ 12.000 per la piazzola e £ 6.000 a persona.
Note: trekking, passeggiate ed escursioni. Nelle vicinanze impianti sportivi. Biancheria, pulizia, riassetto, frigo-bar, prima colazione, posto macchina.

CASAL VILLANOVA

loc. Pitino • 62027 SAN SEVERINO MARCHE
☎ 0733636127

● **H 7**

Posizione geografica: collina (500 m).
Periodo di apertura: aperto tutto l'anno. In inverno chiuso il martedì. Domenica, festività ed estate aperti anche per il pranzo. In inverno il pranzo è servito solo su prenotazione (anche giornaliera).
Associato a: Terranostra.
Presentazione: nuova costruzione rurale su 6 ettari con produzione di cereali, frutta, ortaggi. Ideale per passeggiate naturalistiche. Accoglie ospiti in 6 camere, con bagno, per un totale di 12 posti letto.
Ristorazione: H/B e F/B. Ristorante aperto al pubblico con 50 coperti. Pasta fatta in casa, affettati nostrani, grigliate e pizza al forno a legna.
Prodotti aziendali: confetture e frutta sciroppata.
Luoghi di interesse e manifestazioni locali: opera lirica all'Arena Sferisterio a Macerata, visita alla casa natia di Giacomo Leopardi a Recanati, parco del monte Conero, parco dei Sibillini, San Severino, santuario di Loreto, grotte di Frasassi a Genga, torre di Pitino e vallate circostanti, cittadine e paesini medievali con sagre e feste folkloristiche, laghi e castelli.
Prezzi: B&B a £ 35.000. Pasto da £ 20.000 a 40.000. Sconto del 10% per seconda settimana.
Note: accessibile agli handicappati. Giochi all'aria aperta, percorsi per mountain bike, pesca sportiva 1 km, piscina a 5 km. Raccolta di asparagi, funghi e frutti di bosco. Maneggio convenzionato a 3 km. Biancheria, pulizia, riassetto, riscaldamento e TV.

LA LOCANDA DEI COMACINI

via San Francesco, 2 • 62027 SAN SEVERINO MARCHE
☎ 0733639691

● **H 7**

Posizione geografica: collina.
Periodo di apertura: tutto l'anno.
Presentazione: edifici di nuova costruzione in azienda con coltivazione biologica di vigneti, oliveti, ortaggi. Si accolgono ospiti in 5 camere matrimoniali con servizi, ingresso indipendente, TV.
Ristorazione: 30 coperti. Calcioni in salsa alla castellana e tartufo, tagliatelle, vincisgrassi, grigliate, arrosti misti, legumi e piatti stagionali.
Luoghi di interesse e manifestazioni locali: San Severino, Camerino, Macerata, Tolentino, Loreto, Recanati. Zone naturalistiche quali i monti Sibillini e il monte Conero, grotte di Frasassi.
Prezzi: camera singola a £ 50.000, matrimoniale £ 70.000, F/B a £ 90.000, H/B a £ 65.000.
Note: salone per la prima colazione. Passeggiate a piedi, in mountain bike e a cavallo, tiro con l'arco. Corsi di equitazione. Campo da motocross a 1 km. Tennis a 1 km, piscina a 2 km. Si accolgono animali domestici.

IL JOLLY

loc. Case Rosse • 62028 SARNANO
☎ 0733657571

● **L 9**

Posizione geografica: collina.
Periodo di apertura: tutto l'anno.
Presentazione: casa colonica ristrutturata in azienda con allevamento di animali di bassa corte e coltivazione di ortaggi. Accoglie ospiti in 5 camere matrimoniali con bagno e balcone.
Ristorazione: piatti tipici, polentone sarnanese, 'ngriccio, coratella, porchetta.
Prodotti aziendali: polli, conigli, anatre, piccioni, faraone, formaggio, ortaggi di stagione, farina per polenta.
Luoghi di interesse e manifestazioni locali: terme di Sarnano, mostra mercato dell'antiquariato dal 23 maggio al 6 giugno, rievocazioni storiche in costume, rappresentazioni teatrali, catena dei Sibillini, lago di Pilato, castelli medioevali, grotte di Frasassi, basilica di Loreto.
Prezzi: H/B a £ 55.000, F/B a £ 70.000. Riduzioni da concordare per i gruppi.
Note: possibilità di pranzo al sacco. Soggiorno minimo 5 giorni, per i periodi di agosto e fine anno è necessario prenotare con 60 giorni d'anticipo. Giochi all'aperto, bocce. Nelle vicinanze tennis, piscina, maneggio, sci. Possibilità di aggiungere il terzo letto. Riscaldamento, pulizie e cambio biancheria giornaliero.

LA FONTANA

c.da Selva, 8 • 62010 URBISAGLIA
☎ e fax 0733514002

● H 8

Posizione geografica: collina.
Periodo di apertura: tutto l'anno.
Presentazione: tipica costruzione rurale all'interno di una riserva naturale, circondata da 13 ettari di terreno con produzione di cereali, uva, frutta e allevamento di suini e animali di bassa corte. Offre ospitalità in 2 bungalow, dotati di servizi, per un totale di 10 posti letto e in 10 piazzole in agricampeggio per tende o caravan.
Ristorazione: H/B, F/B. Ristorante aperto al pubblico su prenotazione con 50 coperti. Crescia, affettati, vincisgrassi, piccioni, anatre e oche arrosto.
Prodotti aziendali: confetture, miele, olio, ortaggi, liquori, salumi, vini.
Luoghi di interesse e manifestazioni locali: riserva naturale di Abbadia di Fiastra, Urbisaglia, Tolentino, Macerata. Sagra del vino cotto, "Ritorno al Medioevo".
Prezzi: fino a £ 30.000, un pranzo da £ 18.000 a 40.000. Riduzione del 10% per bambini fino a 10 anni.
Note: accessibile agli handicappati. Escursioni e visite guidate alla riserva naturale di Abbadia di Fiastra. Pallavolo, ping-pong, minigolf, tiro con l'arco, giochi all'aria aperta, trekking e passeggiate. Conoscenza lingua inglese e francese. Biancheria, uso cucina e frigorifero, riscaldamento, posto macchina.

CASA CORDOVANI

fraz. Pagliano - loc. Sanguinete, 51 • 62023 ESANATOGLIA
☎ 0737889270-0737787779 fax 0737787777

▲ H 7

Posizione geografica: collina.
Periodo di apertura: da aprile a settembre.
Associato a: Turismo Verde.
Presentazione: costruzione rurale in mattoni ristrutturata con terreno di circa 15 ettari a vigneto. Offre ospitalità in 6 monolocali con 4 posti letto e in 2 monolocali con 2 posti letto dotati di servizi.
Luoghi di interesse e manifestazioni locali: grotte di Frasassi, Matelica, Fabriano. Sagra del Verdicchio in settembre, "Matilica Municipium Romanum" in settembre.
Prezzi: monolocale (4 posti) £ 450.000 a settimana, monolocale (2 posti) £ 350.000 a settimana.
Note: escursioni in diverse zone nelle vicinanze, trekking e passeggiate. Uso cucina e frigorifero, telefono in camera, lavatrice e asciugabiancheria a gettoni.

PIAN DELLA CASTAGNA

via Pian della Castagna, 28 • 62011 GROTTACCIA DI CINGOLI
☎ 0733610288 - 0337649299 fax 0733610393

▲ G 8

Posizione geografica: collina.
Periodo di apertura: dall'1 al 25 gennaio, da aprile a ottobre, dal 10 al 31 dicembre.
Associato a: Agriturist e Turismo Verde.
Presentazione: villa padronale in azienda di 160 ettari coltivati a cereali e uliveti. Accoglie ospiti in 4 appartamenti, con bagno, per un totale di 14 posti letto e in 3 camere, con bagno comune, per un totale di 7 posti letto.
Prodotti aziendali: olio.
Luoghi di interesse e manifestazioni locali: Cingoli, Treia, Recanati, San Severino Marche, grotte di Frasassi, parco dei monti Sibillini. Festa del bracciale.
Prezzi: appartamenti da oltre £ 50.000 al giorno. Riduzione del 10% per bambini fino a 10 anni.
Note: piscina, prato per prendere il sole. Raccolta di castagne, noci e frutti di bosco. Sala da pranzo comune. Soggiorno minimo 2 giorni. Biancheria, pulizia, riscaldamento, uso cucina, posto macchina.

IL GELSO

c.da Santa Croce, 46 • 62019 RECANATI
☎ e fax 0733263285 - 071987002

▲ G 9

Posizione geografica: collina.
Periodo di apertura: tutto l'anno.
Associato a: Agriturist.
Presentazione: fabbricato rurale completamente riservato all'agriturismo all'interno di un'azienda agricola di circa 80 ettari interamente coltivata secondo metodi biologici (con certificazione). Offre ospitalità in 5 camere con servizi comuni per un totale di 8 posti letto.
Prodotti aziendali: confetture, frutta allo sciroppo di miele, farro, cicerchia, lenticchie, mais da polenta, miglio.
Luoghi di interesse e manifestazioni locali: Recanati, Loreto, Macerata, monte Conero, monti Sibillini, Ancona.
Prezzi: fino a £ 37.000. Riduzione del 50% per bambini fino a 12 anni.
Note: accessibile agli handicappati. Soggiorno di almeno 3 giorni. Necessaria la prenotazione. Corsi di bird watching, erboristeria, orticultura, apicoltura, disegno naturalistico, riconoscimento di alberi e arbusti, escursioni e visite guidate. Biancheria, pulizia iniziale, uso cucina e frigorifero, telefono in comune.

AGRIMAGNOLIA

c.da Salcito, 13 • 62029 TOLENTINO
☎ 0733967366 cell. 03471489807

 I 9

Posizione geografica: collina (300 m).
Periodo di apertura: tutto l'anno.
Associato a: Terranostra.
Presentazione: tipica costruzione rurale circondata da 18 ettari di terreno coltivati a cereali e girasoli. Offre ospitalità in 8 miniappartamenti dotati di servizi per un totale di 18 posti letto.
Prodotti aziendali: vino, ortaggi.
Luoghi di interesse e manifestazioni locali: terme di Santa Lucia, Tolentino, basilica di San Nicola, castello di Caldarola, riserva naturale dell'abbazia di Fiastra, parco naturale dei Sibillini a 30 minuti, mare a 25 minuti. Festa di San Nicola in settembre, biennale internazionale dell'umorismo nell'arte.
Prezzi: da £ 32.500 a 40.000. Riduzione del 10% per bambini fino a 10 anni, del 10% per secondo letto, del 5% per la seconda settimana di soggiorno.
Note: periodo minimo di soggiorno 2 giorni. L'azienda si raggiunge comodamente con l'autostrada e superstrada. Parco alberato con prato per prendere il sole, osservazione ambientale, giochi all'aria aperta per bambini, percorsi di trekking e mountain bike, pesca sportiva e impianti sportivi nelle immediate vicinanze. Biancheria, pulizia, uso cucina e frigorifero, riscaldamento, posto macchina.

L'ULIVETO

loc. Santa Maria in Selva, 19 • 62010 TREIA
☎ 0733561162

 H 8

Posizione geografica: collina.
Periodo di apertura: tutto l'anno tranne 13 giorni in agosto e 9 in dicembre.
Presentazione: tipica costruzione rurale su 5,5 ettari con produzione di cereali, olio, vino. Allevamento di suini e animali di bassa corte. Accoglie ospiti in 3 appartamenti, con bagno, per un totale di 9 posti letto.
Prodotti aziendali: vende pollame e olio.
Luoghi di interesse e manifestazioni locali: Loreto, parco dei Sibillini, abbazia di Santa Maria in Selva, resti romani, uliveto storico. Sagra della polenta la seconda domenica di settembre.
Prezzi: OR fino a £ 30.000.
Note: accessibile agli handicappati. Soggiorno minimo 15 giorni. Solarium. Mountain bike e tennis nelle vicinanze. Osservazione ambientale. Raccolta di asparagi e finocchi selvatici. Biancheria, cucina.

Pesaro

GEPPO PIAN DELLA SERRA

loc. Pian della Serra • 61042 APECCHIO
☎ 072299161

 F 3

Posizione geografica: alta collina.

Periodo di apertura: tutto l'anno.
Associato a: Terranostra.
Presentazione: 2 fabbricati in pietra arenaria a faccia vista, con 100 ettari coltivati a cereali, erba medica, bosco, pascolo. Offre ospitalità in 9 camere con bagno per un totale di 18 posti letto e in 1 suite imperiale.
Ristorazione: H/B, F/B. Ristorante aperto al pubblico con 80 coperti su prenotazione. Cucina tipica locale, specialità preparate in casa, arrosti cotti nel forno a legna, grigliate.
Prodotti aziendali: miele, frutta, funghi, marmellate.
Luoghi di interesse e manifestazioni locali: Apecchio, museo dei fossili, monte Nerone, Urbino, Gubbio, Assisi, San Marino, San Leo. Feste del tartufo in ottobre e del Crocifisso in giugno, rievocazioni storiche in luglio.
Prezzi: da £ 30.000 a 50.000, un pasto da £ 20.000 a 30.000. Riduzioni del 25% per bambini fino a 10 anni, del 10% per ogni letto aggiunto e per la seconda settimana di soggiorno.
Note: corsi di cucina, osservazione ambientale. Giochi all'aria aperta, escursioni in mountain bike e a piedi, caccia, pesca, trekking e passeggiate, escursioni e visite guidate. Nelle vicinanze tennis, calcio, pallavolo. Raccolta di funghi, frutti di bosco, radicchio. Biancheria, pulizia, riassetto, televisione, sala comune, riscaldamento, telefono in comune, prima colazione, posto macchina.

VILLA FEDERICI

via Cartoceto, 4 • 61030 BARGNI DI SERRUNGARINA
☎ e fax 0721891510

● **D 5**

Posizione geografica: collina (280 m).
Periodo di apertura: da febbraio a dicembre, tranne il lunedì tutto il giorno e il martedì a pranzo.
Associato a: Agriturist.
Presentazione: villa della fine del '600 con ampio giardino e parco con piante secolari. Accoglie ospiti in 5 camere, di cui 3 con bagno privato e 2 con bagno comune, per un totale di 12 posti letto.
Ristorazione: H/B e F/B. Ristorante aperto al pubblico con 20-30 coperti. Cucina mediterranea e marchigiana.
Prodotti aziendali: vino, olio, pollame, uova e ortaggi.
Luoghi di interesse e manifestazioni locali: Urbino, grotte di Frasassi, borghi medioevali, spiagge. Mostra mercato dell'antiquariato, Fano jazz, rievocazioni storiche, Rossini Opera Festival.
Prezzi: camera doppia a persona: B&B da £ 60.000 a 75.000, H/B da £ 90.000 a 100.000, F/B da £ 110.000 a 120.000; camera singola: B&B da £ 80.000 a 100.000, H/B da £ 110.000 a 140.000, F/B da £ 140.000 a 160.000. Pasto mediamente a £ 50.000 (bevande escluse). Riduzioni per bambini da 0-5 anni del 70%, da 6-12 anni del 40%.
Note: mountain bike e maneggi nelle vicinanze. Biancheria, pulizia, riscaldamento, sala comune, parcheggio.

CA' BELVEDERE

loc. Smirra di Cagli - strada Pigno Monte Martello, 103
61043 CAGLI ☎ e fax 0721799204

● F 4

Posizione geografica: collina (541 m).
Periodo di apertura: da luglio a settembre, gli altri mesi su richiesta.
Associato a: Terranostra, Agriturist.
Presentazione: antico casale in pietra completamente ristrutturato immerso nel verde con 16 ettari a cereali e bosco. Offre ospitalità in 4 camere con servizi.
Ristorazione: solo per gli ospiti. Cucina prevalentemente vegetariana, pane fatto in casa.
Prodotti aziendali: miele, tartufi.
Luoghi di interesse e manifestazioni locali: Gubbio, Urbino, grotte di Frasassi, Fonte Avellana. Palio dell'oca la 2ª domenica di agosto, fiera del tartufo.
Prezzi: OR per due persone a £ 100.000, H/B a £ 90.000 a persona, prima colazione a £ 10.000.
Note: necessaria la prenotazione, soggiorno minimo di 1 settimana nei mesi di luglio, agosto e settembre, 2 notti negli altri periodi dell'anno. Prato per prendere il sole, ping-pong, piscina, tiro con l'arco, pesca, escursioni e visite guidate, bridge, nozioni propedeutiche di yoga. Raccolta di asparagi, funghi, tartufi, vitalbe. Nelle vicinanze maneggio e campi da tennis. Biancheria, sala comune, posto macchina.

FRESCINA

loc. Frescina • 61043 CAGLI
☎ 0721708001 fax 0721796147

● F 4

Posizione geografica: collina.
Periodo di apertura: tutto l'anno, chiuso dal 15 dicembre al 15 marzo.
Presentazione: nel cuore del ducato di Urbino, l'albergo è stato realizzato nella casa padronale di una fattoria della fine dell'800. Il terreno circostante è coltivato a foraggio e vi si allevano bovini, ovini, caprini. Annesso il Centro Benessere con piscina esterna di acqua sulfurea. Offre ospitalità in 20 camere con bagno per un totale di 50 posti letto.
Ristorazione: H/B, F/B. Ristorante aperto al pubblico. Funghi e tartufi preparati in vario modo.
Prodotti aziendali: formaggi, salumi.
Luoghi di interesse e manifestazioni locali: Urbino, Perugia, Assisi, Arezzo, San Marino, grotte di Frasassi. Fiera del tartufo a ottobre-novembre.
Prezzi: H/B da £ 110.000 a 150.000 in camera doppia, pasto a £ 40.000. Gratis per bambini fino a 3 anni in culla propria, da 3 a 7 anni sconto del 50%, fino a 13 anni sconto del 30%.
Note: accessibile agli handicappati. Prato per prendere il sole, corsi di karate, escursioni nelle vicinanze e uscite guidate con cani per la

ricerca dei tartufi, trekking e passeggiate, calcetto, pallavolo, giochi all'aria aperta. Palestra con attrezzi, solarium, idromassaggio, sauna, cure estetiche, massaggi, medico dietologo. Corsi di equitazione nel vicino maneggio. Prima colazione.

LA LOCANDA DEL GELSO

via Morola, 12 • 61030 CARTOCETO
☎ 0721877020

● D 5

Posizione geografica: collina.
Periodo di apertura: tutto l'anno, chiuso in febbraio.
Associato a: Turismo Verde.
Presentazione: vecchio cascinale ristrutturato con 8 ettari di terreno a oliveto, frutteto, ortaggi, cereali. Allevamento di struzzi. Offre ospitalità in 5 camere con bagno per un totale di 15 posti letto.

Ristorazione: H/B, F/B. Ristorante aperto al pubblico. Cucina casalinga, strozzapreti, gnocchi, tagliatelle, ravioli, bigoli, tortelloni fatti in casa.
Prodotti aziendali: confetture, olive, olio.
Luoghi di interesse e manifestazioni locali: Urbino, Mondavio, Gradara, grotte di Frasassi, Pesaro, Fano. Mostra mercato delle olive in novembre a Cartoceto.
Prezzi: £ 35.000 a persona, un pasto da £ 20.000 a 35.000. Riduzione del 10% per bambini fino a 10 anni.
Note: accessibile agli handicappati. Corsi di agricoltura biologica, parco giochi, giochi all'aria aperta, escursioni e visite guidate, mountain bike. L'azienda dista 8 km dal mare. Biancheria, pulizia, riassetto, riscaldamento, telefono in comune, prima colazione.

SANTA CRISTINA

via Rosciano, 4 • 61032 FANO
☎ 0721862685

● D 6

Posizione geografica: collina nei pressi del mare.
Periodo di apertura: da maggio a settembre tutti i giorni, gli altri mesi dal venerdì alla domenica.
Associato a: Terranostra.
Presentazione: tipica costruzione rurale con 7 ettari di terreno con

cereali, vigneti, frutteti, oliveti. Allevamento di pollame e conigli. Offre ospitalità in 6 camere con bagno con 15 posti letto e in 2 appartamenti con 14 posti letto.
Ristorazione: H/B. Ristorante aperto al pubblico. Pasta fatta in casa, pizza cotta nel forno a legna, arrosti misti, porchetta.
Prodotti aziendali: olio, vino, farina, frutta.
Luoghi di interesse e manifestazioni locali: Fano, monte Giove, mare e luoghi d'interesse naturalistico. Carnevale dell'Adriatico, Fano dei Cesari.
Prezzi: da £ 30.000 a 50.000, un pasto da £ 15.000 a 40.000.

Riduzione del 10% per bambini fino ai 6 anni, del 20% ogni letto aggiunto per un bambino.

Note: accessibile agli handicappati. Prato per prendere il sole, sala riunioni disponibile. Parco giochi, bocce, calcetto, canoa, golf, giochi all'aria aperta, equitazione. Raccolta di frutti di bosco ed erbe di campo. Biancheria, pulizia, riassetto, riscaldamento, telefono in comune, prima colazione, posto macchina. L'agriturismo è stato premiato "Forchetta d'oro" '96-'97. Animali accolti previo accordo.

ALCE NERO

via Valli, 18 - loc. Montebello • 61030 ISOLA DEL PIANO
☎ 0721720126-0721720221 fax 0721720209

● D 6

Posizione geografica: collina.
Periodo di apertura: tutto l'anno, chiuso dal 7 gennaio al 25 febbraio.
Associato a: Terranostra.
Presentazione: tipica costruzione rurale con pietra a vista e 120 ettari di terreno in parte a coltivazione biologica in parte a bosco. Offre ospitalità in 6 camere con bagno in comune, per un totale di 15 posti letto.
Ristorazione: H/B, F/B. Ristorante con 50 coperti aperto al pubblico. Farro, cucina tradizionale e vegetariana con alimenti preparati utilizzando prodotti biologici.
Prodotti aziendali: paste, farine cereali, ortaggi, legumi, confetture prodotti biologicamente.
Luoghi di interesse e manifestazioni locali: Urbino, monti delle Cesane, San Leo, costa adriatica, monastero di Fonte Avellana. Bioeuropa, ville e castelli, convegni culturali.
Prezzi: fino £ 30.000, un pasto da £ 20.000 a 40.000. Riduzioni del 10% per bambini fino a 10 anni, del 5% ogni letto aggiunto.
Note: ampio spazio per i giochi all'aria aperta. Raccolta di more, castagne, asparagi, frutti di bosco, funghi. Equitazione, trekking e passeggiate. Sala riunioni per 80 persone. Biancheria, pulizia, riassetto, telefono in comune.

CAL BIANCHINO
LE VOCI DEL SILENZIO

Ca' Franceschino, 4 • 61096 MERCATELLO SUL METAURO
☎ 072289328

● E 2

Posizione geografica: collina (630 m).
Periodo di apertura: da aprile a dicembre tutti i giorni.
Presentazione: tipica costruzione rurale degli Appennini con 50 ettari di terreno con varie produzioni e allevamento di cavalli. Offre ospitalità in 4 camere con bagno con 10 posti letto e in 2 appartamenti con 15 posti letto.
Ristorazione: B&B, H/B. Pane fatto in casa, pesce, dolci cotti nel forno a legna, pastasciutte, salsicce e prosciutto di produzione propria.
Prodotti aziendali: pollame, salumi, pane, cresce, formaggio, frutta, dolci, confetture, carne.
Luoghi di interesse e manifestazioni locali: Massa Trabaria, Sasso Simone, Alpe della Luna, abbazia benedettina. Sagra della panzanella in agosto, sagra del fungo e del tordo in ottobre, mercatino il lunedì.
Prezzi: da £ 30.000 a 50.000, un pasto da £ 20.000 a 50.000.

Riduzione del 20% per bambini fino a 10 anni, del 10% ogni letto aggiunto e per la seconda settimana di soggiorno.
Note: accessibile agli handicappati. Necessaria la prenotazione, soggiorni di almeno 3 giorni. Prato per prendere il sole, giochi all'aria aperta, equitazione, escursioni e visite guidate, conversazioni sull'agricoltura biologica, sull'allevamento, sulle tradizioni. Raccolta di frutti di bosco, erbe, funghi. Biancheria, pulizia, riassetto, uso cucina, sala comune, riscaldamento, telefono in comune.

GLI ULIVI

c.da Merlaro, 6 • 61040 MONDAVIO ☎ 072197534

● E 5

Posizione geografica: collina (280 m).
Periodo di apertura: tutto l'anno, solo su prenotazione.
Associato a: TCI.
Presentazione: costruzione rurale in posizione panoramica su 2,5 ettari di terreno. Accoglie ospiti in 2 monolocali con ingresso indipendente e in 4 piazzole in agricampeggio.

Ristorazione: H/B e F/B. Ristorante aperto al pubblico su prenotazione con 26 coperti invernali e 35 estivi. Gnocchi, tagliatelle e pasta fatta in casa, pollo al coccio, coniglio in potaccio, anatra al forno, oca in porchetta, piccioni alla salvia.
Prodotti aziendali: marmellate e dolci.
Luoghi di interesse e manifestazioni locali: Mondavio, grotte di Frasassi, Urbino, la gola del Furlo, San Leo, Gradara, la spiaggia di velluto di Senigallia. Rievocazione storica, caccia al cinghiale, sagre paesane.
Prezzi: B&B da £ 55.000 a 65.000. Pasto da £ 20.000. Riduzione del 50% per bambini fino a 6 anni.
Note: nelle vicinanze tennis, basket, pallavolo, pattinaggio, bocce. Uso gratuito della piscina in azienda. Possibilità di passeggiate naturalistiche.

CERISOLI

via Cavallara, 3 • 61040 MONDAVIO
☎ 0721976220

● E 5

Posizione geografica: collina.
Periodo di apertura: da aprile a novembre.
Presentazione: costruzione rurale con 5.000 mq di giardino in azienda di 10 ettari con coltivazione di cereali. Ideale per escursioni a piedi o in bicicletta. Accoglie ospiti in 3 appartamenti, con bagno in camera, per un totale di 12 posti letto.
Ristorazione: cucina regionale. Ristorante aperto al pubblico, dista 50 m.
Luoghi di interesse e manifestazioni locali: rocca di Mondavio, palazzo ducale di Urbino. Caccia al cinghiale il 15 agosto.
Prezzi: OR £ 30.000 a 50.000. Pasto da £ 29.000 a 45.000. Riduzione del 50% per letto aggiunto.
Note: accessibile agli handicappati. Soggiorno minimo 1 settimana, è gradita la prenotazione. Mountain bike e passeggiate a cavallo. Biancheria, uso cucina e frigorifero, riscaldamento, posto macchina. Animali accolti previo accordo.

COSTA DELLA FIGURA

loc. Strada per Fontecorniale • 61030 MONTEFELCINO
☎ 0721729428

● **D 6**

Posizione geografica: collina.
Periodo di apertura: tutto l'anno.
Associato a: Turismo Verde, Terranostra.
Presentazione: azienda di 7,5 ettari di terreno coltivati a cereali, frutteto, oliveto. Offre ospitalità in 3 camere con servizi indipendenti, TV, aria condizionata per un totale di 8 posti letto.
Ristorazione: ristorante aperto al pubblico solo su prenotazione con 30 coperti. Cucina tipica del territorio.
Prodotti aziendali: confetture, dolci, frutta, miele, olio, ortaggi, pollame.
Luoghi di interesse e manifestazioni locali: Urbino, San Leo, Gradara, San Marino, gola del Furlo, Mondavio, Cartoceto. Fiera nazionale del tartufo ad Acqualagna, mostra mercato dell'olio d'oliva a Cartoceto, opera festival di Rossini a Pesaro.
Prezzi: OR a £ 100.000 (solo B&B), un pasto da £ 30.000 a 35.000.
Note: accessibile agli handicappati. Piscina, sala per riunioni. Giochi all'aria aperta, trekking e passeggiate. Raccolta di asparagi, frutti di bosco, funghi. Osservazione ambientale. L'azienda organizza visite a centri di grande interesse storico-culturale. Biancheria, pulizia, riassetto, uso cucina e frigorifero, sala comune, riscaldamento, telefono in comune, prima colazione, posto macchina. Animali accolti previo accordo.

"CANDIANACCIO"

loc. Candigliano, 6 • 61049 URBANIA
☎ 0722986246 - 0330883402 fax 0722986305

● **E 3**

Posizione geografica: alta collina.
Periodo di apertura: tutto l'anno.
Associato a: Agriturist.
Presentazione: casale all'interno di un'azienda di 350 ettari coltivati a cereali, foraggio, bosco e con allevamento bovino, equino, ovino. Offre ospitalità in casale con 4 camere con bagno per un totale di 8/16 posti letto.
Ristorazione: H/B, F/B. Tartufi, funghi, polentone alla carbonara e con lumache, cappelletti, passatelli.
Prodotti aziendali: carne, marmellata, ortaggi, pollame, uova.
Luoghi di interesse e manifestazioni locali: Urbino, Urbania, Gubbio, gola del Furlo, monte Nerone, alpe della Luna. Elezione mondiale del presidente dei brutti, sagra del polentone alla carbonara, del fungo e del tartufo.
Prezzi: da £ 30.000 a 50.000, un pasto da £ 15.000 a 35.000.
Note: accessibile agli handicappati. Solo su prenotazione, per almeno 1 settimana in alta stagione. Aia-giar-

dino per prendere il sole. Corsi di gastronomia locale, deltaplano, parapendio, golf, piscina, pesca, giochi all'aria aperta, escursioni e visite guidate, equitazione. Tennis nelle vicinanze. Biancheria, pulizie, uso cucina e frigorifero, telefono in comune, prima colazione.

ORSAIOLA

via Ca' Sanchio, 36 - Orsaiola • 61049 URBANIA
☎ e fax 0722318988

● **E 3**

Posizione geografica: collina.
Periodo di apertura: tutto l'anno.
Associato a: Turismo Verde, Terranostra.
Presentazione: l'azienda si estende su 75 ettari di bosco e campi coltivati a cereali e uva. Allevamento di ovini e caprini. Offre ospitalità in 9 camere con bagno per un totale di 22 posti letto e in 2 appartamenti con 7 posti letto totali.
Ristorazione: trattamento alla carta, ristorante aperto al pubblico con 40 coperti. Crostoli, arrosti di agnello, tartufi, spianata, sugo di cinghiale, pasta fatta in casa, passatelli.
Prodotti aziendali: pollame, uova, agnelli, vino, formaggi.
Luoghi di interesse e manifestazioni locali: Urbino, grotte di Frasassi, Fonte Avellana, San Leo, gola del Furlo, Urbania, Gradara, Gubbio, Assisi, Fabriano. Festa del tartufo in ottobre, festa di San Cristoforo in luglio, festa delle cantine in settembre, fiera delle donne in ottobre.
Prezzi: alloggio da £ 30.000 a 50.000, un pasto da £ 20.000 a 37.000. Ogni letto aggiunto £ 40.000.
Note: accessibile agli handicappati. Sala riunioni disponibile, miniparco giochi, minizoo, giochi di sala per i bambini. Palestra, calcetto, piscina e tennis nelle vicinanze. Trekking e pas-

seggiate, mountain bike, giochi all'aria aperta. Raccolta di frutti di bosco, funghi, asparagi. Biancheria, pulizia, riassetto, sala comune, riscaldamento, telefono in comune. Animali accolti previo accordo.

MOLINO DELLA RICAVATA

via Portacelle, 5/a • 61049 URBANIA
☎ 0722310326

● **E 3**

Posizione geografica: collina, fiume.
Periodo di apertura: da Pasqua all'Epifania.
Associato a: AMAB.
Presentazione: vecchio mulino del '400 su 2 ettari di terreno con allevamento di animali da cortile e coltivazione di ortaggi e fiori. Accoglie ospiti in 4 camere, di cui 2 con bagno privato, le altre con bagno comune, per un totale di 10 posti letto.
Ristorazione: H/B e F/B. Ristorante solo per gli ospiti. Cucina tipica.
Prodotti aziendali: ortaggi e fiori secchi.
Luoghi di interesse e manifestazioni locali: Urbino, San Leo, Gub-

bio, Arezzo, Assisi, grotte di Frasassi, monte Catria e Nerone. Sagra del tartufo e corsi di ceramica.

Prezzi: OR da £ 40.000 a 60.000. Pasto da £ 25.000 a 50.000. Riduzione del 10% per bambini.

Note: prato per prendere il sole. Giochi all'aria aperta, percorso della salute, bocce, equitazione, piscina e pesca sportiva. Raccolta di frutti di bosco. Biancheria, pulizia, telefono in comune, riscaldamento.

CA' LANTE

via Colonna, 18 • 61029 URBINO
☎ e fax 0722340278
E-mail:lante@lante.it • http:www.lante.it

● D 4

Posizione geografica: collina. **Periodo di apertura:** tutto l'anno. **Associato a:** Terranostra. **Presentazione:** antico palazzo di caccia dei duchi d'Urbino, all'interno di un parco naturale con 14 ettari coltivati biologicamente. Offre ospitalità in 6 camere con bagno per un totale di 18 posti letto.

Ristorazione: H/B. Cucina mitteleuropea, cucina vegetariana con ingredienti biologicamente prodotti.

Luoghi di interesse e manifestazioni locali: Urbino e il Montefeltro. Sagra del tartufo in ottobre-novembre.

Prezzi: da £ 30.000 a 50.000, B&B a £ 60.000, H/B a £ 98.000, un pasto da £ 30.000 a 50.000. Riduzione del 10% per i minori di 10 anni.

Note: accessibile agli handicappati. Salone, pub, solarium, biblioteca. Itinerari naturalistici e archeologici a piedi, in bicicletta e in auto. Sala biliardo, palestra, ping-pong, piscina, giochi all'aria aperta, trekking e passeggiate, escursioni e visite guidate, mountain bike. Corsi di cucina. Biancheria, sala comune, riscaldamento, telefono in comune, prima colazione, posto macchina.

LA CORTE DELLA MINIERA

Podere Il Pozzo Nuovo, 74 • 61029 URBINO
☎ e fax 0722345322

● D 4

Posizione geografica: collina.
Periodo di apertura: tutto l'anno per gruppi.
Associato a: Terranostra, Agriturist, Turismo Verde.
Presentazione: vecchia miniera di zolfo ristrutturata e trasformata in laboratori, con 4 edifici ristrutturati che fungono da foresteria e ristorante.

Ristorazione: pasta fatta in casa, anatra all'arancia.
Prodotti aziendali: formaggio, salumi.
Luoghi di interesse e manifestazioni locali: Gradara, Urbino, San Leo, grotte di Frasassi.

Prezzi: da £ 68.000 a 82.000, un pasto da £ 15.000 a 55.000. Riduzioni per bambini fino ai 12 anni.

Note: corsi di ceramica, litografia, acquaforte. Tiro con l'arco, giochi all'aria aperta, equitazione.

DEL FRONTINO

strada Frontino, 23 • 61041 ACQUALAGNA
☎ 0721708196

▲ E 3

Posizione geografica: collina (450 m).
Periodo di apertura: da aprile a settembre.
Associato a: Terranostra.
Presentazione: casa rurale in pietra ristrutturata circondata da 70 ettari coltivati in modo biologico a cereali, frutta, erbe officinali. Offre ospitalità in 2 appartamenti dotati di bagno per un totale di 12 posti letto.
Prodotti aziendali: miele e prodotti erboristici.
Luoghi di interesse e manifestazioni locali: Urbino, Gubbio, Apecchio, monte Nerone, percorsi naturalistici di Bocca Seriola. Sagra della polenta, fiera del tartufo.
Prezzi: fino a £ 30.000.
Note: periodo minimo di soggiorno una settimana. Necessaria la prenotazione con almeno 2 mesi di anticipo. Raccolta di asparagi, funghi, tartufi. Trekking e passeggiate. Possibilità di praticare parapendio nelle vicinanze. Corsi di erboristeria e salutistici. Biancheria, uso cucina e frigorifero, riscaldamento a consumo.

EL GATAREL

via Pantaneto, 10 - loc. Isola di Fano
61034 FOSSOMBRONE
☎ 0721727189 fax 0721727207

▲ E 5

Posizione geografica: collina.
Periodo di apertura: da Pasqua a ottobre.
Associato a: Turismo Verde.
Presentazione: casa rurale ristrutturata nel rispetto delle forme e dei materiali. Accoglie ospiti in 3 appartamenti indipendenti, con bagno, per un totale di 18 posti letto.

Luoghi di interesse e manifestazioni locali: Urbino, Mondavio, Fano, Frasassi, Fabriano. Numerose manifestazioni estive di interesse storico, cuturale e folkloristico. Mare a 20 km.
Prezzi: OR da £ 55.000 a 80.000.
Note: uso piscina e biciclette compreso nel prezzo. Impianti sportivi nelle vicinanze. Ideale per passeggiate naturalistiche. TV satellitare. Non si accolgono animali.

LA CARBONARA

via Carbonara, 26 • 61030 MONTEMAGGIORE AL METAURO
☎ 0721895028
▲ F 5

Posizione geografica: pianura.
Periodo di apertura: dall'1 aprile al 31 ottobre.
Presentazione: edificio padronale del 1876 in azienda con coltivazioni biologiche di kiwi, olivi, cereali e viti. Offre ospitalità in 1 appartamento con 2 camere, con servizi in comune, per un totale di 5 posti letto.
Prodotti aziendali: kiwi, olio.
Luoghi di interesse e manifestazioni locali: Urbino, Gubbio, Pesaro, Gradara, San Marino, grotte di Frasassi, monte Nerone, monte Catria. Carnevale dell'Adriatico a Fano, sagra della polenta a Mondolfo, carnevale storico a Fossombrone.
Prezzi: alloggio da £ 30.000 a 40.000 in bassa stagione, da £ 40.000 a 50.000 in alta stagione (luglio e agosto). Alloggio gratuito per bambini fino ai 3 anni.
Note: permanenza minima di 3 giorni. Corsi di disegno, pittura, fotografia, tessitura, ricamo (minimo 5 partecipanti). Biciclette, mountain bike, percorso della salute, osservazioni naturalistiche. Biancheria.

I MAGNONI

loc. Montesecco, 156 • 61045 PERGOLA
☎ e fax 0721735023
▲ F 5

Posizione geografica: collina.
Periodo di apertura: tutto l'anno.
Associato a: Turismo Verde.
Presentazione: azienda biologica su 17 ettari di terreno con produzione di uva e cereali. Offre ospitalità in 4 appartamenti indipendenti con 12/13 posti letto e in 1 casetta indipendente con 2/3 posti letto.
Prodotti aziendali: vino, ortaggi.
Luoghi di interesse e manifestazioni locali: Gubbio, Urbino, Pesaro. Varie sagre nei mesi di luglio e agosto.
Prezzi: da £ 400.000 a 900.000 per appartamento alla settimana.
Note: accessibile agli handicappati. Necessaria la prenotazione, periodo minimo di soggiorno 1 settimana in alta stagione. Piscina. Raccolta di frutti di bosco. Biancheria, posto macchina, luce, gas. Animali accolti previo accordo.

CA' MANGANO
A CAVALLO CON IL DUCA

fraz. Ca' Mangano - via Porta Celle, 12 • 61049 URBANIA
☎ 063212325 fax 068555876
▲ E 3

Posizione geografica: alta collina, nel cuore del Montefeltro.
Periodo di apertura: dal 15 maggio al 30 settembre.
Associato a: Agriturist.
Presentazione: antica villa patrizia del '500, circondata da un grande prato con alberi secolari, in azienda di 90 ettari di terreno. Accoglie ospiti in 6 camere con bagno in comune.
Prodotti aziendali: miele, vin santo, vino.
Luoghi di interesse e manifestazioni locali: Urbino, San Leo, San Marino, Rimini, Arezzo, Perugia, Gubbio. Opera festival di Pesaro in agosto.

Prezzi: rivolgersi direttamente all'azienda.
Note: si ospitano solo gruppi con un massimo di 10 persone. A richiesta, l'azienda organizza corsi di cucina locale (minimo 4 persone). Piscina, equitazione. Biancheria, pulizia, riassetto, uso di tutta la villa.

CAL TERRAZZANO
NELLA VALLE DEL DUCA

via dei Fangacci - San Giorgio, 7 • 61049 URBANIA
☎ 068610247 fax 068555876
▲ E 3

Posizione geografica: alta collina, nel cuore di Montefeltro.
Periodo di apertura: tutto l'anno, chiuso dal 15 gennaio al 15 marzo.
Associato a: Agriturist.
Presentazione: vecchio casale ristrutturato all'interno di un'azienda di 54 ettari a foraggio e noceto, Offre ospitalità in 5 camere doppie con bagno.
Prodotti aziendali: miele, vin santo.
Luoghi di interesse e manifestazioni locali: Urbino, San Leo, San Marino, Rimini, Ravenna, Arezzo, Perugia, Gubbio. Opera festival di Pesaro in agosto.
Prezzi: oltre £ 50.000. Bambini fino a 4 anni gratis, riduzione del 50% fino agli 6 anni.
Note: è indispensabile prenotare. La villa può essere data anche in esclusiva per un periodo minimo di 1 settimana. Corsi di cucina locale a richiesta (minimo 4 persone). Tennis, piscina. Maneggio a 3 km. Biancheria e pulizia giornaliera. Prima colazione. Riscaldamento escluso.

IL BOSCHETTO

via Gadana, 119/a • 61029 URBINO
☎ 07222154
▲ D 4

Posizione geografica: collina.
Periodo di apertura: tutto l'anno.
Associato a: Associazione Marchigiana Agricoltura Biologica.
Presentazione: casa colonica in azienda di 17 ettari di terreno. Offre ospitalità in camere con bagno.
Luoghi di interesse e manifestazioni locali: Urbino e numerosi altri paesi e borghi. Festa del Duca, festa dell'Aquilone.
Prezzi: camera con più letti da £ 30.000 a 60.000 a persona, camera singola da £ 20.000 a 100.000.
Note: passeggiate, pallavolo, ping-pong, golf. Osservazione ambientale. Raccolta di tartufi, funghi, castagne, more. Giochi all'aria aperta, trekking e passeggiate. Prato per prendere il sole, saletta disponibile. Biancheria, pulizia e riassetto se richiesto, riscaldamento.

Lazio

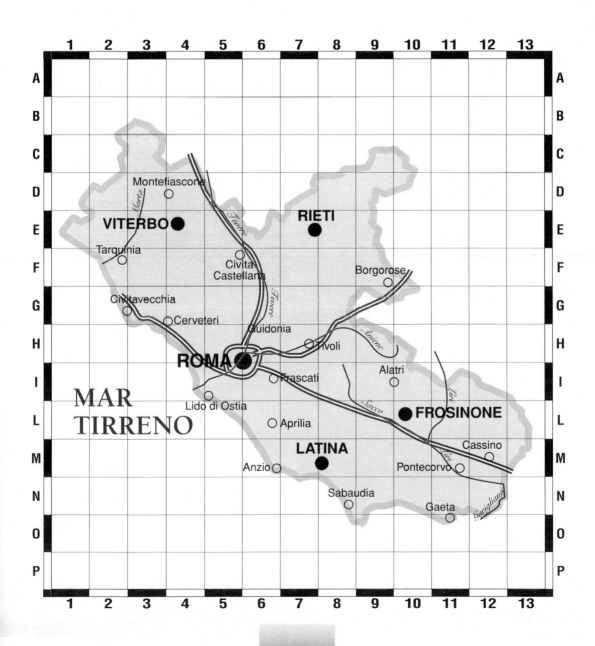

MAR TIRRENO

Frosinone

LA PESCA

via La Pesca, 11 • 03030 FIBRENO ☎ 0776871827

L 11

Posizione geografica: fiume.
Periodo di apertura: tutto l'anno.
Associato a: Agriturist.
Presentazione: antico casolare ristrutturato su 2 ettari di terreno, ideale per soggiorni naturalistici e relax. Accoglie ospiti in 5 camere con bagno per un totale di 20 posti letto.
Ristorazione: H/B e F/B. Ristorante aperto al pubblico con 40 coperti. Cucina tipica. Cucina vegetariana su richiesta.
Prodotti aziendali: dolci, pane, tartufi, miele e formaggio di pecora.
Luoghi di interesse e manifestazioni locali: riserva naturale Posta Fibreno, abbazia di Casamari, valle di Comino. Sagra del tartufo.
Prezzi: H/B a £ 70.000, F/B a £ 90.000. Gratis i bambini al di sotto di 3 anni, da 3 a 8 anni metà prezzo.
Note: prato per prendere il sole. Baby sitting. Giochi all'aria aperta, corsi di canoa e di tiro con l'arco, beach volley, mountain bike, possibilità di praticare parapendio e trekking. Educazione ambientale. Corsi di acquagym, beauty farm. Biancheria, pulizia, telefono in comune, riscaldamento, sala comune e parcheggio. Animali accolti.

CETON

via Sant'Andrea, 19 - loc. Cortina
03046 SAN DONATO VAL DI COMINO
☎ 0776508400 fax 0776508568

L 12

Posizione geografica: montagna.
Periodo di apertura: tutto l'anno.
Associato a: Terranostra.
Presentazione: vecchia costruzione rurale ristrutturata che offre ospitalità in 4 appartamenti con bagno per un massimo di 20 posti letto.
Ristorazione: F/B su richiesta. Piatti tipici del luogo.
Prodotti aziendali: pane, latte, olio, vino, uova, biscotti, pollame, conigli.
Luoghi di interesse e manifestazioni locali: lago Posta Fibreno, Fossa Masura, monte Meta, Atina. Festa del contadino.
Prezzi: da £ 30.000 a 50.000, pasto da £ 20.000 a 40.000. Riduzione del 30% ogni letto aggiunto, gratis i bambini fino ai 3 anni.
Note: sala riunioni disponibile anche per mini conferenze e incontri di lavoro (massimo 20 persone). Osservazione ambientale, orientamento. Giochi all'aria aperta, equitazione, mountain bike. Raccolta di asparagi, funghi, frutti di bosco. Uso cucina, uso frigorifero, posto macchina, prima colazione. Animali accolti previo accordo.

Latina

PEGASO CLUB

via Casanello • 04014 PONTINIA
☎ e fax 0773850337 ☎ 0773853507 cell. 0336765080

N 8

Posizione geografica: pianura.
Periodo di apertura: tutto l'anno.
Associato a: Agriturist.

Presentazione: azienda che si estende su 30 ettari di terreno con tipici poderi antichi, nelle vicinanze del mare. Offre ospitalità in una villa in 6 camere con bagno con 12 posti letto, in 1 appartamento con 5 posti letto e in spazi per tende e caravan.
Ristorazione: H/B, F/B. Ristorante aperto al pubblico. Cucina

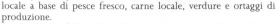

locale a base di pesce fresco, carne locale, verdure e ortaggi di produzione.
Prodotti aziendali: miele, olio, uova, ortaggi, cereali.
Luoghi di interesse e manifestazioni locali: abbazia di Fossanova, parco nazionale del Circeo, giardini di Ninfa. Mercatini nei vari paesi, processioni in varie ricorrenze.
Prezzi: da £ 30.000 a 50.000, pasto da £ 25.000 a 55.000. Riduzioni per i bambini.
Note: pony, giochi all'aria aperta per i bambini. Ping-pong, volo ultraleggero, kart-cross, golf, piscina, tiro con l'arco, pesca, equitazione, mountain bike. Raccolta di funghi e verdure. Possibilità di organizzare feste, convegni, rappresentazioni. Riscaldamento, sala comune, telefono in comune, posto macchina, prima colazione.

VILLA DEI PINI

via Giacomo Leopardi, 54 • 04017 SAN FELICE CIRCEO
☎ e fax 0773540739 cell. 03683277879

O 9

Posizione geografica: mare, pianura.
Periodo di apertura: tutto l'anno.
Associato a: Agriturist.
Presentazione: proprietà situata a soli 700 m dal mare composta da una casa (corpo centrale), 2 dependances indipendenti e 1 camera doppia con angolo cottura per un totale di 18 posti letto. Lago privato con animali selvatici. Coltivazione di innumerevoli varietà di alberi da frutto.
Ristorazione: B&B solo nei mesi primaverili ed estivi. Colazione con marmellate fatte in casa. Le cene si organizzano solamente previo accordo con il proprietario della tenuta.
Prodotti aziendali: uova, ortaggi, formaggi, confetture, funghi, frutta.
Luoghi di interesse e manifestazioni locali: parco nazionale del Circeo, abbazia di Fossanova, città di Napoli, Pompei scavi archeologici, tempio di Giove a Terracina, Sperlonga, Cassino, Gaeta, Sabaudia e lago di Paola. Visita guidata ad una vicina azienda agricola che produce mozzarelle di bufala e alleva circa 600 bufali.
Prezzi: alloggio da £ 55.000 a 65.000.
Note: permanenza minima 2 notti e 3 giorni. Equitazione, tennis, calcetto, scuola di vela nel lago di Sabaudia, windsurf, sci nautico, escursioni. Biancheria, pulizia, parcheggio. Si accolgono animali.

ERBE AMICHE

c.da Ponzanello • 04023 FORMIA ☎ 077122734

N 11

Posizione geografica: collina.
Periodo di apertura: tutto l'anno.
Presentazione: offre ospitalità in 4 appartamenti indipendenti con cucina e bagno (1 da 6, 2 da 4 e 1 da 8 posti letto).
Prodotti aziendali: miele, polline, pappa reale, pane integrale, vino di produzione biologica, olio d'oliva.
Luoghi di interesse e manifestazioni locali: scavi archeologici, monte Petrella, monte Cassino, Gaeta, Pompei, Ercolano. Sagre paesane.

Prezzi: rivolgersi direttamente all'azienda.
Note: tennis, piscina, calcetto, equitazione. Tornei e gare di cucina. Orto botanico per la conoscenza delle erbe medicinali. Pulizia a richiesta. Animali accolti previo accordo.

Rieti

COOP. AGRIC. ZOOTECNICA GRISCIANO

fraz. Grisciano • 02011 ACCUMOLI
☎ 074680626 fax 074680473

● C 9

Posizione geografica: montagna.
Periodo di apertura: tutto l'anno.
Associato a: Turismo Verde.
Presentazione: azienda agricola zootecnica. Offre ospitalità in 4 camere con bagno comune.
Ristorazione: H/B, F/B. Piatti tipici con prodotti coltivati biologicamente.
Prodotti aziendali: carne bovina e ovina, pollame, miele, legumi, salumi.
Luoghi di interesse e manifestazioni locali: parco monte Laga, Gran Sasso, Norcia, Cascia, San Benedetto. Sagra dei prodotti biologici l'ultima settimana di ottobre.
Prezzi: fino a £ 30.000, pasto da £ 20.000 a 40.000. Riduzione del 10% per bambini.
Note: necessaria la prenotazione. Partecipazione alla vita dell'azienda, torrentismo, pallavolo. Raccolta di castagne e funghi. Golf, giochi all'aria aperta. Prato per prendere il sole, sala riunioni disponibile. Biancheria, riscaldamento, sala comune, prima colazione.

SAN CIPRIANO DI AMATRICE

loc. Villa San Cipriano • 02012 AMATRICE
☎ e fax 0746825536 E-mail:amatrice@bec.it

● C 10

Posizione geografica: montagna (1.000 m).
Periodo di apertura: tutto l'anno.
Associato a: Agriturist.
Presentazione: rustico elegante in azienda con allevamento di cavalli. Accoglie ospiti in 7 camere con bagno e 2 miniappartamenti per un totale di 28 posti letto.
Ristorazione: ristorante con 70 posti e portico. Pasta all'amatriciana e antiche ricette locali.
Prodotti aziendali: marmellate, uova, formaggio, fagioli, liquori, patè, biscotti.
Luoghi di interesse e manifestazioni locali: Ascoli Piceno, rocche e castelli medioevali, L'Aquila, il Gran Sasso, Rieti, percorsi francescani, parco naturale nazionale e cascate.
Prezzi: B&B a £ 50.000, H/B a £ 80.000, F/B a £ 100.000.

Note: è possibile alloggiare anche solo per il fine settimana. Salone disponibile per incontri di lavoro o feste. Possibilità di imparare la decorazione della porcellana, fare centro tavola con fiori o addobbi natalizi. Escursioni a cavallo. È disponibile una carrozza a sei posti per gite. Pulizia settimanale, biancheria. Animali accolti previo accordo.

LE STREGHE

Scrocco • 02040 MONTENERO SABINO ☎ e fax 0765324146

● F 7

Posizione geografica: alta collina (700 m).
Periodo di apertura: da luglio a settembre tutti i giorni, chiuso in febbraio, nei rimanenti mesi aperto dal venerdì alla domenica.
Associato a: Turismo Verde.
Presentazione: casale rustico adibito a ristorante con case in legno per alloggio, 13 ettari di terreno a bosco e a coltivazioni biologiche. Offre ospitalità in 8 camere con bagno e in 10 piazzole per agricampeggio.
Ristorazione: H/B, F/B, ristorante aperto al pubblico. Polenta di farro, zuppa di farro e fagioli, pasta fatta in casa con farina di farro, carni ripiene di verdure.
Prodotti aziendali: confetture, sottoli, liquori, ortaggi biologici.
Luoghi di interesse e manifestazioni locali: abbazia di Farfa, santuari francescani, monte Terminillo, laghi Salio e Turano, cascata delle Marmore. Sagre per tutto il tempo dell'anno.
Prezzi: da £ 30.000 (solo pernottamento), pasto da £ 30.000 a 35.000. Riduzione del 10% per bambini fino a 8 anni, settimane verdi a £ 450.000.
Note: solo su prenotazione. Prato e terrazzo per prendere il sole, doccia calda all'aperto. Passeggiate nei boschi con guida WWF, settimane antistress, manifestazioni varie in azienda, contatti con animali domestici per i bambini. Ping-pong, golf, giochi all'aria aperta, trekking e passeggiate, escursioni e visite guidate. Impianti sportivi nelle vicinanze. Raccolta di asparagi, fragole, frutti di bosco.

AGRITURISMO RODEO

via Cabareccia, 6 • 02034 MONTOPOLI ☎ 076529060

● F 7

Posizione geografica: collina.
Periodo di apertura: tutto l'anno.
Presentazione: tipica costruzione rurale nelle vicinanze del fiume, circondata da 7 ettari di terreno con produzione di frutta e olive e allevamento di cavalli. Offre ospitalità in 5 camere doppie con servizi.
Ristorazione: H/B, F/B, ristorante aperto al pubblico con 80 coperti. Fettuccine fatte a mano, carni alla brace, dolci fatti in casa, bruschette.
Prodotti aziendali: confetture, dolci, frutta, olio, ortaggi, pollame, uova, vino.
Luoghi di interesse e manifestazioni locali: abbazia di Farfa (V secolo d.C.), oasi naturalistica Tevere-Farfa. Presepe vivente a Salisano.
Prezzi: da £ 30.000 a 50.000, pasto da £ 20.000 a 40.000. Riduzione del 20% per bambini fino a 10 anni, del 10% letto aggiunto.
Note: accessibile agli handicappati. Prato per prendere il sole, solarium. Giardinaggio, osservazione ambientale. Pony e parco giochi per bambini, equitazione, trekking e passeggiate, escursioni e visite guidate, mountain bike. Nelle vicinanze canoa e golf. Raccolta di asparagi, frutti di bosco, funghi. Biancheria, pulizia, riassetto, riscaldamento, sala comune, telefono in comune, posto macchina, prima colazione.

SANT'ILARIO SUL FARFA

via Colle - Monte Santa Maria • 02030 POGGIO NATIVO
☎ e fax 0765872410 - 068840677 cell. 03683643912
E-mail:silario@ats.it • http:www.touring.it/santilario

F 7

Posizione geografica: collina.
Periodo di apertura: tutto l'anno.
Presentazione: si affaccia sullo scenario incantevole della vallata del fiume Farfa, nel cuore della Sabina a meno di un'ora di automobile da Roma. Offre ospitalità in 6 camere molto confortevoli, tutte con riscaldamento e bagno privato, arredate con mobili fine '800 dislocate in 2 tipici casali completamente ristrutturati, e in 1 appartamento di 70 mq con ampio soggiorno, camera da letto, bagno e angolo cottura.
Ristorazione: B/B, H/B. Piatti tipici locali preparati con i prodotti dell'azienda. A richiesta si organizzano ricevimenti per cerimonie.
Prodotti aziendali: olio extravergine d'oliva, vino, aceto, marmellate, conserve, ortaggi, frutta, uova,
Luoghi di interesse e manifestazioni locali: Viterbo, Todi, Orvieto, Spoleto, parco dei Lucretili a 10 km, fiume Farfa a 1 km, riserva naturale Tevere-Farfa a 20 km, laghi Turano e Salto, abbazia di Farfa a 5 km, castelli di Roccasinibalda e Collalto a 25 km, santuari della Valle Santa Reatina a 35 km.
Prezzi: rivolgersi direttamente all'azienda.
Note: piscina, mountain bike, ping-pong. Nelle immediate vicinanze campi da tennis, maneggi e laghetti per la pesca.

COOPERATIVA VALTURANO

loc. Castello • 02026 ROCCA SINIBALDA ☎ 0765708101

F 8

Posizione geografica: alta collina.
Periodo di apertura: tutto l'anno.
Associato a: Confcooperative e Confagricoltura.
Presentazione: vecchio casale ristrutturato con 10 ettari di terreno a bosco, allevamento di cavalli e altri animali. Offre ospitalità in 4 camere con bagno comune e in 20 piazzole per caravan e tende.
Ristorazione: H/B, F/B, ristorante aperto al pubblico con 50 coperti. Cucina tipica della Sabina.
Prodotti aziendali: miele, olio, uova, conigli, pollame.
Luoghi di interesse e manifestazioni locali: castello di Roccasinibalda, chiesa romanica di San Vittore, lago Turano, santuari, luoghi d'interesse naturalistico.
Prezzi: da £ 20.000 (solo pernottamento), pasto da £ 20.000 a 30.000. Riduzione del 10% per bambini fino ai 10 anni, del 20% per letto aggiunto e per la seconda settimana di permanenza.
Note: necessaria la prenotazione. Escursioni e visite guidate culturali, artistiche e naturalistiche. Giochi di sala, alpinismo, parapendio, canoa, bocce. Raccolta di castagne, fragole, funghi. Golf, tiro con l'arco, pesca, giochi all'aria aperta, equitazione, trekking e passeggiate, mountain bike. Sala riunioni, solarium. Conversazioni su cultura, arte, storia locale. Biancheria, pulizia, riassetto, sala comune, telefono in comune. Animali accolti previo accordo.

LA CASA ALTA DI SANTO PAOLO

loc. Santo Paolo Alto, 1 • 02038 SCANDRIGLIA
☎ 0765878767

G 7

Posizione geografica: montagna (600 m).
Periodo di apertura: tutto l'anno.
Associato a: Turismo Verde.
Presentazione: casale su 12 ettari adibiti a coltivazione biologica di olive, ortaggi, frutta. Ideale per trekking a piedi e a cavallo. Accoglie ospiti in 1 camera doppia e 2 quadruple, con 2 bagni comuni e uso cucina.

Ristorazione: spuntini. Ristorante aperto al pubblico su prenotazione. Cucina ligure, sabina e vegetariana. Forno a legna.
Prodotti aziendali: pane, biscotti, marmellate, olio, ortaggi, frutta, pollame, uova, crema di olive.
Luoghi di interesse e manifestazioni locali: oasi francescane, laghi montani, parco naturale, percorsi archeologici, nevi del Terminillo. Sagra della sagna ad agosto, fiera dell'antiquariato.
Prezzi: pasto a £ 40.000. B&B da concordare. Riduzioni del 10% per bambini fino a 10 anni e da concordare per gruppi e lunghi periodi di permanenza.
Note: trekking a cavallo e a piedi, piscina, giochi all'aria aperta, equitazione, sci, tennis e volo a vela nelle vicinanze. Si organizzano feste. Centro adibito ad attività spirituali e meditative. Soggiorno minimo 3 giorni. Animazione. Prato per prendere il sole. Biblioteca. Raccolta di asparagi, bacche di rosa di bosco, erbe e funghi. Si accolgono animali con accesso vietato alle stanze e previo accordo.

LA POSSESSIONE

loc. Il Casale • 02020 VARCO SABINO ☎ 069105811

G 8

Posizione geografica: collina.
Periodo di apertura: tutto l'anno.
Presentazione: costruzione rurale, ideale per gite a cavallo, passeggiate naturalistiche e soggiorni di relax. Accoglie ospiti in 7 camere doppie con bagno.
Ristorazione: specialità locali su prenotazione.
Prodotti aziendali: castagne, funghi e tartufi.
Luoghi di interesse e manifestazioni locali: parco naturale monte Cervia, lago alto, monastero Santa Filippa. Feste paesane nelle ricorrenze dei Santi Patroni.
Prezzi: OR oltre £ 50.000. Pasto a £ 50.000.
Note: piscina, tennis, calcetto, bocce, ping-pong. Soggiorno minimo 3 giorni. Prato per prendere il sole. Biancheria, telefono comune, uso cucina e frigorifero, riscaldamento, sala comune e parcheggio.

ANNA VOLPI

loc. Palazzo • 02010 RIVODUTRI
☎ 0746685200

D 7

Posizione geografica: collina.
Periodo di apertura: tutto l'anno.
Presentazione: antica costruzione risalente all'anno mille, su 20 ettari di terreno, ideale per passeggiate naturalistiche. Accoglie ospiti in 1 appartamento.
Ristorazione: possibilità di convenzione con il vicino ristorante.
Prodotti aziendali: confetture e uova.
Luoghi di interesse e manifestazioni locali: valle Santa, riserva dei laghi, monte Terminillo, Roma a 85 km. Numerose sagre paesane.
Prezzi: OR oltre £ 50.000.

Note: enologia, osservazione, ambientale, artigianato. Giochi all'aria aperta, calcetto, mountain bike, piscina. Raccolta di asparagi, funghi e tartufi. Sala riunioni. Soggiorno minimo una settimana.

Roma

CASALI DELLA PALLAVICINA

via Casilina, km 24 - loc. Casali della Pallavicina • 00030 COLONNA

☎ e fax 069545355

● I 7

Posizione geografica: collina.
Periodo di apertura: tutto l'anno, solo su prenotazione.
Associato a: Terranostra.
Presentazione: casali agricoli con chiesa annessa, in azienda di 100 ettari adibiti a vigneto e frutteto. Accoglie ospiti in miniappartamenti con una o due camere da letto, soggiorno, caminetto, angolo cottura e bagno per un totale di 25 posti letto.
Ristorazione: H/B e F/B. Ristorante con 50 coperti. Cucina tipica e vegetariana.
Prodotti aziendali: vino e olio.
Luoghi di interesse e manifestazioni locali: Palestrina, Tivoli, Tuscolo, castelli romani, Roma. Sagra dell'uva, della fragole, concerti e manifestazioni.
Prezzi: OR oltre £ 50.000. Pasto a £ 30.000. Riduzione del 20% per bambini fino a 10 anni.
Note: equitazione, campo da golf a 9 buche, calcetto, tennis, tiro con l'arco, mountain bike e tiro a volo. Giochi all'aperto. Soggiorno minimo 3 notti. Giardino.
Biancheria, pulizia, uso frigorifero e cucina. Animali accolti previo accordo.

"TRE PALME"

via Muti, 42 - loc. Landi • 00045 GENZANO DI ROMA

☎ e fax 069370286

● L 7

Posizione geografica: collina.
Periodo di apertura: tutto l'anno.
Associato a: Agriturist, Suolo e Salute.
Presentazione: costruzione rurale ristrutturata immersa nel verde nella zona dei castelli romani. Offre ospitalità in 2 camere con bagno e in 2 appartamenti con 8 posti letto.
Ristorazione: H/B, B&B. Ristorante aperto da luglio a settembre e festivi con 25 coperti. Cucina mediterranea con prodotti dell'azienda coltivati in modo biologico.
Prodotti aziendali: confetture, olio, vino, ortaggi, uova.
Luoghi di interesse e manifestazioni locali: Roma, laghi, mare, castelli romani. "Infiorata" di Genzano in giugno.
Prezzi: da £ 30.000 a 40.000, pasto da £ 25.000 a 35.000.
Note: soggiorno minimo 3 notti. Parco, piscina. Si parlano tedesco e inglese. Biancheria, pulizia, uso cucina, uso frigorifero.

CAVENDO TUTUS

via della Pisana, 950 • 00163 ROMA

☎ 0666156512 fax 0666162970

● H 6

Posizione geografica: città d'arte a soli 9 km da San Pietro.
Periodo di apertura: tutto l'anno.
Associato a: Agriturist.
Presentazione: tipica costruzione con tetto in legno lamellare, su 7

ettari di terreno con produzione di cereali. Accoglie ospiti in appartamenti da 2/4 posti letto, con bagno, angolo cottura attrezzato e dotati di ogni comfort.
Ristorazione: a richiesta. Cucina tipica romana e abruzzese.
Prodotti aziendali: confetture, ortaggi, frutta, asparagi e funghi.
Luoghi di interesse e manifestazioni locali: Roma, mare.
Prezzi: OR da £ 50.000 a 75.000. Pasto da £ 35.000 a 55.000. Sconto del 50% per letto aggiunto. Gratis per bambini fino a 1 anno.
Note: accessibile agli handicappati. Possibilità di corsi di storia dell'arte. Mountain bike, ping-pong, equitazione. Nelle vicinanze tennis, calcetto e piscina scoperta. Prato per prendere il sole. Biancheria, pulizia, prima colazione, parcheggio.

VIVAI MONTECAMINETTO

via Sacrofane, 25 - loc. Montecaminetto • 00188 ROMA
Ingresso da via Del Bosco, 36 • 00060 SACROFANO

☎ e fax 0633615290

● H 5

Posizione geografica: collina.
Periodo di apertura: tutto l'anno.
Presentazione: azienda agrituristica a 10 km da Roma e servita dal trenino della ferrovia Roma-Nord, che effettua servizio urbano fino al centro della città. La sua superficie è di 19 ettari, di cui 7 a bosco di alto fusto di querce. Offre ospitalità in 3 appartamenti per un totale di 13 posti letto.
Ristorazione: H/B, F/B. Gnocchetti alla romana, bucatini all'amatriciana, abbacchio allo scottadito.
Prodotti aziendali: confetture.
Luoghi di interesse e manifestazioni locali: Roma.
Prezzi: B&B da £ 40.000 a 50.000. Riduzione del 10% letto aggiunto e seconda settimana di permanenza.
Note: azienda tutta accorpata e recintata, con cancello automatico, immersa nel verde e nel silenzio del parco di Veio, ricca di zone ombrose e confinante per 500 m con un ruscello perenne. Passeggiate nel bosco, footing, giochi all'aria aperta. Golf a 3 km, tennis e piscina a 5 km. Biancheria. Per riscaldamento e sosta in camper e caravan pagamento a parte. Animali accolti previo accordo.

Viterbo

COOPERATIVA ELCE

via Campo Boario, 2 • 01021 ACQUAPENDENTE

☎ e fax 0763733620

● C 3

Posizione geografica: pianura, all'interno di una riserva naturale.
Periodo di apertura: tutto l'anno.
Presentazione: 3 casali (casale Monaldesca, casale Tigna e casale Sambucheto), di proprietà della cooperativa all'interno della riserva naturale monte Rufeno. Offre ospitalità in camere con bagno comune e in area di sosta Felceto per tende o camper.
Ristorazione: ristorante presso il casale.
Luoghi di interesse e manifestazioni locali: parco naturale.
Prezzi: da £ 27.500 a 80.000 nelle camere, da £ 250.000 a 2.700.000 a settimana negli appartamenti o per tutto il casale. Varie possibilità di riduzione.
Note: visita guidata alla riserva ogni domenica con partenza alle ore 10.00, possibilità di noleggiare biciclette per interessanti itinerari all'interno dell'oasi, equitazione, trekking e passeggiate. L'azienda organizza campi scuola e fine settimana tematici. Biancheria, pulizia, riassetto, uso cucina, uso frigorifero, riscaldamento, sala comune, telefono in comune.

CASALE MONALDESCA

loc. Riserva Naturale Monte Rufeno • 01021 ACQUAPENDENTE
☎ 0763733642-0763717078

C 3

Posizione geografica: collina.
Periodo di apertura: da marzo a ottobre, i restanti mesi solo su prenotazione, giorno di chiusura il mercoledì.
Presentazione: l'azienda, all'interno della riserva di Rufeno, dispone di 2 casali ristrutturati. Accoglie ospiti in 16 camere doppie con bagno.
Ristorazione: ristorante aperto al pubblico. Cucina tipica preparata con prodotti biologici, pasta fatta in casa.
Prodotti aziendali: miele.
Luoghi di interesse e manifestazioni locali: riserva di Rufeno, museo del fiore e della vita contadina, San Casciano, Orvieto. Manifestazioni nel periodo estivo.
Prezzi: B&B a £ 40.000, H/B a £ 65.000, F/B a £ 85.000. Pasto da £ 25.000 a 35.000.
Note: bocce e ping-pong. Piscina nelle vicinanze. Si organizzano escursioni, trekking a cavallo, passeggiate guidate in bicicletta e visite a piedi. Pulizia e cambio biancheria. Animali accolti previo accordo.

LA RISERVA MONTEBELLO

loc. Montebello • 01023 BOLSENA
☎ e fax 0761799492 ☎ 0761798965

D 3

Posizione geografica: collina, lago.
Periodo di apertura: tutto l'anno.
Presentazione: casale rustico posto in posizione panoramica, in azienda che coltiva kiwi e alleva polli e capre. Accoglie ospiti in 25 camere con bagno privato, per un totale di 50 posti letto.
Ristorazione: B&B, H/B, F/B. Solo per alloggiati. Specialità tipiche.
Luoghi di interesse e manifestazioni locali: castello Monaldeschi, chiesa del Miracolo, lago di Bolsena, siti etruschi. *Corpus Domini* e festa di Santa Cristina.
Prezzi: rivolgersi direttamente all'azienda.
Note: piscina, equitazione, tiro con l'arco e ping-pong. Pulizia e cambio biancheria. Animali accolti previo accordo.

LE CASCINE

s.s. Castrense km 11,200 • 01011 CANINO
☎ e fax 0761438941

E 4

Posizione geografica: pianura a 10 km dal mare e a 16 km dal lago di Bolsena.
Periodo di apertura: da febbraio a dicembre. Chiuso il martedì.
Associato a: Terranostra.
Presentazione: l'azienda offre ospitalità in 3 camere singole, in 4 doppie e in 5 monolocali. Tutte le stanze sono provviste di bagno privato, televisore e riscaldamento.
Ristorazione: cucina tipica con prodotti aziendali.
Prodotti aziendali: olio, ortaggi, formaggi, vino, pollame.
Luoghi di interesse e manifestazioni locali: città etrusca di Vulci, necropoli, terme etrusche di Musignano. Sagra dell'olio l'8 dicembre.
Prezzi: B&B a £ 40.000, H/B a £ 65.000, F/B a £ 80.000. Sconto del 10 % per gruppi e del 25% per bambini fino ai sei anni.

Note: è gradita la prenotazione con almeno 3 giorni di anticipo. Piscina e balera. Possibilità di cacciare e pescare nelle numerose riserve e provare l'emozione di andare a cavallo, di praticare tiro con l'arco e mountain bike.

TORRE SPADINO

loc. Torre Spadino • 01012 CAPRANICA SCALO
☎ 0761660456

F 4

Posizione geografica: collina, lago.
Periodo di apertura: tutto l'anno, giorno di chiusura lunedì.
Associato a: ANTE.
Presentazione: fabbricato rurale su tre piani in azienda di 15 ettari con coltivazioni di noccioli, noci e frutta. Accoglie ospiti in 6 stanze matrimoniali con bagno comune.
Ristorazione: cucina casalinga.
Prodotti aziendali: marmellate, frutta secca, dolci tipici con nocciole e vino.
Luoghi di interesse e manifestazioni locali: itinerari archeologici etruschi, Città del Sole, Tarquinia, Viterbo, Bagnaia, Caprarola e Roma. Sagra della nocciola l'1 settembre.
Prezzi: camera matrimoniale a £ 60.000.
Note: permanenza minima 2 giorni. Cambio biancheria settimanale, pulizia non compresa. Dispone di 2 box per cani.

LA VITA

loc. Valle di Vico • 01032 CAPRAROLA
☎ e fax 0761612077 ☎ 0336764058

F 4

Posizione geografica: collina, lago.
Periodo di apertura: da febbraio a dicembre, ristorante aperto il fine settimana, pasticceria dal mercoledì alla domenica.
Associato a: Agriturist.
Presentazione: agriturismo in riserva naturale situata tra il lago di Vico e i monti Cimini, circondato da boschi plurisecolari in cui vive una fauna incontaminata. Accoglie ospiti in camere confortevoli situate in un vecchio casale ristrutturato.
Ristorazione: cucina della tradizione familiare, molto varia.
Prodotti aziendali: confetture, marroni canditi, dolci a base di nocciole.
Luoghi di interesse e manifestazioni locali: Viterbo, Caprarola. Carnevale di Ronciglione, sagra della nocciola a fine agosto, Macchina di Santa Rosa il 3 settembre.
Prezzi: menu turistico a £ 35.000, pranzo alla carta in media a £ 45.000.
Note: è possibile soggiornare per una sola notte. Animali accolti previo accordo.

LE CHIUSE

loc. Le Chiuse Erminie • 01010 ISCHIA DI CASTRO
☎ 0761424875 fax 0761425278

D 2

Posizione geografica: collina.

Periodo di apertura: tutto l'anno.
Presentazione: agriturismo incastonato nell'Alto Lazio, a due passi dal confine con la Toscana. Accoglie ospiti in camere doppie con bagno.
Ristorazione: piatti tipici locali e cucina sarda.
Prodotti aziendali:

grano, olive, uva, ortaggi biologici, formaggi, ricotta, olio, salumi e vino.

Luoghi di interesse e manifestazioni locali: musei e siti archeologici, Vulci, Viterbo, terme di Saturnia, Sovana, lago di Bolsena, riserva naturale del Lamone, Tarquinia, spiagge dell'Argentario.

Prezzi: H/B a £ 80.000. Pasto a £ 35.000.

Note: visite naturalistiche guidate, parco giochi, tennis e piscina.

LE SPIGHE

s.p. Tuscanese km 0,500 • 01014 MONTALTO DI CASTRO
☎ 0766879926 fax 0766879925
E-mail:lespighe@orvienet.it
http:www.orvienet.it/lespighe/home.html

 **E 1**

Posizione geografica: pianura, mare.

Periodo di apertura: tutto l'anno.

Presentazione: costruzione rurale su 7 ettari di terreno coltivato a cereali e uliveto. Offre ospitalità in 6 ampie camere finemente arredate con bagno e TV per un totale di 18 posti letto.

Ristorazione: H/B, F/B. Ristorante aperto al pubblico con 80 coperti. Tra i piatti migliori: pappardelle al cinghiale, lasagne alle verdure, acquacotta, polenta, maialino arrosto, dolci fatti in casa.

Luoghi di interesse e manifestazioni locali: Saurnia, Viterbo, Tuscania, Vulci, lago di Bolsena, antica città di Castro, Argentario, Oasi WWF di Burano e Vulci. Sagra della bruschetta a Canino, fiera di Tarquinia il 1° maggio, sagra del pesce torba (Ansedonia), sagra del melone a Pescia Romana, maratomnia montialtese il 30 ottobre, sagra del cinghiale a Capalbio in settembre.

Prezzi: alloggio a £ 50.000, pasto da £ 25.000 a 45.000.

Note: necessaria la prenotazione, periodo minimo di permanenza 3 gioni. Prato per prendere il sole, pista per ultraleggeri, trekking, passeggiate, escursioni. Tennis e piscina nelle vicinanze. Biancheria, pulizia, riscaldamento, telefono, parcheggio, TV. Prima colazione.

AXEL s.r.l.

loc. Macchia del Cardinale • 01030 MONTEROSI
☎ 0761699535 fax 0761699350

 G 3

Posizione geografica: collina, lago.

Periodo di apertura: tutto l'anno, solo su prenotazione.

Associato a: Agriturist.

Presentazione: residenza di campagna con 500 ettari di terreno adibiti a vigneto, oliveto, cereali e allevamento di bovini, equini e avicoli. Ideale per soggiorni di relax. Accoglie ospiti in 6 camere con bagno e in 1 appartamento, con 2 camere e 1 salone, per un totale di 6 posti letto.

Ristorazione: H/B. Ristorante aperto al pubblico. Patè di verdure.

Prodotti aziendali: patè di verdure, vino, olio.

Luoghi di interesse e manifestazioni locali: Roma, Viterbo, lago di Bracciano, città etrusche, mercato dello scambio sul lago, mercato dell'antiquariato a Campagnano.

Prezzi: OR oltre £ 50.000. Pasto a £ 40.000. Riduzione del 10% per terzo letto.

Note: golf, vela, mountain bike, equitazione di campagna. Autodromo di Vallelunga. Sala polifunzionale.

LA CHIOCCIOLA

loc. Seripola • 01028 ORTE
☎ 0761402734 fax 0761490254

 **D 5**

Posizione geografica: collina.

Periodo di apertura: tutto l'anno.

Associato a: Agriturist, Terranostra.

Presentazione: antico casale del '400 completamente ristrutturato in azienda con 25 ettari di seminativo, vigneti e olivi. Offre ospitalità in 8 camere doppie, con bagno, arredate con mobili d'epoca.

Ristorazione: H/B. Ristorante aperto al pubblico con 50 coperti. Caserecci alla boscaiola, cavatelli ai funghi e tartufi, prosciutto arrosto, vitello porchettato, dolci fatti in casa.

Luoghi di interesse e manifestazioni locali: Orvieto, Civita, Bomarzo, Todi, Spoleto, Assisi, cascata delle Marmore, laghi Vico e Bolsena. Sagra della castagna a Soriano, "Ottava medioevale" a Orte, presepi viventi.

Prezzi: £ 80.000 a persona in camera doppia, pasto da £ 40.000 a 50.000. Riduzione del 30% per bambini fino a 6 anni.

Note: gradita la prenotazione. Sala riunioni diponibile. Biliardo, piscina, trekking e passeggiate, mountain bike. Raccolta di asparagi, funghi, more. Biancheria, pulizia, riassetto, riscaldamento, aria condizionata, sala comune, telefono in comune, posto macchina, prima colazione a buffet.

IL MOLINACCIO

loc. Molinaccio, 1 • 01020 SAN MICHELE IN TEVERINA
☎ 0761914438

D 4

Posizione geografica: fiume.

Periodo di apertura: da aprile al 31 ottobre.

Associato a: Terranostra.

Presentazione: tipica costruzione rurale (mulino) con 4 ettari di terreno con produzione di piccoli frutti, come lamponi, ribes, fragole ecc. Offre ospitalità in 1 appartamento dotato di servizi, di 140 mq con 3 stanze e 8 posti letto.

Ristorazione: B&B. Marmellate biologiche, succhi di frutta.

Prodotti aziendali: confetture, succhi di frutta, pollame, ortaggi, frutta, uova.

Luoghi di interesse e manifestazioni locali: Orvieto, Civita di Bagnoregio, Ferento, Bomarzo, Viterbo, lago di Bolsena, bagni di zolfo a Montefiascone. Sagra delle ciliegie, festa del vino, festa dei Santi ad agosto, concerti a Civita.

Prezzi: £ 50.000 a persona, £ 1.120.000 a settimana.

Note: necessaria la prenotazione. Corsi di agricoltura biologica, di lingua tedesca, inglese e spagnola, laboratorio di pittura e arti sceniche. Baby-sitting, canto, attività teatrali, costruzione di maschere e pupazzi per i bambini. Ping-pong, birdwatching nell'oasi di Alviano. Raccolta di asparagi, funghi, frutti del bosco, erbe, insalate di campo. Giochi all'aria aperta, equitazione, trekking e passeggiate, escursioni e visite guidate, mountain bike. Prato per prendere il sole, sala riunioni disponibile, strumenti musicali a disposizione. Biancheria, riassetto a pagamento, riscaldamento, sala comune, prima colazione. Animali accolti previo accordo.

CASA CAPONETTI

loc. Tenuta del Guado Antico • 01017 TUSCANIA
☎ e fax 0761435792
http:www.casacaponetti.com

● **E 2**

Posizione geografica: collina.
Periodo di apertura: tutto l'anno.
Presentazione: unità abitative in legno in azienda di 50 ettari di cui 10 costituiti da una necropoli etrusca del VII-V secolo a.C. Accoglie ospiti in 6 camere con bagno privato per un totale di 12 posti letto.
Ristorazione: ristorante con 25 coperti aperto al pubblico su prenotazione. Cucina mediterranea preparata con ingredienti genuini.
Prodotti aziendali: olio.
Luoghi di interesse e manifestazioni locali: Tuscania, Viterbo, Bagnaia, lago di Bolsena, Tarquinia, località termali. Fiera a Tuscania la prima domenica di maggio, il 14 maggio processione folkloristica-floreale Barabbata.
Prezzi: H/B a £ 130.000, F/B a £ 160.000. Pasto a £ 40.000.
Note: si organizzano settimane verdi e corsi d'equitazione per ragazzi da 9 a 15 anni, possibilità di corsi di cucina italiana, con particolare riferimento alla cucina rinascimentale. Possibilità di terzo letto aggiunto. Pulizia e cambio biancheria. Animali accolti previo accordo.

IL CASTELLACCIO

loc. San Savino • 01017 TUSCANIA
☎ 0761443385-0761871334

● **E 2**

Posizione geografica: mare, lago.
Periodo di apertura: tutto l'anno il venerdì, sabato e domenica.
Presentazione: recente costruzione in azienda coltivata a cereali, tabacco e frumento. Allevamento di suini e ovini. Accoglie ospiti in 8 camere con bagno per un totale di 10 posti letto.
Ristorazione: B&B, H/B, F/B. Ristorante con 100 coperti aperto al pubblico. Cucina tipica.
Luoghi di interesse e manifestazioni locali: siti etruschi. Festa del paese il 14 maggio.
Prezzi: B&B a £ 90.000. Pasto da £ 30.000 a 35.000. Per ulteriori informazioni rivolgersi direttamente all'azienda.
Note: pulizia e cambio biancheria. Si accolgono animali con accesso vietato alle camere.

PORTIGLIONE

loc. Portiglione • 01022 BAGNOREGIO
☎ e fax 0761792585
E-mail:portiglione@web.de

▲ **C 3**

Posizione geografica: collina.
Periodo di apertura: tutto l'anno.
Associato a: Interchalet
Presentazione: l'azienda sorge nelle vicinanze del lago di Bolsena, possiede 16 ettari di terreno con produzione di olio e miele. Offre ospitalità in 1 appartamento e una casa dotati di servizi con 2-8 posti letto e in 2 piazzole in agricampeggio per tende.
Prodotti aziendali: olio, miele, confetture, ortaggi, frutta.
Luoghi di interesse e manifestazioni locali: Civita e i calanchi, lago di Bolsena, Orvieto, Montefiascone, Viterbo, Todi.

Prezzi: fino a £ 40.000.
Note: necessaria la prenotazione, periodo minimo di permanenza 3 giorni. Prato per prendere il sole. Raccolta di asparagi, castagne, frutti di bosco, funghi. Tennis. Biancheria, pulizia, riassetto, uso cucina, uso frigorifero, riscaldamento, posto macchina. Animali accolti previo accordo.

POMIGLIOZZO

loc. Pomigliozzo • 01020 BOMARZO
☎ e fax 0761924466

▲ **E 4**

Posizione geografica: collina.
Periodo di apertura: da febbraio a novembre.
Associato a: Agriturist.
Presentazione: costruzione rurale del '600, in azienda con allevamento ippico. Accoglie ospiti in 3 camere da 2/3 posti letto, di cui 1 con bagno privato e 2 con bagno comune.
Prodotti aziendali: frutta e verdura di stagione.
Luoghi di interesse e manifestazioni locali: necropoli etrusca, Viterbo e località termali. Palio e festa di Sant'Anselmo il 24 maggio a Pomarzo.
Prezzi: OR a £ 80.000 (camera doppia).
Note: pulizia a carico dell'ospite. Cambio biancheria. Animali accolti previo accordo.

"LEPRE"

strada Porcino, 9 • 01024 CASTIGLIONE IN TEVERINA
☎ e fax 0761947061

▲ **C 4**

Periodo di apertura: da maggio a settembre tutti i giorni, il resto dell'anno su prenotazione.
Associato a: Terranostra.
Presentazione: azienda ecocompatibile completamente ristrutturata con ampio spazio a bosco e uliveto. Offre ospitalità in 5 camere con bagno.
Prodotti aziendali: confetture, sottoli, vino, olio, uova, polli, ortaggi, frutta.
Luoghi di interesse e manifestazioni locali: lago di Bolsena, Orvieto, Viterbo, Todi, oasi di Alviano, necropoli etrusche, Civita di Bagnoregio. Festa del vino dall'1 al 6 agosto a Castiglione Teverina, macchina di Santa Rosa a Viterbo, festa della palombella a Orvieto.
Prezzi: B&B in camera doppia a £ 40.000 a persona al giorno. Riduzione del 50% per bambini fino a 6 anni.
Note: prato per prendere il sole, sala conferenze. Verde attrezzato per bambini, giochi all'aria aperta, escursioni e visite guidate. Corsi di ceramica, osservazione ambientale, partecipazione ai lavori agricoli. Pesca sportiva nelle vicinanze. Raccolta di asparagi, funghi, castagne, more. Uso frigorifero, riscaldamento, sala comune, telefono in comune, posto macchina, prima colazione.

Abruzzo

L'Aquila

COOPERATIVA ASCA

loc. Fonte di Curzio • 67030 ANVERSA DEGLI ABRUZZI
☎ e fax 086449595 E-mail:mancozz@tin.it

● I 6

Posizione geografica: montagna.
Periodo di apertura: tutto l'anno.
Associato a: Turismo Verde.
Presentazione: azienda di allevamento ovino secondo l'antica tradizione transumante abruzzese, nel cuore dei parchi abruzzesi.
Offre ospitalità in 6 miniappartamenti con servizi per un totale di 30 posti letto e in aree per caravan.
Ristorazione: H/B, F/B. Punto di ristoro con 40 coperti solo su prenotazione. Prodotti tipici aziendali in conversione biologica, formaggi, insaccati ovini in esclusiva assoluta, agnello e pecora, olio, frutta, ortaggi.
Prodotti aziendali: formaggio pecorino classico o alle erbe aromatiche, salamelle di trattauro o rinascimentali, ricotta fresca o affumicata, agnello dei parchi d'Abruzzo, pecora in porchetta, olio, frutta e frutti di bosco, tutto certificato biologico da AIAB.
Luoghi di interesse e manifestazioni locali: parco nazionale d'Abruzzo, parco Velino-Sirente, parco della Maiella, riserva regionale Gole del Sagittario. Festa dei serpenti a Cocullo il primo giovedì di maggio, il Catenaccio a Scanno a ferragosto, le Glorie a Scanno il 10 novembre, "La Madonna che scappa" in piazza Sulmona a Pasqua, la Giostra in piazza Sulmona.
Prezzi: pasto da £ 25.000 a 40.000, alloggio da £ 80.000 a 150.000 ad appartamento (4-6 posti letto). In bassa stagione sconto 10% per soggiorni di 3 giorni.
Note: prato per prendere il sole. Forno a legna per cottura pizze, porchette, arrosti vari (uso comune). Equitazione con aziende convenzionate, percorsi attrezzati per i bambini presso l'oasi Gole del Sagittario, giochi all'aria aperta, escursioni e visite guidate, mountain bike. Appartamenti completi di biancheria, stoviglie, cucina, riscaldamento autonomo, telefono in comune.

LA PORTA DEI PARCHI

loc. Fonte di Curzio • 67030 ANVERSA DEGLI ABRUZZI
☎ e fax 086449595 cell. 03687712567
http:www.dimmidove.com/agriturismo

● I 6

Posizione geografica: montagna (700 m).
Periodo di apertura: tutto l'anno.
Associato a: Turismo Verde.
Presentazione: azienda di 363 ettari di terreno con coltivazioni

biologiche di cereali, seminativo, orto e alberi da frutto. Allevamento di ovini. Offre ospitalità in 1 camera doppia con bagno e in 7 appartamenti, con riscaldamento autonomo, per un totale di 30 posti letto.
Ristorazione: 40 coperti. Antipasto ASCA, gnocchi del pastore, agnello dei parchi d'Abruzzo, pecora al cotturo o stracotto.

Prodotti aziendali: pecorino classico e alle erbe, ricotta fresca e affumicata, salamelle di pecora, agnello, carne di pecora, il tutto con marchio AIAB.
Luoghi di interesse e manifestazioni locali: lago e fiume (9 km), mare (65 km). Oasi Gole del Sagittario nel parco nazionale d'Abruzzo.
Prezzi: OR a £ 30.000, H/B da £ 60.000, F/B £ 75.000. Affitto appartamento al giorno da £ 80.000 a 150.000. Offerte personalizzate per comitive e soggiorni lunghi.
Note: parco giochi e noleggio di biciclette. Trekking e passeggiate, osservazione naturalistica. Corsi di caseificazione, produzioni biologiche, piante officinali e frutti di bosco. Nelle vicinanze si possono praticare escursioni a cavallo, sci di fondo, parapendio, trekking e passeggiate. Sala riunioni e sala lettura. Attività didattiche per le scuole.

CASA COLONIA

loc. Teora • 67010 BARETE
☎ 0862976322

● F 3

Posizione geografica: montagna (750 m).
Periodo di apertura: tutto l'anno.
Associato a: Turismo Verde.
Presentazione: azienda di 15 ettari che produce cereali, ortaggi, seminativi e alleva animali. Accoglie ospiti in 3 camere, con 2 bagni comuni, per un totale di 5 posti letto.
Ristorazione: ristorante con 50 coperti aperto al pubblico su prenotazione. Pappardelle funghi e tartufo, polenta di mais, pasta e risotto di farro, spaghetti alla chitarra, agnello alla cacciatora, coratella, pollo e coniglio ai peperoni, biscotti e dolci della casa.
Prodotti aziendali: formaggio pecorino e bovino, carne, pane fatto in casa, marmellata e biscotti.
Prezzi: B&B da £ 35.000 a 40.000, H/B da £ 50.000 a 55.000, F/B da £ 65.000 a 70.000. Pasto a £ 30.000. Gratis per bambini fino a 3 anni, sconto del 50% da 3 a 6 anni e del 30% da 6 a 12 anni.
Note: passeggiate e osservazione naturalistica. Nelle vicinanze maneggio, tennis, percorsi per mountain bike, sci di fondo, alpinismo, deltaplano, pesca, piscine, escursioni guidate e parco giochi. Sala riunioni. Cambio biancheria ogni 4 giorni, sala TV e lettura, riscaldamento.

CUPELLO

loc. Fossatillo • 67012 CAGNANO AMITERNO
☎ e fax 0862978820

● F 3

Posizione geografica: montagna, nel parco del Gran Sasso.
Periodo di apertura: tutto l'anno.
Associato a: Terranostra.
Presentazione: allevamento di bovini ed ovini. Offre ospitalità in 6 camere con bagno per un totale di 21 posti letto.
Ristorazione: H/B, F/B. Strengozze ai funghi porcini o al tartufo, selvaggina, castrato e pollame tutto biologico.
Prodotti aziendali: confetture, farine, latticini.
Luoghi di interesse e manifestazioni locali: parco nazionale del Gran Sasso, scavi archeologici di Amiternum, L'Aquila con 99 chiese e 99 fontane, lago di Campotosto. Sagra del cinghiale la prima decade di agosto, sagra del fungo e festa del parco la prima settimana di settembre, varie feste popolari.
Prezzi: pasto da £ 20.000 a 50.000, OR da £ 30.000 a 40.000, H/B da £ 50.000 a 60.000, F/B da £ 55.000 a 75.000. Sconto 20 % per

gruppi di minimo 10 persone, 40% per bambini fino a 6 anni.

Note: osservazione animali domestici per bambini. Tiro con l'arco, giochi all'aria aperta, trekking e passeggiate, mountain bike. Raccolta di castagne, funghi e frutti di bosco. Biancheria, pulizia, riassetto, riscaldamento, telefono in comune, prima colazione e posto macchina.

CASALE ANTONACCI

fraz. Cascina • 67012 CAGNANO AMITERNO
☎ e fax 0862978708

● **L 6**

Posizione geografica: montagna.
Periodo di apertura: tutto l'anno.
Associato a: Turismo Verde.

Presentazione: azienda di 60 ettari a seminativo e cereali, e allevamento di animali. Offre ospitalità in 5 camere con servizi per un totale di 12 posti letto.
Prodotti aziendali: formaggio pecorino e pane.
Luoghi di interesse e manifestazioni locali: parco nazionale del Gran Sasso, scavi archeologici di Amiternum, L'Aquila. Sagre e feste nel periodo estivo.
Prezzi: B&B a £ 30.000, H/B a £ 50.000, F/B a £ 65.000. Gratis per bambini fino a 3 anni.
Note: sala lettura e TV. Parco giochi. Osservazione naturalistica, trekking e passeggiate, escursioni a cavallo. Possibilità di praticare tennis, mountain bike, sci di fondo, caccia e pesca nelle vicinanze. Cambio biancheria ogni 4 giorni.

IL SENTIERO DELLE VOLPI

via Castelvecchio, 1 • 67020 CALASCIO
☎ 0862930104

● **G 6**

Posizione geografica: montagna (1.200 m).
Periodo di apertura: da aprile a ottobre.
Associato a: Turismo Verde.
Presentazione: azienda di 11 ettari, situata nell'area protetta del parco nazionale del Gran Sasso, con produzione di olivi e ortaggi. Accoglie ospiti in 2 camere doppie con bagno comune.
Ristorazione: ristorante con 24 coperti aperto al pubblico su prenotazione. Cucina preparata con i prodotti aziendali, piatti tipici, sagne e patate, quadrucci e lenticchie.
Prodotti aziendali: lenticchie, patate, fagioli, olio extravergine d'oliva.
Prezzi: B&B da £ 25.000 a 30.000, H/B da £ 40.000 a 50.000, F/B da £ 55.000 a 65.000. Pasto a £ 30.000.
Note: possibilità di trekking e passeggiate naturalistiche. Nelle vicinanze equitazione, tennis, bocce, mountain bike, località sciistiche e parco giochi. Telefono, sala TV e riscaldamento. Cambio biancheria bisettimanale.

CASALE MANCINELLI

67014 CAPITIGNANO ☎ 0862902259

● **F 3**

Posizione geografica: montagna.
Periodo di apertura: da giugno a settembre. Chiuso nel periodo invernale, i restanti mesi solo fine settimana.
Associato a: Turismo Verde.

Presentazione: tipica fattoria ideale per soggiorni di relax, si pratica zootecnia e agricoltura cerealicola. Accoglie ospiti in 3 camere per un totale di 10 posti letto.
Ristorazione: H/B e F/B. Ristorante con 25 coperti. Carne alla brace, pasta e pane fatti in casa, fagioli, verdure e farro di produzione propria.
Prodotti aziendali: farina, fagioli, farro e ortaggi.
Luoghi di interesse e manifestazioni locali: lago di Campotosto, Gran Sasso, monti della Laga. Feste patronali.
Prezzi: B&B a £ 30.000. Pasto da £ 20.000 a 30.000.
Note: soggiorno minimo 3 giorni. Trekking. Raccolta di castagne. Biancheria, pulizia, riscaldamento.

LA CANESTRA

loc. Aglioni • 67014 CAPITIGNANO ☎ 0862901243

● **F 3**

Posizione geografica: montagna (1.000 m).
Periodo di apertura: tutto l'anno.
Associato a: Turismo Verde.
Presentazione: azienda di 10 ettari in cui si coltivano cereali, ortaggi, seminativi e si pratica la forestazione produttiva. Accoglie ospiti in 1 camera doppia con bagno, 1 camera tripla con bagno, 1 camera quadrupla con bagno (accessibile agli handicappati), 2 camere di cui 1 doppia e 1 tripla con bagno in comune.
Ristorazione: ristorante con 30 coperti aperto al pubblico su prenotazione. Antipasti misti della casa e per vegetariani, ravioli con ricotta e nocciole, tonnarelli alle mandorle e pinoli, polenta di farro, stringozzi, risotto di farro con fagioli, pasta e ceci, arrosti misti, timo vulgaris.
Prodotti aziendali: fagioli, ceci, farro, patate, polenta di farro e di mais, sottoli, marmellata ai frutti di bosco e miele.
Luoghi di interesse e manifestazioni locali: lago di Campotosto, Gran Sasso, monti della Laga. Festa di San Giovanni con fuochi, danze e poesie, festa culturale e gastronomica nel periodo estivo, musica popolare, "Poeti Abbraccio".

Prezzi: B&B a £ 35.000, H/B a £ 60.000, F/B a £ 80.000. Pasto da £ 25.000 a 30.000. Gratis per bambini fino a 3 anni, sconto del 30% da 3 a 6 anni. Riduzione del 10% per gruppi di oltre 10 persone.
Note: sala riunioni disponibile. Osservazione naturalistica. Giardino botanico, maneggio con asini. Nelle vicinanze maneggio, mountain bike, alpinismo, volo libero, parapendio, deltaplano, pesca, escursioni guidate, windsurf e canoa. Cambio biancheria ogni quattro giorni, telefono e riscaldamento.

CASA SOLE

c.da Colananni • 67024 CASTELVECCHIO SUBEQUO
☎ 0864797206

● H 6

Posizione geografica: montagna (1.000 m).
Periodo di apertura: tutto l'anno.
Associato a: Turismo Verde.
Presentazione: azienda di 25 ettari con coltivazione di cereali e allevamenti. Accoglie ospiti in 3 camere doppie con bagno.
Ristorazione: solo per alloggiati, dispone di 12 coperti. Zuppe di cereali e legumi, pasta alla chitarra, piatti tipici al tartufo nero della Valle Subequana, grigliate miste.
Prodotti aziendali: legumi, cereali, ortaggi e carni.
Luoghi di interesse e manifestazioni locali: località sciistiche.
Prezzi: OR da £ 25.000 a 30.000, B&B da £ 30.000 a 35.000, H/B da £ 45.000 a 55.000, F/B da £ 60.000 a 70.000. Gratis per bambini fino a 3 anni, sconto del 30% da 3 a 6 anni.
Note: si parlano inglese e francese. Sala riunioni. Corsi di botanica, riconoscimento e utilizzo delle erbe officinali nella gastronomia. Osservazione naturalistica.
Nelle vicinanze maneggio, tennis, percorsi per mountain bike, alpinismo, volo libero, parapendio, deltaplano, escursioni guidate e canoa. Riscaldamento autonomo, uso cucina e cambio biancheria ogni tre giorni.

MONTORSELLI

loc. Ranaglie • 67010 CESAPROBA ☎ 0862901848-0862908319

● F 3

Posizione geografica: montagna (1.050 m).
Periodo di apertura: tutto l'anno.
Associato a: Terranostra e Turismo Verde.
Presentazione: edificio recentemente ristrutturato in azienda in cui si pratica l'agricoltura biologica di orzo monno, farro, ortaggi e legumi e si allevano capre, cavalli, suini e polli. Accoglie ospiti in camere per un totale di 10 posti letto.
Ristorazione: ristorante aperto al pubblico su prenotazione. Tagliatelle, crepes, gnocchi, funghi porcini e tartufi.
Prodotti aziendali: farro, orzo monno, grano saraceno, ortaggi e legumi.
Luoghi di interesse e manifestazioni locali: Roma, L'Aquila, Ascoli Piceno, Perugia, località balneari, Gran Sasso, Terminillo, lago di Campotosto.
Prezzi: B&B a £ 30.000, F/B a £ 60.000.
Note: trekking a cavallo e in mountain bike. Nella zona si svolgono gare nazionali di orienteering.

LE ACACIE

via Della Fonte • 67050 CORCUMELLO
☎ 086354490 cell. 03479243189

● L 3

Posizione geografica: montagna.
Periodo di apertura: tutto l'anno su prenotazione.
Presentazione: l'edificio è una vecchia stalla restaurata, tutta in pietra. Si coltivano ortaggi vari, legumi, patate e cereali e

si allevano conigli, maiali, pecore e agnelli. Offre alloggio per 6 persone.
Ristorazione: H/B, F/B. Dispone di 30 coperti.
Luoghi di interesse e manifestazioni locali: Tagliacozzo (città d'arte), parco regionale Velino Sirente a 10 km, parco nazionale d'Abruzzo a 50 km, piste da sci Camporotondo e Marzia a 20 km.
Prezzi: OR a £ 35.000, H/B a £ 50.000, F/B a £ 65.000.
Note: passeggiate a piedi e a cavallo.

LA CASA ROSA

loc. Colle Verrico • 67015 MONTEREALE ☎ 0862902339

● F 3

Posizione geografica: montagna (1.190 m).
Periodo di apertura: tutto l'anno.
Associato a: Turismo Verde.
Presentazione: azienda di circa 37 ettari adibiti a frutticoltura, orticoltura, seminativi e cereali. Accoglie ospiti in 3 camere doppie con bagno.
Ristorazione: ristorante con 35 coperti aperto al pubblico su prenotazione. Antipasto di affettati della casa, bruschette, fettuccine ai porcini, farro con fagioli, minestra di ceci e castagne, fasarelli e lenta, polenta, carne alla brace e formaggi.
Prodotti aziendali: marmellata, castagne, fagioli, dolci, funghi, legumi, farina da polenta, conigli, polli e mele.
Prezzi: B&B a £ 35.000, H/B a £ 55.000, F/B a £ 75.000. Gratis per bambini fino a 3 anni, sconto del 50% da 3 a 6 anni, del 30% da 6 a 12 anni, del 20% per letto aggiunto.
Note: passeggiate e osservazione naturalistica. Cambio biancheria ogni 3 giorni.

JOVANA

c.da Jovana • 67038 SCANNO ☎ 086474657

● M 6

Posizione geografica: montagna (1.262 m).
Periodo di apertura: tutto l'anno.
Associato a: Turismo Verde.
Presentazione: azienda di 20 ettari che produce cerea-

li, ortaggi, seminativi e alleva animali. Accoglie ospiti in 5 camere, di cui 3 con bagno, per un totale di 11 posti letto.
Ristorazione: ristorante con 50 coperti aperto al pubblico su prenotazione. Gnocchetti di patate alle verdure, fettuccine alla pecorara, pasta alla chitarra, stracciatella e verdure, sagne e fagioli, quadretti e lenticchie, pasta e ricotta.
Prodotti aziendali: formaggio pecorino, ricotta, uova, conigli, fagioli, patate e ortaggi.
Prezzi: B&B a £ 30.000, H/B da £ 50.000 a 55.000, F/B da £ 60.000 a 65.000. Pasto a £ 25.000. Gratis per bambini fino a 3 anni, sconto del 50% da 3 a 6 anni.
Note: maneggio, trekking e osservazione naturalistica. Corsi di tombolo e di disegno dei costumi di Scanno. Nelle vicinanze tennis, mountain bike, sci, alpinismo, pesca, canoa e parco giochi. Sala riunioni. Cambio biancheria ogni 4 giorni, telefono e riscaldamento.

LE PRATA

loc. Le Prata • 67038 SCANNO ☎ 0864747263

● M 6

Posizione geografica: fiume, montagna, riserva naturale.
Periodo di apertura: da giugno a settembre, tutti i giorni, il resto dell'anno il fine settimana.
Presentazione: tipica costruzione rurale. Offre ospitalità in 4 camere con bagno per un totale di 11 posti letto.
Ristorazione: H/B, F/B. Cucina tipica.
Prodotti aziendali: formaggio, ricotta, uova, marmellate.
Luoghi di interesse e manifestazioni locali: lago di Scanno, parco nazionale d'Abruzzo. Feste popolari in genere.
Prezzi: pasto da £ 25.000 a 30.000. B&B £ 30.000 a persona. Sconto 40% per bambini da 3 a 6 anni, 20% fino ai 10 anni.
Note: raccolta di frutti di bosco, funghi e orapi. Equitazione, trekking e passeggiate. Biancheria, prima colazione, riscaldamento.

BELLAVISTA

via Belvedere, 12 • 67013 CAMPOTOSTO ☎ 0862900128

 L 7

Posizione geografica: montagna (1.450 m).
Periodo di apertura: tutto l'anno.
Associato a: Turismo Verde.
Presentazione: azienda di 70 ettari, situata all'interno del parco naturale del Gran Sasso, con coltivazioni di cereali e seminativi e allevamenti di animali. Accoglie ospiti in 3 camere doppie e in 1 bilocale a 4 posti letto, bagno comune.
Prodotti aziendali: formaggio pecorino e frutti di bosco.
Luoghi di interesse e manifestazioni locali: località sciistiche.
Prezzi: OR a £ 25.000. Appartamento a £ 100.000 al giorno. Gratis per bambini fino a 3 anni.
Note: pista di fondo e mountain bike. Possibilità di passeggiate naturalistiche e osservazione ambientale. Pensione per cavalli. Nelle vicinanze tennis, caccia, pesca, noleggio imbarcazioni, windsurf, canoa, parco giochi e calcetto. Cambio biancheria ogni tre giorni, sala lettura.

AGRIPARK

loc. Renaro • 67030 CANSANO
☎ 0863412657 cell. 03687506831

L 7

Posizione geografica: montagna (870 m).
Periodo di apertura: da giugno a settembre.
Presentazione: azienda di 4 ettari adibiti a frutteto, offre ospitalità in 6 camere arredate con servizi per un totale di 18 posti letto.
Ristorazione: possibilità di pranzare e cenare in ristoranti tipici e agriturismo convenzionati con l'azienda.
Prodotti aziendali: frutti di bosco, frutta.
Luoghi di interesse e manifestazioni locali: itinerari ecologici nel parco Maiella e alla riserva naturale "Bosco di Sant'Antonio", area archeologica "Mansio Jovis Larene", itinerari culturali alle città d'arte di Sulmona e Pescocostanzo, eremi e abbazie.
Prezzi: B&B da £ 30.000 a 50.000, sono previsti sconti alle famiglie con bambini.
Note: ampi spazi di relax attrezzati all'aperto. Tiro con l'arco, mountain bike. Piscina nelle vicinanze. Si organizzano escursioni e visite guidate. Parcheggio auto.

IL FORTINO

fraz. Forca di Penne • 67022 CAPESTRANO
☎ 085986636 - 03474518414

 G 6

Posizione geografica: montagna.
Periodo di apertura: dal 20 marzo al 20 ottobre e dal 20 dicembre al 20 gennaio.
Associato a: Turismo Verde.
Presentazione: azienda di 157 ettari con coltivazioni di cereali, ortaggi, seminativo e allevamento. Offre ospitalità in 7 camere con bagno per un totale di 15 posti letto.
Luoghi di interesse e manifestazioni locali: parco nazionale Gran Sasso-Laga.
Prezzi: B&B da £ 40.000 a 45.000, H/B da £ 65.000 a 70.000, F/B da £ 90.000 a 95.000. Gratis per bambini fino a 2 anni e sconto del 20% da 3 a 6 anni.
Note: trekking e passeggiate, osservazione naturalistica, percorso salute e noleggio biciclette. Nelle vicinanze si possono praticare mountain bike, sci di fondo, parapendio, deltaplano e sono disponibili parco giochi e piscina. Corsi di ricamo. Sala lettura e sala TV. Lavanderia, cambio biancheria settimanale.

L'APE E L'ORSO

fraz. Terre dell'Orso • 67030 VILLETTA BARREA
☎ 0864890129 fax 086489252

 M 6

Posizione geografica: montagna (1.100 m).
Periodo di apertura: tutto l'anno.
Associato a: Turismo Verde.
Presentazione: azienda di 3 ettari a seminativo e allevamento di api. Offre ospitalità in 6 appartamenti, con riscaldamento autonomo, per un totale di 17 posti letto e in agricampeggio.
Prodotti aziendali: miele, polline, pappa reale, propoli, biscotti al miele, idromele, liquori e caramelle al miele.
Luoghi di interesse e manifestazioni locali: parco nazionale d'Abruzzo.
Prezzi: OR da £ 30.000 a 35.000, piazzola da £ 5.000 a 10.000. Affitto giornaliero dell'appartamento da £ 60.000 a 130.000. Gratis per bambini fino a 3 anni.
Note: escursioni a cavallo, tiro con l'arco, noleggio di canoe e mountain bike, animazione per adulti e bambini, trekking e passeggiate, osservazione naturalistica. Corsi di apicoltura. Nelle vicinanze possibilità di praticare tennis, sci, alpinismo, parapendio, deltaplano, pesca. A disposizione nelle vicinanze pulmino per escursioni guidate e parco giochi. Sala riunioni. Biancheria.

Chieti

L'ANTICO TRATTURO

via Piana Della Masseria • 66010 FARA F. PETRI
☎ 087170107

 ● H 8

Posizione geografica: collina.
Periodo di apertura: tutto l'anno.
Presentazione: casale in pietra in azienda cerealicola di 10 ettari con produzione di farina attraverso un vecchio mulino in pietra. Uliveto, vigneto e apicoltura, allevamento di animali di bassa corte. Offre ospitalità in 5 camere con bagno privato per un totale di 10 posti letto.
Ristorazione: cucina tipica del luogo.
Prodotti aziendali: pane, pasta (derivati dalla farina), miele, olio, vino.
Luoghi di interesse e manifestazioni locali: parco nazionale della Maiella. Farchie, San Rocco, San Urbano, Le Verginelle.
Prezzi: H/B da £ 60.000 a 65.000.
Note: escursioni a cavallo, tiro con l'arco. Partecipazione alla vendemmia, alla mietitura. Cambio biancheria 2 volte alla settimana. Si accettano animali.

LA PESCHIERA

via Piantonato, 23 • 66024 FOSSACESIA ☎ 087260457

 ● H 10

Posizione geografica: collina, mare.
Periodo di apertura: da giugno a settembre, i restanti mesi dal mercoledì alla domenica, solo su prenotazione.
Associato a: Terranostra.
Presentazione: costruzione rurale su 1 ettaro di terreno adibito a uliveto, frutteto, coltivazione di ortaggi e cereali. Accoglie ospiti in 4 camere con bagno per un totale di 8 posti letto.
Ristorazione: H/B. Ristorante con 40 coperti. Rintrocelo con sugo di papera.
Prodotti aziendali: confetture, dolci, frutta, olio, ortaggi, pollame e vino.
Luoghi di interesse e manifestazioni locali: abbazia di San Giovanni in Venere, castello ducale di Crecchio e di Rocca Scalegna. Sagre paesane.
Prezzi: da £ 60.000 a 70.000. Pasto a £ 25.000.
Note: osservazione ambientale, parco giochi, danza sportiva, pesca sportiva. Raccolta di asparagi. Soggiorno minimo 1 settimana. Sala riunioni. Biancheria, riscaldamento, posto macchina, sala comune. Animali accolti previo accordo.

LA VECCHIA CASETTA

fraz. Rione Fonticelli • 66010 MONTENERODOMO
☎ 0872960154

 ● L 7

Posizione geografica: montagna (1.160 m).
Periodo di apertura: tutto l'anno.
Associato a: Turismo Verde.
Presentazione: azienda di 110 ettari con coltivazione di alberi da frutto, cereali, ortaggi, seminativi e allevamento di animali. Offre ospitalità in 2 camere doppie con bagno in comune e in un appartamento di 4 posti letto.

Ristorazione: 20 coperti. Tiarelle e fagioli, sagne con fagioli e cotiche, pasta e lenticchie, minestra di fave e ceci, minestra di fagioli e patate, gnocchi e polenta, polenta di farina di grano tenero, patate al coppo, agnello arrosto.
Prodotti aziendali: insaccati, prosciutti, carni rosse e bianche, formaggio bovino, mozzarelle, caciocavallo, legumi, cereali minori.
Luoghi di interesse e manifestazioni locali: parco nazionale Maiella-Morrone.
Prezzi: pasto a £ 30.000. B&B da £ 25.000 a 35.000, H/B da £ 50.000 a 55.000, F/B da £ 65.000 a 70.000. Affitto giornaliero per appartamento da £ 60.000 a 100.000. Gratis per bambini fino a 3 anni e sconto del 30% da 3 a 7 anni. Sconto del 10% per gruppi con oltre 10 persone.
Note: trekking e passeggiate, osservazione naturalistica, escursioni a cavallo, noleggio biciclette e mountain bike. Nelle vicinanze possibilità di praticare sci, alpinismo, parapendio, deltaplano, pesca, escursioni guidate e disponibilità di piscina per bambini e adulti. Raccolta di funghi. Sala lettura e TV. Riscaldamento autonomo. Lavanderia, cambio biancheria trisettimanale.

IL MULINO

fraz. Schiera, 1 • 66010 MONTENERODOMO ☎ 0872969729

 ● L 7

Posizione geografica: montagna (900 m).
Periodo di apertura: tutto l'anno.
Associato a: Turismo Verde.
Presentazione: azienda di 45 ettari con coltivazioni di cereali, ortaggi e seminativo. Allevamento di animali. Offre ospitalità in 3 camere, con un servizio comune e riscaldamento autonomo, per un totale di 6 posti letto.
Ristorazione: 30 coperti. Gnocchi di patate, maccheroni alla chitarra, pasta e fagioli, ravioli di ricotta, agnello arrosto, pollo al forno.
Prodotti aziendali: salumi, prosciutti, formaggi, patate.
Luoghi di interesse e manifestazioni locali: mare (40 km), lago e fiume (15 km).
Prezzi: OR a £ 40.000, H/B a £ 55.000, F/B a £ 65.000.
Note: trekking e passeggiate, osservazione naturalistica. Nelle vicinanze possibilità di praticare escursioni a cavallo, mountain bike, pesca, escursioni guidate. Cambio biancheria bisettimanale.

BIOAGRITURISTICA AGRIVERDE

via Monte Maiella, 118 - fraz. Caldari • 66020 ORTONA
☎ 0859032101 fax 0859031089
E.mail: info@agriverde.it
http: www.agriverde.it

 ● L 7

Posizione geografica: collina (230 m).
Periodo di apertura: tutto l'anno.
Associato a: Turismo Verde.
Presentazione: complesso situato in un piccolo centro abitato immerso tra vigneti e uliveti coltivati biologicamente. L'azienda

è composta da 2 differenti corpi ed i padiglioni di supporto fanno corona al casale centrale, restaurato secondo i canoni dell'architettura locale ottocentesca. Offre ospitalità in camere doppie, triple, quadruple con bagno privato e climatizzatore.

Ristorazione: 50 coperti. Pappardelle al cinghiale, sagne e fagioli, formaggio di capra alle erbe aromatiche, 'pizz e fuie', vini Montepulciano Cerasuolo e Trebbiano d'Abruzzo.
Prodotti aziendali: vini D.O.C., olio, patè, crema di carciofi, paste alimentari speciali, aceto di mele, conserve, sottoli.
Luoghi di interesse e manifestazioni locali: mare (5 km).
Prezzi: B&B a £ 60.000, H/B a £ 95.000, F/B a £ 130.000. Culla a £ 15.000 al giorno; animali a £ 5.000 al giorno. Riduzione 3° letto bambini da 3 a 6 anni del 30%. Il pernottamento e la prima colazione non sono effettuabili dal 7 gennaio al 9 aprile.
Note: trekking e passeggiate, piscina, noleggio mountain bike. Nelle vicinanze maneggio, escursioni a cavallo, tennis, bocce, windsurf, vela, golf. Corsi di degustazione vini e olio, alimentazione e cucina naturale, panificazione, saponificazione e ricamo. Attività culturali quali agricoltura biologica, botanica ed erbe officinali, partecipazione ai lavori agricoli. Osservazione naturalistica. Animazione per bambini e parco giochi. Sala lettura e sala TV. Cambio biancheria bisettimanale. Si accolgono animali di piccola taglia.

"L'ULIVETO"

via Limiti di Sotto, 38 • 66010 PALOMBARO
☎ e fax 0871895201

H 9

Posizione geografica: collina, ai confini col parco nazionale della Maiella.
Periodo di apertura: tutto l'anno, novembre solo su prenotazione.
Associato a: Turismo Verde.

Presentazione: azienda di circa 10 ettari, coltivati a cereali, vigneto e oliveto. Allevamento di bovini, suini e animali di bassa corte. Offre ospitalità in 6 camere con bagno per un totale di 12 posti letto.
Ristorazione: H/B, F/B. Ristorante aperto al pubblico con 50 coperti. Pappardelle alla limitese, timballo vegetale della Maiella, sagne e fagioli, cordoncini alla vaccara, coniglio sotto la coppa, agnello arrosto.
Prodotti aziendali: formaggi, olio extravergine di oliva, salumi, uova.
Luoghi di interesse e manifestazioni locali: parco della Maiella, lago di Casoli, oasi WWF di Lanciano, base per escursioni, Juvanum. Rappresentazioni di San Domenico, festa della trebbiatura a Casoli, festa patronale ecc.
Prezzi: B&B da £ 35.000 a 40.000, H/B da £ 60.000 a 65.000. Bambini fino a 3 anni gratis, da 3 a 6 anni sconto del 50%, da 6 a 8 anni sconto del 20%.
Note: accessibile agli handicappati. Giochi del calcetto, pingpong. Prato per prendere il sole, solarium. Mountain bike, pallavolo, trekking, tennis e piscina nelle vicinanze, giochi all'aria aperta. Possibilità di partecipare ai lavori in campagna, alla caseificazione, ai corsi di apicoltura. Biancheria, telefono in comune, riscaldamento, uso frigorifero, sala televisione, posto macchina.

IL NESPOLO

c.da Capriglia, 24 • 66040 ROCCASCALEGNA
☎ e fax 0872987439

I 11

Posizione geografica: collina.
Periodo di apertura: tutto l'anno.
Associato a: Terranostra.
Presentazione: 2 fabbricati rurali di recente ristrutturazione, il primo destinato all'alloggio, il secondo quale punto di ristoro. L'azienda è di circa 9 ettari di terreno coltivato a cereali, oliveto, foraggere, ortaggi. Allevamento di suini e animali bassa corte. Offre ospitalità in 1 appartamento completamente arredato con 2 camere da letto, bagno, cucina, salotto, TV e in un miniappartamento con bagno.
Ristorazione: H/B, F/B. 30 coperti (su prenotazione). Cucina locale, antipasti di verdura alle erbe, pane alle noci, alle olive, al rosmarino.
Prodotti aziendali: confetture, dolci, erbe, farine, frutta, latticini, miele, olio, ortaggi, pollame, salumi, uova.
Luoghi di interesse e manifestazioni locali: castello medioevale di Roccascalegna, Juvanum, grotta del Cavallone, oasi di Serranella, lago di Bomba. Festa dei Santi Cosma e Damiano a settembre, sagre e feste patronali nei comuni vicini a luglio e agosto.
Prezzi: pasto da £ 20.000 a 40.000. Alloggio fino a £ 30.000. Sconto 10% la seconda settimana di soggiorno.
Note: solo su prenotazione, gruppo di minimo 4 persone. Prato per prendere il sole. Corsi di cucina, panificazione, dolci, intreccio di vimini.
Raccolta di asparagi, funghi, more, erbe locali, giochi all'aria aperta. Biancheria, uso cucina, uso frigorifero, riscaldamento, sala comune, posto macchina. Animali accolti previo accordo.

IL GELSO

loc. Capriglia, 83/84 • 66040 ROCCASCALEGNA
☎ 0872987207-0872987526 cell. 03396360187

I 11

Posizione geografica: collina, fiume.
Periodo di apertura: tutto l'anno (escluso novembre), solo su prenotazione.
Presentazione: l'azienda, nella cornice della verde vallata del Sangro, si affaccia sullo splendido panorama del fiume e dei monti circostanti. Nella fattoria si allevano animali e si coltiva un orto. Accoglie ospiti in 3 camere, con bagno comune, per un totale di 8/10 posti letto.
Ristorazione: ristorante con 18 coperti, cucina tradizionale e genuina.
Prodotti aziendali: olio, vino, pane, dolci, conserve, formaggi e ricotte.
Luoghi di interesse e manifestazioni locali: castello medioevale di Roccascalegna, parchi naturali d'Abruzzo, oasi e riserve di caccia, abbazia di San Pancrazio, sagre paesane, miracolo eucaristico di Lanciano, serate folkloristiche in azienda.
Prezzi: B&B a £ 30.000, H/B a £ 50.000, F/B a £ 65.000.
Note: nelle vicinanze pesca, tennis e piscina. Per le scolaresche si organizzano interessanti percorsi didattici. Cambio biancheria, pulizia, telefono comune, posto macchina, riscaldamento, angolo cottura comune. Si accolgono animali previo accordo.

FATTORIA DELL'ULIVETO

loc. Ragna • 66022 SCERNI ☏ 0873914173-0873365677

● I 10

Posizione geografica: collina, mare.
Periodo di apertura: da febbraio a dicembre, solo su prenotazione.
Associato a: Turismo Verde.
Presentazione: costruzione rurale su 8 ettari con coltivazione ortofrutticola, vitivinicola e olivicola. Accoglie ospiti in 4 camere con bagno per un totale di 10/12 posti letto.
Ristorazione: H/B. Ristorante con 30 coperti. Cucina tipica contadina.
Prodotti aziendali: vino, olio, sottoli, pollame e uova.
Luoghi di interesse e manifestazioni locali: luoghi di interesse storico e archeologico, parco nazionale. Sagre e feste popolari.
Prezzi: da £ 30.000 a 50.000. Pasto da £ 20.000 a 35.000. Riduzione del 10% per bambini fino a 10 anni e per letto aggiunto.
Note: soggiorno minimo di 3 giorni, 15 in luglio e 6 in agosto. Prato per prendere il sole.
Corsi di agricoltura biologica, gastronomia, liquoristica e piante officinali. Raccolta di asparagi ed erbe. Parco, giochi all'aria aperta, piscina e mountain bike. Sala riunioni nei giorni feriali. Riscaldamento, posto macchina. Si accolgono animali

OLIMPO

fraz. Montebello • 66047 VILLA SANTA MARIA
☏ 0872940425-0872968139

● L 7

Posizione geografica: collina (400 m).
Periodo di apertura: tutto l'anno.
Associato a: Turismo Verde.
Presentazione: azienda di 31 ettari adibita a coltivazioni biologiche di olivi, cereali, seminativi e ad allevamento di suini e animali da cortile. Offre ospitalità in 4 camere, di cui 1 con servizi privati e le altre con 2 servizi comuni, e in un appartamento, per un totale di 15 posti letto.
Ristorazione: 30 coperti. Tagliatelle al sugo di gallo, coniglio con olive, specialità della casa, sorbetti alla frutta.
Prodotti aziendali: olio extravergine d'oliva, conserve, marmellate, salumi e miele.
Luoghi di interesse e manifestazioni locali: mare (40 km), lago e fiume (1 km).
Prezzi: pasto a £ 30.000. B&B da £ 30.000 a 40.000, H/B da £ 55.000 a 65.000, F/B da £ 70.000 a 85.000. Affitto settimanale per appartamento da £ 400.000 a 650.000. Gratis per bambini fino a 3 anni. Sconto del 10% per gruppi di almeno 10 persone.
Note: trekking e passeggiate, osservazione naturalistica, tiro con l'arco, piscina, noleggio biciclette e mountain bike. Nelle vicinanze possibilità di praticare tennis, alpinismo, pesca, escursioni a cavallo, windsurf, vela, canoa, sci nautico e a disposizione parco giochi. Corsi di cucina e gastronomia tipica. Sala riunioni. Riscaldamento autonomo. Cambio biancheria bisettimanale.

CASINO DI CAPRAFICO

fraz. Piane di Caprafico • 66016 GUARDIAGRELE
☏ e fax 0871897492

▲ H 8

Posizione geografica: collina (500 m).
Periodo di apertura: tutto l'anno.
Associato a: Turismo Verde.
Presentazione: azienda di 130 ettari con coltivazioni biologiche (certificate AMAB) di olivi, seminativo e cereali. Offre ospitalità in 3 appartamenti, con riscaldamento autonomo, per un totale di 13 posti letto.
Prodotti aziendali: olio extravergine d'oliva, orzo mondo, caffè d'orzo, lenticchie, ceci, farro in chicchi, spezzato di farro, pasta di farro, minestra di cereali.
Luoghi di interesse e manifestazioni locali: mare (30 km), lago e fiume (5 km), parco nazionale della Maiella (5 km).
Prezzi: affitto giornaliero per soggiorni di una settimana per appartamento da £ 90.000 a 150.000. Possibili anche week-end (minimo 2 notti) con aumento del 10%. Spese riscaldamento escluse.
Note: trekking e passeggiate, osservazione naturalistica. Nelle vicinanze possibilità di praticare escursioni a cavallo, mountain bike, parapendio e deltaplano. Per gruppi superiori alle 10 unità si organizzano corsi di alimentazione naturale e di alimentazione tipica tra cui laboratori di panificazione e pastificazione e vari laboratori di degustazione. Biancheria.

IL BOSCO DEGLI ULIVI

c.da Fonte Puteo • 66050 LENTELLA
☏ 0873321116-321642

▲ I 11

Posizione geografica: collina (200 m).
Periodo di apertura: da aprile a settembre, tutti i giorni.
Associato a: Agriturist.
Presentazione: tipiche costruzioni rurali. L'azienda si estende su 50 ettari di terreno coltivato a vigneto, oliveto, mandorleto, cereali, bosco. Offre ospitalità in 2 appartamenti dotati di servizi.
Prodotti aziendali: olio extravergine di oliva, olive in salamoia, sapone all'olio extravergine di oliva, marmellate, salsa di pomodoro.
Luoghi di interesse e manifestazioni locali: San Giovanni in Venere di Fossacesia, teatro sannitico di Pietrabbondante, teatro italico di Schiavi d'Abruzzo. Sagra della porchetta l'ultima domenica di agosto.
Prezzi: alloggio a £ 30.000. Gratis per i bambini fino a 4 anni.
Note: accessibile agli handicappati. Sala comune, raccolta frutti di bosco. Gioco delle bocce e del ping-pong, golf, giochi all'aria aperta, escursioni e visite guidate. Possibilità di praticare giardinaggio, pesca nel fiume a 1 km, tennis. Biancheria, uso cucina, uso frigorifero, telefono in comune. Animali accolti previo accordo.

MAJA

loc. Aia di Rocco • 66040 ROCCASCALEGNA
☏ e fax 0872987315

▲ H 9

Posizione geografica: collina, fiume e lago.
Periodo di apertura: tutto l'anno.
Associato a: Terranostra.
Presentazione: unità abitativa costituita da 3 camere per un tota-

le di 8 posti letto, angolo cottura, soggiorno e 2 bagni.
Prodotti aziendali: olio, salami, vino, pollame, formaggio, miele, uova e latte.
Luoghi di interesse e manifestazioni locali: castello di Roccascalegna, abbazia di San Pancrazio, rovine romane. Festa del patrono in settembre.
Prezzi: da £ 35.000 a 50.000.

Note: osservazione ambientale, giochi all'aria aperta, mountain bike, pesca, passeggiate. Raccolta di asparagi, frutti di bosco e funghi. Prato per prendere il sole. Barbecue a disposizione. Biancheria, uso cucina, prima colazione, riscaldamento e posto macchina.

Pescara

ACQUAVIVA

c.da Acquaviva • 65020 CASTIGLIONE A CASAURIA
☎ e fax 085880786
● G 6

Posizione geografica: collina montagnosa nel parco nazionale del Gran Sasso.
Periodo di apertura: tutto l'anno, chiuso a novembre.
Associato a: Terranostra.
Presentazione: tipica casa rurale ristrutturata in azienda di circa 12 ettari coltivati a vigneto, oliveto. Allevamento ovini. Offre ospitalità in 4 camere con bagno per un totale di 10 posti e in piazzole per 3 caravan.
Ristorazione: H/B, F/B. Ristorante aperto al pubblico. Pasta "impegnata". Cucina vegetariana.
Prodotti aziendali: vino, olio, succhi, uova, formaggio.
Luoghi di interesse e manifestazioni locali: aree archeologiche, taverna ducale, aree protette nel parco nazionale. Festa del moscato.
Prezzi: pasto da £ 20.000 a 50.000. Alloggio da £ 25.000 a 35.000. Riduzione del 10% per i bambini sotto gli 8 anni.
Note: prenotazione obbligatoria di minimo 3 giorni. Pesca, giochi all'aria aperta. Riscaldamento, parcheggio. Raccolta di asparagi. Possibilità di partecipare all'attività di coltivazione biodinamica dell'azienda.

LA BIGATTIERA

c.da San Pietro • 65015 CITTÀ SANT'ANGELO
☎ e fax 08596796 ☎ 08596672
● F 8

Posizione geografica: collina.
Periodo di apertura: da maggio a settembre, a Pasqua e a Natale.
Associato a: Terranostra.
Presentazione: antico casolare che gode di un'eccellente vista panoramica, in azienda di 11 ettari coltivati a vite, olivo e seminativi. Allevamento di animali di bassa corte. Accoglie ospiti in 4 camere per un totale di 11 posti letto.
Ristorazione: ristorante con 20/25 coperti aperto al pubblico su prenotazione. Piatti tipici, fa-

gottini di crepes, carrati della tresca, faraona e capretto al forno.
Prodotti aziendali: vino, olio e frutta di stagione.
Luoghi di interesse e manifestazioni locali: oasi del WWF di Penne, parchi nazionali, località balneari, siti d'importanza storica e archeologica. Numerose sagre paesane nel periodo estivo.
Prezzi: OR a £ 20.000, B&B a £ 25.000, H/B da £ 45.000 a 50.000, F/B da £ 55.000 a 60.000. Riduzione del 30% per bambini con meno di 4 anni.
Note: ping-pong, tennis, calcetto. Pulizie quotidiane e cambio biancheria settimanale. Si accolgono animali.

L'APE REGINA

c.da Pretara • 65020 CORVARA
☎ e fax 0858889351 cell. 03393251180
● G 6

Posizione geografica: montagna.
Periodo di apertura: da maggio a settembre.
Associato a: Turismo Verde.
Presentazione: tipica costruzione rurale che si estende su 3 ettari coltivati a frutteto, orto, bosco. Allevamento di polli e suini.
Offre ospitalità in 2 camere con bagno per un totale di 6 posti letto.
Ristorazione: H/B. Ristorante aperto al pubblico con 20 coperti su prenotazione. Ravioli, chitarra, pasta e fagioli, spezzatino, papera, pollo, coniglio, agnello alla brace.
Prodotti aziendali: confetture, miele, uova, pollami, salumi.
Luoghi di interesse e manifestazioni locali: Gran Sasso, Maiella, oasi di Penne, sorgenti di Pescara, vari musei. Sagra arrosticini in agosto, varie feste patronali.
Prezzi: pasto da £ 20.000 a 40.000. H/B da £ 60.000 a 70.000. Riduzioni del 40% per i bambini fino ai 6 anni, 5% per la seconda settimana.
Note: solo su prenotazione. Prato per prendere il sole. Giochi all'aria aperta, trekking e passeggiate. Raccolta di frutti di bosco, funghi. Osservazione ambientale. Biancheria, uso frigorifero, riscaldamento, posto macchina.

LA LINDERA

strada per Forca di Penna • 65020 CORVARA
☎ 0858885859
● G 6

Posizione geografica: collina (420 m).
Periodo di apertura: tutto l'anno.
Associato a: Turismo Verde.
Presentazione: azienda di circa 7 ettari che produce olive, cereali, ortaggi e seminativi e alleva animali. Accoglie

ospiti in 1 appartamento con 5 posti letto.
Ristorazione: ristorante con 35 coperti aperto al pubblico su prenotazione. Antipasto all'abruzzese, sagne e ceci, ravioli in salsa "sisimbir", pappardelle al sugo di papera, gnocchi di patate, trippa, vino Montepulciano e Trebbiano d'Abruzzo.
Prezzi: appartamento da £ 90.000 a 110.000 al giorno. Pasto a £ 30.000.
Note: parco giochi. Nelle vicinanze maneggio, osservazione naturalistica, mountain bike, sci, parapendio, deltaplano e trekking. Biancheria, lavanderia e riscaldamento.

LA CASINA ROSA

loc. C. da Sgariglia • 65014 LORETO APRUTINO
☎ 085387311

● F 7

Posizione geografica: collina, fiume.
Periodo di apertura: tutto l'anno.
Associato a: Terranostra, Turismo Verde.
Presentazione: tipico casale abruzzese recentemente ristrutturato, arredato con mobili d'epoca. L'azienda si estende su una masseria di 54 ettari. Offre ospitalità in 4 camere con bagno per un totale di 12 posti letto.
Ristorazione: H/B, F/B. Ristorante aperto al pubblico con 50 coperti. Cucina tradizionale rivisitata con un pizzico di fantasia.
Prodotti aziendali: confetture, dolci, farine, latticini, olio, pollame, salumi, uova, sottoli, preparazioni a base di frutta.
Luoghi di interesse e manifestazioni locali: oasi naturale del lago di Penne, borghi di Loreto Aprutino e Penne, passeggiate in montagna. Festa San Zopito la domenica di Pentecoste.
Prezzi: pasto da £ 25.000 a 45.000. Alloggio da £ 30.000 a 50.000. Sconti per bambini fino ai 10 anni e per terzo letto aggiunto.
Note: accessibile agli handicappati. Prato per prendere il sole, sala riunioni. Raccolta di asparagi, more, noci. Baby sitting per bambini. Possibilità di partecipare alle attività aziendali come la raccolta delle olive, la trebbiatura, la festa del maiale, la vendemmia. Possibilità di praticare pesca, escursioni e visite guidate, trekking e passeggiate a piedi e a cavallo, parapendio, mountain bike. Biancheria, pulizia, riassetto, telefono in comune, riscaldamento, sala comune. Animali accolti previo accordo.

LE MAGNOLIE

c.da Fiorano, 83 • 65014 LORETO APRUTINO
☎ e fax 0858289534
E-mail:lemagnolie@tin.it

● F 7

Posizione geografica: collina (300 m).
Periodo di apertura: da marzo al 10 gennaio.
Associato a: Turismo Verde.
Presentazione: azienda di 26 ettari che pratica olivicoltura, frutticoltura, produzione di ortaggi e cereali con metodo biologico. Allevamento di animali di bassa corte. Accoglie ospiti in 6 camere e 3 miniappartamenti per un totale di 30 posti letto.
Ristorazione: H/B e F/B. Ristorante con 50 coperti, su prenotazione. Cibi genuini della tradizione gastronomica abruzzese, pasta e ceci, verdure dell'orto, pollo arrosto, coniglio, papera muta al sugo, pasta fatta in casa.
Prodotti aziendali: olio extravergine d'oliva biologico.
Luoghi di interesse e manifestazioni locali: Loreto Aprutino, museo Acerbo delle ceramiche abruzzesi, Penne, Pescara, Picciano, Atri, Chieti, parco nazionale del Gran Sasso.
Prezzi: B&B a £ 45.000, H/B a £ 70.000.
Note: soggiorno minimo 2 giorni, prenotazione con 60 giorni d'anticipo. Ping-pong, mountain bike, pesca nel laghetto azien-

dale, trekking. Osservazione degli animali, corsi di assaggio olio e vino per gruppi. Sala convegni con 50 posti. Uso cucina, sala TV, biancheria.

COLLATUCCIO

c.da Collatuccio, 3 • 65014 LORETO APRUTINO
☎ 085375163-0858210737 fax 0854283286

● F 7

Posizione geografica: collina.
Periodo di apertura: tutto l'anno, nei mesi autunnali e invernali solo su prenotazione.
Associato a: Turismo Verde.
Presentazione: tra i famosi uliveti di Loreto Aprutino, su dolci colline, sorge l'azienda, "la tua casa in campagna". Accoglie ospiti in 3 camere, con bagno, per un totale di 6/10 posti letto.
Ristorazione: cucina tipica abruzzese e vegetariana. Paste fatte a mano, maccheroni alla chitarra, fettuccine, timballo, sagne con fagioli e ceci, *scrippelle 'mbusse*, ravioli.
Prodotti aziendali: olio, sottoli, formaggio e confetture.
Luoghi di interesse e manifestazioni locali: mare e montagna, luoghi di interesse culturale. Numerose sagre.
Prezzi: OR da £ 30.000 a 50.000, H/B a £ 45.000, F/B a £ 65.000. Pasto da £ 20.000 a 40.000. Riduzione del 20% per bambini fino a 10 anni.
Note: corsi di cucina, enologia e osservazione ambientale. Balli sull'aia. Raccolta di asparagi, funghi e frutti di bosco. Parco giochi e giochi di sala. Tiro con l'arco, equitazione, parapendio, pesca, ping-pong. Prato per prendere il sole. Sala riunioni. È gradita la prenotazione. Prima colazione, riscaldamento, posto macchina. Animali accolti previo accordo.

AI CALANCHI

loc. Fiorano • 65014 LORETO APRUTINO
☎ 0854214473-0858289143

● F 7

Posizione geografica: collina.
Periodo di apertura: tutto l'anno, chiusura bimestrale in inverno.
Associato a: Agriturist e Turismo Verde.
Presentazione: casale agricolo a due piani ben ristrutturato in stile rustico con mattoni a vista. Accoglie ospiti in 2 miniappartamenti composti da 2 camere doppie, bagno, soggiorno con angolo cottura.
Ristorazione: H/B, solo su prenotazione cucina tipica abruzzese. Maccheroni alla chitarra, tagliatelle con asparagi, gnocchi, sagne e fagioli.
Prodotti aziendali: olio extravergine d'oliva, Trebbiano e Montepulciano d'Abruzzo D.O.C., confetture di frutta, sottoli e conserva di pomodoro.
Luoghi di interesse e manifestazioni locali: museo delle ceramiche, Gran Sasso, Campo Imperatore, parco nazionale d'Abruzzo, riserva naturale del Voltigno, parco del Velino-Sirente, eremi del parco nazionale della Maiella, oasi del WWF, lago di Penne, mare a 25 km, Atri, Lanciano, L'Aquila, Sulmona, abbazie romaniche. Sagra degli antichi sapori in agosto, festa di San Zopito il lunedì di Pentecoste.
Prezzi: da £ 30.000 a 50.000. Pasto da £ 25.000 a 35.000. Riduzione del 10% per bambini al di sotto di 10 anni.
Note: possibilità di partecipare alle attività agricole. Tennis ed equitazione nelle vicinanze. Prato per prendere il sole, belvedere, balcone. Caminetto in comune. Soggiorno minimo 5 notti. Biancheria, uso cucina, riscaldamento, sala comune, posto macchina. Non si accolgono animali.

LA VENTILARA

c.da Trofigno, 15 • 65017 PENNE ☎ 085823374

● **F 7**

Posizione geografica: collina.
Periodo di apertura: da maggio a settembre.
Associato a: Turismo Verde.
Presentazione: fattoria con animali in azienda di 14 ettari di terreno collinare coltivato a seminativo, pascolo, frutteto, alle pendici del Gran Sasso e al confine col torrente Baricella. Offre ospitalità in camere, con bagno in comune, per un totale di 7 posti letto.
Ristorazione: H/B, F/B. Cucina tipica locale.
Prodotti aziendali: frutta e confetture biologiche.
Luoghi di interesse e manifestazioni locali: parco del Gran Sasso, Calanchi di Atri, lago di Penne, castelli. La seconda domenica di maggio "Gara di segaccio e spaccalegna" in azienda, sagre varie nei dintorni.
Prezzi: pasto £ 25.000. B&B £ 25.000, alloggio fino a £ 30.000.
Note: solo su prenotazione. Raccolta di funghi. Giochi del ping-pong, freccette, badminton, golf. Per bambini vita all'aria aperta a contatto diretto con gli animali della fattoria. L'azienda organizza corsi di agricultura eco-compatibile. Osservazione ambientale ed astronomica. Campo da volo di aquiloni. Biancheria, sala comune. Animali accolti previo accordo.

IL PORTICO

Colle Serangel, 26 • 65017 PENNE ☎ 0858210775

● **F 7**

Posizione geografica: collina.
Periodo di apertura: da marzo a gennaio.
Associato a: Turismo Verde.
Presentazione: tipica costruzione rurale che si estende su 8 ettari di terreno coltivato a oliveto. Offre ospitalità in 4 camere con bagno in comune.

Ristorazione: H/B, F/B. Ristorante aperto al pubblico con 35 coperti.
Prodotti aziendali: sottoli, marmellate, olio extravergine di oliva.
Luoghi di interesse e manifestazioni locali: oasi del WWF sul lago di Penne, museo della ceramica, castelli, Rigopiano, Campo Imperatore, Pescara, Montesilvano, Silvi Marina. Sagre varie nel periodo estivo.
Prezzi: pasto da £ 20.000 a 30.000. Alloggio fino a £ 30.000.
Note: accessibile agli handicappati. È gradita la prenotazione. Baby sitting e giochi di sala per bambini, giochi all'aria aperta. Biancheria, telefono in comune, riscaldamento, posto macchina. Animali accolti previo accordo.

TENUTA SIGILLO

c.da Mallo • 65017 PENNE ☎ 08528102-0858278476

● **F 7**

Posizione geografica: collina (300 m).
Periodo di apertura: chiuso dal 31 ottobre al 19 dicembre e dall'8 gennaio al 7 aprile.
Associato a: Turismo Verde.
Presentazione: azienda di 43 ettari adibiti a coltivazione biologica di viti, olivi, alberi da frutta, cereali, ortaggi e seminativo. Offre ospitalità in 3 camere, di cui 1 con bagno privato, e 1 appartamento per un totale di 13 posti letto. Riscaldamento autonomo.

Ristorazione: 15 coperti. Solo per gli ospiti. Piatti tipici locali.
Prodotti aziendali: olio extravergine d'oliva, farro, cereali, olive da tavola.
Luoghi di interesse e manifestazioni locali: riserva naturale, oasi WWF del lago di Penne, parco del Gran Sasso, Calanchi di Atri, mare (30 km).
Prezzi: OR da £ 30.000 a 33.000, B&B da £ 35.000 a 38.000, H/B da £ 60.000 a 70.000. Affitto appartamento per week-end da £ 220.000 a 300.000. Sconto del 20% per bambini fino a 10 anni. Sconto del 10 % per gruppi di almeno 10 persone.
Note: trekking e passeggiate, osservazione naturalistica, noleggio biciclette e mountain bike. Nelle vicinanze si possono praticare escursioni a cavallo, tennis, sci di fondo, volo libero, parapendio, deltaplano, pesca, caccia, escursioni guidate, percorsi vita e natura, e sono disponibili piscine per adulti e bambini. Corsi di cucina tradizionale, reiki, lavorazione della creta. Sala lettura, sala riunioni e TV. Lavanderia. Cambio bisettimanale della biancheria.

LE GEORGICHE "COUNTRY HOUSE"

c.da S. Maria • 65019 PIANELLA
☎ e fax 085299216 ☎ 085412500 cell. 03384545861

● **F 8**

Posizione geografica: collina.
Periodo di apertura: tutto l'anno.
Presentazione: storico casale con mulino dell'800 in azienda di 14 ettari che produce, con metodo biologico, cereali, soia, ortaggi, ciliegie, uva e olive. Offre ospitalità in appartamenti per un totale di 15 posti letto.
Ristorazione: solo per gli ospiti. Piatti della vecchia tradizione contadina e menu a base di prodotti biologici coltivati in azienda.
Prodotti aziendali: prodotti biologici, marmellate, sottoli, liquori, ortaggi, frutta, olio, vino.
Luoghi di interesse e manifestazioni locali: mare (20 km), parco nazionale d'Abruzzo, fiume Nora, parco nazionale del Gran Sasso, parco nazionale della Maiella, parco regionale del Sirente Velino, lago di Penne. Eremo di San Bartolomeo di Legio, abbazie. Necropoli di Campovalano e di Aufidena. Pescara, L'Aquila, Teramo, Chieti, terme di Caramanico e Canistro.
Prezzi: B&B da £ 50.000 a 60.000, H/B da £ 90.000 a 100.000. Gratis per bambini fino a 3 anni, sconto del 10 % fino a 10 anni.
Note: permanenza minima di 3 giorni. Feste e concerti all'aperto. Si organizzano stage per rieducazione alimentare, visite guidate e laboratori sull'agricultura biologica, corsi di cucina mediterranea, orticoltura, preparazione conserve, panificazione, convegni, conferenze, seminari, presentazione di libri, lettura di testi teatrali e poesie, pianobar, concerti, mostre, corsi di musica (pianoforte), corsi di pittura e ceramica, ricamo e uncinetto. Si possono praticare nuoto, bocce, tennis, pallavolo, basket, calcetto, tennis da tavolo, equitazione, mountain bike, ginnastica in acqua e a corpo libero, percorso della salute, jogging organizzato, aerobica. Escursioni guidate. Terapie naturali, trattamenti cosmetici. Non si accolgono animali.

THOLOS

fraz. Collarso • 65020 ROCCAMORICE
☎ 0858572590

● F 8

Posizione geografica: montagna (610 m).
Periodo di apertura: tutto l'anno.
Associato a: Turismo Verde.
Presentazione: azienda di 5 ettari adibiti a orticoltura, cereali, colture in serra. Allevamento di animali. Offre ospitalità in 2 appartamenti, con riscaldamento autonomo, per un totale di 10 posti letto.
Ristorazione: 40 coperti. Antipasto con verdure di stagione, sagne e fagioli, sagne e ceci, pappardelle al sugo di papera, 'cae e ove', zucchine in salsa, zuppe con cereali minori e legumi.
Prodotti aziendali: formaggio, ricotta, confetture, pane.
Luoghi di interesse e manifestazioni locali: parco nazionale della Maiella-Morrone.
Prezzi: pasto a £ 35.000. Affitto settimanale per appartamento da £ 400.000 a 450.000. Gratis per bambini fino a 3 anni.
Note: parco giochi, noleggio biciclette, trekking e passeggiate, osservazione naturalistica. Possibilità di assistere alle attività agricole. Nelle vicinanze possibilità di praticare escursioni a cavallo, sci, alpinismo, escursioni guidate, canoa e disponibilità di pulmino per escursioni e centro termale. Sala riunioni. Cambio biancheria a richiesta.

CUSANO

c.da Cusano • 65020 ROCCAMORICE
☎ 0858572208

● F 8

Posizione geografica: collina (400 m).
Periodo di apertura: tutto l'anno escluso il mese di novembre. Giorno di chiusura il lunedì.
Associato a: Turismo Verde.
Presentazione: azienda di 4,5 ettari adibiti a viticoltura, olivicoltura, frutticoltura, cereali, orticoltura e allevamento di api, ovini, conigli, galline, maiali. Offre ospitalità in 1 camera doppia con bagno e riscaldamento autonomo.
Ristorazione: 40 coperti. Sagne e fagioli, "Lu caucione d'orbe", la pecora a la cotture, vino Montepulciano d'Abruzzo.
Prodotti aziendali: miele, grappa, confetture di frutta, vino.
Luoghi di interesse e manifestazioni locali: parco nazionale Maiella-Morrone, lago (8 km), fiume (1 km), abbazia di San Clemente (15 km), Casa di Dante (15 km), eremo di Santo Spirito a Maiella (8 km), eremo di San Bortolomeo (5 km), eremo di San Giovanni (13 km), terme di di Caramanico (15 km), valle dell'Orfento (15 km), scuola di roccia (8 km), bocciodromo (5 km), ippodromo (30 km), circolo golf (15 km).
Prezzi: pranzo completo a £ 35.000. H/B a £ 55.000, F/B a £ 80.000.
Note: parco giochi, trekking e passeggiate, osservazione naturalistica. Nelle vicinanze possibilità di praticare escursioni a cavallo, tennis, mountain bike, sci, pesca, caccia, boc-

ce, escursioni guidate e disponibilità di centro termale e pulmino per escursioni. Cambio biancheria settimanale.

FONTE RICCIONE

loc. Casalonga, 1 • 65020 ROSCIANO
☎ 0858505832

● G 8

Posizione geografica: collina (230 m).
Periodo di apertura: da gennaio a ottobre e dall'1 al 31 dicembre.
Associato a: Turismo Verde.
Presentazione: azienda di 6 ettari e mezzo in cui si praticano viticoltura, olivicoltura, frutticoltura, orticoltura e si allevano animali. Accoglie ospiti in 4 camere, con bagno, per un totale di 11 posti letto.
Ristorazione: ristorante con 48 coperti aperto al pubblico su prenotazione. Ravioli al ragù, gnocchi di patate al sugo di papera, maccheroni alla chitarra, sagne e fagioli, pollo al forno, spezzatino di papera, coniglio alla "cif e ciaf", vini Montepulciano e Trebbiano d'Abruzzo.
Prodotti aziendali: pesche sciroppate, marmellata, melanzane sottolio, giardiniera, dolci della casa.
Prezzi: OR da £ 30.000 a 35.000, B&B da £ 35.000 a 37.000, H/B da £ 45.000 a 50.000, F/B da £ 65.000 a 70.000. Pasto a £ 30.000. Gratis per bambini fino a 3 anni, sconto del 50% da 3 a 5 anni, del 50% per guide e accompagnatori, del 10% per gruppi di almeno 10 persone, del 10% per soggiorni superiori a 15 giorni.
Note: mountain bike, trekking e parco giochi. Corsi di cucina tradizionale. Nelle vicinanze maneggio, tennis, pesca, caccia, piscina ed escursioni guidate. Cambio biancheria ogni 4 giorni, riscaldamento, sala TV e lettura, telefono.

FONTE CUPA

loc. Cupoli • 65010 FARINDOLA
☎ 0858236272

▲ G 6

Posizione geografica: collina (500 m).
Periodo di apertura: tutto l'anno.
Associato a: Turismo Verde.
Presentazione: azienda di 12 ettari con coltivazione di viti, olivi, cereali, seminativi e allevamento di animali. Offre ospitalità in 4 camere, con 2 bagni in comune e riscaldamento autonomo, per un totale di 12 posti letto.

Prodotti aziendali: vino Montepulciano d'Abruzzo, olio extravergine d'oliva, formaggio pecorino, ricotta.
Luoghi di interesse e manifestazioni locali: mare (40 km), lago e fiume (12 km).
Prezzi: OR da £ 25.000 a 35.000. Gratis per bambini fino a 3 anni, sconto del 30% da 3 a 6 anni. Sconto del 10% per gruppi di almeno 10 persone.

Note: trekking e passeggiate, osservazione naturalistica. Nelle vicinanze si possono praticare escursioni a cavallo, tennis, mountain bike, pesca, caccia e sono disponibili parco giochi e piscine per adulti e bambini. Sala riunioni e sala lettura. Cambio biancheria bisettimanale.

IL VECCHIO FRANTOIO

loc. Cupoli • 65010 FARINDOLA
☎ 0858236271

▲ G 6

Posizione geografica: collina (500 m).
Periodo di apertura: tutto l'anno.
Associato a: Turismo Verde.
Presentazione: azienda di 12 ettari con coltivazioni di viti, olivi, alberi da frutta, cereali, seminativo e allevamento di animali. Offre ospitalità in 6 camere, con 3 bagni in comune, per un totale di 14 posti letto. Riscaldamento autonomo e uso cucina.
Prodotti aziendali: vino Montepulciano d'Abruzzo, olio extravergine d'oliva, formaggio pecorino, uova, salumi.
Luoghi di interesse e manifestazioni locali: cascata Vitello d'Oro, lago di Penne, L'Aquila, Pescara.
Prezzi: OR da £ 25.000 a 35.000. Gratis per bambini fino a 3 anni, sconto del 30% da 3 a 6 anni. Sconto del 10% per gruppi di almeno 10 persone e del 20% per gruppi di oltre 15 persone.
Note: trekking e passeggiate, osservazione naturalistica. Nelle vicinanze si possono praticare tennis, mountain bike, sci, alpinismo, pesca e disponibilità di piscina per adulti e bambini. Sala riunioni. Cambio biancheria bisettimanale.

FATTORIA GARE

via Ripaldi, 19 • 65020 PIETRANICO
☎ e fax 0871560533

▲ H 6

Posizione geografica: collina.
Periodo di apertura: dall'1 aprile al 30 settembre e dall'1 al 31 dicembre.
Presentazione: l'antica struttura è un ex convento ristrutturato in azienda di 100 ettari coltivati a cereali. Accoglie ospiti in 2 appartamenti da 4 posti letto ciascuno, con bagno, soggiorno e angolo cottura.

Prodotti aziendali: olio, carne suina, farro, polli, uova.
Luoghi di interesse e manifestazioni locali: parco nazionale della Maiella, parco nazionale del Gran Sasso, oasi di Penne, sorgenti di Pescara. Vari musei e feste patronali.
Prezzi: alloggio da £ 45.000 a 55.000 al giorno a persona. Sconto del 10% per bambini al di sotto dei 6 anni e per soggiorni superiori ai 15 giorni.
Note: convenzionato per la ristorazione con un'azienda agrituristica a 5 km. Giochi all'aria aperta, spazi per prendere il sole. Raccolta di frutti di bosco. Cambio biancheria, riscaldamento, posto auto. Si accolgono animali.

LA TORRETTA

fraz. Tremonti • 65028 TOCCO DA CASAURIA
☎ 085880293

▲ H 7

Posizione geografica: collina (350 m).
Periodo di apertura: tutto l'anno.
Associato a: Turismo Verde.
Presentazione: azienda di 50 ettari adibiti a olivicoltura, forestazione produttiva e allevamento di animali. Offre ospitalità in 2 camere doppie con bagno e in 1 appartamento con 4 posti letto. Riscaldamento autonomo.
Prodotti aziendali: olio extravergine d'oliva.
Luoghi di interesse e manifestazioni locali: parco nazionale Maiella-Morrone, parco nazionale del Gran Sasso, abbazia romanica di San Clemente, mare (40 km).
Prezzi: OR da £ 30.000 a 35.000. Affitto giornaliero per appartamento a £ 100.000. Gratis per bambini fino a 3 anni, sconto del 50% da 3 a 6 anni.
Note: trekking e passeggiate, osservazione naturalistica e noleggio mountain bike. Nelle vicinanze possibilità di praticare escursioni a cavallo, tennis, sci, alpinismo, parapendio, deltaplano, pesca, caccia, canoa e disponibilità di piscina per adulti e bambini, terme, pulmino per escursioni e parco giochi. Sala riunioni, sala lettura e TV. Cambio biancheria ogni 3 giorni.

MADONNA DEGLI ANGELI

c.da Madonna degli Angeli • 65028 TOCCO DA CASAURIA
☎ e fax 0854223813-0858884314

▲ H 7

Posizione geografica: fiume.
Periodo di apertura: tutto l'anno.
Associato a: Agriturist, Turismo Verde.
Presentazione: antica posta per il cambio dei cavalli del '600 in azienda di 11 ettari con produzione di grano, olio, vino, al centro dell'Abruzzo e dei parchi. Offre ospitalità in 4 appartamenti di cui 2 da 4/5 posti letto e 2 da 2/3 posti letto e in una piazzola per caravan.
Prodotti aziendali: olio, vino, pollame, uova.
Luoghi di interesse e manifestazioni locali: parco nazionale della Maiella, parco nazionale del Gran Sasso, abbazia romanica di San Clemente, mare a 30 minuti d'auto. Corsa degli "zingari" di Pacentro, sagra delle salsicce in ottobre.
Prezzi: alloggio da £ 30.000 a 50.000. Sconto 20% per i bambini fino a 8 anni, £ 20.000 per letto aggiunto, 10% seconda settimana.
Note: solo su prenotazione, periodo minimo di soggiorno 3 notti. Sala riunioni. Piccola biblioteca di materiale informativo per turismo nella zona messa a disposizione. Gioco del ping-pong, tiro con l'arco, trekking e passeggiate, escursioni e visite guidate, mountain bike. Possibilità di praticare parapendio, roccia e deltaplano. Stazione termale a 8 km. Cucina in ogni appartamento, riscaldamento, biancheria, pulizia iniziale e finale. L'azienda è convenzionata con un vicino ristorante (350 m) con circa 40 coperti. Arrosticini di carne, ravioloni di ricotta, pasto da £ 20.000 a 30.000. Animali accolti previo accordo.

L'OLIVETO

via Capo Croce, 22 • 65028 TOCCO DA CASAURIA
☏ 0858809178-085880840 fax 085880538

 ▲ N 15

Posizione geografica: fiume.
Periodo di apertura: dall'1 al 15 gennaio, da marzo al 15 novembre, dal 15 al 31 dicembre.
Associato a: Terranostra.
Presentazione: casa rurale ristrutturata nel 1992, in azienda con oliveto, vigneto e pescheto. Accoglie ospiti in 2 appartamenti composti da 2 camere per un totale di 8 posti letto, bagno, cucina.
Prodotti aziendali: olio, vino, ortaggi e frutta.
Luoghi di interesse e manifestazioni locali: parco nazionale della Maiella, basiliche, riserve naturali, fiume e mare a 35 km.
Prezzi: OR a £ 30.000. Appartamento a £ 180.000 settimanale.
Note: soggiorno minimo 3 giorni. Dispone di 2 gazebo con focolare e legna. Piscina, bocce, ping-pong, tennis, mountain bike. Altalena e amache. Sala TV, salone con 25 posti a sedere. Uso cucina, riscaldamento autonomo e cambio biancheria settimanale.

Teramo

DI MARCO

c.da Pantane, 2 • 64032 ARSITA
☏ 0861995208

● E 6

Posizione geografica: collina (595 m).
Periodo di apertura: tutto l'anno.
Associato a: Turismo Verde.
Presentazione: azienda di 12,58 ettari con produzione biologica di cerali, ortaggi, seminativi e allevamento di animali. Offre ospitalità in 4 camere doppie con 2 servizi comuni e riscaldamento autonomo.
Ristorazione: 29 coperti. Antipasti rustici della casa, pasta alla mugnaia, gnocchi alla boscaiola, carne alla brace.
Prodotti aziendali: conserve tipiche del luogo, salsa di pomodoro, sottaceti e sottoli, confetture varie.
Luoghi di interesse e manifestazioni locali: parco Gran Sasso-Laga, mare (50 km).
Prezzi: pasto a £ 25.000. OR da £ 30.000 a 35.000, B&B da £ 35.000 a 40.000, H/B da £ 50.000 a 55.000, F/B da £ 70.000 a 75.000. Sconto del 30% per bambini fino a 6 anni. Sconto del 10% per soggiorni superiori a 6 giorni.
Note: trekking e passeggiate, osservazione naturalistica. Corsi di preparazione della pasta del pane e dei biscotti, progetto "Scuola Agricoltura". Nelle vicinanze si possono praticare mountain bike, sci di fondo, pesca, caccia ed escursioni guidate. Cambio biancheria a richiesta, lavanderia.

COLLE SETTE VANGELI

c.da Colli • 64031 ARSITA
☏ 0861998008-0861995503

● E 6

Posizione geografica: collina (550 m).
Periodo di apertura: tutto l'anno.
Associato a: Turismo Verde.
Presentazione: azienda di 9,8 ettari a coltivazione biologica di viti, olivi, alberi da frutta, arboricoltura da legno e allevamento di animali. Offre ospitalità in 4 camere, con servizi e riscaldamento autonomo, per un totale di 12 posti letto, e in agricampeggio.

Ristorazione: 20 coperti. Cucina tipica. Pasta alla mugnaia, coatto, sagne e fagioli, gnocchi bianchi alla salvia, minestre di farro.
Prodotti aziendali: piante aromatiche ed officinali, confetture di frutta, aceto aromatico, miele, succhi di frutta, frutti di bosco e dolci.
Luoghi di interesse e manifestazioni locali: parco Gran Sasso-Laga, lago e fiume (20 km), mare (45 km).
Prezzi: pasto a £ 20.000. B&B da £ 30.000 a 40.000, H/B da £ 50.000 a 60.000, F/B da £ 70.000 a 80.000, piazzola da £ 10.000 a 20.000. Gratis per bambini fino a 3 anni, sconto del 50% da 3 a 6 anni sui pasti.
Note: trekking e passeggiate, osservazione naturalistica, tiro con l'arco, arrampicata libera in palestra di roccia. Pulizia camera ogni 3 giorni, cambio biancheria settimanale.

COLLE PICCO

Bivio Campli • 64012 CAMPLI
☏ 0861286281-0861246484-0861569011

● C 7

Posizione geografica: collina (450 m).
Periodo di apertura: tutto l'anno.
Associato a: Turismo Verde.
Presentazione: azienda di 100 ettari adibiti a viticoltura, orticoltura, cereali, seminativi e allevamento di animali. Offre ospitalità in 4 camere doppie con bagno e in 4 piazzole attrezzate.
Ristorazione: 50 coperti. Maccheroni alla chitarra, *scrippelle m'busse'*, polenta, vini (Montepulciano, Cerasuolo e Trebbiano).
Prodotti aziendali: vino, olio extravergine d'oliva, miele, formaggio, frutta di stagione.
Luoghi di interesse e manifestazioni locali: parco nazionale Gran Sasso-Laga, lago e fiume (5 km), mare (25 km).
Prezzi: pasto a £ 30.000, spuntino da £ 5.000 a 10.000. OR da £ 20.000 a 25.000, B&B da £ 25.000 a 30.000, H/B da £ 50.000 a 55.000, F/B da £ 50.000 a 70.000, piazzola da £ 3.000 a 8.000. Gratis per bambini fino a 3 anni. Sconto del 10% per gruppi di almeno 8 persone e del 5% per soggiorno superiore a 7 giorni.
Note: trekking e passeggiate, osservazione naturalistica, escursioni a cavallo, tiro con l'arco, noleggio biciclette e mountain bike, parco giochi. Nelle vicinanze si possono praticare tennis, parapendio, pesca e caccia. Sala riunioni, sala lettura e TV. Cambio biancheria a richiesta, lavanderia.

IL FEUDO

c.da Feudo • 64020 CASTELLALTO
☏ 0861555375 fax 0861557375

● E 6

Posizione geografica: collina (350 m).
Periodo di apertura: tutto l'anno.
Associato a: Turismo Verde.
Presentazione: azienda di 10 ettari con coltivazioni di vigneti, olivi, cereali, ortaggi, seminativo e allevamento di animali da cortile. Offre ospitalità in 2 camere singole e in 3 doppie con servizi privati e riscaldamento autonomo.
Ristorazione: 40 coperti. Pasta alla mugnaia, specialità ai funghi, maccheroni alla chitarra, zuppe della tradizione contadina, carne di maiale al forno a legna.
Prodotti aziendali: salumi, insaccati, olio extravergine d'oliva, vino Montepulciano, conserve, marmellate, dolci.
Luoghi di interesse e manifestazioni locali: mare (13 km).
Prezzi: pasto a £ 25.000. B&B da £ 30.000 a 35.000, H/B da £ 50.000 a 55.000, F/B da £ 65.000 a 70.000. Gratis per bambini fino ai 3 anni.

Note: trekking e passeggiate, escursioni a cavallo, tennis, mountain bike, parapendio, pesca e caccia. Piscina. Osservazione naturalistica. Sala lettura e TV. Biancheria.

LU FORMAGGE

c.da Carrara • 64041 CASTELLI
☎ 0861979585
● E 6

Posizione geografica: montagna (760 m).
Periodo di apertura: tutto l'anno.
Associato a: Turismo Verde.
Presentazione: azienda di 25 ettari in cui si coltivano cereali, ortaggi, seminativi e si allevano animali. Offre ospitalità in 5 camere, di cui una con bagno privato e le altre con 2 bagni comuni, per un totale di 8 posti letto. Riscaldamento autonomo.
Ristorazione: 18 coperti. Maccheroni alla chitarra, tagliatelle con i funghi, gnocchi di patate, agnello alla brace, pane fatto in casa.
Prodotti aziendali: formaggio (solo in primavera e in estate).
Luoghi di interesse e manifestazioni locali: mare (50 km), parco nazionale Gran Sasso-Laga.
Prezzi: pasto a £ 25.000. B&B da £ 25.000 a 30.000, H/B da £ 50.000 a 60.000, F/B da £ 60.000 a 70.000. Gratis per bambini fino a 3 anni. Sconto del 10 % per gruppi e soggiorni di oltre 15 giorni.
Note: trekking e passeggiate, osservazione naturalistica. Nelle vicinanze si possono praticare alpinismo ed escursioni guidate. Cambio biancheria settimanale.

COLLE SAN GIORGIO

fraz. Colle San Giorgio
64034 CASTIGLIONE MESSER RAIMONDO
☎ 0861990492
● E 7

Posizione geografica: collina (535 m).
Periodo di apertura: tutto l'anno.
Associato a: Turismo Verde.
Presentazione: azienda di 32 ettari coltivati biologicamente con olivi, cereali e seminativi. Allevamento di bovini allo stato brado, suini e animali di bassa corte. Offre ospitalità in 4 camere doppie con bagno di cui 1 attrezzata per portatori di handicap. Riscaldamento autonomo.
Ristorazione: 30 coperti. Taiarille e fagioli.
Prodotti aziendali: carne , sottoli, sottaceti, orzo per caffè.
Luoghi di interesse e manifestazioni locali: mare (30 km), parco nazionale del Gran Sasso, monti della Laga, Loreto Aprutino, Castelli con le sue ceramiche. Feste e sagre nel periodo estivo.
Prezzi: pasto a £ 25.000. OR da £ 30.000 a 35.000, B&B a £ 35.000, H/B da £ 55.000 a 60.000, F/B da £ 75.000 a 80.000. Sconto del 30% per bambini fino a 6 anni.
Note: trekking e passeggiate, osservazione naturalistica, campo di bocce, noleggio biciclette e mountain bike, parco gio-

chi. Nelle vicinanze si possono praticare tennis, caccia, pesca ed escursioni guidate. TV in camera. Sala lettura e sala TV. Cambio biancheria ogni 3 giorni.

LA DEA DEI CAMPI

c.da Vorghe
64034 CASTIGLIONE MESSER RAIMONDO
☎ 0861909030-0861990562
● E 7

Posizione geografica: collina (300 m).
Periodo di apertura: tutto l'anno.
Associato a: Turismo Verde.
Presentazione: azienda di 10,95 ettari coltivati ad olivi, cereali, ortaggi, seminativo. Allevamenti di animali. Offre ospitalità in 2 camere triple con bagno privato e riscaldamento autonomo.
Ristorazione: 30 coperti. Gnocchi alla boscaiola, fettuccine paglia e fieno, cotoletta di maiale con formaggio fuso.
Luoghi di interesse e manifestazioni locali: mare (30 km), fiume e lago (1 km), parco nazionale del Gran Sasso, monti della Laga, vari paesi medioevali. Sagra del formaggio pecorino in agosto, sagra dell'uva di Montonico in ottobre.
Prezzi: pasto a £ 25.000. OR da £ 30.000 a 35.000, B&B da £ 35.000 a 40.000, H/B da £ 55.000 a 60.000, F/B da £ 75.000 a 80.000. Sconto del 30% per bambini fino a 3 anni.
Note: trekking e passeggiate, osservazione naturalistica. Nelle vicinanze si possono praticare escursioni a cavallo, tennis, pesca, caccia e sono disponibili piscine per adulti e bambini. Sala lettura e sala TV. Lavanderia, cambio biancheria a richiesta.

"LA GINESTRA"

c.da Valloni, 12 • 64034 CASTIGLIONE MESSER RAIMONDO
☎ 0861990140 cell. 0330504276

● E 7

Posizione geografica: collina (500 m).
Periodo di apertura: tutto l'anno escluso novembre, chiuso il lunedì.
Associato a: Turismo Verde.
Presentazione: tipica costruzione rurale che si estende su 11 ettari con al centro un laghetto. Produzione biologica olivicola, cereali, vigneto, frutteto. Allevamento di ovini e suini. Offre ospitalità in 3 camere con bagno per un totale di 8 posti letto e in aree per camper.
Ristorazione: H/B, F/B. Ristorante aperto al pubblico con 38 coperti, taiarille e fagioli, zucca e fagioli, gnocchi, ravioli, mugnaia, scrippel mbuss, carne alla brace, agnello, pollo, coniglio.
Prodotti aziendali: confetture, sottoli, olio, vino, miele, uova.
Luoghi di interesse e manifestazioni locali: parco nazionale del Gran Sasso, monti della Laga, città, castelli, Penne, Loreto Aprutino e vari paesini medievali nei dintorni. Sagra del formaggio pecorino in agosto, sagra antichi sapori in settembre, sagra dell'uva di Montonico in ottobre.
Prezzi: pasto da £ 18.000 a 30.000. Alloggio da £ 30.000 a 50.000. Sconto 10% per i bambini fino ai 10 anni; 10% per la seconda settimana di soggiorno.
Note: solo su prenotazione. Periodo minimo di soggiorno 3 giorni. Possibilità di richiedere materiale pubblicitario (depliant). Prato per prendere il sole. Raccolta di asparagi e funghi. Gioco delle bocce, pesca, giochi all'aria aperta, trekking e passeggiate, mountain bike, osservazione ambientale, partecipazione attività agricole, corsi di cucina. Biancheria, pulizia, riassetto, telefono in comune, prima colazione, riscaldamento.

LA QUERCIA

c.da Cretara, 4 • 64042 COLLEDARA
☎ 0861698350 – 03473734670

● E 6

Posizione geografica: collina (500 m).
Periodo di apertura: tutto l'anno.
Associato a: Turismo Verde.
Presentazione: azienda di 10 ettari adibiti a olivicoltura, frutticoltura, cereali, orticoltura, seminativi e allevamenti di animali. Offre ospitalità in 2 camere doppie con bagno privato, in 2 camere doppie con bagno comune e in 6 piazzole attrezzate in agricampeggio.
Ristorazione: 28 coperti. Maccheroni alla chitarra, gnocchi di patate con cime di rapa, pecora alla callara, agnello alla brace.
Prodotti aziendali: olio extravergine d'oliva.

Luoghi di interesse e manifestazioni locali: parco Gran Sasso-Laga, mare (35 km).
Prezzi: pasto a £ 25.000. B&B a £ 30.000, H/B a £ 50.000, F/B a £ 65.000. Gratis per bambini fino a 3 anni, sconto del 30% da 3 a 6 anni.
Note: trekking e passeggiate, osservazione naturalistica, noleggio mountain bike.

Nelle vicinanze si possono praticare escursioni a cavallo, tennis, alpinismo, pesca, caccia, escursioni guidate. Cambio biancheria ogni 3 giorni, riscaldamento autonomo.

GIOIE DI FATTORIA

c.da San Biagio • 64010 CONTROGUERRA
☎ 086189606-086182269

● C 6

Posizione geografica: collina (200 m).
Periodo di apertura: tutto l'anno.
Associato a: Turismo Verde e Agriturist.
Presentazione: azienda biologica di 30 ettari adibiti a viticoltura, olivicoltura, cereali, seminativi e allevamento di animali. Offre ospitalità in 4 appartamenti, con riscaldamento autonomo, per un totale di 16 posti letto.
Ristorazione: 45 coperti. Puls o polenta di farro al sugo.
Prodotti aziendali: farro, avena, miglio, orzo e grano duro in chicchi, polenta di farro, pasta in diversi formati (di farro, grano saraceno e grano duro), farina di farro, segale, avena, grano tenero, biscotti dolci senza zucchero a base di farro, pane di farro, caffè d'orzo all'anice, minestre di cereali.
Luoghi di interesse e manifestazioni locali: mare (10 km).
Prezzi: pasto a £ 25.000. Affitto giornaliero per appartamento da £ 100.000 a 120.000. Gratis per bambini fino a 3 anni.
Note: trekking e passeggiate, osservazione naturalistica. Piscina per adulti e bambini. Nelle vicinanze si possono praticare escursioni a

cavallo, tennis, mountain bike, pesca, escursioni guidate, windsurf, vela ed è disponibile un parco giochi. Corsi di cucina naturale e macrobiotica, degustazione guidata dei prodotti. Sala riunioni, sala lettura e TV. Cambio biancheria ogni 4/7 giorni.

GLI OLMI

via Ravigliano, 80 • 64013 CORROPOLI
☎ 086183190 fax 0861810255 ☎ e fax 0861856596

● C 7

Posizione geografica: collina.
Periodo di apertura: tutto l'anno.
Associato a: Terranostra.
Presentazione: l'azienda offre un soggiorno riposante e distensivo in una zona dal vasto e vario panorama, ricco di vigneti e oliveti, laghetti artificiali e percorsi per passeggiate a piedi, in bicicletta o a cavallo. Accoglie ospiti in 10 camere, con bagno, telefono e

frigo, per un totale di 30 posti letto e in appartamenti da 4, 6 e 8 posti letto.
Ristorazione: tagliatelle al sugo di papera, gnocchi di patate, spezzatino di capra, formaggio fritto.
Prodotti aziendali: vino e olio.
Luoghi di interesse e manifestazioni locali: santuario della Madonna del Sabato Santo, abbazia di Mejulano, fortezza di Civitella del Tronto, scavi e museo archeologico di Campli, museo della civiltà contadina, oasi naturalistica, parco acquatico, mostra mercato dell'artigianato, sagra paesana dal 3 all'11 agosto.
Prezzi: OR da £ 30.000 a 35.000, B&B da £ 35.000 a 45.000, H/B da £ 57.000 a 65.000, F/B da £ 75.000 a 85.000. Appartamenti da £ 470.000 a 1.300.000 per settimana. Riduzione

del 5% per gruppi di oltre 10 persone e del 30% per bambini da 2 a 6 anni.
Note: giochi per bambini e campo da bocce. Nelle vicinanze pesca sportiva, trekking a cavallo, tennis, campi da calcetto. 2 sale di uso comune e barbecue esterni. Balcone e terrazza.

I VACCARI

loc. San Giovanni • 64045 ISOLA DEL GRAN SASSO
☎ 0861975045

● **E 6**

Posizione geografica: collina (400 m).
Periodo di apertura: tutto l'anno.
Associato a: Turismo Verde.
Presentazione: azienda di 12 ettari adibiti a olivicoltura, frutticoltura, cereali, orticoltura, seminativi e allevamenti di animali. Offre ospitalità in 3 camere doppie con bagno e riscaldamento autonomo.
Ristorazione: 25 coperti. Saccottini della nonna, patellette ai funghi porcini.
Prodotti aziendali: succo di pomodoro, marmellate, formaggi, pane casereccio, olio extravergine d'oliva.
Luoghi di interesse e manifestazioni locali: parco nazionale Gran Sasso-Laga, mare (40 km), lago e fiume (50 km).
Prezzi: pasto a £ 25.000. B&B da £ 25.000 a 35.000, H/B da £ 40.000 a 50.000, F/B da £ 50.000 a 60.000. Gratis per bambini fino a 3 anni, sconto del 30% da 3 a 6 anni.
Note: trekking e passeggiate, osservazione naturalistica, tiro con l'arco, parco giochi. Nelle vicinanze si possono praticare escursioni a cavallo, tennis, alpinismo, caccia ed escursioni guidate. Sala riunioni, sala lettura e TV. Cambio biancheria ogni 4 giorni.

COL MORINO

loc. Colle Morino • 64025 PINETO
☎ 0859493141

● **E 7**

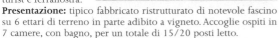

Posizione geografica: collina, mare.
Periodo di apertura: luglio e agosto, i restanti mesi dal mercoledì alla domenica, solo su prenotazione.
Associato a: Agriturist e Terranostra.
Presentazione: tipico fabbricato ristrutturato di notevole fascino su 6 ettari di terreno in parte adibito a vigneto. Accoglie ospiti in 7 camere, con bagno, per un totale di 15/20 posti letto.
Ristorazione: ristorante aperto al pubblico con 50 coperti. Piatti tipici abruzzesi e teramani, rigorosamente fatti in casa utilizzando i prodotti aziendali.
Prodotti aziendali: confetture, dolci e vini.
Luoghi di interesse e manifestazioni locali: spiagge, parchi naturali, Atri. Numerose sagre e feste folkloristiche paesane.
Prezzi: da £ 30.000 a 50.000. Pasto da £ 25.000 a 35.000. Riduzioni da concordare.
Note: giochi all'aria aperta, alpinismo, calcetto, bocce, equitazione, roccia, tennis, tiro con l'arco e vela. Raccolta di more, noci, verdure e spezie. Attività di enologia, gastronomia, giardinaggio e osservazione ambientale. Prato per prendere il sole. Uso cucina e frigorifero, telefono, biancheria e pulizia.

COLLE VERDE

loc. Montepagano
64026 ROSETO DEGLI ABRUZZI
☎ 0858998116-0858930930

● **E 7**

Posizione geografica: collina, mare.
Periodo di apertura: da giugno a settembre.
Associato a: Terranostra.
Presentazione: costruzione rurale su 8 ettari di terreno adibiti a coltivazione di cereali, vite, frutteto, ortaggi e olive. Allevamento di ovini, suini e avicunicoli. Offre ospitalità in 30 piazzole in agricampeggio per tende e roulotte.
Ristorazione: solo per residenti. Piatti tipici abruzzesi.
Prodotti aziendali: confetture, dolci, miele, olio, ortaggi, vino, frutta, formaggio pecorino, salumi, uova e polli.
Luoghi di interesse e manifestazioni locali: parco nazionale d'Abruzzo, Gran Sasso, castelli, Atri, Civitella del Tronto. Mostra dei vini tipici, numerose sagre e manifestazioni.
Prezzi: £ 12.000 a persona al giorno. Pasto da £ 15.000 a 30.000.
Note: possibilità di partecipare ai lavori agricoli. Giochi all'aria aperta. Salone a disposizione. Telefono e bagni con acqua calda comuni, uso frigorifero, barbecue e forno a legna, elettricità, posto macchina. Si accolgono cani.

LE MACINE

c.da Cerrano, 36 • 64028 SILVI
☎ 0859354033 ☎ e fax 0854225071

● **E 7**

Posizione geografica: collina sul mare.
Periodo di apertura: chiuso nei mesi di novembre, gennaio (da dopo l'Epifania) e febbraio.
Presentazione: antichi casolari in azienda di 45 ettari coltivati a cereali, frutteti, uliveti, bosco e allevamento di animali. Offre ospitalità in 6 camere e 1 appartamento con servizi privati per un totale di 16 posti letto.
Ristorazione: cucina tipica locale.
Prodotti aziendali: olio, conserve, salumi, sottoli, vino, ortaggi.
Luoghi di interesse e manifestazioni locali: mare (4 km), città d'arte, Loreto, parchi nazionali. Feste e sagre di paese.
Prezzi: H/B da £ 75.000 a 80.000 per persona al giorno, F/B da £ 90.000 a 100.000 per persona al giorno. Gratis ai bambini fino a 3 anni, sconto del 30% per bambini da 4 a 8 anni.
Note: in estate permanenza minima di una settimana. Lago. Forno a legna, barbecue, sala lettura, TV. Possibilità di praticare mountain bike, ping-pong, calcio balilla, giochi per bambini. Visita agli animali domestici, partecipazione alle attività della campagna. Maneggio a 3 km, piscina e tennis a 4 km. Biancheria, pulizia. Si accolgono animali domestici.

"LE MACINE"

Poggio Cono • 64100 TERAMO
☎ 0861555227

● E 7

Posizione geografica: collina (473 m).
Periodo di apertura: tutto l'anno escluso novembre.
Associato a: Turismo Verde.
Presentazione: tipica costruzione rurale in azienda di 16 ettari con produzione di cereali e vigneto. Allevamento di ovini. Offre ospitalità in 3 camere con bagno per un totale di 10 posti letto.
Ristorazione: H/B, F/B. Ristorante aperto al pubblico con 50 coperti. Pappardelle, gnocchi, chitarra, scrippelle, ravioli, polenta, arrosto misto alla griglia e al forno, mozzarelle.
Prodotti aziendali: dolci, farine, frutta di stagione, olio, ortaggi, pollame, salumi, formaggi, uova, vini, marmellate.
Luoghi di interesse e manifestazioni locali: riserva delle Gole del Salinello, parco nazionale del Gran Sasso a km 35, monti della Laga, mare a 20 km. Feste paesane.
Prezzi: pasto da £ 20.000 a 30.000. Alloggio fino a £ 30.000, sconto del 30% per i bambini fino ai 10 anni.
Note: accessibile agli handicappati. Si accettano prenotazioni anche per 1 giorno. Enologia, gastronomia, giardinaggio, osservazione ambientale. Raccolta di asparagi. Giochi del ping-

pong e del calcetto, giochi all'aria aperta. Parco giochi coperto (150 mq). Mountain bike e pesca sportiva nelle vicinanze. Biancheria, pulizia, riassetto, telefono in comune, sala comune, posto macchina. Animali accolti previo accordo.

VILLA BAGGIUTTI

c.da Collemarmo • 64033 BISENTI
☎ 0859609466

▲ E 6

Posizione geografica: collina (850 m).
Periodo di apertura: tutto l'anno.
Associato a: Turismo Verde.
Presentazione: azienda di 3,5 ettari adibiti a viticoltura, olivicoltura, seminativi e arboricoltura da legno. Offre ospitalità in 2 camere triple con 1 bagno in comune e riscaldamento autonomo.
Luoghi di interesse e manifestazioni locali: mare (40 km), montagna (20 km), ceramiche e artigianato locale a Castelli (15 km). Sagra del vino a Bisenti la 1ª domenica di ottobre.
Prezzi: OR a £ 30.000 Gratis bambini fino a 10 anni, sconto del 20 % per soggiorni superiori a 5 giorni.
Note: vista panoramica su montagne e mare. Trekking e passeggiate, osservazione naturalistica. Nelle vicinanze si possono praticare tennis, pesca, caccia, escursioni guidate. Sala lettura e TV. Cambio biancheria settimanale.

D'AMBROSIO

c.da Chioviano • 64033 BISENTI
☎ 0861997335

▲ E 6

Posizione geografica: collina (400 m).
Periodo di apertura: tutto l'anno.
Associato a: Turismo Verde.
Presentazione: azienda di 12 ettari adibiti a viticoltura, olivicoltura, cereali, seminativi e allevamenti di animali. Offre ospitalità in 1 camera doppia con bagno privato e in 3 camere doppie con 2 servizi comuni, tutte con riscaldamento autonomo.
Prodotti aziendali: formaggio pecorino, olio extravergine d'oliva.
Luoghi di interesse e manifestazioni locali: mare (45 km), parco Gran Sasso-Laga.
Prezzi: B&B da £ 25.000 a 35.000. Gratis per bambini fino a 3 anni, sconto del 30% da 3 a 6 anni.
Note: trekking e passeggiate. Nelle vicinanze si possono praticare escursioni a cavallo, sci, alpinismo. Sala riunioni, sala lettura, uso cucina. Cambio biancheria ogni 3 giorni.

IL BIVACCO DEL PARCO

c.da Faiano • 64041 CASTELLI
☎ 0861979551 – 0360311038

▲ E 6

Posizione geografica: montagna (620 m).
Periodo di apertura: tutto l'anno.
Associato a: Turismo Verde.
Presentazione: azienda biologica di 7 ettari coltivati a cereali, seminativi, tartuficoltura, forestazione produttiva. Offre ospitalità in 3 camere doppie con bagno e in 1 appartamento con 4 posti letto.
Luoghi di interesse e manifestazioni locali: parco nazionale del Gran Sasso-Laga, mare (50 km).
Prezzi: B&B da £ 30.000 a 40.000. Affitto giornaliero per appartamento da £ 120.000 a 150.000. Gratis per bambini fino a 3 anni, sconto del 30% da 3 a 6 anni.
Note: trekking e passeggiate, osservazione naturalistica. Corsi di ceramica. Nelle vicinanze si possono praticare tennis, mountain bike, sci, parapendio, deltaplano, pesca, escursioni guidate ed è disponibile un parco giochi. Cambio biancheria a richiesta. Riscaldamento autonomo.

LE LEPRI

via San Giovanni, 7 • 64035 CASTILENTI
☎ 0861996245
E-mail:clipine@tin.it

▲ F 7

Posizione geografica: collina.
Periodo di apertura: dal 1º maggio al 30 settembre, Pasqua.

Presentazione: fabbricato rurale immerso nel verde di un bosco di ciliegi con vista panoramica sul Gran Sasso in azienda con coltivazioni di oliveto, vigneto, arboricoltura da legno. Allevamento di animali di bassa corte. Offre ospitalità in 3 camere, con 2 bagni in comune, e in un appartamento.

Prodotti aziendali: sapone naturale, olio extravergine di oliva.
Luoghi di interesse e manifestazioni locali: Atri, Campli, Teramo, Loreto, riserva calanchi di Atri, sorgenti del Fino, gole dell'inferno, museo della città contadina (Picciano). Feste patronali, sagre.
Prezzi: B&B da £ 35.000 a 40.000. Appartamento da £ 140.000 a 180.000. Sconto del 5% se si conferma la prenotazione 1 mese prima.
Note: minimo 2 giorni per appartamento. Tennis. Cambio biancheria. Si accettano animali.

CONTI DI MONTEVERDE BASSO

loc. Monteverde Basso
64036 CELLINO ATTANASIO
☎ e fax 0861659098 cell. 03292344618

E 7

Posizione geografica: collina (220 m).
Periodo di apertura: tutto l'anno.
Associato a: Turismo Verde.
Presentazione: azienda di 38 ettari adibiti a viticoltura, olivicoltura, frutticoltura, cereali, orticoltura, seminativi, colture in serra. Offre ospitalità in 4 camere doppie con bagno e riscaldamento autonomo.
Prodotti aziendali: olio extravergine d'oliva, vino Montepulciano d'Abruzzo D.O.C., frutta secca e marmellate.
Luoghi di interesse e manifestazioni locali: mare (20 km), lago e fiume (80 km), parco del Gran Sasso, Atri, Cellino.
Prezzi: OR da £ 25.000 a 35.000. Affitto settimanale per appartamento da £ 600.000 a 700.000. Gratis per bambini fino a 3 anni.
Note: trekking e passeggiate, osservazione naturalistica, escursioni a cavallo, tiro con l'arco, bocce, noleggio mountain bike. Accesso al bosco aziendale e corsi di equitazione. Nelle vicinanze si possono praticare escursioni a cavallo, tennis, pesca e sono disponibili piscine per adulti e bambini, parco giochi. Cambio biancheria bisettimanale, lavanderia.

ANIMAL FARM

c.da Vallarola • 64036 CELLINO ATTANASIO
☎ 0861668151
E 7

Posizione geografica: collina.
Periodo di apertura: da marzo a settembre.
Associato a: Turismo Verde.
Presentazione: tipica costruzione rurale. L'azienda sorge su 27 ettari con produzione di cereali, girasoli, frutteto, oliveto. Allevamento di animali da cortile. Offre ospitalità in 7 camere con bagno in comune per un totale di 13 posti letto e in 2 appartamenti con servizi.
Prodotti aziendali: frutta di stagione, verdure, olio.
Luoghi di interesse e manifestazioni locali: parco del Gran Sasso, Atri (cittadina preromanica), Cellino (paese medievale).

Estate Cellinese, manifestazioni culinarie con balli e canti tipici per tutto il periodo estivo.
Prezzi: alloggio a £ 20.000.
Note: solo su prenotazione (minimo 1 settimana). Prato per prendere il sole, tiro con l'arco, giochi all'aria aperta, pesca.. Raccolta di asparagi. Uso cucina, uso frigorifero. Animali accolti previo accordo.

GIOIA

loc. Valviano • 64036 CELLINO ATTANASIO
☎ e fax 0861659055
E 7

Posizione geografica: collina (550 m).
Periodo di apertura: tutto l'anno.
Associato a: Turismo Verde.
Presentazione: azienda di 51 ettari adibiti a coltivazione biodinamica di seminativi di cereali, pascoli, oliveti, vigneto, frutteto, orto, bosco. Allevamento ovino, caprino e apicoltura. Offre ospitalità in 2 camere con bagno privato e 1 camera con bagno in comune.
Prodotti aziendali: olio extravergine d'oliva, miele, formaggi, pane, frutta di stagione, ortaggi, succhi di frutta, vino.
Luoghi di interesse e manifestazioni locali: mare (35 km), parco del Gran Sasso, Atri, Cellino, Penne, Loreto.
Prezzi: B&B da £ 50.000 a 70.000 per camera. Sconti ai bambini.
Note: trekking e passeggiate, tai chi, osservazione naturalistica. Possibilità di partecipare alle attività aziendali. Due laghetti. Nelle vicinanze si possono praticare pesca, caccia ed escursioni guidate. Cambio biancheria settimanale.

MASSERIA PRIORI

fraz. Villa Passo • 64010 CIVITELLA DEL TRONTO
☎ e fax 0861917634 E-mail:masseriapriori@yahoo.com
D 5

Posizione geografica: collina.
Periodo di apertura: da maggio al 30 settembre.
Presentazione: tipica casa colonica del 1700, recentemente ristrutturata con materiali e criteri tradizionali, in azienda biologica con produzione di cereali e frutta. Offre ospitalità in 5 ampie camere con bagno, arredate con mobili d'epoca, per un totale di 10 posti letto.
Prodotti aziendali: miele, farro, noci.
Luoghi di interesse e manifestazioni locali: Ascoli Piceno (14 km), la fortezza di Civitella del Tronto (5 km), la "Scala Santa" di Campli (12 km), abbazia di Monte Santo (2 km), Teramo (20 km), Alba Adriatica (30 km). Fiera dell'antiquariato ad Ascoli la terza domenica del mese, Quintana all'inizio di agosto.
Prezzi: alloggio da £ 35.000 a 45.000 a persona. Sconto del

20% per bambini fino a 12 anni.
Note: permanenza minima 2 giorni. Passeggiate, pesca nel lago aziendale. Piscina a 2 km, campi da tennis a 5 km. Animali accolti previo accordo.

IL REGNO DEI SOGNI

fraz. Casaterza • 64042 COLLEDARA

☎ 0861698253

▲ E 6

Posizione geografica: collina (550 m).
Periodo di apertura: tutto l'anno.
Associato a: Turismo Verde.
Presentazione: azienda di 6,7 ettari coltivati con olivi, viti, alberi da frutta, cereali, ortaggi, seminativo. Allevamento di animali. Offre ospitalità in 2 appartamenti con riscaldamento autonomo per un totale di 8 posti letto.
Prodotti aziendali: olio extravergine d'oliva, vino, formaggio di pecora e di mucca, pomodori.
Luoghi di interesse e manifestazioni locali: parco nazionale Gran Sasso-Laga, mare (35 km).
Prezzi: B&B a £ 30.000, affitto giornaliero per appartamento a £ 100.000. Gratis per bambini fino a 3 anni.
Note: trekking e passeggiate, osservazione naturalistica, parco giochi. Nelle vicinanze si possono praticare escursioni a cavallo, tennis, mountain bike, alpinismo, pesca, caccia, escursioni guidate e sono disponibili piscine per bambini e adulti. Sala riunioni, sala lettura e TV. Cambio biancheria ogni 4 giorni, lavanderia.

BOSCHERINI

fraz. Collalto • 64045 ISOLA DEL GRAN SASSO

☎ 0861975437

▲ E 6

Posizione geografica:
collina (420 m).
Periodo di apertura:
tutto l'anno.
Associato a: Turismo Verde.
Presentazione: azienda di 9,5 ettari con produzione di olivi, alberi da frutta, cereali e seminativi. Allevamento di animali. Offre ospitalità in 4 camere, di cui 2 con bagno in camera, per un totale di 7 posti letto.

Luoghi di interesse e manifestazioni locali: mare a 40 km, lago e fiume (per pescare) a 3 km, parco Gran Sasso-Laga.
Prezzi: B&B da £ 25.000 a 35.000. Gratis per bambini fino a 3 anni, sconto del 30% da 3 a 6 anni. Sconto del 10% per soggiorni di almeno 10 giorni.
Note: nelle vicinanze si possono praticare tennis, mountain bike, caccia, trekking e passeggiate. Sala TV. Cambio biancheria a richiesta, riscaldamento autonomo.

TEMBRIETTA

loc. Tembrietta • 64045 ISOLA DEL GRAN SASSO

☎ 0861975262

▲ E 6

Posizione geografica: collina (430 m).
Periodo di apertura: tutto l'anno.
Associato a: Turismo Verde.
Presentazione: azienda di 24 ettari adibiti a viticoltura, olivicoltura, frutticoltura, cereali, orticoltura, seminativi e allevamento di animali. Offre ospitalità in 2 camere doppie con bagno e ri-

scaldamento autonomo.
Prodotti aziendali: formaggio, salumi, pomodori, marmellate.
Luoghi di interesse e manifestazioni locali: parco nazionale Gran Sasso-Laga, mare (35 km).
Prezzi: B&B da £ 20.000 a 35.000.
Note: trekking e passeggiate, osservazione naturalistica. Nelle vicinanze si possono praticare escursioni a cavallo, tennis, alpinismo, pesca ed escursioni guidate. Approdo entro 300 m dall'azienda. Sala riunioni, sala lettura e TV. Cambio biancheria ogni 4 giorni.

SAN GIOVANNI AD INSULAM

loc. San Giovanni ad Insulam
66404 ISOLA DEL GRAN SASSO
☎ 0861210211-0861975247

▲ E 6

Posizione geografica:
collina (415 m).
Periodo di apertura:
tutto l'anno.
Associato a: Turismo Verde.
Presentazione: azienda di 4 ettari adibiti a viticoltura, olivicoltura, frutticoltura e orticoltura. Offre ospitalità in 1

appartamento con 8 posti letto di cui 2 camere con bagni interni e riscaldamento autonomo.
Prodotti aziendali: noci, vino bianco Passerino.
Luoghi di interesse e manifestazioni locali: parco nazionale Gran Sasso-Laga, mare (35 km), lago e fiume (1 km).
Prezzi: affitto giornaliero per appartamento da £ 25.000 a 35.000 a persona. Gratis per bambini fino a 3 anni. Sconto del 10 % per soggiorni oltre i 15 giorni.
Note: trekking e passeggiate, osservazione naturalistica, parco giochi, noleggio mountain bike. Nelle vicinanze possibilità di praticare escursioni a cavallo, tennis, alpinismo, pesca, escursioni guidate ed è disponibile un parco giochi. Sala lettura, sala riunioni e TV. Cambio biancheria ogni 4 giorni.

FONTE PECORALE

loc. Borea • 64030 MONTEFINO

☎ 0368541525

▲ E 7

Posizione geografica: collina (400 m).
Periodo di apertura: tutto l'anno.

Associato a: Turismo Verde.
Presentazione: azienda di 4 ettari adibiti a olivicoltura, coltivazione di piante officinali e allevamento equino. Offre ospitalità in 4 camere doppie con bagno e riscaldamento autonomo.

Luoghi di interesse e manifestazioni locali: mare (28 km), lago e fiume (30 km).
Prezzi: attività a cavallo a £ 20.000 l'ora. OR a £ 20.000.
Note: trekking e passeggiate, osservazione naturalistica, escursioni a cavallo e noleggio mountain bike. Corsi di equitazione di campagna, salto ad ostacoli e dressage con istruttore federale. Nelle vicinanze si può praticare la caccia. Cucina e sala ristoro a disposizione. Cambio biancheria bisettimanale.

VITA VERDE

fraz. Villa Brozzi • 64046 MONTORIO AL VOMANO
☎ 0861592070

▲ E 5

Posizione geografica: collina.
Periodo di apertura: tutto l'anno.
Associato a: Turismo Verde.
Presentazione: tipica costruzione rurale in azienda di 9 ettari con produzione di cereali, vigneto. Allevamento di ovini, suini, animali da cortile.
Luoghi di interesse e manifestazioni locali: museo archeologico di Canali, osservatorio astronomico di Collurano a Teramo, fortezza di Civitella. Sagra della trota, Agosto Montoriese con attività culturali e ricreative.
Prezzi: alloggio da £ 20.000 a 30.000.
Note: prato per prendere il sole. Raccolta di funghi porcini. Giochi delle bocce, calcetto, biliardo, pallavolo; osservazione ambientale, giardinaggio. Biancheria, telefono in comune.

DI NICOLA DUNATILL

64026 ROSETO DEGLI ABRUZZI
☎ 0858992180-0858941884

▲ E 7

Posizione geografica: mare.
Periodo di apertura: da maggio a settembre.
Presentazione: azienda composta da tre case rurali su 10 ettari di terreno con produzione di cereali, vigneto, oliveto e frutteto, ideale per soggiorni di relax. Accoglie ospiti in un'abitazione con 3 camere per un totale di 6 posti letto.
Prodotti aziendali: vino, spumante, olio, pasta di farro, confetture, miele.
Luoghi di interesse e manifestazioni locali: Montepagano, Atri, Teramo, Civitella del Tronto, Gran Sasso, castelli, parco nazionale del Gran Sasso e della Laga. Sagre paesane, mostra regionale dei vini.
Note: si affitta per periodi mensili o quindicinali. Corsi di agricoltura biologica, enologia e di produzione dell'olio. Su prenotazione visite aziendali e alla cantina. Raccolta di funghi. Sala riunioni. Cucina, frigorifero, gas, luce e acqua compresi. Animali accolti previo accordo.

CASA OLIVIERI

loc. Borsacchio • 64026 ROSETO DEGLI ABRUZZI
☎ 0858942889

▲ E 7

Posizione geografica: mare.
Periodo di apertura: da giugno a settembre, solo su prenotazione.
Associato a: Turismo Verde.
Presentazione: azienda su 3 ettari di terreno coltivati a cereali e uliveto. Accoglie ospiti in 4 camere.

Prodotti aziendali: olio.
Luoghi di interesse e manifestazioni locali: Atri, parco nazionale degli Abruzzi. Sagra del prosciutto, del pesce, del timballo, della salsiccia.
Prezzi: OR da £ 25.000 a 35.000. Riduzione del 10% per bambini fino a 10 anni e del 5% per letto aggiunto.
Note: osservazione ambientale. Prato per prendere il sole. Nelle vicinanze tennis, basket, nuoto, acqua scivolo.

LA MERIDIANA

c.da Santa Maria a Vico • 64019 SANT'OMERO
☎ 0861786336

▲ C 6

Posizione geografica: collina (50 m).
Periodo di apertura: tutto l'anno su prenotazione.
Presentazione: azienda di 20 ettari adibiti a olivicoltura, frutticoltura, cereali, seminativi. Offre ospitalità in 6 appartamenti per un totale di 22 posti letto.
Prodotti aziendali: ortaggi e frutta di stagione, olio extravergine d'oliva.
Luoghi di interesse e manifestazioni locali: mare (13 km).
Prezzi: affitto giornaliero per appartamento da £ 60.000 a 120.000.

Note: parco giochi, biciclette. Nelle vicinanze si possono praticare escursioni a cavallo, pesca e sono disponibili piscine per adulti e bambini e parco giochi. Sala riunioni, sala lettura e TV. Fornitura di biancheria su richiesta.

PICCHIO VERDE

c.da Ponticelli • 64040 TERAMO
☎ 0861328737

▲ E 6

Posizione geografica: collina (400 m).
Periodo di apertura: da aprile al 7 gennaio.
Associato a: Turismo Verde.
Presentazione: azienda di 13 ettari con coltivazioni biologiche di olivi e alberi da frutto, e allevamento di animali. Accoglie ospiti in 3 camere, di cui 2 con servizi in comune e 1 con servizi privati, per un totale di 5 posti letto. L'azienda si sta organizzando per portare la propria disponibilità ricettiva a 11 posti letto. Riscaldamento autonomo, uso cucina.
Ristorazione: l'azienda è convenzionata con un agriturismo, specializzato in cucina tipica regionale, che dista meno di 1 km.
Luoghi di interesse e manifestazioni locali: parco del Gran Sasso, monti della Laga, mare Adriatico, Castelli, Civitella del Tronto, Aquila, Ascoli Piceno.
Prezzi: da £ 30.000 a 40.000 a persona al giorno. Affitto dell'unità abitativa da £ 180.000 a 200.000 al giorno. Riduzione del 10% per bambini in età inferiore ai 6 anni o per un soggiorno di almeno 15 giorni.

IL BORGHETTO

loc. Viola • 64049 TOSSICIA
☎ 0861698498
▲ E 6

Posizione geografica: collina (430 m).
Periodo di apertura: tutto l'anno.
Associato a: Turismo Verde.
Presentazione: azienda di 3 ettari che pratica l'olivicoltura, la frutticoltura, l'orticoltura, la coltura in serra, produce cereali e alleva animali. Accoglie ospiti in 4 camere doppie con bagno.
Prezzi: B&B a £ 25.000. Gratis per bambini fino a 3 anni. Sconto del 10% per soggiorni di oltre 15 giorni.
Note: mountain bike, passeggiate e osservazione naturalistica. Nelle vicinanze maneggio, tennis, sci, alpinismo, pesca, caccia ed escursioni guidate. Cambio biancheria ogni 4 giorni, sala TV, telefono, garage e riscaldamento.

I TRE COMIGNOLI

loc. Viola • 64049 TOSSICIA ☎ 0861593147
▲ E 6

Posizione geografica: collina (430 m).
Periodo di apertura: tutto l'anno.
Associato a: Turismo Verde.
Presentazione: azienda di 10 ettari, situata nei pressi del parco nazionale del Gran Sasso, con coltivazioni di viti, olivi, frutta, cereali, ortaggi, seminativi. Allevamento di animali. Offre ospitalità in 6 camere, di cui 4 con bagno privato e 2 con bagno in comune, per un totale di 10 posti letto.
Prodotti aziendali: formaggio e olio extravergine d'oliva.
Prezzi: B&B a £ 25.000. Gratis per bambini fino a 3 anni. Sconto del 10% per soggiorni di almeno 15 giorni.
Note: passeggiate e osservazione naturalistica. Nelle vicinanze maneggio, tennis, mountain bike, alpinismo, pesca, caccia ed escursioni guidate. Sala riunioni. Cambio biancheria ogni 4 giorni, sala lettura e TV, telefono e riscaldamento.

CERQUONE

c.da Cerquone • 64040 TOSSICIA
☎ 0861698097
▲ E 6

Posizione geografica: collina (450 m).
Periodo di apertura: tutto l'anno.
Associato a: Turismo Verde.
Presentazione: azienda di 12 ettari con coltivazioni biologiche di olivi, alberi da frutto, cereali e a seminativo. Offre ospitalità in 4 camere doppie e 1 tripla tutte con servizi privati e uso cucina.
Prodotti aziendali: ciliegie, marmellate, pane fatto in casa.
Luoghi di interesse e manifestazioni locali: mare (30 km), lago (25 km), fiume (25 km).
Prezzi: B&B da £ 30.000 a 40.000. Gratis per bambini fino ai 3 anni.
Note: trekking e passeggiate, escursioni a cavallo, osservazione naturalistica. Possibilità di praticare mountain bike, parapendio, pesca e caccia. Parco giochi. Piste da neve a 30 km. Sala TV. Biancheria.

LA CREDENZA

Piane Tronto, 80 • 64010 CONTROGUERRA
☎ e fax 086189757
◆ C 6

Posizione geografica: collina, fiume.
Periodo di apertura: da febbraio a dicembre.
Presentazione: casa colonica ristrutturata inserita in un contesto aziendale di 60 ettari con cantina e produzione di vini D.O.C.
Ristorazione: 50 coperti. Ristorante aperto al pubblico con apertura serale, chiuso il lunedì. Salumi locali, minestra di farro e lenticchie e verdure alla contadina.
Prodotti aziendali: vino, olio.
Luoghi di interesse e manifestazioni locali: Ascoli Piceno, Civitella del Tronto, Corropoli la Badia. Sagra di Torano e Controguerra, cena del Governatore a Civitella, "Quintana" di Ascoli Piceno.
Prezzi: pasto da £ 30.000 a 40.000.
Note: l'azienda organizza visite guidate in cantina.

Molise

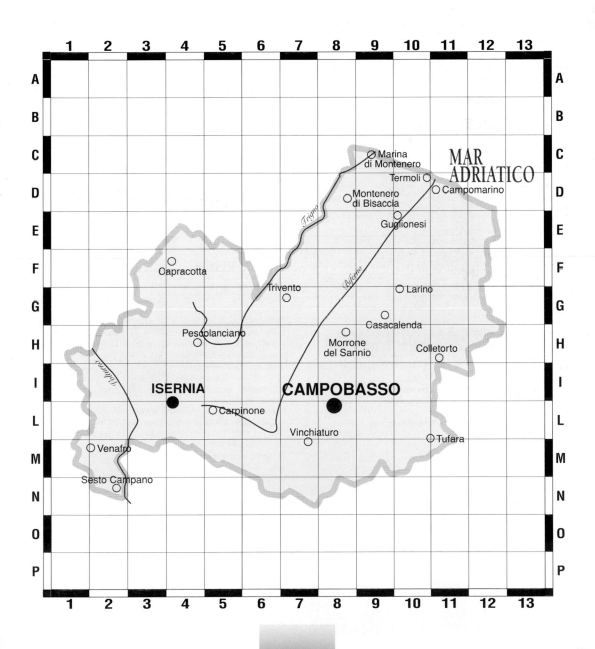

| | 1 | 2 | 3 | 4 | 5 | 6 | 7 | 8 | 9 | 10 | 11 | 12 | 13 | |

MAR ADRIATICO

Ø Marina di Montenero
Termoli ○
○ Campomarino
○ Montenero di Bisaccia
Guglionesi ○
○ Capracotta
Trivento ○
○ Larino
○ Casacalenda
Pescolanciano ○
Morrone del Sannio ○
Colletorto ○
ISERNIA ●
CAMPOBASSO ●
○ Carpinone
Vinchiaturo ○
○ Tufara
○ Venafro
Sesto Campano

Campobasso

PESCO LA CORTE

c.da Pesco la Corte • 86010 BUSSO
☎ 0874447285

● L 7

Posizione geografica: collina (750 m).
Periodo di apertura: tutto l'anno, solo su prenotazione.
Associato a: Terranostra.
Presentazione: tipica costruzione rurale, ristrutturata nel pieno rispetto ambientale del luogo, in azienda di 9 ettari immersa nel verde di uliveti, vigneti, orti, frutteti, seminativi. Allevamento di suini, ovini e animali di bassa corte. Accoglie ospiti in 3 camere, con 2 bagni comuni, da 2/3 posti letto.
Ristorazione: su prenotazione, cucina preparata con i prodotti dell'azienda. Piatti tipici come cavatelli, taccozze e fagioli, tagliatelle alle ortiche, arrosti.
Prodotti aziendali: polli, conigli, agnelli, uova, vino, ortaggi, formaggi.
Luoghi di interesse e manifestazioni locali: parco naturalistico di Monte Vairano (2 km), vallata del fiume Biferno (3 km), scavi archeologici di Altilia (25 km), stazione sciistica di Campitello Matese (30 km), museo regionale Sannita (13 km), santuario di Castelpetroso, fonderie di campane ad Agnone (50 km). Ferragosto bussese, festa enologica, bufù a Capodanno, maschere bussesi.
Prezzi: OR da £ 30.000 a 40.000. Pasto da £ 20.000 a 35.000.
Note: si effettuano massaggi rilassanti da parte di fisioterapista iscritto AITR. È possibile partecipare ai lavori aziendali. Trekking. A 15 km piscina scoperta e maneggio. Sala lettura e sala TV. Biancheria, uso cucina, camino, TV, riscaldamento, posto macchina. Animali accolti previo accordo.

"MASSERIA CATENA"

c.da Madonna Grande • 86042 CAMPOMARINO
☎ 087557163

● D 11

Posizione geografica: mare.
Periodo di apertura: da maggio a settembre.
Presentazione: l'azienda si estende su 5 ettari coltivati a vigneto, ortaggi e frutteto. Offre ospitalità in 3 camere.
Ristorazione: H/B, F/B, ristorante aperto al pubblico. Pasta fatta in casa, cucina tipica contadina.
Prodotti aziendali: ortaggi, pollame, uova, vino.
Luoghi di interesse e manifestazioni locali: scavi archeologici di insediamenti protostorici, isole Tremiti, Gargano, Altilia. Sagra del vino, festa patronale.
Prezzi: pasto da £ 25.000 a 35.000. Alloggio a partire da £ 50.000. Sconto del 15% per bambini sotto i 10 anni.
Note: si consiglia la prenotazione. Golf. Raccolta di asparagi e funghi. Riassetto, posto macchina.

LA QUERCIA

via Convento • 86043 CASACALENDA
☎ 0874841146

● G 9

Posizione geografica: collina.
Periodo di apertura: tutto l'anno, solo su prenotazione.
Associato a: Terranostra, TCI, Guida Orzoro.
Presentazione: tipica costruzione rurale in azienda di 30 ettari con produzione di prodotti tipici e allevamento di ovini e bovini. Accoglie ospiti in 6 camere, con bagno comune, per un totale di 15 posti letto.
Ristorazione: H/B e F/B. Ristorante con 40 coperti aperto al pubblico su prenotazione. Pasta fatta in casa, carni di produzione propria, pane casareccio, sottoli, formaggio, marmellate e dolci.
Prodotti aziendali: confetture, formaggi, sottoli, salumi, uova, ortaggi e olio.
Luoghi di interesse e manifestazioni locali: oasi LIPU, eremo francescano, cattedrale di San Pardo. "Kalena Estate" in luglio e agosto, sagre locali.
Prezzi: B&B fino a £ 30.000. Pasto da £ 20.000 a 30.000. Riduzione del 10% per bambini fino a 6 anni, del 5% per letto aggiunto.
Note: giochi all'aria aperta e visita guidata per i bambini alla stalla. Possibilità di partecipare alla vita agricola. Passeggiate naturalistiche. Raccolta di asparagi, more e funghi. Nelle vicinanze tennis e bocce. Prato per prendere il sole. Biancheria, pulizia, posto macchina.

"LA MASSERIA"

c.da Petriglione • 86034 GUGLIONESI
☎ 0875689827-0875689409

● E 10

Posizione geografica: mare.
Periodo di apertura: tutto l'anno.
Associato a: Terranostra.
Presentazione: l'azienda è circondata da oliveti e vigneti, orti e distese di campi di grano e girasoli. Offre ospitalità in 4 camere con bagno e in agricampeggio su 2 piazzole per 2 tende e 1 camper.

Ristorazione: H/B, F/B, solo su prenotazione e in mancanza di soggiornanti si attua ristorazione (max 30 coperti). Cavatelli, fusilli, pasta alla chitarra, lasagne in brodo, zuppe di legumi, insaccati, arrosti in forno a legna, pane di casa, dolci.
Prodotti aziendali: olio, vino, confetture, sottoli, uova, erbe, ortaggi, salumi, frutta.
Luoghi di interesse e manifestazioni locali: isole Tremiti, luoghi di ritrovamenti archeologici di Isernia, Larino, Venafro, Pietrabbondante, Termoli. Sagre dei paesi circostanti, feste patronali, mostre e fiere, manifestazioni folkloristiche.
Prezzi: pasto da £ 25.000 a 50.000. Alloggio fino a £ 30.000. Sconto del 10% per bambini fino ai 10 anni, del 5% per letto aggiunto.
Note: solo su prenotazione. Sala comune disponibile anche per occasioni speciali per 1 o 2 persone. Raccolta di erbe aromatiche e asparagi. Corsi di uncinetto, ferri e ricamo, gastronomia, osservazione ambientale, giochi all'aria aperta, trekking e passeggiate, mountain bike. Possibilità di praticare vela, pesca sportiva, tennis, equitazione e nuoto nelle immediate vicinanze. Biancheria, pulizia, riassetto, telefono in comune, posto macchina. Animali accolti previo accordo.

MANOCCHIO

c.da Rio Secco, 115 • 86016 RICCIA
☎ 0874716259
● M 9

Posizione geografica: collina.
Periodo di apertura: tutto l'anno.
Presentazione: costruzione rurale ristrutturata che si estende su 9 ettari con produzione di cereali, vigneto, oliveto, frutteto, ortaggi. Allevamento di varie specie di animali. Offre ospitalità in un appartamento con 8 posti letto e bagno in comune.
Ristorazione: H/B, F/B. Ristorante aperto al pubblico con 60 coperti. Cucina tipica molisana, ciufoli con salsiccia, taccozze e fagioli e cotiche, cucina tipica contadina, dolci tipici.
Prodotti aziendali: salumi, sopressate, mozzarelle, formaggi, caciocavalli, dolci, uova, vini, ortaggi e frutta biologica, confetture, pollame.
Luoghi di interesse e manifestazioni locali: scavi archeologici di Saepinum, torri e castelli dei paesi limitrofi, chiese rinascimentali, bosco di Tufara, bosco di Riccia, laghetti montani. Con facilità si possono raggiungere "i luoghi della vita di Padre Pio da Pietrelcina", San Giovanni Rotondo, santuario di Castelpetroso. Sagra del grano in luglio, sagra dell'uva in settembre, palio di Sant'Agostino in agosto, feste paesane nel periodo estivo.
Prezzi: pasto da £ 30.000 a 40.000. Alloggio fino a £ 30.000. Sconto del 10% per bambini fino a 5 anni, del 5% per comitive di 8/10 persone, del 5% per la seconda settimana di soggiorno.
Note: solo su prenotazione. Raccolta di asparagi, frutti di bosco, funghi. Possibilità di praticare nuoto, sci, gioco delle bocce e gioco del calcetto nelle vicinanze. L'azienda organizza giochi per bambini con piccoli animali. Corsi di cucina, di enologia e di caseificazione, partecipazione alle attività agricole, passeggiate a cavallo, escursioni ambientali e visite guidate, trekking e passeggiate. Biancheria, pulizia, riassetto, telefono in comune, uso frigorifero, sala audiovisivi comune, uso cucina, posto macchina.

"LA TAVERNA"

c.da Piana d'Olmo, 6 • 86017 SEPINO
☎ 087479626 fax 0874790118
● M 8

Posizione geografica: collina.
Periodo di apertura: tutto l'anno.
Associato a: Terranostra, aderente al programma C.E.E. - LEADER.
Presentazione: costruzione risalente al XVIII secolo, interamente ristrutturata con pietra viva, si estende su un'azienda agricola di oltre 20 ettari. Offre ospitalità in 14 camere con bagno.

Ristorazione: F/B. Ristorante aperto al pubblico con 40 coperti. Cucina tipica molisana.

Prodotti aziendali: confetture, dolci, farine integrali, formaggi, salumi.
Luoghi di interesse e manifestazioni locali: città romana di Altilia, resti sanniti di Saipins; stazione sciistica di Campitello Matese, parco del Matese. Fiera mercato in azienda la domenica di Pasqua.
Prezzi: pasto da £ 20.000 a 35.000. Alloggio a partire da £ 50.000. Piano famiglie 3x4, 10% seconda settimana.
Note: solo su prenotazione. Sala riunioni disponibile. Raccolta di funghi e asparagi. Possibilità di praticare calcetto. Trekking e passeggiate, escursioni e visite guidate, pesca, giochi all'aria aperta, equitazione, mountain bike.
Molitura prodotti biologici con mulino ad acqua. Biancheria, pulizia, telefono e televisione in camera, riscaldamento, sale comuni. Animali accolti previo accordo.

"L'OLIVETO"

c.da Macchie, 67 • 86034 GUGLIONESI
☎ e fax 0875689768 ☎ 0875706368 cell. 0330655455
▲ D 10

Posizione geografica: collina.
Periodo di apertura: tutto l'anno.
Associato a: Terranostra.
Presentazione: tipica costruzione rurale in azienda di 25 ettari con produzione di cereali, oliveto, barbabietole, girasoli.
Offre ospitalità in 7 camere con bagno.
Prodotti aziendali: olio, vino, miele, olive in salamoia, uova, pollame, prosciuttini.
Luoghi di interesse e manifestazioni locali: anfiteatro di Larino, chiesa romanica di San Nicola a Guglionesi.
Fiere e mercati mensili con vendita di prodotti artigianali.
Prezzi: alloggio £ 30.000 giornaliere per persona. Terzo letto £ 25.000, quarto letto £ 20.000, sconti da concordarsi con l'azienda per soggiorni settimanali.
Note: accessibile agli handicappati. Periodo minimo di soggiorno 2 giorni. Noleggio di biciclette, motociclette, pony da sella e da calesse.
Possibilità di praticare tiro al piattello, giochi all'aria aperta, equitazione, mountain bike. Pesca sportiva nel fiume Biferno a 3 km e nel lago di Guardialfiera.
Uso del frigorifero, uso cucina, sala da pranzo, sala comune, riscaldamento, aria condizionata, parcheggio.
Convenzionato con altro agriturismo per la ristorazione.

Isernia

"SELVAGGI"

loc. Staffoli • 86081 AGNONE
☎ 086577177
● G 5

Posizione geografica: montagna (1.030 m).
Periodo di apertura: tutto l'anno.
Presentazione: costruzione rurale della fine del '700, si estende su 750 ettari utilizzati a pascolo estivo, raccolta fieno e allevamento. Offre ospitalità in 5 camere con bagno.
Ristorazione: ristorante aperto al pubblico. Salumi di fattoria, zuppa di farro, paste stirate a mano al tartufo, hodi di trippa di agnello e torcinelli, agnello alla brace.
Prodotti aziendali: salumi dell'azienda, formaggi della zona.
Luoghi di interesse e manifestazioni locali: teatro sannitico di Pietrabbondante, fonderia di campane pontificia Marinelli, museo paleolitico di Isernia. Raduno equestre "Corsalonga" in agosto a Staffoli, rito della 'ndocciata il 24 dicembre ad Agnone.

Prezzi: pasto da £ 30.000 a 40.000. Alloggio rivolgersi all'azienda.
Note: non accessibile agli handiccappati. È consigliata la prenotazione nei giorni festivi. Raccolta di funghi e tartufi. Pesca, giochi all'aria aperta, equitazione, trekking e passeggiate, escursioni e visite guidate. Possibilità di praticare roccia, volo ultraleggero estivo.

L'azienda organizza corsi di equitazione fino al professionismo. Serate country-western nel saloon. Telefono in comune, bar, sala polivalente (saloon). Vietato l'accesso ai cani negli alloggi.

FATTORIA DI MARANCONI

c.da Maranconi, 15 • 86081 AGNONE
☎ e fax 0865770361

G 5

Posizione geografica: collina.
Periodo di apertura: da aprile al 6 gennaio (giorno di chiusura lunedì) e dal 7 gennaio a marzo solo il sabato e la domenica.
Associato a: Terranostra.
Presentazione: costituito da 6 case coloniche in pietra ristrutturate e arredate in stile tipico. Accoglie ospiti in camere per un totale di 44 posti letto, possibilità di affittare case coloniche indipendenti con cucina, caminetto e servizi; 2 piazzole per tende e camper.
Ristorazione: cucina tipica di Agnone e dell'alto Molise preparata con prodotti aziendali e dei contadini della zona. Agnello, *sagne a taccune*, zuppe contadine, dolci fatti in casa.
Prodotti aziendali: confetture di frutta, sottoli e sottaceti, salumi, tipici, formaggi.

Luoghi di interesse e manifestazioni locali: Agnone, fonderia pontificia di campane, foresta dell'alto Molise, oasi del WWF e dell'UNESCO, museo paleolitico, scavi sanniti. La *'ndocciata* di Agnone il 24 dicembre.
Prezzi: H/B da £ 65.000 a 70.000, F/B da £ 80.000 a 90.000. Riduzione del 30% per bambini da 4 a 12 anni (fino a 4 anni gratuito). Facilitazioni per gruppi di almeno 4 persone.
Note: in agosto e a Natale soggiorno minimo 4 giorni. Si organizzano escursioni a cavallo, in bicicletta o a piedi in zone di interesse naturalistico. Animali accolti previo accordo.

IL TRATTURO

loc. Frescialete • 86080 ROCCASICURA
☎ e fax 0865837151

H 3

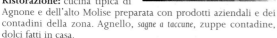

Posizione geografica: montagna (900 m).
Periodo di apertura: tutto l'anno.
Associato a: Tourist Green Club, Agriturist.
Presentazione: casa padronale, costruita con forme singolari interamente in pietra locale, immersa tra boschi di querce. Offre ospitalità in 4 camere doppie per un totale di 12 posti letto.
Ristorazione: B&B, H/B, F/B. Ristorante aperto al pubblico con 20 coperti. Cucina tipica alto-molisana, con piatti a base di funghi e tartufi. Cucina biologica.
Prodotti aziendali: miele, farro, cicerchia, grano saraceno.
Luoghi di interesse e manifestazioni locali: escursioni ad Agnone, Pietrabbondante, Sepino, Isernia, Castel San Vincenzo, riserve M.A.B. Sagra del tartufo in agosto, manifestazione e gare western "Corsalonga".
Prezzi: pasto da £ 25.000 a 40.000. B&B £ 40.000, H/B £ 80.000, F/B da £ 100.000 a 110.000. Sconto del 10% per bambini fino ai 10 anni e per ogni letto aggiunto.
Note: solo su prenotazione. Pensione cavalli. Raccolta di asparagi, frutti di bosco, funghi, tartufi. Possibilità di praticare escursioni guidate a cavallo, giochi all'aria aperta, trekking e passeggiate, mountain bike. Bagni in comune, telefono in comune, pulizia, riassetto, riscaldamento. Prato per prendere il sole. Animali accolti previo accordo.

Campania

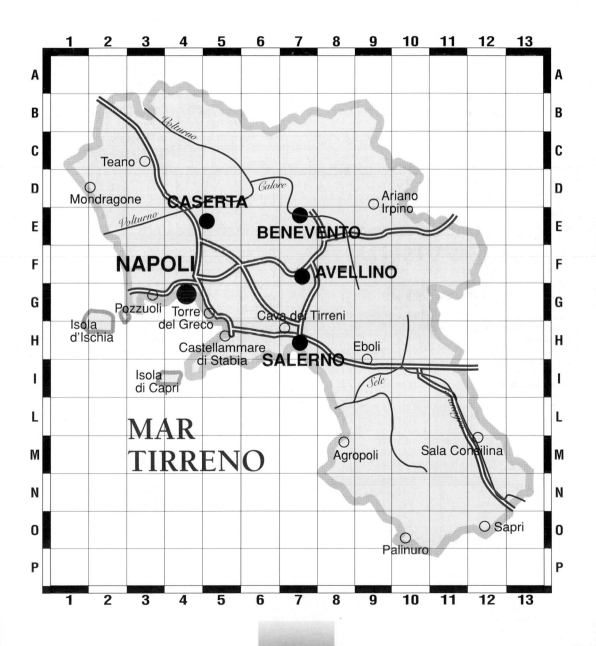

Avellino

BARBATI

via M. Imbriani, 177 • 83016 ROCCABASCERANA
☎ 0825993080

● F 7

Posizione geografica: collina.
Periodo di apertura: agosto tutti i giorni tranne lunedì, gli altri mesi dal giovedì al sabato (pranzo e cena) e la domenica solo pranzo.
Associato a: Terranostra.
Presentazione: tipico cascinale ristrutturato in azienda di 50 ettari coltivati a cereali, vigneti, oliveti, frutteti e foraggio. Allevamento di suini. Offre ospitalità in 4 camere con bagno.
Ristorazione: H/B, F/B, circa 80 coperti. Prodotti aziendali, pasta, lagana e fagioli, vino tipico aglianico. Occasionalmente cacciagione e cinghiale.
Prodotti aziendali: confetture, conigli, vino, olio, farina, uova.
Luoghi di interesse e manifestazioni locali: santuario Montevergine, museo di Avellino, attrazioni culturali nei paesi vicini. Varie manifestazioni nei dintorni.
Prezzi: pasto da £ 18.000 a 30.000. Alloggio fino a £ 30.000. Sconto del 5-10% per bambini.
Note: accessibile agli handicappati la sala ristorazione. Solo su prenotazione, periodo minimo di 1 settimana, sconti particolari effettuati per lunghi periodi. Raccolta di asparagi, funghi, castagne, frutti di bosco. Giochi delle bocce, del calcetto, golf, equitazione, giochi all'aria aperta, pesca. Prima colazione, posto macchina.

Benevento

LISONI

loc. Lisoni • 82024 COLLE SANNITA
☎ 0824931519

● C 7

Posizione geografica: collina.
Periodo di apertura: tutto l'anno.
Associato a: Terranostra.
Presentazione: tipica costruzione rurale in azienda di 10 ettari con produzione di cereali. Allevamento di ovini e suini. Offre ospitalità in 4 camere con bagno per un totale di 12 posti letto e in un appartamento.
Ristorazione: H/B, F/B. Pasta e fagioli, chiatelli.
Prodotti aziendali: dolci, salumi, pollame, conigli.
Luoghi di interesse e manifestazioni locali: chiesa medievale dell'Annunziata, laghetto montano. Carri allegorici il 4 agosto.
Prezzi: pasto da £ 15.000 a 45.000. Alloggio a £ 30.000. Sconto del 10% per i bambini fino ai 10 anni.
Note: gioco delle bocce, tennis. Prima colazione, riscaldamento.

"TUFINI"

loc. Tufini • 82018 SAN GIORGIO DEL SANNIO
☎ 0824779139-0824779043-082452193

● E 7

Posizione geografica: collina.
Periodo di apertura: tutto l'anno.
Associato a: Agriturist.

Presentazione: casale ristrutturato in azienda di 30 ettari coltivati a cereali, foraggio, vigneto, oliveto, frutteto, ortaggi. Allevamento di cavalli. Offre ospitalità in 4 miniappartamenti con bagno e in agricampeggio.
Ristorazione: H/B, F/B. Ristorante aperto al pubblico solo su prenotazione. Laine e fagioli, orecchiette alla boscaiola, lasagne primavera.
Prodotti aziendali: confetture, miele, ortaggi, vini ecc.
Luoghi di interesse e manifestazioni locali: Benevento, Pietralcina. Numerose sagre nei paesi limitrofi soprattutto nel periodo estivo.
Prezzi: pasto da £ 25.000 a 50.000, F/B a £ 75.000, H/B a £ 60.000. Sconto del 50% per bambini fino a 10 anni.
Note: solo su prenotazione, il periodo minimo di soggiorno è di 3 giorni. Sala riunioni disponibile. Corsi di uncinetto, ricamo, partecipazione alle attività aziendali. Gioco del ping-pong e giochi elettronici, piscina, giochi all'aria aperta, equitazione. Tennis nelle vicinanze. Biancheria, pulizia, riassetto, telefono in comune, prima colazione, riscaldamento, sala comune, posto macchina.

PROGETTO ARCADIA

via dei Fiori, 20 • 82019 SANT'AGATA DEI GOTI
☎ 0823717433 fax 0823717619

● D 6

Posizione geografica: collina.
Periodo di apertura: tutto l'anno tranne il 24-25-26 dicembre.
Associato a: Agriturist.
Presentazione: l'azienda produce vini D.O.C. con uva propria in un antico borgo medioevale all'interno di due edifici del '600 e del '700. Offre ospitalità in 9 camere con bagno.

Ristorazione: H/B, F/B. Ristorante aperto al pubblico (da 40 a 140 coperti). Antica cucina napoletana con paste fatte a mano, solo preparazioni aziendali compresi i dolci.
Prodotti aziendali: vini D.O.C., miele, sottoli, marmellate.
Luoghi di interesse e manifestazioni locali: centro storico di Sant'Agata, reggia di Caserta, costiera amalfitana. Feste patronali, "Cantine aperte" a maggio, mercato domenicale.
Prezzi: pasto da £ 30.000 a 50.000. Alloggio da £ 55.000 a 60.000.
Note: solo su prenotazione, periodo minimo di soggiorno di 2 giorni. Sala riunioni disponibile. Escursioni e possibilità di percorrere itinerari con guide qualificate.

Caserta

VERDEOLIVA

via Pratillo, 10 • 81012 ALVIGNANO
☎ e fax 0823865199

● D 5

Posizione geografica: collina.
Periodo di apertura: tutto l'anno.
Presentazione: masseria del 1800 con architettura tipica delle case rurali con muratura in tufo locale, recentemente ristrutturata, in azienda con terreno coltivato secondo il metodo dell'agricoltura biologica. Offre ospitalità in 1 camera matrimoniale con bagno e in 1 appartamento con 4 posti letto, bagno e angolo cottura.

Ristorazione: solo sabato e domenica. 40 coperti. Piatti tradizionali della cucina locale con spunti anche dalla napoletana del '700 e '800. Cucina vegetariana su richiesta.

Prodotti aziendali: prodotti biologici quali olio, ortaggi freschi, conserve, marmellate, frutta.

Luoghi di interesse e manifestazioni locali: oasi WWF bosco di San Silvestro, percorso Lipu, Reggia di Caserta, massiccio del Matese, interessanti mete archeologiche.

Prezzi: domenica menu fisso £ 45.000, OR a £ 35.000 a persona, H/B a £ 65.000. Gratis per bambini fino a 3 anni.

Note: giochi per bambini all'aria aperta. Tennis a 500 m, piscina a 2,5 km. Cambio bisettimanale della biancheria. Si accolgono animali domestici.

LA COLOMBAIA

via Grotte San Lazzaro • 81043 CAPUA ☎ e fax 0823968262

E 4

Posizione geografica: città d'arte.

Periodo di apertura: tutto l'anno.

Presentazione: chalet in legno che offre ospitalità in 2 appartamenti per un totale di 10 posti letto.

Ristorazione: cucina tipica preparata con prodotti biologici dell'azienda.

Prodotti aziendali: ortaggi, frutta, miele e conserve, tutti biologici.

Luoghi di interesse e manifestazioni locali: Reggia di Caserta, setificio di San Leucio, Napoli.

Prezzi: B&B a £ 40.000, H/B a £ 55.000, F/B a £ 70.000.

"IL TEOLOGO"

via Santa Maria del Piano - c.da Castagna • 81010 CIORLANO ☎ 0823944030-0823944832

A 4

Posizione geografica: collina.

Periodo di apertura: da aprile al 30 settembre.

Associato a: Agriturist.

Presentazione: tipica costruzione rurale in azienda di 5 ettari con piccolo oliveto e vigneto. Allevamento di ovini e bovini per la consumazione sul posto. Offre ospitalità in 2 camere con bagno per un totale di 8 posti letto e in piazzole per tende e roulotte.

Ristorazione: F/B. Cucina casereccia, principalmente vegetariana.

Luoghi di interesse e manifestazioni locali: sacrari militari della seconda guerra mondiale a Mignano Montelungo, scavi di una città del IV sec. a.C., piccolo santuario di San Giuseppe Moscati (medico santo).

Prezzi: pasto da £ 20.000 a 50.000, camera da £ 50.000 (per due persone), £ 10.000 per ogni letto aggiunto. Sconto del 10% per i bambini fino ai 10 anni.

Note: gioco delle bocce, pista da ballo, tiro con l'arco, giochi all'aria aperta. Pesca sportiva nelle vicinanze. Raccolta di asparagi e funghi. Biancheria, parcheggio.

COLLEVERDE

via Colleverde • 81040 PONTELATONE ☎ 0823876074

D 4

Posizione geografica: collina.

Periodo di apertura: tutto l'anno.

Associato a: Agriturist, Terranostra, Turismo Verde.

Presentazione: confortevole costruzione rurale adiacente alla fattoria padronale, si estende su 12 ettari in produzione. Offre ospitalità in 9 camere per un totale di 18 posti letto e in 3 appartamentini con camere, soggiorno, bagno.

Ristorazione: H/B, F/B, in sala ristorante o all'aperto sul parco con 40 coperti. Tagliatelle ai funghi alla Colleverde, *pettole* e fagioli, specialità locali di una volta.

Prodotti aziendali: confetture, dolci, frutta, latticini, miele, olio, noci, nocciole, castagne, vino.

Luoghi di interesse e manifestazioni locali: reggia di Caserta, basilica benedettina di Sant'Angelo in Formis, Pompei, Capri, Ischia, Capua, Santa Maria C.V. Sagre delle ciliegie, delle pesche, dell'uva, delle castagne. Feste patronali di Santa Maria del Castello e di Santa Maria Orazio.

Prezzi: pasto da £ 25.000 a 35.000. Alloggio da £ 30.000 a 40.000. Sconto del 10% per i bambini fino ai 10 anni, del 5% per letto aggiunto, del 10% per la seconda settimana.

Note: solo su prenotazione. Sala conferenze disponibile in azienda. Corsi di agricoltura biologica, di caseificazione, lavorazione della mozzarella locale, enologia, gastronomia, giardinaggio, osservazione ambientale. Possibilità di praticare footing, gioco delle bocce, calcetto. Giochi all'aria aperta, trekking e passeggiate, escursioni e visite guidate. Raccolta di asparagi, castagne, funghi, more. Prato per prendere il sole. Angolo cottura con frigorifero in ogni camera, riscaldamento, sala comune, posto macchina, ampio parco alberato. Animali accolti previo accordo con divieto di accesso nelle camere e nella sala ristorante.

COOP. FALODE

fraz. Acqua di Santa Maria
81010 SAN GREGORIO MATESE
☎ e fax 0823784423

B 4

Posizione geografica: montagna.

Periodo di apertura: tutto l'anno, con prenotazione.

Associato a: Terranostra.

Presentazione: l'azienda si estende su un altopiano a 1.100 m s.l.m. con vista sul lago e con un'estensione di 350 ettari. Offre ospitalità in 18 camere con bagno, in 3 appartamenti con 12 posti letto e in 20 piazzole per agricampeggio.

Ristorazione: H/B, F/B, 120 coperti. Agnello, funghi porcini.

Prodotti aziendali: latticini.

Luoghi di interesse e manifestazioni locali: reggia di Caserta, Pietrarola, museo paleontologico. Festa della montagna.

Prezzi: pasto da £ 20.000 a 40.000, per l'alloggio rivolgersi direttamente all'azienda, sconti del 20-30% per i bambini.

Note: solo su prenotazione. Prato per prendere il sole. Raccolta di frutti di bosco. Gioco delle bocce, del calcetto, tiro con l'arco, giochi all'aria aperta, equitazione, trekking e passeggiate, mountain bike. Riscaldamento.

QUERCETE

via Provinciale - c.da Quercete
81010 SAN POTITO SANNITICO
☎ 0823913881 fax 0823785924

B 5

Posizione geografica: collina.
Periodo di apertura: tutto l'anno, il ristorante è chiuso la domenica sera e il lunedì.
Presentazione: azienda zootecnica (allevamento della razza ovina Laticauda). Centro genetico sperimentale, si estende su 60 ettari con trattoria agrituristica. Offre ospitalità in 6 appartamenti dotati di servizi, in zona panoramica, per un totale di 16 posti letto totali.
Ristorazione: H/B, F/B. Ristorante con 90 coperti, menu stagionali a base di prodotti aziendali. Fantasia di salumi e formaggi pecorini, cavatelli di rapa rossa con verdurine e ricotta, cosciotto di castrato laticauda alle erbe di montagna, petto di faraona in salsa di limone.
Prodotti aziendali: formaggi, ricotta, confetture, sottoli, miele, pane, pasta, taralli, carni ovine, spiedini, animali da cortile, frutta secca.
Luoghi di interesse e manifestazioni locali: palazzo Filangieri, palazzo ducale, città di Alife, lago Matese, monte Miletto. Mostre di pittura e scultura.
Prezzi: pasto da £ 26.000 a 45.000. Alloggio da £ 80.000 a 240.000 per appartamento (2/7 persone).
Note: è gradita la prenotazione, disponibile sala convegni. Raccolta di castagne, noci, nocciole, funghi, frutti di bosco. Campo polivalente (calcetto, tennis ecc.).
Prato per prendere il sole. Pista di pattinaggio, parco bambini, campo di bocce. Biancheria, prima colazione, uso cucina, uso frigorifero, televisore, riscaldamento autonomo.

DEL TIFATA

via Masseria - Tenuta Schiavone • 81054 SAN PRISCO
☎ 0823879753 fax 0823847930

E 4

Posizione geografica: collina.
Periodo di apertura: tutto l'anno.
Associato a: Terranostra.
Presentazione: tipica costruzione rurale degli anni '70, immersa in un oliveto secolare. Offre ospitalità in 6 camere, di cui 3 con bagno comune, per un totale di

20 posti letto e in piazzole per agricampeggio.
Ristorazione: H/B, F/B, solo su prenotazione. Torciglioni con salsiccia sbriciolata, tirati al vino bianco.
Prodotti aziendali: olio extravergine di oliva, vino, frutta fresca di stagione, noci, nocciole.
Luoghi di interesse e manifestazioni locali: reggia di Caserta, borgo medioevale di Caserta Vecchia, anfiteatro romano, basilica benedettina di Sant'Angelo in Formis. "Settembre al borgo", "Estate al cinema", sagre varie da maggio a ottobre.
Prezzi: pasto da £ 15.000 a 25.000. Alloggio da £ 30.000 a 50.000. Gratis per i bambini fino ai 3 anni.
Note: solo su prenotazione, periodo minimo per prenotazione 2 giorni prima. Ampie aree verdi per prendere il sole e fare pic nic. Sala panoramica con caminetto. Raccolta di asparagi, funghi, corbezzoli, alloro, rosmarino, rughetta.

Possibilità di praticare calcetto, pattinaggio, footing (in costruzione golf). Biancheria con cambio settimanale, pulizia, riassetto, riscaldamento a stufe.

Napoli

LA PERGOLA

via San Giuseppe, 8 • 80075 FORIO D'ISCHIA
☎ e fax 081909483

G 5

Posizione geografica: mare.
Periodo di apertura: da febbraio a novembre, Natale, Capodanno.
Associato a: Terranostra.
Presentazione: tipica costruzione mediterranea, con stupenda vista

mare, in azienda di 3 ettari coltivata in parte a vigneto. Offre ospitalità in 7 camere con bagno per un totale di 18 posti letto.
Ristorazione: H/B, ristorante aperto al pubblico. Coniglio all'ischitana, cucina tipica ischitana con prodotti aziendali.
Prodotti aziendali: confetture, liquori, frutta, olio, vino, miele, ortaggi, uova, sottaceti, spumante.
Luoghi di interesse e manifestazioni locali: Pompei, Vesuvio, Ercolano, Capri, costiera amalfitana, musei. Sagre e feste di paese tutto l'anno.
Prezzi: pasto da £ 25.000 a 60.000, alloggio da £ 50.000 a 60.000. Sconto del 30% per bambini da 3 a 10 anni, £ 10.000 per letto aggiunto.
Note: è gradita la prenotazione preferibilmente 15 giorni prima. Corsi di artigianato, gastronomia, agricoltura. Giochi delle bocce, del ping-pong, del biliardo, cinema, tiro con l'arco, pesca, giochi all'aria aperta, equitazione, tennis, mountain bike, nuoto. Raccolta di more, castagne, funghi, aromi selvatici, erbe. Pulizia, riassetto. Animali accolti previo accordo.

IL VITIGNO

via Bocca, 3/T • 80075 FORIO D'ISCHIA
☎ e fax 081998307

G 5

Posizione geografica: collina.
Periodo di apertura: tutto l'anno.
Associato a: Terranostra.
Presentazione: tipica costruzione rurale immersa in una piantagione di 10.000 mq coltivati a viti. Allevamento di animali da cortile. Offre ospitalità in 13 camere elegantemente arredate in stile rustico con mobili d'epoca, tutte con servizi privati.
Ristorazione: ristorante aperto al pubblico. Piatti genuini a base di pesce o carne, marmellate, frutta di stagione, ortaggi, animali da cortile accompagnati da vini D.O.C. di produzione propria.
Prodotti aziendali: rivolgersi direttamente all'azienda.
Prezzi: pasto a £ 30.000, B&B da £ 45.000 a 55.000.
Note: gioco delle bocce e del ping-pong, golf. Forno a legna, barbecue, cantina, terrazzi esterni. Saletta TV e per la lettura, parcheggio. Percorsi per biciclette. Ottimo punto di partenza per passeggiate ecologiche. Solarium.

LA CASA DEL GHIRO

via San Nicola, 15 - loc. Franche • 80050 PIMONTE
☎ 0818792525-0818749241 fax 0818749907

● H 5

Posizione geografica: collina.
Periodo di apertura: tutto l'anno.
Presentazione: casa rurale in pietra in posizione panoramica, immersa in un parco collinare ai piedi dei monti Lattari, in azienda con coltivazione di olivi, orto e frutteto. Allevamento di animali da cortile, cavalli e capre. Offre ospitalità in 5 camere doppie, 2 quadruple e 2 camere bilocali, per un totale di 25 posti letto, tutte con bagno privato, ampie e spaziose. Possibilità di agricampeggio in 6 piazzole.
Ristorazione: cucina tipica. Salumi, pasta fatta in casa, zuppe di legumi, pollo, coniglio, dolci tipici napoletani quali il babà, la caprese, la pastiera e la crostata di frutta.
Prodotti aziendali: marmellate, liquori aromatici, salumi, caciotta di capra.
Luoghi di interesse e manifestazioni locali: costiera amalfitana, Pompei a 10 km, Amalfi a 18 km, Sorrento a 25 km.
Prezzi: H/B da £ 75.000 a 90.000, B&B (solo in bassa stagione) a £ 45.000. Ristoro agrituristico da £ 35.000 a 55.000.
Note: permanenza minima di 7 giorni in alta stagione e di 3 giorni in media e bassa stagione. Si organizzano escursioni, visite alle attività agricole e corsi di cucina tipica. Campo di bocce e di tiro con l'arco, ping-pong, piscina, equitazione e golf. Non si accettano animali.

Salerno

AURELLA

via Magnocavallo • 84046 ASCEA
☎ e fax 0974977588

● N 9

Posizione geografica: collina, mare.
Periodo di apertura: tutto l'anno.
Associato a: Agriturist, Agriturismo, TCI, Turismo Verde.
Presentazione: l'azienda offre ospitalità in 10 camere e 1 appartamento da 4 posti letto.

Ristorazione: cucina tipica mediterranea casareccia, fusilli, gnocchi e ravioli fatti a mano.
Prodotti aziendali: olio, vino, marmellate di fichi, frutta e ortaggi.
Luoghi di interesse e manifestazioni locali: zona archeologica di Velia, Paestum, costiera amalfitana, Capri, Sorrento. Numerose sagre estive.
Prezzi: B&B da £ 35.000 a 40.000, H/B da £ 60.000 a 70.000, F/B da £ 75.000 a 85.000, bevande escluse. Appartamento da £ 500.000 a 700.000. Riduzione del 10% per gruppi di almeno 10 persone, del 20% per terzo e quarto letto in camera. Sconti da concordare per bambini con meno di 8 anni.
Note: soggiorno minimo 2 giorni in bassa stagione e 7 giorni in alta stagione. Cambio asciugamani ogni 3 giorni, lenzuola ogni 7, pulizia.

LA PETROSA

via Fabbrica • 84052 CERASO ☎ 097461370 fax 097479919

● N 10

Posizione geografica: collina.
Periodo di apertura: tutto l'anno.
Presentazione: una vecchia casa colonica completamente ristrutturata è stata trasformata in un delizioso "alberghetto" di campagna. Le 6 camere doppie dotate di servizi, l'area destinata ad agricampeggio con 8 piazzole per tende e caravan, alcuni appartamenti in ex case coloniche e le camere nel castello padronale, per un totale di 43 posti letto, offrono un soggiorno tranquillo e confortevole.
Ristorazione: solo su prenotazione. Piatti tipici della cucina mediterranea, cilentana in particolare, preparati con prodotti dell'azienda.
Prodotti aziendali: vino, olio, marmellate, liquori, formaggio di capra in olio extravergine d'oliva, farina.
Luoghi di interesse e manifestazioni locali: Velia, Paestum, Certosa di Padula e Palinuro.
Prezzi: B&B da £ 40.000 a 60.000, H/B da £ 60.000 a 90.000, H/B da £ 80.000 a 110.000, a persona al giorno in camera doppia. Supplemento culla e camera singola per B&B £ 10.000. Appartamento da £ 600.000 a 800.000 a settimana.
Note: piscina, bocce, ping-pong, noleggio mountain bike, tiro con l'arco, escursioni nel parco. Equitazione a 4 km. Pulizia giornaliera, cambio biancheria, acqua, luce, riscaldamento. Si accolgono animali solo negli spazi esterni.

SELIANO

via Seliano • 84063 PAESTUM
☎ 0828723634 fax 0828724544

● L 8

Posizione geografica: mare, città d'arte.
Periodo di apertura: da marzo a ottobre e da dicembre a gennaio.
Associato a: Agriturist, Turismo Verde, TCI, Osterie d'Italia.
Presentazione: l'antico borgo di metà '800 è stato ristrutturato e sia la club-house che la foresteria conservano un'atmosfera rustica e accogliente. Accoglie ospiti in 4 unità abitative e in 15 camere, con bagno, per un totale di 35/40 posti letto.
Ristorazione: cibi preparati con prodotti freschi che provengono dalle aziende agricole di famiglia, coltivati con metodi naturali. Menu fisso. Carciofi, mozzarella di bufala campana, fichi del Cilento freschi e secchi, pomodori e carne di bufala.
Prodotti aziendali: mozzarella, marmellata, verdure di stagione, olio, castagne, carne di bufala, aceto, limoncello, nocino, rosoli.
Luoghi di interesse e manifestazioni locali: Paestum, scavi di Velia, oasi di Persano, parco nazionale del Cilento, certosa di Padula, Palinuro, Amalfi.
Prezzi: B&B da £ 200.000 (camera doppia), H/B a £ 130.000 a persona, F/B a £ 150.000 (a persona). Sconto del 30% per bambini da 6 a 12 anni.
Note: piscina, calcetto e tennis nelle vicinanze. Maneggio e piscina. Corsi di cucina. Biancheria, pulizia. Animali accolti previo accordo.

LA SONTINA

c.da Verzingieri • 84030 SANZA
☎ 0975322346

● M 9

Posizione geografica: collina.
Periodo di apertura: tutto l'anno.
Presentazione: azienda con coltivazione di cereali e ortaggi. Allevamento di ovini e bovini. Offre ospitalità in 2 appartamenti e 4 camere, tutti con bagno privato, per un totale di 12 posti letto. Possibilità di agricampeggio in 10 piazzole.
Ristorazione: salumi sontini (lucani), prodotti caseari freschi e stagionati, sottoli, funghi, tartufi.
Prodotti aziendali: salumi, formaggi, miele.
Luoghi di interesse e manifestazioni locali: Certosa di San Lorenzo a Padula, museo archeologico di Teggiano, parco nazionale del Cilento Vallo di Diano, monte Cervati, golfo di Policastro, cippo a Carlo Pisacane.
Prezzi: pasto da £ 25.000 a 40.000. OR a £ 50.000, B&B a £ 55.000, HB a £ 75.000. Sconto del 10% per bambini fino ai 10 anni relativamente a pranzo e cena.
Note: solo su prenotazione. Parco giochi e prato per prendere il sole. Baby sitter. Biancheria, pulizia. Si accettano animali domestici.

CASA LEONE

via Vittorio Emanuele, 8 • 84046 TERRADURA
☎ e fax 0974977003

● O 9

Posizione geografica: collina.
Periodo di apertura: tutto l'anno.
Associato a: Terranostra.
Presentazione: casa colonica su tre livelli ristrutturata. Accoglie ospiti in 7 camere e 1 appartamento.
Ristorazione: fusilli, gnocchi, grigliate e melanzane.
Prodotti aziendali: olio, limoncello, pomodori, olive e melanzane.
Luoghi di interesse e manifestazioni locali: scavi di Velia ed Elea. Feste di Santa Sofia e San Michele, Via Crucis vivente.

Prezzi: H/B da £ 62.000 a 74.000.
Note: prenotazione con 15 giorni d'anticipo. Calcetto, tennis, trekking, possibilità di escursioni guidate. Sala ristoro, bar, terrazza solarium vista mare, punto massage. Pulizie giornaliere e cambio biancheria settimanale. Animali accolti previo accordo.

MARE E MONTI

via Trugnano, 3 - fraz. Corsano • 84010 TRAMONTI
☎ 089876665 cell. 03389176475

● H 5

Posizione geografica: collina, nel cuore della costiera amalfitana.
Periodo di apertura: tutto l'anno.
Associato a: Terranostra.

Presentazione: tipica costruzione rurale, si estende su 1,05 ettari, coltivati a vigneto, noceto, oliveto, frutteto, legumi, cereali, ortaggi. Offre ospitalità in 1 appartamento (4 posti letto) con cucina, 1 appartamento (4 posti letto) senza cucina, in 1 camera da 2 posti letto e in 5 piazzole in agricampeggio.
Ristorazione: B&B, H/B, F/B, tutto su prenotazione. Cucina tipica mediterranea e costaiola, liquori fatti in casa: concierto, nocillo, limoncello, fragolino, finalloro.
Prodotti aziendali: vino artigianale e uve D.O.C. "Costa Amalfi", olio, noci, frutta, conigli, pollame, uova, ortaggi, confetture di frutta.
Luoghi di interesse e manifestazioni locali: ville e monumenti della penisola amalfitana-sorrentina, Capri, Pompei, Paestum e reggia di Caserta. Giornate agrituristiche, festival della pizza, sagra del vino e dei limoni, festività religiose locali, fiere di San Vincenzo, del Corpus Domini e di San Francesco.
Prezzi: pasto da £ 20.000 a 25.000, alloggio da £ 25.000 a 35.000. Piazzola a £ 20.000. Sconto del 50% per i bambini fino ai 10 anni e solo sui pasti, 5% letto aggiunto.
Note: solo su prenotazione. Periodo minimo di soggiorno 2 giorni o week-end. Prato per prendere il sole, giochi della palla al fosso, dello strummolo, del calcetto, del basket, del volley, delle bocce, equitazione, tennis, trekking e passeggiate. Raccolta di amarene, more, funghi, castagne, fragoline di bosco. Baby sitting. Possibilità di partecipare alle attività di caseificazione, artigianato, agricoltura (viticoltura, enologia). Salone ottocentesco per consumazione pasti, con angolo camino, TV e angolo lettura. Biancheria, pulizia, prima colazione, uso cucina, uso frigorifero, riscaldamento, posto macchina, parcheggio interno. Animali accolti previo accordo.

CASINA ROSSA

loc. Campolongo Litoranea • 84020 EBOLI
☎ 0828691413-0828341287

▲ H 9

Posizione geografica: mare, fiume.
Periodo di apertura: tutto l'anno, solo su prenotazione.
Associato a: Terranostra.
Presentazione: casa colonica in azienda di 4 ettari di terreno con coltivazione di cereali, frutteto e ortaggi. Allevamento di polli. Ideale per passeggiate naturalistiche. Accoglie ospiti in appartamenti da 2, 4 e 6 persone, con servizi, per un totale di 12 posti letto.
Prodotti aziendali: frutta, ortaggi, limoncello, confetture, pollame e uova.
Luoghi di interesse e manifestazioni locali: certosa di Padula, Paestum, grotte di Pertosa, Castelcivita, oasi di Persano. Festival internazionale del cinema, sagra della mozzarella.
Prezzi: OR da £ 30.000 a 50.000. Riduzione del 30% per bambini con meno di 12 anni.
Note: corsi di alimentazione, educazione e osservazione ambientale. Parco giochi. Mountain bike, calcetto, basket. Prato per prendere il sole e ampi spazi aperti. Docce esterne comuni, biancheria, cucina, frigorifero, riscaldamento a legna, parcheggio ombreggiato. Animali accolti previo accordo.

Basilicata

MAR TIRRENO

MAR IONIO

Matera

QUINTO NUNZIO

Case Sparse • 75010 METAPONTO
☎ 0835747050 fax 0998296570
 ● I 12

Posizione geografica: collina.
Periodo di apertura: tutto l'anno.
Associato a: Touring Club Federcampeggio.
Presentazione: tipica costruzione rurale in azienda di 7 ettari coltivati a cereali, agrumi, frutta, ortaggi, più 1 ettaro a pineta. Offre ospitalità in 6 camere con bagno per un totale di 20 posti letto, in 7 appartamenti per un totale di 28 posti letto e in 10 piazzole per tende e caravan.
Ristorazione: H/B. Ristorante aperto al pubblico con 30 coperti. Cucina casereccia con piatti tipici lucani e pugliesi.
Prodotti aziendali: confetture, frutta, latticini, miele, olio, ortaggi, pollame, uova, salumi, farine, conserve, vini.
Luoghi di interesse e manifestazioni locali: Sassi di Matera, spiaggia a Metaponto, tavole palatine e scavi archeologici a Metaponto, museo di Policoro, Taranto, Matera. Feste patronali in giugno-settembre, sagre contadine (festa dell'anguria), Passione di Cristo (Pasqua e agosto).
Prezzi: pasto da £ 25.000 a 50.000, alloggio da £ 30.000 a 50.000. Sconto del 5% per soggiorni di 2 settimane, del 5% per letto aggiunto.
Note: periodo minimo di soggiorno 1 settimana. Minimarket con prodotti tipici, spiagge libere nelle vicinanze. Raccolta di funghi, asparagi, frutti di bosco. Per i bambini animazione e giochi all'aperto. Piscina, tiro con l'arco, tennis, trekking e passeggiate, mountain bike. Possibilità di praticare il gioco delle bocce. Corsi di agricoltura, gastronomia, caseificazione, enologia, osservazione ambientale. Biancheria, riscaldamento, telefono comune, prima colazione, uso cucina, uso frigorifero, posto macchina. Animali accolti previo accordo.

MACCHIAGRICOLA

s.s. 106 km 444 • 75010 METAPONTO
☎ 0835470194
 ● I 12

Posizione geografica: mare.
Periodo di apertura: da aprile a settembre.
Associato a: Tourist Green Club, Agriturist.
Presentazione: azienda di 200 ettari coltivati a frutteto. Offre ospitalità in 18 appartamenti per un totale di 45 posti letto.
Ristorazione: B&B. Ristorante con 60 coperti. Menu tipico o mediterraneo, si preparano anche colazioni al sacco.
Prodotti aziendali: formaggi, salumi, vino, olio, confetture, frutta e verdura.
Luoghi di interesse e manifestazioni locali: parco archeologico, Sassi e chiese rupestri a Matera. Feste patronali in luglio e agosto.

Prezzi: pasto da £ 30.000 a 40.000, alloggio da £ 30.000 a 50.000. Sconti sul vitto per bambini sotto i 5 anni.
Note: soggiorno minimo 1 settimana. Osservazioni naturalistiche, possibilità di giocare a bocce, pallavolo, pingpong, calcio balilla e per i bambini sala giochi. Trekking e passeggiate, escursioni e visite guidate, mountain bike. Biancheria settimanale, uso cucina, attrezzature da mare e tipici servizi agrituristici, telefono comune.

SAN MARCO

s.s. 175, km 33/34 - loc. San Marco • 75010 METAPONTO
☎ 0835747050 - 099826148
 ● I 12

Posizione geografica: collina.
Periodo di apertura: tutto l'anno, solo su prenotazione.
Presentazione: azienda agricola che coltiva cereali, ortaggi, olivi, vigneti, agrumi, fragole e pesche. Allevamento di polli e conigli secondo la vecchia tradizione. Accoglie ospiti in appartamenti e camere da 2 a 5 posti letto dotate di tutti

i confort, ricavate dalla vecchia masseria, e in piazzole in agri-campeggio.
Ristorazione: cucina tradizionale e piatti tipici del posto.
Luoghi di interesse e manifestazioni locali: Metaponto, Policoro, Nova Siri, Matera, Alberobello, Castellana, Taranto, Fasano, il mare dista pochi chilometri.
Prezzi: camere da £ 250.000 a 450.000, appartamenti da £ 400.000 a 600.000, villetta da £ 500.000 a 650.000, mansarda da £ 500.000 a 700.000, prezzi settimanali. Campeggio: adulti da £ 8.000 a 9.000, bambini da £ 6.000 a 7.000, roulotte da £ 8.000 a 9.000, tenda da £ 7.000 a 8.000, camper da £ 9.000 a 10.000, auto da £ 4.000 a 5.000, moto a £ 3.000, luce da £ 3.000 a 4.000. In campeggio sconto del 5% per 15 giorni, del 10% per 30 giorni, del 10% per 7 giorni ai soci AIT-FICC-FIA.
Note: piscina e tennis. Al momento della prenotazione è obbligatorio versare una caparra del 40%, saldo all'arrivo. Gas e luce compresi nel prezzo. Non sono previsti i servizi di pulizia e biancheria.

CARIBE VILLAGE

c.da Campagnolo • 75010 METAPONTO
☎ e fax 0835542544
 ● I 12

Posizione geografica: pianura.
Periodo di apertura: tutto l'anno.
Presentazione: azienda a 10 km dal mare, accoglie ospiti in 6 camere e in 12 appartamenti, tutti con servizi.
Ristorazione: pizza e arrosti.
Prodotti aziendali: frutta di stagione.
Luoghi di interesse e manifestazioni locali: musei e reperti archeologici, Sassi di Matera.
Prezzi: da £ 30.000 a 50.000 a persona.
Note: è gradita la prenotazione. Tennis, piscina, calcetto, biciclette, palestra, basket, giochi per bambini, sala giochi. Animali accolti previo accordo.

LA COLLINETTA

c.da Pietra del Conte
75020 NOVA SIRI
☎ 0835855175 cell. 0337902109
 ● M 11

Posizione geografica: collina.
Periodo di apertura: tutto l'anno.
Associato a: Terranostra.
Presentazione: l'azienda si estende su 25 ettari di terreno coltivati a vigneti, pescheti, albicoccheti, cereali. Offre ospitalità in 6 camere climatizzate con bagno, TV, frigobar, e in 4 bilocali con possibilità di aggiungere 1 letto a castello.
Ristorazione: H/B, F/B. Ristorante aperto anche al pubblico con

40 coperti. Carne e pesce.

Prodotti aziendali: marmellate, succhi di frutta, olio, salsa, salumi, pollame.

Luoghi di interesse e manifestazioni locali: Policoro, rocca imperiale, Matera, Metaponto, Pollino. Varie feste paesane.

Prezzi: pasto da £ 30.000 a 40.000, H/B da £ 80.000 a 100.000, F/B a £ 110.000. Sconto del 30% per bambini fino a 6 anni. Passeggiate a cavallo £ 15.000 l'ora.

Note: accessibile agli handicappati. Solo su prenotazione, soggiorno minimo 1 settimana. Piscina e maneggio. Parco giochi, mountain bike, campo da tennis, calcetto. Prato per prendere il sole, corsi di agricoltura. Biancheria, uso frigo, riscaldamento, posto macchina.

TORRETTA

s.s. 106 Ionica, km 438 - c.da Torretta - San Basilio
75015 PISTICCI
☎ **0835470052 - 03473308716**

● **H 10**

Posizione geografica: mare.
Periodo di apertura: da aprile a ottobre, solo su prenotazione.
Associato a: Agriturist.
Presentazione: azienda di 100 ettari con oliveto, agrumeto, colture ortive e seminative. Accoglie ospiti in 3 appartamenti, con bagno, per un totale di 8 posti letto.
Ristorazione: H/B e F/B. Cucina tipica lucana.
Prodotti aziendali: confetture, dolci, frutta, latticini, insaccati, olio, uova, vini, ortaggi.
Luoghi di interesse e manifestazioni locali: parco nazionale del Pollino, Sassi di Matera, scavi archeologici di Policoro e Metaponto. Feste patronali e sagre.
Prezzi: da £ 30.000 a 50.000. Pasto da £ 20.000 a 40.000. Riduzione del 30% per bambini.
Note: accessibile agli handicappati. Prato per prendere il sole. Guida alle attività agricole e al giardinaggio. Piscina e mountain bike. Equitazione e tennis nelle vicinanze. Raccolta di funghi e asparagi. Biancheria, riassetto, telefono comune, uso cucina e frigorifero, camino, posto auto. Animali accolti previo accordo.

RICCIARDULLI ANTONIO

via Monte Grappa, 21 • 75025 POLICORO
☎ **e fax 0835910256**

● **L 11**

Posizione geografica: pianura, mare, fiume.
Periodo di apertura: tutto l'anno.
Presentazione: edificio recentemente ristrutturato con patio in azienda di 3 ettari. Accoglie ospiti in 3 appartamenti, di cui un

bilocale per 4 persone e due trilocali da 4/6 persone, e in 30 piazzole per tende e caravan.
Ristorazione: cucina casereccia con piatti tipici lucani.
Prodotti aziendali: fragole, albicocche, susine, ortaggi.

Luoghi di interesse e manifestazioni locali: Sassi di Matera, scavi archeologici di Policoro e Metaponto, museo, oasi faunistica, riserva naturale di Bosco Pantano, terme.
Prezzi: bilocale da £ 700.000 a 1.000.000 la settimana, trilocali da 800.000 a 1.200.000.
Note: calcetto. Nelle vicinanze si possono praticare equitazione, mountain bike, deltaplano, pesca, caccia, nuoto, sci nautico, vela, canoa. Si accolgono animali.

MASSERIA D'ELIA

via Torino, 14 • 75027 SAN GIORGIO LUCANO
☎ **0835815979-0835846177**

● **M 8**

Posizione geografica: collina, mare.
Periodo di apertura: da maggio a settembre tutti i giorni, gli altri mesi solo sabato e domenica.
Presentazione: tipica costruzione rurale, si estende su 60 ettari coltivati a ortaggi, frutteto. Offre ospitalità in 6 camere con bagno per un totale di 12 posti letto e in 8 piazzole in agricampeggio.

Ristorazione: H/B. Ristorante aperto al pubblico. Cucina lucana.
Prodotti aziendali: confetture, dolci, frutta, olio, vino.
Luoghi di interesse e manifestazioni locali: Sassi di Matera, parco del Pollino, costa jonica. Sagre.
Prezzi: pasto da £ 20.000 a 35.000, alloggio da £ 30.000 a 50.000.
Note: accessibile agli handicappati. L'azienda organizza corsi di agricoltura biologica e di gastronomia.
Possibilità di giocare a bocce e calcetto. Piscina, giochi all'aria aperte, equitazione, tennis, trekking e passeggiate.
Biancheria, pulizia, prima colazione, uso cucina, riscaldamento, posto macchina. Animali accolti previo accordo.

IL MERLO

via Monvisio, 4 • 75020 SCANZANO JONICO
☎ **0835953269**
● **L 11**

Posizione geografica: mare.
Periodo di apertura: tutto l'anno.
Presentazione: tipica costruzione rurale che si estende su 6 ettari coltivati a orto e frutteto. Allevamento di suini e animali di bassa corte. Offre ospitalità in 5 camere con bagno comune per un totale di 16 posti letto e in 5 appartamenti.
Ristorazione: H/B, F/B. Ristorante aperto al pubblico con 50 coperti. Pasta fatta in casa con sughi tipici, macedonia con frutta di propria produzione, carni bianche e salami nostrani.
Prodotti aziendali: frutta, funghi, latticini, miele, olio, ortaggi, pollame, salumi, uova, vini ecc.
Luoghi di interesse e manifestazioni locali: mare, musei, Sassi di Matera, torre saracena, castello baronale, centro storico, scavi archeologici di Termitito. Sagra della fragola a maggio, carnevale, sfilate di moda.
Prezzi: pasto da £ 15.000 a 50.000, alloggio da £ 30.000 a 50.000. Sconto del 20% per bambini fino a 6 anni.
Note: accessibile agli handicappati. Prato per prendere il sole, transfer da aeroporto/stazione all'azienda e viceversa. Raccolta di asparagi, castagne, frutti di bosco, funghi, cipolline, cicorie. Per i bambini giochi di sala. Corsi di gastronomia, enologia. Possibilità di giocare a bocce, calcetto, pallavolo, ping-pong, calcio balilla e di praticare vela. Pesca, equitazione, tennis, trekking e passeggiate, mountain bike. Biancheria, pulizia, telefono comune, prima colazione, uso frigobar, riscaldamento, sala comune, posto macchina.

IL PONTE

x

s.s. 106 km 436 • 75020 SCANZANO JONICO
☎ 0835931018
http:www.sifor.it/aziende/ponte

 L 11

Posizione geografica: mare.
Periodo di apertura: tutto l'anno.
Presentazione: costruzione rurale in azienda di 5 ettari coltivati ad albicocche, kiwi, arance, limoni, olive, ciliegie, fichi, nespole e fichi d'India. Allevamento di pollame. Offre ospitalità in 8 camere con bagno per un totale di 18 posti letto e in 2 appartamenti per un totale di 8 posti letto.
Ristorazione: H/B, F/B. Ristorante aperto al pubblico con più di 100 coperti. Pasta fatta in casa (orecchiette, cavatelli, tagliatelle, fusilli, gnocchetti), agnello alla pastorale, pollo alla birra.
Prodotti aziendali: confetture, crostate, frutta, formaggio, salumi, pane, olio, olive, vini, pollame, melanzane sottolio, pesche sciroppate, succhi di albicocca, salse di pomodoro.
Luoghi di interesse e manifestazioni locali: musei della Magna Grecia a Metaponto e Policoro, tavole palatine di Metapontum, monumenti della collina materana. Sagra della pastorale, del pesce e del frizzulo a Scanzano in agosto, festa del mare il 15 agosto, festa patronale SS. Annunziata il 25 marzo, Madonna del Ponte a Policoro in maggio, Madonna del Carmine a Policoro in luglio, Santi Medici a Policoro in settembre, Sant'Assunta, San Vito e San Rocco a Pisticci il 15-16-17 agosto, San Filippo a Tursi il 26 maggio.
Prezzi: pasto da £ 20.000 a 35.000, camere bassa stagione fino a £ 30.000, alta stagione da £ 30.000 a 50.000; appartamenti fino a £ 30.000. Sconto del 10% per bambini fino a 10 anni. Sconto del 15% per gruppi di 20 persone.
Note: è gradita la prenotazione. Terrazzino per prendere il sole. Tiro con l'arco, giochi all'aria aperta, possibilità di giocare a bocce. Corsi di gastronomia. Possibilità di osservare le stelle con un telescopio professionale situato sul terrazzo. Raccolta di cicorie campestri. Per le camere: biancheria, pulizia, telefono in camera, riscaldamento e terrazzino; per gli appartamenti: uso frigorifero, uso cucina, telefono e biancheria su richiesta, riscaldamento. Parcheggio coperto.

CARBONE MARIA

via Parisi • 75020 SCANZANO JONICO
☎ 0835953562

 L 11

Posizione geografica: mare.
Periodo di apertura: da aprile a settembre.
Associato a: Turismo Verde.
Presentazione: costruzione rurale, si estende su 4,30 ettari coltivati a pescheto, susini, agrumeto e ortaggi. Offre ospitalità in 3 camere con bagno comune per un totale di 6 posti letto.
Ristorazione: H/B, F/B. Cucina contadina con salumi caserecci.
Prodotti aziendali: confetture, olio, vino, salumi, uova, pollame.
Luoghi di interesse e manifestazioni locali: scavi archeologici della Magna Grecia, musei, mare incontaminato. Feste paesane in giugno-agosto.
Prezzi: pasto da £ 20.000 a 35.000, alloggio da £ 30.000 a 50.000. Sconto del 20% per bambini fino a 10 anni.
Note: raccolta di asparagi. Possibilità di giocare a bocce, corsi di osservazione ambientale e giardinaggio, escursioni e visite guidate, mountain bike, giochi all'aria aperta. Biancheria, pulizia, riassetto, telefono comune, prima colazione, sala comune, posto macchina.

LA LUCANIA

via Lucana, 9 • 75020 SCANZANO JONICO
☎ 0835930322

 L 11

Posizione geografica: mare.
Periodo di apertura: tutto l'anno.
Associato a: Turismo Verde.
Presentazione: l'azienda si estende su 4 ettari coltivati a vigneto, frutteto e ortaggi. Offre ospitalità in 2 appartamenti con 4 posti letto ciascuno.
Ristorazione: H/B. Cavatelli, piatti locali.
Prodotti aziendali: sottoli, salsa, pelati, olio, vino, uova, ortaggi di stagione.
Luoghi di interesse e manifestazioni locali: Sassi di Matera, scavi archeologici della Magna Grecia, parco nazionale del Pollino, monte Sirino. Sagra del frizzulo, la corrida, festa patronale.
Prezzi: pasto £ 20.000. Appartamento da £ 60.000 a 75.000 al giorno. Pasto per bambini fino a 8 anni £ 10.000.

Note: accessibile agli handicappati. Solo su prenotazione. Raccolta di asparagi e funghi. Pesca, giochi all'aria aperta, tennis, mountain bike. Possibilità di giocare a bocce e calcetto. Posto macchina.

GRIECO GAETANA

corso Umberto, 34 • 75012 BERNALDA
☎ 0835745481

▲ H 11

Posizione geografica: mare.
Periodo di apertura: tutto l'anno.
Presentazione: villa con ampio giardino su 30 ettari di terreno, ideale per rilassanti soggiorni al mare. Accoglie ospiti in 2 appartamenti per un totale di 10 posti letto.
Prodotti aziendali: ortaggi, salumi e vini.
Luoghi di interesse e manifestazioni locali: resti archeologici e museo del Metaponto.
Prezzi: OR fino a £ 30.000.
Note: possibilità di guida turistica. Raccolta di asparagi, cicorie e funghi. Soggiorno minimo una settimana. Uso cucina e frigorifero, riscaldamento.

PULIGNANO MARIA ANNUNZIATA

via Einaudi, 10 • 75020 MARCONIA
☎ 0835416681

▲ I 11

Posizione geografica: mare.
Periodo di apertura: da maggio a settembre tutti i giorni.
Presentazione: tipica costruzione rurale in azienda di 5 ettari di terreno coltivati a cereali, agrumi, ortaggi. Offre ospitalità in 3 camere con bagno comune per un totale di 6 posti letto e in 2 appartamenti.
Prodotti aziendali: olio, vino, ortaggi.

Luoghi di interesse e manifestazioni locali: scavi archeologici di Metaponto, tavole palatine. Sagra dell'anguria.
Prezzi: fino a £ 30.000.
Note: uso cucina e frigorifero.

PIERRO EMILIA

via Santa Lucia, 67 • 75024 MONTESCAGLIOSO
☎ 0835208141-0835200406

▲ G 11

Posizione geografica: collina, mare.
Periodo di apertura: da aprile a fine ottobre.
Presentazione: villetta di campagna che offre ospitalità in 3 appartamenti per un totale di 8/12 posti letto.
Prodotti aziendali: prodotti ortofrutticoli.
Luoghi di interesse e manifestazioni locali: Matera e il Metaponto. Festa della Bruna a luglio.
Prezzi: OR a £ 30.000 a persona.
Note: accessibile agli handicappati. Permanenza minima 2 giorni. Giochi all'aria aperta. Raccolta di asparagi e funghi. Soggiorno minimo 1 settimana. Dista 10 minuti dalla spiaggia. Uso cucina e frigorifero. Animali accolti previo accordo.

DOLCEDORME

c.da Basile, 41 • 75020 NOVA SIRI
☎ 0835505384

▲ M 11

Posizione geografica: collina.
Periodo di apertura: tutto l'anno.
Presentazione: l'azienda si estende su 7 ettari coltivati a cereali, vigneto, ortaggi. Allevamento di pollame e conigli. Offre ospitalità in 1 appartamento per un totale di 5 posti letto.

Prodotti aziendali: ortaggi, vino, olio, polli, uova.
Luoghi di interesse e manifestazioni locali: parco nazionale del Pollino, museo nazionale a Policoro, castello medioevale Rocca Imperiale Valsini Isabella Morra, Sassi di Matera. Feste folkloristiche dei paesi di tradizioni albanesi.
Prezzi: alloggio fino a £ 30.000 per persona.
Note: periodo minimo di soggiorno 15 giorni. Tiro con l'arco, giochi all'aria aperta, mountain bike. Raccolta di asparagi e funghi. Corsi di artigianato, enologia, gastronomia, giardinaggio e osservazione ambientale. Possibilità di praticare alpinismo e giocare a bocce. Riscaldamento e posto auto.

DELFINO-LEONE

viale Ionio, 2 - Tinchi • 75015 PISTICCI
☎ 0835580087

▲ H 10

Posizione geografica: tra colline e mare.

Periodo di apertura: tutto l'anno.
Associato a: C.O.A.B., U.N.C.I.
Presentazione: costruzione rurale in azienda di circa 11 ettari coltivati a cereali, ulivi, agrumi e ortaggi. Allevamento di pollame e conigli. Offre ospitalità in 2 appartamenti monofamiliari (70 mq) con angolo cottura.

Prodotti aziendali: olio, vino, frutta, ortaggi, uova, pollame.
Luoghi di interesse e manifestazioni locali: Pisticci (8 km), mare e Marina di Pisticci, antica civiltà greca, Metaponto e l'antica Eraclea, Sassi di Matera, trulli ad Alberobello, grotte di Castellana, zoosafari di Fasano. Feste patronali in luglio, agosto e settembre, rappresentazioni varie.
Prezzi: rivolgersi direttamente all'azienda.
Note: solo su prenotazione. Periodo minimo di soggiorno 1 settimana. Raccolta di asparagi e lumache in stagione. Nelle vicinanze si organizzano corsi di nuoto e di equitazione. Giochi all'aria aperta. Biancheria, uso cucina, uso frigorifero, riscaldamento, posto macchina. Animali accolti previo accordo.

GALLITELLI ATTILIO

via Nazionale, 45 • 75025 POLICORO
☎ 0835971693 fax 0835971734

▲ L 11

Posizione geografica: mare.
Periodo di apertura: da giugno a settembre.
Presentazione: tipica costruzione rurale, si estende su 7,5 ettari coltivati a ortaggi, frutteto, vigneto e oliveto. Offre ospitalità in 2 appartamenti con 4+2 posti letto e in 2 piazzole per roulotte e caravan.
Prodotti aziendali: confetture, frutta di stagione, vino, olio, ortaggi, uova.
Luoghi di interesse e manifestazioni locali: riserva naturale bosco Pantano Sottano a Policoro, scavi archeologici della Magna Grecia, tavole palatine di Metapontum. Sagre della frutta di stagione e delle specialità gastronomiche locali.
Prezzi: da £ 30.000 a 50.000 al giorno per persona. Sconto del 10% per letto aggiunto e per la seconda setimana di soggiorno.
Note: periodo minimo di soggiorno 1 settimana. Raccolta di frutti di bosco. Corsi di agricoltura biologica, giardinaggio e possibilità di partecipazione ai lavori nei campi. Possibilità di giocare a ping-pong e di praticare jogging. Tiro con l'arco, giochi all'aria aperta, mountain bike. Uso cucina, uso frigorifero, riscaldamento, lavanderia in comune, posto macchina. Animali accolti previo accordo.

PODERE 348

via Colombo, 14 • 75025 POLICORO ☎ 0835980851

▲ L 11

Posizione geografica: mare.
Periodo di apertura: da giugno a settembre e da dicembre a gennaio.
Presentazione: tipica costruzione rurale, si estende su 7 ettari coltivati a pesche, albicocche e agrumi. Offre ospitalità in 4 appartamenti per un totale di 12 posti letto.
Prodotti aziendali: confetture, frutta, olio, uova, vini, pollame.
Luoghi di interesse e manifestazioni locali: museo nazionale della Siritide, scavi archeologici antica Heraclea. Festa patronale dei Santi Medici a settembre, manifestazioni estive varie.
Prezzi: alloggio da £ 30.000 a 50.000. Maggiorazione del 20% per letto aggiunto.
Note: prato per prendere il sole. Raccolta di asparagi e funghi. In allestimento campo da bocce. Giochi all'aria aperta, mountain bike. Si organizzano tornei di giochi a carte. Uso cucina, uso frigorifero, parcheggio coperto. Animali accolti previo accordo.

CORNACCHIA NICOLA

c.da Lama di Palio • 75016 POMARICO
☎ 0835552359

▲ H 10

Posizione geografica: collina.
Periodo di apertura: tutto l'anno, solo su prenotazione.
Presentazione: sorgenti e antiche masserie fanno da cornice all'ampia e confortevole casa colonica in azienda di 165 ettari di seminativi e 20 ettari di bosco. Accoglie ospiti in 2 appartamenti, con bagno comune, da 4/6 posti letto e in 3 piazzole in agricampeggio.
Prodotti aziendali: miele, vino e olio.
Luoghi di interesse e manifestazioni locali: zone archeologiche con reperti dell'età del bronzo e della Magna Grecia, mare a 25 km, Pomarico, Pisticci e Craco. "Agosto Pomaricano".
Prezzi: OR fino a £ 30.000.
Note: possibilità di partecipare alle attività agricole e di osservazione ambientale. Passeggiate naturalistiche. Particolarmente adatto per soggiorno di gruppi di lavoro o campiscuola in autogestione. Disponibile sala riunioni e ampie verande. Telefono in comune, uso cucina e riscaldamento.

NAVOLIO ANGELA

via Campania, 1 • 75020 SCANZANO JONICO
☎ 0835332606

▲ L 12

Posizione geografica: mare.
Periodo di apertura: da maggio a settembre.
Presentazione: tipica costruzione rurale in azienda di 4 ettari coltivati a cereali e ortaggi. Offre ospitalità in 2 appartamenti per un totale di 5 posti letto.
Luoghi di interesse e manifestazioni locali: tavole palatine di Metaponto, museo Magna Grecia a Policoro, Sassi di Matera, parco nazionale del Pollino. Varie manifestazioni tra luglio e agosto.
Prezzi: appartamento da £ 70.000 a 100.000.
Note: solo su prenotazione per un soggiorno minimo di 1 settimana. Raccolta di asparagi, frutti di bosco. Incontri culturali in luglio e agosto. Possibilità di praticare tennis ed equitazione nelle vicinanze.

AGATA GIUSEPPE

via Roma, 10 • 75020 SCANZANO JONICO
☎ 0835930076-083595464-0835953490

▲ L 12

Posizione geografica: mare.
Periodo di apertura: tutto l'anno.
Associato a: Agriturist.
Presentazione: costruzione rurale in azienda di 4 ettari coltivati a cereali. Offre ospitalità in 4 appartamenti per un totale di 16 posti letto.
Prodotti aziendali: dolci, frutta, olio, ortaggi, pollame, uova, vini.
Luoghi di interesse e manifestazioni locali: Sassi di Matera, Pollino, museo di Policoro e di Metaponto. Sagra del frizzulo in agosto.
Prezzi: alloggio fino a £ 30.000 per persona al giorno.
Note: solo su prenotazione, per un periodo minimo di 1 settimana. Prato per prendere il sole. Passeggiate in campagna e al fiume. Raccolta di asparagi, funghi, frutti di bosco. Giochi all'aria aperta, trekking e passeggiate, mountain bike. Osservazione ambientale, possibilità di giocare a calcetto. Riscaldamento, cucina in appartamento e posto macchina. Animali accolti previo accordo.

BONVINO NICOLA

via Roma, 6 • 75020 SCANZANO JONICO
☎ 0835930080

▲ L 12

Posizione geografica: mare.
Periodo di apertura: tutto l'anno.
Presentazione: tipica costruzione rurale in azienda di 4 ettari coltivati ad agrumeto. Offre ospitalità in 3 appartamenti da 5 posti letto ciascun.
Prodotti aziendali: vino, pollame, uova, olio, ortaggi, frutta.
Luoghi di interesse e manifestazioni locali: zona archeologica a Metaponto, Heraclea (Policoro), parco nazionale del Pollino. Manifestazioni varie in estate.
Prezzi: alloggio £ 30.000 per persona.
Note: raccolta di cicorie, asparagi, cipolline e funghi. Servizio di baby sitting. Possibilità di praticare ciclismo su strada e vela. In estate torneo di calcetto comunale e intercomunale. Riscaldamento.

DI MATTEO BIAGIO

via Liguria, 5 • 75020 SCANZANO JONICO
☎ 0835930227

▲ L 12

Posizione geografica: mare.
Periodo di apertura: tutto l'anno.
Associato a: Agriturismo.
Presentazione: azienda su 4 ettari di terreno con produzione di vigneto, frutteto e allevamento di animali. Accoglie ospiti in 2 appartamenti, con bagno, per un totale di 8 posti letto.
Prodotti aziendali: vino, ortaggi, pollame, frutta e conigli.
Luoghi di interesse e manifestazioni locali: Pollino, laghi di Monticchio, Sassi di Matera, musei di Policoro e Metaponto, dighe. Numerose sagre e intrattenimenti organizzati dal comune.
Prezzi: OR a £ 60.000 circa per appartamento.
Note: possibilità d'osservazione ambientale. Riscaldamento, ampia vetrata.

Potenza

FRAGNETO IARDINO

c.da Fragneto Iardino • 85050 BRIENZA
☎ 0975381310 ☎ e fax 0975381654

● **G 4**

Posizione geografica: collina-montagna (650 m).
Periodo di apertura: tutto l'anno, chiuso il martedì.
Presentazione: costruzione ristrutturata in azienda di 16 ettari coltivati a cereali, ortaggi, vigneto, meleto. Allevamento di suini, ovini ed equini. Offre ospitalità in camere singole con bagno e in appartamenti.
Ristorazione: H/B, F/B. Ristorante aperto al pubblico con 80 coperti. Antipasti con salumi nostrani, latticini, sottoli, pasta fatta in casa (orecchiette, fusilli, ravioli, cavatelli, sigarette).
Prodotti aziendali: confetture, erbe officinali, frutta, funghi, latticini, miele, olio, ortaggi, pollame, salumi, uova, conigli, vino, farina, noci.
Luoghi di interesse e manifestazioni locali: scavi di Grumento, certosa di San Lorenzo, grotte di Pertosa, impianti sciistici vari. Falò il 19 marzo, sagra della lana e dei fagioli, festa enologica, maratone e gare ciclistiche.
Prezzi: pasto da £ 30.000 a 55.000, F/B £ 70.000 per persona al giorno, camera singola £ 50.000. Sconto del 35% per bambini fino a 8 anni, 15% letto aggiunto, 15% per ultrasessantenni, 10% per la seconda settimana di soggiorno.
Note: accessibile agli handicappati. Solo su prenotazione. Raccolta di asparagi, castagne, funghi, origano, more, lamponi, fragoline, nocciole. Possibilità di praticare il gioco delle bocce, calcetto, pallavolo, caccia, ping-pong, torrentismo. Si organizzano escursioni con guida. Guida alle coltivazioni con l'ausilio di tecnici. Pesca, equitazione, tennis, trekking, passeggiate, mountain bike. Biancheria, pulizia, riassetto, telefono comune, prima colazione, uso cucina, uso frigorifero, sala comune, posto macchina, giardino. Animali accolti previo accordo.

SERRA DAINI

loc. Serra dei Daini • 85020 FILIANO
☎ e fax 097188010

● **D 3**

Posizione geografica: collina.
Periodo di apertura: da aprile a settembre (chiuso il lunedì), gli altri mesi solo sabato e domenica su prenotazione.
Presentazione: l'azienda si estende su 5 ettari ed è supportata dalle aziende agricole dei soci. Offre alloggio in 8 piazzole per agricampeggio.
Ristorazione: H/B, F/B. Ristorante aperto al pubblico con 17 coperti. Cutturiedd, cauzun con ricotta e menta, agnello alla lucana, cantarogne al carioricotta.
Prodotti aziendali: farine, olio, ortaggi, animali da cortile, vino, uova.
Luoghi di interesse e manifestazioni locali: riserve antropologiche n. 2, castello federiciano di Lagopesole, Monticchio, Melfi, Venosa, serra San Berardo. Sagra del pecorino in settembre, sagra dell'aglianico in ottobre, sagra della castagna in novembre.
Prezzi: pasto da £ 25.000 a 50.000, alloggio fino a £ 30.000.
Note: raccolta di asparagi, castagne, frutti di bosco, funghi. Giochi all'aria aperta, equitazione, trekking e passeggiate,

mountain bike. Corsi di caseificazione, artigianato, osservazione ambientale. Per i bambini è disponibile una sala giochi. Possibilità di praticare orientamento, di assistere a proiezioni, spettacoli e incontri nell'anfiteatro. Sala riunioni, prima colazione, posto macchina.

SANTOIANNI ROSANGELA

c.so Grande, 222 • 85023 FORENZA
☎ 0971773001 cell. 03683446891

● **C 5**

Posizione geografica: collina.
Periodo di apertura: da maggio a ottobre.
Associato a: Agriturist.
Presentazione: antica cascina circondata da un vigneto, ideale per soggiorni di relax e passeggiate naturalistiche. Accoglie ospiti in 1 appartamento con 3 camere per un totale di 6 posti letto, cucina, bagno e soggiorno.
Ristorazione: H/B e F/B. Cucina locale.
Prodotti aziendali: salsiccia, ricotta, formaggio, olio, vino e pollame.
Luoghi di interesse e manifestazioni locali: cattedrali, castelli, laghi e conventi. Varie manifestazioni in piazza ad agosto.
Prezzi: OR a £ 25.000, B&B a £ 30.000. Pasto da £ 25.000 a 50.000. Riduzione del 10% per bambini fino a 10 anni.
Note: è gradita la prenotazione. Equitazione, bocce e basket. In autunno raccolta di more e castagne. Uso cucina e frigorifero.

DIOTAIUTI GIUSEPPE

c.da Cerbaro • 85042 LAGONEGRO
☎ 097322857

● **M 4**

Posizione geografica: montagna.
Periodo di apertura: tutto l'anno.
Presentazione: offre ospitalità in 1 camera con bagno e in 3.000 mq di agricampeggio per tende e caravan.
Ristorazione: H/B, F/B. Ristorante aperto al pubblico. Cucina tipica locale.
Prodotti aziendali: salumi e formaggi.
Luoghi di interesse e manifestazioni locali: monte Sirino, lago Laudemio, lago Sirino, monte Cerbaro, Maratea, monte Coccovello. "Fortindinfesta" dal 15 al 23 agosto.
Prezzi: pasto da £ 10.000 a 30.000, F/B fino a £ 50.000.
Note: raccolta di funghi, asparagi, castagne, noci e nocciole. Escursioni a cavallo, giochi all'aria aperta. Possibilità di praticare sci sul monte Sirino. Animali accolti previo accordo.

COOP. VALPOLLINO

c.da Cornaleto, 1 • 85043 LATRONICO
☎ 0973851503-0973851593 fax 0973851503

● M 6

Posizione geografica: montagna e fiume.
Presentazione: tipica costruzione rurale in azienda di 56 ettari che produce funghi, frutti di bosco, miele, verdure. Offre ospitalità per un totale di 16 posti letto in camere con bagno, TV e telefono.
Ristorazione: H/B, ristorante con 60 coperti aperto al pubblico. Pasta fatta in casa, specialità al tartufo e ai funghi porcini, baccalà, cinghiale, capriolo e cervo.
Prodotti aziendali: confetture, dolci, erbe, frutti di bosco, funghi di bosco o coltivati, miele, formaggi e salumi.
Luoghi di interesse e manifestazioni locali: terme La Calsa, parco del Pollino, stazione sciistica del Sirino, Matera, costiera adriatica.
Prezzi: da £ 30.000 ad oltre 50.000. Pasti da £ 20.000 a 50.000.
Note: accessibile agli handicappati. Alpinismo, equitazione, mountain bike, pesca sportiva, piscina, sci di fondo, tiro con l'arco e trekking. Parco per bambini.
Biancheria, riscaldamento, posto macchina. Animali accolti previo accordo.

IL GIARDINO DEGLI ULIVI

c.da Pozzo • 85050 MARSICOVETERE
☎ 097569114-097569407 cell. 03386940782

● H 4

Posizione geografica: collina.
Periodo di apertura: tutto l'anno.
Presentazione: tipica costruzione rurale in azienda di 2 ettari con produzione di cereali, vigneto, oliveto. Allevamento di ovini. Offre ospitalità in 2 camere con bagno comune per un totale di 6 posti letto e in 1 appartamento.
Ristorazione: ristorante aperto al pubblico con 80 coperti. Cucina casereccia.
Prodotti aziendali: prodotti tipici.
Luoghi di interesse e manifestazioni locali: centro storico di Marsicovetere, monte Volturino, attrazioni naturalistiche, scavi archeologici di Grumento Nova. Sagra del prosciutto a Marsicovetere il 13-15 agosto, sagra del tartufo, sagra del porco.
Prezzi: pasto da £ 18.000 a 30.000, alloggio fino a £ 30.000. Per bambini fino a 3 anni ristoro gratuito e sconti da concordare.
Note: alpinismo, lancio col deltaplano, tiro con l'arco, equitazione, corsi di agricoltura biologica presso l'azienda sperimentale "Bosco caldo", osservazione ambientale. Per i bambini canto e piccolo zoo. Biancheria, pulizia, riassetto, telefono comune, prima colazione, riscaldamento, posto macchina.

ROBILOTTA GIOVANNI

piazza Albini, 15 - c.da Castelluccio 85053 MONTEMURRO
☎ 0975352767 -0975354070
cell. 0330842454-03355361330

● I 6

Posizione geografica: collina-montagna.
Periodo di apertura: da marzo a ottobre tutti i giorni.
Associato a: Agriturist.
Presentazione: costruzione rurale in azienda di 3 ettari di terreno coltivati a vigneto, oliveto, frutteto. Allevamento di struzzi. Offre ospitalità in 6 camere, di cui 3 doppie, con bagno comune

e in 3 miniappartamenti, di cui uno da 6 e due da 7 posti letto. Si affittano inoltre piccoli appartamenti arredati nel centro storico.
Ristorazione: ristoro tipico, capretto, agnello, pasta fatta in casa, fagioli.
Prodotti aziendali: vino, olio, castagne, noci, nocciole, miele, mele, uova.
Luoghi di interesse e manifestazioni locali: scavi archeologici di Grumento, lago Petrusillo, certosa di Padula. Sagra del fagiolo, sagra della mozzarella, sagra del prosciutto (tutte in agosto).
Prezzi: pasto da £ 20.000 a 40.000, alloggio fino a £ 30.000. Sconto del 10% per bambini fino a 10 anni, del 5% per letto aggiunto.
Note: raccolta (anche con guida) di frutti di bosco, funghi, tartufi. Corsi di enologia, osservazione ambientale. Piscina. Possibilità di praticare canoa a 4 km. Maneggio a 500 m. Telefono comune, uso cucina, uso frigorifero, riscaldamento, uso griglia per gli alloggiati, posto macchina.

ACACIA

c.da Martorino, 1 • 85030 SAN COSTANTINO ALBANESE
☎ 097391084

● N 4

Posizione geografica: montagna.
Periodo di apertura: tutti i giorni da aprile a dicembre, solo sabato e domenica da gennaio a marzo.
Associato a: Basilisco.
Presentazione: tipica costruzione rurale ristrutturata in azienda di 40 ettari con allevamento di cinghiali, pollame e vasti frutteti. Accoglie ospiti in 6 camere per un totale di 18 posti letto, in 2 appartamenti e in 4 piazzole in agricampeggio. Campo scout attrezzato.
Ristorazione: H/B e F/B. Ristorante aperto al pubblico con 40 coperti. Piatti tipici locali preparati con i prodotti aziendali, varietà di primi piatti, carne di cinghiale e derivati, lepri e polli locali.
Prodotti aziendali: frutta, funghi, salumi, castagne e noci.
Luoghi di interesse e manifestazioni locali: parco nazionale del Pollino, Val Sarmento, San Costantino e San Paolo Albanese. Agosto Sancostantinese, sagra delle castagne.
Prezzi: OR da £ 15.000 a 20.000. Pasto da £ 15.000 a 20.000. Riduzioni del 30% per bambini da concordare.
Note: escursioni diurne e notturne, osservazione di specie floreali, pratica di agricoltura biologica. Piccolo parco giochi e baby sitting. Tiro con l'arco, orienteering, trekking, campo polivalente all'aperto. Raccolta di fragole di bosco, asparagi, varie erbe per tisane. È gradita la prenotazione. Biancheria, riassetto, uso cucina e frigorifero, sala comune, parcheggio.

IL QUERCETO

Barricelle di Marsicovetere • 85050 VILLA D'AGRI
☎ 097569339 fax 097569907

● I 5

Posizione geografica: collina

Periodo di apertura: tutto l'anno.

Associato a: Agriturist.

Presentazione: l'azienda biologica si estende su 30 ettari, ai piedi di un bosco di querce, coltivati a oliveto, vigneto, meleto, cereali e fragoline. Comprende anche un grande pascolo e una sorgente sotterranea. La cascina è costruita in pietra e offre ospitalità in camere da 2/4/6 posti letto con bagno.

Ristorazione: H/B, F/B. Ristorante aperto al pubblico con 45 coperti + posti aggiuntivi nel patio. Specialità locali, cucina biovegetariana e macrobiotica. Pane, olio, vino, verdure, frutta prodotti dall'azienda.

Prodotti aziendali: mele, marmellate, erbe, ortaggi, frutta, formaggi, uova, vino.

Luoghi di interesse e manifestazioni locali: certosa di San Lorenzo a Padula, grotte di Petrosa, scavi archeologici di Grumentum e di Metaponto, museo della Siritide a Policoro, Rabatana, Santa Maria di Anglona, convento di Sant'Antonio, casa di Albino Pierro a Tursi, Sassi di Matera, casa di Carlo Levi ad Aliano, Maratea, Nova Siri, Scanzano, terme La Calda. Madonna Nera a Viggiano, sagra del prosciutto a Volturino, sagra della castagna a Spinoso, sagra del fagiolo a Sarconi.

Prezzi: H/B da £ 60.000 a 75.000.

Note: accessibile agli handicappati. Prato per prendere il sole. Raccolta di frutti di bosco, funghi, erbe selvatiche. Nelle vicinanze piscina con scivolo e campi da tennis, maneggio, pesca sportiva, impianti di risalita per sci di fondo e discesa. Escursioni e visite guidate. Corsi di artigianato, osservazione ambientale, shiatsu, tai chi e seminari vari. Per i bambini animazione e baby sitting (da considerarsi extra). Distribuzione di prodotti biologici lucani. Biancheria, prima colazione, riscaldamento, telefono comune, sala comune, posto macchina. Animali accolti previo accordo.

SOLE VERDE

loc. Timparossa, 88 • 85040 LAURIA ☎ 0973825208

 N 4

Posizione geografica: montagna.

Periodo di apertura: da maggio a dicembre, tutti i giorni.

Presentazione: costruzione rurale in azienda di 10 ettari coltivati a cereali, vigneto, frutteto. Allevamento di suini. Offre ospitalità in 2 appartamenti con 6/8 posti letto.

Prodotti aziendali: dolci, farine, funghi, ortaggi, pollame, uova, vini.

Luoghi di interesse e manifestazioni locali: parco del Pollino. Sagra della polenta a Carnevale, sagra della frittata in agosto.

Prezzi: alloggio fino a £ 30.000.

Note: raccolta di castagne, frutti di bosco, funghi. Possibilità di praticare parapendio, caccia, sci e passeggiate a cavallo. Pesca, giochi all'aria aperta, tennis, trekking e passeggiate. Corsi di agricoltura e osservazione ambientale. Biancheria, pulizia, riassetto, uso cucina, uso frigorifero, posto macchina. Ogni appartamento è fornito di angolo cottura.

CASALETTO CARMELA

via Acqua Solfata • 85052 MARSICONUOVO

☎ 0975341323

H 4

Posizione geografica: montagna.

Periodo di apertura: tutto l'anno.

Presentazione: azienda agricola di 15 ettari, posta in posizione panoramica, con coltivazioni di ortaggi, alberi da frutto, viti e allevamento di ovini e suini. Accoglie ospiti in 2 appartamenti.

Prodotti aziendali: frutta, formaggio e vino.

Prezzi: appartamenti da £ 25.000 a 35.000 al giorno a persona.

Note: riscaldamento centralizzato, lavatrice, televisore, biancheria e pulizia.

SIMONETTI MARIA ORNELLA

loc. Cropani • 85030 SAN SEVERINO LUCANO

☎ 0973576205

 M 7

Posizione geografica: montagna.

Periodo di apertura: tutto l'anno.

Presentazione: casale in azienda di 4 ettari coltivati a frumento e ortaggi. Allevamento di polli e conigli. Accoglie ospiti in 4 camere con bagno per un totale di 6 posti letto.

Luoghi di interesse e manifestazioni locali: San Severino.

Prezzi: OR da £ 20.000 a 30.000.

Note: riscaldamento, sala TV, telefono e biancheria.

PESCE LUCIANA ANTONIETTA

via San Marco 14/a • 85049 TRECCHINA

☎ 0973826067

 N 4

Posizione geografica: collina.

Periodo di apertura: da aprile a ottobre.

Presentazione: azienda su 13 ettari di prati e boschi, in posizione panoramica. Ideale per una vacanza che riunisce mare e montagna. Accoglie ospiti in 3 appartamenti da 4 a 7 persone, completamente arredati, con caminetto.

Prodotti aziendali: vino.

Luoghi di interesse e manifestazioni locali: Maratea, parco nazionale del Pollino, certosa di Padula.

Prezzi: da £ 50.000 a 140.000 per appartamento al giorno.

Note: sport nautici sul mare, prati per giochi all'aria aperta, passeggiate naturalistiche. Aree curate e recintate per pic-nic. Raccolta di funghi, frutti di bosco e castagne. Luce, acqua, gas e parcheggio.

PISANI VINCENZO

loc. San Lorenzo • 85059 VIGGIANO

☎ 0975354054 fax 0975352000

 I 5

Posizione geografica: collina.

Periodo di apertura: tutto l'anno.

Presentazione: azienda di 25 ettari con coltivazioni di alberi da frutto. Accoglie ospiti in 3 miniappartamenti da 4 posti letto ciascuno.

Prodotti aziendali: vino.

Luoghi di interesse e manifestazioni locali: scavi archeologici, Certosa, itinerari naturalistici. Festa della Madonna di Viggiano a settembre.

Prezzi: da £ 15.000 a 25.000 a persona al giorno.

Note: soggiorno minimo 1 settimana. Equitazione e piscina nelle vicinanze. Pulizia e cambio biancheria. Animali accolti previo accordo.

"SANT'AGATA"

c.da Toppo Sant'Agata • 85025 MELFI
☎ 0972238294 fax 0972760843

◆ B 3

Posizione geografica: collina.
Periodo di apertura: tutto l'anno.
Associato a: Terranostra.
Presentazione: l'azienda si estende su 14 ettari di terreno coltivati a oliveto, vigneto, frutteto e castagneto.
Ristorazione: ristorante aperto al pubblico con 50 coperti. Cucina tipica locale regionale, piatti a base di pasta fresca casalinga (orecchiette, fusilli, strascinati, ravioli ripieni di ricotta).
Prodotti aziendali: confetture, dolci, olio, vino, frutta, pasta fresca anche ripiena di ricotta o asparagi.
Luoghi di interesse e manifestazioni locali: laghi di Monticchio, castello normanno, Melfi, scavi oraziani, Venosa. Sagra delle castagne in ottobre.
Note: accessibile agli handicappati. È gradita la prenotazione. L'azienda dispone di prato per prendere il sole, pista da ballo, biliardo. Raccolta di castagne e frutti di bosco. Giochi all'aria aperta, mountain bike. Per i bambini canto. Corsi di enologia, gastronomia, osservazione ambientale.

Puglia

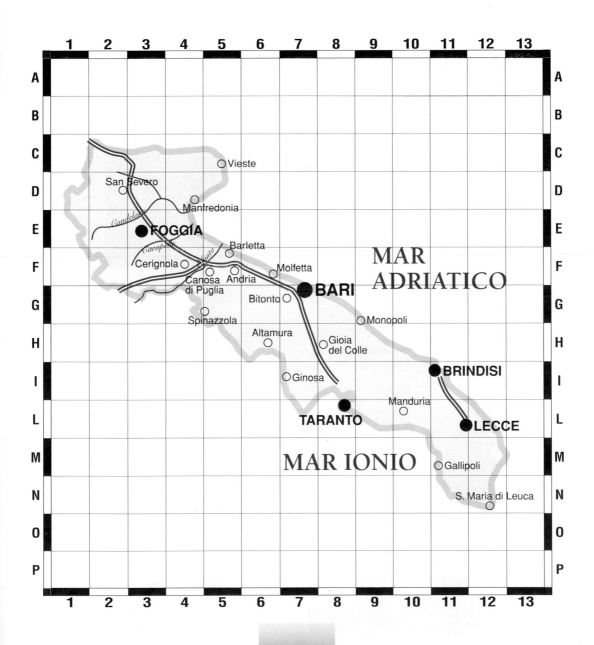

Vieste
San Severo
Manfredonia
Candelaro
FOGGIA
Carapelle
Barletta
Cerignola
Ofanto
Canosa di Puglia
Andria
Molfetta
BARI
Bitonto
Spinazzola
Monopoli
Altamura
Gioia del Colle
Ginosa
BRINDISI
Manduria
TARANTO
LECCE
MAR ADRIATICO
MAR IONIO
Gallipoli
S. Maria di Leuca

Bari

LAIRE

v.le Canale di Pilo, 4 - loc. Laire - fraz. Coreggia
70010 ALBEROBELLO ☎ 0804324702

● H 8

Posizione geografica: collina (450 m).
Periodo di apertura: tutto l'anno.
Presentazione: appartamenti ristrutturati nel 1992 al primo piano dell'azienda agricola edificata in pietra locale. Offre ospitalità in camere con bagno e in 2 appartamenti con 4 posti letto.
Ristorazione: H/B, F/B. Orecchiette, formaggio a pasta filata: caciocavallo, focacce cotte nel forno a legna, purè di fave e cicoria, lasagne, verdure cotte.
Prodotti aziendali: vino, olio, prodotti cotti nel forno a legna, formaggi, olive in salamoia, uova, pollame, conigli, ortaggi, frutta.
Luoghi di interesse e manifestazioni locali: Alberobello, grotte di Castellana, zoosafari di Fasano, Sassi di Matera, scavi di Egnazia, Martina Franca. Carnevale di Putignano, festa patronale il 27 settembre, festival folkloristico la 3ª domenica di agosto, festa a Locorotondo in agosto con spettacolo pirotecnico.
Prezzi: OR £ 30.000, H/B £ 50.000, F/B £ 70.000. Riduzione del 40% per i bambini al di sotto dei 4 anni.
Note: necessaria la prenotazione. Escursioni e visite guidate, corsi di gastronomia, caseificazione, osservazione ambientale, enologia, giardinaggio. Biciclette, campo bocce, golf. Vari impianti sportivi nelle vicinanze. Raccolta di asparagi, funghi, more, cicorie. Uso cucina, uso frigorifero, biancheria, sala comune, riscaldamento.

PERRINI

via prov. per Putignano, 22 • 70011 ALBEROBELLO
☎ e fax 0804324797 cell. 03383937031

● H 8

Posizione geografica: collina.
Periodo di apertura: tutto l'anno.
Presentazione: costruzione a trullo con annessi 15 ettari di terreno con produzione di olive, ciliegie, mandorle, latte. Offre ospitalità in 3 appartamenti indipendenti dotati di servizi per un totale di 8 posti letto.
Ristorazione: H/B, F/B. Orecchiette, braciole, coniglio con patate, melanzane.
Prodotti aziendali: uova, latticini, vino, frutta, ortaggi.
Luoghi di interesse e manifestazioni locali: Alberobello, zoosafari, grotte di Castellana, valle d'Itria, mare di Monopoli, Ostuni. Varie feste e sagre nel corso dell'anno.
Prezzi: fino a £ 30.000, pasto da £ 25.000. Riduzione per i bambini fino a 8 anni.
Note: caseificazione, enologia, visita ai primi insediamenti rupestri, os-

servazione ambientale, visita alle stalle. Raccolta di asparagi, funghi, castagne. Giochi all'aria aperta, bocce, trekking e passeggiate, escursioni e visite guidate, mountain bike. Prato per prendere il sole. Pulizia, uso cucina, uso frigorifero, biancheria, riscaldamento.

ABBONDANZA

c.da Lama Colonna, 5 • 70011 ALBEROBELLO
☎ e fax 0804325762

● H 8

Posizione geografica: collina.
Periodo di apertura: tutto l'anno.
Presentazione: trulli e costruzioni rurali. Azienda di 15 ettari con ciliegeto, oliveto, mandorleto, seminativo, boschi. Offre ospitalità in 7 camere e 3 appartamenti dotati di servizi per un totale di 18 posti letto.
Ristorazione: cucina rustica locale.
Prodotti aziendali: olio extravergine d'oliva (biologico), verdure sott'olio, carni bianche, uova.
Luoghi d'interesse e manifestazioni locali: trulli, Alberobello (2,5 km), Castellana Grotte (16 km), zoosafari Fasano (20 km), costa adriatica (20 km), costa jonica (39 km), Ostuni (29 km).
Prezzi: OR £ 40.000, H/B £ 70.000, letto aggiunto £ 25.000, pasto a £ 25.000. Riduzione del 10% per bambini fino a 12 anni.

Note: solo su prenotazione. Raccolta di funghi e asparagi. Trekking e passeggiate, mountain bike. Piscine, campi da tennis, bocce ed equitazione nelle vicinanze. Animali accolti previo accordo.

VITO GIUSEPPE SALAMIDA

c.da Villa Curri, 5 • 70011 ALBEROBELLO
☎ 0804321248 fax 0804325559

● H 8

Posizione geografica: collina.
Periodo di apertura: tutto l'anno.
Presentazione: complesso residenziale in azienda agraria di circa 55 ettari coltivati a foraggio, olivi, mandorli e ciliegi. Allevamento di bovini. Offre ospitalità in miniappartamenti con 32 posti letto e in piccolo campeggio con 18 piazzole per camper.
Ristorazione: piatti tipici quali orecchiette, legumi, involtini di carne, salsiccia, dolcetti e formaggi di propria produzione.
Prodotti aziendali: olio, vino, frutta, formaggi.
Luoghi di interesse e manifestazioni locali: scavi di Egnazia, chiese rupestri, trulli, grotte, zoosafari.
Prezzi: F/B (per un minimo di 4 persone) a £ 70.000 a persona. Appartamento per 4 persone a £ 120.000 al giorno.
Note: il periodo minimo di permanenza è di 3 giorni. Piscina e tennis. Attività naturalistiche, ricreative e lavorative. Parco giochi per bambini.

DE BERNARDIS

via Ruvo c.s. 287 - c.da Laudati • 70022 ALTAMURA
☎ e fax 080841974

● H 6

Posizione geografica: collina.

Periodo di apertura: tutto l'anno su prenotazione.

Presentazione: azienda agricola estesa su 60 ettari di terreno con produzione di cereali e allevamento di ovini, caprini, equini, galline.

Offre ospitalità in 6 miniappartamenti di 70 mq con 4/6 posti letto ciascuno e in camere con bagno.

Ristorazione: F/B per almeno 10 persone. Cucina tipica, pasta fatta in casa, capretto in cartoccio, agnello e involtini arrostiti, ricotta, liquori.

Prodotti aziendali: funghi, latticini, olio, ortaggi, uova, vini, carne di pecora e di agnello.

Luoghi di interesse e manifestazioni locali: Pulo, attrazioni naturalistiche, Sassi di Matera, museo dell'arte contadina all'interno dell'azienda stessa. Da giugno a settembre varie processioni e feste patronali.

Prezzi: da £ 30.000 a 50.000, pasto da £ 25.000 a 50.000. Riduzione del 50% per i bambini dai 3 ai 6 anni, del 10% oltre i 6 anni. Gratis i bambini fino a 3 anni.

Note: necessaria la prenotazione. Parco giochi, golf, giochi all'aria aperta, equitazione, calcetto, ping-pong. Raccolta di asparagi, funghi, cicorie. Riassetto, uso cucina, uso frigorifero, biancheria, prima colazione, riscaldamento, posto macchina. Animali accolti previo accordo.

MADONNA DELL'ASSUNTA

via per Corato, km 17 - loc. Guriolamanna
70022 ALTAMURA ☎ 0808703328-0809940003

 H 6

Posizione geografica: collina.

Periodo di apertura: tutto l'anno.

Associato a: Terranostra.

Presentazione: azienda agro-zootecnica ubicata in collina. Offre ospitalità in 4 camere con bagno.

Ristorazione: piatti tradizionali della cucina pugliese, funghi cardoncelli, *cutturida*, *calzunciell*.

Prodotti aziendali: prodotti caseari, insaccati, miele.

Luoghi di interesse e manifestazioni locali: Pulicchio, Castel del Monte, Sassi di Matera, cattedrale di Altamura, cattedrale di Trani. Sagra del maiale, festa della Madonna del Buoncammino.

Prezzi: pasto da £ 35.000 a 45.000. Riduzioni per bambini.

Note: ping-pong, calcetto, campo bocce, golf, giochi all'aria aperta, equitazione, mountain bike. Raccolta di funghi, cardoncelli, virusc e asparagi.

"MASSERIA RUOTOLO"

via G. Matteotti - loc. Ruotolo
70020 CASSANO DELLE MURGE
☎ e fax 080764511 cell. 0368951739

G 7

Posizione geografica: collina (410 m).

Periodo di apertura: da giugno a settembre tutti i giorni, gli altri mesi solo sabato e domenica.

Associato a: Agriturist, Tourist Green Club.

Presentazione: masseria dell'800 immersa nel verde della Murgia

con 80 ettari di boschi, coltivazione di mandorlo e olivo. Allevamenti di ovini, conigli e animali di bassa corte. Offre ospitalità in 5 camere con bagno, in 1 appartamento indipendente con 6 posti letto e in 1 antica lamia nel bosco con 6 posti letto.

Ristorazione: H/B, F/B. Pasta fatta in casa, agnello alle verdure.

Prodotti aziendali: marmellate, succhi di frutta, funghi e ortaggi sottolio, liquori, erbe, vino.

Luoghi di interesse e manifestazioni locali: Sassi di Matera, valle dell'Itria, cattedrali. Varie sagre e feste nel corso dell'anno.

Prezzi: B&B da £ 50.000 a 70.000, H/B da £ 80.000 a 90.000 (bevande escluse), F/B da £ 100.000 a 110.000 (bevande escluse). Sconto dall'8% al 20% per gruppi numerosi e per soggiorni superiori ai 3 giorni. Sconti per bambini del 50% fino a 5 anni e del 30% dai 6 ai 10 anni.

Note: accessibile agli handicappati. Azienda bioecologica certificata AIAB. Fattoria didattica. Corsi naturalistici sulle orchidee selvatiche, gastronomia, osservazione ambientale, voliera, giri a cavallo e in calesse per bambini, petanque, tiro con l'arco, giochi all'aria aperta,

escursioni e visite guidate, campo di basket e calcetto, maneggio e passeggiate a cavallo anche di più giorni. Tennis e piscina a 2,5 km. Cani al seguito in box. Sala riunioni. Pulizia, riassetto, biancheria, prima colazione, sala comune, riscaldamento, posto macchina.

"SERRA GAMBETTA"

via Conversano, 204 - loc. Serragambetta
70013 CASTELLANA GROTTE
☎ e fax 0804962181 ☎ 0804965487
E-mail:serragambetta@mail.media.it
http:www.iqsnet.it/serragambetta

 H 8

Posizione geografica: collina (300 m).

Periodo di apertura: tutto l'anno.

Associato a: Agriturist, A.I.A.B.

Presentazione: villa ottocentesca con annessi rustici, interamente edificata in pietra con ampia campagna circostante. Offre ospitalità in 3 camere con bagno e in 4 appartamenti con 20 posti letto totali.

Ristorazione: H/B, F/B, B&B. Ristorante aperto al pubblico solo su prenotazione. Tortini, sformati e involtini di verdure, impanata di fave, pasta di San Giuseppe, pasta ai fiori di zucca, pane, focacce e pizze al forno a legna, insalate varie, cucina vegetariana.

Prodotti aziendali: olio, ortaggi, ciliegie, mandorle, confetture.

Luoghi di interesse e manifestazioni locali: grotte di Castellana, Alberobello, Conversano, Polignano, Locorotondo, Martina Franca, Ostuni, Sassi di Matera, castelli e cattedrali. Festa delle "Fanove" l'11 e il 12 gennaio, festa d'Aprile l'ultima settimana di aprile, varie feste patronali e sagre da giugno a settembre.

Prezzi: B&B da £ 50.000 a 60.000 e H/B da £ 80.000 a 90.000 in camera doppia, pasto da £ 30.000 a 45.000. Riduzioni accordate ai bambini in base alle richieste.

Note: partecipazione all'attività aziendale, guida all'agricoltura biologica, scoperta del territorio e della cultura contadina, artigianato, gastronomia locale, visita a frantoi e oleifici. I corsi pratici di gastronomia sono tenuti da "zia Nina" di Verdemattina Rai Uno che è anche la cuoca e la padrona di casa. Escursioni e visite guidate. Raccolta di verdure spontanee e asparagi. Uso cucina previo accordo, biancheria, riscaldamento, posto macchina. Animali accolti previo accordo.

ANTICA MASSERIA

s.s. 172 Turi/Putignano - c.da Mazzaro
70014 CONVERSANO
☎ 0804959980

● G 8

Posizione geografica: collina.
Periodo di apertura: tutto l'anno, solo su prenotazione, giorno di chiusura mercoledì.
Associato a: Terranostra.
Presentazione: tipica costruzione rurale in pietra circondata da bosco, su 20 ettari di terreno con produzione di cereali, olive e frutteto. Ideale per passeggiate naturalistiche. Accoglie ospiti in 4 camere con bagno per un totale di 12 posti letto.
Ristorazione: F/B. Ristorante aperto al pubblico. Cavatelli, ceci e funghi, arrosto di carne alla brace.
Prodotti aziendali: frutta di stagione, ortaggi, olio e vini.
Luoghi di interesse e manifestazioni locali: Alberobello, grotte di Castellana, zoosafari, mura ciclopiche di Conversano. Sagra delle ciliegie e del perloco.
Prezzi: oltre £ 50.000. Pasto da £ 25.000 a 50.000. Riduzione del 10% per bambini fino a 10 anni, del 5% per letto aggiunto, del 10% per seconda settimana.
Note: difficile accesso alle camere da letto per portatori di handicap. Osservazione ambientale e attività di giardinaggio. Parco giochi, tennis, calcetto, equitazione. Prato per prendere il sole. Raccolta di asparagi, castagne, frutti di bosco e funghi. Soggiorno minimo 1 settimana. Sala riunioni disponibile. Biancheria, pulizia, riassetto, telefono comune, riscaldamento, sala comune, posto macchina. Animali accolti previo accordo.

LA MASSERIA

via Corvello, 5634 - c.p. 124 • **70023 GIOIA DEL COLLE**
☎ 0803499246

● H 8

Posizione geografica: collina.
Periodo di apertura: tutto l'anno.
Associato a: Agriturist.
Presentazione: casale d'inizio secolo situato nella riserva naturale di Corvello, in azienda di 25 ettari adibita a seminativi, oliveto e allevamento bovino, suino e di animali di bassa corte. Accoglie ospiti in 4 camere doppie con bagno e in 6 piazzole per agricampeggio.
Ristorazione: cucina casalinga, piatti tipici pugliesi, latticini e vino della zona.
Prodotti aziendali: olio extravergine d'oliva prodotto biologicamente, salumi, formaggio, uova, latte, vino, liquori fatti in casa.
Luoghi di interesse e manifestazioni locali: Gioia del Colle, grotte di Castellana, Alberobello, Sassi di Matera, zoosafari di Fasano. Fiera del Levante a Bari in settembre.
Prezzi: OR da £ 25.000 a 30.000, H/B da £ 45.000 a 55.000, F/B da £ 60.000 a 70.000. Riduzione del 50% per bambini fino a 10 anni. Riduzione del 5% ai soci Agriturist.
Note: il soggiorno minimo è di un fine settimana, prenotazione obbligatoria con 1 settimana d'anticipo. Possibilità di partecipare al-

le attività agricole e a corsi di cucina. Ampi spazi verdi e parco giochi. Sala TV, pulizie e biancheria.

DONNA GISELDA

via delle Mattine
70034 MARIOTTO DI BITONTO
☎ e fax 0803736443

● G 7

Posizione geografica: collina.
Periodo di apertura: tutto l'anno.
Associato a: Terranostra.
Presentazione: stabilimento vinicolo di inizio secolo ristrutturato. Accoglie ospiti in 8 camere, con bagno, per un totale di 30 posti letto e in piazzole attrezzate in agricampeggio per tende e roulotte. Nelle vicinanze imbarco dei traghetti per Grecia e Albania.
Ristorazione: cucina casalinga, patate, riso e cozze, gnocchi giganti, lasagne alla contadina, agnello arrosto, spigola, salmone e frutti di mare.
Prodotti aziendali: olio, vino, ciliegie, uva, ortaggi, olive.
Luoghi di interesse e manifestazioni locali: cattedrali, museo della Magna Grecia, Castel del Monte di Federico, Trani, Alberobello, grotte di Castellana. Carnevale di Rutignano.
Prezzi: OR a £ 40.000, H/B a £ 50.000, F/B a £ 80.000. Roulotte a £ 10.000 a persona. Pasto a £ 20.000. Sconti da concordarsi.
Note: prenotazione con 10 giorni d'anticipo. Tennis, calcetto, piscina, percorso sportivo in pineta. Servizio di baby sitting. Il sabato sera ballo liscio e musica anni '60 in salone di 500 mq. Maneggio e stalla. Riscaldamento, TV. Campeggio 5 stelle attrezzato con rete fognaria, luce, acqua, telefono, TV, 5 wc e 9 docce. Si accolgono animali.

CURATORI

c.da Cristo delle Zolle, 227
70043 MONOPOLI
☎ 080777472

● G 9

Posizione geografica: pianura vicino al mare.
Periodo di apertura: tutto l'anno.
Associato a: Turismo Verde, Terranostra.
Presentazione: tipica masseria pugliese con 15 ettari di terreno a produzione di agrumi, mandorle. Allevamento di bovini, equini, animali da cortile. Offre ospitalità in 3 appartamenti e in 2 camere con bagno per un totale di 22 posti letto.
Ristorazione: H/B, F/B. Pasta fatta in casa, incapriata, legumi e verdure aziendali, latticini di produzione propria.
Prodotti aziendali: latticini, olio, ortaggi, uova.

Luoghi di interesse e manifestazioni locali: Alberobello, grotte di Castellana, zoosafari di Fasano, masserie fortificate e chiese rupestri, Castel del Monte. Sagre e feste patronali a Monopoli e dintorni.

Prezzi: OR £ 40.000, H/B £ 70.000, F/B £ 90.000, pasto da £ 30.000 a 50.000. Riduzione del 10% per bambini fino a 10 anni, letto aggiunto £ 20.000.

Note: necessaria la prenotazione. Prati per prendere il sole. Caseificazione, gastronomia, giardinaggio, osservazione ambientale, giochi di gruppo, equitazione, trekking e passeggiate, escursioni e visite guidate, mountain bike, giochi all'aria aperta, calcetto. Raccolta di asparagi. Uso frigorifero, biancheria, sala comune, riscaldamento, posto macchina.

IL CARDINALE

loc. Capoposto
70020 POGGIORSINI
☎ e fax 080867279

G 6

Posizione geografica: collina nei pressi di un lago.
Periodo di apertura: tutto l'anno.
Associato a: Agriturist.
Presentazione: masseria circondata da 200 ettari coltivati a grano, con frutteto e vigneto. Allevamento di cavalli. Offre ospitalità in 5 camere con bagno e in 5 appartamenti da 5 posti letto.
Ristorazione: H/B, F/B. Ristorante aperto al pubblico con 160 coperti al chiuso e fino a 400 nel periodo estivo anche all'aperto. Cavatelli, orecchiette, agnello, marmellate, liquori, pan cotto.
Prodotti aziendali: marmellate, formaggi, gelati, liquori.
Luoghi di interesse e manifestazioni locali: castelli federiciani, cattedrali romanico-pugliesi, scavi archeologici, mare. Varie sagre nel corso dell'anno.
Prezzi: solo pernottamento da £ 35.000 a 40.000, un pasto £ 45.000. Riduzione del 10% a bambini con meno di 6 anni.
Note: caseificazione, artigianato, gastronomia, osservazione ambientale, baby sitting a richiesta con giochi. Biliardo, bocce, escursioni a cavallo di più giorni da concordare. Golf, piscina, tiro con l'arco, pesca, giochi all'aria aperta, tennis, escursioni e visite guidate. Raccolta di funghi. Solo su prenotazione. Prati per prendere il sole, sala disponibile per convegni. Uso cucina, uso frigorifero, biancheria, sala comune, telefono in comune, riscaldamento. Animali accolti previo accordo.

ANGIULLI NUOVA

via Vecchia Turi, 4 - loc. Conforti
70017 PUTIGNANO
☎ 0804057898-0804911195 fax 0804911697
recapito postale: via Margherita di Savoia, S. Putignano

 H 8

Posizione geografica: collina.
Periodo di apertura: tutto l'anno.

Associato a: Terranostra, Agriturist.
Presentazione: azienda agricola dei primi del '900 con 30 ettari di terreno a produzione cerealicola e vigneto. Offre ospitalità in 3 appartamenti dotati di servizi per un totale di 12 posti letto.
Ristorazione: H/B, F/B. Ristorante aperto al pubblico con 50 coperti. Cucina locale tipica.
Prodotti aziendali: confetture, latticini, uova, olio, vino, pollame.
Luoghi di interesse e manifestazioni locali: grotte di Castellana, Alberobello. Carnevale, feste folkloristiche nei paesi limitrofi.
Prezzi: a persona £ 80.000 in camera doppia, H/B £ 65.000, F/B £ 90.000, pasto da £ 35.000 a 45.000. Riduzione del 10% per bambini fino ai 6 anni e per letto aggiunto.
Note: necessaria la prenotazione. Gastronomia, giardinaggio, ping-pong, golf, giochi all'aria aperta. Prato per prendere il sole. Pulizia, uso cucina, uso frigorifero, biancheria, prima colazione, sala comune, riscaldamento, posto macchina. Animali accolti previo accordo.

IL TRULLO DEL GENERALE

c.da Malvischi, 14
70010 ALBEROBELLO
☎ 0809324641

G 8

Posizione geografica: collina.
Periodo di apertura: da giugno a settembre, a Natale e a Pasqua.
Presentazione: l'azienda, in complesso masserizio circondato da alberi secolari, accoglie ospiti in 8 camere, con bagno comune, in 13 appartamenti alcuni dei quali in trulli (da 2 a 8 posti letto) e in piazzole per tende e caravan.
Prodotti aziendali: vino, latte, uova, polli e conigli.
Luoghi di interesse e manifestazioni locali: Alberobello, grotte di Castellana, Lecce, Gallipoli, Castel del Monte, Trani, Bari, tour delle cattedrali. Festival Valle d'Itria di Martina Franca, fiere di Ostuni e Locorotondo.
Prezzi: da giugno a settembre OR da £ 200.000 a 900.000 settimanali. Pulizie finali £ 50.000.
Note: a gennaio e a luglio soggiorno minimo 1 settimana. Noleggio biciclette. Basket, calcetto, piscina e pallavolo. Possibilità di biancheria. Animali accolti previo accordo.

Brindisi

MASSERIA CASINA VITALE

s.p. Ceglie Messapica - Ostuni, km 3,00
72013 CEGLIE MESSAPICA
☎ 0831383138 cell. 03397284656 - 03333347384

● I 10

Posizione geografica: collina.
Periodo di apertura: tutto l'anno.
Presentazione: antica masseria risalente all'Ottocento recentemente ristrutturata in azienda di 50 ettari coltivati a uliveti secolari, seminativi e bosco. Offre ospitalità in 5 camere, con bagno privato e riscaldamento, per un totale di 15 posti letto.
Ristorazione: riservata agli ospiti e su prenotazione.
Prodotti aziendali: olio d'oliva, biscotto cegliese (dolce a base di mandorle), fichi secchi.
Luoghi di interesse e manifestazioni locali: mare Adriatico a 12 km, mare Jonio a 30 km, Ceglie Messapica a 3 km, Ostuni a 7 km, le grotte di Castellana a 40 km, trulli di Alberobello a 35 km.
Prezzi: B&B da £ 40.000 a 50.000, gratis per bambini fino a 2 anni e sconto del 25% da 3 a 10 anni.
Note: cambio biancheria.

MASSERIA MONTEDORO

via Martina Franca, 259 - loc. Montedoro
72013 CEGLIE MESSAPICA
☎ 0831381409 fax 08319323666

● I 10

Posizione geografica: collina.
Periodo di apertura: tutto l'anno.
Presentazione: posta all'interno di una riserva naturale, l'azienda si estende per circa 76 ettari con olivi, frutteto, seminativo e bosco vincolato. Offre ospitalità in 2 camere con bagno e in 3 appartamenti per un totale di 22 posti letto.
Ristorazione: H/B F/B. Ristorante aperto al pubblico su prenotazione con 70 coperti. Piatti tipici di stagione, pizzette, sottoli della casa, salumi, formaggi, pasta fatta in casa, verdure cotte, carne alla brace.
Prodotti aziendali: miele, olio, uova, formaggio, ortaggi, frutta di stagione.
Luoghi di interesse e manifestazioni locali: Martina Franca, grotte di Castellana, diversi centri storici, la costa. Feste patronali, palio di Oria, diverse sagre.
Prezzi: da £ 20.000 a 40.000, pasto da £ 20.000 a 40.000. Riduzioni del 20% per bambini fino a 8 anni, per letto aggiunto, per gruppi.
Note: alcune barriere architettoniche. Periodo minimo di prenotazione 3 giorni. Conoscenza della cucina tipica locale e della vita dell'azienda, corsi di fotografia, animazione per i bambini. Bocce, trekking e passeggiate in area naturalistica protetta, escursioni e visite guidate, mountain bike, giochi all'aria aperta. Rac-

colta di asparagi, castagne, frutta, funghi. Spazi per prendere il sole. Pulizia e riassetto facoltativo, uso cucina e frigorifero negli appartamenti, telefono in comune, riscaldamento.

MARZALOSSA

c.da Pezze Vicine, 65 • 72015 FASANO
☎ e fax 0804413780 ☎ 0804413024

● H 9

Posizione geografica: pianura.
Periodo di apertura: tutto l'anno.
Associato a: Terranostra.
Presentazione: masseria del XVII secolo con 20 ettari di terreno a oliveto secolare, mandorleto, frutteto, orto biologico. Offre ospitalità in 3 monolocali da 12 posti letto e in 4 camere con bagno per un totale di 8 posti letto.
Ristorazione: H/B. Ristorante aperto al pubblico con sala per 35 coperti. Paste fatte in casa, ortaggi prodotti biologicamente.
Prodotti aziendali: conserve, oli, rosoli, sottoli.
Luoghi di interesse e manifestazioni locali: zoosafari, Egnazia, museo dell'olio di oliva, insediamenti preistorici, Ostuni, Lecce, castelli svevi. Sagre, presepio vivente, "Cavalcata di Sant'Oronzo", gare pirotecniche.
Prezzi: B&B da £ 130.000 a 140.000, H/B da £ 150.000 a 170.000, pasto da £ 45.000 a 60.000. Riduzione del 10% per bambini fino a 10 anni e per la seconda settimana di soggiorno.
Note: necessaria la prenotazione con notevole anticipo nell'alta stagione. Corsi di cucina, escursioni e visite guidate, trekking e passeggiate, piscina. Varie attrezzature sportive nelle vicinanze. Raccolta di asparagi e funghi. Pulizia, riassetto, uso frigorifero, biancheria, prima colazione, cena, sala comune.

IL FRANTOIO

s.s. 16, km 874 • 72017 OSTUNI ☎ e fax 0831330276

● H 9

Posizione geografica: collina.
Periodo di apertura: da aprile a settembre tutti i giorni, gli altri mesi solo sabato e domenica.
Associato a: Agriturist.
Presentazione: masseria fortificata risalente al '500 e rimaneggiata fino all'800, con 70 ettari a oliveto e 2 a bosco. Maneggi. Offre ospitalità in 8 camere d'epoca con bagno con 2/5 letti.
Ristorazione: H/B. Ristorante aperto al pubblico con 58 coperti. Papaveri fritti, carciofi selvatici, borragine in pastella, melanzane bianche, rosoli, dolci della casa.
Prodotti aziendali: confetture, erbe, frutta, olio, ortaggi, salumi, uova, sottoli.
Luoghi di interesse e manifestazioni locali: Ostuni, Locorotondo, grotte di Castellana, Alberobello, terme Torre Canne, Lecce, oasi WWF, chiese rupestri. "Cavalcata di Sant'Oronzo", settimana della Passione, vigilia di San Giovanni, presepi viventi.
Prezzi: oltre £ 50.000, pasto £ 70.000. Riduzione del 40% sul pernottamento dei bambini dai 2 ai 12 anni.
Note: necessaria la prenotazione per un periodo minimo di 3 giorni. Corsi di agricoltura biologica, yoga, ginnastica, osservazione ambientale, golf, tiro con l'arco, giochi all'aria aperta, equitazione, trekking e passeggiate, escursioni e visite guidate, mountain bike. Baby sitting, giochi per

bambini. Ping-pong, giochi da spiaggia. Raccolta di asparagi, funghi, cicorie. Prati e terrazzi per prendere il sole, biblioteca, sala da musica, spiaggia nelle vicinanze con ombrellone e 2 sdraio gratuiti. Necessaria la prenotazione. Pulizia, riassetto, uso frigorifero, biancheria, prima colazione, sala comune, posto macchina.

LO SPAGNULO

loc. Lo Spagnulo • 72017 OSTUNI
☎ 0831350209 fax 083133756

H 9

Posizione geografica: campagna, mare.
Periodo di apertura: tutto l'anno.
Associato a: Agriturist.
Presentazione: mirabile esempio di insediamento rurale, l'azienda fu edificata nel 1600. Il terreno circostante è adibito a oliveto per 60 ettari e a seminativo per 35 ettari. Allevamento di bovini, equini e suini. Accoglie ospiti in 10 camere doppie e in 10 appartamenti per un totale di 30 posti letto, tutti con bagno.
Ristorazione: H/B. Ristorante aperto al pubblico con 100 coperti. Cucina tipica pugliese, fave e cicorie.
Prodotti aziendali: farina, latte, olio, uova e ortaggi.
Luoghi di interesse e manifestazioni locali: grotte di Castellana, zoosafari, Alberobello, ceramiche di Grottaglie, Ostuni, Lecce e il Salento. "Cavalcata di San Lorenzo" il 25 agosto, mercatino dell'antiquariato la seconda domenica del mese, fiera di San Giuseppe, mostra d'antiquariato del Ferragosto.
Prezzi: da £ 30.000 a 50.000. Pasto da £ 25.000 a 35.000. Riduzione del 50% per bambini fino a 12 anni.
Note: accessibile agli handicappati. Corsi di cucina e di agricoltura biologica. Ampio salone con bar e TV. Tennis ed equitazione. Giardino e spiaggia. Disponibile sala riunioni. Escursioni e visite guidate. Biancheria, pulizia, telefono comune, parcheggio.

MASSERIA SALAMINA

72010 PEZZE DI GRECO - FASANO
☎ 0804897307 fax 0804898582
http://www.joynet.it/salamina
E-mail: salamina@mailbox.media.it

H 9

Posizione geografica: bassa collina.
Periodo di apertura: tutto l'anno.
Associato a: Terranostra.
Presentazione: masseria fortificata del '600 con 70 ettari di terreno di cui 40 in agro di Monopoli e 30 in agro di Fasano. Coltivazione di olivi, mandorli, carrubi, agrumi. Allevamento di capre, pecore, galline, conigli. Offre ospitalità in 7 camere con bagno e in 8 appartamenti con 38 posti letto totali.
Ristorazione: H/B. Ristorante aperto al pubblico con 80 coperti. Cucina tradizionale pugliese.
Prodotti aziendali: olio, marmellate, cacioricotta, fave fritte.
Luoghi di interesse e manifestazioni locali: Alberobello, grotte di Castellana, Martina Franca, Locorotondo, Ostuni, scavi di Egnatia, zoosafari di Fasano. Carnevale di Putignano, presepe vivente di Pezze di Greco, stagione lirica estiva a Martina Franca, sagra del pesce spada a Savelletri di Fasano.
Prezzi: B&B da £ 60.000 a 80.000, H/B da £ 90.000 a 110.000 bevande escluse. Pasto da £ 35.000 a 50.000. Riduzioni per ter-

---

zo e quarto letto dal 15% al 30%.
Note: necessaria la prenotazione. Prato per prendere il sole, sala riunioni. Corsi di cucina mediterranea, museo in allestimento all'interno dell'azienda, visita guidata all'azienda olivicola, trekking e passeggiate, tiro con l'arco, giochi all'aria aperta, mountain bike. Raccolta di asparagi e more. Pulizia e riassetto (negli appartamenti solo finale), uso cucina, uso frigorifero, biancheria, prima colazione, sala comune, telefono in comune, posto macchina. Animali accolti previo accordo.

TENUTA DESERTO

Tenuta Deserto • 72019 SAN VITO DEI NORMANNI
☎ e fax 063219566 - 0831983062 fax 0831985981
cell. 03479141045

I 10

Posizione geografica: mare.
Periodo di apertura: da aprile al 31 ottobre.
Associato a: Agriturist, Vacanze in Italia.
Presentazione: antica masseria dell'800 con piccola torre del '600 e vari fabbricati annessi. Offre ospitalità in 7 case con disponibilità da 2 a 7 posti letto con servizi e un trullo con 4 posti letto.
Ristorazione: solo su richiesta o per week-end in bassa e media stagione.
Prodotti aziendali: olio, uova, verdure di stagione.
Luoghi di interesse e manifestazioni locali: Ostuni, Martina Franca, Alberobello, grotte di Castellana, Lecce, Selva di Fasano, Gallipoli, Otranto, Santa Maria di Leuca, Grottaglie. Torneo dei Rioni a Oria.
Prezzi: da £ 20.000 a 60.000, pasto circa £ 30.000.
Note: periodo minimo di permanenza in bassa stagione 2 giorni, in media e alta stagione 1 settimana, da sabato a sabato. Piscina, passeggiate in bicicletta. Uso cucina, uso frigorifero, biancheria, acqua, luce e gas.

MASSERIA NARDUCCI

via Lecce, 144 • 72016 SPEZIALE DI FASANO
☎ e fax 0804810185
E-mail:agriturismo_narducci@jahoo.com
http:www.tecno-net.it/ipa/agritour/narducci.htm

H 9

Posizione geografica: pianura, mare.
Periodo di apertura: tutto l'anno.
Presentazione: antica stazione di posta. Offre ospitalità in miniappartamenti dotati di servizi, nelle antiche stalle.
Prodotti aziendali: sottoli, passata di pomodoro, olio extravergine d'oliva. Vendita dei prodotti dell'azienda anche con spedizioni in contrassegno.
Ristorazione: H/B, F/B. Piatti tipici del mondo contadino.
Luoghi di interesse e manifestazioni locali: Ostuni, Fasano, grotte di Castellana, scavi di Egnazia, Alberobello, Martina Franca, Ceglie, Grottaglie, Cisternino, mare (3 km).

Prezzi: OR da £ 35.000 a 55.000, H/B da £ 70.000 a 100.000, F/B da £ 80.000 a 120.000. Pacchetti-offerta nel corso dell'anno.
Note: accessibile agli handicappati. Pulizia, riassetto, biancheria, trasporto da e per aereoporti e stazioni ferroviarie locali.

MASSERIA MITRANO

s.s. 379/E55 • 72100 BRINDISI
☎ 0831452077

▲ I 11

Posizione geografica: mare.
Periodo di apertura: tutto l'anno.
Associato a: Agriturist.
Presentazione: torre Mitrano del XV secolo indicata come bene culturale con casa padronale e 50 ettari di seminativo, vite e agrumeto. Offre ospitalità in 20 camere, dotate di servizi, per un totale di 45 posti letto.
Prodotti aziendali: vino.
Luoghi di interesse e manifestazioni locali: Ostuni, torre Guaceto, oasi marina del WWF. Palio di Oria, feste patronali nel periodo estivo.
Prezzi: da £ 30.000 a 50.000.
Note: periodo minimo di prenotazione 1 settimana. Aquilonismo sportivo. Prato per prendere il sole, angolo per barbecue, sala riunioni. Golf, equitazione. Pulizia e biancheria settimanale, riscaldamento, posto macchina.

MACCARONE

c.da Carbonelli, 29 • 72015 FASANO
☎ 080729300 fax 080791539 cell. 0337824128

▲ H 9

Posizione geografica: mare.
Periodo di apertura: tutto l'anno.
Associato a: Agriturismo.
Presentazione: complesso architettonico semifortificato del XVII secolo con 60 ettari di terreno con olivi secolari, a 2 km dal mare. Offre ospitalità in 10 appartamentini bilocali e trilocali, dotati di servizi e angolo cottura, per un totale di 50 posti letto.
Prodotti aziendali: agrumi, frutta, olio, mandorle, carrube.
Luoghi di interesse e manifestazioni locali: scavi di Egnatia, zoosafari, Alberobello, Martina Franca, valle d'Itria, grotte di Castellana, Ostuni. Diverse sagre nel periodo estivo.
Prezzi: appartamento al giorno da £ 80.000 a 160.000. Riduzione del 10% per bambini fino a 10 anni.
Note: necessaria la prenotazione. Grotte Basiliane in loco, museo della civiltà contadina con attrezzi in uso nell'azienda dal '700 a oggi, frantoio. Baby sitting. Bocce, giochi all'aria aperta, trekking e passeggiate, mountain bike, ping-pong. Raccolta di asparagi, cicorie. Sala per riunioni, prati per prendere il sole. Uso cucina, uso frigorifero, biancheria, sala comune, riscaldamento, posto auto. Animali accolti previo accordo.

GROTTA DI FIGAZZANO

c.da Grotta di Figazzano, 19 • 72017 OSTUNI
☎ 080718559

▲ H 9

Posizione geografica: collina (380 m).
Periodo di apertura: tutto l'anno, solo su prenotazione.
Associato a: Terranostra e Vacanze nella Natura.
Presentazione: il fascino dei trulli rivive in una cornice suggestiva che riecheggia antiche memorie. L'azienda si estende su 2

ettari di terreno coltivati a uliveto, frutteto e vigneto e pratica l'apicoltura. Accoglie ospiti in 2 appartamenti completamente arredati composti da 2/3 camere per un totale di 11 posti letto, cucina con forno e camino, ampio giardino.
Prodotti aziendali: olio, vino, frutta, verdura, miele, uova, erbe, aromi.
Luoghi di interesse e manifestazioni locali: valle d'Itria, Alberobello, grotte di Castellana, Ostuni. In luglio e agosto numerose sagre e feste patronali, mostre di pittura.
Prezzi: OR a £ 25.000 a persona, singolo a £ 30.000.
Note: accessibile agli handicappati. Possibiltà di prima colazione. Attività culturali inerenti l'azienda. Attività sportive nelle vicinanze. Prato per prendere il sole. Raccolta di asparagi, funghi e more. Biancheria, luce, gas, riscaldamento autonomo, TV, parcheggio coperto. Animali accolti previo accordo.

Foggia

TORRE DI LAMA MASSERIA SANT'ANTONIO

via per San Marco in Lamis - loc. Torre di Lama
71100 FOGGIA
☎ 0881700645-0881723516

● E 3

Posizione geografica: pianura.
Periodo di apertura: tutto l'anno, solo su prenotazione.
Presentazione: antichi fabbricati colonici con disposizione tipica delle "domus" di Federico II, circondati da 120 ettari di terreno coltivato con metodo biologico a cereali, vigneti, oliveti. Allevamento di suini, cinghiali, ovini, bufalini ed equini. Accoglie ospiti in 2 appartamenti, con bagno, per un totale di 15 posti letto.
Ristorazione: H/B e F/B. Ristorante aperto al pubblico. Cucina tipica pugliese a base di carne, formaggi, ortaggi prodotti in azienda con metodo biologico.
Prodotti aziendali: vino, latticini, ortaggi, uova, pollame, confetture.
Luoghi di interesse e manifestazioni locali: parco del Gargano, San Giovanni Rotondo, monte Sant'Angelo, Vieste, Peschici, Rodi Garganico, Mattinata.
Prezzi: da £ 35.000 a 45.000. Pasto da £ 25.000 a 38.000. Sconto del 10% per bambini fino a 10 anni.
Note: soggiorno minimo 2 giorni. In azienda è attivo il "Centro benessere oasi biologica" che svolge corsi di educazione alimentare e attività fisica. Escursioni a cavallo, in bicicletta o a piedi. Possibilità di partecipare alle attività aziendali. Si accolgono animali.

MONTE SACRO

via Iunno, 3 - c.da Stinco • 71030 MATTINATA
☎ 0884558941 fax 0884559831

● D 4

Posizione geografica: montagna (660 m).
Periodo di apertura: tutto l'anno.
Presentazione: tipica costruzione rurale all'interno di una riserva naturale con 60 ettari di terreno a ortaggi e allevamento di

ovini e suini. Offre ospitalità in 6 camere con bagno, in 7 pagliai e in piazzale disponibile per tende o caravan.

Ristorazione: H/B, F/B. Ristorante aperto al pubblico con 60 coperti. Cucina tradizionale a base di carne di propria produzione, specialità caserecce, latticini, provole di bufala, caciocavallo, formaggi caprini.

Prodotti aziendali: confetture, limoncino, sottoli, vini, pollame.

Luoghi di interesse e manifestazioni locali: abbazia benedettina di Monte Sacro. Sagra della capra, del bufalo, del vitello e del maiale durante l'estate.

Prezzi: £ 30.000 pasto completo. Riduzione del 10% per bambini fino ai 10 anni.

Note: periodo minimo di prenotazione in alta stagione, 1 settimana. Corsi di caseificazione, gastronomia, osservazione ambientale. Animazione per bambini, ping-pong, giochi all'aria aperta, equitazione, trekking e passeggiate, escursioni e visite guidate. Raccolta di rucola, asparagi, frutti di bosco. Prato per prendere il sole. Pulizia, uso cucina, uso frigorifero, biancheria, televisione in camera, riscaldamento, posto macchina.

GIORGIO

loc. Giorgio • 71030 MATTINATA
☎ e fax 0884551477

● D 4

Posizione geografica: mare.

Periodo di apertura: tutto l'anno.

Associato a: Agriturist.

Presentazione: l'azienda pratica con successo l'agriturismo da moltissimi anni. I suoi olivi secolari, la pineta, le grotte naturali, l'oleificio, la vecchia cantina, il forno e le griglie per gli arrosti rendono lieto il soggiorno degli ospiti. Offre ospitalità in 4 camere doppie, in 15 appartamenti e in 9 bungalow da 4/5 posti letto. Tutti con bagno.

Ristorazione: H/B e F/B. Ristorante aperto al pubblico. Cucina contadina genuina.

Prodotti aziendali: vende olio, olive, vino, ortaggi biologici.

Luoghi di interesse e manifestazioni locali: monte Sant'Angelo, santuario di San Michele, San Giovanni Rotondo, Trani, Ruvo, Bitonto, Castel del Monte.

Prezzi: OR da £ 25.000 a 40.000. Pasto da £ 35.000 a 40.000. Riduzione del 20% per bambini fino a 7 anni.

Note: accessibile agli handicappati. Parco giochi, ping-pong, bocce, calcetto. Spiaggia privata attrezzata. Raccolta di asparagi e capperi. Sala riunioni disponibile. Uso cucina e frigorifero, riscaldamento, posto macchina. Animali accolti previo accordo.

DIFENSOLA RANCH

c.da Difensola • 71010 SAN PAOLO DI CIVITATE
☎ e fax 0330806352 - 0882551496

● D 2

Posizione geografica: collina.

Periodo di apertura: tutto l'anno.

Associato a: Vacanze Verdi, Osterie d'Italia.

Presentazione: tipica costruzione rurale con 7 ettari di terreno coltivati a cereali, olivi, frutteto. Allevamento di ovini, polli, conigli, colombi. Offre ospitalità in 3 camere con bagno.

Ristorazione: H/B, F/B. Ristorante aperto al pubblico con 40 coperti. Troccoli, tagliatelle all'ortica, crespelle alle verdure, orecchiette, cavatelli con fagioli e cotiche, torcinello con patate, arrosti di carne.

Prodotti aziendali: confetture, erbe, verdura, sottoli, sottaceti, pollame, salumi, salsa, frutta sotto alcol, liquori.

Luoghi di interesse e manifestazioni locali: zone archeologiche di Teanum e Civitate, fiume Fortore, museo archeologico, sosta della transumanza. Sagra dei torcinelli il 12/13/14 giugno.

Prezzi: da £ 30.000 a 50.000, pasto da £ 25.000 a 50.000. Riduzione del 25% per bambini fino ai 10 anni.

Note: accessibile agli handicappati. Necessaria la prenotazione. Gastronomia e giardinaggio. Raccolta di frutti di bosco, funghi, verdure selvatiche. Equitazione, trekking e passeggiate, escursioni e visite guidate. Riassetto, prima colazione, televisione, riscaldamento, posto macchina.

FARA DEL FALCO

loc. Delfino - c.da Mandrione • 71019 VIESTE
c.p. 32 ☎ 0884705796 fax 0884701213

● C 5

Posizione geografica: collina.

Periodo di apertura: da aprile a ottobre tutti i giorni, festività pasquali e natalizie.

Associato a: Agrint - Bari.

Presentazione: tipica costruzione rurale con 20 ettari di terreno coltivati a cereali, oliveto, frutteto, ortaggi. Offre ospitalità in 6 appartamenti da 2 a 6 posti, dotati di servizi, per un totale di 24 posti letto.

Prodotti aziendali: olio, olive da tavola, ortaggi, confetture, miele.

Luoghi di interesse e manifestazioni locali: punto-trekking per la foresta umbra, villa romana e santuario di Santa Maria di Merino, necropoli paleocristiana della Salata, grotte marine, isole Tremiti, Vieste, Peschici. Festa patronale di Vieste in aprile-maggio, festa patronale a Peschici in settembre.

Prezzi: da £ 20.000 a 35.000 in bassa stagione, da £ 40.000 a 67.000 in alta stagione. Riduzioni per la seconda settimana di soggiorno in alcuni periodi dell'anno.

Note: dal 28 giugno al 30 agosto il soggiorno non può essere inferiore alla settimana. Partecipazione all'attività dell'azienda, osservazione ambientale. Bocce, calcetto con illuminazione notturna, golf, tiro con l'arco, giochi all'aria aperta, tennis, trekking e passeggiate, escursioni e visite guidate, mountain bike, possibilità di praticare altri sport nelle vicinanze, escursionismo aereo. Raccolta di asparagi, funghi, castagne.

Ampio giardino e pineta. Uso cucina, uso frigorifero, biancheria con cambio settimanale, riscaldamento. Animali accolti previo accordo.

AZZARONE FRANCESCO

via Dalmazia, 13 • 71019 VIESTE
☎ 0884701332-0884705214

● **C 5**

Posizione geografica: mare.
Periodo di apertura: da marzo a novembre.
Presentazione: azienda che accoglie ospiti in 8 camere, 5 monolocali, 2 bilocali e 1 trilocale.
Ristorazione: possibilità di F/B. Orecchiette, troccoli, legumi, pesce, carne alla brace, vino di produzione propria.
Prodotti aziendali: vino, olio, frutta, ortaggi, sottoli a base di melanzane, pomodori secchi e olive.
Luoghi di interesse e manifestazioni locali: foresta Umbra,

San Giovanni Rotondo, isole Tremiti, grotte marine. Spettacoli e concerti all'aperto organizzati dall'Azienda Soggiorno e Turismo.
Prezzi: H/B da £ 40.000 a 50.000.
Note: è gradita la prenotazione.

Lecce

MACURANO

c.da Macurano, 1 • 73031 ALESSANO
☎ 0833524287 - 03386798167

● **N 11**

Posizione geografica: pianura.
Periodo di apertura: da Pasqua a ottobre.
Associato a: Turismo Verde.
Presentazione: masseria fortificata del XVI secolo con 6 ettari di terreno coltivati a ortaggi, cereali, agrumi. Allevamento di animali da cortile. Offre ospitalità in 4 camere di cui 3 con bagno e in un appartamento.
Ristorazione: H/B. Ristorante aperto al pubblico con 30 coperti. Piatti tipici salentini, pasta fatta in casa, carne paesana alla brace.
Prodotti aziendali: confetture, formaggio, olio, conserve, vino, liquori.
Luoghi di interesse e manifestazioni locali: grotte di Macurano, Patù, santuario di Leuca, interessante paesaggio naturale, mare Adriatico (4 km), mare Ionio (8 km). Fiera di Santo Stefano dopo Pasqua, sagre paesane in primavera e in estate.
Prezzi: B&B a £ 50.000, H/B da £ 80.000 a 90.000, pasto £ 30.000. Riduzioni in bassa stagione da concordare, riduzione del 30% terzo letto.
Note: accessibile agli handicappati. Necessaria la prenotazione.
In bassa e media stagione soggiorno minimo 2 notti, in alta 1 settimana. Sala riunioni, prato per prendere il sole. Corsi di artigianato, realizzazioni in mosaico, ceramiche dal tornio alla decorazione, scultura e monili in pietra,

cartapesta. Escursioni culturali e archeologiche e visite guidate. Equitazione in alta stagione, pesca al tonno gigante da settembre a novembre. Raccolta di mirto, corbezzolo, finocchietto, timo, rucola. Pulizia, riassetto, biancheria, prima colazione, sala comune, telefono in comune, posto macchina. Animali accolti previo accordo.

MALEPEZZA

via Sant'Andrea - loc. Borgagne • 73020 MELENDUGNO
☎ 0832811402

● **L 12**

Posizione geografica: mare.
Periodo di apertura: da maggio a ottobre tutti i giorni, gli altri mesi solo su prenotazione.
Associato a: Agriturist.
Presentazione: azienda nelle vicinanze di una riserva naturale con frutteto e orto. Offre ospitalità nell'abitazione dei proprietari in 3 appartamenti con 16 posti letto e in 20 piazzole per agricampeggio con 80 posti in tende e caravan.
Ristorazione: F/B. Ristorante aperto al pubblico con gazebo all'aperto e disponibilità dai 35 ai 50 posti. Cucina contadina locale con ortaggi, uova, farina, insalata, frutta e vino di produzione propria.
Prodotti aziendali: farina, frutta, olio, ortaggi, uova, vino, verdura.
Luoghi di interesse e manifestazioni locali: Otranto, Lecce, Santa Maria di Leuca, Porto Badisco, Santa Cesarea Terme, San Cataldo, riserve naturali del WWF. Sagra dell'ortofrutta in agosto, sagre locali nel periodo estivo, feste patronali.
Prezzi: da £ 25.000 a 35.000, pasto da £ 20.000 a 40.000. Riduzioni del 50% per bambini fino ai 10 anni.
Note: accessibile agli handicappati. Prato per prendere il sole, golf, trekking e passeggiate, mountain bike, osservazione ambientale. Baby sitting e giochi all'aria aperta, bocce, ginnastica all'aria aperta, ciclismo, corsa. Raccolta di frutti selvatici. Uso cucina, uso frigorifero, biancheria, prima colazione, telefono in comune, posto macchina. Animali accolti previo accordo.

LA FATTORIA

loc. Scalelle • 73028 OTRANTO
☎ 0836804651

● **M 12**

Posizione geografica: pianura nelle vicinanze del mare.
Periodo di apertura: tutto l'anno.
Associato a: Turismo Verde, Terranostra.
Presentazione: azienda con nuove costruzioni all'interno di una riserva naturale che si estende su 11 ettari di terreno con produzione di cereali, ortaggi, olivi. Allevamento di bovini, polli. Offre ospitalità per 15 posti letto totali in monolocali e bilocali dotati di servizi e 20 piazzole per agricampeggio per tende e caravan.
Ristorazione: H/B, F/B. Ristorante aperto al pubblico su prenotazione con 60 coperti. Sagne con la ricotta forte, maccheroni, orecchiette, purè di fave e cicorie selvatiche, verdure varie, polli ruspanti, carne alla brace.
Prodotti aziendali: olio, salsa di pomodori, conserve, uova, latte, formaggi, ortaggi, farina, pollame, confetture, liquori.

Luoghi di interesse e manifestazioni locali: cattedrale, castello di Otranto, dolmen e menhir, laghi Alimini. Festa patronale di Uggiano il 22 luglio, festa a Otranto il 14 agosto, varie sagre nei diversi paesi nel periodo estivo.
Prezzi: da £ 20.000 a 35.000, pasto da £ 25.000 a 35.000.
Riduzioni per i bambini fino a 10 anni.
Note: accessibile agli handicappati. Necessaria la prenotazione. Prato per prendere il sole, corsi di agricoltura, osservazione animali, gastronomia, osservazione ambientale. Equitazione, mountain bike, parco giochi e giochi all'aria aperta, escursioni visite guidate. Raccolta di asparagi, cipollette selvatiche (lampascioni). Uso cucina, uso frigorifero, prima colazione, riscaldamento, posto macchina. Animali accolti previo accordo.

TORRE PINTA

via delle Memorie • 73028 OTRANTO
☎ **0338449027 fax 0836428358**

 M 12

Posizione geografica: collina.
Periodo di apertura: tutto l'anno.
Associato a: Terranostra, Case e Country, Vacanze Verdi.
Presentazione: tenuta del '300 con circa 8 ettari di terreno. Offre ospitalità in 5 appartamenti, dotati di servizi, per un totale di 16 posti letto.

Ristorazione: sala da pranzo del '300 e portico esterno. Cucina biologica tipicamente mediterranea.
Prodotti aziendali: olio, vino, ortaggi, formaggi, frutta prodotta biologicamente.
Luoghi di interesse e manifestazioni locali: Otranto, Uggiano, Lecce, Castro, Santa Cesarea, laghi Alimini. Varie sagre e feste patronali.
Prezzi: da £ 100.000 a 150.000 per appartamento, pasto da £ 20.000 a 35.000.
Note: accessibile agli handicappati. Prato per prendere il sole, saletta per riunioni, antico ipogeo visibile all'interno dell'azienda, varie attività ricreative e culturali organizzate dall'azienda stessa, corsi di cucina e di agricoltura biologica, osservazione ambientale, ampio spazio verde per i bambini, giochi all'aria aperta, equitazione, escursioni e visite guidate, possibilità di diverse passeggiate. Raccolta di more, cicoria campestre, rucola. Uso cucina, uso frigorifero, prima colazione, posto macchina. Animali accolti previo accordo.

ALIMINI

loc. Frassanito • 73028 OTRANTO
☎ **083685308-0836803308 fax 083685308**

 M 12

Posizione geografica: mare.
Periodo di apertura: da maggio a settembre.
Associato a: Turismo Verde.
Presentazione: tipica costruzione rurale circondata da 14 ettari di terreno con produzione di cereali, frutta e olive. Accoglie ospiti in 7 appartamenti, con bagno in camera, per un totale di 24 posti letto e in 80 piazzole in agricampeggio per tende e caravan.
Ristorazione: ristorante aperto al pubblico.
Prodotti aziendali: olio.

Luoghi di interesse e manifestazioni locali: laghi di Alimini, Otranto.
Prezzi: OR a £ 30.000. Pasto da £ 8.000 a 25.000.
Note: parco giochi, tennis, calcetto, noleggio biciclette. Uso cucina e frigorifero, telefono comune, posto macchina.

TORRE CASCIANI

s.p. Felline/Torre San Giovanni • 73059 UGENTO ☎ **0833931661**

 N 11

Posizione geografica: mare.
Periodo di apertura: tutto l'anno, solo su prenotazione.
Associato a: Agriturist.
Presentazione: la masseria consiste in una torre fortificata del '500 abbracciata da fabbricati di epoche successive ('700-'800). Il tutto, realizzato con pietre, terra rossa e conci di tufo calcareo del luogo, è intriso di tracce preistoriche, messapiche, imperiali e medioevali. Accoglie ospiti in 11 camere con bagno.
Ristorazione: H/B. Ristorante aperto al pubblico. Grano stompato, fettuccine della torre, polpette di lupo.
Prodotti aziendali: vende olio, vino, miele e ortaggi.
Luoghi di interesse e manifestazioni locali: nelle vicinanze numerosi luoghi di interesse storico e culturale. Sagre, fiere e feste patronali.
Prezzi: £ 40.000. Pasto da £ 30.000 a 45.000.
Note: parco giochi, piscina, equitazione. Raccolta di fichi, gelsi e giuggiole. Soggiorno minimo 7 giorni, salvo eventuali accordi. Sala riunioni. Biancheria, pulizia, riscaldamento, posto macchina.

MULINO A VENTO

via Badisco, 59 • 73020 UGGIANO LA CHIESA
☎ **e fax 0836812942-0836812314**

 M 12

Posizione geografica: pianura, a 2 km dal mare.
Periodo di apertura: tutto l'anno.
Presentazione: azienda con circa 15 ettari di terreno coltivati a olivi, ortaggi, frumento. Allevamento di bovini e animali da cortile. Offre ospitalità in miniappartamenti indipendenti con bagno, camera matrimoniale, soggiorno attrezzato per 2 posti letto e con uso di angolo cottura, veranda coperta, per un totale di 48 posti letto.
Ristorazione: 200 coperti. H/B, F/B, B&B. Ristorante aperto al pubblico con annessa pizzeria. Orecchiette e maccheroncini alla leccese, sagne 'nncannulate alla mulino a vento, antipasti caserecci.
Prodotti aziendali: confetture, olio, vino, farina, ortaggi biologici, pollame, uova.
Luoghi di interesse e manifestazioni locali: Otranto (4 km), Porto Badisco (2 km), terme di Santa Cesarea (7 km), frantoio ipogeo in azienda, vecchie masserie nelle vicinanze, laghi Alimini. Varie sagre e feste patronali nel periodo estivo.
Prezzi: B&B da £ 30.000 a 35.000, H/B da £ 55.000 a 65.000, pasto a £ 25.000.
Note: 2 campi da calcetto, trampolini elastici, calcio balilla, videogiochi, bocce, golf, giochi all'aria aperta, escursioni e visite guidate. Corsi di cucina e di giardinaggio. Nelle vicinanze bowling, equitazione e altri sport. Raccolta di cicorie e rucola. Aria condizionata, riscaldamento, posto macchina.

"IL PICCOLO LAGO"

Azienda Fontanelle • 73028 OTRANTO ☎ 0836805628

▲ M 12

Posizione geografica: pianura (20 m).
Periodo di apertura: da aprile a settembre.
Associato a: Agriturismo Nazionale.
Presentazione: tipica costruzione locale a schiera con 7 ettari coltivati a cereali, orto, frutteto e oliveto. All'interno di un'area protetta. Offre ospitalità in 5 appartamenti di 50 mq, dotati di servizi, con 4 posti letto ciascuno.
Prodotti aziendali: prodotti dell'orto, cereali, olio.

Luoghi di interesse e manifestazioni locali: spiaggia libera a 1 km. Sagra di Sant'Antonio il 14 giugno, sagra dell'uva il 6 settembre.
Prezzi: da £ 200.000 a 1.200.000 settimanali per appartamento.
Note: osservazione ambientale, parco giochi, campo da bocce. Tennis, pattinaggio, piscina, discoteca, ristorante nelle vicinanze. Uso cucina, uso frigorifero, biancheria, posto macchina.

MASSERIA SAN NICOLA

via Garibaldi, 14 • 73053 PATÙ ☎ 0833752243-0833752116

▲ N 12

Posizione geografica: mare.
Periodo di apertura: da aprile al 30 settembre.
Associato a: Agriturist.
Presentazione: tipica masseria salentina del '600, residenza estiva dell'ultimo primo ministro borbonico,

completamente ristrutturata, circondata da 20 ettari di terreno con oliveti, seminativi e frutteti. Offre ospitalità in camere con bagno e in 10 piazzole in agricampeggio per caravan.
Prodotti aziendali: olio, uova, frutta.
Luoghi di interesse e manifestazioni locali: Patù, Leuca, Barbarano, Gallipoli, Otranto, Lecce barocca. Varie feste folkloristiche, festa di San Giovanni a Patù il 23 e 24 giugno.
Prezzi: fino a £ 30.000. Riduzioni per possessori di varie tessere, gratis i bambini fino a 3 anni.
Note: parco giochi, bocce, passeggiate in mountain bike, giochi all'aria aperta. Raccolta di more. Pulizia, riassetto, uso cucina, uso frigorifero, biancheria, sala comune, posto macchina.

Taranto

TENUTA DEL BARCO

c.da Porvica - c.p. 24 • 74026 MARINA DI PULSANO ☎ 0995333051 ☎ e fax 059921323

● L 9

Posizione geografica: mare.
Periodo di apertura: tutto l'anno, solo su prenotazione.
Presentazione: a poche centinaia di metri dalle selvagge dune sabbiose della riviera salentina, la tenuta offre ospitalità e ristoro in 5 residenze esclusive, con servizi, per un totale di 20 posti let-

to, ristrutturate nel più attento rispetto della tradizione mediterranea e in 30 piazzole non attrezzate in agricampeggio.
Ristorazione: menu a base di prodotti aziendali. Melanzane, peperoni ripieni, fiscaruli al forno, purè di fave e foglie.
Prodotti aziendali: vino D.O.C., olio extravergine d'oliva e conserve.
Luoghi di interesse e manifestazioni locali: Alberobello, grotte di Castellana, museo degli ori di Taranto, quartiere delle ceramiche di Grottaglie, Lecce, Otranto, Gallipoli.
Prezzi: B&B fino a £ 70.000 a persona.
Note: parcheggio custodito e stabilimento balneare convenzionati. Tennis, calcetto, bocce, parco giochi. Cambio lenzuola settimanale. Si accolgono animali purché custoditi negli appositi stalletti.

"IL VIGNALETTO"

via Mingo di Tata, 1 • 74015 MARTINA FRANCA ☎ 080700354-080700387 E-mail: vignaletto@.peg.it.

● I 8

Posizione geografica: collina.
Periodo di apertura: tutto l'anno.
Associato a: Agriturist.
Presentazione: tipica masseria della Valle dei Trulli con coltivazioni biologiche e allevamento di vacche e capre. Offre ospitalità in 3 appartamenti con 9 posti letto totali e in 2 camere con bagno.

Ristorazione: B/B, F/B. Ristorante aperto al pubblico. Orecchiette, cacciagione.
Prodotti aziendali: olio, farina, legumi, uova, vino, ortaggi.
Luoghi di interesse e manifestazioni locali: Alberobello, Ostuni, grotte di Castellana, Valle dei Trulli, museo della Magna Grecia. Festival della valle d'Itria in estate.
Prezzi: da £ 30.000 a 50.000, pasto da £ 30.000 a 40.000. Riduzione del 10% per bambini fino agli 8 anni.
Note: percorso vita, ping-pong, piscina, equitazione. Raccolta di asparagi, funghi, uova. Pulizia, uso cucina, uso frigorifero, biancheria, sala comune, telefono in comune, riscaldamento.

IL PORTICELLO

loc. Marinara • 74017 MOTTOLA ☎ 0998867294

● I 8

Posizione geografica: collina.
Periodo di apertura: tutto l'anno. Chiuso il lunedì sera.
Associato a: Agriturist, Turismo Verde.
Presentazione: tipica costruzione rurale con 7,5 ettari di terreno coltivati a oliveto, cereali, vigneto. Offre ospitalità in 2 camere con bagno e in 1 appartamento con 3/4 posti letto.
Ristorazione: H/B, F/B. Ristoro aperto al pubblico con 50 coperti.
Prodotti aziendali: farine, olio, pollame, salumi, dolci, ortaggi, uova, vini, liquori.
Luoghi di interesse e manifestazioni locali: chiese rupestri. Festa della Madonna dal 27 dicembre al 6 gennaio, assassinio in cattedrale, palo della Cuccagna e il 1° maggio in azienda.
Prezzi: da £ 30.000 a 50.000, pasto da £ 15.000 a 50.000.
Note: periodo minimo di prenotazione 2 settimane. Prato per prendere il sole, animazione, parco giochi per bambini, tiro con l'arco, giochi all'aria aperta, equitazione. Corsi di gastronomia e caseificazione.
Raccolta di asparagi, funghi, cicorie. Pulizia, uso cucina e uso frigorifero in appartamento, biancheria, telefono in comune. Animali accolti previo accordo.

Calabria

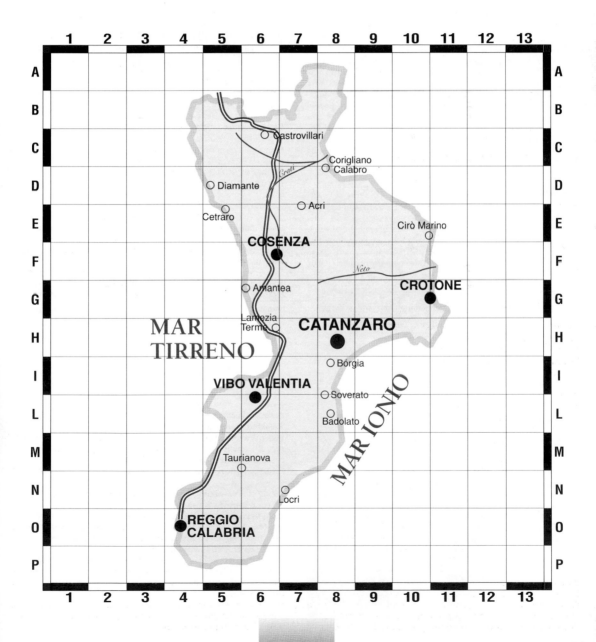

Catanzaro

BORGO PIAZZA

loc. Piazza • 88021 BORGIA
☎ e fax 0961391326-0961745567

● I 8

Posizione geografica: collina, fronte mare.
Periodo di apertura: dal 15 gennaio al 15 dicembre.
Associato a: Agriturist.
Presentazione: costruzione rurale dell'800 restaurata. L'azienda si estende su 44 ettari con produzione a oliveto, mandorleto, frutteto, agrumeto, ortaggi. Offre ospitalità in 6 camere con bagno e in 1 appartamento per un totale di 18 posti letto.
Ristorazione: H/B su prenotazione. Cucina mediterranea.
Prodotti aziendali: olio, conserve, marmellate, pasta di mandorle, formaggi, ricotte.
Luoghi di interesse e manifestazioni locali: zona archeologica di Skillaetion. Sagre estive nei paesi dell'entroterra.
Prezzi: pasto a circa £ 30.000. B&B da £ 45.000 a 60.000. Sconto del 10% sui pasti per i ragazzi.
Note: accessibile agli handicappati. Solo su prenotazione, periodo minimo di soggiorno in camera 3 giorni, in appartamento 1 settimana. Prato per prendere il sole, laghetto collinare, soggiorno, biblioteca, televisione, stereo. Tiro con l'arco, pesca, trekking e passeggiate, mountain bike. Corsi di agricoltura biologica, artigianato, caseificazione, gastronomia, giardinaggio, osservazione ambientale. Bocce, equitazione, tennis, golf, spiaggia, sloop a vela nelle vicinanze. Attività per bambini in allestimento. Raccolta di asparagi, origano, mirto, funghi. Prima colazione, biancheria, pulizia iniziale. Animali accolti previo accordo.

SERRA D'URSO PARK

c. da Serra d'Urso • 88040 CONFLENTI
☎ 096864048-096864300

● G 7

Posizione geografica: montagna.
Periodo di apertura: da aprile a settembre tutti i giorni, negli altri mesi sabato, domenica, festivi e prefestivi.
Presentazione: struttura di recente costruzione, l'azienda si estende su 18 ettari con produzione di cereali, ortaggi e frutta. Offre ospitalità in 10 camere con bagno. Allevamento di polli e conigli.
Ristorazione: H/B, F/B. Ristorante aperto al pubblico con pizzeria e disponibilità fino a 120 coperti. Tagliolini ai porcini, risotto ai porcini, rigatoni alla pecoraia, scaloppine ai porcini, salsiccia e fagioli, patate e peperoni.
Prodotti aziendali: confetture, funghi, ortaggi, uova, vini, salumi.
Luoghi di interesse e manifestazioni locali: Falerna lido, convento di Corazzo, santuario di Visora, monte Reventino, laghi della Sila. Varie sagre e fiere nel periodo estivo, in agosto fiera a Conflenti con concerti.
Prezzi: da £ 30.000

a 50.000, pasto da £ 18.000 a 55.000. Riduzione del 10% per letto aggiunto.
Note: accessibile agli handicappati. Prenotazione per minimo 3 giorni. Osservazione ambientale. Raccolta di castagne, asparagi, fragole di bosco. Golf, giochi all'aria aperta, tennis, bocce, ping-pong. Maneggio. Solarium. Biancheria, pulizia, riassetto, telefono in comune, sala comune, prima colazione, posto macchina.

DONNA LESSA

via G. D'Annunzio • 88040 DECOLLATURA
☎ 096861432

● G 8

Posizione geografica: montagna.
Periodo di apertura: periodo estivo, fine settimana e festività.
Presentazione: antica casa rurale ristrutturata che offre ospitalità in 3 camere, con 2 servizi comuni, per un totale di 5 posti letto e in 1 appartamento.
Ristorazione: cucina tipica con specialità calabresi, tagliatelle, coniglio ripieno, salumi.
Prodotti aziendali: miele, marmellata, salumi, frutta, ortaggi e uova.
Luoghi di interesse e manifestazioni locali: abbazia di Corazzo (XXII sec.), Sila Piccola con i suoi famosi villaggi Palumbo, Mancuso, Racise. Manifestazioni varie durante tutto il mese di agosto, sagra della patata, sagra del fungo porcino.
Prezzi: F/B a £ 70.000.
Note: campi da tennis, pallavolo e calcetto a 2 km, piscina a 5 km. Possibilità di escursioni con guide ambientali sul monte Reventino o sui monti della Sila. Cambio biancheria. Si accolgono animali domestici.

TENUTA FEUDO DE MEDICI

via Ubaldo de Medici, 21 • 88046 LAMEZIA TERME
☎ 096821012

● H 7

Posizione geografica: vicino al mare.
Periodo di apertura: da marzo-aprile a settembre tutti i giorni.
Associato a: Vita in campagna.
Presentazione: casale del '700 recentemente ristrutturato con 80 ettari di terreno con oliveto secolare e 10 ettari coltivati ad agrumeto, vigneto e orto. Ospitalità in 2 appartamenti con 8/10 posti letto, dotati di servizi.

Ristorazione: in allestimento.
Prodotti aziendali: olio, vino, latticini.
Luoghi di interesse e manifestazioni locali: terme di Caronte, luoghi di interesse naturalistico. Festa delle cipolle, fiera in giugno, mercatino il martedì e mercoledì.
Prezzi: da £ 38.000 a 40.000. Riduzione del 25% letto aggiunto e più di 5 persone.
Note: solo su prenotazione, per un periodo minimo di 1 settimana. Tennis e piscina nelle vicinanze, tiro con l'arco, mountain bike. Raccolta di asparagi e cicorie, solarium, sala riunioni. Biancheria, riscaldamento, sala comune, uso cucina, telefono in comune. Animali accolti previo accordo.

TRIGNA

loc. Trigna • 88046 LAMEZIA TERME
☎ e fax 0968209034

● H 7

Posizione geografica: pianura, mare a 2 km.
Periodo di apertura: tutto l'anno.
Associato a: Agriturist, Turismo Verde, Terranostra.
Presentazione: si estende su 25 ettari di terreno con produzione di agrumi, ortaggi, latte. Allevamento di galline ovaiole, cavalli, vitelli. La costruzione, ristrutturata, offre ospitalità in camere, singole e doppie, con bagno per un totale di 30 posti letto.
Ristorazione: solo su prenotazione, pasta fatta in casa, cucina a base di prodotti stagionali dell'orto biologico.
Prodotti aziendali: confetture, miele, frutta, ortaggi, uova.
Luoghi di interesse e manifestazioni locali: Lamezia Terme (castello normanno), parco ornitologico, orto botanico e Certosa, museo contadino, Mongiana. "Luglio Nicastrese", sagra del fungo, processione del Sabato Santo. Settimana delle marmellate di agrumi.
Prezzi: alloggio da £ 35.000 a 50.000, pasto da £ 25.000 a 40.000. Riduzione del 10% la seconda settimana, 10% letto aggiunto, 2+2=3 in bassa stagione, entro i 5 anni per l'alloggio.
Note: accessibile agli handicappati. Solo su prenotazione fatta con almeno 1 settimana di anticipo, inviando il 30% dell'importo e per un periodo minimo di permanenza di 3 giorni. Piscina, giochi all'aria aperta, equitazione, tennis. Pallavolo, pedalò a Marinelle, baby sitting, corso di cucina tipica e di ginnastica per gruppi di almeno 8 persone. Raccolta di more di rovo. Biancheria, pulizia, sala comune, sala riunioni, telefono comune, prima colazione, posto macchina. Animali accolti previo accordo.

SEMINAROTI

loc. Crana • 88060 PETRIZZI ☎ 096794300

● I 8

Posizione geografica: collina.
Periodo di apertura: tutti i giorni su prenotazione.
Presentazione: tipica costruzione rurale, con 2 ettari di terreno con produzione di ortaggi e frutta. Allevamento di suini e cavalli.
Ristorazione: H/B, F/B. Ristorante aperto al pubblico con 48 coperti. Porchetta, pasta fresca, sottoli, salami.
Luoghi di interesse e manifestazioni locali: scavi archeologici di Borgia, certosa francescana di Serra San Bruno.
Prezzi: alloggio da £ 35.000 a 100.000, un pasto da £ 20.000 a 40.000. Sconto del 20% per bambini fino a 10 anni.
Note: necessaria la prenotazione per un soggiorno di almeno 2 giorni. Pesca, equitazione, giochi all'aria aperta, trekking e passeggiate. Raccolta di castagne, frutti di bosco, funghi. Per i bambini, giochi di sala e giochi presso il fiume contiguo. Biancheria, pulizia, telefono in comune, posto macchina.

CONTRADA GUIDO

c.da Guido • 88050 SELLIA MARINA
☎ 0961961496 fax 0961721720

● H 9

Posizione geografica: mare.
Periodo di apertura: da maggio a novembre.
Associato a: Agriturist.
Presentazione: la residenza sorge in un borgo della campagna calabrese le cui origini risalgono al '700. La costruzione, da poco ristrutturata secondo lo stile delle antiche abitazioni rurali, è ampia e confortevole. Si erge nel mezzo di un'azienda di 44 ettari, con affaccio diretto sul mare, le cui coltivazioni principali sono gli agrumi e le olive. Accoglie ospiti in 10 camere, di cui 7 con bagno privato, per un totale di 20 posti letto.
Ristorazione: H/B e F/B. Ristorante aperto al pubblico. Specialità culinarie calabresi e mediterranee preparate in casa utilizzando i prodotti dell'azienda.
Prodotti aziendali: confetture, sottaceti, frutta, miele, olio, ortaggi e salumi.
Luoghi di interesse e manifestazioni locali: Sila, Crotone, Le Castella, Capo Colonna, Riace, Reggio Calabria, Tropea.
Prezzi: H/B oltre £ 50.000. Pasto da £ 35.000 a 50.000. Sconto del 10% per letto aggiunto e bambini fino a 10 anni.
Note: prenotazioni settimanali. Prato, terrazza e solarium. Sala riunioni. Campo da calcio in erba. Raccolta di funghi, origano e

frutti di bosco. Nelle vicinanze tennis, maneggio e golf. Biancheria e pulizia bisettimanale. Riscaldamento, sala comune e posto macchina.

SANTA CINNARA

c.da Corticello • 88050 SOVERIA SIMERI
☎ e fax 0961798456

● H 8

Posizione geografica: collina, fiume.
Periodo di apertura: annuale.
Associato a: Agriturist, Turismo Verde, Tourist Green Club.
Presentazione: azienda agricola a 90 m. Coltivazione biologica di agrumi, olive, mandorle, ortaggi. Comprende 4 appartamenti con bagno e angolo cottura, completamente autonomi con 2/4/6/8 posti letto.
Ristorazione: H/B a richiesta. Gnocchetti con ceci, fagioli alla contadina, penne del fattore, pollo e coniglio ruspanti, bruschette con nutella di piccantino.
Luoghi di interesse e manifestazioni locali: Capo Colonna, Taverna, Squillace, museo delle carrozze, Sila, mare, museo agricolo in azienda. Festa patronale in agosto, sagre nei dintorni.
Prezzi: alloggio da £ 30.000 a 40.000. Pasto da £ 15.000 a 25.000. Riduzione del 10% ai bambini di età inferiore a 5 anni.
Note: corsi di agricoltura biologica. Raccolta di mandorle e degustazione prodotti tipici. Calcetto, ping-pong, giochi all'aria aperta, tennis. Giochi popolari e di sala. Noleggio biancheria, riscaldamento, telefono comune, lavatrice in comune, docce, sala comune, sala da ballo, posto macchina. Animali accolti previo accordo.

I BASILIANI

c.da S. Basile s.s. 182, km 65,500 • 88060 TORRE DI RUGGIERO
☎ e fax 0967938000 cell. 03683395338

● I 7

Posizione geografica: collina (oasi ecologica delle Serre).
Periodo di apertura: da maggio a ottobre, festività natalizie e pasquali.
Presentazione: casale con arcate di antico monastero basiliano. Esteso su 35 ettari coltivati a cereali, ortaggi, frutteto e in parte boschivi. Allevamento di suini, bovini, maneggio con 11 cavalli. Le pareti interne del casale e tutte le stanze da letto sono affrescate e danno un carattere esclusivo agli ambienti. Offre ospitalità in 6 camere con bagno e riscaldamento.
Ristorazione: H/B, F/B, possibile solo pernottamento. Ristorante aperto solo per gli ospiti, tranne rare prenotazioni per gruppi di 10/15 persone. Fagioli e ortaggi biologici di produzione aziendale, erbe di montagna, funghi, cucina casereccia di tradizione meridionale.
Prodotti aziendali: confetture, frutta, ortaggi, legumi, funghi, miele, liquori, conserve.
Luoghi di interesse e manifestazioni locali: Serra San Bruno (chiesa e certosa), parco naturale di Mongiana, scavi archeologici di Borgia, escursioni diurne in Sicilia e alle Isole Eolie. Feste e fiere patronali, festa della Madonna delle Grazie a Torre Di Ruggiero l'8 settembre.
Prezzi: oltre £ 60.000 in alta stagione e per soggiorni inferiori a 3 notti, tra £ 50.000 e £ 60.000 in bassa stagione. Pasto da £ 30.000 a 45.000 escluse bevande. 1° letto aggiunto in stanza con bagno £ 35.000, 2° letto aggiunto £ 25.000, culla £ 15.000. Sconto del 50% per bambini al di sotto dei 4 anni, del 25% per bambini di età compresa tra i 4 e gli 8 anni.
Note: solo su prenotazione. Si tengono corsi di cucina tradizionale, conserve, panificazione. Baby sitting (su richiesta), equitazione, trekking e passeggiate, mountain bike. Bocce, ping-pong, a 4 km tennis, pesca sportiva. Raccolta di asparagi, castagne, frutti di bosco, funghi. Solarium bordo piscina, piccola biblioteca padronale a disposizione degli ospiti. Biancheria, pulizia, riassetto, saletta televisione, sala comune, telefono comune, posto macchina all'aperto. Animali accolti previo accordo.

"FONDACO PELLEGRINI"

loc. Piano • 88020 CORTALE
☎ 0961742656

▲ I 7

Posizione geografica: collina (410 m).
Periodo di apertura: da giugno a settembre.
Associato a: Terranostra.

Presentazione: casale fortificato sorto sui ruderi del monastero basiliano dei santi Cosma e Damiano (anno 1070). Offre ospitalità in 4 appartamenti bilocali per un totale di 12 posti letto.
Prodotti aziendali: latticini.
Luoghi di interesse e

manifestazioni locali: Roccelletta di Borgia, monte Covello, lago di Angitola, Serra San Bruno. Sagra del fagiolo a novembre, festa dei santi Cosma e Damiano a settembre.
Prezzi: alloggio a £ 100.000 giornaliere per appartamento.
Note: solo su prenotazione, periodo minimo di soggiorno 1 settimana. Il complesso è ubicato al centro dell'istmo che collega il mar Ionio al mar Tirreno, su un pianoro dominante la vallata del fiume Pesipe. Tennis, trekking e passeggiate, escursioni e visite guidate. Raccolta di asparagi e funghiin un bosco di querce. Biancheria, riscaldamento, angolo cottura, posto macchina.

IL GUERCIO

c.da Guercio • 88041 DECOLLATURA
☎ 0968662194 cell. 03683367804

▲ G 8

Posizione geografica: montagna.
Periodo di apertura: da giugno a settembre.
Associato a: Agriturist, Agriturismo, A.C.I.
Presentazione: tipica costruzione rurale su 2 ettari con produzione di patate, grano. Offre ospitalità in 3 camere con servizi comuni per un totale di 6 posti letto.
Prodotti aziendali: patate.
Luoghi di interesse e manifestazioni locali: scavi di Locri Epizzefieri, di Sibari, bronzi di Riace, monastero Curazzo. Sagra della patata, del fungo, della castagna, del maiale, manifestazioni culturali in piazza.
Prezzi: alloggio a £ 25.000 a persona. Sconto del 10% per i bambini fino a 5 anni.
Note: periodo minimo di soggiorno di 1 settimana. Prato per prendere il sole, barbecue all'aperto, porticato, pergolato. Minigolf, bocce, pallavolo, calcetto, pesca, giochi all'aria aperta, tennis, mountain bike. Piscina a 800 m. Mostre di artigianato, corsi di equitazione. Biancheria, uso cucina, stoviglie, uso frigorifero, caminetto, posto macchina. Animali accolti previo accordo.

BORGO FERRI

c.da Oliva, 7 • 88060 SANTA CATERINA DELLO JONIO
☎ e fax 096784391

▲ L 8

Posizione geografica: collina.
Periodo di apertura: da maggio a settembre.
Presentazione: villini a schiera intorno al castello centrale con ampi spazi verdi.
Prodotti aziendali: olio extravergine d'oliva, pomodori secchi, olive, carciofini selvatici, capperi, marmellate.
Prezzi: B&B da £ 240.000 a 270.000 al giorno per due persone. Villini con due camere da letto da £ 1.200.000 a 1.900.000 a settimana, con una camera da £ 1.000.000 a 1.700.000 a settimana.
Note: soggiorno minimo 1 settimana. Tennis, trekking, calcetto, ping-pong e piscina con vasca idromassaggio. Massaggi e beauty-farm. Spiaggia privata con parcheggio riservato. Pulizia e biancheria. Animali accolti previo accordo.

Cosenza

SANTA MARIA DI MACCHIA

loc. Macchia di Baffi, 73 • 87041 ACRI
☎ 0984946165 ☎ e fax 0984955124

● E 7

Posizione geografica: alta collina.
Periodo di apertura: da giugno a settembre e altri periodi su prenotazione.
Associato a: Agriturist, Touring Club Italiano.
Presentazione: si estende su circa 200 ettari con allevamenti di ovini, suini, tacchini, cavalli e selvaggina.
Offre ospitalità in 7 camere con bagno e in 4 appartamenti.
Ristorazione: H/B, F/B. Ristorante aperto al pubblico con 100 coperti. Fusilli, tagliatelle ai funghi, tacchinotto in brodo e al forno, capretti e agnelli di montagna, funghi.
Prodotti aziendali: olio, confetture, sottoli, latticini, miele, salumi, pollame.
Luoghi di interesse e manifestazioni locali: Sibari con scavi e museo, parco nazionale della Sila, paesi albanesi, Pathirion. Concorso ippico, raduno d'auto d'epoca, gare di fuori strada (tutte in luglio).
Prezzi: da £ 30.000 a 50.000 dal 15/7 al 30/8, fino a £ 30.000 in bassa stagione. Riduzione del 30% fino a 6 anni, del 20% da 6 a 12 anni. Un pasto da £ 20.000 a 30.000.
Note: è gradita la prenotazione. Corsi di gastronomia locale, caseificazione. Bocce. Raccolta di funghi, cipolline, capperi, castagne, frutti di bosco. Baby sitting e giochi di sala per bambini. Calcio, tiro con l'arco, pesca, giochi all'aria aperta, trekking e passeggiate, escursioni e visite guidate, mountain bike. Biancheria, pulizia, riassetto, riscaldamento, prima colazione.

LA QUERCIA

c.da Boscari • 87042 ALTOMONTE ☎ 0981946232

● D 6

Posizione geografica: collina.
Periodo di apertura: da maggio a ottobre.
Associato a: Agriturist.
Presentazione: 13 ettari di terreno coltivati a vigneto, oliveto, orto.
Offre ospitalità in 3 camere con bagno e in 10 piazzole in agricampeggio.
Ristorazione: H/B, F/B. Ristorante aperto al pubblico con 25 coperti. Cucina tipica del luogo.
Prodotti aziendali: confetture, olio, vino e miele.
Luoghi di interesse e manifestazioni locali: terme, scavi di Sibari, centro storico. Festival dei due mari in agosto.
Prezzi: B&B a £ 40.000, H/B a £ 65.000, F/B a £ 90.000, pasto da £ 20.000 a 40.000.
Note: periodo minimo di permanenza 1 settimana. Bocce, tiro con la balestra, guida alle attività agricole, golf, giochi all'aria aperta, mountain bike. Biancheria, pulizia, riassetto.

LA MANDRIA

c.da Sferracavallo, 89 • 87072 FRANCAVILLA MARITTIMA
☎ e fax 0981992576

● B 7

Posizione geografica: collina, montagna nelle vicinanze del mare.
Periodo di apertura: da marzo a settembre.
Presentazione: tipica costruzione rurale interamente ristrutturata all'interno del parco naturale del Pollino, circondata da coltivazioni biologiche di oliveti (4.000 piante), ortaggi e alberi da frutto.
Offre ospitalità in 8 camere da 3/4 posti letto con bagno, frigobar, TV, e in 4 appartamenti da 4/6 posti letto con uso cucina e TV. Allevamento di ovini, suini, pollame e selvaggina.
Ristorazione: H/B. L'azienda dispone di 3 sale interne per ristorazione e una tettoia esterna, 40 coperti. Piatti genuini con pasta fresca all'uovo e pane fatto in casa, fiori di capperi in padella, fusilli al maiale, farfalline alla faraona, agnello o capretto al forno, cinghiale o capriolo, lepre o faraona, baccalà alla calabrese.
Prodotti aziendali: pane cotto al forno a legna, olive nere essiccate, olive verdi in salamoia, sottoli, salumi, formaggi di pecora e di capra, melanzane sott'olio, liquore alle olive, olio extravergine biologico, dolci rustici.
Luoghi di interesse e manifestazioni locali: grotte delle Ninfe con acqua sulfurea, Timpone della Motta con scavi archeologici, canyon del Raganello, ponte del Diavolo, santuario della Madonna delle Armi. Carnevale del Pollino.
Prezzi: H/B da £ 90.000 a 95.000, appartamento da £ 900.000 a 1.100.000 a settimana, un pranzo £ 35.000 esclusi vini e bevande. Riduzione del 10% per comitive o gruppi di almeno 15 persone, dal 30 al 50% per bambini.
Note: 1 appartamento attrezzato per portatori di handicap. Periodo minimo di soggiorno per le camere 3 giorni, per gli appartamenti 1 settimana. Possibilità di escursioni a cavallo, mountain bike (fornite dall'azienda) o fuoristrada con guide autorizzate previa prenotazione. Giochi all'aria aperta, trekking, rafting, passeggiate, escursioni e visite guidate, piscina. Ricca esposizione di utensili e attrezzature dell'arte contadina. A richiesta si organizzano corsi di cucina e uncinetto. Raccolta di cime di rapa, cipolline, capperi, asparagi. Baby sitting, prima colazione, riscaldamento, televisione, frigorifero, telefono in comune, posto macchina. Si accolgono animali di piccola-media taglia.

QUATTROSTAGIONI

loc. Pantano Trionto • 87060 MIRTO CROSIA
☎ 0983569026-0983480243 cell. 0368694915

● D 8

Posizione geografica: mare.
Periodo di apertura: da giugno a settembre tutti i giorni, gli altri mesi solo sabato e domenica su prenotazione.
Associato a: Turismo Verde.
Presentazione: tipica costruzione rurale con 4 ettari di terreno con frutteto e orti. Offre ospitalità in 8 camere con bagno.
Ristorazione: H/B, F/B. Ristorante aperto al pubblico. Tagliatelle ai ceci, peperoni e patate, prodotti della casa.
Prodotti aziendali: confetture, dolci, funghi, latticini, miele, olio, salumi, uova, vini.
Luoghi di interesse e manifestazioni locali: museo archeologico e tessile, attrazioni naturalistiche. Feste paesane.
Prezzi: da £ 30.000 a 50.000, pasto da £ 20.000 a 40.000. Riduzione del 50% per bambini fino a 6 anni, 35% da 6 a 12 anni.
Note: accessibile agli handicappati. Periodo minimo di prenotazione 1 settimana. Corsi di artigianato, caseificazione, gastronomia, osservazione ambientale. Calcetto, palestra, minigolf, pesca, giochi all'aria aperta, equitazione, trekking e passeggiate, escursioni e visite guidate. Raccolta di asparagi. Animazione per bambini, baby sitting. Biancheria, pulizia, riassetto, telefono in comune, prima colazione.

GRASSETTI

via IV Novembre • 87070 MONTEGIORDANO
☎ 0981935188

● **A 8**

Posizione geografica: mare.
Periodo di apertura: tutto l'anno, solo su prenotazione.
Presentazione: tipica costruzione rurale in azienda con coltivazioni di cereali, frutteti e oliveti. Accoglie ospiti in 6 unità abitative per un totale di 12 posti letto, con servizi e angolo cottura.
Ristorazione: H/B e F/B. Primi piatti tradizionali calabresi e grigliate.
Prodotti aziendali: olio, vino, formaggi e prodotti tipici.
Luoghi di interesse e manifestazioni locali: scavi e laghi di Sibari, museo di Policaro, Sila, Pollino, Taranto. Sagra del pesce.
Prezzi: da £ 30.000 a 60.000. Pasto da £ 20.000 a 30.000.
Note: attività d'artigianato, gastronomia e giardinaggio. Maneggio con pista e pony, caccia e pesca. Raccolta di funghi e asparagi. Pulizia, riscaldamento e parcheggio.

LA LOCANDA DEL PARCO

c.da Mazzicanino • 87016 MORANO CALABRO
☎ e fax 098131304

● **C 6**

Posizione geografica: montagna (parco nazionale del Pollino).
Periodo di apertura: tutto l'anno.
Associato a: Terranostra.

Presentazione: nel cuore del parco Pollino si soggiorna in una moderna struttura agrituristica.
Offre ospitalità in 8 camere con bagno.
Ristorazione: H/B, F/B. Pasta fatta in casa, stocco e patate.
Prodotti aziendali: confetture, funghi, miele, olio, salumi, uova, vini.
Luoghi di interesse e manifestazioni locali: canyon Raganello, acque termali, museo contadino, attrazioni naturalistiche. "Valje", martedì di Pasqua, "Estate moranese", festival blues.
Prezzi: B&B a £ 40.000, H/B a £ 70.000, F/B a £ 85.000, pasto a £ 35.000. Riduzione del 50% per bambini fino a 5 anni.
Note: corsi di gastronomia e caseificazione, giochi all'aria aperta, equitazione, trekking e passeggiate, escursioni e visite guidate, mountain bike. Canoa, alpinismo. Raccolta di asparagi, castagne, funghi, frutti di bosco. Biancheria, pulizia, riscaldamento, sala comune, prima colazione, posto macchina.

SANTA MARINA

c.da Santa Marina • 87073 ORIOLO
☎ 0981931867-0981931519

● **B 7**

Posizione geografica: collina.

Periodo di apertura: da aprile al 31 ottobre.
Associato a: Terranostra.
Presentazione: tipica costruzione rurale con 15 ettari di terreno con produzione di cereali. Offre ospitalità in 2 monolocali e 1 stanza, con servizi, per un totale di 10 posti letto.
Ristorazione: H/B. Tagliatelle ai ceci.
Prodotti aziendali: confetture, olio, vino, salumi, uova.
Luoghi di interesse e manifestazioni locali: monte Pollino.
Prezzi: da £ 30.000 a 50.000, pasto da £ 25.000 a 40.000.
Note: osservazione ambientale. Raccolta di funghi. Giochi all'aria aperta, trekking e passeggiate. Biancheria, telefono, uso frigorifero. Animali accolti previo accordo.

LA TERRAZZA

c.da Cornutelli • 87073 ORIOLO ☎ 0981931676

● **B 7**

Posizione geografica: collina.
Periodo di apertura: tutto l'anno.
Associato a: Terranostra.
Presentazione: costruzione rurale moderna. L'azienda si estende su 2,5 ettari con produzione ortofrutticola, olearia. Allevamento di ovini, caprini, suini. Offre ospitalità in 2 camere con bagno comune.
Ristorazione: H/B, F/B. Ristorante aperto al pubblico con 20 coperti, possibilità di organizzare merende. Firzuoli, laganelle e stigliola caserecci.
Prodotti aziendali: confetture, dolci, frutta, funghi, latticini, olio, ortaggi, vino, pollame, conigli, salumi, uova, liquori.
Luoghi di interesse e manifestazioni locali: mare a 10 minuti, parco nazionale del Pollino, scavi di Sibari, diga di Senise, Metaponto. Feste patronali, sagra del maiale, manifestazioni canore, gara del palo.
Prezzi: da £ 45.000 a 60.000, pasto da £ 15.000 a 30.000. Sconti per bambini.
Note: osservazione ambientale, giardinaggio, bocce, ping-pong, golf, giochi all'aria aperta, trekking e passeggiate. Raccolta di funghi, castagne, erbe, frutti di bosco. Sala comune, sala lettura, solarium, uso cucina, uso frigorifero, posto macchina. Animali accolti previo accordo.

ORCHIDEA

c.da Nocelle • 87020 ORSOMARSO
☎ 09855606 fax 0985801245

● **B 5**

Posizione geografica: collina (250 m).
Periodo di apertura: tutto l'anno.
Presentazione: nuova costruzione circondata da 2 ettari di terreno con produzione di uva, olive, frutta, ortaggi, cereali. Allevamenti di capretti, agnelli, vitelli, maiali e polli. Offre ospitalità in 4 camere con bagno in comune, in 4 posti camper e 4 posti tenda.
Ristorazione: H/B, F/B. Ristorante aperto al pubblico con 60 coperti. Cucina tipica calabrese con prodotti dell'azienda.
Prodotti aziendali: confetture, dolci, pasta, pane, frutta, formaggio pecorino, miele, sottoli, olio, vino, frutta secca, verdura, salumi, uova, polli, conigli.
Luoghi di interesse e manifestazioni locali: parco nazionale del Pollino, centri storici, santuari. Sagre e feste patronali nel corso dell'anno.

Prezzi: camera a due letti da £ 35.000 a 50.000, un pranzo da £ 16.000 a 30.000. Pernottamento gratuito per bambini fino a 2 anni.

Note: corsi di agricoltura, artigianato, caseificazione, enologia, giardinaggio, olivicoltura, metodi di lavorazione olive da mensa e in frantoio. Nei mesi di luglio e agosto convenzione con il villaggio Orchidea per animazione e balneazione bambini. Bocce. Nelle vicinanze pesca, caccia, equitazione, canoa, campo volo e gite organizzate. Raccolta di asparagi, castagne, frutti di bosco, funghi, nocciole, tartufi. Prato per prendere il sole, sala televisione e sala riunione. Ideale per anziani, giochi all'aria aperta, trekking e passeggiate, escursioni e visite guidate, golf. A richiesta, autista con auto a disposizione, accompagnatore e assistenza. Biancheria, televisione, telefono. Animali accolti previo accordo.

SALVATORE ACAMPORA

c.da Milizia • 87070 PIANA DI CERCHIARA
☎ 0981991320

● B 7

Posizione geografica: collina (350 m).
Periodo di apertura: tutto l'anno.
Associato a: Terranostra.
Presentazione: l'azienda si estende su 6 ettari coltivati a vigneto, orto, seminativo e oliveto. Offre ospitalità in 7 camere con bagno e in agricampeggio.
Ristorazione: H/B. Ristorante con 30 coperti. Cucina tipica locale e vegetariana, ferrazzuoli, cavatelli, puliata, cannarricoli.
Prodotti aziendali: frutta, ortaggi, confetture, olio, miele, conserve, conigli, pollame, pane.
Luoghi di interesse e manifestazioni locali: parco nazionale del Pollino, gole del Raganello, santuario di Santa Maria delle Armi, paesi di comunità albanese, scavi archeologici di Sibari, mare.
Prezzi: OR a persona £ 35.000, H/B £ 60.000, F/B a £ 75.000, pasto da £ 20.000 a 35.000. Riduzione del 10% per i bambini fino a 10 anni.
Note: indispensabile la prenotazione. Torrentismo, trekking e passeggiate, mountain bike. Sala comune, uso frigorifero, posto macchina.

SANTA LUCIA

loc. Santa Lucia • 87017 ROGGIANO GRAVINA
☎ 0984501464-0984507019

● D 6

Posizione geografica: collina.
Periodo di apertura: tutto l'anno.
Associato a: Agriturist.
Presentazione: vecchio casale del '700 esteso su 8 ettari di terreno con oliveto, vigneto, pascoli. Offre ospitalità in 2 appartamenti per un totale di 18/20 posti letto.
Ristorazione: H/B, F/B. Ristorante con 40 coperti, cucina tipica ed esclusivamente casereccia. Fusilli, tagliatelle, gnocchi, arrosti vari, salsiccia.
Prodotti aziendali: confetture, funghi, miele, olio, vino.
Luoghi di interesse e manifestazioni locali: diga sul fiume Esaro, resti di villa romana, parco nazionale del Pollino. "Estate roggianese" dal 6 luglio al 31 agosto.
Prezzi: da £ 30.000 a 50.000. Un pasto da £ 25.000 a 35.000. Riduzioni del 5% ai soci Agriturist, del 10% ai bambini fino a 5 anni di età.

Note: enologia, gastronomia, piscina, tennis. Calcetto, video giochi. Raccolta di funghi e more. Telefono, posto macchina, frigo, uso cucina. Animali accolti previo accordo.

PIANA DEI GELSI

c.da Pantano s.s. 19 • 87019 SPEZZANO ALBANESE
☎ 0981959045

● D 7

Posizione geografica: pianura.
Periodo di apertura: tutto l'anno.
Associato a: Turismo Verde.
Presentazione: azienda di 10 ettari con frutteto e agrumeto. Allevamento di capre e cavalli. Offre ospitalità in 4 camere con bagno comune e privato.
Ristorazione: H/B, F/B. Cucina locale e specialità albanesi.
Prodotti aziendali: confetture, dolci, farine, frutta, latticini, miele, olio, ortaggi, salumi, uova, vini, conserve varie.
Luoghi di interesse e manifestazioni locali: scavi di Sibari, bronzi di Riace, chiese, acquapark, monte Pollino, gole del Raganello. In marzo falò di San Giuseppe, a carnevale Torneo cavalleresco, varie sagre locali.
Prezzi: da £ 30.000 a 50.000, pasto £ 40.000. Riduzione del 10% la seconda settimana di soggiorno.
Note: periodo minimo di prenotazione 1 settimana. Corsi di caseificazione e di enologia. Calcetto, bocce, roccia, golf, pesca, giochi all'aria aperta, equitazione, mountain bike, pony per i bambini, trekking e passeggiate. Raccolta di asparagi e funghi. Solarium. Cure termali: aerosol, inalazioni, bagni, fanghi, acqua lassativa e diuretica. Biancheria, pulizia, riassetto, telefono comune, riscaldamento.

ESARO

c.da Bagni • 87019 SPEZZANO ALBANESE
☎ 0981954987 cell. 03393813399

● D 7

Posizione geografica: mare, fiume.
Periodo di apertura: tutto l'anno.
Presentazione: fabbricati completamente ristrutturati e forniti di ogni comfort, immersi in un ampio parco, in azienda di 5 ettari con coltivazione biologica di agrumeti, oliveti, frutteti e vigneti. Offre ospitalità in 5 camere, con 3 bagni privati e 1 in comune, per un totale di 13 posti letto, e in 5 piazzole per tende e caravan.
Ristorazione: fusilli al sugo di capretto, lasagne e ceci, zuppa di cicoria e fagioli, torta alla frutta, liquori e vini della casa.
Prodotti aziendali: olio, vino, sottoli, marmellate, salumi, liquori, frutta.
Luoghi di interesse e manifestazioni locali: monte Pollino, mare, gole del Raganello, terme, parco nazionale della Sila.
Prezzi: B&B da £ 35.000 a 40.000, H/B da £ 65.000 a 70.000, F/B da £ 75.000 a 80.000.
Note: soggiorno minimo 3 giorni. Parco giochi, piscina, tennis, tiro con l'arco, trekking, mountain bike, escursioni guidate. Cambio biancheria settimanale. Si accolgono animali.

MASSERIA TORRE DI ALBIDONIA

c.da Piana della Torre • 87075 TREBISACCE
☎ e fax 0981507944

● C 8

Posizione geografica: mare Ionio.
Periodo di apertura: da marzo a ottobre.
Associato a: Agriturist.
Presentazione: tipica costruzione rurale in pietra, si estende su 40 ettari con produzione di cereali, ortaggi. Allevamento di polli e ovini. Comprende 10 appartamenti con 1, 2, 3, camere + servizi.
Ristorazione: H/B. Ristorante aperto al pubblico con 35 coperti. Pasta fatta in casa, melanzane ripiene, agnello, capretto, polli ruspanti.
Prodotti aziendali: marmellate, olio, ortaggi, polli, frutta, uova.
Luoghi di interesse e manifestazioni locali: scavi archeologici di Sibari, arte bizantina a Rossano, parco del Pollino, acque sulfuree. Festival dei due mari ad Altomonte, feste patronali, folklore albanese.
Prezzi: da £ 360.000 a 625.000 per settimana in bassa stagione, da £ 670.000 a 1.050.000 per settimana in alta stagione. Mezza pensione £ 70.000 incluse bevande, pasto £ 35.000 tutto incluso. Bambini fino a 6 anni gratis, da 7 anni prezzo da convenire.
Note: periodo minimo di prenotazione, in media stagione, 1 settimana. Golf, piscina, giochi all'aria aperta, tennis, escursioni e visite guidate, mountain bike. Lezioni di nuoto. Acqua, luce, gas, pulizia finale, biancheria letto e bagno, uso piscina, doccia, cucina o angolo cottura. Nelle vicinanze raccolta di more e fichi d'India.

Crotone

FAZZOLARI

via San Rocco Papanice • 88074 CROTONE
☎ 096969178 cell. 0330356704

● G 10

Posizione geografica: collina.
Periodo di apertura: tutto l'anno.
Associato a: Agriturist, Turismo Verde.
Presentazione: l'azienda si estende su 180 ettari, con produzione di grano, orzo, pomodori, ortofrutta. Allevamento di ovini e bovini. Offre ospitalità in 2 camere con bagno in comune.
Ristorazione: H/B, F/B, ristorante aperto al pubblico. Pasticcio alla contadina, cavatelli alla ricotta affumicata, peperoni e patate, maccheroni al verde, pecora al paiolo, salsicce.
Prodotti aziendali: pecorino del marchesato crotonese, frutta, latticini, salumi, uova, ortaggi, miele.
Luoghi di interesse e manifestazioni locali: riserva marina di isola Capo Rizzuto, castello sforzesco, museo di Crotone. Festa mariana in maggio, varie manifestazioni locali.
Prezzi: pasto a £ 30.000. Alloggio da £ 30.000 a 50.000. Sconto del 50% per i bambini fino ai 12 anni.
Note: solo su prenotazione (è gradito un preavviso di almeno 1 settimana). Prato. Partecipazione alle attività aziendali. Pesca, giochi all'aria aperta, equitazione, passeggiate, visite guidate. Raccolta di cicoria, carciofi, asparagi. Caseificazione, osservazione ambientale. Riassetto, uso frigorifero, riscaldamento, sala comune.

FONDO SERPITO

c.da Serpito • 88070 MARINA DI STRONGOLI
☎ e fax 096288320

● F 10

Posizione geografica: mare, collina.
Periodo di apertura: tutto l'anno su prenotazione.
Associato a: A.I.A.B., Naturland.
Presentazione: costruzione moderna in azienda di 14 ettari con produzione di cereali. Allevamento di animali da cortile. Offre ospitalità in 3 appartamenti per un totale di 11 posti letto, dotati di servizi.
Ristorazione: H/B a luglio e agosto. Cucina tipica locale.
Luoghi di interesse e manifestazioni locali: parco naturale della Foce del Neto, tempio di Capocolonna, Le Castella, museo di Crotone. "Krotoniadi" in agosto, pellegrinaggio alla Madonna di Capocolonna in maggio.
Prezzi: pasto da £ 25.000 a 30.000. Alloggio fino a £ 30.000. Sconti per i bambini fino a 3 anni.
Note: solo su prenotazione. Sala riunioni disponibile. Raccolta di asparagi, verdure e funghi. Gioco del biliardino, giochi all'aria aperta, trekking e passeggiate. L'azienda organizza gite guidate al parco naturale e alla Sila. Biancheria, uso cucina in bassa stagione, telefono in comune, sala comune.

Reggio Calabria

GORNELLE

via Bruno Rossi, 26 • 89060 BAGALADI ☎ e fax 0965724349

● O 5

Posizione geografica: montagna.
Periodo di apertura: da maggio a settembre e da dicembre a gennaio, gli altri mesi solo su prenotazione.
Presentazione: costruzione rurale, si estende su 4 ettari, con annessi capannoni per ricovero di bovini, suini, ovini, pollame. Offre ospitalità in 2 camere per un totale di 8 posti letto.
Ristorazione: solo su prenotazione. Cucina tipica locale.
Prodotti aziendali: frutta, ortaggi, funghi, latticini, pollame, salumi, uova, dolciumi.
Luoghi di interesse e manifestazioni locali: parco nazionale dell'Aspromonte. Feste patronali, sagra della capra e altre manifestazioni.
Prezzi: pasto da £ 25.000 a 45.000. Alloggio fino a £ 30.000. Sconto del 20% per i bambini fino ai 10 anni e del 10% per la seconda settimana di soggiorno.
Note: raccolta di asparagi, funghi, castagne. Calcio, calcetto, tennis, passeggiate, mountain bike. Artigianato, caseificazione, enologia, gastronomia, giardinaggio. Uso cucina e frigorifero, posto macchina.

NEREIDE

c.da Palazzi - s.s. 106 • 89030 BIANCO
☎ 0964913073 fax 0964956006

● O 6

Posizione geografica: mare.
Periodo di apertura: da aprile a ottobre, gli altri mesi solo su prenotazione.
Presentazione: l'azienda, situata vicino a una villa greco-romana, si trova a 100 m dal mare. Offre ospitalità in 8 appartamentini per un totale di 50 posti letto.
Ristorazione: H/B, F/B. Ristorante-pizzeria aperto al pubblico. Cucina tipica calabrese.
Prodotti aziendali: formaggi, salumi, ricotta, carni varie verdure.
Luoghi di interesse e manifestazioni locali: Locride, villa greco-romana, Samo.
Prezzi: pasto da £ 15.000 a 60.000. Alloggio da £ 70.000 a 80.000. Sconto dell'8% per comitive.

LA SPINA SANTA

via Spina Santa • 89035 BOVA MARINA ☎ e fax 0965761012

● P 5

Posizione geografica: mare.
Periodo di apertura: tutto l'anno, su prenotazione.
Associato a: Agriturist.
Presentazione: casa padronale in azienda che coltiva bergamotto, olivi e ortaggi. Allevamento di bovini, suini ed equini. Accoglie ospiti in 10 camere con bagno e in 2 appartamenti.
Ristorazione: maccheroni fatti a mano con carne di capra.
Prodotti aziendali: limoncello, bergamotto, sottoli, salumi, formaggio e vino.
Luoghi di interesse e manifestazioni locali: bronzi di Riace, Locri, Aspromonte, museo Grepanico. Feste paesane nel periodo stivo.
Prezzi: H/B da £ 50.000 a 60.000, F/B da £ 60.000 a 70.000.
Note: in agosto permanenza minima 1 settimana. Equitazione, calcetto e pallavolo. Tennis nelle vicinanze. Pulizia e cambio biancheria ogni 3 giorni.

IL BERGAMOTTO

c.da Amendolea • 89030 CONDOFURI
☎ 0965727213 fax 0965626840

● P 5

Posizione geografica: fiume, collina, parco nazionale dell'Aspromonte.
Periodo di apertura: tutto l'anno.
Associato a: Agriturist.
Presentazione: tipica costruzione rurale grecanica, si estende su 4 ettari con produzione di bergamotto e piante da frutto. Offre ospitalità in 8 camere con bagno in comune per un totale di 24 posti letto.
Ristorazione: H/B, F/B. Ristorante aperto al pubblico con 60 coperti. Cucina vegetariana, cucina locale tipica con specialità pasta fatta in casa, carne di capra, piatti arcaici quali curcudia e lestopitta.
Prodotti aziendali: confetture, farine biologiche, frutta biologica, olio, ortaggi, salumi, vini, liquori fatti in casa a base di agrumi e bergamotto.
Luoghi di interesse e manifestazioni locali: vallata dei Greci di Calabria, monumenti e siti archeologici di epoca greca e bizantina, mar Ionio.
Prezzi: pasto da £ 20.000 a 50.000. Alloggio fino a £ 30.000.
Note: solo su prenotazione. Prato per prendere il sole, sala riunioni disponibile per stage, meeting. Animazione ed educazione ambientale per bambini. Possibilità di praticare torrentismo. Trekking e passeggiate, mountain bike. Corsi di agricoltura biologica, caseificazione, enologia, gastronomia, giardinaggio, osservazione ambientale. Pulizia, biancheria, telefono in comune, prima colazione, uso cucina, uso frigorifero, riscaldamento, posto macchina.

GEMELLI ANTONINO

via Salinella, 45 • 89030 CONDOFURI
☎ 0965784095 fax 0965784722

● P 5

Posizione geografica: mare.
Periodo di apertura: tutto l'anno.
Associato a: Agriturist, Turismo Verde, Terranostra.
Presentazione: l'azienda si estende su 3 ettari con produzione di bergamotto,

frutta, oliveto, vigneto, ortaggi. Allevamento di suini e pollame. Offre ospitalità in 12 appartamenti, dotati di bagno e cucina siti in una costruzione ristrutturata rurale e moderna per un totale di 20 posti letto e in 15 piazzole per tende e caravan.

Ristorazione: H/B, F/B. Ristorante aperto al pubblico solo su prenotazione. Maccheroni con carne di capra.
Prodotti aziendali: frutta, ortaggi, miele, olio, vino.
Luoghi di interesse e manifestazioni locali: museo con i bronzi di Riace, castello di Amendolea. Feste patronali, sagra del pesce.
Prezzi: pasto da £ 18.000 a 25.000. Alloggio da £ 20.000 a 30.000. Sconto del 20% per i bambini fino ai 10 anni.
Note: spiaggia per balneazione. Bocce, calcetto, ping-pong, tennis, pesca sportiva nelle vicinanze. Osservazioni ambientali, passeggiate. Telefono in comune, uso frigorifero, uso cucina, posto macchina.

LA PIETRA BIANCA

c.da Agliocani, 35/a • 89042 GIOIOSA JONICA
☎ e fax 096451511

● N 7

Posizione geografica: mare.
Periodo di apertura: tutto l'anno.
Associato a: UISP, ANTE e Amici della Terra.
Presentazione: casa padronale in azienda che coltiva ortaggi, olivi e alberi da frutto. Allevamento di animali da cortile. Accoglie ospiti in 17 minivillette o appartamenti completi di angolo cottura, bagno, TV e verandine esterne con tavolo a 1,5 km dalla spiaggia.

Ristorazione: ristorante con 100 coperti. Piatti tipici calabresi, salame di produzione propria.
Prodotti aziendali: olio, frutta, pollame e salumi.
Luoghi di interesse e manifestazioni locali: Gerace, Locri, Torre Galea, Epizepniri, Riace, cascate di Bivongi, Naniglio, castello aragonese, museo di Santa Barbara. In luglio e agosto sagra del pesce azzurro e dello stocco, soppressata, pezzo duro.
Prezzi: OR da £ 28.000 a 50.000. Pasto da £ 20.000 a 35.000. Sconto del 5% per soggiorni di più di 1 settimana e del 10% per letto aggiunto. Dall'1 al 25 agosto prezzi da concordare.
Note: in agosto permanenza minima 1 settimana. Pernottamenti per la stagione di caccia. Ping-pong, videogiochi, bocce, tennis, piscina, pallavolo e pallacanestro. Centro riabilitativo ed estetico. Solarium e barbecue. Biancheria, lavatrice a disposizione e telefono comune.

"CANNAZZI"

c.da Cannazzi • 89045 MAMMOLA ☎ 0964418023

● M 7

Posizione geografica: collina.
Periodo di apertura: tutto l'anno.
Presentazione: tipica costruzione rurale in azienda di 8 ettari di oliveto, vigneto, agrumeto, frutteto, piccoli allevamenti di caprini, suini. Offre ospitalità in 6 camere con bagno e in 4 appartamenti per un totale di 24 posti letto.

Ristorazione: H/B, F/B. Ristorante con 30 coperti. Stocco alla mammolese, pasta casereccia con sugo di capra, melanzane ripiene, carni di maiale.
Prodotti aziendali: olio extravergine di oliva, vino locale, agrumi, salumi, formaggi, funghi conservati, pollame, uova, pane casereccio.
Luoghi di interesse e manifestazioni locali: parco nazionale dell'Aspromonte, museo Santa Barbara, santuario di San Nicodemo, Stilo, Locri, Tropea. Sagra dello stocco il 9 agosto a Mammola, festa del fungo e dei prodotti della montagna il 31 ottobre a Mammola, sagra della soppressata a San Giovanni di Gerace.
Prezzi: pasto da £ 20.000 a 35.000. B&B £ 30.000, H/B a £ 50.000, F/B a £ 70.000. Sconto del 10% per i bambini fino ai 10 anni e per letto aggiunto.

Note: accessibile agli handicappati. Sala riunioni, canile. Passeggiate ecologiche, osservazione ambientale. Raccolta di funghi, castagne, asparagi, frutti di bosco. Caccia, calcio, pesca, tennis, trekking e passeggiate, escursioni e visite guidate. Biancheria, riassetto, telefono in comune, prima colazione, uso cucina, uso frigorifero, sala comune.

RITORTO

c.da Calevace, 4 • 89040 PORTIGLIOLA
☎ 0964365346 cell. 03387480843

● N 7

Posizione geografica: collina.
Periodo di apertura: stagionale.
Presentazione: l'azienda si estende su 2 ettari di terreno con olivi secolari, agrumeto, vigneto, ortaggi. Offre ospitalità in 3 camere per un totale di 6 posti letto.
Ristorazione: H/B, F/B. 30-35 coperti. Pasta fatta in casa, *stocco alla troppitara*, sottoli, sottaceti, frittelle, marmellate, liquori.
Prodotti aziendali: frutta, ortaggi, olio, pollami, salumi, conigli.
Luoghi di interesse e manifestazioni locali: teatro greco-romano di Portigliola, grandi necropoli greche, scavi archeologici della città greca di Locri (3 km), Gerace (15 km), mare (2 km). Manifestazioni culturali nel teatro greco-romano in agosto, festa patronale a Portigliola in agosto e novembre, varie sagre nei paesi limitrofi.
Prezzi: rivolgersi direttamente all'azienda.
Note: solo su prenotazione, periodo minimo di soggiorno 2 giorni. Raccolta di asparagi, origano, maggiorana. Ping-pong, giochi all'aria aperta, mountain bike. Equitazione a 4 km. Giardinaggio, osservazione ambientale, gastronomia. Biancheria, sala comune, posto macchina.

AGRICLUB LE GIARE

s.s. 106 - km 111 • 89047 ROCCELLA JONICA
☎ 096485170 ☎ e fax 064746180 fax 0964863115

● M 8

Posizione geografica: mare.
Periodo di apertura: tutto l'anno, chiuso dal 15 gennaio al 15 febbraio.
Associato a: Agriturist.
Presentazione: strutture agricole ristrutturate in azienda di 60 ettari con coltivazioni di olivi, agrumi, frutta, ortaggi e allevamento di ovini, caprini, suini, cavalli e polli. Accoglie ospiti in 8 casette per un totale di 30 posti letto.
Ristorazione: H/B, F/B. 50 coperti. Aperto al pubblico. Specialità regionali e piatti vegetariani.
Prodotti aziendali: olio, vino, salumi, formaggi, frutta, uova, ortaggi, marmellate.
Luoghi di interesse e manifestazioni locali: parco nazionale dell'Aspromonte, Gerace, Stilo e Bivongi.
Prezzi: per persona a settimana alloggio da £ 320.000 a 530.000, H/B da £ 530.000 a 750.000. Pasto da £ 30.000 a 50.000.
Note: spiaggia. Piscina, tennis, ping-pong, immersioni subacquee, ludoteca. Posto auto. Si accolgono animali domestici a pagamento.

Vibo Valentia

TORRE GALLI

s.p. Tropea-Vibo - c.da San Rocco Moccina, 1 • 89862 DRAPIA
☎ e fax 096367254

● L 5

Posizione geografica: collina, mare.
Periodo di apertura: tutto l'anno.
Associato a: Touring Club.
Presentazione: azienda di 7 ettari, sulle colline prospicenti la costa di Tropea, con produzione di oliveto, agrumeto e frutti di bosco. Offre ospitalità in tipica costruzione rurale settecentesca in stanze ristrutturate dotate di servizi per un totale di 12 posti letto.

Ristorazione: H/B. Cucina tipica, con largo uso dei propri prodotti biologici.
Prodotti aziendali: olio di oliva extravergine biologico Colli di Tropea, sughi, patè, sottoli, confetture.
Luoghi di interesse e manifestazioni locali: mare di Tropea (4 km), isole Eolie, boschi delle Serre, zona umida lago dell'Angitola, musei della Magna Grecia di Locri e Reggio Calabria. Sagre di prodotti tipici in luglio e agosto.
Prezzi: pasto a £ 25.000. B&B a partire da £ 60.000 a persona. Gratis per i bambini fino a 3 anni, sconto del 50% per i bambini da 3 a 6 anni.
Note: solo su prenotazione, soggiorno minimo 3 giorni. Sala lettura. Raccolta di frutti di bosco. Biliardo, passeggiate, visite guidate, giochi all'aria aperta. Corsi di agricoltura biologica, gastronomia, ricamo. Biancheria, pulizia, riassetto, uso cucina, riscaldamento, sala comune, posto macchina custodito. Animali accolti previo accordo.

COLAMAIO

s.s. 18, km 421,7 - loc. Colamaio • 88020 PIZZO
☎ 0330812099 - 0963534880 - 0817146480

● I 6

Posizione geografica: mare.
Periodo di apertura: da giugno a settembre.
Associato a: Agriturist.
Presentazione: azienda che ha un'estensione di 30 ettari, circondata da aranceti, cipressi, eucaliptus, gelsomini, piante esotiche e macchia mediterranea. Accoglie ospiti in 4 villette per un totale di 25 posti letto.
Ristorazione: H/B. Cucina calabrese.
Prodotti aziendali: prodotti della terra senza concimi chimici.
Luoghi di interesse e manifestazioni locali: isole Eolie, Sila, lago Angitola, oasi faunistica, riserva del WWF, Serra San Bruno.
Prezzi: H/B a £ 110.000 a persona.
Note: equitazione, bocce, campo da calcio, ping-pong. Mare a 250 m. Tennis a 2 km.

CURATOLA

loc. Curatola • 88037 SPILINGA ☎ 0963883507

● L 5

Posizione geografica: altopiano (700 m).
Periodo di apertura: tutto l'anno.
Associato a: Turismo Verde, Agriturismo.
Presentazione: tipica costruzione rurale in azienda di 10 ettari. Allevamento di animali di bassa corte. Offre ospitalità in camere con bagno e in 1 abitazione indipendente.
Ristorazione: H/B, F/B. Ristorante aperto al pubblico con 120 coperti. Cereali cucinati in maniera arcaica a fuoco vivo.
Prodotti aziendali: olio, cereali, vino, sottoli, insaccati, marmellate, formaggi.
Luoghi di interesse e manifestazioni locali: grotte naturalistiche, Tropea, Capo Vaticano. Sagra 'nduja dall'8 al 10 agosto, festa Madonna della Fonte in maggio, varie sagre nei dintorni.
Prezzi: pasto a £ 25.000. Alloggio a £ 30.000. Sconto del 10% per i bambini fino a 10 anni.
Note: accessibile agli handicappati. Solo su prenotazione, periodo minimo di soggiorno 5 giorni. Prato inglese, boschi nelle vicinanze. Corsi di deltaplano. Bocce, calcetto, torrentismo, giochi all'aria aperta, equitazione, tennis, passeggiate, mountain bike. Sala TV comune, parcheggio.

Sicilia

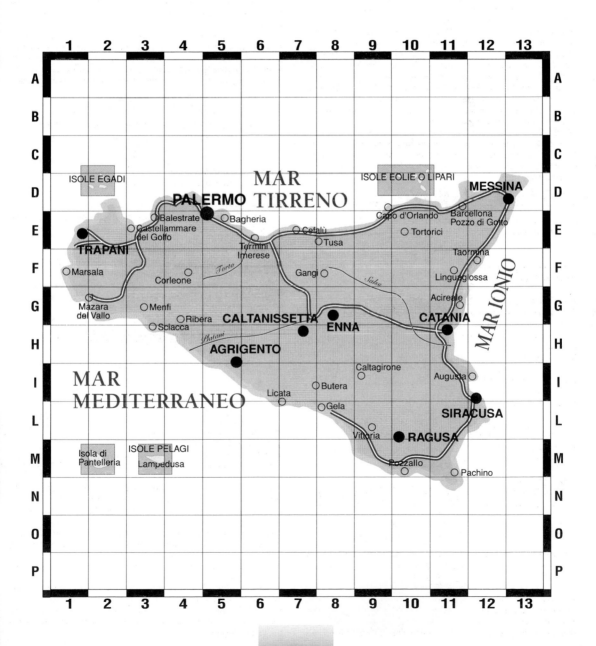

MAR TIRRENO

ISOLE EGADI

ISOLE EOLIE O LIPARI

MESSINA

PALERMO

○ Balestrate ○ Bagheria
○ Castellammare
del Golfo
Capo d'Orlando ○
Barcellona
Pozzo di Gotto

TRAPANI
○ Cefalù ○ Tortorici
○ Termini
Imerese
○ Tusa

Taormina

○ Marsala
Torto
○ Gangi
Salso
Linguaglossa ○

○ Corleone
Acireale ○

Mazara
del Vallo
○ Menfi
CALTANISSETTA
CATANIA

○ Ribera
Platani
ENNA

○ Sciacca

MAR IONIO

AGRIGENTO

**MAR
MEDITERRANEO**
Caltagirone ○
Augusta ○

○ Butera
SIRACUSA

Licata ○
○ Gela

Vittoria ○
RAGUSA

Isola di
Pantelleria
ISOLE PELAGI
Lampedusa
Pozzallo ○
○ Pachino

Agrigento

VILLA CAPO

loc. Capo Siculiana • 92010 SICULIANA
☎ 0922817186 cell. 03387409650

● H 4

Posizione geografica: collina a 3 minuti dal mare.
Periodo di apertura: da maggio a settembre tutti i giorni, gli altri mesi solo sabato e domenica.
Associato a: Turismo Verde.
Presentazione: villa del '700, offre ospitalità in 4 camere con bagno per un totale di 12 posti letto.
Ristorazione: H/B. Ristorante aperto al pubblico con 30 coperti, solo su prenotazione. Cucina tipica siciliana.
Prodotti aziendali: vino, olio, uova, confetture.
Luoghi di interesse e manifestazioni locali: templi di Agrigento, casa Pirandello, riserva Torre Salsa, scala dei Turchi, scavi archeologici di Eraclea. Sagra del mandorlo in fiore, carnevale, festa di maggio.
Prezzi: pasto da £ 30.000 a 40.000. Alloggio da £ 30.000 a 50.000. H/B da £ 70.000 a 80.000. Sconto del 30% per i bambini fino a 10 anni.
Note: solo su prenotazione. Raccolta di asparagi, finocchi, frutti di bosco. Possibilità di praticare vela e footing. Giochi all'aria aperta. L'azienda organizza corsi di cucina, agricoltura biologica, artigianato locale, enologia. Prima colazione. Animali accolti previo accordo.

MONTALBANO

loc. Scunchipani • 92019 SCIACCA
☎ e fax 092580154

▲ H 3

Posizione geografica: pianura.
Periodo di apertura: tutto l'anno.
Associato a: Agriturist.
Presentazione: centro aziendale con residenza, strutture di nuova costruzione su 4 ettari con produzione di oliveto, frutteto. Offre ospitalità in 5 appartamenti per un totale di 18 posti letto e in 2 camere con bagno.
Prodotti aziendali: olio, ortaggi, frutta, uova.
Luoghi di interesse e manifestazioni locali: valle dei templi di Agrigento, Selinunte, Segesta, terme a Sciacca. Sagra del mare, sagra dell'agricoltura, carnevale e varie manifestazioni religiose.
Prezzi: alloggio da £ 35.000 a 50.000. Sconto del 15% per i bambini fino a 10 anni.
Note: possibilità di praticare giardinaggio e osservazione ambientale. Giochi del ping-pong, delle bocce, all'aria aperta, tiro con l'arco, mountain bike. Biancheria, telefono in comune, uso cucina, uso frigorifero, riscaldamento, parcheggio.

Catania

CODAVOLPE

strada 87, 35 - Trepunti di Giarre • 95010 GIARRE
☎ e fax 095939802

● F 11

Posizione geografica: collina.
Periodo di apertura: tutto l'anno.
Associato a: Agriturist, Terranostra.
Presentazione: tipica costruzione rurale, con produzione di agrumi, frutta, ortaggi in coltivazioni biologiche. L'azienda si estende su 3 ettari. Offre ospitalità in 5 appartamenti dotati di servizi per un totale di 15 posti letto.
Ristorazione: H/B. Cucina tipica siciliana, a richiesta cucina vegetariana.
Prodotti aziendali: confetture, frutta, miele, ortaggi, liquori.
Luoghi di interesse e manifestazioni locali: museo degli usi e dei costumi delle genti dell'Etna, museo del mare, Gole d'Alcantara, artigianato dei carretti siciliani. Sagra delle ciliege a maggio, sagra dei vini a settembre, "Ottobrata zafferanese" dei prodotti tipici autunnali.
Prezzi: pasto da £ 25.000 a 35.000. Alloggio da £ 35.000 a 50.000. Sconto del 20% per i bambini fino ai 10 anni.
Note: accessibile agli handicappati. Prenotazione obbligatoria, periodo minimo di soggiorno 2 giorni. Prato per prendere il sole, sala riunioni disponibile. Bocce, golf, canoa, ping-pong,

sci di fondo, tennis, trekking e passeggiate, giochi all'aria aperta. Raccolta di funghi e castagne. Corsi di artigianato, caseificazione, enologia. Biancheria, uso frigorifero, uso cucina, acqua calda, sala comune, posto macchina.

VALLE DEI MARGI

c.da Margi • 95042 GRAMMICHELE
☎ 0933940464 fax 0933947281

● I 9

Posizione geografica: pianura.
Periodo di apertura: tutto l'anno.
Presentazione: l'antico casolare ristrutturato accoglie ospiti in 5 camere con bagno, per un totale di 12 posti letto, e in 4 piazzole per tende e caravan.

Ristorazione: antipasti rustici siciliani e ricotta fresca, pasta fresca ai sapori di Sicilia, grigliata mista di carne, contorni freschi, frutta di stagione, cassatine.
Prodotti aziendali: confetture di agrumi, prodotti locali sott'olio.
Luoghi di interesse e manifestazioni locali: sito archeologico di Occhiolà, Grammichele, chiese di Mineo, Caltagirone e le sue ceramiche, i mosaici di piazza Armerina, scavi della Rocchicella.
Prezzi: B&B a £ 60.000, H/B £ 85.000, F/B £ 100.000.
Note: tennis, piscina, tiro con l'arco, bocce, mountain bike, giochi per bambini. Museo della civiltà contadina. Cambio biancheria. Parcheggio. Si accolgono animali.

TRINITÁ

via Trinità, 34 • 95030 MASCALUCIA
☎ e fax 0957272156
● G 11

Posizione geografica: collina (450 m).
Periodo di apertura: tutto l'anno.
Associato a: Agriturist.
Presentazione: azienda alle pendici dell'Etna con coltivazioni di agrumi e ortaggi, e parco botanico circondato da un mandarineto biologico. Offre ospitalità in 3 appartamenti, ricavati nei rustici dell'azienda, rispettivamente da 2, 4, 5 posti letto.
Ristorazione: piatti a base di verdure prodotte in azienda riscoprendo vecchie ricette siciliane, dolci con le arance, caponata al miele.
Prodotti aziendali: marmellate di agrumi: arancio amaro, arancio dolce, tarocco, mandarino, clementina, pompelmo, limone. Miele di zagara, pomodori secchi e olive, olio di oliva delicato e fruttato, lemoncello.
Luoghi di interesse e manifestazioni locali: parco dell'Etna, museo del parco dell'Etna, convento benedettino con scuola di restauro. Mercato dell'antiquariato la seconda domenica del mese a Mascalucia e tutte le domeniche a Catania.
Prezzi: pasto da £ 25.000 a 40.000. OR da £ 30.000 a 60.000.
Note: soggiorno minimo di 2 notti. Corsi di restauro e di acquerello. Piscina solo per adulti. Visita guidata del parco botanico. Cambio biancheria settimanale. Si accettano cani.

ALCALÀ

Masseria Alcalà c.p. 100 s.s. 192, km 78
95045 MISTERBIANCO ☎ e fax 0957130029
● G 11

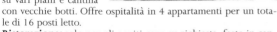

Posizione geografica: collina.
Periodo di apertura: tutto l'anno.
Associato a: Agriturist.
Presentazione: masseria di inizio secolo con grande palmento su vari piani e cantina con vecchie botti. Offre ospitalità in 4 appartamenti per un totale di 16 posti letto.
Ristorazione: solo per gli ospiti cene su richiesta, feste in cantina. Cucina tipica della zona etnea, piatti confezionati con i prodotti aziendali e con verdure selvatiche.
Prodotti aziendali: agrumi freschi, marmellate, miele di zagara, olio extravergine d'oliva (spediti in tutta Italia con corriere espresso).
Luoghi di interesse e manifestazioni locali: mercati all'aperto e monumenti di Catania, Etna, località balneari. Carnevale a Misterbianco.
Prezzi: pasto da £ 23.000 a 30.000. Alloggio da £ 39.000 a 60.000. Sconto del 25% per i bambini e del 10% per lunghi soggiorni.
Note: accessibile ai portatori di handicap. Si consiglia la prenotazione. In luglio, agosto, Natale, Pasqua soggiorno minimo di 7 notti. Altri periodi soggiorno minimo di 3 notti. Terrazze per prendere il sole, cantina e "palmento" disponibili per riunioni. Pesca, giochi all'aria aperta. Raccolta della frutta di stagione e della verdura di stagione. Biciclette per gli ospiti, per i bambini altalene e scivolo. Sentieri per passeggiate e luoghi attrezzati per riposarsi all'ombra. Golf ed equitazione nelle vicinanze. Lezioni di gastronomia. Si parlano inglese e francese. Biancheria, pulizia finale, servizio lavanderia, riscaldamento, sala televisione comune, parcheggio riparato. Animali accolti previo accordo.

IL LIMONETO

s.p. 195/f - Santa Maria Ammalati • 95024 ACIREALE
☎ e fax 095886568 cell. 0330818524
▲ G 11

Posizione geografica: mare e riserva naturale "La Timpa".
Periodo di apertura: da aprile a ottobre tutti i giorni.
Associato a: Agriturist, Touring Club Italiano, Tourist Green Club.
Presentazione: antica residenza padronale, in azienda di 4 ettari di terreno con produzione ad agrumeto. Offre ospitalità in 3 appartamenti dotati di servizi per un totale di 12 posti letto.
Prodotti aziendali: limoni, olio d'oliva, frutta in omaggio agli ospiti.
Luoghi di interesse e manifestazioni locali: Acireale, la riviera dei Ciclopi, Catania, museo dei pupi siciliani. Il Teatro dei pupi, il carnevale di Acireale, "Acirealestate", spettacoli alle terme di Acireale.
Prezzi: alloggio da £ 35.000 a 45.000 a persona. Sconto del 20% per i bambini fino a 8 anni.
Note: solo su prenotazione, periodo minimo di 3 giorni. Tennis, pesca, pista go-kart nelle vicinanze. Raccolta di asparagi. Trekking e passeggiate, escursioni e visite guidate. Guida alle attività agricole, osservazione ambientale. Attività balneare a 2 km. Uso cucina, uso frigorifero, stoviglie, biancheria, posto macchina, barbecue, terrazzo arredato. Si parlano inglese, tedesco e francese. Non si accettano gli animali.

BAGNARA

c.da Cardinale • 95100 CATANIA
☎ e fax 095336407 ☎ 095451239
▲ H 11

Posizione geografica: mare.
Periodo di apertura: tutto l'anno.
Associato a: Terranostra.
Presentazione: costruzione rurale in azienda di 50 ettari adibiti a pescheto, agrumeto e produzione di fichi d'India, ideale per soggiorni di relax. Accoglie ospiti in 4 casette indipendenti per un totale di 13 posti letto.
Prodotti aziendali: miele, olio, vino e confetture.
Luoghi di interesse e manifestazioni locali: Etna, Siracusa, Taormina, terme di Acireale, gole dell'Alkantara e parco zoo. Sagre paesane e mercatini.
Prezzi: OR a £ 35.000 a persona. Per soggiorni settimanali 1 pernottamento gratuito, escluso luglio e agosto.
Note: soggiorno minimo 2 notti. Equitazione, minigolf, bocce, biciclette. Possibilità di escursioni personalizzate. Ampi spazi verdi con docce all'aperto, solarium, minizoo e punto di osservazione stellare. Biancheria, televisione, telefono e parcheggio. Animali accolti previo accordo.

ARRIGO

c.da Arrigo • 95015 LINGUAGLOSSA
☏ 095643612 cell. 03393336793

▲ F 11

Posizione geografica: collina (550 m).
Periodo di apertura: tutto l'anno.
Presentazione: edificio rurale etneo in pietra lavica all'interno di un'azienda di circa 4 ettari coltivati a uliveto e alberi da frutto. Offre ospitalità in 4 camere con bagno e un arredamento in ferro battuto e legno di castagno, per un totale di 8 posti letto.
Prodotti aziendali: marmellata, olio, olive, vino, frutta.
Luoghi di interesse e manifestazioni locali: Etna, Taormina (15 km), Piano Provenzana (stazione sciistica e punto di partenza per escursioni estive sulla sommità del vulcano).
Prezzi: B&B a £ 50.000 a persona.
Note: possibilità di H/B in collaborazione con l'azienda Liperus sita a 3 km. Pulizia ogni 3 giorni, cambio biancheria. In realizzazione piscina e campo da tennis.

VALLEBRUNA

c.da Montelaguardia • 95036 RANDAZZO
☏ 095924046 fax 095923324

▲ F 10

Posizione geografica: collina.
Periodo di apertura: tutto l'anno, su prenotazione.
Presentazione: azienda, circondata da boschi, con coltivazioni di vigneti e oliveti e allevamento di cavalli. Accoglie ospiti in appartamenti da 3/6 posti letto.
Ristorazione: convenzione con l'adiacente azienda agrituristica "Antica Vigna" e con ristoranti di Randazzo.
Prodotti aziendali: vino D.O.C. Etna rosso, olio extravergine d'oliva, aceto, frutta fresca e secca.
Luoghi di interesse e manifestazioni locali: Randazzo, museo archeologico, dei pupi siciliani e di scienze naturali, chiese trecentesche, Taormina, Catania, vulcano Etna e località balneari. Festa dell'Assunta, Settimana Santa.
Prezzi: appartamenti da £ 90.000 a 240.000.
Note: equitazione, mountain bike. Canile. Cambio biancheria settimanale, pulizia bisettimanale.

CARAMEDDI

via Contarino, 14 • 95010 SANT'ALFIO
☏ 095968452 cell. 0360280346

▲ F 11

Posizione geografica: riserva naturale parco dell'Etna, a 8 km dal mare.
Periodo di apertura: tutto l'anno.
Associato a: Turismo Verde, A.I.A.B.
Presentazione: tipiche costruzioni rurali inserite in 5 ettari di noccioleto, frutteto, bosco. Offre ospitalità in 3 camere con bagno.
Prodotti aziendali: frutta biologica, funghi, vini, miele.

Luoghi di interesse e manifestazioni locali: Etna, Taormina, Acireale. Festa del patrono in maggio, Etna musica in luglio-agosto.
Prezzi: alloggio fino a £ 30.000. Gratis per i bambini fino a 5 anni. Sconto del 50% per i bambini oltre i 5 anni.
Note: solo su prenotazione. Periodo minimo di soggiorno 5 giorni. Ampi spazi per prendere il sole. Escursioni e visite guidate. Nelle vicinanze alpinismo, calcetto, equitazione, pallavolo, sci alpinismo, sci di discesa, sci di fondo, tennis, torrentismo, trekking. Raccolta di funghi, verdure di campo, castagne, nocciole, frutti di bosco. Uso cucina, uso frigorifero, riscaldamento. Animali accolti previo accordo.

Enna

MASSERIA MERCADANTE

c.da Magnana, 3/e - loc. Mercadante • 94014 NICOSIA
☏ 0935640771-0935646092

● G 8

Posizione geografica: collina.
Periodo di apertura: tutto l'anno.
Associato a: Touring, La Freccia Verde.
Presentazione: costruzione rurale che si estende su 9 ettari coltivati a cereali, frutteto, oliveto. Allevamento di

ovini, polli, oche. Offre ospitalità in 8 camere con bagno per un totale di 15 posti letto e in piazzole attrezzate per caravan e tende.
Ristorazione: H/B, F/B. Ristorante aperto al pubblico per più di 20 coperti. Cucina tipica contadina ricca e abbondante.
Prodotti aziendali: prosciutti, formaggi, vino, olio, pollame, uova.
Luoghi di interesse e manifestazioni locali: parco dei Nebrodi, laghetti del Campanito, Nicosia medievale, castello di Sperlinga. Palio ad agosto, sagra del biscotto a novembre, sagra del *pezziddato* (dolce natalizio) a dicembre.
Prezzi: pasto da £ 20.000 a 30.000, alloggio a £ 25.000. Gratis per i bambini sotto i 3 anni, sconto del 40% per i bambini da 3 a 10 anni.
Note: accessibile agli handicappati. Ampi spazi per la vita all'aria aperta, pineta attrezzata con amache. Sala comune con televisione, cineteca, biblioteca. Gioco delle bocce o *ciappe*, del ping-pong, minigolf, percorso di guerra, freccette, tiro con l'arco, pesca, giochi all'aria aperta, tennis, trekking e passeggiate, mountain bike. Raccolta di asparagi e funghi. Corsi di dialetto galloitalico nicosiano, osservazione ambientale, giardinaggio, caseificazione. Animazione e canto per bambini. Tennis e piscina nelle vicinanze. Biancheria, telefono in comune, riscaldamento, ampi parcheggi.

IL GLICINE

c.da Vallegrande, c.p. 187 • 94015 PIAZZA ARMERINA
☏ e fax 0935684119 cell. 0368685460

● H 8

Posizione geografica: collina.
Periodo di apertura: tutto l'anno.
Associato a: Agriturist.
Presentazione: costruzione rustica in azienda in parte coltivata e in parte a bosco. Offre ospitalità in 2 appartamenti da 6 posti letto ciascuno, dotati di servizi.

Ristorazione: H/B su prenotazione. Cucina vegetariana.
Prodotti aziendali: frutta fresca e secca, ortaggi di stagione, confetture e conserve, olio extravergine di oliva pressato a freddo.
Luoghi di interesse e manifestazioni locali: mosaici della villa romana del Casale, Morgantina, museo di Aidone, Caltagirone. Celebrazioni pasquali, palio dei Normanni il 14 agosto.
Prezzi: pasto £ 30.000. Alloggio da £ 30.000 a 50.000. Sconto del 30% per i bambini sotto i 10 anni, riduzioni per lunghi soggiorni da concordare con l'azienda.
Note: tutte le produzioni sono biologiche, non si dà ospitalità a cacciatori. Piscina. Grande tettoia per incontri, attività, pranzo in comune. Raccolta di asparagi, origano, verdure selvatiche. Mountain bike. Cucina con frigorifero, riscaldamento centralizzato con termosifoni e camino a legna, biancheria, barbecue, parcheggio.

SAVOCA

c.da Polleri, 13 - c.p. 27 • 94015 PIAZZA ARMERINA
☎ e fax 0935683078 ☎ 0337889052

● H 8

Posizione geografica: collina.
Periodo di apertura: tutto l'anno.
Associato a: Agriturist e Turismo Verde.
Presentazione: antico casale dell'800 in pietra a vista, ristrutturato salvaguardando l'architettura originaria, immerso in uno splendido boschetto di pioppi. Accoglie ospiti in 2 appartamenti da 6 posti letto, 4 camere doppie con bagno e in piazzole attrezzate in agricampeggio.
Ristorazione: per gruppi, solo su prenotazione. Cucina siciliana preparata con prodotti dell'azienda.
Prodotti aziendali: vino, olio, noci, nocciole, ortaggi e uova.
Luoghi di interesse e manifestazioni locali: Villa del Casale, Morgantina, Caltagirone, Pergusa, Enna. Palio dei Normanni il 13 e 14 agosto, "Cortili Fioriti" in maggio, "Agosto Armerino".
Prezzi: da £ 35.000 a 45.000 a persona. Pasto da £ 20.000 a 50.000. Sconto del 10% per bambini fino a 10 anni, del 5% per letto aggiunto e del 10% per seconda settimana.
Note: parco giochi, piscina, equitazione, bocce, biciclette, tiro con l'arco e pesca nel lago dell'azienda. Corsi di agricoltura biologica, enologia, gastronomia e osservazione ambientale. Biancheria, riscaldamento, TV e uso cucina.

Messina

LANDOLINA

loc. Santo Stefano Medio • 98100 MESSINA
☎ 090630174

● D 13

Posizione geografica: collina.
Periodo di apertura: da giugno a settembre, il restante periodo su prenotazione.
Associato a: Turismo Verde.

Presentazione: azienda ideale per soggiorni di relax e degustazione di prodotti tipici. Accoglie ospiti in 4 camere, con bagno comune, per un totale di 12 posti letto e in 1 appartamento attrezzato.
Ristorazione: B&B, H/B e F/B. Cucina casalinga e genuina.
Prodotti aziendali: olio, agrumi, pollame e uova.
Luoghi di interesse e manifestazioni locali: casali di Messina, Peloritani, Milazzo e isole Eolie, Taormina, valle dell'Alcantara. Fiera di Messina, Taormina Arte, feste paesane con spettacoli pirotecnici.
Prezzi: da £ 30.000 a 50.000. Pasto da £ 20.000 a 35.000. Gratis per bambini fino a 3 anni, sconto del 30% fino a 10 anni.
Note: soggiorno minimo 3 giorni. Passeggiate, piscina, equitazione e ping-pong. Corsi di nuoto. Biancheria, pulizia, telefono comune, riscaldamento, uso cucina e frigorifero.

RAGGIO VERDE

loc. Galati Marina • 98100 MESSINA
☎ 090631895

● D 13

Posizione geografica: mare.
Periodo di apertura: tutto l'anno.
Associato a: Turismo Verde.
Presentazione: antica casa padronale che si estende su oltre 1 ettaro con produzione di avocadi, ortaggi, agrumi. Offre ospitalità in 4 camere con bagno per un totale di 12 posti letto.

Ristorazione: H/B, F/B solo su prenotazione. Ristorante aperto al pubblico. Molte ricette a base di avocado o di agrumi.
Prodotti aziendali: agrumi, avocado, uova.
Luoghi di interesse e manifestazioni locali: chiese normanne.
Prezzi: pasto a £ 50.000, alloggio a £ 50.000 a persona.
Note: solo su prenotazione. Tennis. Biancheria, riassetto, telefono in comune, uso cucina, uso frigorifero, condizionamento.

GOLE DELL'ALCANTARA

loc. Gole dell'Alcantara • 98030 MOTTA CAMASTRA
☎ 0942985010 fax 0942985664

● E 11

Posizione geografica: collina.
Periodo di apertura: tutto l'anno.
Associato a: Turismo Verde.
Presentazione: azienda agrumicola con fiume Alcantara che attraversa il corpo aziendale. Offre ospitalità in 8 camere con bagno per un totale di 24 posti letto e in 5 piazzole attrezzate per camper.
Ristorazione: ristorante da 300 coperti. Specialità locali a base di verdure, prodotti aziendali, liquori a base di agrumi.
Prodotti aziendali: liquori di arancio, limone, mandarino. Marmellate di agrumi, olio di oliva.
Luoghi di interesse e manifestazioni locali: gole dell'Alcantara, Taormina, Etna, valle dell'Alcantara. Varie sagre locali.
Prezzi: pasto da £ 15.000 a 30.000. Alloggio £ 50.000.
Note: tennis, trekking e passeggiate, escursioni e visite guidate. Prima colazione.

BOSCO

c.da Bosco • 98070 PETTINEO
☎ e fax 0921336056

● **E 8**

Posizione geografica: collina.
Periodo di apertura: tutto l'anno.
Associato a: Demeter Bund e ASAB.
Presentazione: casolare del 1888 in pietra di Mistretta recentemente ristrutturato, in posizione panoramica, in azienda immersa in un bosco di noccioli, castagni e olivi centenari. Accoglie ospiti in 7 camere con bagno per un totale di 20 posti letto.
Ristorazione: cucina preparata con prodotti dell'azienda. Servizio di pizzeria.
Prodotti aziendali: olio, olive, castagne, nocciole, miele, ortaggi e conserve.
Luoghi di interesse e manifestazioni locali: parco dei Nebrodi, Mistretta, Alesa, opere d'arte di Fiumara e domestic-art a Pettineo.
Prezzi: H/B a £ 75.000, F/B a £ 95.000, bevande escluse. Sconto del 10% per bambini fino a 10 anni.
Note: soggiorno minimo 3 giorni. Escursioni a cavallo, attività agrituristiche in azienda. Parco giochi, bocce, piscina e minigolf. Cambio biancheria. Non si accolgono animali.

LA VEDETTA DI NEBRODI

loc. Bufana Alta • 98070 SAN SALVATORE DI FITALIA
☎ 0941421977

● **E 9**

Posizione geografica: montagna (830 m).
Periodo di apertura: tutto l'anno.
Associato a: Villaggio globale, Turismo Verde.
Presentazione: tipica costruzione rurale, in azienda di 4 ettari con produzione di nocciole, frutti biologici. Allevamento di ovini e bovini. Offre ospitalità in 3 camere con bagno per un totale di 8 posti letto.
Ristorazione: ristorante aperto al pubblico con 50 coperti, solo su prenotazione. Tagliolini fatti in casa con i porcini, salumi di maiale nero dei Nebrodi, dolci alle nocciole.
Prodotti aziendali: confetture di prodotti biologici, latticini, ortaggi, miele, olio, uova.
Luoghi di interesse e manifestazioni locali: parco dei Nebrodi, lago Biviere. Feste delle contrade in agosto-settembre.
Prezzi: pasto da £ 20.000 a 35.000. B&B £ 40.000, H/B £ 65.000, F/B £ 80.000. Sconto del 30% per i bambini da 4 a 8 anni.
Note: accessibile agli handicappati. Solo su prenotazione. Dal 15 al 20 maggio si può partecipare per 2 giorni alla transumanza della mandria attraverso il parco dei Nebrodi (fornirsi di sacco a pelo). Raccolta di asparagi, castagne, frutti di bosco, erbe aromatiche e officinali, funghi. Giochi delle bocce, ping-pong, giochi all'aria aperta, trekking e passeggiate, escursioni e visite guidate, mountain bike. Possibilità di partecipare alle attività produttive aziendali come la caseificazione. Osservazione ambientale, guida alla raccolta di erbe e funghi. Biancheria, pulizia, telefono in comune.

COLAMARCO

c.da Colamarco • 98070 CASTELL'UMBERTO
☎ 0941438130 - 0902926071 fax 090696539
cell. 03382375957

▲ **E 10**

Posizione geografica: collina.
Periodo di apertura: tutto l'anno.

Associato a: Turismo Verde, Tourist Green Club, Terranostra, Vacanze Verdi.
Presentazione: due case coloniche interamente ristrutturate in azienda di 26 ettari di terreno con coltivazione biologica di agrumi, olive, frutta, ortaggi. Offre ospitalità in 10 camere con bagno per un totale di 18 posti letto.

Prodotti aziendali: olio extravergine di oliva prima spremitura a freddo, sottoli, agrumi, ortaggi, frutta, uova, salsa di pomodoro tradizionale.
Luoghi di interesse e manifestazioni locali: mare di Capo d'Orlando, foreste del parco dei Nebrodi, rovine e luoghi artistici. Giudei (San Fratello), Pasqua, sagre paesane, festa Muzzuni, San Calogero, San Salvatore Fitalia.
Prezzi: alloggio da £ 35.000 a 50.000. Riduzioni da concordarsi.
Note: accessibile agli handicappati. Solo su prenotazione. Bocce, ping-pong, giochi all'aria aperta, trekking e passeggiate, mountain bike, equitazione e tennis. Prato per prendere il sole. Raccolta di asparagi, funghi, cicoria, castagne, olive. Biancheria, pulizia bisettimanale. Animali accolti previo accordo.

Palermo

VILLA FIANDACA

c.da Maimone • 90020 CASTELLANA SICULA
☎ e fax 091642045

● **F 7**

Posizione geografica: collina.
Periodo di apertura: tutto l'anno, solo su prenotazione.
Associato a: Turismo Verde.
Presentazione: antica villa di fine '800 situata nel parco delle Madonie, in azienda in cui si allevano animali di bassa corte. Accoglie ospiti in 4 camere con bagno per un totale di 8-11 posti letto.
Ristorazione: H/B e F/B. Cucina siciliana.
Prodotti aziendali: olio, ortaggi, pollame e uova.
Luoghi di interesse e manifestazioni locali: parco delle Madonie. Feste tradizionali e ballo della cordella.
Prezzi: B&B a £ 40.000, H/B a £ 75.000, F/B a £ 90.000. Pasto a £ 35.000. Sconto del 10% per bambini fino a 10 anni e del 5% per letto aggiunto.
Note: accessibile agli handicappati. Giochi all'aria aperta e tennis. Osservazione ambientale. Sala riunioni e prato per prendere il sole. Uso frigorifero, telefono in comune, riscaldamento e posto auto. Animali accolti previo accordo.

CHIUSILLA

c.da Chiusilla • 90016 COLLESANO
☎ 0921662135-0921662706

● **F 7**

Posizione geografica: montagna.
Periodo di apertura: tutto l'anno.
Associato a: Villaggio Globale.

Presentazione: antica masseria che si estende su circa 62 ettari di pascoli. Allevamento di ovicaprini, bovini, api, cavalli. Offre ospitalità in 4 camere con bagno.
Ristorazione: H/B, F/B. Cucina tipica locale.
Prodotti aziendali: erbe, frutta, latticini, miele, olio, ortaggi, uova.
Luoghi di interesse e manifestazioni locali: parco delle Madonie, abbazia San Giorgio. Sagra del caciocavallo, sagra del nocciolo, sagra della vastedda fritta.
Prezzi: pasto da £ 20.000 a 30.000. Alloggio a £ 70.000. Sconto del 10% per i bambini fino ai 10 anni e per la seconda settimana di soggiorno.
Note: accessibile agli handicappati. Possibilità d'estate di nuotare nell'invaso aziendale. Raccolta di asparagi, origano, funghi, verdure selvatiche. Baby sitting per bambini. Possibilità di praticare sci di discesa e di fondo. Pesca, giochi all'aria aperta, trekking e passeggiate, equitazione, mountain bike. Corsi di caseificazione, giardinaggio, osservazione ambientale, artigianato. Biancheria, pulizia, riassetto, telefono in comune, prima colazione, uso cucina, uso frigorifero, riscaldamento, posto macchina.

LA FATTORIA DEL SORRISO

c.da Piano Aranci • 90040 MONTELEPRE
☏ 0918784111

● **E 4**

Posizione geografica: collina.
Periodo di apertura: tutto l'anno, giorno di chiusura lunedì.
Associato a: Turismo Verde.
Presentazione: azienda che produce olive e olio e alleva cavalli e asinelli sardi. Accoglie ospiti in 4 camere con bagno per un totale di 16 posti letto e in 4 piazzole in agricampeggio per caravan.
Ristorazione: cucina contadina con pane e pasta fatti in casa, vino della zona.
Prodotti aziendali: olive condite, pomodori secchi e vino.
Luoghi di interesse e manifestazioni locali: Monreale, Segesta, Erice, Selinunte, saline di Trapani. Sagre e fiere nei mesi estivi.
Prezzi: H/B a £ 70.000, F/B a £ 80.000.
Note: permanenza minima 2 giorni, prenotazione con 1 settimana d'anticipo, caparra 50% del costo del soggiorno. Cambio biancheria ogni 3 giorni.

IL PESCHETO

c.da Pacino • 90047 PARTINICO
☏ 0918783005-0918906608

● **E 4**

Posizione geografica: mare.
Periodo di apertura: da giugno a settembre, il restante periodo solo su prenotazione.
Associato a: Villaggio Globale.
Presentazione: azienda di 2 ettari con produzione di vigneto, oliveto, pescheto e ortaggi, composta da una costruzione recente affiancata a una rurale. Accoglie ospiti in 4 camere, con 2 bagni comuni, per un totale di 8 posti letto.
Ristorazione: H/B e F/B. Ristorante con 20 coperti aperto al pubblico da giugno a settembre. Pasta con le sarde, pasta con pesto e melanzane, piatti a base di verdura.
Prodotti aziendali: olio, vino, ortaggi, frutta, salsa e confetture.
Luoghi di interesse e manifestazioni locali: riserva Zingaro, Monreale, Palermo, scavi di San Giuseppe, Piana degli Albanesi, Segeste, torri di avvistamento del '500/'600, visita alla Cantina Reale Borbonica, località balneari. "Partinico-estate", Settimana Santa, festa della Madonna del Ponte.
Prezzi: da £ 30.000 a 50.000. Pasto da £ 20.000 a 25.000. Sconto del 5% per letto aggiunto e del 10% per bambini fino a 6 anni o gruppi di almeno 8 persone.

Note: accessibile agli handicappati. Escursioni a piedi o in bicicletta. Possibilità di baby-sitter. Terrazza solarium e sala comune. Biancheria, telefono e TV comune, uso cucina e frigorifero, posto auto. Si accolgono animali.

MONACO DI MEZZO

c.da Monaco di Mezzo • 90027 PETRALIA SOTTANA
☏ 0934673949 fax 0934676114

● **F 7**

Posizione geografica: collina.
Periodo di apertura: tutto l'anno, ristorante aperto il fine settimana.
Associato a: Agriturist.
Presentazione: antica masseria recentemente ristrutturata al centro di una valle tipica dell'entroterra siciliano. Accoglie ospiti in appartamenti autonomi.
Ristorazione: cucina preparata con i prodotti biologici dell'azienda. Pasta con le fave, zuppa di ceci, pasta con ragù di maiale, pasta con funghi di dabs e ricotta, carni arrostite, maialini al forno, agnelli in umido, asparagi selvatici con uova strapazzate, salumi e formaggi locali, frutta e verdura appena raccolte, cannoli siciliani.
Prodotti aziendali: olio, formaggio, carne, salsa di pomodoro, ortaggi.
Luoghi di interesse e manifestazioni locali: antichi paesi delle Madonie, le Petralie, Gangi, Polizzi. Giostra delle Venti Miglia a Geraci in agosto, ballo della cordella.
Prezzi: B&B da £ 50.000 a 60.000, II/B da £ 80.000 a 90.000, F/B da £ 100.000 a 120.000.
Note: maneggio, piscina, equitazione, tennis, tiro con l'arco, parapendio, bocce, mountain bike, parco giochi, biliardo. Dispone di 20 box per cavalli. Si accolgono animali.

AL POGGETTO

c.da Pianetto • 90030 SANTA CRISTINA GELA
☏ 0918570213-0916702533

● **E 5**

Posizione geografica: collina.
Periodo di apertura: da giugno a settembre tutti i giorni, gli altri mesi solo il sabato e la domenica.
Associato a: Turismo Verde. Offre ospitalità in 16 camere con bagno.
Presentazione: tipica costruzione rurale con ampio parco.
Ristorazione: H/B, F/B. Ristorante disponibile per banchetti e ricevimenti in campagna. Cucina tipica siciliana, arrosti, cassate, cannoli, formaggi.
Prodotti aziendali: conserve, olio, miele, formaggi, pane, uova, dolci.
Luoghi di interesse e manifestazioni locali: bosco della Ficuzza, piana degli Albanesi, Corleone, Monreale, Palermo, Agrigento, Sciacca.
Prezzi: pasto a £ 35.000, B&B da £ 50.000 a 60.000, sconto del 20% per i bambini fino a 9 anni e del 5% per letto aggiunto.
Note: solo su prenotazione. Raccolta di castagne, verdura, funghi, frutta. Giochi delle bocce, del biliardo, del ping-pong, piscina, giochi all'aria aperta, equitazione, trekking e passeggiate, escursioni e visite guidate, mountain bike. Possibilità di praticare la caccia, di utilizzare la palestra e la sauna. L'azienda organizza corsi di cucina regionale, osservazione ambientale, speleologia. Ludoteca a disposizione dei bambini. Biancheria, pulizia, riassetto, telefono, prima colazione, sala comune.

Ragusa

VILLA TERESA

c.da Crocevia - Cava d'Ispica, 2 • 97015 MODICA
☎ e fax 0932771690

● M 10

Posizione geografica: collina.

Periodo di apertura: tutto l'anno escluso un periodo in novembre, ristorante chiuso il lunedì.

Presentazione: masseria fortificata risalente al XVII-XVIII secolo, interamente ristrutturata, con tipico baglio centrale in cui è sita la residenza padronale. Azienda di 40 ettari con coltivazioni di seminativo, alberi di olivo e carrubo, allevamento di bovini e suini. Offre ospitalità in 8 camere con bagno, riscaldamento centralizzato, telefono, TV, verandina privata sull'orto recintato, per un totale di 20 posti letto.

Ristorazione: 100 coperti nel ristorante ricavato nell'antico magazzino granario. Aperto al pubblico. Pasta fresca, focacce tipiche, carni e formaggi, legumi, dolci tipici.

Prodotti aziendali: formaggi e salumi.

Luoghi di interesse e manifestazioni locali: abitato rupestre di Cava d'Ispica a 4 km, centri barocchi, Modica a 6 km, Ragusa Ibla a 20 km, Noto a 30 km, spiagge della costa mediterranea, museo etnografico di Modica, castello di Donnafugata.

Prezzi: B&B a £ 50.000, H/B a £ 70.000, F/B a £ 90.000 al giorno e a £ 550.000 a settimana a persona. Pasto tipico a partire da £ 25.000. Sconti per lunghi periodi e per bambini.

Note: permanenza minima 3 giorni. Bambinopoli. Bocce, escursioni e passeggiate. Biancheria, pulizia. Animali accolti previo accordo.

Siracusa

CASA DELLO SCIROCCO

c.da Piscitello • 95100 CARLENTINI
☎ 095447709 fax 0957139257 cell. 03381720112

● I 10

Posizione geografica: pianura.

Periodo di apertura: tutto l'anno.

Presentazione: la Casa dello Scirocco è la parte più importante di un complesso rupestre pre-greco inserito in una azienda agricola immersa in un vasto aranceto; la costruzione originaria di epoca romana è dentro una vasta grotta preistorica. Accoglie ospiti in 10 monolocali attrezzati per un totale di 30 posti letto.

Ristorazione: cucina siciliana, linguine al limone, risotto all'arancia, pizze e dolci locali.

Prodotti aziendali: arance, miele di zagara, marmellate, olio d'oliva, uova e verdure biologiche.

Luoghi di interesse e ma-

nifestazioni locali: necropoli di Pantalica, chiese barocche e museo dei pupi siciliani a Sortino, museo archeologico di Lentini, gita alle sorgenti del fiume Cime dove cresce il papiro.

Prezzi: H/B a £ 80.000, F/B a £ 110.000. Pasto a £ 35.000 per gli adulti e £ 20.000 per i bambini.

Note: prenotare almeno 1 settimana prima, permanenza minima 2 notti. Si organizzano giornate agrituristiche e visite guidate. Area gioco per bambini, corsi d'equitazione e piscina. Campo di bocce e di calcetto. Corsi di cucina siciliana. Cambio biancheria settimanale. Animali accolti previo accordo.

TENUTA DI ROCCADIA

c.da Roccadia • 96013 CARLENTINI
☎ e fax 095991141-095990362 ☎ 095993584

● I 11

Posizione geografica: collina.

Periodo di apertura: tutto l'anno.

Associato a: Agriturist.

Presentazione: azienda, con fabbricati rurali, su 14 ettari con coltivazioni di agrumi, olivi, mandorli,

ortaggi. Offre ospitalità in 7 camere con bagno per un totale di 20 posti letto.

Ristorazione: H/B, F/B, ristorante aperto al pubblico con 100 coperti. Cudduroni (focacce ripiene con verdure), caponata, arancino, parmigiana.

Prodotti aziendali: confetture, sottoli, mandarinetto, limoncello, olio, miele, arance, olive, mandorle.

Luoghi di interesse e manifestazioni locali: Siracusa, Catania, Pantalica, Etna, Taormina. Rappresentazioni classiche al parco archeologico di Leontinoi, festa di San Giuseppe il lunedì di Pasqua.

Prezzi: pasto da £ 32.000 a 40.000. B&B da £ 45.000 a 50.000, H/B da £ 75.000 a 85.000, F/B da £ 95.000 a 105.000. Sconto del 50% per i bambini fino a 10 anni.

Note: accessibile agli handicappati. È gradita la prenotazione. Piscina, sala riunioni, solarium. Mountain bike, giochi all'aria aperta, equitazione, trekking e passeggiate. Raccolta di asparagi ed erbe varie. Corsi di ceramica e di pittura. Biancheria, telefono in comune, prima colazione. Animali accolti previo accordo.

CAPO CORSO

via trav. San Tommaso, 1 • 96100 SIRACUSA
☎ 0931711834

● L 12

Posizione geografica: collina.

Periodo di apertura: tutto l'anno.

Presentazione: l'azienda, ubicata nella valle dell'Anapo, accoglie ospiti in 5 casette, con bagno e cucina, per un totale di 8 camere e 24 posti letto.

Ristorazione: cucina casalinga.

Prodotti aziendali: olio, olive in salamoia, marmellata di arance e d'uva, ortaggi, sapone fatto in casa.

Luoghi di interesse e manifestazioni locali: riserve naturalistiche di Pantalica, di Vendicari e di Cava Grande, parco archeologico di Siracusa. Rappresentazioni di tragedie greche a Siracusa da maggio a luglio.

Prezzi: B&B da £ 45.000 a 50.000, cena a £ 30.000.

Note: permanenza minima 2 giorni. Piscina, tennis, tiro con l'arco, ping-pong, biciclette. Escursioni.

LIMONETO

via del Platano, 3 • 96100 SIRACUSA
☎ e fax 0931717352
E-mail:limoneto@tin.it • http:www.emmeti.it./limoneto

● **L 12**

Posizione geografica: campagna.
Periodo di apertura: tutto l'anno, tranne il mese di novembre.
Associato a: Agriturist.
Presentazione: l'azienda è costituita da caseggiati di tipica costruzione rurale, attigui tra loro e siti su 6 ettari di terreno coltivato a limoni, ortaggi, alberi da frutta vari. Offre ospitalità in 6 camere con bagno per un totale di 12 posti letto, con letti aggiunti si possono ottenere 23 posti letto complessivi.
Ristorazione: H/B. Ristorante aperto al pubblico il sabato e la domenica. Cucina tipica della civiltà contadina siciliana confezionata con prodotti biologici aziendali. Cavatelli, ravioli di ricotta, carni alla brace, pasta c'angiovi, alivi fritti.
Prodotti aziendali: lemoncello, pomodori secchi, olive, capperi, olio.
Luoghi di interesse e manifestazioni locali: Fonte Ciane, teatro greco e parco archeologico, Noto barocca, necropoli di Pantalica, oasi di Vendicari, musei, Palazzolo fondata nel 664 a.C. Biennali di tragedie e commedie greche, Infiorata a Noto, sagra del miele, sagra delle olive, feste dei santi patroni.
Prezzi: pasto da £ 25.000 a 40.000. B&B a £ 55.000, H/B (cena) a £ 85.000 a persona. Sconto del 10% per i bambini fino ai 10 anni.
Note: accessibile agli handicappati. L'azienda è assicurata contro i rischi di R.C. Prato per prendere il sole, giochi all'aria aperta, trekking e passeggiate. Bocce, ping-pong, parco giochi per bambini. Raccolta di asparagi, borragine, more. Conferenze sulla coltivazione dei limoni. Biancheria, pulizia, riassetto, uso frigorifero, riscaldamento, posto macchina. Animali accolti previo accordo.

PANTALICA RANCH

c.da Chianazzo, s.p. 28 Solarino - Fusco - Sortino al km 8.900 • 96010 SORTINO
☎ e fax 0931942069 cell. 0368680181 – 0360294290
http:www.pantalicaranch.it
E-mail:pantalicaranch@pantalicaranch.it

● **I 10**

Posizione geografica: collina (350 m).
Periodo di apertura: tutto l'anno, solo su prenotazione.
Associato a: Agriturist.
Presentazione: l'azienda, sita nel cuore della valle dell'Anapo, è di circa 9 ettari coltivati principalmente a oliveto. Allevamento di cavalli, capre tibetane, galline, tacchini. Offre ospitalità in 6 caratteristiche casette per un totale di 24 posti letto.
Ristorazione: al-

l'interno di un'antica costruzione rurale. Piatti tipici: crocchette al finocchietto selvatico, frittata di asparagi selvatici, pasta al pesto di mandorle, costate di maiale alle erbe aromatiche locali, involtini mediterranei, dolci di ricotta, liquori alle erbe.
Prodotti aziendali: olio d'oliva, olive in salamoia, uova, formaggi, ricotta fresca, miele, marmellate, sapone all'olio d'oliva (antiallergico).
Luoghi di interesse e manifestazioni locali: necropoli di Pantalica, Siracusa, Noto, Sortino, museo dei "pupi", riserve naturali di Vendicari, Cava Grande del Cassibile e Fonte Ciane.
Prezzi: un pasto a £ 35.000, OR £ 45.000, H/B £ 80.000, F/B £ 95.000. Gratis per bambini fino a 3 anni, sconto del 30% dai 4 ai 7 anni.
Note: soggiorno minimo di 2 giorni. Tiro con l'arco, noleggio mountain bike. Si organizzano passeggiate e trekking a cavallo, visite guidate archeologiche e naturalistiche alla vicina necropoli di Pantalica, corsi di disegno e pittura, manipolazione dell'argilla e decori su varie forme, costruzione artigianale di canestri e panieri oltre a corsi di italiano e latino per stranieri.

"TERIAS"

via Firenze, 59 • 96013 CARLENTINI
☎ 095381301-095997212 fax 095445787
E-mail:terias@tiscalinet.it

▲ **I 11**

Posizione geografica: mare, fiume.
Periodo di apertura: da aprile a settembre e Pasqua.
Associato a: Agriturist.
Presentazione: tenuta di 35 ettari confinante con il mare e con il fiume San Leonardo. Offre ospitalità in 7 appartamenti indipendenti di cui 5 bilocali e 2 trilocali per un totale di 30 posti letto.
Prodotti aziendali: confetture, miele, arance, rosolio.
Luoghi di interesse e manifestazioni locali: Pantalica, Catania, Ragusa Ibla. Rappresentazioni classiche al teatro greco di Siracusa.
Prezzi: rivolgersi direttamente all'azienda. Sconti del 10% a chi presenta la guida (escluso il mese di agosto).
Note: permanenza minima di 2 notti, in alta stagione 4 notti. Raccolta di more e fichi d'India. Canoa, bocce, ping-pong, pallavolo, tiro con l'arco, trekking e passeggiate, escursioni e visite guidate, mountain bike.

VILLA LUCIA

traversa Mondello, 1 - c.da Isola • 96100 SIRACUSA
☎ 0931721007 fax 0931721587 cell. 0336888537

▲ **L 12**

Posizione geografica: mare.
Periodo di apertura: tutto l'anno.
Associato a: Agriturist.
Presentazione: l'azienda si estende su 2 ettari di parco verde. Offre ospitalità in camere o in miniresidence del tutto autonomi.
Luoghi di interesse e manifestazioni locali: Noto, Pantalica, Palazzolo Acreide, Caltagirone, Etna, piazza Armerina, Ragusa. Tragedie, festa di Santa Lucia 13/20 dicembre, festa Infiorata a Noto.
Prezzi: alloggio a partire da £ 50.000. Riduzioni per gruppi o lunghi periodi.
Note: piscina. Riscaldamento, uso frigorifero, angolo cottura, televisione, aria condizionata.

Trapani

LA PINETA

via Agrigento, 64 - Pianoneve • 91012 BUSETO PALIZZOLO
☎ 0923851227 cell. 0360768232

E 2

Posizione geografica: collina.
Periodo di apertura: tutto l'anno.
Associato a: Terranostra.
Presentazione: tipica costruzione rurale, in azienda di circa 8,5 ettari coltivati a vigneti, oliveti, frutteto, agrumeto, ortaggi. Allevamento di animali da cortile. Offre ospitalità in 6 camere con 12 posti letto e in 2 appartamenti con 12 posti letto.
Ristorazione: solo su prenotazione. Pasta reale.
Prodotti aziendali: vino, olio, salsa, miele, ortaggi, pollame, uova, frutta, latte, pasta reale.
Luoghi di interesse e manifestazioni locali: Segesta, Pianto Romano, Erice, Saline, costa Gaia, Scopello, riserva Zingaro, Bagli, museo della civiltà contadina. Festa paesana, Via Crucis, sagra del melone.
Prezzi: rivolgersi all'azienda, sconti del 10% per bambini fino a 10 anni, del 5% per letto aggiunto.
Note: solarium, ampia veranda a disposizione. Raccolta di funghi e asparagi. Giochi all'aria aperta, calcetto, parapendio, deltaplano, bocce, footing, tennis, tutto nelle vicinanze. L'azienda organizza escursioni alla ricerca di fossili e minerali e passeggiate in pineta con il trattore. Uso cucina, uso frigorifero, posto macchina. Animali accolti previo accordo.

FINAZZO CAMILLO

c.da Baida Molinazzo • 91014 CASTELLAMARE DEL GOLFO
☎ 092438051

E 3

Posizione geografica: collina.
Periodo di apertura: tutto l'anno.
Associato a: Turismo Verde.
Presentazione: tipica costruzione rurale, in azienda di circa 10 ettari con produzione di cereali, olive, ortaggi, uva da tavola. Offre ospitalità in 4 appartamenti dotati di servizi per un totale di 10/12 posti letto.
Ristorazione: H/B, F/B. Ristorante e pizzeria solo per gli ospiti. Pasta casereccia, pane casereccio, pomodori ripieni, dolci tipici con ricotta.
Prodotti aziendali: vino, olio, frutta, ortaggi, uova.
Luoghi di interesse e manifestazioni locali: riserva naturale dello Zingaro, Scopello, terme Segestane, Segesta, Erice, San Vito. Sagre paesane a maggio, agosto, settembre.
Prezzi: pasto a £ 25.000 più le bevande. B&B da £ 30.000 a 60.000. Riduzioni per famiglie da concordarsi con l'azienda.
Note: è gradita la prenotazione. Giochi all'aria aperta, trekking, mountain bike, passeggiate. Raccolta di asparagi, funghi, verdure varie. Uso di palestra, possibilità di partecipare alla caseificazione, corsi di gastronomia. Uso cucina, uso frigorifero, stoviglie, riscaldamento, posto macchina.

BAGLIO VAJARASSA

loc. Spagnola, 176 • 91025 MARSALA
☎ 0923968628 cell. 0330664755

F 1

Posizione geografica: riserva naturale.
Periodo di apertura: tutto l'anno.
Associato a: Turismo Verde, Terranostra.
Presentazione: tipica costruzione rurale storica che si estende su 5 ettari con produzione di vino biologico. Offre ospitalità in 5 camere matrimoniali con bagno in comune e in 5 piazzole per tende o caravan.

Ristorazione: H/B, F/B. Ristorante aperto al pubblico con 20 coperti. Cuscus, pesto vajarassa, pesce e altre specialità.
Prodotti aziendali: vino, olio, limoncello, conserve, uva, aloe, miele.
Luoghi di interesse e manifestazioni locali: Mozia, Saline, Nave Punica, Erice, Segesta, Selinunte, mulini a vento, musei. Vendemmia in azienda, mattanza del tonno, processioni di Pasqua.
Prezzi: pasto da £ 20.000 a 50.000. Alloggio a partire da £ 50.000. Sconto del 10% per i bambini fino a 10 anni.
Note: solo su prenotazione. Terrazza per prendere il sole, sala riunioni. Pesca, giochi all'aria aperta, trekking e passeggiate. Raccolta di finocchietto, asparagi, funghi. Possibilità di praticare vela, canoa. Osservazione ambientale, enologia, gastronomia, artigianato. Pulizia, riassetto, biancheria, prima colazione.

VILLA MARIA

via Torre di Mezzo, 71 • 91020 MARAUSA ☎ 0923841363

▲ **E 1**

Posizione geografica: pianura, mare.
Periodo di apertura: da maggio a settembre.
Presentazione: edificio di fine '700 in azienda di 8 ettari a indirizzo agricolo e silvicolo. Offre ospitalità in 6 appartamenti con 10 camere, di cui 6 con servizi privati e 4 con servizi in comune, per un totale di 25 posti letto e in 12 piazzole in agricampeggio.
Prodotti aziendali: uva, fichi, vino.
Luoghi di interesse e manifestazioni locali: Trapani, mare, isole Egadi, museo del sale, templi di Segesta e Selinunte, riserva naturale dello Zingaro, cittadina medioevale di Erice.
Prezzi: rivolgersi direttamente all'azienda.
Note: l'azienda dispone di strumenti agricoli della civiltà contadina. Cambio biancheria. Non si accettano animali.

DAMMUSI PASQUA

via Crispi, 27 • 91071 PANTELLERIA ☎ 0923911994

▲ **M 2**

Posizione geografica: mare, collina.
Periodo di apertura: da maggio a ottobre, per gli altri mesi contattare l'azienda.
Associato a: Turismo Verde, Villaggio Globale.
Presentazione: abitazione tipica pantesca (bioarchitettura), vigneti zibibbo D.O.C. Offre ospitalità in una casa autonoma con 2 camere da letto per un totale di 5 posti letto.
Prodotti aziendali: vini, ortaggi e frutta di stagione, capperi.
Luoghi di interesse e manifestazioni locali: acropoli punico-romana, lago vulcanico Specchio di Venere. Carnevale pantesco da Natale a martedì grasso, processione della Madonna della Morgana.
Prezzi: alloggio fino a £ 30.000.
Note: raccolta di funghi, corbezzoli, verdure di campo, mirto, piante officinali, rosmarino. Nuoto, birdwatching, parapendio, seawatching, jogging, vela, canoa, trekking e passeggiate, pesca, mountain bike. Percorsi storici, antropologici, naturalistici, salutari. Corsi celeri di coltivazione di zibibbo ad alberello, capperi, olivi.

Sardegna

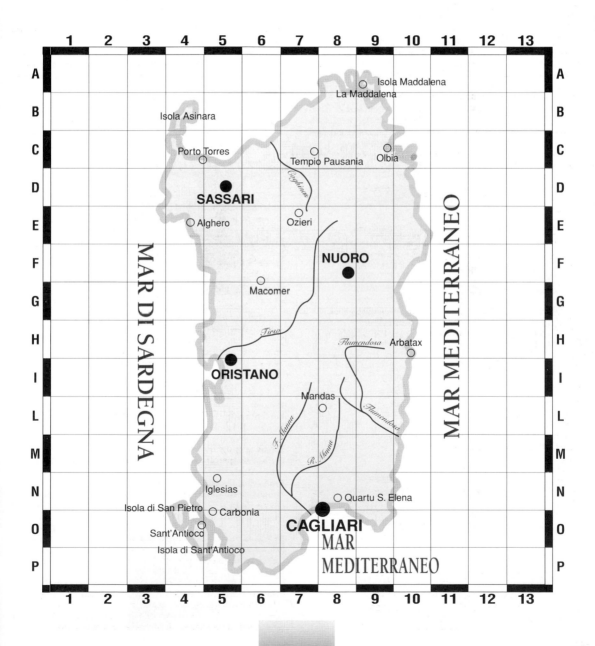

Cagliari

CORONA GIANFRANCO

loc. Pietra Marcata • 09031 ARBUS
☎ 0709758714

 L 5

Posizione geografica: montagna.
Periodo di apertura: tutto l'anno.
Associato a: Terranostra.
Presentazione: l'azienda si estende su 64 ettari con produzione di cereali. Allevamento di ovini ed equini. Offre ospitalità in 5 camere con bagno per un totale di 14 posti letto.
Ristorazione: H/B, F/B. Cucina tipica sarda.
Prodotti aziendali: ortaggi, formaggi, ricotta, dolci, uova.
Luoghi di interesse e manifestazioni locali: Piscinas, Ingurtosu, Costaverde, Scivu. Palio in azienda il 21 agosto, sagra e tosatura della capra in giugno, varie sagre nel periodo estivo.
Prezzi: pasto da £ 25.000 a 40.000. Alloggio a partire da £ 50.000.
Note: l'azienda offre la possibilità di partecipare alle attività aziendali come la caseificazione e organizza corsi di gastronomia. Equitazione con campo per salto a ostacoli, tiro con l'arco, giochi all'aria aperta, trekking e passeggiate, mountain bike. Baby sitting per bambini. Raccolta di asparagi, funghi, erbe medicinali. Uso frigorifero, uso televisione, riscaldamento, sala comune, parcheggio.

LA QUERCIA

loc. Riu Martini - Sibiri • 09031 ARBUS
☎ 0709756035

 L 5

Posizione geografica: collina.
Periodo di apertura: tutto l'anno.
Associato a: Terranostra.
Presentazione: nuova costruzione in azienda di 40 ettari coltivati a querceto. Allevamento di suini, conigli, pollame. Offre ospitalità in 6 camere con bagno.
Ristorazione: H/B. Ristorante aperto al pubblico. Cucina tipica sarda, porchetto allo spiedo, *crugugionis*, *seadas*, *pardulas*, piatti a base di funghi.
Prodotti aziendali: olio, olive, frutta.
Luoghi di interesse e manifestazioni locali: Costaverde, tempio di Antas. Sagra della capra, sagra delle olive, festa di Sant'Antonio in giugno.
Prezzi: pasto da £ 25.000 a 35.000. H/B da £ 60.000 a 65.000. Sconto del 30% per i bambini fino ai 4 anni.
Note: accessibile agli handicappati. Solo su prenotazione, soggiorno minimo di 3 notti. Raccolta di asparagi, funghi, frutti. Pallavolo e ping-pong, giochi all'aria aperta, trekking e passeggiate, escursioni e visite guidate. Trekking a cavallo fino alle dune di Piscinas e nei villaggi minerari. Osservazione ambientale. Biancheria, telefono in comune, uso frigorifero, riscaldamento, sala comune.

IS ALINOS

via dei Colombi, 20 • 09126 CAGLIARI
☎ 070401656 fax 070306360-070306704

N 8

Posizione geografica: pianura.
Periodo di apertura: tutto l'anno.

Presentazione: l'azienda si estende su una superficie di 10 ettari irrigui adibiti a foraggere per allevamento di cavalli. Offre ospitalità in 4 camere con bagno per un totale di 10 posti letto e in un piazzale per caravan.
Ristorazione: B&B, ristorante aperto al pubblico con minimo 20 coperti. Cucina sarda con prodotti genuini biologici.
Prodotti aziendali: miele, formaggi, dolci, frutta, ortaggi.
Luoghi di interesse e manifestazioni locali: parco dei Sette Fratelli, insediamenti archeologici, Cagliari, spiagge.
Prezzi: da definire con l'azienda.
Note: solo su prenotazione. Prato per prendere il sole, sala riunioni disponibile. Servizio di baby sitting e scuola di equitazione per bambini. Corsi di equitazione. Ping-pong, calcio balilla. Trekking e passeggiate, escursioni e visite guidate, mountain bike. Raccolta di asparagi, funghi, frutti di bosco. Animali accolti previo accordo.

F.LLI PIGA

loc. Baccalamanza • 09012 CAPOTERRA
☎ 070728131 - 0330317256

 N 7

Posizione geografica: a 800 m dal mare.
Periodo di apertura: da aprile a ottobre.
Associato a: Terranostra.
Presentazione: l'azienda si estende su 20 ettari con frutteto e coltivazione di pomodori in serra e serra a vetro, oliveto, mandorli e produzione di miele. Offre ospitalità in 10 camere matrimoniali.
Ristorazione: specialità sarde, pecora bollita e *panadas*.
Prodotti aziendali: mandorle, carrube, miele e frutta.
Luoghi di interesse e manifestazioni locali: il parco del Sulcis e la grande foresta naturale a macchia mediterranea.
Prezzi: pasto a £ 36.000, ogni 50 coperti 2 in omaggio. H/B £ 55.000, F/B £ 79.000. Riduzione del 30% per bambini fino a 4 anni.

ATZENI PIAZZA

loc. Maloccu • 09040 CASTIADAS
☎ 0709949076

 N 9

Posizione geografica: collina, mare.
Periodo di apertura: tutto l'anno.
Presentazione: azienda con coltivazioni di agrumi, ortaggi, frutta e allevamento di maiali, polli e conigli. Offre ospitalità in 4 camere, per un totale di 12 posti letto, e in 5 piazzole in agricampeggio.
Ristorazione: piatti tipici, pane fatto in casa, ravioli, dolci sardi, vino.
Prodotti aziendali: agrumi, uva, vino.
Luoghi di interesse e manifestazioni locali: siti archeologici, domus de janas, nuraghi. Festa di san Giovanni Battista il 24 giugno a Castiadas, sagre nel mese di agosto.

Prezzi: H/B da £ 55.000 a 60.000. Sconto del 30% per bambini di oltre 4 anni.
Note: in aprile e maggio il soggiorno minimo è di 3 giorni. Bocce, jogging, visite archeologiche. Cambio biancheria. Non si accettano animali.

BETTOLI M. PAOLA E ABIS GIAMPAOLO

loc. San Pietro, 2 • 09040 CASTIADAS
☎ 070995013 fax 070955122

N 9

Posizione geografica: mare, collina.
Periodo di apertura: tutto l'anno.
Presentazione: tipiche costruzioni rurali si accostano a moderne costruzioni su una superficie di 11 ettari con produzione di colture serricole, vigneto, frutteto. Offre ospitalità in 5 camere con bagno per un totale di 10 posti letto.
Ristorazione: H/B, F/B. Ristorante tipico aperto al pubblico. *Malloreddus* alla campidanese, *culurgionis* di ricotta e patate, panade, pane *frattau*, maialetto arrosto e tutti gli altri piatti tipici sardi.
Prodotti aziendali: confetture, miele, dolci, frutta, ortaggi.
Luoghi di interesse e manifestazioni locali: Villasimius, mare a 700 m, Costa Rey, complessi nuragici domus de janas, foresta Minni Minni. Festa dell'Immacolata il 15 agosto, sagra dell'uva in settembre.
Prezzi: pasto da £ 25.000 a 54.000. Sconto del 30% per i bambini fino a 4 anni e del 15% per letto aggiunto.
Note: accessibile agli handicappati. Solo su prenotazione. Tennis, trekking e passeggiate, escursioni e visite guidate. Calcetto, sport acquatici. Biancheria, prima colazione, cena, posto macchina.

DOMUS DE JANAS

loc. Sitò • 09040 CASTIADAS ☎ e fax 0709947034

N 9

Posizione geografica: mare, campagna.
Periodo di apertura: tutto l'anno.
Presentazione: l'azienda, immersa in un suggestivo contesto naturale, tra il mare e la campagna circostante, offre ospitalità in 3 miniappartamenti, dotati di servizi, con frigorifero e TV in camera, per un totale di 12 posti letto.
Ristorazione: H/B. Cucina nazionale, cucina tipica sarda e romana; su richiesta cucina vegetariana.
Prodotti aziendali: confetture, dolci, pollame.
Luoghi di interesse e manifestazioni locali: località balneari. Festa della Madonna del mare a Villasimius in agosto, processione al mare a Castiadas in agosto.
Prezzi: pasto da £ 30.000 a 55.000. B&B da £ 40.000 a 50.000, H/B da £ 65.000 a 80.000. Week-end, dalla cena del venerdì al pranzo della domenica, a £ 250.000. Riscaldamento £ 10.000 al giorno. Sconto del 30% per i bambini fino a 4 anni.
Note: in alta stagione solo su prenotazione. Prato per prendere il sole. L'azienda organizza gite in barca, visite alle grotte e ai nuraghi, immersioni subacquee. Equitazione, tennis, trekking e passeggiate, mountain bike. Biancheria, uso cucina, uso frigorifero, telefono in comune, posto macchina. Animali accolti previo accordo.

SA PERDA ARRUMBULADA

loc. Monte Porceddus • 09040 CASTIADAS - SAN VITO
☎ 0709949157

N 9

Posizione geografica: collina, mare.
Periodo di apertura: tutto l'anno.
Associato a: Associazione Biodinamica Demeter.
Presentazione: tipica costruzione rurale in azienda di 12 ettari con produzione di ortaggi, frutteto. Allevamento di suini. Offre ospitalità in 2 camere, con bagno in comune, per un totale di 4 posti letto e in 4 piazzole per tende o caravan.
Ristorazione: H/B, F/B. Ristorante aperto al pubblico solo su prenotazione con 20 coperti. Piatti tipici sardi, prodotti biologici aziendali.
Prodotti aziendali: frutta, ortaggi, confetture, salumi, uova, pollame.
Luoghi di interesse e manifestazioni locali: località marine. Sagre in vari periodi dell'anno, mostre di artigianato.
Prezzi: pasto da £ 30.000 a 50.000. Alloggio da £ 30.000 a 50.000. Sconto del 30% per i bambini fino a 7 anni.
Note: solo su prenotazione. Equitazione, giochi all'aria aperta, trekking e passeggiate, escursioni e visite guidate. Raccolta di asparagi, funghi, frutti selvatici. Partecipazione alle attività dell'azienda condotte con metodi biodinamici, osservazione ambientale. Telefono in comune, uso frigorifero, prima colazione.

CAMPO ANGELA E BOSCO ROSARIO

loc. Sito, 3 - Sabadi • 09040 CASTIADAS ☎ 0709947029

N 9

Posizione geografica: campagna.
Periodo di apertura: da maggio a ottobre.
Associato a: Terranostra.
Presentazione: a 7 km dal mare, con vigneto, frutteto e allevamento bovino. Offre ospitalità in 3 camere matrimoniali con 2 bagni comuni.
Ristorazione: solo per ospiti. Specialità africane.
Prezzi: H/B da £ 50.000 a 55.000. Riduzioni per gruppi.
Note: periodo minimo di soggiorno 3 giorni. Biancheria.

CESARÒ MARIA CATERINA

loc. Sabadi - Podere 71 • 09040 CASTIADAS ☎ 0709947050

N 9

Posizione geografica: a 8 km dal mare.
Periodo di apertura: dal 15 giugno al 15 settembre.
Associato a: Terranostra
Presentazione: azienda con frutteti, vigneti e produzione di ortaggi. Offre ospitalità in appartamento per un totale di 10 posti letto.
Ristorazione: ravioli, maialetto e pecora allo spiedo, *malloreddus*, minestrone, pane fatto in casa, torta di Saba, marmellata e biscotti fatti in casa.
Luoghi di interesse e manifestazioni locali: la foresta sa' Acqua Callente con i cervi.
Prezzi: cena agrituristica £ 40.000. H/B da £ 55.000 a 75.000. Riduzioni per gruppi.
Note: periodo minimo di soggiorno 3 giorni.

RONCHI ANGELA

loc. San Pietro - Podere 40 • 09040 CASTIADAS ☎ 070995016

N 9

Posizione geografica: a 1 km dal mare.
Periodo di apertura: da giugno a fine settembre.
Presentazione: l'azienda si estende su 2 ettari coltivati a vigneto (uva da tavola) e ortaggi. Offre ospitalità in 3 camere per un totale di 10 posti letto.
Ristorazione: tipici contorni e antipasti di verdure, bruschette.
Prodotti aziendali: verdura e frutta.
Luoghi di interesse e manifestazioni locali: costa Rei.
Prezzi: F/B £ 75.000 (bibite comprese).

FULVIO SANNA

via Maloccu • 09040 CASTIADAS ☎ 0709949060

● N 9

Posizione geografica: pianura, a 5 km dal mare.
Periodo di apertura: da maggio a settembre.
Associato a: Turismo Verde.
Presentazione: azienda di 207 ettari, in parte riservata a forestazione produttiva e in parte dedicata a frutteto. Produzione di ortaggi e floricoltura. Offre ospitalità in agricampeggio attrezzato.
Ristorazione: solo per gruppi e su prenotazione. Menu tradizionale, ravioli, agnello.
Prodotti aziendali: frutta, verdura, piante e fiori.
Luoghi di interesse e manifestazioni locali: zona archeologica di Cuilipiras, nuraghi, tombe dei Giganti, domus de janas.
Prezzi: pasto da £ 35.000 a 40.000. Piazzole da £ 10.000 a 15.000 a persona a notte. Riduzioni per comitive, gratis per bambini fino a 12 anni.

MINI MINI

via Masone Murtas, 46 • 09040 CASTIADAS ☎ 0709947039

● N 9

Posizione geografica: collina, a 5 km dal mare.
Periodo di apertura: tutto l'anno.
Associato a: Terranostra.
Presentazione: azienda di 20 ettari con oliveto, agrumeto, frutteto e ortaggi. Allevamento di ovini e animali di bassa corte.
Ristorazione: specialità sarde. Ravioli, *purceddu* arrostito.
Luoghi di interesse e manifestazioni locali: zona archeologica.
Prezzi: pasto a £ 36.000. H/B da £ 50.000 a 55.000. Riduzione del 30% per bambini fino a 4 anni.
Note: biancheria.

LA ROSA DEI VENTI

via Sarmentus - loc. San Pietro • 09040 CASTIADAS ☎ 070995071

● N 9

Posizione geografica: mare, montagna.
Periodo di apertura: tutto l'anno.
Associato a: Terranostra e Consorzio Vacanze Natura.
Presentazione: azienda con frutteto, orto biologico e allevamento di pecore, suini, cinghiali, polli, conigli. Accoglie ospiti in 4 camere, con 2 bagni comuni, per un totale di 10 posti letto.
Ristorazione: H/B e F/B. Arrosti allo spiedo, ravioli, *malloreddus*, pasta fresca, dolci sardi.
Prodotti aziendali: formaggio, marmellate e miele.
Luoghi di interesse e manifestazioni locali: località balneari. Sagre e feste paesane.
Prezzi: H/B da £ 55.000 a 60.000. Bambini fino a 1 anno £ 15.000, fino a 4 anni sconto del 30%.
Note: è possibile prenotare a partire da febbraio. Permanenza minima 3 giorni. Nelle vicinanze tennis, maneggio, parco giochi. Biancheria. Animali accolti previo accordo.

PUBUSINU

via Sella, 30 • 09010 FLUMINIMAGGIORE ☎ 0781580489

● M 5

Posizione geografica: montagna (300 m).
Periodo di apertura: tutto l'anno.
Presentazione: tipica costruzione rurale completamente ristrutturata immersa nel bosco. L'azienda, a conduzione familiare, produce frutta. Allevamento di suini, ovini, bovini. Offre ospita-

---

lità in 5 camere con bagno per un totale di 10 posti letto.
Ristorazione: H/B, F/B. Ristorante aperto al pubblico solo su prenotazione. Ravioli, pecora al pesto, arrosti di maialetto e capretto, bistecche di castrato alla brace e altre specialità sarde.

Prodotti aziendali: miele, dolci tipici, formaggi, pasta fresca, liquori.
Luoghi di interesse e manifestazioni locali: tempio punico-romano di Antas, mare a 10 km, grotte di su Mannau Arenas, tombe dei Giganti. Festa patronale e sagre paesane.
Prezzi: pasto tipico a £ 36.000. H/B a £ 70.000, F/B a 90.000. Bambini fino a 1 anno £ 10.000, sconto del 30% per i bambini da 1 a 4 anni.
Note: solo su prenotazione, periodo minimo di soggiorno 1 settimana. Raccolta di asparagi, frutti selvatici, funghi. Pingpong, calcio, tennis, pallavolo, pesca, giochi all'aria aperta, mountain bike, alpinismo. Biancheria, pulizia, riassetto, prima colazione, posto macchina.

GUTTURU MANDARA

via Vittorio Emanuele, 423 • 09010 FLUMINIMAGGIORE ☎ 0781580192

● M 5

Posizione geografica: a 7 km dal mare.
Periodo di apertura: da maggio a settembre.
Associato a: Terranostra.
Presentazione: offre ospitalità in 2 camere per un totale di 6 posti letto.
Ristorazione: ravioli fatti in casa, *purceddu*.
Prodotti aziendali: olio.
Luoghi di interesse e manifestazioni locali: grotte di su Mannau.
Prezzi: pasto a £ 36.000. H/B da £ 50.000 a 55.000. Riduzione del 30% per bambini fino a 4 anni.
Note: biancheria.

PEDRAPA

vico III Vittorio Emanuele, 15 • 09010 FLUMINIMAGGIORE ☎ 0781580533

● M 5

Posizione geografica: in paese, a 10 km dal mare.
Periodo di apertura: tutto l'anno.
Associato a: Terranostra.
Presentazione: offre ospitalità in 3 camere, di cui 2 con bagno comune e 1 con bagno privato, per un totale di 9 posti letto. L'azienda alleva bovini ed equini.
Ristorazione: solo su prenotazione. Ravioli di formaggio, malloreddus con salsiccia, agnello e maialetto allo spiedo, dolci tipici, sottoli e liquori.
Luoghi di interesse e manifestazioni locali: grotte di su Mannau, tempio di Antas.
Prezzi: pasto a £ 36.000. Alloggio da £ 25.000 a 30.000, H/B da £ 50.000 a 55.000. Riduzione del 30% per bambini fino a 4 anni.
Note: possibilità di fare passeggiate a cavallo. Biancheria, riassetto.

TURI GEST

via Barbagia, 1 • 09020 GESTURI ☎ 0709369288

● L 6

Posizione geografica: collina.
Periodo di apertura: da aprile a settembre.
Presentazione: offre ospitalità in camere o appartamenti.
Ristorazione: *malloreddus*, carni allo spiedo, salsiccia nostrana e affettati, *culingionis* (ravioli), pesce su ordinazione.
Luoghi di interesse e manifestazioni locali: il parco naturale Le Giare che ospita i cavallini selvatici, in estate feste con balli e canti sardi.
Prezzi: pasto da £ 30.000 a 40.000. Alloggio da £ 20.000 a 30.000. Sconti per comitive.
Note: escursioni ai nuraghi e alle domus de janas. Maneggio adiacente. Biancheria, pulizia.

SA TELLA

loc. Sa Tella • 09036 GUSPINI
☎ e fax 070974188-070970161 cell. 0336817928

● M 5

Posizione geografica: collina.
Periodo di apertura: tutto l'anno.
Presentazione: ex colonia montana, tra boschi, oliveti, frutteti, fonti perenni, querce secolari. Offre ospitalità in 7 camere con bagno e climatizzazione autonoma per un totale di 20 posti letto.
Ristorazione: ristorante aperto al pubblico con 50 coperti solo su prenotazione per almeno 10 persone.
Prodotti aziendali: miele, sottoli, sottaceti, salumi, olio, olive, verdure, frutta, carni bianche, liquori.
Luoghi di interesse e manifestazioni locali: miniere di Montevecchio, mare della costa Verde a 25 km, dune di sabbia di Piscinas, nuraghi, oasi del Cervo Sardo, coltelleria artigianale. Sagra del miele in giugno, sagra delle olive in dicembre, sagra dello zafferano in novembre, mostra mercato del coltello sardo, carnevale estivo, sagre popolari.
Prezzi: pasto da £ 25.000 a 40.000. H/B a £ 75.000, F/B £ 90.000.
Note: accessibile agli handicappati. Sala riunioni, prato, veranda. Raccolta di frutti di bosco, asparagi, cardi selvatici, more, fichi d'India, funghi. Bocce, calcetto, giochi all'aria aperta, equitazione, tennis, ping-pong. Escursioni in calesse con pony per bambini, escursioni verso i nuraghi, domus de janas, tombe dei Giganti, sulle tracce del cervo sardo, dei magnifici fenicotteri rosa, delle miniere di Montevecchio, delle grandiose dune di Piscinas. Visite in laboratori artigianali. Trekking e passeggiate, mountain bike. Biancheria, pulizia, riassetto, telefono in comune, prima colazione, riscaldamento, posto macchina.

DEL SARRABUS "L. MURGIA"

via Case Sparse - loc. S'Ollasteddu • 09043 MURAVERA
☎ e fax 070999016-070999078

● M 9

Posizione geografica: mare.
Periodo di apertura: tutto l'anno.
Associato a: Agritur.
Presentazione: tipica costruzione rurale in azienda di 11 ettari di terreno con produzione di agrumi. Offre ospitalità in 6 camere con bagno, in bungalow con 12 posti letto e in 5 piazzole per tende, roulotte e camper.

Ristorazione: H/B. Cucina sarda.
Prodotti aziendali: frutta.
Prezzi: pasto da £ 28.000 a 45.000. Alloggio da £ 35.000 a 45.000, H/B da £ 60.000 a 70.000. Sconto del 30% per i bambini fino a 8 anni.
Note: raccolta di asparagi e funghi. Calcio balilla, ping-pong, giochi all'aria aperta, equitazione, pesca, trekking e passeggiate, escursioni e visite guidate, mountain bike. Telefono in comune, sala comune. Animali accolti previo accordo.

LOI ERCOLE

via Nora, 143 • 09010 PULA
☎ 0709209007-0709245692

● P 7

Posizione geografica: mare.
Periodo di apertura: tutto l'anno.
Presentazione: l'azienda si presenta immersa in un suggestivo paesaggio.
Ristorazione: solo cena su prenotazione.
Luoghi di interesse e manifestazioni locali: città archeologica di Nora. Sagra di Sant'Egidio il 1° maggio, varie manifestazioni folkloristiche.
Prezzi: pasto da £ 25.000 a 35.000. H/B a £ 70.000.
Note: calcetto su campo erboso, equitazione, trekking e passeggiate, escursioni e visite guidate.

"SAN NICOLÒ GERREI" s.r.l.

via Lecca, 8 • 09040 SAN NICOLÒ GERREI
☎ e fax 070950316

● M 8

Posizione geografica: collina.
Periodo di apertura: tutto l'anno.
Associato a: Turismo Verde.
Presentazione: tipica costruzione in pietra e fango su 400 ettari coltivati a ortaggi. Allevamento di api, suini, daini. Offre ospitalità in 5 camere per un totale di 15 posti letto.
Ristorazione: H/B, F/B. Ristorante aperto al pubblico con 70 coperti. Cucina tipica sarda. Arrosti, ravioli fatti in casa.
Prodotti aziendali: marmellate, dolci, miele, funghi, vino, frutta, ortaggi, latticini.
Luoghi di interesse e manifestazioni locali: necropoli prenuragica, fonti sacre, nuraghi, attrazioni naturalistiche. Feste paesane da maggio a settembre.
Prezzi: pasto da £ 20.000 a 40.000, B&B fino a £ 30.000. Sconto del 50% per i bambini fino a 10 anni.
Note: solo su prenotazione. Periodo minimo di soggiorno 15 giorni. Prato per prendere il sole. Trekking e passeggiate, mountain bike. Raccolta di asparagi, frutti di bosco, funghi, lumache. Osservazione ambientale. Uso cucina, uso frigorifero, prima colazione. Animali accolti previo accordo.

SCHIRRU MARIO

loc. Terramaini, 5 • 09010 VILLA SAN PIETRO
☎ 0709209573

 O 7

Posizione geografica: collina.
Periodo di apertura: da aprile a settembre.
Associato a: Consorzio Agriturismo di Sardegna, Agriturist.
Presentazione: tipica costruzione rurale immersa nel verde tra prati alberati, con vista sul mare. Offre ospitalità in 6 camere con bagno per un totale di 11 posti letto.
Ristorazione: solo per gli ospiti. Cucina tipica sarda.
Luoghi di interesse e manifestazioni locali: zona archeologica di Nora.
Prezzi: H/B da £ 55.000 a 65.000. Riduzione del 50% per bambini fino a 4 anni.
Note: campo di calcio. Nelle immediate vicinanze è possibile praticare golf, tennis, equitazione. Biancheria.

CANU SEDDA

via Vittorio Emanuele, 135 • 09010 FLUMINIMAGGIORE
☎ 0781580300

 M 5

Posizione geografica: collina, a 10 minuti dal mare.
Periodo di apertura: da maggio a settembre.
Presentazione: 200 ettari di terreno a frutteto e oliveto. Allevamento di bovini da carne. Offre ospitalità in 2 camere matrimoniali con bagno.
Prodotti aziendali: frutta e verdura.
Luoghi di interesse e manifestazioni locali: tempio romano di Antas, grotte di su Mannau, porto turistico di Buggerru.
Prezzi: B&B £ 27.000. Riduzione del 30% per bambini fino ai 7 anni.
Note: biancheria.

Nuoro

ZEMINARIU

loc. Zeminariu • 08030 ATZARA ☎ 078465235

 H 8

Posizione geografica: collina (550 m), ai piedi del Gennargentu.
Periodo di apertura: tutto l'anno.
Associato a: Vacanze Natura.
Presentazione: casa rurale a 60 km da Oristano. Offre ospitalità in 3 camere con bagno e in 1 appartamento per un totale di 15 posti letto. Allevamento di mucche, pecore, maiali, animali da cortile. Terreno coltivato a vigneto e frutteto.
Ristorazione: 70 coperti. Pasta fatta in casa, prosciutto, maialetto, carne di agnello e di vitello.
Prodotti aziendali: formaggio, miele, vino.
Luoghi di interesse e manifestazioni locali: Gennargentu, abbazia di San Mauro, museo di scienze naturali, nuraghi.
Prezzi: pasto a £ 36.000. H/B £ 55.000, F/B £ 75.000. Riduzioni per gruppi.

FADDA PIETRO

via Limbara, 28 - Karale • 08030 AUSTIS ☎ 078467045

 G 8

Posizione geografica: montagna.
Periodo di apertura: tutto l'anno.

Presentazione: tipica costruzione rurale in azienda di 20 ettari con allevamento di caprini, ovini, bovini, suini. Offre ospitalità in 10 camere con bagno per un totale di 15 posti letto.
Ristorazione: H/B, F/B. Ristorante aperto al pubblico. Ravioli, *malloreddus*, *seadas*, salumi, formaggi, carni nostrane arrosto o lesse, prodotti aziendali.
Prodotti aziendali: formaggi, salumi, carni.
Luoghi di interesse e manifestazioni locali: nuraghi, chiesa di Sant'Antonio, tombe dei Giganti, parco di Neoneli. Festa del patrono la 3ª domenica di settembre.
Prezzi: pasto da £ 20.000 a 30.000. H/B £ 50.000, F/B £ 70.000. Sconto del 50% per i bambini fino a 10 anni.
Note: caseificazione, artigianato, osservazione ambientale, giochi all'aria aperta.

LA QUERCIA

loc. Arelò • 08030 AUSTIS ☎ 078467054

 G 8

Posizione geografica: montagna (860 m)
Periodo di apertura: tutto l'anno.
Presentazione: azienda agropastorale. Offre ospitalità in 4 camere con bagno per un totale di 10 posti letto e in 6 camere con bagno in comune.
Ristorazione: pasta fatta in casa, ravioli di formaggio, arrosto di agnello, *purceddu*, cavallo, vitello.
Prodotti aziendali: formaggio, frutta, verdura, carni.
Luoghi di interesse e manifestazioni locali: parco regionale di Mionili.
Prezzi: pasto £ 30.000. H/B £ 55.000, F/B £ 75.000. Riduzioni per bambini fino ai 10 anni.
Note: accessibile agli handicappati. Escursioni a piedi e a cavallo all'interno dell'azienda. Biancheria.

PISANO GIUSEPPINA

loc. Sargalasi • 08030 AUSTIS ☎ 078467113-078467287

 G 8

Posizione geografica: montagna.
Periodo di apertura: tutto l'anno.
Presentazione: azienda di 90 ettari che alleva capre, pecore, suini, conigli e faraone. Accoglie ospiti in 8 camere, di cui 2 con bagno privato e 6 con 3 bagni comuni, per un totale di 16 posti letto e in 10 piazzole in agricampeggio.
Ristorazione: ravioli, gnocchetti, fregola, maialetto, agnello, cinghiale e seadas.
Prodotti aziendali: formaggi, salumi, miele, pasta fresca.
Luoghi di interesse e manifestazioni locali: parco del daino e dell'asino sardo, zona archeologica.
Prezzi: £ 30.000 a persona. Sconti per bambini con meno di 10 anni.
Note: è gradita la prenotazione. Tennis. Animali accolti previo accordo.

LU STILLICCIONI

via Nazionale, 68 • 08020 BUDONI
☎ 0784844049 - 0330783065

 D 10

Posizione geografica: collina sul mare.
Periodo di apertura: da giugno a settembre.
Presentazione: costruzione rurale in azienda di 300 ettari coltivati a frutteto e vigneto. Accoglie ospiti in appartamenti bifamiliari completamente arredati, con cucina. Allevamento di pecore, cavalli, maiali.
Ristorazione: pasta fatta a mano, carne, salsicce, prosciutti, cordicelle d'agnello al forno con patate.

Prodotti aziendali: miele, formaggio.
Luoghi di interesse e manifestazioni locali: porto Tiolo, Posada, villaggi nuragici, chiese.
Prezzi: pasto a £ 40.000 per adulti e £ 25.000 per bambini. Una settimana in appartamento da 4 persone £ 1.000.000, F/B £ 100.00 a persona.
Note: accessibile agli handicappati. Parco giochi, piscina. Si organizzano escursioni a cavallo. Nelle vicinanze si trovano campi da calcetto, tennis e bocce.

RIFUGIO GORROPU

vico II Enrico Fermi, 6 • 08022 DORGALI
☏ e fax 078496241 ☏ 078494897

 F 10

Posizione geografica: collina.
Periodo di apertura: rivolgersi direttamente all'azienda.
Presentazione: con i suoi posti letto il piccolo campeggio, posto alle pendici della collina, si rivela in zona l'unico punto di ristoro nel suo genere.
Ristorazione: l'azienda organizza pranzi tradizionali tipici.
Luoghi di interesse e manifestazioni locali: Dorgali, varie attrazioni naturalistiche.
Prezzi: rivolgersi direttamente all'azienda. Sconti particolari per gruppi scolastici e comitive.
Note: l'azienda organizza itinerari fotografici, immersioni subacquee, escursioni speleologiche e in mountain bike, visite guidate, trekking e passeggiate.

SEPARADORGIU

via Alessandro Manzoni, 23 • 08023 FONNI
☏ 078457492 cell. 03683162844

 G 9

Posizione geografica: montagna.
Periodo di apertura: rivolgersi direttamente all'azienda.
Presentazione: l'azienda si estende su 80 ettari coltivati a pineta e roverella. Offre ospitalità in 4 camere, con bagno comune, per un totale di 12 posti letto e in 5 piazzole in agricampeggio per tende.
Ristorazione: F/B. Ristorante aperto al pubblico con circa 20 coperti. Cucina tipica locale.
Prodotti aziendali: confetture, dolci, funghi, miele.
Luoghi di interesse e manifestazioni locali: basilica della Madonna dei Martiri, tombe dei Giganti. Festa della Madonna con processione in costume locale in giugno, palio di Fonni in agosto, festa del pastore in settembre.
Prezzi: pasto da £ 37.000 a 50.000. OR da £ 35.000. Sconto del 30% per i bambini sotto gli 8 anni.
Note: solo su prenotazione. Raccolta di castagne, frutti di bosco, funghi. Osservazione ambientale, caseificazione. Possibilità di praticare alpinismo, sci alpinismo e discesa, trekking e passeggiate, escursioni e visite guidate, pesca, mountain bike. Giochi di sala per i bambini. Biancheria, pulizia, prima colazione, riscaldamento, sala comune, posto auto. Animali accolti previo accordo.

URRUI

viale del Lavoro, 157 • 08023 FONNI ☏ 078458376

 G 9

Posizione geografica: montagna.

Periodo di apertura: tutto l'anno.
Presentazione: tipica costruzione rurale. Allevamento avicolo, ovino, suino e di cinghiali. A disposizione stanze nelle vicinanze. Laghetto con allevamento di trote.
Ristorazione: tipica cucina sarda con *malloreddus*, pasta fatta in casa, ravioli, insaccati, sottaceto, ricottine, carne di cinghiale, cavallo, faraona, pecora, maiale.
Prodotti aziendali: salumi, insaccati, formaggi, carne.
Luoghi di interesse e manifestazioni locali: a 1,5 km lago Taloro, zone archeologiche.
Prezzi: pasto a £ 35.000.
Note: escursioni naturalistiche a piedi e a cavallo. Possibilità di campeggio. Si organizzano gare di pesca.

FUEGO

reg. Conchedda • 08020 GAVOI ☏ e fax 078452052

 G 8

Posizione geografica: montagna.
Periodo di apertura: tutto l'anno.
Associato a: Agriturist, Turismo Verde.
Presentazione: tipica costruzione rurale in azienda di 13 ettari coltivati a ortaggi, frutteto e pascolo. Allevamento di equini. Offre ospitalità in 3 camere, con servizi comuni, per un totale di 8 posti letto e in piazzole per tende e camper.
Ristorazione: H/B, F/B. Ristorante aperto al pubblico con 50 coperti. Cucina tipica sarda barbaricina, ravioli, arrosti, *sevadas*.
Luoghi di interesse e manifestazioni locali: attrazioni naturalistiche, zone archeologiche, lago di Gusana, monte Spada. Feste campestri in luglio, sagra delle patate, del formaggio, dei funghi a novembre.
Prezzi: pasto da £ 30.00 a 40.000. H/B £ 60.000, F/B £ 80.000. Sconto del 10% per i bambini fino a 10 anni.

Note: gradita la prenotazione. Pesca, giochi all'aria aperta, equitazione, tennis, trekking e passeggiate, escursioni e visite guidate. Raccolta di funghi, asparagi, castagne, frutti di bosco. Giochi di sala. Cinema nelle vicinanze.

ANTICHI SAPORI DA SPERANZA

via Cagliari, 190/192 • 08020 GAVOI ☏ 078452021

 G 8

Posizione geografica: montagna.
Periodo di apertura: tutto l'anno.
Associato a: Vacanze Natura.
Presentazione: piccola costruzione rurale. Nelle vicinanze offre ospitalità in 6 camere con bagno per un totale di 15 posti letto.
Ristorazione: minestre con erbe selvatiche, pasta fatta in casa, sottoli, cardi, insaccati.
Prodotti aziendali: insaccati, miele, formaggi, marmellate.
Luoghi di interesse e manifestazioni locali: museo dell'azienda delle arti contadine, domus de janas, tombe dei Giganti, nuraghi, lago di Gusana.
Prezzi: pasto da £ 20.000 a 35.000. H/B £ 55.000, F/B £ 75.000. Sconto 30% per bambini fino a 8 anni.
Note: escursioni naturalistiche, trekking, campetti gioco.

SEDDA PIERANGELO

via Sant'Antioco, 15 • 08020 GAVOI
☎ 078453154

● G 8

Posizione geografica: dislocata in 2 complessi di cui il primo a 100 m di altitudine e il secondo a 850 m vicino al lago.
Periodo di apertura: fine settimana.
Associato a: Terranostra.
Presentazione: costruzione del '900 su 4 piani. Allevamento di capre, pecore, maiali, agnelli, mucche. Coltivazioni di meli e peri. Offre ospitalità in 5 camere presso il centro storico.
Ristorazione: piatti tipici, pecora in cappotto, ravioli, prosciutto, *sebadas*.
Prodotti aziendali: formaggio, prosciutto.
Luoghi di interesse e manifestazioni locali: santuari, nuraghi.
Prezzi: F/B £ 72.000. Riduzioni per bambini.
Note: solo su prenotazione. Escursioni a cavallo. Raccolta di asparagi selvatici.

FONTANA ROTUNDA

via P. Raffaele Melis, 3 • 08030 GENONI
☎ 0782810150

● H 7

Posizione geografica: collina (350 m).
Periodo di apertura: tutto l'anno.
Presentazione: nuova costruzione. Allevamento di bestiame, pecore, maiali, galline, conigli. Vigneto, oliveto e mandorli. Offre ospitalità in un locale con camera di 3 posti letto e cucina. Disponibilità di stanze nelle vicinanze.
Ristorazione: tipica cucina sarda con pasta fatta in casa.
Prodotti aziendali: prosciutto, salsicce, formaggi. Vendita dei propri prodotti.
Luoghi di interesse e manifestazioni locali: altopiano della Giara, nuraghi, Sarcillano.

LATTAS

loc. Lattas • 08020 IRGOLI ☎ 0784978047

● F 10

Posizione geografica: mare, collina.
Periodo di apertura: tutto l'anno.
Associato a: Terranostra.
Presentazione: nuova costruzione in azienda di 2 ettari con produzione di oliveto, frutteto. Allevamenti vari. Offre ospitalità in 3 camere, con servizi comuni, per un totale di 7 posti letto.
Ristorazione: H/B, F/B. Piatti tipici sardi e nazionali.
Prodotti aziendali: olio, miele, uova.
Luoghi di interesse e manifestazioni locali: golfo di Orosei, monte Tuttavista, villaggi nuragici, musei, botteghe artigianali.
Prezzi: pasto da £ 26.000 a 38.000. Alloggio da £ 30.000 a 50.000. Sconto del 30% per i bambini fino ai 4 anni.
Note: accessibile agli handicappati. Solo su prenotazione. Raccolta di asparagi, funghi, frutti di bosco.

Gioco delle bocce, tennis, equitazione nelle vicinanze, giochi all'aria aperta. Artigianato, partecipazione ai lavori aziendali, osservazione ambientale. Biancheria, pulizia, telefono in comune, riscaldamento, sala comune, posto macchina.

SANT'ELENE

via don Minzoni, 2 • 08020 IRGOLI ☎ 078497519

● F 10

Posizione geografica: collina.
Periodo di apertura: da maggio a settembre.
Presentazione: tipica costruzione rurale. Allevamento di ovini, suini, bovini. Offre ospitalità in 1 appartamento con bagno in comune per un totale di 8 posti letto.
Ristorazione: punto di ristoro all'aperto con 50 coperti. Cucina sarda, *macarrones de busa*, *culurjones*, *porcetto* e agnello arrosto, pecora bollita, *sevadas*.
Prodotti aziendali: formaggi, olio, vino.
Luoghi di interesse e manifestazioni locali: siti archeologici, spiagge e scogliere. Festa patronale, festival dell'organetto, mostre e altre manifestazioni culturali sulle tradizioni popolari.
Prezzi: pasto a £ 35.000. Alloggio a £ 50.000.
Note: solo su prenotazione, periodo minimo di soggiorno 3 giorni. Possibilità di accedere alle strutture sportive del comune: tennis, bocce, calcetto, calcio. Trekking e passeggiate. Orientamento, osservazione ambientale. Prima colazione, pulizia, riassetto.

SETTILE

via Funtana Manna, 41 • 08020 IRGOLI ☎ e fax 078497430

● F 10

Posizione geografica: collina.
Associato a: Turismo Verde.
Presentazione: antica costruzione rurale. Produzione di vigneto, oliveto, frutteto, orto. Allevamento di maiali, pecore e galline. Offre ospitalità in 5 camere doppie con bagno, 1 camera tripla e 1 quadrupla con bagno comune.
Ristorazione: 50 coperti. Specialità sarde, pasta fatta in casa, maialetto arrosto.
Prodotti aziendali: formaggio, miele, vino, insaccati, ortaggi e frutta.
Luoghi di interesse e manifestazioni locali: zone naturalistiche, museo archeologico, chiese, nuraghi, antichi sepolcri.
Prezzi: pasto a £ 30.000. H/B da £ 60.000 a 75.000, F/B da £ 70.000 a 85.000.
Note: area giochi per bambini. In allestimento campo da bocce, campo da tennis e parco giochi per bambini. Biancheria, posto macchina.

MUTZU FRANCESCO

loc. Valverde • 08020 LULA
☎ 0784416635-0784200351-078493504-0784416755

● F 9

Posizione geografica: ai piedi del monte Albo (570 m).
Periodo di apertura: tutto l'anno.
Associato a: Agriturist.
Presentazione: tipica costruzione rurale su 5 ettari. Offre ospitalità in 6 camere con bagno e in 2 appartamenti per un totale di 12 posti letto e in 5 piazzole attrezzate per agricampeggio.
Ristorazione: sala ristorante con 15 coperti. Cucina tipica sarda e mediterranea.
Prodotti aziendali: dolci, erbe, latticini, miele, olio.
Luoghi di interesse e manifestazioni locali: attrazioni naturalistiche del monte Albo. Festa di Sant'Antonio il 16/17 gennaio, festa di San Francesco dall'1 al 10 maggio con novena, festa di San Nicola la 1ª domenica di settembre, festa di Nostra Signora del Miracolo l'8/9 settembre, festa di San Matteo la 3ª domenica di settembre.

Prezzi: pasto da £ 30.000 a 40.000. Alloggio da £ 35.000 a 45.000. Sconto del 10% per i bambini fino ai 10 anni.

Note: accessibile agli handicappati. Solo su prenotazione, periodo minimo di soggiorno 1 settimana. Prato per prendere il sole, sala riunioni disponibile, giochi all'aria aperta, equitazione. Raccolta di frutti di bosco e funghi. Osservazione ambientale, alpinismo, arrampicata, trekking e passeggiate, escursioni e visite guidate. Posto macchina.

COSTIOLU

s.s. 389 • 08100 NUORO
078431134-078430948 e fax 078433032
cell. 03483834178

● F 8

Posizione geografica: montagna (700 m) a 10 km da Nuoro, panoramica sul Gennargentu.

Periodo di apertura: tutto l'anno.

Associato a: Agriturist.

Presentazione: casale ristrutturato. L'azienda si estende su 100 ettari tra terreni coltivati, frutteti, boschi, pascoli. Allevamento di ovini, caprini, suini, bovini, equini, api. Offre ospitalità in 4 camere, di cui 2 con bagno, per un totale di 12 posti letto e in agricampeggio.

Ristorazione: H/B, F/B, soggiorno diurno per famiglie e gruppi con pranzo o merenda (minimo 10 persone). Cucina tipica.

Prodotti aziendali: latticini, carni, salumi, miele, uova, olio, frutta, ortaggi.

Luoghi di interesse e manifestazioni locali: villaggi nuragici, Noddule con pozzo sacro. Sagra del Redentore a Nuoro in agosto, festa di San Francesco in maggio, tosatura delle pecore in maggio, carnevale a Mamoiada, varie feste e sagre a Orgosolo, Oliena, Orune.

Prezzi: soggiorno diurno con pranzo da £ 20.000 a 42.000. H/B da £ 60.000 a 80.000, F/B da £ 65.000 a 95.000. Ospitalità per tende e caravan. Bambini sotto i 4 anni gratis, da 4 a 8 anni sconto del 30%.

Note: accessibile agli handicappati. Solo su prenotazione. Osservazione ambientale. Pesca, equitazione, trekking e passeggiate, mountain bike. Raccolta di funghi, asparagi, bietole e pere selva-

tiche, ghiande per suini. Possibilità di assistere o partecipare ai lavori aziendali. Biblioteca specializzata sul territorio di Nuoro e le sue genti. Sala soggiorno e ristoro, riscaldamento, posto macchina custodito.

"TESTONE"

via Giuseppe Verdi • 08100 NUORO ☎ 078373954

● F 8

Posizione geografica: alta collina.

Periodo di apertura: tutto l'anno.

Associato a: Agriturist.

Presentazione: tipica stalla restaurata in azienda di 300 ettari. Allevamento di ovini, bovini, suini, equini, trote. Offre ospitalità in 5 camere, dotate di servizi comuni, per un totale di 10 posti letto e in 5 piazzole per un totale di 15 posti in agricampeggio.

Ristorazione: H/B, F/B. Ristorante aperto al pubblico. Prodotti biologici, cucina tipica barbaricina.

Prodotti aziendali: formaggi, miele, salumi.

Luoghi di interesse e manifestazioni locali: museo delle tradizioni popolari, zone archeologiche, artigianato, foreste

demaniali. Sagra del Redentore in agosto, sfilata dei costumi sardi.

Prezzi: pasto da £ 20.000 a 35.000. H/B £ 55.000, F/B £ 75.000. Sconti del 20% per i bambini fino a 10 anni, del 10% per la 2ª settimana, del 5% per letto aggiunto.

Note: solo su prenotazione. Sala riunioni disponibile. Tiro con l'arco, pesca, giochi all'aria aperta, trekking e passeggiate, escursioni e visite guidate, mountain bike. Raccolta di asparagi, funghi, more. Canoa. Educazione ambientale per bambini e colonie estive. Corsi di artigianato, gastronomia, caseificazione e agricoltura biologica. Biancheria, prima colazione, uso frigorifero, posto macchina.

ROCCAS

piazza Vittorio Emanuele, 9 • 08100 NUORO
☎ e fax 078436565-078434345

● F 8

Posizione geografica: parco del Monte Ortobene, riserva naturale (900 m).

Periodo di apertura: da maggio a settembre.

Associato a: Agriturist.

Presentazione: tipica costruzione rurale in azienda di 30 ettari con produzione di miele, ortaggi, frutta. Allevamento di caprini, ovini, bovini, suini. Offre ospitalità in piazzole in agricampeggio per tende e sosta caravan.

Ristorazione: ristorante aperto al pubblico. *Porchetto selvatico*, antipasti caserecci, secondi a base di verdure e carne, dolci a base di miele.

Prodotti aziendali: miele, vino, ortaggi, carni, salumi, latticini.

Luoghi di interesse e manifestazioni locali: parco del Gennargentu, nuraghi, fonti sacre, museo del costume. Festa del Redentore il 29 agosto, festa della montagna.

Prezzi: pasto a £ 35.000 (menu turistico £ 30.000), H/B £ 50.000.

Note: su prenotazione. Raccolta di funghi, asparagi, pinoli. Tiro al piattello, osservazione ambientale, archeologia, tiro con l'arco, giochi all'aria aperta, trekking e passeggiate, escursioni e visite guidate in Supramonte.

ENATUDA

via Bixio, 11 • 08025 OLIENA
☎ 0784287066

● G 9

Posizione geografica: collina, ai piedi del monte Corrasi. A 20 minuti dal mare di Cala Gonone.

Periodo di apertura: tutto l'anno.

Associato a: Terranostra.

Presentazione: vecchia costruzione rurale immersa nel verde. Colture di olivi, viti e mandorli.

Ristorazione: pane frattau, ravioli, bucatini, gnocchi, maialetto, capretto, agnello, cinghiale.

Prodotti aziendali: olio, vino, miele.

Luoghi di interesse e manifestazioni locali: risorgiva carsica di Su Gologone, valle di Lanaittu, villaggio di Tiscali. Grotte di Su Bentu e Sa 'e Corbeddu meta di speleologi. Festa per il Corpus Domini, sagre paesane, a Ferragosto sfilata in costume a cavallo.

Prezzi: pasto a £ 36.000. H/B £ 55.000, F/B £ 72.000. Proposta week-end, dalla cena del venerdì al pranzo della domenica, £ 137.000. Sconto del 30% per bambini fino ai 4 anni.

Note: escursioni naturalistiche. Biancheria, riscaldamento.

"PALAI"

via San Sebastiano, 6 • 08020 OLLOLAI
☎ 078451532 cell. 03381582784

● G 7

Posizione geografica: collina, al centro della Sardegna, nella Barbagia di Ollolai.
Periodo di apertura: da maggio a settembre tutti i giorni. Gli altri mesi il week-end su prenotazione.
Presentazione: tipica costruzione rurale in azienda di 80 ettari coltivati a cereali, ortaggi. Allevamento di ovini, bovini, equini, suini. Offre ospitalità in 10 camere con bagno.
Ristorazione: H/B, F/B. Ristorante aperto al pubblico con 80 coperti. Cucina tipica di produzione aziendale.
Prodotti aziendali: latticini, formaggi, salumi, miele, dolci, ortaggi.
Luoghi di interesse e manifestazioni locali: chiesetta di San Basilio, lago Gusana, lago Taloro, itinerari archeologici e naturalistici. Sagre paesane, sagra del formaggio, Fiore Sardo.
Prezzi: pasto da £ 25.000 a 35.000. F/B da £ 50.000 a 80.000, alloggio da £ 40.000 a 60.000. Sconto del 30% per bambini fino a 10 anni.
Note: accessibile agli handicappati. Solo su prenotazione, periodo minimo di soggiorno 4 giorni. Prato per prendere il sole, sala riunioni disponibile. Giochi all'aria aperta, equitazione, trekking e passeggiate, escursioni e visite guidate, mountain bike. Raccolta di asparagi, funghi, castagne, noci. Osservazione ambientale, gastronomia, caseificazione, giardinaggio, artigianato. Animazione e canto per bambini. Telefono in comune, prima colazione, riscaldamento, posto macchina.

PALAS DE SERRA

largo San Giorgio, 10 • 08020 ONIFAI ☎ 0784978174

● G 8

Posizione geografica: collina.
Periodo di apertura: da maggio a settembre.
Associato a: Turismo Verde.
Presentazione: tipico edificio rurale accanto a moderna costruzione. Offre ospitalità in 6 camere con bagno per un totale di 17 posti letto.

Ristorazione: cucina tipica sarda. Piatti a base di agnello e maialetto, sevadas, frutta.
Prodotti aziendali: latticini, miele, insaccati.
Luoghi di interesse e manifestazioni locali: mare (6 km), montagna (2 km). Folklore e feste paesane.
Prezzi: pasto a £ 35.000. OR a £ 35.000. Gratis per bambini fino a 3 anni, sconto del 50% da 3 a 10 anni.
Note: accessibile agli handicappati. Solo su prenotazione, periodo minimo di permanenza 1 settimana. Prato per prendere il sole. Sala riunioni disponibile. Alpinismo, mountain bike, equitazione, trekking. Giochi all'aria aperta. Artigianato, caseificazione, gastronomia, giardinaggio, osservazione ambientale. Raccolta di asparagi, funghi, mirto. Cambio biancheria settimanale, uso frigorifero, sala comune, posto macchina, parcheggio custodito.

BALVIS SEBASTIANO

loc. Usurtula • 08026 ORANI ☎ 078474693

● G 7

Posizione geografica: collina.
Periodo di apertura: tutto l'anno.
Presentazione: vecchia costruzione rurale con terreno coltivato a frutteto. Accoglie ospiti in 2 stanze con 5 posti letto.
Ristorazione: pasta fatta in casa, gnocchi e ravioli, maialetto allo spiedo.
Prodotti aziendali: formaggio.
Luoghi di interesse e manifestazioni locali: monte Gonari, nuraghi.
Prezzi: pasto da £ 25.000 a 35.000. H/B £ 50.000, F/B £ 65.000, B&B £ 25.000. Sconto del 20% per bambini fino a 8 anni.
Note: cortile con giochi. Biancheria, riassetto.

SPINA GIOVANNI

loc. Juanne Soro • 08028 OROSEI ☎ 078491214

● F 10

Posizione geografica: montagna.
Periodo di apertura: da Pasqua a ottobre.
Presentazione: azienda di 45 ettari a seminativo e bosco. Allevamento di ovini, suini, equini e caprini. Offre ospitalità in 15 piazzole in agricampeggio.
Ristorazione: maialetto arrosto, pecora in capotta, gnocchetti sardi, sevadas.
Prodotti aziendali: miele, vino, acquavite, formaggio, mirto.
Luoghi di interesse e manifestazioni locali: Dorgali, grotte del Bue Marino a Cala Gonone, regione del Supramonte e di Orgosolo, parco naturale di Biderosa. Festa patronale di San Giacomo il 25 luglio, antica festa del Rimedio la seconda domenica di settembre.
Prezzi: pasto da £ 30.000 a 40.000. Sconto del 30% per bambini fino a 10 anni.
Note: escursioni a piedi e a cavallo. Attività di caseificazione e preparazione del mirto sardo. Non si accettano animali.

FRAU FRANCESCO

vico I Taloro • 08020 OVODDA ☎ 078454338

● G 7

Posizione geografica: montagna.
Periodo di apertura: tutto l'anno.
Presentazione: tipica costruzione rurale circondata da terreni coltivati biologicamente a ortaggi, frutteti, oliveti e da boschi di lecci, sugheri, querce. Offre ospitalità in 6 camere con bagno per un totale di 10 posti letto.
Ristorazione: H/B, F/B. Cucina tradizionale, maialetto, agnello, pecora o capra in cappotto, vitello arrosto o in umido, ravioli di tre qualità, pizzudi.
Prodotti aziendali: carni, formaggi, salumi, ortaggi, frutta, vino.
Luoghi di interesse e manifestazioni locali: laghi, zone archeologiche, tombe dei Giganti, domus de janas, nuraghi. Festa di San Pietro dal 28 al 30 giugno, tosatura delle pecore con processione di costumi sardi il 15 agosto, festa del Mercoledì delle Ceneri.
Prezzi: pasto a £ 35.000. H/B £ 60.000, F/B £ 80.000. Gratis i bambini fino a 4 anni, sconto del 30% per i bambini da 4 anni in su.
Note: corsi di caseificazione e di coltivazione biologica. Pesca, giochi all'aria aperta, equitazione, escursioni e visite guidate. Raccolta di mirto, funghi nei boschi a settembre, corbezzolo, more, prugne e pere selvatiche, erbe per minestroni. Caccia, sci. Sala di ristoro con televisione, parcheggio custodito.

ALESSANDRO VACCA

via Sebastiano Satta, 7 • 08020 OVODDA
☎ 078454103 cell. 03471922288

● G 7

Posizione geografica: montagna.

Periodo di apertura: tutto l'anno.
Presentazione: tipica costruzione ristrutturata in azienda di 85 ettari con allevamento di ovini, bovini, equini, suini. Offre ospitalità in 3 camere per un totale di 7 posti letto.
Ristorazione: H/B, F/B. Gnocchetti, ravioli, maialetto, agnello, pecora bollita, prosciutto, salsicce, salame, guanciale. Tutto confezionato con prodotti aziendali.
Luoghi di interesse e manifestazioni locali: nuraghi, domus de janas, tombe dei Giganti. Sagre paesane, "Pariglias" (esibizioni a cavallo) la prima domenica di luglio, tosatura delle pecore.
Prezzi: pasto a £ 35.000. B&B a £ 30.000, H/B £ 60.000, F/B £ 85.000. Sconto del 30% per i bambini fino a 5 anni.
Note: solo su prenotazione. Giochi all'aria aperta, equitazione, mountain bike. Raccolta di frutti di bosco e funghi. Caseificazione, osservazione ambientale, orientamento.

GIACOBBE GIUSEPPE

loc. Su Calonigu • 08048 TORTOLÌ
In inverno ☎ 0782623671 fax 0782624627
In estate ☎ e fax 0782667485

● I 10

Posizione geografica: mare.
Periodo di apertura: tutto l'anno, la ristorazione solo da giugno al 15 di agosto.
Associato a: Agriturist.
Presentazione: villa padronale su 20 ettari coltivati prevalentemente ad agrumeto. Allevamento di ovini e suini. Offre ospitalità in 2 appartamenti, dotati di servizi, con 4 camere da letto ciascuno, per un totale di 16 posti letto.
Ristorazione: cucina tipica sarda della costa orientale, arrosti tipici, pesci, formaggi, frutta locale.
Prodotti aziendali: frutta di stagione, salumi, carni.
Luoghi di interesse e manifestazioni locali: rocce rosse di Arbatax, complesso nuragico di San Salvatore, parco del Gennargentu. Sagra di San Lussorio, San Gemiliano, San Salvatore in agosto e settembre.
Prezzi: pasto da £ 27.000 a 30.000. B&B £ 33.000, H/B £ 55.000, F/B £ 75.000. I bambini fino a 1 anno £ 7.000. Sconto del 30% per i bambini fino a 4 anni.
Note: raccolta di asparagi, funghi, bacche per infusi. Prato per prendere il sole. Giochi all'aria aperta, equitazione. Gioco delle bocce. Biancheria, uso cucina, uso frigorifero, lavastoviglie, lavatrice, legna per il camino, parcheggio coperto. Animali accolti previo accordo.

S'ORROALI MANNA

loc. S'Arceri • 08040 VILLANOVA STRISAILI
☎ 078230067

● G 8

Posizione geografica: montagna (860 m).
Periodo di apertura: tutto l'anno.
Presentazione: casa padronale, immersa in un bosco di lecci e querce, in azienda di circa 14 ettari. Allevamento di ovini, caprini, suini e animali da cortile. Offre ospitalità in mansarda in 5 camere doppie con bagno privato e ogni comfort e in 1 camera attrezzata per disabili.
Ristorazione: 75 coperti. Culurgioni ogliastrini, prosciutto e insaccati locali, olive e sottoli, porcetto, pecora, capretto allo spie-

do, formaggio, sebadas, vino locale, pistoccu.
Prodotti aziendali: formaggi, ricotte, prosciutti, pancette, guanciali, pane, pasta, marmellate, conserve.
Luoghi di interesse e manifestazioni locali: mare (30 km), lago (1,5 km), domus de janas, nuraghi, tombe dei Giganti, boschi secolari. Festa patronale di San Basilio a fine giugno.
Prezzi: pasto a £ 40.000. B&B a £ 55.000, H/B a £ 75.000, F/B a £ 110.000. Sconto del 20% per bambini fino ai 12 anni.
Note: accessibile agli handicappati. È consigliata la prenotazione. Il nome dell'agriturismo significa «grande quercia» ed è dovuto alla presenza all'interno dell'azienda di una quercia di circa 800 anni. Corsi di panificazione e caseificazione. Raccolta di funghi. Possibilità di escursioni a cavallo e pesca al lago. Animali accolti previo accordo.

DONNA LINA

via Nazionale, 13 • 08028 OROSEI ☎ 078498698
▲ F 10

Posizione geografica: mare.
Periodo di apertura: tutto l'anno.
Presentazione: costruzione rurale ristrutturata. L'azienda si estende su 10 ettari con produzione principalmente a vigneto, oliveto e anche a frutteto e orto. Offre alloggio in 5 appartamenti attrezzati, trilocali e bilocali per un totale di 20 posti letto.
Prodotti aziendali: vino, olio, frutta, ortaggi (in base al periodo).
Luoghi di interesse e manifestazioni locali: parco di Biderrosa, villaggi nuragici, centro storico Orosei. Festa di San Giacomo il 25 luglio, sagra delle pesche il 15 agosto, processione delle barche sul Cedrino l'ultima domenica di maggio.
Prezzi: alloggio a £ 30.000.
Note: solo su prenotazione. Prato per prendere il sole. Raccolta di asparagi, erbe spontanee. Calcetto e tennis nelle vicinanze. Giochi all'aria aperta, trekking e passeggiate, mountain bike. Osservazione ambientale nell'oasi faunistica. A richiesta biancheria, pulizia, parcheggio all'aperto. Animali accolti previo accordo.

Oristano

LE MIMOSE

strada 24 Mare • 09092 ARBOREA ☎ 0783800587
● I 5

Posizione geografica: pianura.
Periodo di apertura: tutto l'anno.
Associato a: Turismo Verde.
Presentazione: a 1,5 km dal mare, l'azienda si dedica all'allevamento di bovini, caprini e animali da cortile. Offre ospitalità presso una tipica costruzione rurale in 6 camere con bagno comune per un totale di 12 posti letto.
Ristorazione: ravioli, purceddu, carni arrosto.
Prodotti aziendali: carni, insaccati, formaggi, pane, dolci, marmellate, pasta, vini, liquori, frutta, ortaggi.
Luoghi di interesse e manifestazioni locali: torre dei Corsari, Tharros, parco Le Giare, isola di Mal di Ventre.
Prezzi: pasto tipico a £ 35.000. H/B £ 62.000, F/B £ 77.000. Riduzione del 50% per bambini fino a 6 anni.
Note: biancheria.

DA ANNUCCIA

via Rinascita, 8 • 09070 BARATILI SAN PIETRO
☎ e fax 0783410151

● H 5

Posizione geografica: pianura, mare.
Periodo di apertura: tutto l'anno.
Presentazione: edificio a due piani con terrazze e ampio giardino con fiori e piante di agrumi in azienda con coltivazioni di viti, alberi da frutta, olivi e ortaggi. Allevamento di pollame e suini. Offre ospitalità in 2 appartamenti con 6 camere per un totale di 15 posti letto. Sala per cerimonie e banchetti.
Ristorazione: cucina casereccia, piatti a base di pesce, maialetto.
Prodotti aziendali: olio d'oliva, mirto fatto in casa, Vernaccia vino D.O.C. locale, frutta, verdura, dolci, pane.
Luoghi di interesse e manifestazioni locali: rovine di Tharros, palude e saline con i fenicotteri rosa, marina di Cabras e San Vero Milis. Sagra della Vernaccia in agosto, regata di Fassonis in giugno.
Prezzi: H/B da £ 60.000.
Note: accessibile agli handicappati. Pesca, giochi all'aria aperta, mountain bike, trekking e passeggiate. Tennis nelle vicinanze. Barbecue. Cambio biancheria. Non si accolgono animali.

LA MIMOSA

via Roma, 9 • 09070 BARATILI SAN PIETRO
☎ 0783411442-078352261
cell. 03683522375 - 03495343367

● H 5

Posizione geografica: mare.
Periodo di apertura: da giugno a settembre.
Associato a: Turismo Verde.
Presentazione: vecchia stalla ristrutturata in azienda di 120 ettari adibita a vigneto, frutteto, cerealicoltura, oliveto, barbabietole e carciofi. Accoglie ospiti in 9 camere con bagno per un totale di 18 posti letto e in 5 piazzole per tende.

Ristorazione: piatti tipici, pane *frattau*, *porceddu*, *malloreddus*, agnello.
Prodotti aziendali: olio, ortaggi e vino.
Luoghi di interesse e manifestazioni locali: Tharros, nuraghe Losa, oasi del WWF di Turre Seu, isola di Maluentu. Sartiglia la seconda domenica di febbraio, sagra della Vernaccia la prima domenica di agosto, festa di San Salvatore la prima domenica di settembre.
Prezzi: H/B da £ 60.000 a 70.000. Sconto del 30% per bambini con meno di 6 anni.
Note: permanenza minima 3 giorni. Calcio, tennis, pallavolo, escursioni naturalistiche e immersioni. Pulizia, cambio biancheria settimanale. Animali accolti in cortile.

DERIU MICHELINA

via Giorgio Asproni, 40 • 09070 BAULADU
☎ 078373954-078351069

● H 6

Posizione geografica: mare.
Periodo di apertura: tutto l'anno.
Associato a: Consorzio Agriturismo di Sardegna.
Presentazione: tipica costruzione rurale con giardino interno. Offre ospitalità in 5 camere, con servizi comuni, per un totale di 10 posti letto.

Ristorazione: H/B. Maiale e agnello arrosto, ravioli tipici, gnocchetti, *seadas*.
Prodotti aziendali: formaggi, olio.
Luoghi di interesse e manifestazioni locali: scavi archeologici, nuraghi tra i più importanti della Sardegna. Diverse feste paesane.
Prezzi: pasto da £ 25.000 a 35.000. Alloggio da £ 45.000 a 50.000. Bambini da 1 a 4 anni £ 22.000, dai 5 ai 7 anni £ 32.000.
Note: solo su prenotazione. Raccolta di asparagi, funghi, cardi, mirto. Telefono in comune, biancheria, uso frigorifero, sala comune, pulizia.

FERRARI ANGELO MARIO

corso Italia, 208 • 09072 CABRAS
☎ 0783290883-0783290094

● H 5

Posizione geografica: mare.
Periodo di apertura: tutto l'anno.
Presentazione: tipiche costruzioni rurali in azienda di 130 ettari con produzioni di cereali, riso, ortaggi, erbaio.

Allevamento di bovini e suini. Offre ospitalità in 5 camere con bagno per un totale di 10 posti letto.
Ristorazione: H/B. Ristorante aperto al pubblico solo su prenotazione anticipata di minimo 2 giorni con 50 coperti. *Porcetto* arrosto, ravioli, gnocchetti alla campidanese e varie specialità a base di carne.
Luoghi di interesse e manifestazioni locali: zona archeologica di Tharros, oasi naturalistica di Turri e Seu, laguna di Mistras. Corsa degli scalzi la 1ª domenica di settembre, carnevale di Oristano con la Sartiglia.
Prezzi: pasto da £ 20.000 a 50.000. Alloggio da £ 30.000 a 50.000. Sconti del 10-30% per i bambini fino a 10 anni.
Note: periodo minimo di soggiorno in alta stagione 1 settimana. Nelle vicinanze equitazione, tennis, calcetto. Biancheria, pulizia, uso frigorifero, sala comune, uso lavanderia, posto macchina.

BONESU MARIA ANTONIETTA

via Leopardi, 85 • 09072 CABRAS
☎ 0783290406

● H 6

Posizione geografica: mare.
Periodo di apertura: tutto l'anno.
Presentazione: tipica costruzione rurale. Offre ospitalità in 6 camere con bagno e in un appartamento per un totale di 16 posti letto.

Ristorazione: H/B, F/B. Ristorante aperto al pubblico con 50 coperti. Tipica cucina locale e sarda, anguille, calamari, maialetto, pesce arrosto.

Prodotti aziendali: olio, vino, ortaggi, frutta.

Luoghi di interesse e manifestazioni locali: varie attrazioni naturalistiche e ambientali, l'oasi di Sev, stagno di Cabras e i fenicotteri rosa. Festa di Santa Maria Assunta il 24 maggio, festa di Sant'Antonio il 13 giugno, festa di San Pietro il 29 giugno a Solanas, festa di San Giovanni e Sant'Agostino il 28-29 agosto, San Salvatore con la Corsa degli Scalzi la prima domenica di settembre, La Sartiglia l'ultima domenica e martedì di carnevale.

Prezzi: B&B a £ 40.000 a persona, H/B a £ 60.000 per persona. Pranzo a richiesta (normale) a £ 30.000 a persona, pranzo agrituristico da concordare sulla base del menu richiesto.

Note: cortile per prendere il sole. Nelle vicinanze raccolta di asparagi, funghi, lumache, passeggiate in campagna. Gioco del calcetto, pallavolo, ping-pong, canoa, vela. Stanze con bagni in comune. Pulizia, prima colazione, uso frigorifero, sala comune climatizzata con televisione, uso lavanderia.

TINA MANCA

via Toscana, 27 • 09072 CABRAS ☎ 0783391087

 H 5

Posizione geografica: mare.

Periodo di apertura: tutto l'anno.

Presentazione: tipica costruzione rurale con giardino e coltivazioni di frutta e ortaggi. Allevamento di polli e conigli. Accoglie ospiti in 5 camere, con 3 bagni comuni, per un totale di 10 posti letto.

Ristorazione: ristorante con 25 coperti. Cucina tipica sarda, pane e pasta fatta in casa, merca, bottarga, pesce e maialetto arrosto, olio, olive, conserve, dolci tipici sardi, liquori di mirto, limone, arancio e mandarino.

Luoghi di interesse e manifestazioni locali: Tharros, tempio ipogeico di San Salvatore, villaggio nuragico di Santa Cristina, nuraghe Losa, antiquarium arborense, oasi faunistica del WWF Turre Seu, stagno di Mistras, spiagge del Sinis. Corsa degli scalzi

prima domenica di settembre, Sartiglia.

Prezzi: alloggio a £ 60.000. Pasto da £ 35.000 a 40.000. Sconti per bambini con meno di 6 anni.

Note: soggiorno minimo 1 settimana. Paracadutismo, parapendio, diving center, windsurf, vela, canoa, calcetto, tennis, equitazione. Visite guidate naturalistiche e archeologiche. Osservazione ambientale. Biancheria. Non si accolgono animali.

GIOVANNI SCINTU

via Trieste, 43 • 09072 CABRAS
☎ 0783290907

● H 5

Posizione geografica: mare.

Periodo di apertura: tutto l'anno.

Associato a: Consorzio Agriturismo di Sardegna, Agriturist.

Presentazione: tipica costruzione rurale all'interno del paese. Offre ospitalità in 4 camere, con 2 bagni in comune, per un totale di 10 posti letto.

Ristorazione: H/B. Ristorante con 20 coperti. Cucina tipica sarda, *malloreddus*, *culurzones*, bottarga, *sebadas*, maialetto, pesce fritto, pasta con i ricci e alla bottarga, verdure ripiene.

Luoghi di interesse e manifestazioni locali: Tharros, Santa Cristina, oasi WWF, San Salvatore. La corsa degli scalzi la 1ª domenica di settembre, Sartiglia l'ultima domenica e il martedì di carnevale.

Prezzi: pasto da £ 25.000 a 35.000. Alloggio da £ 55.000 a 60.000. Riduzioni per bambini in base all'età. Contributo di prenotazione £ 15.000 a persona.

Note: in alta stagione soggiorno minimo 1 settimana. Raccolta di fichi d'India, more, finocchi selvatici, corbezzoli, asparagi. Paracadutismo, parapendio, osservazione ambientale. Tiro con l'arco, giochi all'aria aperta, equitazione, tennis. Uso frigorifero, sala comune.

CASU BONACATA

via Donizzetti, 19 • 09072 CABRAS
☎ 0783290789

● H 5

Posizione geografica: mare.

Periodo di apertura: tutto l'anno.

Associato a: Consorzio Agriturismo di Sardegna, Agriturist.

Presentazione: tipica costruzione rurale all'interno del paese. Offre ospitalità in 6 camere per un totale di 10 posti letto.

Ristorazione: H/B. Ristorante con 20 coperti. Cucina tipica sarda, *malloreddus*, *culurzones*, bottarga, *sebadas*, arrosti.

Luoghi di interesse e manifestazioni locali: Tharros, Santa Cristina, oasi WWF, San Salvatore. La corsa degli scalzi la 1ª domenica di settembre, Sartiglia l'ultima domenica e il martedì di carnevale.

Prezzi: pasto da £ 25.000 a 35.000. Alloggio da £ 55.000 a 60.000. Riduzioni per bambini. Contributo di prenotazione £ 15.000 a persona.

Note: in alta stagione soggiorno minimo 1 settimana. Raccolta di fichi d'India, more, finocchi selvatici. Paracadutismo, parapendio, windsurf, osservazione ambientale. Tiro con l'arco, giochi all'aria aperta, equitazione, tennis. Uso frigorifero, sala comune.

SIMBULA ELIGIA

via Oristano, 15 • 09072 CABRAS
☎ 0783391048

● H 5

Posizione geografica: mare.

Periodo di apertura: tutto l'anno.

Presentazione: tipica costruzione rurale. Offre ospitalità in 4 camere, con servizi comuni, per un totale di 10 posti letto.

Ristorazione: H/B. Ristorante con 50 coperti. Cucina tipica locale.

Prodotti aziendali: olio, carciofi, ortaggi, meloni, vino.

Luoghi di interesse e manifestazioni locali: scavi archeologici di Tharros, ipogeo di età romana, oasi faunistica di Seu. Corsa degli scalzi a settembre, varie sagre paesane.

Prezzi: pasto da £ 25.000 a 50.000. Alloggio a partire da £ 50.000. Sconto del 20% per i bambini fino ai 6 anni.

Note: solo su prenotazione. Pesca, equitazione. Gastronomia. Raccolta di asparagi e lumache. Biancheria, pulizia, prima colazione, uso frigorifero, sala comune.

VARGIU GIORGINA

via Cristoforo Colombo, 22 • 09072 CABRAS
☎ 0783391543

● H 5

Posizione geografica: mare.
Periodo di apertura: tutto l'anno.
Presentazione: l'azienda offre ospitalità in 3 camere con bagno comune per un totale di 10 posti letto.
Ristorazione: H/B. Ristorante aperto al pubblico con 40 coperti. Piatti a base di carne e pesce, dolci di mandorle, marmellate, spaghetti con bottarga di muggine, pesci arrosto.
Prodotti aziendali: cereali.
Luoghi di interesse e manifestazioni locali: Tharros, villaggio ipogeico di San Salvatore. Sagra del pesce la 1ª domenica di settembre.
Prezzi: pasto da concordare con l'azienda. Alloggio da £ 30.000 a 50.000. Sconto del 10% per i bambini fino a 7 anni.
Note: raccolta di asparagi e funghi. Piscina, equitazione, tennis. Calcetto, pallavolo. Biancheria, pulizia.

PEPPICA MARONGIU

corso Italia, 206 • 09072 CABRAS ☎ e fax 0783290392
E-mail:peppica@tin.it

● H 5

Posizione geografica: mare.
Periodo di apertura: da aprile a settembre.
Presentazione: villetta con giardino. Offre ospitalità in 5 camere con bagni in comune.
Ristorazione: H/B. Ristorante con 30 coperti in ambiente climatizzato, 20 posti all'aperto. Spaghetti alla bottarga, muggini arrosto, burrida, grigliate di pesce, insalate di mare, dolci tipici sardi, *seadas*, mirto.
Luoghi di interesse e manifestazioni locali: zona archeologica di Tharros, parco riserva marina Silis, isola di Mal di Ventre, oasi WWF Turr'e Seu, varie attrazioni naturalistiche. Festa di San Salvatore di Sinis la 1ª domenica di settembre.
Prezzi: pasto da £ 35.000 a 40.000. H/B a £ 60.000. Sconti per i bambini da concordarsi direttamente con l'azienda.
Note: gradita la prenotazione. Trekking e passeggiate. Uso frigorifero.

MELI RITA

via Triesta, 6 • 09023 CABRAS
☎ 0783391617

● H 5

Posizione geografica: a 2 km dal mare.
Periodo di apertura: da maggio a settembre.
Presentazione: azienda coltivata a vigneto e ortaggi. Offre ospitalità in 3 camere con due bagni comuni per un totale di 8 posti letto.
Ristorazione: solo per ospiti.
Prodotti aziendali: ortaggi.
Prezzi: B&B a £ 40.000, H/B a £ 60.000. Sconto per bambini, sconto del 10% per periodi superiori a 1 settimana escluso luglio e agosto.
Note: biancheria.

CHIDONZAS

via Mameli, 2 • 09073 CUGLIERI
☎ 078539752

● G 5

Posizione geografica: campagna, a 12 km dal mare.
Periodo di apertura: tutto l'anno.
Presentazione: l'azienda si estende su 3 ettari adibiti a vigneto, orto e frutteto. Offre ospitalità in 4 camere, con 2 bagni comuni, per un totale di 10 posti letto, in una tipica costruzione rurale immersa nel verde.
Ristorazione: cucina tipica sarda, timballa (piatto unico a base di carne), agnello, maialetto.
Prodotti aziendali: olio, vino, frutta.
Luoghi di interesse e manifestazioni locali: nuraghi, sorgenti di Tiummemmere, domus de janas, scavi di Cornus, scogliera di Santa Caterina.
Prezzi: pasto a £ 25.000. B&B £ 30.000, H/B £ 50.000. Sconto del 30% per bambini fino a 4 anni.
Note: l'amministrazione locale organizza visite guidate. Veranda in giardino.

CASULE GIUSEPPE

loc. Santa Caterina di Pitimeri • 09073 CUGLIERI
☎ 070668367 (c/o Terranostra)

● G 5

Posizione geografica: mare.
Periodo di apertura: tutto l'anno.
Associato a: Terranostra.
Presentazione: a 800 m dalla baia di Santa Caterina, con bellissima vista panoramica sul mare e sulla montagna. Accoglie ospiti in 5 camere matrimoniali di cui 3 con bagno privato e 2 con bagno comune.
Ristorazione: ravioli, gnocchi, maialetto arrosto, pane fatto in casa.
Prodotti aziendali: prodotti biologici, formaggio, uova, frutta, ortaggi.
Luoghi di interesse e manifestazioni locali: zona archeologica, nuraghi.
Prezzi: pasto a £ 36.000. B&B da £ 25.000 a 30.000, H/B da £ 50.000 a 55.000, F/B da £ 72.000 a 79.000. Sconto del 30% per bambini fino a 4 anni, £ 9.000 per bambini fino a 12 mesi.
Note: accessibile agli handicappati. Campi da tennis e maneggio nelle immediate vicinanze.

SERRA BONARIA PEPPINA

via Principe Umberto, 34 • 09070 MASSAMA
☎ 078333036 cell. 03477746322

● H 5

Posizione geografica: mare.
Periodo di apertura: tutto l'anno.
Associato a: Consorzio Agriturismo di Sardegna.

Presentazione: l'azienda alleva ovini e suini. Offre ospitalità in 6 camere per un totale di 16 posti letto.
Ristorazione: H/B. Cucina tipica sarda, agnello e maialetto arrosto, pecora bollita e alla cacciatora, *malloreddus*, *seadas*.
Prodotti aziendali: formaggi, olio, latte, ortaggi e carne.
Luoghi di interesse e manifestazioni locali: Tharros e penisola del

Sinis, terme romane, isola Mal di Ventre. Numerose feste paesane.
Prezzi: pasto da £ 25.000 a 40.000. Alloggio da £ 30.000 a 62.000. Bambini fino a 4 anni £ 22.000.
Note: solo su prenotazione. Cambio biancheria settimanale, pulizia, prima colazione, uso frigorifero, riscaldamento, sala comune.

ZUCCA GIOVANNA MARIA

via Montezebio, 2 • 09070 NARBOLIA
☎ 078357304

● H 5

Posizione geografica: collina.
Periodo di apertura: tutto l'anno.
Associato a: Agriturist.
Presentazione: tipica costruzione rurale appena restaurata. Offre ospitalità in 4 camere con bagno (2 doppie, 1 tripla e 1 quadrupla) per un totale di 10-12 posti letto.
Ristorazione: H/B. Cucina tipica sarda.
Prodotti aziendali: olio, vino, liquore a base di mirto.
Luoghi di interesse e manifestazioni locali: nuraghi, terme romane, penisole del Sinis. Sagre, feste del santo patrono, corse dei cavalli.
Prezzi: pasto a £ 30.000. H/B a £ 65.000, bambini al di sotto dei 6 anni £ 30.000, dai 6 ai 10 anni £ 40.000.
Note: prenotazione obbligatoria. Prato per prendere il sole, giardino fiorito con piante. In paese campo sportivo e palestra, pesca al fiume a 5 km. Trekking, tennis e campi da golf a 10 km. A Is Arenas golf. Equitazione a 15 km.

GLI ULIVI

via Trieste, 25 • 09070 NURACHI ☎ 0783410555

● H 5

Posizione geografica: mare.
Periodo di apertura: tutto l'anno.
Associato a: Turismo Verde.
Presentazione: tipica costruzione rurale su 11 ettari con produzione di ortaggi, frutta, cereali. Allevamento di ovini e suini. Offre ospitalità in 4 camere con bagno in comune per un totale di 10 posti letto.
Ristorazione: H/B, F/B. Ristorante aperto al pubblico su prenotazione. Cucina tipica sarda.
Prodotti aziendali: frutta, latticini, olio, vino, uova, confetture.
Luoghi di interesse e manifestazioni locali: santuario di Nostra Signora del Rimedio, Tharros, Santa Petronilla, città di Oristano e i suoi monumenti. "Zippolata" a carnevale, festa di San Giovanni il 24 giugno, festa di San Giusto e Pastore il 9 agosto, festa di Sant'Agostino dal 27 agosto al 29 agosto.
Prezzi: pasto da £ 30.000 a 40.000. H/B £ 50.000, F/B £ 75.000. Sconto del 25% per i bambini fino a 6 anni.
Note: solo su prenotazione, periodo minimo di soggiorno 3 giorni. Prato per prendere il sole. Raccolta di asparagi, funghi, noci. Osservazione ambientale. Bocce, calcetto, tennis, mountain bike. Biancheria, telefono in comune, prima colazione, uso frigorifero, riscaldamento, sala comune, posto macchina. Animali accolti previo accordo.

TROGU SCALAS ROSALBA

via G. M. Angioy, 7 • 09070 NURACHI
☎ 0783410508

● H 5

Posizione geografica: mare.
Periodo di apertura: tutto l'anno.
Associato a: Vacanze e Natura.
Presentazione: costruzione all'interno del paese in azienda agricola che si estende nei dintorni su 13 ettari con produzione di vigneto, oliveto, cereali, ortaggi. Allevamento di suini, pollame, conigli. Offre ospitalità in 4 camere per un totale di 10 posti letto.
Ristorazione: H/B, F/B. Ristorante con 20 coperti. Ravioli, maialetto, malloreddus e cucina vegetariana.
Prodotti aziendali: confetture, formaggi, sottoli.
Luoghi di interesse e manifestazioni locali: zona archeologica di Tharros, oasi dei fenicotteri, chiesa romanica di San Giovanni di Sinis. Festa di Sant'Agostino il 28 agosto, Sartiglia a carnevale.
Prezzi: pasto da £ 25.000 a 36.000. Alloggio fino a £ 30.000. Sconto del 30% per i bambini fino a 4 anni.
Note: è gradita la prenotazione. Calcetto, tiro a volo. Osservazione ambientale. Prima colazione.

SOTGIU LUCIA

via Amsicora, 9 • 09020 NURACHI
☎ 070668367 (c/o Terranostra)

● H 5

Posizione geografica: in paese, a 7 km dal mare.
Periodo di apertura: tutto l'anno.
Associato a: Terranostra.
Presentazione: offre ospitalità in 3 camere, con 2 bagni in comune, per un totale di 9 posti letto.
Ristorazione: ravioli, agnello in umido con carciofi, gnocchetti, maiale allo spiedo.
Prodotti aziendali: olio, vino, prodotti biologici, pomodori, melanzane e carciofi sott'olio.
Luoghi di interesse e manifestazioni locali: zona archeologica di Tharros.
Prezzi: pasto a £ 36.000. B&B da £ 25.000 a 30.000, H/B da £ 50.000 a 55.000, F/B da £ 72.000 a 79.000. Sconto del 30% per bambini fino a 4 anni, £ 9.000 per bambini fino a 12 mesi.
Note: organizza corsi di tessitura al telaio. Possibilità di escursioni guidate. Periodo minimo di permanenza 3 notti.

DA GIOVANNA

via Azuni, 18 • 09020 NURACHI ☎ 0783410582

● H 5

Posizione geografica: in paese, a 3 km dal mare.
Periodo di apertura: tutto l'anno.
Presentazione: offre ospitalità in 12 camere per un totale di 25 posti letto. L'azienda agricola, a 1 km dal paese, produce olio, ortaggi e alleva suini.
Ristorazione: cucina a base di pesce. Insalata di mare, anguille arrosto, cernia al forno con patate.
Prodotti aziendali: olio, ortaggi.
Luoghi di interesse e manifestazioni locali: zona archeologica di Tharros.
Prezzi: pasto da £ 30.000 a 40.000. Alloggio a £ 25.000, H/B £ 60.000, F/B a £ 72.000. Riduzione del 50% per bambini fino a 10 anni.
Note: accessibile agli handicappati. Possibilità di escursioni guidate e di noleggio biciclette. Nelle immediate vicinanze campi da bocce, tennis e calcetto. Giardino con veranda adatto per cene.

S'UNGRONI

via Case Sparse, 25 – loc. S'Ungroni • 09070 NURACHI
☎ 0783411398 cell. 03473527590

● H 5

Posizione geografica: mare.
Periodo di apertura: tutto l'anno.
Presentazione: azienda di 11 ettari con coltivazioni di carciofi, barbabietole, pomodori, viti, frutteto con meli, peri e susini, cerali e olivi. Offre ospitalità in una casa colonica, in un nuovo corpo con 5 camere doppie complete con servizi, 1 miniappartamento (camera doppia, cucinotto, servizi), 1 appartamento seminterrato (2 camere doppie, angolo cottura, servizi). In costruzione agricampeggio.
Ristorazione: farfalle alla crema di asparagi e carciofi, spaghetti ai ricci, porcetto al calore, muggini arrosto, *malloreddus*, burrida, dolci tipici sardi, vino della casa.
Prodotti aziendali: olio d'oliva, sottoli, ortaggi, liquori a base di mirto, limone, alloro, menta.
Luoghi di interesse e manifestazioni locali: Tharros, oasi naturalistica di Sale Porcus, isola di Mal di Ventre, nuraghe Tradori, oasi faunistica. Sagra delle lumache a fine luglio, sagra della Vernaccia la prima domenica di agosto, sagra del pomodoro la seconda domenica di agosto, "Corsa degli scalzi" la prima domenica di settembre, motoraduno internazionale dal 12 al 14 settembre.
Prezzi: pasto tipico sardo da £ 35.000 a 45.000. B&B da £ 45.000 a 50.000, H/B da £ 65.000 a 70.000. Nei prezzi è incluso il supplemento camera con bagno. Sconto del 10% per l'aggiunta del terzo letto. Riduzioni per bambini fino a 4 anni e 10 anni.
Note: attrezzato per disabili. È consigliata la prenotazione. Permanenza minima di tre giorni. Raccolta di asparagi e funghi. Campo di calcetto e tennis nelle immediate vicinanze. Pulizia, uso frigorifero, gazebo. Non si accolgono animali.

CADEDDU BENITO

v.le Repubblica - Sa Rodia • 09170 ORISTANO
☎ 0783212533 fax 0783211155

● H 5

Posizione geografica: mare.
Periodo di apertura: tutto l'anno.
Associato a: Agriturist.
Presentazione: tipica costruzione rurale in azienda di 6 ettari con coltivazione a frutteto, cereali, ortaggi. Allevamento di animali di bassa corte, suini. Offre ospitalità per un totale di 12 posti letto con servizi comuni e in agricampeggio per tende e caravan.
Ristorazione: H/B, F/B. Ristorante aperto al pubblico. Cucina tipica sarda e vegetariana.
Prodotti aziendali: confetture, dolci, frutta, funghi, latticini, olio, miele, uova, salumi, ortaggi.
Luoghi di interesse e manifestazioni locali: varie località archeologiche, musei, terme romane, case aragonesi, monte Aci. Sagre di vari prodotti tipici, balli folkloristici, fiere varie, manifestazioni equestri, settembre oristanese.
Prezzi: pasto da £ 20.000 a 50.000. Alloggio da £

30.000 a 55.000. Riduzioni per i bambini fino ai 7 anni.
Note: sala riunioni disponibile. Prato per prendere il sole, giochi all'aria aperta. Raccolta di asparagi, frutti di bosco, funghi, finocchietti selvatici, bietole. Corsi di vario genere. Paracadutismo, immersioni subacquee, osservazione ambientale. Campo di bocce, calcio, calcetto, vela, windsurf, canoa, equitazione, tennis, trekking e passeggiate, pesca e mountain bike. Corsi di nuoto e pesca per bambini. Estetista, trattamenti di vario di genere. Pulizia, riassetto, prima colazione, telefono in comune, uso frigorifero, sala comune, posto macchina. Animali accolti previo accordo.

SEDDA PEPPINO

loc. Sos Pontes • 09030 PAULILATINO ☎ 078555625

● G 5

Posizione geografica: collina
Periodo di apertura: tutto l'anno.
Presentazione: azienda di 10 ettari, a 30 km dal mare, con allevamento di bovini, ovini, suini e produzione di ortaggi. Offre ospitalità in 2 camere matrimoniali con 1 bagno comune.
Prodotti aziendali: formaggio e carne suina.
Luoghi di interesse e manifestazioni locali: nuraghi, Santa Cristina.
Prezzi: OR £ 20.000.
Note: biancheria.

MOCCI MAURIZIO

via Case Sparse s.s. 292 km 1 • 09070 RIOLA SARDO
☎ 0783411282 - 0360823837

● H 5

Posizione geografica: pianura.
Periodo di apertura: tutto l'anno.
Presentazione: azienda con coltivazioni di oliveti e ortaggi e allevamento di cavalli. Offre ospitalità in 6 camere per un totale di 16 posti letto.
Ristorazione: sottoli, pesce alla brace, maialetto arrosto e altri piatti tipici.
Prodotti aziendali: olio, verdure.
Luoghi di interesse e manifestazioni locali: Tharros, parco del Sinis e di Mal di Ventre, stagno di Sale Porcus che durante i mesi invernali ospita migliaia di fenicotteri.
Prezzi: pasto tipico agrituristico a £ 40.000. B&B da £ 30.000 a 40.000, H/B da £ 55.000 a 69.000, F/B da £ 77.000 a 96.000. Bambini fino ai 12 mesi da £ 14.000 a 17.000. Sconto del 30% i bambini fino a 6 anni. Supplemento bagno in camera £ 10.000 al giorno.
Note: accessibile agli handicappati. Beach volley, windsurf, maneggio. Cambio biancheria. Si accolgono animali se custoditi.

BELLU LILIANA

via Roma, 15 • 09070 RIOLA SARDO ☎ 0783411152

● H 5

Posizione geografica: pianura, mare.
Periodo di apertura: tutto l'anno.
Presentazione: tipica costruzione campidanese con particolari pregi architettonici, archi in arenaria. Offre ospitalità in 3 camere con bagno e in 4 camere doppie con 2 bagni in comune.
Ristorazione: cucina tipica sarda, ravioli, *malloreddus*, maialetto,

agnello, olive, carciofi, asparagi, *sevadas*, dolci sardi.
Prodotti aziendali: olio d'oliva, vino, ortaggi, frutta.
Luoghi di interesse e manifestazioni locali: Tharros, penisola del Sinis, Oristano. Sagra della Vernaccia, sagra del pomodoro, corsa degli scalzi.

Prezzi: pasto da £ 30.000 a 40.000. H/B da £ 55.000 a 70.000.
Note: permanenza minima di 1 settimana. Cambio biancheria. Giardino interno. Maneggio nelle vicinanze, campo da golf a 8 km. Pesca subacquea, escursioni al mare, montagna o zone paludose. Non si accolgono animali.

CAMEDDA APOLLONIA

via Regina Elena, 41 • 09070 RIOLA SARDO
☎ 078373954-0783410405

 H 5

Posizione geografica: fiume, mare.
Periodo di apertura: tutto l'anno.
Associato a: Consorzio Agr. di Sardegna, Agriturist.
Presentazione: tipica costruzione rurale in paese. Coltivazione a oliveto. Offre ospitalità in 2 camere con bagno in comune per un totale di 6 posti letto.
Ristorazione: H/B, F/B. Pasta e pane fatti a mano, zuppe.
Prodotti aziendali: vino.
Luoghi di interesse e manifestazioni locali: Tharros, penisola del Sinis, Oristano. Sagra della Vernaccia, del pomodoro, delle lumache e altre in estate.
Prezzi: pasto da £ 20.000 a 30.000. Alloggio da £ 45.000 a 50.000. Sconti da concordare per i bambini fino ai 7 anni.
Note: osservazione ambientale, windsurf, corsi di enologia. Giochi all'aria aperta, equitazione, tennis. Raccolta di asparagi e funghi. Biancheria, pulizia, riassetto, telefono in comune, prima colazione, uso cucina, frigorifero, riscaldamento, sala comune, parcheggio coperto.

SU LAU

via Luigino Bellu, 24 • 09070 RIOLA SARDO ☎ 0783410897
fax 0783410897 cell. 03284765042 - 03283532426

H 5

Posizione geografica: mare.
Periodo di apertura: tutto l'anno.
Presentazione: azienda di 10 ettari coltivati a oliveto, frutteto, orto, erbai e grano. Allevamento di animali di bassa corte. Offre calda ospitalità familiare in camere climatizzate con servizi privati.

Ristorazione: cucina tipica sarda e vegetariana.
Prodotti aziendali: olio, vino, frutta, ortaggi, marmellate.
Luoghi di interesse e manifestazioni locali: siti archeologici di Tharros, Santa Cristina, parco marino dell'isola di Mal di Ventre. Corsa degli Scalzi, Carnevale di Oristano con la Sartiglia.
Prezzi: pasto tipico da £ 30.000 a 40.000, B&B da £ 45.000 a 50.000, H/B da £ 65.000 a 70.000. Sconti per comitive.
Note: accessibile agli handicappati. È consigliata la prenotazione. Ampio giardino, parco giochi per bambini. Disponibilità di mountain bike. Nelle vicinanze si possono praticare golf, tennis, equitazione, trekking, windsurf, canoa. Parcheggio. Pulizia giornaliera.

BENTEMARE

Az. Cirras, 22 • 09096 SANTA GIUSTA ☎
0783358166

● 15

Posizione geografica: pianura, mare.
Periodo di apertura: tutto l'anno.
Associato a: Terranostra.
Presentazione: casa colonica in azienda di 14 ettari coltivati a ortaggi, mais, foraggi e vigneto. Allevamento di bestiame, vitelli, polli e conigli. Offre ospitalità in 4 camere di cui 2 con servizi interni e 2 con 3 bagni in comune.
Ristorazione: maialetto arrosto, pasta ai cardi selvatici, ravioli al prosciutto e alla ricotta, dolci tipici sardi.
Prodotti aziendali: pomodori, angurie, meloni, peperoni, sottaceti.
Luoghi di interesse e manifestazioni locali: cattedrale di Santa Giusta del XII secolo, scavi archeologici di Tharros, museo dei minerali ad Uras. Sagra *"de is fassonis"* a Santa Giusta la prima domenica di agosto, sagra delle fragole ad Arborea in maggio, sagra delle angurie ad Arborea in luglio.
Prezzi: pasto tipico agrituristico a £ 40.000. B&B da £ 30.000 a 40.000, H/B da £ 55.000 a 69.000, F/B da £ 77.000 a 96.000.

Bambini fino a 12 mesi da £ 14.000 a 17.000. Sconto del 30% per bambini fino ai 6 anni.
Note: permanenza minima di 3 giorni. Sala riunioni. Calcetto, tennis, pallacanestro, bocce, mountain bike. Si accolgono animali.

ORRO FORTUNATO

via Montanaru, 3 • 09070 SAN VERO MILIS
☎ 078353298

● H 5

Posizione geografica: pianura.
Periodo di apertura: tutto l'anno.
Associato a: Consorzio Agriturismo di Sardegna.
Presentazione: costruzione rurale confortevole e spaziosa in azienda con coltivazioni di viti, olivi, cereali, frutteto e ortaggi. Offre ospitalità in 5 camere con bagno comune per un totale di 10 posti letto.
Ristorazione: H/B. Ravioli di ricotta, pomodori, carciofi, melanzane, sottoli, olive, coniglio, anatra in umido, agnello e maialetto arrosto, dolci.
Prodotti aziendali: vino, olio, frutta e verdura.
Luoghi di interesse e manifestazioni locali: oasi del Sinis, stagni, nuraghi, area archeologica a Tharros. Sartiglia a carnevale, sagra del pomodoro e del carciofo.
Prezzi: H/B da £ 55.000 a 60.000, B&B da £ 35.000 a 40.000. Riduzione del 10% per il terzo letto per 3 adulti. Sconti da concordare per i bambini.

Note: periodo minimo di soggiorno 1 settimana. Ampio giardino. Biancheria, pulizia, uso frigorifero, riscaldamento, parcheggio.

SANTU PERDU

Az. Santu Perdu, 14 • 09070 SAN VERO MILIS
☎ e fax 078353395-078352166

● **H 5**

Posizione geografica: a 800 m dal mare.
Periodo di apertura: tutto l'anno.
Associato a: Agriturist.
Presentazione: l'azienda si estende su 6 ettari con frutteto e allevamento di animali di bassa corte. Offre ospitalità in bilocali e monolocali dotati di servizi, angolo cottura e frigorifero e in 5 piazzole per agricampeggio.
Ristorazione: H/B. Cucina tipica sarda.
Prodotti aziendali: frutta, miele, olio, salumi, uova, vini.
Luoghi di interesse e manifestazioni locali: attrazione naturalistica a Sale Porcus, museo del fenicottero rosa. Sagra del pomodoro e della Vernaccia.
Prezzi: pasto da £ 30.000 a 40.000. Alloggio da £ 30.000 a 40.000, H/B £ 75.000.
Note: solo su prenotazione, periodo minimo di soggiorno 3 giorni. Equitazione, escursioni e visite guidate, mountain bike. Prato per prendere il sole, sala riunioni disponibile. Aria condizionata su richiesta. Uso cucina, uso frigorifero, posto macchina.

MAGGINO GIOVANNA

via Santa Barbara, 5 • 09020 SAN VERO MILIS ☎ 078353426

● **H 5**

Posizione geografica: pianura, mare.
Periodo di apertura: tutto l'anno.
Associato a: Consorzio Agriturismo di Sardegna.
Presentazione: l'azienda, a 12 minuti dal mare, si estende su 6 ettari coltivati a

frutteto, cereali, vigneto, oliveto, orto biologico. Offre ospitalità in 4 camere con 2 bagni comuni per un totale di 8 posti letto e in 1 appartamento.
Ristorazione: solo per ospiti. Ravioli, carta da musica, tagliatelle, gnocchetti, pecora bollita, agnello con i finocchi, lumache, *sebadas*.
Prodotti aziendali: olio, vino, frutta, verdura, pane fatto in casa, dolci.
Luoghi di interesse e manifestazioni locali: nuraghi, museo di arti e costumi. Feste tradizionali con balli e canti sardi.
Prezzi: B&B a £ 35.000, H/B £ 55.000. H/B per bambini fino a 6 anni £ 33.000.
Note: permanenza minima di 3 giorni. Visite guidate all'azienda agricola. Possibilità di noleggiare biciclette. Biancheria.

SERUSI EMILIA

via Bosa, 3 • 09088 SIMAXIS
☎ 0783405329-078373954

● **H 6**

Posizione geografica: fiume, mare.
Periodo di apertura: da maggio a settembre.
Associato a: Consorzio Agriturismo di Sardegna.
Presentazione: costruzione moderna in un piccolo centro agricolo

su 4,5 ettari con produzione di ortaggi, carciofi, pomodori, olive. Offre ospitalità in 4 camere e in 1 appartamento, con servizi comuni, per un totale di 16 posti letto.
Ristorazione: H/B. Ristorante aperto al pubblico su prenotazione con 30 coperti. Ravioli alla ricotta, formaggio, *seadas*, pasta alle verdure, minestrone di verdure, arrosti di carne e pesce.

Luoghi di interesse e manifestazioni locali: Fordongianus, terme romane, casa aragonese, museo, Oristano, Tharros, Sinis, oasi WWF Seu. Sagra delle fave e falò a gennaio, Sartiglia a Oristano in febbraio, varie manifestazioni durante tutto l'anno.
Prezzi: pasto da £ 25.000 a 35.000. Alloggio fino a £ 30.000. Sconto del 10% per i bambini fino a 8 anni.
Note: periodo minimo di prenotazione di 1 settimana. Giochi all'aria aperta, tennis, escursioni e visite guidate, mountain bike. Raccolta di asparagi e funghi. Gioco delle bocce e del ping-pong. Sala riunioni disponibile. Corsi di gastronomia, osservazione ambientale, artigianato. Biancheria, riassetto, riscaldamento.

SERRA MARIA CARMELA

piazza Costituzione, 9 • 09088 SIMAXIS ☎ 0783405059

● **H 6**

Posizione geografica: pianura, mare.
Periodo di apertura: tutto l'anno.
Associato a: Consorzio Agriturismo di Sardegna.
Presentazione: l'azienda si estende su 12 ettari coltivati a riso, oliveto, bietole, zucchero, cereali, colza, erba medica. Offre ospitalità in 4 camere con 2 bagni comuni per un totale di 10 posti letto.
Ristorazione: H/B. Gnocchi sardi, maialetto arrosto, pecora lessa, ravioli, seadas, dolci sardi, vini del campidano oristanese.
Luoghi di interesse e manifestazioni locali: terme romane, Tharros, musei. Sagra del riso, feste paesane, Sartiglia oristanese a carnevale e il 15 agosto.
Prezzi: pasto da £ 20.000 a 30.000. Alloggio da £ 45.000 a 50.000.
Note: solo su prenotazione, periodo di soggiorno di 1 settimana. Raccolta di asparagi, frutti di bosco, funghi. Gioco delle bocce, biliardo, ping-pong, giochi all'aria aperta, tennis. Osservazione ambientale. Biancheria, pulizia, riassetto, telefono in comune, uso cucina, uso frigorifero, riscaldamento, sala comune. Animali accolti previo accordo.

L'OLIVETO

loc. Sa Musciurida • 09070 ZERFALIU
☎ 078327205 - 03683076994

● **H 6**

Posizione geografica: pianura.
Periodo di apertura: tutto l'anno.
Associato a: Agriturismo di Sardegna.

Presentazione: costruzione moderna su 15 ettari di terreno coltivati a oliveto, produzione di frutta, ortaggi, cereali. Allevamento di suini, pollame e ovini. Accoglie ospiti in 6 camere con bagno per un totale di 12 posti letto.

Ristorazione: H/B e F/B. Ristorante aperto al pubblico con 100 coperti. Cucina tipica sarda.

Prodotti aziendali: olive, olio, marmellate, vino, dolci e formaggi.

Luoghi di interesse e manifestazioni locali: zone archeologiche e nuraghi. Falò di Sant'Antonio a gennaio, carnevale in piazza, Sartiglia Oristanese, sagra degli agrumi, sagra della pecora in giugno, festa del patrono in agosto, sagra della Vernaccia in settembre.

Prezzi: H/B da £ 65.000. Pasto da £ 25.000.

Note: accessibile agli handicappati. Soggiorno minimo in H/B di 2 giorni. Nelle vicinanze calcetto, calcio, tennis, bocce, ping-pong, palestra. Escursioni a cavallo e gare di pesca nel fiume Tirso. Animali accolti previo accordo.

Sassari

IL MUTO DI GALLURA

loc. Fraiga, 1 • 07020 AGGIUS ☎ 079620559

● C 7

Posizione geografica: montagna.

Periodo di apertura: tutto l'anno.

Associato a: Turismo Verde.

Presentazione: tipico stazzo sardo autentico in azienda di 90 ettari con allevamento di ovini, suini, caprini, bovini ed equini. Offre ospitalità in 4 camere con bagno, in 4 bungalow e in piazzole per tende e camper.

Ristorazione: H/B, F/B. Ristorante aperto al pubblico. Zuppa gallurese, gnocchi, ravioli (fatti tutti in casa), arrosti al forno a legna, verdure dell'orto, selvaggina, dolci.

Prodotti aziendali: formaggio, miele, uova, vini, salumi, dolci, liquori.

Luoghi di interesse e manifestazioni locali: valle della Luna, nuraghe Izzana, Isola Rossa, Vignola, mare a 22 km. Mostra del tappeto in luglio, agosto e settembre.

Prezzi: pasto da £ 20.000 a 50.000, B&B a £ 50.000, H/B da £ 85.000 a 90.000, F/B da £ 100.000 a 110.000. Sconto del 20% per bambini fino a 10 anni.

Note: raccolta di funghi, asparagi, castagne, mirto, more. Equitazione, giochi all'aria aperta, trekking e passeggiate, mountain bike. Possibilità di osservazione ambientale e di studiare la lavorazione del sughero, la caseificazione, l'enologia, la gastronomia. Biancheria, prima colazione, riscaldamento.

DORO

loc. Corrobiancu • 07020 AGLIENTU ☎ e fax 079654106

● B 7

Posizione geografica: collina, a 9 km dal mare.

Periodo di apertura: tutto l'anno.

Presentazione: azienda estesa su 104 ettari coltivati a vigneto, oliveto, frutteto, ortaggi, cereali. Allevamento di galline, maiali, mucche, cavalli, asini, capre, pecore. Offre ospitalità in 5 camere doppie e 2 triple per un totale di 16 posti letto e in agricampeggio con servizi.

Ristorazione: cucina gallurese, zuppa, ravioli, maialetto, selvaggina, sebadas.

Prodotti aziendali: formaggi, ortaggi, frutta, carni.

Luoghi di interesse e manifestazioni locali: museo archeologico, nuraghi, chiesa del '700.

Prezzi: pasto a £ 35.000. H/B da £ 60.000 a 80.000, F/B da £ 60.000 a 100.000, B&B £ 40.000. Riduzioni per gruppi.

Note: escursioni a piedi e in bicicletta all'interno dell'azienda. Si accolgono animali previo accordo.

TERRANOSTRA

loc. Maucciu, 72 • 07020 AGLIENTU ☎ 079654290

● B 7

Posizione geografica: montagna.

Periodo di apertura: tutto l'anno.

Associato a: Terranostra.

Presentazione: costruzione rurale su terreno coltivato a vigneto, orto, alberi da frutto. Allevamento di pecore, maiali, capre, galline. Accoglie ospiti in 3 camere con 8 posti letto.

Ristorazione: H/B e F/B. Pasta al forno, maialetto, cinghiale, salsicce di cinghiale, formaggelle, *sebadas*, liquori vari.

Prodotti aziendali: formaggio.

Luoghi di interesse e manifestazioni locali: nuraghe Maiore, costa Smeralda. Festa del turista ad Alientu, feste campestri.

Prezzi: rivolgersi all'azienda.

Note: si organizzano visite all'azienda e gite in barca alle isole. Raccolta di more e asparagi selvatici. Biancheria, riassetto.

BOCCO

loc. Macciamala, 370 • 07020 AGLIENTU ☎ 079602016

● B 7

Posizione geografica: mare.

Periodo di apertura: tutto l'anno.

Associato a: Agriturist.

Presentazione: costruzione rurale su 10 ettari coltivati a ortaggi. Allevamento di ovini e suini. Offre ospitalità in 5 camere con bagno in comune.

Ristorazione: H/B. Ristorante aperto al pubblico con 30 coperti. Cucina tipica e casalinga.

Luoghi di interesse e manifestazioni locali: Tempio Pausania, fonti, nuraghi. Festa del turista.

Prezzi: pasto da £ 25.000 a 40.000, H/B £ 65.000.

Note: solo su prenotazione, periodo minimo di soggiorno 1 settimana. Raccolta di asparagi, castagne, funghi. Equitazione. Possibilità di giocare a bocce e calcetto.

LAMON

Santa Maria la Palma - Podere 70 • 07041 ALGHERO ☎ e fax 079999250 ☎ 079999163

● E 4

Posizione geografica: mare, pianura.

Periodo di apertura: tutto l'anno.

Associato a: cooperativa Dulcamara (Turismo Verde).

Presentazione: tipica costruzione della zona in azienda di circa 13 ettari coltivati a cereali, prodotti orticoli, erbai e vigneto. Offre ospitalità in 4 camere con bagno e in 1 appartamento con 3-4 posti letto.

Ristorazione: H/B. Ristorante aperto al pubblico con 40 coperti. Menu tipici e preparazioni a base di prodotti aziendali.

Prodotti aziendali: confetture, sottoli, frutta, verdura ecc.

Luoghi di interesse e manifestazioni locali: Alghero (città catalana cinta nelle sue antiche mura), luoghi di notevole interesse floro-faunistico e ambientale, parco nazionale dell'Asinara, parco naturale di Porto Conte. Sagra del Bogamari (riccio di mare) in marzo, *Cap d'Any* (Capodanno) ad Alghero, manifestazioni musicali, teatrali e festa in piazza, sagra della pecora bollita e festa del patrono l'8 settembre.

Prezzi: pasto da £ 30.000 a 45.000, alloggio da £ 45.000 a 80.000. Sconti per i bambini al di sotto dei 4 anni.

Note: solo su prenotazione, permanenza minima 3 giorni in camera e 7 giorni in appartamento. Nelle vicinanze piscina, equitazione, sport acquatici, tennis, trekking, escursioni e visite guidate, mountain bike. Raccolta di funghi e asparagi. Possibilità di praticare sci nautico e osservazione ambientale. In azienda biancheria, telefono comune, sala comune, uso cucina, uso frigorifero, sala TV comune, posto macchina.

CORREDDU

loc. Fertilia – Podere 3 • 07041 ALGHERO
☎ 079999024

 E 4

Posizione geografica: mare.
Periodo di apertura: tutto l'anno.
Presentazione: villa rustica immersa nel verde in azienda di 400 ettari di terreno coltivato. Allevamento di ovini, suini, cinghiali e animali da cortile. Offre ospitalità in 2 camere.
Ristorazione: ristorante aperto al pubblico con 100 coperti. Porcetto, cinghiale, agnello, salsicce.
Prodotti aziendali: carni.
Luoghi di interesse e manifestazioni locali: mare, montagna, lago naturale, nuraghi, zona archeologica.
Prezzi: pasto £ 40.000. Per l'alloggio rivolgersi direttamente all'azienda. Sconti per gruppi e gite scolastiche.
Note: raccolta di asparagi, funghi, lumache. Giochi all'aria aperta. Cinema nelle vicinanze. Visita guidata al parco animali.

CUCCUREDDU GIUSEPPE

loc. Guardia Grande, 84 • 07041 ALGHERO ☎ 079919111

E 4

Posizione geografica: a 1 km dal mare.
Periodo di apertura: tutto l'anno.
Associato a: Dulcamara.
Presentazione: costruzione rurale in azienda di 9 ettari di terreno coltivati a vigneto, oliveto, frutteto e ortaggi. Offre ospitalità in 2 appartamenti da 4-6 posti letto, con servizi privati.

Ristorazione: H/B. Cucina tipica.
Luoghi di interesse e manifestazioni locali: nuraghe Palmavera, Anghelu Ruju, grotte di Nettuno, rovine romane. Sagra del riccio a febbraio, sagra delle ciliegie in maggio, "Cavalcata e Candelieri" in estate.
Prezzi: pasto £ 40.000, alloggio a £ 40.000. Sconto del 15% per bambini fino a 5 anni.
Note: solo su prenotazione. Giochi all'aria aperta, mountain bike. Raccolta di funghi e asparagi. Osservazione ambientale. Prima colazione, uso cucina, uso frigorifero, posto macchina. Animali accolti previo accordo.

ZIA MARIA

reg. Malai, km 1,8 – strada 2 mari • 07041 ALGHERO
☎ 079951844 fax 079953102
http: www.paginegialle.it/ziamaria

E 4

Posizione geografica: pianura, nelle vicinanze del mare.
Periodo di apertura: tutto l'anno.
Presentazione: costruzione normale in un terreno di 4 ettari

coltivato a vigneto, oliveto, frutteto e ortaggi. Allevamento di suini e cinghiali. Offre ospitalità in 5 camere con bagno in comune.
Ristorazione: F/B. Ristorante aperto al pubblico con 80 coperti. Tipica cucina sarda, maialino allo spiedo, ravioli.

Prodotti aziendali: verdura, uova.
Luoghi di interesse e manifestazioni locali: necropoli, nuraghi, grotte di Nettuno, città catalana. Sagra del riccio, del carciofo, del vino.
Prezzi: pasto £ 30.000, F/B £ 60.000 per persona. Per i bambini fino a 6 anni pasto £ 15.000.
Note: accessibile agli handicappati. Golf, giochi all'aria aperta. Biancheria, sala riunioni, televisione comune, posto macchina.

PIRAS BERLINGA

Podere 10 • 07041 ALGHERO ☎ 079999036

 E 4

Posizione geografica: pianura, a 3 km dal mare.
Periodo di apertura: tutto l'anno.
Presentazione: costruzione rurale in azienda di 55 ettari coltivati a vigneto, frutteto, orto. Allevamento di maiali, cinghiali, pecore. Offre ospitalità in 4 camere, con bagno privato e comune, per un totale di 8 posti letto.
Ristorazione: agnello, *purceddu* al forno, cinghiale in umido, ravioli, gnocchetti, dolci tipici.
Prodotti aziendali: formaggio.
Luoghi di interesse e manifestazioni locali: nuraghi, domus de janas, costa di Alghero, Santa Maria La Palma. Feste tradizionali nelle vicinanze.
Prezzi: pasto a £ 32.000. H/B £ 55.000. Riduzioni per bambini fino a 4 anni.
Note: biancheria.

COOP. AGRITURISTICA DULCAMARA s.r.l.

piazza Olbia, 7 – loc. Santa Maria la Palma • 07040 ALGHERO
☎ 079999197 fax 079999250

E 4

Posizione geografica: mare.
Periodo di apertura: tutto l'anno.
Associato a: Lega Coop.
Presentazione: cooperativa che comprende 9 aziende agrituristiche situate in campagna con coltivazioni di ortaggi, frutteto, vigneto, oliveto, barbabietola da zucchero e seminative. Allevamento di equini, suini, ovini e animali di bassa corte. Accoglie ospiti in 25 camere doppie con bagno comune, in 8 camere doppie con bagno privato, in 5 appartamenti da 4 posti letto e in 2 appartamenti da 6 posti letto.
Ristorazione: alcune aziende con ristorante aperto al pubblico e altre solo per gli ospiti.
Luoghi di interesse e manifestazioni locali: grotte di Nettuno, Porto Conte, Capo Caccia, nuraghe Palmavera, necropoli Anghelu Ruju, la Foradada, lago di Baratz,

Alghero. Festa dei pastori in maggio, giornata dell'agriturismo in agosto.

Prezzi: H/B da £ 75.000 a 80.000. Appartamenti da £ 40.000 al giorno per persona. Supplemento bagno in camera £ 5.000. Pulizia iniziale e finale appartamento £ 50.000.

Note: permanenza minima in appartamento 1 settimana. Equitazione, trekking, visite guidate. Intermediazioni turistiche per prenotazioni biglietto di trasporto, escursioni all'Asinara, di noleggio auto, moto, biciclette, imbarcazioni, immersioni, escursioni in mountain bike. Pulizia e biancheria.

GRANJA ROSA

loc. Santa Maria la Palma • 07040 ALGHERO
☎ 079999227 cell. 03389051485

 E 4

Posizione geografica: mare.

Periodo di apertura: tutto l'anno.

Presentazione: l'azienda si trova nel comprensorio della Nurra a pochi chilometri dal mare, con coltivazioni di vigneti, oliveti, frutteti, orti. Allevamento di animali di bassa corte. Accoglie ospiti in 4 camere con bagno privato.

Ristorazione: cucina tipica sarda e catalana.

Luoghi di interesse e manifestazioni locali: spiaggia del Porticciolo, di Porto Ferro, delle bombarde, di Porto Conte e di Maria Pia, Capo Caccia, grotte di Nettuno, riserva faunistica l'Arca di Noè, Alghero.

Prezzi: rivolgersi all'azienda.

Note: trekking a piedi e a cavallo, itinerari naturalistici, visite guidate, visite archeologiche, bird watching.

SERRAONA

reg. Guardia Grande, 56 • 07040 ALGHERO

● **E 4**

Posizione geografica: immersa nel verde a 2 km dal mare, a 7 km dall'aeroporto, a 20 km dal porto, a 16 km da Alghero.

Periodo di apertura: tutto l'anno, solo su prenotazione.

Presentazione: tipica costruzione rurale su 8 ettari di terreno adibiti a produzione di frutta e ortaggi e allevamento di bestiame. Accoglie ospiti in 1 appartamento, in 4 camere con bagno comune per un totale di 6 posti letto e in 4 piazzole in agricampeggio.

Ristorazione: H/B. Cucina preparata con prodotti aziendali.

Prodotti aziendali: ortaggi, frutta, formaggi e insaccati.

Luoghi di interesse e manifestazioni locali: Alghero, nuraghe Palmavera, parchi naturali, località balneari. Varie sagre locali.

Prezzi: alloggio a £ 30.000. Pasto a £ 35.000.

Note: possibilità di sport acquatici, escursioni e corsi agricoli. Noleggio biciclette. Possibilità di maneggio. Biancheria.

AGRIHOLIDAYS

loc. Lu Mulinu • 07021 ARZACHENA ☎ 078983089

● **B 9**

Posizione geografica: mare, in riserva naturale.

Periodo di apertura: da giugno a settembre.

Presentazione: costruzione rurale che si estende su 25 ettari coltivati a frutteti e bosco. Allevamento equino. Offre ospitalità in 2 camere con bagno e in 5 piazzole per caravan e tende.

Ristorazione: solo cena per massimo 12 coperti. Cucina tipica

sarda con carne, pesce e verdure dell'azienda.

Prodotti aziendali: verdura e frutta.

Luoghi di interesse e manifestazioni locali: costa Smeralda (6 km), tombe dei Giganti. Feste e sagre varie.

Prezzi: pasto £ 40.000, alloggio £ 50.000. Sconto del 10% per gruppi di 12 persone.

Note: raccolta di funghi e asparagi. Televisione comune, angolo cottura, uso frigorifero, posto macchina. Animali accolti previo accordo.

CUDACCIOLU

loc. Codacciolu • 07021 ARZACHENA
☎ 078981207-078983502

● **B 9**

Posizione geografica: collina, a 7 km dal mare.

Periodo di apertura: tutto l'anno.

Associato a: Turismo Verde.

Presentazione: nuova costruzione con orto annesso. Allevamento di bovini, suini, pollami. Accoglie ospiti in 7 camere, con bagno privato e comune, per un totale di 10 posti letto.

Ristorazione: piatti tipici, *suppa cuatta*, *purceddu arrosto*, *sebadas*.

Prodotti aziendali: mirto, formaggi.

Luoghi di interesse e manifestazioni locali: tombe dei Giganti, nuraghi.

Prezzi: pasto a £ 40.000. H/B a £ 65.000.

Note: possibilità di passeggiate a cavallo. Biancheria.

RENA

loc. Rena • 07021 ARZACHENA ☎ 078982532

● **B 9**

Posizione geografica: collina, a 6 km dal mare.

Periodo di apertura: tutto l'anno.

Associato a: Turismo Verde.

Presentazione: costruzione rurale ottocentesca con orto e vigneto. Allevamento di mucche, maiali e galline. Offre ospitalità in 7 camere con bagno comune.

Ristorazione: cene tipiche.

Prodotti aziendali: formaggio, miele.

Luoghi di interesse e manifestazioni locali: grotte, tombe dei Giganti, Capo d'Orso.

Prezzi: pasto a £ 40.000. H/B da £ 60.000 a 70.000.

Note: visite guidate all'azienda. Escursioni naturalistiche. Biancheria.

CA' LA SOMARA

loc. Sarra Balestra • 07021 ARZACHENA ☎ 078998969

● **B 9**

Posizione geografica: mare.

Periodo di apertura: tutto l'anno.

Presentazione: azienda di 6 ettari coltivati a cereali e prodotti orticoli, confortevole e ospitale, a due passi dalla costa Smeralda. Allevamento di asini per la protezione della razza. Accoglie ospiti in 9 camere con bagno per un totale di 18 posti letto.

Ristorazione: ristorante aperto al pubblico. Cucina vegetariana.

Prodotti aziendali: prodotti biologici.

Luoghi di interesse e manifestazioni locali: itinerari archeologici, costa Smeralda, tombe dei Giganti. Feste e sagre paesane.

Prezzi: alloggio da £ 40.000 a 60.000. Pasto a £ 45.000 per il pubblico e £ 35.000 per gli ospiti.

Note: possibilità di trattamenti energetici e visite guidate nei luoghi di interesse archeologico-naturalistico. Turismo equestre, vela, diving, climbing. Biancheria, uso fax.

LA QUERCIA VERDE

via della Corsa, 51 • 07022 BERCHIDDA
☎ 079705196 - 03387443107

● D 7

Posizione geografica: collina, ai piedi del monte Limbara.
Periodo di apertura: tutto l'anno.
Associato a: Terranostra.
Presentazione: tipica costruzione rurale che si estende su terreno coltivato a vigneto, oliveto, frutteto, orto. Allevamento di mucche, pecore, maiali, galline, conigli. Accoglie ospiti in 4 stanze per un totale di 8 posti letto.
Ristorazione: antica cucina sarda, salumi, zuppa al forno, ravioli, fettuccine, ricotta, *panadas, purceddu, sebadas,* amaretti.
Prodotti aziendali: insaccati, formaggi, olio, vino, miele, mirto, liquori a base di latte di capra.
Luoghi di interesse e manifestazioni locali: chiese campestri, 47 esemplari di domus de janas, castello del monte Acuto.
Prezzi: pasto da £ 20.000 a 35.000. H/B £ 30.000.
Note: escursioni guidate al mare e in montagna.

SANTA REPARATA

loc. Santa Reparata - strada P. Ala dei Sardi
07020 BUDDUSÒ ☎ 079715463

● D 8

Posizione geografica: montagna.
Periodo di apertura: tutto l'anno.
Associato a: Terranostra.
Presentazione: l'azienda si estende su 5 ettari con allevamento di bovini e suini. Offre ospitalità in 10 camere con bagno.
Ristorazione: H/B, F/B. Ristorante aperto al pubblico. Cucina tipica sarda.
Luoghi di interesse e manifestazioni locali: nuraghe, tombe dei Giganti, fiume Tirso, visita a Buddusò presso le vie ornate da bellissime statue in granito. Feste campestri a Santa Reparata.
Prezzi: pasto da £ 35.000 a 40.000, alloggio da £ 35.000 a 50.000. Sconto del 10% per bambini fino a 10 anni, del 5% per letto aggiunto.
Note: accessibile agli handicappati. Prato per prendere il sole. Raccolta di asparagi, castagne, funghi. Possibilità di praticare atletica, calcio, orientamento, trekking e passeggiate, mountain bike. Studio della micorizzazione del tartufo su piantine di sughero, studio della formazione e lavorazione del granito. Sala giochi per i bambini. Telefono comune e in camera, prima colazione, riscaldamento. Animali accolti previo accordo.

LI LICCI

loc. Valentino • 07023 CALANGIANUS
☎ e fax 079665114 cell. 0337819821

● C 7

Posizione geografica: collina.
Periodo di apertura: tutto l'anno.
Associato a: Turismo Verde.
Presentazione: antico complesso rurale ristrutturato in un bellissimo contesto ambientale. Coltivazione di sughero. Allevamento di ovini, caprini, suini. Offre ospitalità in 4 camere con bagno per un totale di 11 posti letto.
Ristorazione: ristorante aperto al pubblico. Menu tradizionale gallurese, porcetto, zuppa gallurese, pasta fresca, formaggi, ricotta, tutto confezionato con prodotti aziendali.
Prodotti aziendali: pecorino, ricotta, salumi, miele. I prodotti dell'azienda sono messi in vendita solo se in eccedenza sul consumo.

Luoghi di interesse e manifestazioni locali: Costa Smeralda, terme di Tempio, lago Liscia, itinerari archeologici. Carnevale di Tempio, sagra del mirto, feste campestri primaverili.
Prezzi: menu tradizionale a £ 45.000 (tutto incluso). Alloggio a partire da £ 70.000. Gratis per i bambini fino a 2 anni, sconto del 50% per i bambini da 2 a 10 anni.
Note: accessibile agli handicappati. Solo su prenotazione. Terrazza per prendere il sole, giochi all'aria aperta, equitazione, tennis, trekking e passeggiate, escursioni e visite guidate, mountain bike. Campo di bocce, golf. Partecipazione alla vita dell'azienda, gite in barca.
Raccolta di asparagi, funghi, corbezzoli, mirto. Si parlano inglese e francese. Riscaldamento, biancheria, prima colazione, pasto a scelta, sala televisione con camino.

ANGLONA VERDE

via Carru, 8 • 07030 ERULA ☎ 079575420

● D 7

Posizione geografica: collina, a 20 km dal mare.
Periodo di apertura: tutto l'anno.
Presentazione: nuova costruzione su terreno coltivato a foraggi, orto, vigneto, frutteto. Allevamento di maiali, mucche, pecore. Offre ospitalità in 8 camere con 20 posti letto.
Ristorazione: riscoperta di piatti antichi, zuppa gallurese, purceddu allo spiedo, papassinos, sebadas. Disponibilità fino a 100 coperti.
Prodotti aziendali: liquori, dolci.
Luoghi di interesse e manifestazioni locali: lago Coghinas, domus de janas, nuraghi, museo archeologico, foresta pietrificata.
Prezzi: pasto da £ 20.000 a 35.000. H/B £ 55.000, F/B £ 75.000. Sconto del 30% per bambini fino a 6 anni.
Note: giochi per bambini, escursioni, trekking. Raccolta di funghi, cardi selvatici, asparagi, bacche, mirto. Biancheria.

SATTA GIOVANNA

via Pietro Bonacossa - loc. Azzani
07020 LOIRI - PORTO SAN PAOLO ☎ 078922191 cell. 0330406320

● C 9

Posizione geografica: collina, vicino al mare.
Periodo di apertura: tutto l'anno.
Presentazione: rustico gallurese del '700 in azienda di 186 ettari. Allevamento di bovini, suini, pollame. Offre ospitalità in 4 camere, con 2 bagni comuni, per un totale di 8 posti letto.
Ristorazione: 30 coperti. Ravioli, zuppa gallurese, gnocchetti, arrosto di agnello, pesce, *porcetto.*
Prodotti aziendali: olio d'oliva, formaggi, uova, liquore di mirto.
Luoghi di interesse e manifestazioni locali: siti archeologici. Festa dello Spirito Santo, festa di Loiri, sagre di paese e feste campestri.

Prezzi: OR a £ 35.000, B&B a £ 40.000, H/B a £ 75.000, F/B a £ 100.000. Gratis per bambini fino a 3 anni, sconto del 50% fino a 12 anni.
Note: tennis, escursioni a cavallo. Raccolta di corbezzoli, asparagi selvatici, mirto, mirtilli. Biancheria, riassetto. Animali accolti previo accordo.

PADRU INTRO

via Paganini • 07020 PADRU ☎ 078945917

 D 9

Posizione geografica: collina, a 12 km dal mare.
Periodo di apertura: tutto l'anno.
Associato a: Turismo Verde.
Presentazione: casa rurale ristrutturata su terreno coltivato a vigneto e orto. Allevamento di pecore. Offre ospitalità in 2 camere con 6 posti letto.
Ristorazione: ravioli di ricotta, zuppa gallurese, gnocchetti sardi, prosciutto, salsicce, maialetto, formaggio, *sebadas*, acqua sorgiva. Fino a 50 coperti.
Prodotti aziendali: formaggi.
Luoghi di interesse e manifestazioni locali: estate padrese della durata di 2 mesi.
Prezzi: pasto a £ 40.000. H/B £ 65.000. Riduzioni per bambini fino a 10 anni.
Note: solo su prenotazione. Escursioni a piedi e a cavallo. Raccolta di asparagi selvatici e porcini. Biancheria.

FINAGLIOSU

loc. Finagliosu • 07040 PALMADULA
☎ 0336777141 fax 079999250

C 4

Posizione geografica: vicino al mare.
Periodo di apertura: tutto l'anno.
Associato a: Turismo Verde.
Presentazione: antico "quile" della Nurra su 40 ettari coltivati a cereali. Allevamento di ovini, suini ecc. Offre ospitalità in 4 camere doppie con bagno, 1 tripla con bagno, 1 appartamento (4 posti letto, bagno, angolo cottura), 1 appartamento (7/10 posti letto, veranda). Tutti gli alloggi sono con vista mare.
Ristorazione: H/B. Ristorante aperto al pubblico con 60 coperti. Cucina tipica sarda.
Prodotti aziendali: formaggi, salumi, vino, mirto e "filuferru".
Luoghi di interesse e manifestazioni locali: vecchie miniere, lago naturale, parco Asinara, arca di Noé, Stintino, Alghero. L'azienda a metà maggio organizza la "festa dei pastori" (tosatura delle pecore).
Prezzi: cena tipica sarda a £ 35.000, B&B £ 38.000 (solo fuori stagione), H/B £ 70.000. Riduzioni per bambini.
Note: solo su prenotazione. Osservazione ambientale. Trekking e passeggiate. Noleggio mountain bike. Sala riunioni. Lavaggio biancheria.

AZARA GAVINO

loc. La Punga • 07020 PORTO CERVO ☎ 078998829

 B 9

Posizione geografica: pianura, a 3 km dal mare.
Periodo di apertura: tutto l'anno.
Associato a: Turismo Verde.
Presentazione: casa rurale con terreno coltivato a ortaggi, oliveto. Allevamento di maiali, pecore, mucche. Of-

fre ospitalità in 4 camere con 8 posti letto.
Ristorazione: antipasto di maiale, gnocchi, ravioli, zuppa, *purceddu*, agnello, mirto.
Prodotti aziendali: formaggi, ortaggi.
Luoghi di interesse e manifestazioni locali: parco naturale, isole.
Prezzi: pasto a £ 45.000 (menu fisso). H/B da £ 70.000 a 80.000. Riduzioni per bambini.
Note: campo da calcetto, visite guidate al parco naturale, visite in barca alle isole. Biancheria.

LE TRE GRAZIE

reg. Zirra - podere 74 • 07040 SANTA MARIA LA PALMA
☎ 079999093-079533188 cell 03395651776
E-mail:letregrazie@ssnet.it

 E 4

Posizione geografica: pianura, vicino al mare.
Periodo di apertura: tutto l'anno.
Associato a: Agriturist.
Presentazione: casa colonica ristrutturata su 8 ettari coltivati a cereali, frutteto e ortaggi. Allevamento di pollame e conigli. Offre ospitalità in 5 camere con bagno e in 2 appartamenti indipendenti da 6/8 posti letto.
Ristorazione: H/B. Solo su prenotazione ristorante aperto al pubblico con 30 coperti. Coniglio, porcetto, agnello, gnocchetti sardi, varie verdure, torte della casa, grappa, mirto, limoncino.
Prodotti aziendali: dolci, marmellate, sottoli, sottaceti, frutta, verdura, conigli, galline, uova, limoncino.
Luoghi di interesse e manifestazioni locali: Alghero (città catalana), nuraghe Palmavera, necropoli, domus de janas, parco marino Porto Conte, grotte marine di Nettuno. "Cavalcata sarda" a Sassari in maggio, sagra del riccio ad Alghero in gennaio e marzo, manifestazioni folkloristiche ad Alghero durante tutta l'estate.
Prezzi: pasto fino a £ 35.000, B/B fino a £ 50.000, H/B fino a £ 80.000. Sconti per bambini fino a 8 anni del 50%.
Note: accessibile agli handicappati. Periodo invernale ristorazione su prenotazione. Pesca, giochi all'aria aperta. Raccolta di mirto, corbezzolo, fichi d'India, erbe aromatiche, funghi. Osservazione ambientale, corsi di gastronomia e di giardinaggio. Beach volley, diving center, ping-pong, biciclette. Nelle vicinanze tennis e calcetto. Biancheria, prima colazione, uso frigorifero, riscaldamento, sala comune, posto auto. Animali accolti previo accordo.

SARIDE

reg. Cubalciada, 222 • 07040 SANTA MARIA LA PALMA
☎ 079919037

 E 4

Posizione geografica: mare.
Periodo di apertura: tutto l'anno.
Presentazione: tipica costruzione rurale su 8 ettari di terreno coltivati a cereali, vigneto, frutteto e ortaggi. Allevamento di animali di bassa corte. Offre

ospitalità in 2 appartamenti con riscaldamento. Per l'estate 2000 sarà disponibile l'agricampeggio con 15 posti tenda.
Ristorazione: H/B. Dispone di una sala ristoro per 40 coperti con aria condizionata. Cucina tipica sarda, casalinga.
Prodotti aziendali: vini, sottoli, insaccati, marmellate, conserve, uova, pollame, ortaggi ecc.
Luoghi di interesse e manifestazioni locali: nuraghi, necropoli, riserva naturalistica.
Prezzi: pasto da £ 30.000 a 40.000, OR a £ 40.000, H/B a £ 70.000. Riduzioni per bambini da concordare.

Note: accessibile agli handicappati. Periodo minimo di prenotazione 3 giorni. Prato per prendere il sole, giochi all'aria aperta. Raccolta di asparagi, funghi, corbezzolo, mirto. Calcetto, parco giochi per bambini. Nelle vicinanze equitazione, tennis, trekking (tutte le strutture sono convenzionate). Corsi di agricoltura, caseificazione, enologia. Biancheria, sala comune, uso frigorifero, posto macchina.

SARDUPINA

via dei Fenicotteri • 07040 SANTA MARIA LA PALMA
☎ 079533147

 E 4

Posizione geografica: pianura, a 1 km dal lago di Baratz e a 3 km dal mare.
Periodo di apertura: tutto l'anno.
Associato a: Dulcamara.
Presentazione: casa colonica ristrutturata con terreno coltivato a vigneto, oliveto, orto, frutteto. Allevamento di maiali, galline, pecore. Offre ospitalità in 5 camere per un totale di 10 posti letto.
Ristorazione: piatti tipici, antipasto di salsicce, formaggio e olive, ravioli, agnello, maialetto.
Prodotti aziendali: formaggio, vino, pane fatto in casa.
Luoghi di interesse e manifestazioni locali: lago Baratz, grotte di Nettuno, Argentiera, Porto Torres.
Prezzi: pasto a £ 35.000. H/B £ 65.000, F/B £ 85.000.
Note: possibilità di escursioni a cavallo nelle vicinanze. Biancheria, riassetto.

LOI MARISA

07040 SANTA MARIA LA PALMA
☎ 079533010

 E 4

Posizione geografica: pianura, a 6 km dal mare.
Periodo di apertura: da maggio a settembre.
Associato a: Dulcamara.
Presentazione: casa colonica con terreno coltivato a frutteto e orto. Allevamento di ovini, maiali e animali da cortile. Offre ospitalità in 3 stanze con bagno per un totale di 9 posti letto.
Ristorazione: pasta fatta in casa, ravioli, *purceddu*.
Luoghi di interesse e manifestazioni locali: nuraghi, lago naturale, pinete.
Prezzi: pasto da £ 35.000 a 45.000. H/B £ 60.000.
Note: nelle vicinanze maneggio e noleggio barche. Biancheria. Animali accolti previo accordo.

LI MISTERI

loc. Zirra • 07040 SANTA MARIA LA PALMA
☎ 079533111

● **E 4**

Posizione geografica: pianura.
Periodo di apertura: tutto l'anno.
Associato a: Turismo Verde.
Presentazione: vecchia costruzione rurale in azienda di 20 ettari coltivati a frutteto, vigneto, orto, oliveto. Allevamento di cavalli, suini, ovini, caprini, galline, tortore, anatre, fagiani, oche. Offre ospitalità in 5 camere di cui 4 con bagno privato e 1 con bagno comune.
Ristorazione: pasta fatta in casa, *purceddu* allo spiedo, *sebadas*.
Prodotti aziendali: olio, vino, marmellate, formaggi.
Luoghi di interesse e manifestazioni locali: necropoli di Anghelu Ruju, nuraghe Palmavera, grotte di Nettuno.
Prezzi: pasto a £ 35.000. H/B £ 65.000, F/B £ 85.000.
Note: possibilità di partecipare ai lavori dell'azienda. Escursioni a piedi e a cavallo.

LA VALLE DEL MIRTO

reg. Zirra, 38 • 07040 SANTA MARIA LA PALMA
☎ 079533115

● **E 4**

Posizione geografica: pianura.
Periodo di apertura: tutto l'anno.
Associato a: Dulcamara e Turismo Verde.
Presentazione: costruzione rurale su 28 ettari di terreno coltivati a vigneto, oliveto, cereali, frutteto. Allevamento di ovini, suini e animali di bassa corte. Offre ospitalità in 4 camere di cui 1 con bagno privato, per un totale di 8 posti letto.
Ristorazione: prodotti dell'azienda, gnocchetti, ravioli, maialetto, formaggelle, *sebadas*.
Prodotti aziendali: ortaggi, cereali, carni, vino, formaggi.
Luoghi di interesse e manifestazioni locali: parco naturale Arca di Noè, necropoli di Anghelu Ruju, Palmavera, grotte di Nettuno, lago Baratz, a 27 km da Porto Torres per imbarco all'Asinara. Feste di paese.
Prezzi: da concordare direttamente con l'azienda. Riduzioni per bambini.
Note: passeggiate naturalistiche, prato per prendere il sole. Raccolta di corbezzoli, asparagi, bacche di mirto. Animali accolti previo accordo.

SALTARA

loc. Saltara • 07028 SANTA TERESA DI GALLURA
☎ 0789755597 cell. 0368556054
E-mail:saltara@tiscalinet.it

 A 8

Posizione geografica: mare.
Periodo di apertura: tutto l'anno.
Associato a: Turismo Verde.
Presentazione: tipico stazzo gallurese su 80 ettari coltivati a frutteto e orto. Allevamento di bovini e suini. Offre ospitalità in 5 boungalow con bagno privato.
Ristorazione: H/B. Ristorante aperto al pubblico. Cucina tipica gallurese.
Prodotti aziendali: formaggi, salumi, ortaggi.
Luoghi di interesse e manifestazioni locali: siti nuragici, parco marino della Maddalena, musei a La Maddalena. Sagra di San Giuseppe il 1° maggio.
Prezzi: pasto £ 50.000, alloggio a partire da £ 70.000.
Note: periodo minimo di prenotazione 1 settimana. Prato per prendere il sole, giochi all'aria aperta. Osservazione ambientale, corsi di cucina gallurese. Raccolta di funghi, asparagi e mirto. Possibilità di praticare equitazione, mountain bike, pesca, tennis e sport nautici nelle vicinanze. Biancheria, riassetto, telefono, fax, prima colazione, posto macchina. Si parlano inglese, francese, spagnolo. Animali accolti previo accordo.

NASEDDU FRANCESCO

via Campania, 6 • 07028 SANTA TERESA DI GALLURA
☎ 0789756070-0789754132

 A 8

Posizione geografica: a 3 km dal mare.
Periodo di apertura: da maggio a settembre.
Presentazione: tipica costruzione rurale su un'area di 45 ettari coltivati a frutteto, orto, vigneto. Allevamento di bovini, suini, caprini, galline. Offre ospitalità in 3 appartamenti da 2 a 6 posti letto e in camere.
Ristorazione: ristorante aperto al pubblico con 60 coperti. Cucina tipica gallurese con prodotti aziendali.
Prodotti aziendali: ortaggi, vino, uova, dolci, latticini.
Luoghi di interesse e manifestazioni locali: chiesette campestri di San Giuseppe e di Sant'Antonio. Festa di Sant'Antonio a metà giugno, sagra del pesce, sagra delle frittelle, manifestazioni folkloristiche.
Prezzi: pasto a £ 40.000. Alloggio da £ 30.000 a 50.000. Sconto del 35% per bambini fino a 10 anni.
Note: accessibile agli handicappati. Giochi all'aria aperta, biliardo, bocce, equitazione, canoa, gite alle isole. Prato ombreggiato da lecci e olivi secolari. Raccolta di funghi, asparagi, mirto, corbezzoli, more.

IL CANNETO

loc. Lampianu • 07100 SASSARI
☎ 079531033

● **D 5**

Posizione geografica: pianura.
Periodo di apertura: tutto l'anno.
Associato a: Terranostra.
Presentazione: vecchia costruzione ristrutturata. Coltivazione di ortaggi. Allevamento di pecore, maiali, pollame, cavallini. Offre ospitalità in 3 camere con 11 posti letto.
Ristorazione: pecora bollita, agnello, *purceddu*, pasta e pane fatto in casa, *sebadas*.
Prodotti aziendali: formaggio, salsicce, sottolio, marmellate.
Prezzi: pasto a £ 36.000. B&B da £ 25.000 a 30.000, H/B da £ 50.000 a 55.000.
Note: escursioni naturalistiche.

L'AGLIASTRU

via Monte Casteddu, Podere 75 - loc. Campanedda
07100 SASSARI ☎ 079306070

● **D 5**

Posizione geografica: collina.
Periodo di apertura: tutto l'anno.
Associato a: Terranostra.
Presentazione: azienda di 16 ettari in cui si allevano polli, ovini, suini e conigli e si coltivano olivi e ortaggi. Accoglie ospiti in 4 camere, di cui 1 con bagno privato e 3 con bagno comune, per un totale di 10 posti letto.
Ristorazione: ristorante aperto al pubblico con 15 coperti. Cucina tipica sarda, casalinga, preparata con i prodotti aziendali.
Luoghi di interesse e manifestazioni locali: località balneari e scavi archeologici.
Prezzi: B&B da £ 25.000 a 30.000, H/B da £ 55.000 a 60.000, F/B da £ 72.000 a 82.000. Pasto da £ 25.000 a 36.000. Sconti per bambini da concordare.
Note: cambio biancheria. Pulizia non compresa nel prezzo. Animali accolti previo accordo.

SCANO LUCIA

via Giulio Cesare, 24
07020 TELTI
☎ 078943146-078943590

● **C 9**

Posizione geografica: collina, a 15 km dal mare.
Periodo di apertura: tutto l'anno.
Associato a: Agriturismo.
Presentazione: tipica costruzione rurale in azienda di 6 ettari di terreno coltivati a vigneto. Allevamento di suini e caprini. Offre ospitalità in 4 camere con bagno.
Ristorazione: H/B. Specialità tipiche sarde.
Luoghi di interesse e manifestazioni locali: nuraghe, attrazioni naturalistiche. Sagra del mirto ad agosto.
Prezzi: pasto da £ 20.000 a 35.000, alloggio da £ 30.000 a 50.000.
Note: solo su prenotazione. Osservazione ambientale. Equitazione nelle vicinanze. Giochi all'aria aperta. Biancheria, prima colazione.

CAMPUILEDDA

loc. Campuiledda • 07020 TELTI
☎ 078943960 cell. 03386311334

● **F 9**

Posizione geografica: collina.
Periodo di apertura: tutto l'anno.
Associato a: Agriturist e TCI.
Presentazione: stazzo gallurese in azienda di 110 ettari che alleva ovini, caprini, bovini e animali di bassa corte e produce foraggi e prodotti ortofrutticoli. Accoglie ospiti in 4 camere, di cui 2 con bagno privato e 2 con bagno comune, per un totale di 8 posti letto.
Ristorazione: piatti tipici sardi.
Prodotti aziendali: salumi, formaggio, miele, marmellata e vino.
Luoghi di interesse e manifestazioni locali: Dolmen Luras, tombe dei Giganti, nuraghi. Feste campestri da aprile a giugno e da settembre a ottobre, sagra del mirto e del Vermentino.
Prezzi: H/B da £ 70.000, F/B da £ 100.000. Pasto da £ 30.000.

PAUSANIA

loc. Scupetu • 07029 TEMPIO PAUSANIA
☎ e fax 079671972

● **C 7**

Posizione geografica: collina, montagna.
Periodo di apertura: tutto l'anno.
Associato a: Turismo Verde.
Presentazione: tipica costruzione rurale in azienda di 85 ettari coltivati a ortaggi. Allevamento di bovini, suini, ovini. Offre ospitalità in 5 camere con bagno.
Ristorazione: H/B, F/B. Ristorante aperto al pubblico. Cucina tradizionale sarda.
Prodotti aziendali: salumi e formaggi.
Luoghi di interesse e manifestazioni locali: Vignola mare e monte Limbara a 20 km, nuraghi e chiese. Folklore internazionale e feste campestri.
Prezzi: pasto da £ 30.000 a 40.000, H/B £ 70.000, F/B £ 100.000. Sconto del 50% per bambini fino a 10 anni.
Note: raccolta di funghi, castagne e frutti di bosco. Giochi all'aria aperta, equitazione, trekking e passeggiate. Osservazione ambientale. Possibilità di giocare a bocce. Riscaldamento.

L'AGNATA

loc. L'Agnata
07029 TEMPIO PAUSANIA
☎ **079671384**

● ☐ **C 7**

Posizione geografica: collina.
Periodo di apertura: tutto l'anno tranne novembre. Il ristorante chiude il martedì.
Presentazione: antico stazzo ristrutturato e circondato da boschi in mezzo alla Gallura. Coltivazione di oliveti. Offre ospitalità in 12 camere con bagno.
Ristorazione: H/B, F/B. Ristorante aperto al pubblico con 50 coperti. Cucina tipica sarda, ravioli, *suppa cuatta*, agnello e *porceddu*, Vermentino del posto.
Luoghi di interesse e manifestazioni locali: nuraghe Maiori, necropoli, castello di Balaiana, valle della Luna, Vignola.
Prezzi: pasto £ 40.000. H/B £ 95.000, F/B £ 115.000. Sconto del 20% per bambini fino a 10 anni.
Note: è gradita la prenotazione. Trekking e passeggiate, escursioni e visite guidate.

LA CERRA

loc. Padulo - stazzo La Cerra
07029 TEMPIO PAUSANIA
☎ 079670972 cell. 03683213675

● ☐ **C 7**

Posizione geografica: collina.
Periodo di apertura: tutto l'anno.
Presentazione: caratteristico stazzo gallurese in azienda di 72 ettari coltivati biologicamente. Allevamento di api e bovini allo stato brado. Offre ospitalità in 5 camere e 1 appartamento per un totale di 12 posti letto.
Ristorazione: B&B, H/B. Piatti tipici locali o cucina vegetariana con prodotti propri.
Prodotti aziendali: miele, carne, verdura, uova, frutta, latte, formaggio.
Luoghi di interesse e manifestazioni locali: parco regionale del Limbara, tomba dei Giganti di Arzachena, monte Pulchiana, Luogosanto, nuraghe. Varie manifestazioni.
Prezzi: B&B a £ 45.000, H/B a £ 70.000.
Note: soggiorno minimo di 2-3 giorni. Escursioni guidate con itinerario naturalistico-archeologico. Possibili escursioni a cavallo. Seminari didattici per bambini sull'apicoltura e la lavorazione del sughero.

FRANCESCA SATTA

via Gramsci, 7 • 07030 TERGU
☎ 079476019

● ☐ **C 6**

Posizione geografica: collina.
Periodo di apertura: da giugno a settembre.
Associato a: Terranostra.
Presentazione: azienda di 20 ettari ad indirizzo agricolo e pastorizio, con coltivazioni di ortaggi e cereali e allevamento di ovini e suini. Accoglie ospiti in 5 camere con bagno comune, per un totale di 15 posti letto.
Ristorazione: cucina tipica sarda.
Prodotti aziendali: formaggio.
Luoghi di interesse e manifestazioni locali: Castelsardo, Costa Paradiso, Tempio Pausania.
Prezzi: H/B da £ 50.000 a 55.000. Pasto a £ 36.000.
Note: cambio biancheria.

MARCHESI GIOVANNI

loc. Sa Pigalva • 07010 TULA
☎ 079718359

● ☐ **D 7**

Posizione geografica: collina sul lago Coginas.
Periodo di apertura: tutto l'anno.
Presentazione: tipica costruzione rurale in azienda di 80 ettari con produzione di cereali. Allevamento ovino. Offre ospitalità in 6 camere con bagno e in 1 piazzola per tende o caravan.
Ristorazione: H/B. Ristorante aperto al pubblico con 100 coperti. Zuppa tulese, gnocchi, ravioli, cinghiale, agnello, *porcetto*.
Prodotti aziendali: salumi, formaggi, miele, uova.
Luoghi di interesse e manifestazioni locali: lago, chiesa della Madonna di Castro. Festa della Madonna sul monte con cena l'ultimo sabato di luglio, festa della Madonna di Castro la domenica dopo Pasqua.
Prezzi: pasto da £ 20.000 a 40.000, alloggio £ 30.000 a persona. Sconto del 40% a pasto per bambini fino a 10 anni.
Note: accessibile agli handicappati. Prato per prendere il sole, giochi all'aria aperta. Raccolta di funghi e cardi. Possibilità di praticare sci nautico, tiro al volo, tiro con l'arco, pesca, mountain bike. Corsi di caseificazione e gastronomia. Sala riunioni, telefono comune, prima colazione, posto macchina.

CARBONI GIUSEPPE

reg. Zirra - Podere 88 • 07041 ALGHERO
☎ 079999151

▲ ☐ **E 4**

Posizione geografica: collina e mare.
Periodo di apertura: tutto l'anno.
Associato a: Terranostra.
Presentazione: tipica costruzione rurale su 12 ettari coltivati a ortaggi, cereali e frutteto.
Prodotti aziendali: ortaggi.

Luoghi di interesse e manifestazioni locali: vestigia romane a Porto Torres, nuraghe di Palmavera, lago di Baratz. Sagra del riccio.
Prezzi: alloggio da £ 35.000 a 40.000. Sconto del 50% per bambini fino a 4 anni.
Note: prato per prendere il sole. Raccolta di asparagi, frutti di bosco e funghi. Osservazione ambientale e corsi di giardinaggio. Possibilità di giocare a bocce. Uso cucina, uso frigorifero, riscaldamento con caminetto.

LE QUERCE

loc. Vaddi de Jatta • 07020 PORTO CERVO
☎ e fax 078999248

▲ ☐ **B 9**

Posizione geografica: a 900 m dal mare.
Periodo di apertura: da Pasqua a fine ottobre.
Presentazione: residenza privata aperta agli ospiti in forma di club. Accoglie ospiti in miniville con cucina, camera, bagno, giardino, parcheggio privato. Orto e frutteto biologico.
Prodotti aziendali: prodotti biologici.
Luoghi di interesse e manifestazioni locali: costa Smeralda, zone di interesse archeologico.
Prezzi: da £ 500.000 a 1.800.000 a settimana.
Note: settimane di relax e di cura del corpo con possibilità di sottoporsi a massaggi e a cure per il mal di schiena. Si organizzano gite in barca. Nelle vicinanze tennis, maneggio, golf. Non si accettano ospiti di età inferiore a 14 anni.

PER INSERZIONE GRATUITA O AGGIORNAMENTO
(si prega di scrivere chiaramente in stampatello o a macchina)

☐ **ALLOGGIO/RISTORAZIONE** (allegare foto)   ☐ **Aggiornamento scheda esistente**
☐ **SOLO ALLOGGIO** (allegare foto)   ☐ **Nuova inserzione**

Ragione Sociale _____

Titolare _____

Indirizzo (eventualmente località; via/piazza; C.A.P. Comune; Provincia; n° telefonico e fax) _____

_____

Posizione geografica:

☐ pianura   ☐ collina   ☐ montagna

☐ mare   ☐ lago   ☐ fiume

Periodo di apertura: (segnalando anche il giorno di chiusura dell'eventuale ristorante) _____

Presentazione: (descrizione dell'edificio, della proprietà, delle colture, del tipo di allevamento e di quanto si ritiene interessante
per gli ospiti) _____

_____

_____

_____

Ristorazione: (tipo di trattamento per gli ospiti, piatti tipici) _____

_____

Prodotti aziendali: (quelli destinati alla vendita) _____

Luoghi di interesse nelle vicinanze e manifestazioni locali: (località e attrazioni d'interesse storico, archeologico, artistico, naturalistico; manifestazioni di vario tipo, fiere, mercati ecc.: si prega di citare con esattezza i nomi delle attrazioni
locali e delle manifestazioni, l'epoca in cui si svolgono ed eventualmente una breve spiegazione di cosa si tratta)

_____

_____

_____

_____

Prezzi: (sconti, agevolazioni e condizioni particolari) _____

Note: (tempo di prenotazione, durata minima di permanenza; giochi e attività ricreative, naturalistiche e/o lavorative; baby sitting; pulizie) _____

_____

_____

_____

Numero di camere _____	**Bagno in comune** _____	**Vendita prodotti** _____
Numero di posti letto _____	**Numero di posti tenda**	**Tennis** _____
Numero di appartamenti _____	**e caravan** _____	**Piscina** _____
Bagno in camera _____	**Cambio biancheria** _____	**Si accettano animali** _____

Ritagliare lungo la linea tratteggiata e spedire a: Casa Editrice DEMETRA S.r.l. via Strà, 167 - SS 11 • 37030 Colognola ai Colli (Verona)

Finito di stampare nel mese di febbraio 2001
dalle Grafiche BUSTI S.r.l - Colognola ai Colli (Vr)